DU MÊME AUTEUR

Aux Éditions Gallimard

MÉTAMORPHOSES DE LA REINE. (Goncourt de la nouvelle 1985.)

Aux Éditions Julliard

HISTOIRE DE LA CHAUVE-SOURIS, *roman.* (Avant-propos de Julió Cortázar.)

HISTOIRE DU GOUFFRE ET DE LA LUNETTE, *nouvelles.*

HISTOIRE DU TABLEAU, *roman.* (Prix Marie-Claire Femmes.)

LA FORTERESSE, *nouvelles*

NOUS SOMMES ÉTERNELS

PIERRETTE FLEUTIAUX

NOUS SOMMES ÉTERNELS

roman

GALLIMARD

à Anne Philipe

à A. Wagneur

à toute ma maison Helleur

1

à G.

1

Estelle reçoit des lettres

J'ai reçu deux réponses de Vlad.

Quelques mois plus tard j'ai écrit à Michael, et j'ai reçu deux réponses de lui aussi.

Ils étaient nos amis, ils sont vivants.

Je commence par leurs lettres... pour m'encourager.

Vous comprendrez, madame.

Paris

Chère Estelle,

Ce que tu me demandes est impossible.

Tu devrais te rappeler qu'à l'époque déjà j'avais cessé de faire ce genre de choses.

Es-tu tombée hors du monde ?

Bien à toi,

Vlad

P-S : Qui est cette Claire Helleur dans l'adresse que tu m'as donnée, une sœur ? je croyais que tu n'avais qu'un frère ?

LETTRE DE MICHAEL

New York

Estelle love,

Of course I'll do it.
I'll do anything you want. For the sake of you and him.
Another letter will be coming up shortly.

I love you dearly[1],

Michael

---

1. Chère Estelle, bien sûr que je le ferai. Je ferai tout ce que tu voudras. En souvenir de toi et de lui. Une autre lettre suit. Je t'embrasse tendrement...

US Est

Ma chère Estelle,

Tu ne vas pas le croire, je t'écris dans l'avion entre Moscou et Leningrad. De mon vieux pays dont je vous ai tant rebattu les oreilles. Tu te rappelles, des heures entières, et on finissait par pleurer tous les trois !

Je ne sais pas si c'est ce voyage, d'entendre parler ma langue partout (dans l'avion en ce moment, comme un ressac tiède), mais je suis tout remué et je n'arrête pas de penser à vous.

Excuse-moi pour cette lettre que je t'ai envoyée. La tienne était si courte, sans même un numéro de téléphone où t'appeler, cela m'a mis en fureur. Est-ce que tu avais pu oublier notre amitié ? Etait-il possible que tu m'écrives juste pour me demander un service, sans me parler de toi, de ce que tu as fait après... pas de nouvelles, disparue, envolée, et soudain quelques lignes (cinq, j'ai compté, Estelle) après tant d'années !

Et maintenant ma colère est tombée, je me rappelle comment vous étiez tous les deux, si imprévisibles...

Je vous revois dans votre immense appartement, toutes ces fenêtres, la lumière sur le parquet vide, le piano et la barre sur le mur.

Tu te rappelles cette danse de la feuille de salade ?

Et moi qui vous avais attendus une bonne partie de la nuit, à regarder vos fenêtres illuminées et grandes ouvertes, j'étais collé contre le mur en bas dans la rue et je vous appelais, une vieille avait sorti la tête de l'immeuble en face et crié méchamment « allez donc au commissariat, c'est là que vous les trouverez ! », mais tu connais mon histoire, la police, ce n'est pas pour moi, et je me suis endormi sur le trottoir, c'est là que vous m'avez trouvé en rentrant, la tête sur ma valise de caviar, personne ne l'avait volée, on s'est saoulés tous les trois en mangeant le caviar, enfin vous, moi j'étais allé m'acheter une boîte de cassoulet chez votre Cambodgien du bas, qui ne fermait jamais à cette époque, lui aussi quelle odyssée, il venait d'échapper à sa guerre à lui, il couchait sur un lit de camp comme les veilleurs de nuit dans les hôtels, le fait-il toujours ?

Estelle, cette espèce de télégramme qu'était ta lettre m'a fait froid dans le dos, mais maintenant je pleure. Sans vous, sans votre générosité, je ne sais pas comment j'aurais survécu, et surtout quand je suis si vite tombé de la gloire dans l'oubli. Ecrivain fêté un jour et abandonné presque aussitôt !

Je n'ai pas oublié, oh si l'argent pouvait suffire !

Ma chère petite, daragaïa Estellenka, je ne suis plus pauvre, et je n'ai pas versé de larmes depuis longtemps, mais tu vois je sais encore comment on fait.

Vous me regardiez les yeux écarquillés quand je vous racontais ma saga d'émigré, tout ce que j'allais mettre dans mes articles et nouvelles en rentrant de chez vous, et il disait « mais tu pleures, Vlad ? » et je disais « da, da, ya platchou », cela avait tellement l'air de vous étonner, après j'ai appris à le comprendre cet air-là, mais je ne connaissais rien de vous alors, je vous considérais comme de jeunes privilégiés, tu sais, comme on se les imagine ici, je me disais que j'avais de la chance d'être tombé sur vous, je me disais que si je vous exploitais, c'était bien fait, puisque de toute façon n'est-ce pas... et puis j'en avais marre de ce rôle de dissident qu'il fallait jouer et rejouer pour gagner mon fric... Quand je pense au prix que vous me donniez pour ce foutu caviar. Et moi dès que j'avais l'argent, j'allais acheter des boîtes de conserve et des

15

baguettes de pain. Le caviar, rien que la vue de ce machin gélatineux me rend toujours malade. Et la couleur, l'odeur !

Ma boîte de cassoulet, je voulais la manger telle quelle, ça vous ne pouviez pas comprendre, vous insistiez, « fais-la réchauffer quand même », on était allés dans votre cuisine, je n'avais jamais vu un luxe pareil, oui ça devait être la première fois que je venais chez vous, ces appareils, on aurait dit des fusées nucléaires. Mais quand j'ai voulu mettre mon cassoulet au four, vous m'avez regardé d'un air bizarre. « Là », vous disiez. « Quoi, là ? » « C'est avec ça qu'on fait la cuisine. » Ça, c'était une espèce de petit truc bleu, comment vous appelez ça, tu sais, une petite bouteille avec un trépied dessus. J'ai eu l'impression que vous l'aviez nettoyé aussi bien que possible, qu'il avait son plus beau bleu et tout, mais quand même...

Camping-gaz, ça y est, on a trouvé le nom. Ce truc minable était posé sur la magnifique cuisinière, toute noire avec des lumières vertes et rouges, je la revois encore, j'ai acheté la même exactement quand j'ai commencé à gagner de l'argent. « Vous avez ces appareils incroyables et vous faites la cuisine sur ce truc, comme nous là-bas ! » Vous ne disiez rien. Je tournais en rond dans cette cuisine, j'étais hors de moi, tu sais comme ça m'arrive. Et puis vous avez dit « on n'ose pas s'en servir » ou quelque chose comme ça. Et je me suis dit « ils sont fous, je m'en vais ! »

J'ai pensé que vous aviez peut-être des idées révolutionnaires spéciales, ou quelque chose de ce genre, tu sais, ce qui me hérisse, des idées quoi, de ces idées qui lancent si bien les guerres, qui parquent les gens en camp ou les installent en pleine Sibérie au troisième sous-sol d'un immeuble dont on ne sort jamais, enfin tu connais tout ça.

Après j'ai voulu prendre une bière au frigo, et il était entouré de plastique transparent, le plus beau frigo que j'avais vu de ma vie, entouré de plastique et majestueux comme un iceberg. Vous m'avez désigné du doigt le rebord de la fenêtre, où vous aviez tous ces pots de yaourt bien alignés, comme de petits écoliers, et les boîtes de bière et de coca comme des poupées, et les bouteilles de champagne comme des quilles, et je ne sais pas ce qui s'est passé, j'ai changé d'un seul coup, Estelle, c'est là que j'ai dû me mettre à

16

vous aimer. Et j'ai changé par rapport à votre pays, le mien, et tout.

En tout cas, vous pouviez être salement agressifs tous les deux et vous m'êtes tombés sur le poil en me disant qu'il fallait être le plus snob des snobs pour préférer une boîte de cassoulet froid à du caviar. Ça m'a chauffé la tête si fort que j'ai lâché mon affaire, vivre six mois à manger rien que du caviar et jamais rien que du caviar, matin, midi et soir, parce que c'était ce que les gens de chez moi me passaient en contrebande, c'était pire que de crever de faim etc. Et là-dessus vous m'avez fourré tout ce fric. Il commençait à faire jour et on était assis par terre, sur ce parquet magnifique, à côté du piano à queue, vous m'avez raconté l'histoire du commissariat, et il m'a fait une démonstration de cette danse de la feuille de salade à cause de laquelle... Vous aviez une grande glace qui faisait tout le mur derrière la barre, je ne sais pas pourquoi j'étais tourné vers cette glace et je voyais l'immeuble d'en face qui se réfléchissait là, dans la lumière grise du petit matin. A l'horizontale de nous dans cet immeuble, il y avait un homme accoudé à sa fenêtre, qui nous regardait en fumant, j'ai eu un coup à la tête, j'ai dit « mais c'est lui, c'est le... ». Et à ce moment-là, un bruit épouvantable, la boîte de cassoulet qui explosait dans la cuisine, on l'avait oubliée pas même ouverte sur le camping-gaz.

Tout cela, Estelle, ça me revient, tous les détails, on a pleuré plus d'une fois ensemble, et voilà que je repleure et c'est encore à cause de vous.

Quand on est revenus dans votre cathédrale (tu te rappelles, j'appelais votre grande pièce une cathédrale), l'homme avait disparu et on s'est endormis sur le parquet, tellement on avait bu. Le téléphone a sonné, l'un de vous a répondu, aussitôt vous avez eu l'air hagards, c'était un de vos copains, Adrien je crois (ce type, je vois ses meubles partout dans les magazines et je crois que je l'ai même rencontré à une soirée, avec une assez belle blonde qui avait l'air de le tenir en main...), et alors là je n'ai rien compris, vous avez filé chez la concierge, vous lui avez carrément piqué ses fauteuils et son canapé, je vous ai aidés à les monter, après vous m'avez supplié de partir, j'ai pris mon fric et ma valise et j'ai filé, vous m'aviez foutu la frousse. Seulement Dan était tellement charmeur, et toi avec tes grands cheveux et ton air de sainte-nitouche...

Est-ce que je fais mal de ramener tout ça ? Ma première visite chez vous, comment veux-tu que j'aie oublié, et toi as-tu oublié, je ne veux pas le croire, non je me refuse à le croire.

Estelle, ce que tu me demandes est impossible. Ce genre de choses, c'est fini pour moi. Vous ne vouliez pas y croire, mais c'était vrai, finished, kontcheno ! Que toutes choses et toutes gens aillent à leur perte, je n'essaierai plus d'en faire la chanson, comme dit le proverbe !

Je travaille toujours dans la publicité, je ne supporte plus que cette sorte d'écriture, tu vois.

Les sacs, ça m'a lancé, tu te rappelles, les douze sacs-pochettes en douze teintes comme les douze mois de l'année, je pourrais te les décliner toutes, brun comme octobre, noir comme novembre, doré comme Noël, blanc comme janvier, et ainsi de suite jusqu'au jaune de juillet et au bariolé d'août, le plus beau. Il restait le rouge, qu'on n'avait pas réussi à caser dans les douze, personne ne voyait de mois rouge, les autres voulaient laisser tomber, mais toi tu en voulais absolument un, pour toi, alors pour te faire plaisir j'ai fait le rouge en surplus. La publicité était bâtie sur le chiffre douze, or on voyait treize couleurs, au bureau ils étaient fous de rage mais en fait ça été le déclic, les journalistes s'interrogeaient sur ce chiffre treize, on faisait les mystérieux, nos pubs étaient superbes, oh quelle merveilleuse époque et vous, vous aviez aussitôt acheté les douze plus un, je hurlais comme un fou au téléphone « mais je pouvais vous avoir tout ça gratuit, je ne suis pas votre ami ou quoi ? », ça faisait des mois que je rêvais de vous rendre un peu tout ce que vous m'aviez donné pour cet affreux caviar. Mais vous jetiez l'argent par les fenêtres à cette époque, impossible de vous retenir. Et la fois où tu es venue nous rejoindre avec *tous* les sacs à l'épaule, tu étais superbe avec tes grands cheveux et ton air de rien remarquer, je lui ai dit « mais elle est superbe ta sœur », et il m'a dit « oui, on oublie de s'en apercevoir », toute la nuit après j'ai

18

pensé à ça, je bandais pour toi cette fois Estelle, daragaïa zvesda, j'ai failli te téléphoner plusieurs fois dans la nuit, mais la phrase de Dan me tourmentait, elle revient souvent me trotter par la tête et je ne lui trouve toujours pas de sens satisfaisant.

Ton air avec ces sacs, et les gens qui se retournaient, et un flic qui t'a même suivie et tu lui as dit : « regardez, monsieur l'agent, j'ai horreur de farfouiller pour trouver mes affaires, dans le mois de janvier j'ai mes tampons, dans le mois de février j'ai mon poudrier, dans le mois de mars j'ai mon parfum etc. et dans le rouge, j'ai la photo de mon amant ! » Ou quelque chose comme ça. Cette scène m'a donné l'idée de la pub télé et ça a été un succès fou. Ah oui, vous me portiez chance, je crois.

J'ai continué là-dedans, et je fais aussi des dessins pour les foulards Trismégite, ça me permet de voyager, ils m'ont envoyé en US Est chercher des idées, c'est la mode maintenant tu sais, la Russie. C'est la première fois que j'y retourne depuis qu'on se connaît, et j'y retourne comme je l'ai toujours voulu, selon mes termes à moi.

Tu vois que tout cela n'a rien à voir avec ce que tu me demandes. Comment pourrais-je, Estelle, moi qui ne peux plus même écrire mes propres récits ! Sans parler des problèmes de traduction, que tu as passés sous silence (à côté de moi, il y a mon assistant, qui me corrige ma lettre au fur et à mesure, « ressac » c'est de lui, c'est ce qui m'a fait penser aux sacs). Et puis enfin cette Tirésia, je ne sais même pas qui c'est, vous ne m'en avez jamais parlé.

Estelle, pardonne-moi.

Au revoir galoubka, moia daragaïa galoubka, c'était votre docteur russe qui vous appelait comme ça, Minor n'est-ce pas, celui qui avait peur de son Major, tu vois, je n'ai rien oublié de vous...

Vlad

US Est, tu te rappelles ce qu'on disait ? Etats-Unis de l'Est, cela va venir, tu vas voir...

LETTRE DE MICHAEL

New York

Estelle love,

Je t'ai envoyé un premier bout de lettre parce que je ne pouvais pas attendre, mais j'avais peur que tu aies un peu oublié l'anglais et j'ai cherché cet ancien copain à vous, Louis le Haïtien, pour qu'il me traduise ma seconde lettre. (Il te fait dire bonjour, le cours Victor-Hugo n'a pas marché, il n'ose toujours pas rentrer dans son pays et il travaille maintenant pour un journal haïtien de l'immigration.)

Quoi que tu me demandes, tu sais que je le ferai. Mais peut-être n'es-tu plus tout à fait courant de ce qui se passe dans le monde de la danse : la danseuse dont tu me parles ne danse que ses propres ballets, et elle a des engagements plusieurs années à l'avance, bien sûr si tu insistes, je la contacterai pour toi, mais j'ai une autre idée.

Il y a dans la troupe d'Alwin deux filles très jeunes et très douées, elles seraient sûrement ravies d'aller en Europe, je pense à l'une d'elles particulièrement qui est blonde et fragile et qui doit ressembler à cette Nicole que vous aimiez tellement, puisque c'est d'elle qu'il s'agit. Quand il sera temps, écris-moi et je me charge de la convaincre.

Pour tout te dire Estelle, j'ai envie de l'épouser et d'une certaine façon c'est de votre faute. Peut-être que je l'aime à cause de vous, de toi, de cette Nicole inconnue, et nous aurons des enfants couleur chocolat, et ce sera une façon de me souvenir de vous, à cause de ces chocolats Barton que vous achetiez pratiquement tous les jours en bas du Studio.

J'ai été obligé d'abandonner le taxi, mon école de danse est presque devenue l'attraction de ce pauvre vieux Bronx, Alwin vient lui-même y donner des cours, et il me tombe des subventions de tous les côtés. Je ne danse plus pour Alwin, je vous disais bien que je n'étais pas assez doué, mais je vais toujours dans son Studio, pour m'entretenir, et je l'accompagne en voyage, je lui sers un peu de conseiller.

Sais-tu que nous sommes allés faire une tournée en Europe ? Il n'y avait aucun des danseurs d'autrefois, les copains de notre bande sont tous retournés à leurs études, Djuma a disparu de la circulation, il paraît qu'il est l'ami et le danseur particulier d'un des princes les plus riches du monde. Depuis que vous êtes partis, Alwin n'a plus jamais été le même, et cette affaire de Djuma ne l'a pas arrangé. Il comptait sur Dan, c'était la perle de ses yeux, et en second sur Djuma, je le voyais bien, même si tout cela me brisait le cœur. Il est devenu un peu plus renfermé et ses colères sont encore plus terribles.

Mais enfin il n'y a que moi qui m'en aperçois, les nouveaux sont fanatiques de lui et travaillent comme des fous pour le contenter. Comme nous le faisions, en somme.

A Paris pendant cette tournée, je suis allé à l'adresse que j'avais. Ça devait être une ancienne adresse. C'était sous les toits, au sixième étage, j'ai demandé votre nom à une vieille toute ratatinée qui était sortie pour voir qui marchait dans ce couloir de long en large ; elle s'est hérissée comme un chat et m'a craché quelque chose que je n'ai pas compris et elle a aussitôt fermé la porte, elle tirait tous ses verrous à l'intérieur, comme si elle avait vu un rôdeur prêt à la violer.

Six étages sans ascenseur comme ce fameux hiver dans le vieil immeuble du Studio, tu te rappelles, Estelle, quand il y a eu les grands froids et que tout avait gelé, même les câbles de l'ascenseur de service, et qu'un jour on n'a plus vu le vieux « doorpater » à son poste d'elevator-operator (Louis ne trouve plus le mot en français), et tu étais folle de chagrin, tu disais qu'il avait dû mourir de froid dans un trou quelque part, raide gelé dans son bel uniforme chamarré et plein de reprises, nous on ne pensait qu'à Alwin et à la danse, on voulait bien faire quelque chose pour le vieux, mais on oubliait tous les jours. En pensant à toi, j'ai fait des recherches, Estelle. Sa fille m'a dit qu'il avait voulu rentrer dans son pays, en Europe centrale, maintenant qu'il n'y avait plus de guerre, mais elle avait l'air un peu bizarre, son anglais aussi était bizarre, je ne suis pas sûr d'avoir vraiment compris, je lui ai laissé de l'argent.

Et toi aussi, je t'ai cherchée.

La concierge dont vous parliez si souvent était partie au Portugal, la remplaçante ne savait rien, je suis allé à l'autre adresse que j'avais, juste en face, j'ai reconnu l'appartement plein de fenêtres, exactement tel que vous l'aviez décrit, il était tout éclairé, on voyait même la grande glace là, d'en bas, j'ai voulu aller sonner, mais pas de sonnette et un code à la place ; il y avait un monsieur qui fumait à la fenêtre de l'autre immeuble, il m'a dit sans que je lui demande rien : « Ils sont partis, l'appartement est loué. » Ça m'a fait un choc, Estelle, « ils sont partis », comme s'il ne savait rien, et pourtant il avait immédiatement reconnu que j'étais de votre tribu, pour ainsi dire.

Mais il n'avait pas d'autre adresse. J'ai voulu appeler dans votre ville de province, mais voilà, je ne savais pas le nom de cette ville, je crois même que vous ne me l'avez jamais dit, et Alwin a fait le sourd, peut-être qu'il ne savait pas, mais j'ai toujours eu l'impression qu'il me cachait quelque chose, pour ses raisons à lui, qui sont toujours insondables.

« Helleur en France », impossible !

Vous parliez souvent d'un copain à vous, Adrien, mais je ne connaissais pas son nom de famille.

« Adrien à Paris », même problème. Et ton mari, Estelle, ce type que je n'ai jamais vu et que Dan appelait Poison Ivy.

« Donnez-moi le numéro de Poison Ivy à Paris, s'il vous plaît » !
J'étais si triste, Estelle, je pensais le pire.

Qu'est-ce que tu as fait toutes ces années ? Pas un mot de toi depuis ma première visite éclair à Paris, et si je m'étais attendu à ce que je devais voir ! Tout est gravé dans ma tête. Ce télégramme qui me disait d'aller chercher un billet à mon nom, tout payé et tout, à Air-France sur la 5e Avenue, et de partir aussitôt, c'est-à-dire le même jour, j'ai eu l'impression de vous retrouver tels quels, vos farces, vos trucs imprévisibles, ça faisait longtemps que vous n'aviez pas écrit, vous deviez me manquer très fort, d'un seul coup je suis devenu tout joyeux, « OK » je me suis dit, j'ai juste eu le temps d'acheter ces deux chemises, celle en argent et celle en or, pour vous épater, et j'ai filé à l'aéroport avec mon taxi.
Mais à Paris personne, juste un message au desk avec cette adresse que je ne comprenais pas, et quand je suis arrivé, oh Estelle, jamais je ne pourrai oublier... « Domination of black »... Je l'ai répété tous les soirs comme une prière, « I saw how the night came, came striding like the color of the heavy hemlocks, I felt afraid. And I remembered the cry of the peacocks[1]. » C'était compulsif. Dans la journée aussi n'importe où, les phrases de ce poème parlaient dans ma tête, et je commençais à pleurer, ça me rendait fou, on ne voit rien pour conduire avec les yeux embués, les clients s'énervaient. Ça s'est arrêté il n'y a pas très longtemps. Mais quand le pasteur est venu nous demander de rejouer le ballet pour sa fête paroissiale, j'ai refusé tout sec et pour une fois Alwin n'a rien dit.

Où étais-tu Estelle ? J'ai pensé à vous jour et nuit, je vous appelais, et c'était comme crier dans le ciel tout noir la nuit.
Mais ça ne fait rien. Je suis content, même de cette lettre si courte que tu m'as envoyée.

---

1. « Je vis comme la nuit venait, venait à grandes enjambées comme la couleur des lourds sapins-ciguë, je pris peur. Et je me souvins du cri des paons. »

N'oublie pas, je suis toujours là, le même Michael, et je ferai tout ce que tu me demanderas.

Michael

Pourquoi ce nom « Claire » au dos de l'enveloppe ? C'est ton deuxième prénom ou quoi ?

2

C'est ton frère

Du plus loin que je me souvienne, je vois le visage de mon frère. Il me semble qu'il avait toujours été là avec moi, avant même qu'il ne naisse.

D'où peut-être mon air dédaigneux lorsqu'on me l'a montré la première fois.

— On dirait un petit singe, ai-je dit.

Il était jaune et ridé, minuscule sur la toile blanche des bras de l'infirmière. Mais je savais que ce n'était qu'un déguisement dont il s'était affublé avant d'arriver, pour ne pas m'infliger un saisissement trop fort.

Il criait aussi, de petits couinements étranges, que personne n'essayait de calmer.

Ces cris de même, je les prenais pour ce qu'ils étaient, nul besoin de traduction : « attends, Estelle, pour l'instant je te parle comme ça, parce que nous ne sommes pas seuls, parce que je ne peux pas faire autrement, parce que je ne sais quoi, mais c'est quand même moi, c'est moi, Estelle ».

J'ai fait semblant d'être gênée, parce qu'il dérangeait la conversation des autres, des adultes.

Mais je savais déjà que c'était l'être le plus beau du monde et que la vie venait d'arriver sur ce coin de planète où j'attendais depuis cinq ans déjà.

— Il a la jaunisse, a dit l'infirmière.

Elle s'adressait à moi, personne d'autre ne semblait prêter attention à ses informations.

— Ce n'est pas grave, disait-elle, on peut le mettre en couveuse, s'il s'affaiblit.

En couveuse, mon frère ? Je ne le verrais plus de plusieurs jours ? Dans une de ces couveuses qui ressemblaient à de petits cercueils de verre ?

Encore une fois, l'infirmière s'était adressée à moi.

Elle avait un air curieusement désemparé, comme s'il n'y avait personne pour recueillir ses paroles que cette enfant devant elle, enfant de cinq ans, col blanc, cheveux en rubans, jupe plissée, et dédaigneuse.

Je sentais ce désarroi, je sentais tout.

Sans être jamais allée à l'hôpital, je savais qu'une infirmière, on aurait dû en boire les paroles, nous aurions dû être autour d'elle, et elle à côté du berceau, c'est-à-dire mon frère au centre, elle près de ce centre et nous tous autour d'elle à boire ses paroles. Et alors peut-être la maladie de mon frère se serait-elle retirée, il n'aurait plus été si jaune et ridé, il nous aurait fait un vrai sourire de bébé.

— Vous pouvez sortir, mademoiselle, a dit notre père.

— J'emmène l'enfant alors, a dit l'infirmière, de la même voix incertaine.

J'ai eu une sorte d'étourdissement, la pièce était emplie de blancheur, comme d'une matière étouffante. Dans l'épaisseur de cette blancheur, trois masses sombres, l'une devant la fenêtre, l'autre près de la porte, la troisième du côté du mur. Pour ne pas vaciller, je m'accrochais à ce qui faisait une sorte de mât, l'infirmière, qui tenait toujours mon frère dans ses bras.

Ce malaise, nous devions le retrouver souvent plus tard, mon frère et moi, nous l'appelions la « valétude » (l'expression « états valétudinaires » avait dû venir dans la conversation de notre médecin, nous avions mal compris comme cela nous arrivait souvent, mais nous avions été frappés). La « valétude » a fait partie puissante de notre enfance, nous évitions de la laisser voir, si sûrs étions-nous qu'elle nous appartenait en propre, et que seuls nous pouvions et savions nous soigner, moi soigner Dan et Dan soigner Estelle.

La « valétude » n'affectait jamais une seule partie du corps, elle se roulait dans l'être tout entier, nous la connaissions intimement et elle nous était profondément mystérieuse.

— Je l'emmène ? répétait l'infirmière.

Comme personne ne semblait l'avoir entendue, elle s'est encore tournée vers moi, l'enfant de cinq ans.

Le malaise était parti, et avec lui toute mon affectation de dédain, car maintenant il fallait lutter. Dans cette pièce, c'est-à-dire dans l'univers entier, j'étais la seule véritablement et entièrement concernée.

Je regardais l'infirmière aussi intensément que je le pouvais, mon regard était celui qu'elle avait dû attendre, celui qui boit les paroles et qui supplie, et par-delà celui qui ordonne. Sans rien ajouter, elle a déposé l'enfant dans le berceau et elle est sortie.

Je venais de gagner la première victoire pour mon frère. Je me suis penchée sur lui et il souriait. « Bravo Estelle, disait sa petite grimace, tu les as eus ! » Mais moi je savais bien que c'était sa force à lui qui avait gagné. Que sa force à lui passant à travers moi, qui étais l'aînée, gagnerait toujours.

Toujours.

Je le croyais, je l'ai cru jusqu'au dernier moment, je l'ai cru même après, et parfois maintenant encore je le crois.

De là date notre complicité, quoique dans le secret de mon cœur, je sois sûre qu'elle date un peu d'avant, lorsque j'ai percé à jour son déguisement de petit être archaïque (nous seuls savions ce qu'il en était), et encore d'avant, avant sa naissance... mais je veux être raisonnable, tenir notre histoire dans les limites accessibles à la raison ordinaire, je le voulais déjà à cet instant, aussi je me suis vite reculée, j'ai répété « il a l'air d'un petit singe », et lui aussitôt s'est mis à grimacer pour de bon dans ses rides bien rouges et ses couinements perçants que moi seule semblais entendre.

Personne ne parlait. Notre mère Nicole était tournée le dos au berceau, plus pâle que d'ordinaire dans cette chemise blanche que je ne lui connaissais pas, mais qui par une curieuse inversion me paraissait noire car je ne lui avais jamais vu que des vêtements aux couleurs vives et claires, bleu ciel le plus souvent. Elle avait l'air de regarder dans le vide.

Tirésia était assise devant la fenêtre, le dos tourné à la lumière, à son habitude, mais je connaissais toutes les formes que pouvait prendre son corps.

Les attitudes du corps de Tirésia, cela a été mon alphabet, et celui aussi de mon frère. Nul n'a eu besoin de nous les enseigner, elles s'inscrivaient directement dans la mémoire de notre sensibilité, y tissant une trame de signes sur laquelle nous poussions telles des plantes sur un treillis.

Nous avons su lire le corps de Tirésia avant toute autre chose, et tous les livres que nous avons lus par la suite ont subi cette précédence du livre premier, du corps de Tirésia, n'en pouvaient être que les échos affaiblis ou amplifiés ou déviés, n'en pouvaient être que la traduction, toujours un peu étrange par rapport à l'original, qui avait été notre langue maternelle.

Oui, les livres que nous avons lus nous ont toujours paru une sorte de traduction. Peut-être est-ce pour cette raison que nous nous sommes détournés de la littérature, que nous aimions à la folie pourtant, et qu'aujourd'hui où j'ai si passionnément besoin de l'écriture, je ne peux en confier la tâche à moi-même, et il me faut trouver un écrivain.

Je ne crois pas qu'à l'époque Tirésia avait déjà cessé de parler. Cependant, j'ai l'impression, plus forte que l'évidence, que nous l'avons toujours connue muette. Muette, celle qui nous parlait le plus.

Debout, au milieu de la chambre étouffante de blancheur et de silence, j'ai lu quelque chose sur le corps de Tirésia, sur sa forme sombre, immobile dans le contre-jour.

— Il n'est pas très beau, ai-je repris, pour adoucir ma première remarque, croyant l'adoucir.

— C'est ton frère, a dit mon père durement.

La phrase a claqué fort. On aurait dit qu'une rafale soudaine, jaillie de nulle part, était entrée dans la chambre.

J'ai vacillé comme sous l'effet d'une gifle.

Notre père se tenait au pied du lit de notre mère Nicole (sans doute le lit arrivait-il à la porte), très droit, il me semble qu'il était vêtu de noir lui aussi, mais ce n'était sans doute que son costume habituel, rendu plus sombre par la blancheur forcenée de la pièce.

Une gifle de notre père ! Non, improbable, plus improbable qu'une girafe sur la banquise...

— C'est ton frère, a dit mon père une seconde fois.

Cette chambre, infernalement blanche, les formes sombres des adultes, le berceau qui tenait mon frère en capture...

Sa voix n'était plus claquante, mais raide, sans moelleux autour des mots. Une sensation inconnue a surgi en moi, maintenant je pourrais la nommer, c'était l'indignation. Je sais que s'il y a un sentiment puissant propre à l'enfance, c'est celui-ci, l'indignation.

L'amour pour mon frère était si grand en moi, et si grand l'amour de moi en mon frère, pourquoi mon père semblait-il gronder ainsi ?

Et soudain il m'a prise dans ses bras. Il avait l'air effrayé. Il s'est mis à me parler doucement, patiemment, comme il le faisait toujours sur ce que nous ignorions, en ce cas sans doute sur la jaunisse des bébés, leur fontanelle, leurs besoins, mais je n'écoutais pas.

Il me suffisait d'être dans ses bras et de me faire bercer par le doux flot de sa voix redevenue la vraie voix de mon père.

Une jeune fille dans la chambre arrangeait des fleurs, ou les transportait. Nicole avait demandé qu'on mette à l'autre extrémité de la pièce les fleurs qu'elle avait reçues, ensuite qu'on les repousse dans le couloir, et en fin de compte qu'on les donne à une autre accouchée. L'odeur la dérangeait, disait-elle.

Puis, alors que nous étions à peu près tranquilles, moi dans les bras de mon père, les fleurs enfin décampées, Nicole somnolant, on a frappé à la porte et un livreur est entré, portant une énorme, une extraordinaire gerbe.

Le livreur et mon père étaient penchés sur la boîte, cherchant une étiquette, un carton, un papier, quelque chose qui n'y était pas apparemment car ils semblaient décontenancés tous deux, « je peux les rapporter à votre domicile », disait le livreur, mais Nicole s'est soudain relevée dans son lit.

— Non, disait-elle repoussant ses cheveux blonds aux mèches collées, dans une tentative machinale pour retrouver sa coiffure habituelle.

Elle avait une expression si étrange, notre mère Nicole, en cet instant, pendant des années j'ai essayé d'expliquer cette expression à mon frère, sans vraiment y réussir, toujours il me demandait, et à la longue cette expression s'évaporait comme si elle avait été l'exhalaison des fleurs, et seules les fleurs restaient en support de cette expression disparue comme un parfum, ces fleurs qui étaient de très grandes tulipes noires, bleu nuit en fait, puisque la tulipe noire n'existe pas, fleurs si rares que nous n'en avons pas revu par la suite malgré les tentatives que nous avons faites une fois ou deux, que nous n'en avons pas revu sauf une fois peut-être, à New York, mais nous n'avons pu être sûrs.

— Je les garde, disait Nicole avec cette expression qui me mordait jusque dans les bras de mon père.

Tirésia aussitôt s'est levée, elle est venue vers notre mère et de ses doigts agiles, ses doigts superbes et forts de pianiste, elle lui a peigné les cheveux, les a tordus en une seule longue mèche et, d'un mouvement si rapide qu'on n'en voyait que le résultat, elle a entortillé cette mèche sur l'index et l'a fixée en un rond impeccable sur le haut de la tête. Tirésia a laissé ses mains là un instant, fermement sur le chignon blond, puis les a retirées.

Et j'ai enfin reconnu ma mère Nicole, sa tête gracieuse, qu'elle portait comme un objet rare, un peu austère, sur son cou délicat.

Je retrouvais notre mère, ce port de tête qu'on distinguait entre mille, dans notre ville, au milieu de la foule la plus dense, les jours de marché par exemple, dans les rues commerçantes.

Il m'a semblé qu'elle allait se lever et se diriger vers une barre, n'importe laquelle, celle du pied du lit, pour reprendre ses exercices, ceux que nous lui voyions faire chaque jour, que nous aimions, et que nous cherchions facétieusement à copier, pour nous écrouler lamentablement dans les positions les plus grotesques. J'ai cru que c'était cela qu'elle allait faire, et j'ai eu cette intuition de nos farces futures, de mon petit frère se joignant à moi pour copier les grands écarts de notre mère, et de nos chutes et de nos rires.

Les tulipes noires étaient au chevet de ma mère et ma mère pleurait.

Notre père était sorti, Tirésia aussi. J'étais restée seule au milieu de la chambre et ma mère ne me regardait pas, ne regardait pas mon petit frère. Il s'était arrêté de crier. Je me suis approchée de lui, j'ai pris sa petite main bleue et ridée, et tous deux nous avons écouté notre mère pleurer, son dos caché par le drap blanc, le visage sous les retombées des grandes tulipes noires.

Lorsque notre père est revenu, il avait avec lui notre vieux médecin de famille et un autre homme, le médecin de l'hôpital je crois. Celui-ci lui expliquait qu'elle pourrait danser très bientôt, qu'elle pourrait reprendre ses exercices, en douceur, dans les prochaines semaines.

Nicole écoutait avec incrédulité. Il y avait dans ses yeux un regard particulier, qui ne s'élançait pas au-dehors en s'aiguisant au fur et à mesure, mais qui s'étalait dans la cuvette de l'œil comme sur une surface vitreuse et opaque, et son regard pris sur cette surface commençait à se transformer, commençait une réaction en chaîne, une série de transmutations, oh ce regard de ma mère Nicole.

Mon père avait dû parler au médecin de l'hôpital, car il reprenait ses assurances un peu mécaniquement, comme si on lui avait expliqué que chaque phrase répétée pouvait effacer un peu de la peur qui était en notre mère, une peur si puissante que rien n'avait pu la détruire, qu'on ne pouvait que l'éloigner à force de patience, temporairement.

— Quand, a fait Nicole d'une voix brève.

Interloqué, le médecin de l'hôpital avait jeté un coup d'œil à mon père. Avait-il entendu « fous le camp »? Ou bien simplement « quand », mais à cela justement il venait de répondre. « Monsieur Helleur, je vous en prie, que dois-je faire? » disait son regard. Mais nous ne nous occupions pas de lui.

Comme toujours lorsque nous ne comprenions pas quelque chose, nous nous étions tournés vers Tirésia, mon père et moi, vers le corps de Tirésia, pour savoir ce qu'il disait. Ses mains étaient posées sur la jupe noire, les doigts entrecroisés sur le ventre et si fort serrés qu'ils étaient blancs aux jointures.

Elle sûrement avait entendu encore un autre sens dans le mot si étrangement bref de notre mère, toute une longue phrase pleine d'angoisses et d'implorations, et d'incompréhensible terreur...

Notre vieux docteur aussi avait regardé Tirésia.

— Qu'elle se lève maintenant! a-t-il dit soudain.

Il parlait avec enjouement, comme pour rendre sa proposition sans importance, à cause de l'autre médecin je pense, qu'il ne voulait pas froisser. Notre bon docteur de famille était un vieux renard futé.

— Cela la rassurerait, a-t-il ajouté, vieux renard futé qu'il était, déplaçant le problème du terrain médical au terrain psychologique que l'autre médecin, celui de l'hôpital, devait mépriser, il le savait bien.

— Ce n'est pas l'usage, a dit l'autre.

— Oui, oui, mais après tout une danseuse n'est pas une parturiente ordinaire, disait notre docteur en riant.

Notre mère s'était levée, esquissait quelques pas dans la chambre, en chantonnant les premières mesures du *Boléro* de Ravel. Soudain elle a soulevé sa chemise devant nous. Elle avait enlevé les linges de l'hôpital. J'ai vu son ventre doux et rond comme je l'avais toujours vu, avec sa touffe blonde d'ordinaire écrasée par les collants et là un peu ébouriffée (elle avait obtenu de n'être pas rasée). Les trois hommes qui avaient été curieusement immobiles jusque-là se sont mis à bouger, l'un ajustant son stéthoscope, l'autre sa cravate, ce devait être mon père, le troisième se penchant sur un objet au sol, ce devait être notre docteur déplaçant son éternelle sacoche, mais Nicole se moquait de leur gêne.

Le visage qu'elle interrogeait, c'était celui de Tirésia, c'était le voile de Tirésia, les lunettes sombres, les doigts sur la jupe noire, tout cela que personne d'autre n'aurait pu déchiffrer mais qui était si parlant pour nous.

Et enfin ma mère s'est mise à rire.

— Mais ça ne va pas si mal, a-t-elle dit.

Et elle esquissait quelques pas encore, ceux qu'elle répétait avec tant d'acharnement malgré son ventre gonflé, avant son départ pour l'hôpital.

— Ça ne va pas si mal, ça ne va pas si mal, répétait-elle ravie.

Naïve petite Nicole, toujours si prête à être ravie, à être comblée, et qui pour cela devait s'élancer trop loin, jusque dans le ciel bleu où rien ne laisse de trace, dans le ciel vide d'où elle ne pouvait que tomber, mais alors qu'importait, elle recommençait, elle était jeune, son espoir avait mille pétales, son espoir ne pouvait se faner.

Son corps ployait, se redressait sous l'envol des bras et soudain cela a été le tourbillon.

Elle a fait revenir toutes les fleurs qu'elle avait chassées de la chambre, il en arrivait d'autres qu'on ne savait plus où mettre, qu'elle jetait par brassées sur le sol, sur le berceau de mon petit frère, elle m'avait attirée sur son lit, me couvrait de baisers (les baisers de ma mère Nicole, des papillons, des essaims de petits papillons jaunes et duveteux et légers), me disait qu'elle ferait de moi un petit rat de l'Opéra, une danseuse étoile,

« Estelle, tu entends, tu entends ton nom, stella, estrella, l'étoile »,

que je brillerais si fort que nous n'aurions plus besoin de lampes et que même Tirésia me verrait dans sa pénombre, elle racontait des choses folles qui m'enivraient,

« et mon frère ? » ai-je crié,

« ton frère sera le plus beau de tous les frères, tu l'aimeras follement, il sera le musicien le plus doué de la terre, il écrira les plus beaux ballets pour toi et pour moi, et nous danserons toutes les deux devant des parterres de rois et de reines »,

« et mon père ? » criais-je,

« il nous regardera », disait ma mère Nicole dans sa folle exaltation,

« et Tirésia ? »

« elle nous regardera »,

« mais elle est aveugle »,

« elle nous verra, je te dis, nous brillerons si fort qu'elle nous verra ».

3

J'épouserai Nicole

« Tu parles, avait dit mon frère, une girafe sur la banquise, oui ! »

Nous étions tous deux de notre côté du mur mitoyen, devant la brèche, et de l'autre côté notre petit voisin Adrien nous annonçait que lorsqu'il serait grand il épouserait notre mère Nicole. Mon frère (il n'allait pas encore à l'école) venait de lire avec mon aide les *Histoires comme ça* de Kipling et *Radieuse aurore* de Jack London. Mais Adrien détestait la lecture et ne pouvait deviner d'où nous tenions nos idées.

Une girafe sur la banquise.

Cette combinaison l'avait interloqué. Non seulement la combinaison, mais aussi les deux termes en eux-mêmes. Après tout il n'y avait ni zoo ni cinéma dans notre ville.

A la suite de cela il n'avait jamais plus reparlé d'épouser notre mère Nicole.

Notre métaphore de l'improbabilité l'avait touché à vif, en un coin encore vulnérable de son cœur d'enfant, et tous trois nous avions comme trouvé nos marques, lui replié dans une méchanceté morose, mon frère et moi sur nos gardes et moqueurs.

Une gifle de notre père, plus improbable qu'une girafe sur la banquise ?

Non certes !

Pas même cela, qui était pourtant pour nous le summum de l'improbabilité.

Non seulement improbable, mais impossible, mais n'ayant jamais même frôlé l'existence !

Seul l'excès de cet amour foudroyant pour mon frère avait pu bouleverser ma sensibilité, me jeter dans un autre excès, inconnu, déferlant, celui de la peur, et me faire percevoir cette chose imbécile : une phrase de mon père claquant comme une gifle.

« C'est ton frère », avait dit mon père durement, dans cette chambre de clinique où le berceau lui-même semblait disparaître dans la blancheur.

Et moi j'avais vacillé, comme sous le coup d'une gifle.

Une gifle de notre père ! Ai-je pu dire cela ?

Adrien, parfois il me semble que c'est toi qui ricanes et viens me souffler ces inepties qui me font mal, car tu savais nous faire mal, toi notre voisin, notre inséparable, qui nous connaissais mieux que personne.

Il me faut quelqu'un à accuser et c'est encore toi que je vais chercher pour cette opération sordide, encore toi Adrien après toutes ces années, tant me bouleverse cette comparaison qui m'est venue. En effet la vision d'un animal africain sur un banc de glace si elle est invraisemblable reste possible, il suffirait d'inventer des circonstances, peut-être même se sont-elles trouvées, et cette seule suggestion d'une possibilité m'est intolérable, car notre père s'emportant contre nous, non, cela ne donne lieu à aucune vision.

Aucune circonstance ne peut s'inventer qui l'aurait rendue possible. Je peux voir une girafe sur la banquise, mais il m'est radicalement impossible de voir notre père nous donnant une gifle.

Sa bienveillance envers nous était constante, même lorsqu'il revenait épuisé de ses voyages dans la capitale ou de procès interminables au tribunal de notre ville. Sa voix aussi était toujours calme et attentive, jamais un mot plus haut que l'autre, ce qui pouvait sembler inhabituel chez un avocat, et curieusement l'avait plutôt servi dans sa carrière. « Pas carrière, disait-il, en riant doucement, une tâche, une tâche de second ordre, et sans l'aide de Dieu. »

Nous ne le croyions pas bien sûr, mon frère et moi, nous pensions qu'il était le plus grand avocat de la terre, qu'il détenait le fléau de la balance du bien et du mal, qu'il n'avait pas besoin de Dieu, qu'il était Dieu lui-même en ce qui concerne la justice sur terre.

Notre admiration pour lui était totale. Ce n'est que bien plus tard, vers les débuts troublés de notre adolescence, à cette époque de l'irruption brutale dans notre vie de cinq jeunes gens venus d'ailleurs (« vos cousins », avait annoncé notre père, mais quels cousins ? nous n'avions pas de famille), que nous avons commencé d'entrevoir certaines choses, certaines seulement.

Et il ne nous a pas été trop difficile de voir que notre père n'était qu'un modeste avocat de province que seul son trilinguisme appelait parfois à s'occuper de quelque dossier plus important dans la capitale. « Je ne suis pas trilingue, disait-il, je parle français et il me reste mon anglais, ce qui n'est pas la même chose. De mon allemand, ne parlons pas... », ajoutait-il en regardant Tirésia.

Il ne tenait pas à dire comment il avait appris l'allemand. Il ne tenait pas non plus à ce qu'on sache qu'il avait été anglais. Son nom, Heller, il l'avait fait changer en Helleur, dont l'orthographe lui paraissait plus française. Quant à ces dossiers qui le sollicitaient, il ne les recherchait pas. « Mon cœur ne tient pas le coup, disait-il, il faut des avocats plus jeunes, qui n'ont pas connu toutes ces horreurs dans leur chair. »

De fait, il devenait pâle souvent, devait s'asseoir. « Tachycardie », disait-il, et devant notre air tendu il ajoutait « bobo de mauviette, c'est Minor qui l'a dit ». Mais nous regardions Tirésia, qui se tenait en retrait, le visage voilé comme à l'accoutumée, et l'angoisse nous sautait dans la poitrine.

La nuit, nous prenions des quarts, nous obligeant à nous réveiller l'un l'autre pour aller guetter devant la chambre de notre père.

Une nuit que nous étions tous deux devant sa chambre (nous n'avons jamais réussi à faire ces quarts, la technique nous échappait, je veux dire par là que nous ne possédions pas de réveil et n'osions naturellement pas en réclamer un, finalement nous restions éveillés ensemble, l'un étant simplement un peu plus éveillé et l'autre un peu plus endormi à des moments différents, c'était ce que nous appelions nos « quarts »), tous deux l'un contre l'autre, jambes nues et transis de peur, un torticolis dans le cou à force d'essayer d'entendre si notre père respirait, la porte s'est ouverte.

Or s'il y avait une chose que nous ne voulions pas, c'était que notre mère Nicole nous surprenne, devienne témoin d'une inquiétude. Cela, nous le redoutions en second, après la tachychardie de notre père, mais si Nicole nous avait découverts, alors ce sont les effets de cette découverte que nous aurions redoutés en premier, avant la tachychardie de notre père.

Mais ce n'était pas Nicole.

C'était Tirésia.

Elle n'avait fait que se pencher dans l'entrebâillement de la porte, car elle était encore assise, on apercevait la chaise juste contre le mur à côté du montant de la porte. La suite s'est passée très vite. Comme toujours avec Tirésia il n'y avait pas besoin d'explication. Elle nous a fait un petit signe, et nous avons compris qu'elle veillait à notre place et que nous pouvions regagner nos lits.

Pas de gronderie, pas de bruit. La compréhension directe.

Notre père n'était pas en danger et notre mère Nicole n'avait pas son cauchemar.

Nous étions repartis main dans la main, immensément soulagés.

4

Cauchemar

Il pleuvait très fort, les vitres à l'intérieur étaient embuées. Je passais la main sur le carreau froid et écrasais mon visage à l'endroit dégagé pour essayer de voir au-dehors. Il faisait noir déjà à cette heure, le vent battait les grands marronniers du jardin, on devinait l'arrachement des feuilles, leur vol échevelé dans l'air et puis leur chute sur le sol trempé, cet abandon brutal des feuilles arrachées à leur vie et jetées sur la terre pour y pourrir.

La clarté du réverbère elle-même semblait mouillée, semblait pendre comme une loque oubliée de tous. On ne voyait pas les lumières des maisons les plus proches, tout était plongé dans les ténèbres, le vent et la pluie menaient une sarabande farouche, tantôt agitant de pâles lueurs qui ressemblaient à des ombres, tantôt jetant des reflets rapides et acérés qui se posaient un bref instant ici ou là dans notre jardin comme le regard même de leur emportement, comme s'ils repéraient un espace qui nous était inconnu, que nous n'avions jamais deviné à travers les lignes familières du jardin, comme s'ils prospectaient pour le compte d'une puissance terrifiante et obscure, qui viendrait un jour ici, porter son ravage, oh Dan, mon frère Dan, mon amour.

Par intervalles, les rafales s'arrêtaient, la pluie faiblissait, on entendait soudain son gémissement désolé, un bruit mince et exténué de moribond. Une feuille noire est venue se plaquer un instant contre la vitre, me faisant brusquement crier. Mais personne ne m'a entendue. Tirésia devait être auprès de notre mère dans les étages et mon frère...

Mon frère sûrement m'avait entendue, mais il n'était qu'un enfant sans forces, il ne pouvait jaillir de son berceau, dévaler l'escalier obscur et tournant, traverser le vestibule, le salon empli de formes sombres et venir me secourir. Il ne le pouvait pas et pourtant je savais qu'il avait entendu mon cri, et j'aurais voulu reprendre ce cri, l'enfoncer dans ce recoin noir et terrifié de moi d'où il était venu, pour que mon frère ne l'entende pas, pour qu'il ne souffre pas, si petit et impuissant, seul derrière les barreaux de sa cage de bois peinte, dans la chambre qu'il avait tout au bout du couloir au premier étage.

Je ne peux pas maîtriser la terreur et la désolation qui m'envahissent lorsque la pluie tombe ainsi, que le vent souffle par rafales dans l'air noir, soulevant des feuilles détrempées, déjà pourrissantes, et que les yeux mouillés des réverbères semblent pleurer. Quelque chose pénètre en moi, fait ployer l'axe même de ma vie, les forces qui me permettraient de lutter contre cette possession sont comme rongées par cette pluie et écrasées par le vent, et les feuilles qui tourbillonnent et s'affaissent sont comme les lambeaux de mon âme déchiquetée.

Je m'y suis efforcée pourtant, je me disais que ce n'étaient que des impressions, qu'elles passeraient, je me disais que mon frère viendrait, que la pluie alors deviendrait un doux chuintement derrière les carreaux, que le vent et la nuit et le tourbillon des feuilles deviendraient comme un nid au sein duquel installer notre chaleur et nos jeux. Mais si mon frère ne pouvait venir?

J'attendais notre père.
Il était allé à la capitale pour une de ces affaires qui le rendaient plus soucieux qu'à l'ordinaire, ces affaires qu'il appelait ses « dossiers obligés » mais qui ne lui procuraient aucune joie, sinon une sorte de satisfaction sombre lorsqu'il les avait menées à bien. C'étaient ces dossiers-là qui lui donnaient de la tachycardie, l'un

particulièrement, mais je n'ai su tout cela que beaucoup plus tard, dans le récit de Tirésia, mon père ne nous parlait pas des « dossiers obligés » et encore moins des deux parmi ceux-là qui l'occupaient par-dessus tout.

Sa présence me manquait. Je craignais pour mon frère. Il était faible, ne prenait pas de poids. A l'hôpital, il avait été le plus petit des enfants nés ce jour-là, j'en voulais à notre mère Nicole de l'avoir fait si frêle, il me semblait que sans bien s'en rendre compte elle l'avait fait exprès, si une pareille chose est possible. Sans mon père, sa grande voiture grise, son calme, je nous sentais vulnérables. Qui irait chercher du secours si Dan devenait plus petit à l'intérieur de cette peau minuscule et ridée qu'il avait, si son corps repartait dans l'autre sens, de plus en plus petit jusqu'à disparaître, cela pouvait arriver à force de ne pas faire attention.

Je guettais le crissement de la voiture sur le gravier de l'allée, ma mère depuis longtemps avait renoncé à conduire, quant à Tirésia...

Lorsque mon père était dans la maison, j'avais toute confiance en Tirésia, je n'avais même confiance qu'en elle, elle était notre force secrète, notre rempart obscur mais obstiné, le centre aveugle de notre foyer. Mais lorsque mon père était absent, lorsqu'il était retenu au loin, pour longtemps, alors ce centre de nos forces devenait opaque, je ne savais plus ce qui en émanait. Lorsque notre père était absent, il m'arrivait à un détour de la maison d'apercevoir les lunettes et le voile de Tirésia, de les voir comme un masque sur sa tête et d'avoir brusquement peur.

Notre maison se trouvait au bout de la ville, dans une rue en retrait, qui menait au cimetière. Un peu avant le cimetière, une petite route, presque un chemin, descendait vers la rivière et remontait jusqu'au croisement où elle rencontrait la grande voie régionale. Mon père prenait ce raccourci lorsqu'il revenait de voyage avec sa voiture. Notre voisin le transporteur aussi, ce qui ne les empêchait pas tous deux d'en réclamer la fermeture au conseil municipal, car en effet il était dangereux, à cause du verglas en hiver.

Avant d'arriver à la rivière, le chemin longeait le grand pré sur lequel donnait la façade arrière de notre maison. Au-delà, il y avait les collines.

Lorsque nous étions enfants, cette maison nous paraissait immense. Les jours de grand vent, quand les nuages couraient dans le ciel, nous nous tenions par la main, mon frère et moi, au pied de la façade et regardions le toit d'ardoise grise sur lequel montait un petit clocheton surmonté d'une girouette de fer. Il nous semblait alors qu'entraînée par le ciel véloce, toute la maison penchait, qu'elle allait tomber. Nous nous serrions l'un contre l'autre, nous tenant aussi droits que possible par un grand effort dans le dos et le cou, et nous retenions la maison de tomber tout à fait.

Nous pouvions rester longtemps ainsi dans une sorte de transe. Ni l'un ni l'autre n'aurait voulu faiblir le premier, moi parce que j'étais la plus grande, mon frère parce qu'il était le garçon. Et puis plus profondément parce que chacun voulait jusqu'au bout protéger l'autre.

Tirésia nous appelait, nous ne répondions pas, nous l'entendions alors qui avançait sur le perron, descendait l'escalier, et notre cœur battait. Nous trouverait-elle ? Il le fallait pour que nous puissions abandonner notre tâche, mais il nous était cependant impossible de l'appeler. Nous comprimions notre respiration, nous nous efforcions de garder les yeux fixés sur la girouette du toit, nos mains devenaient douloureuses à force de se serrer l'une dans l'autre.

Tirésia nous trouvait toujours. Je sais maintenant qu'elle n'était pas entièrement aveugle. Mais lorsque nous étions enfants, nous ne savions rien d'elle, rien précisément. Elle portait toujours ses lunettes, qui nous paraissaient noires et qui n'étaient que fumées, c'était cela pour nous les yeux de Tirésia. Comme d'autres avaient les yeux bleus ou verts ou enfoncés ou globuleux, Tirésia avait des lunettes noires. Mais nous ne savions pas ce qu'on voyait avec des lunettes noires. Cette incertitude sur le regard de Tirésia a été dans toute notre enfance, mais je ne m'en rends compte que maintenant, où tout s'est éclairé de façon si nette, ne s'est éclairé que pour disparaître plus inexorablement.

Tirésia nous trouvait et soudain nous étions délivrés.

Nous nous jetions en ronde autour d'elle avec emportement, nous embrassions tout ce que nous pouvions attraper autour d'elle, de grandes écharpes d'air que nous sentions si fort partie d'elle qu'elles nous paraissaient presque matérielles, nous lui disions ce que nous n'aurions pas oser dire à notre père ou notre mère : « nous t'aimons, oh comme nous t'aimons ».

Nous étions si joyeux, soulagés, rendus à notre enfance, à notre vie, à notre maison.

Nous lui racontions ce qui s'était passé, ce que nous avions vu, comment la façade entraînée par le ciel s'inclinait, comment nous avions fait effort pour la retenir, et comme tout cela était bête puisque finalement, nous le savions bien, ce n'était qu'une illusion d'optique, comme notre père nous l'avait expliqué. « N'empêche, Tirésia, la maison tombait, tu comprends hein, tu comprends, la maison tombait... »

Nous pouvions tout dire à Tirésia et il nous semblait bien l'entendre répondre. Dans cette réponse, nos paroles s'ouvraient comme des portes poussées par mégarde, et derrière se devinait le glissement furtif d'un monde où les maisons s'écroulaient sous le ciel déchaîné, où la force conjuguée de deux enfants qui s'aimaient luttait contre ces écroulements, où l'amour ne servait à rien, où pourtant on pouvait être sauvé brutalement, et connaître une joie effrayante.

Encore pris dans l'excitation, nous nous ébattions autour d'elle sans retenue. Au bout d'un moment, nous nous rendions compte qu'elle se protégeait de nos brusqueries, qu'elle nous éloignait de son ventre. Alors notre attitude habituelle nous revenait, nous nous écartions un peu d'elle tout en continuant à tenir ces écharpes d'air qui flottaient autour d'elle et nous rentrions apaisés à la maison.

Je ne sais si j'ai joué à ce jeu des nuages et de la maison sans mon frère. Je ne me revois pas seule sous la façade. Le jeu aurait été sans intérêt. Quel intérêt d'avoir peur sans mon frère, sans mon frère à sauver, sans mon frère par qui être sauvée ?

Je ne me revois, seule, dans aucun jeu. Comme si le jeu n'avait commencé qu'avec lui. Que pouvais-je faire avant sa naissance ? L'attendre sans doute. Ces années avant sa naissance ne sont qu'un brouillard, une attente inconsciente, l'attente de mon frère.

Je n'ai pas entendu mon père arriver. Il était rentré trop tard et on m'avait fait coucher. Je m'étais endormie dans le bruit de la tempête, guettant le roulement de la voiture ou les pleurs de mon frère. Mais soudain je me suis réveillée. Quelque part à l'étage ma mère Nicole criait.

Elle criait affreusement, comme je n'avais jamais entendu personne crier. Des portes ont claqué, j'ai cru que c'était la tempête, que c'était la voix de ma mère dans la tempête, que ma mère et cette tempête ne faisaient qu'un, pour toujours, puis je me suis réveillée tout à fait.

Le couloir était dans une demi-obscurité, mais la porte de la chambre de mes parents était entrouverte. Ma mère courait d'un côté à l'autre, ses cheveux défaits, toute repliée sur elle-même comme si elle cherchait à se protéger de coups de pied ou de poing. Nicole qui se déplaçait toujours si fièrement, sa petite tête altière portée dans l'espace comme un bijou précieux ! Cette course était hideuse, ce n'était pas Nicole, ce ne pouvait être elle, je n'avais jamais vu d'être semblable, aussi horriblement cassé.

Alors j'ai regretté sa danse et ses exercices sans fin, exaspérants, à la barre. Je m'en voulais de m'être moquée d'elle, de l'avoir harcelée, poursuivie lorsqu'elle s'absorbait ainsi dans ce qu'elle appelait son art. Cette danse qu'elle aimait et que nous haïssions si souvent parce qu'elle nous prenait notre mère, je la regrettais, je l'aimais maintenant, sa danse, c'était préférable, cent fois préférable à ces gestes horribles, insensés.

Je n'avais que cinq ans, mais je crois avoir compris en une brève illumination ce qu'était ma mère, compris que la danse de ma mère, c'était sa lutte, et que sans la danse il n'y aurait eu que cette terrifiante laideur.

44

Si cet éclair avait pu rester en moi, s'étendre, devenir une lumière large et paisible sur mon amour pour Nicole et alors éclairer plus largement autour, nous permettant de voir... Mais presque aussitôt il a été noyé dans la crainte, la crainte pour mon frère, et la révolte contre celle qui pouvait le réveiller, le terroriser, lui infliger une telle horreur.

Mon père était arrivé, il ceinturait ma mère, la jetait sur le lit où il la maintenait tandis qu'elle continuait à se débattre. Il portait son manteau et dessous une sorte de longue chemise à pans que ma mère n'aimait pas, parce qu'elle trouvait que c'était un vêtement de vieillard. Elle, elle était nue, comme très souvent, sans doute parce qu'elle était fière de son corps de danseuse. Pour d'autres raisons peut-être, que je ne pouvais comprendre.

Tous deux ainsi sur le lit, dans leur pose grotesque, leurs os qui se cognaient, leur chair pâle qui semblait accrochée de travers à ces os, c'était un spectacle que je ne devais pas voir, je le sentais. Je restais dans le noir, derrière la porte, n'osant plus repartir, de crainte qu'on ne me découvre, obligée de continuer à voir.

Ma mère criait des phrases étranges et terrifiantes. « J'ai peur, Thérèse, au secours, j'ai peur... »

Je l'écoutais avec stupéfaction. Je connaissais le nom de ses amies, de quelques personnes de sa famille, toutes décédées, mais ce nom-là je ne l'avais jamais entendu.

Et ma mère appelait, appelait sans fin, entrecoupant ses appels de cris de fureur ou d'amour à l'adresse de cette personne ou de mon père, toujours repliée sur son ventre et se débattant.

Je ne sais comment notre docteur s'est trouvé là.

Il était dans le couloir qu'il avait allumé lui-même, je me suis retournée, saisie par cette lumière qui avait bondi dans mon dos. Le docteur me parlait. Je ne comprenais pas ce qu'il disait, une rudesse dans sa voix m'empêchait d'entendre ses paroles.

C'était bien notre docteur de famille pourtant, celui qui passait de longs moments avec nous, restait toujours à bavarder avec mes parents ou à jouer avec moi à chacune de ses visites, qui faisait partie de notre maison puisqu'il avait une clé et y venait parfois la nuit (je l'avais aperçu une fois descendant l'escalier avec sa sacoche), qui avait ce merveilleux accent russe qui m'enchantait parce que je croyais qu'il ne le prenait que par jeu et qu'avec nous, pour nous amuser, c'était lui, mais il ne semblait pas vraiment me voir, je n'étais qu'un obstacle qu'il devait franchir, qu'il allait franchir pour pénétrer dans la chambre, mais avant cela il voulait que je réponde à une question et j'ai enfin entendu ce qu'il me demandait :

— Où est ta mère ?

C'était cela qu'il me demandait, notre vieux docteur : « où est ta mère ? » et le roulement du « r » dans sa voix ne sonnait plus comme un jeu.

Ma mère ?

Ne l'entendait-il pas qui criait dans la chambre ? Etait-il devenu sourd qu'il n'entendait pas cette voix de délire qui hurlait à quelques mètres au-delà de la porte, et la voix de mon père dans les intervalles ?

Ma mère n'entendait-elle pas mon père, qui la suppliait de se calmer ?

Et mon père n'entendait-il pas notre docteur qui répétait sa question absurde ?

Etions-nous tous devenus sourds ?

Et Tirésia, pourquoi ne venait-elle pas ?

— Ma mère ? ai-je dit.

Soudain notre docteur est redevenu lui-même. Il s'est penché vers moi, m'a caressé les cheveux comme il le faisait toujours.

— Excuse-moi, petite, a-t-il dit.

Et soudain il a fait une chose étrange. Il a posé sa sacoche, il s'est agenouillé...

5

Lettre de sœur Béatrice

Chère Estelle,

Six ans déjà. Nous ne vous avons pas oubliée.
Vous êtes toujours l'une d'entre nous, et aujourd'hui la communauté me charge de vous écrire.

Les sœurs qui vous ont été proches me pressent de vous donner
de leurs nouvelles. Les voici.

La Supérieure que vous avez connue est de nouveau notre
Supérieure. Nous avons en effet adopté une rotation sur quatre ans,
avec mandat renouvelable cependant. Sœur Marie-Marthe a fait
des prodiges dans nos champs, grâce à elle la communauté
subvient pratiquement seule à ses besoins, et nous avons pu faire
remblayer la colline où le petit cimetière glissait dangereusement.
Plusieurs de nos sœurs âgées sont mortes, nous avons fait un
arrangement avec l'école du quartier et les enfants viennent avec
leur maître faire la cueillette du tilleul et des groseilles. C'est leur
leçon de choses. Ils apprennent également à préparer des infusions
et de la confiture. Sœur Madeleine et sœur Madeleine-Marie, vous
le devinez, se sont chargées de ces travaux pratiques. Elles sont
toujours là, piliers de notre vie quotidienne. Dans les prières pour

les autres, c'est vous qu'elles évoquent le plus souvent, pour demander la lumière pour vous.

Le croirez-vous ? Notre curé Dureuil, dont les sermons étaient si sévères, s'est défroqué pour se marier. Son épouse est morte, ses qualités exceptionnelles lui ont obtenu d'être ordonné de nouveau, et le voici désormais évêque. Ce qui fait que nous le recevons parfois pour des séminaires. Il est hébergé dans la cellule qui avait été la vôtre en premier lieu, à chacune de ses visites nous pensons à vous, car il fume la pipe et chaque fois après son départ nous devons replacer sur la table l'objet qui vous avait tant dérangée.

Sœur Marie-Marthe insiste pour que j'ajoute ceci à son sujet, je le fais donc. Elle a traversé une crise douloureuse, que les médecins ont appelée dépression nerveuse, mais dont elle savait bien, elle, que c'était une crise de sa vocation. Elle l'a surmontée et nous est devenue plus indispensable que jamais.

Elle tient à vous dire qu'à cause de cela, elle pense à vous avec compassion, même une crise très longue peut être surmontée et il n'est jamais trop tard pour revenir dans le sein de l'Eglise. J'ajoute que sa foi n'en est sortie que plus affermie, et que hélas elle va nous quitter, appelée à de plus hautes fonctions dans notre ordre.

Voyez, chère Estelle, que cette fois je ne vous tiens pas de propos philosophiques ou théologiques.

Je me suis souvent accusée de vous avoir été inutile. J'étais maîtresse des novices pour la première fois, je n'ai pas su dépasser le conflit que je percevais entre nous deux, et nous vous avons perdue. J'ai fait de nombreuses mortifications, grâce à vous je crois avoir progressé dans l'humilité.

Nous nous interrogeons toutes sur ce que vous êtes devenue.

Nous avons eu beaucoup de peine que ce soit votre voisin qui ait téléphoné pour nous communiquer votre décision. Et nous avons eu encore plus de peine que cette décision ait été celle de ne pas revenir.

Nous n'avons pas oublié les circonstances tragiques de votre départ, la mort de cette personne qui vous était chère, la seule qui vous restait de votre entourage d'autrefois, à ce que nous a dit votre voisin. De votre entourage « dans le monde », ma chère Estelle, car nous étions là autour de vous, et nous le sommes toujours.

Nous avons appris par la même voie combien la mort de cette femme vous a affectée. Alors ma chère Estelle, nous avons composé une prière. La Supérieure en a écrit les paroles et j'en ai établi la musique, et nous l'avons appelée « prière à Tirésia ». Nous la chantons souvent.

Dans cette prière nous demandons aux morts de ne pas poursuivre les vivants, de les laisser en paix afin qu'ils puissent oublier leurs affections et leurs peines d'ici-bas et tourner leur âme vers Celui seul qui est amour et consolation.

Toute la communauté se joint à moi et c'est avec cette prière dans notre cœur que nous vous écrivons.

Sœur Béatrice

6

Je vous cherche

Le récit de Tirésia, je ne peux l'écrire. J'entends la musique que ces paroles font, j'entends même les paroles, mais lorsque je veux m'en approcher, ces paroles ne ressemblent plus à la musique que j'entends, ce n'est rien, vous comprenez, madame, des petits cailloux qui s'écroulent dès que j'en mets quelques-uns ensemble.

Tirésia, cette femme voilée de mon enfance, vêtue de noir, muette, n'a cessé de parler pendant cinq jours et cinq nuits, les cinq jours et cinq nuits qui ont été son agonie. Elle dormait un peu aussi, je la regardais.

Dans l'état d'affaiblissement où elle était, elle ne pouvait plus maintenir le voile sur son visage, il avait glissé sur le côté du lit, je l'avais enlevé, et elle ne l'a pas réclamé.

Je regardais son visage.

Cette femme n'a pas quitté mon enfance, peut-être jamais quitté mes pensées, et je ne connaissais pas son visage.

J'ai dû la laver aussi et j'ai vu son ventre.

Il faut que vous compreniez. Tirésia, nous ne la touchions jamais, nous nous approchions d'elle, c'est d'elle que nous étions le plus proches, il n'y avait personne au monde de plus proche de nous, et pourtant nous ne la touchions pas.

Je ne crois pas que personne nous l'ait interdit, elle moins que quiconque. Mais dès la première seconde, nous savions tout de Tirésia, mon frère et moi.

Ni lui ni moi n'auraient pu dire ce que nous savions, ni même que nous savions, mais Tirésia était en nous.

Quand je dis « dès la première seconde », j'entends la première seconde de la naissance de mon frère bien sûr. Ce qu'il y a eu avant, mes cinq années de vie avant lui, je n'en ai pas de souvenir.

Nous touchions notre mère Nicole, qui était une très jolie jeune fille blonde et frêle, à la peau douce comme un pétale de rose, ne riez pas, c'est ce que notre père disait, il disait « Nicole a la peau douce comme un pétale de rose », il y avait d'ailleurs dans le jardin un rosier d'une espèce inconnue de nous et dont il appelait les fleurs « roses nicole ». Que le rosier s'appelle « nicole » et que Nicole ait la peau d'un pétale de rose, c'était pour nous de l'ordre des vérités révélées, il est trop tard maintenant pour que je puisse faire subir à cette vérité le test de mon regard d'adulte.

Non parce qu'ils auraient vieilli, que notre père serait devenu amer et notre mère Nicole flétrie, mais parce qu'ils sont morts tous les deux.

Pourquoi ils sont morts, notre mère Nicole qui était une si vive et jolie jeune fille et notre père qui avait à peine plus que mon âge maintenant, cela est dans le récit de Tirésia.

Et dans le récit de Tirésia, il y a aussi pourquoi mon frère est mort, pourquoi je survis, madame, et pourquoi aujourd'hui je vous cherche...

7

La sacoche du docteur

La sacoche de notre docteur s'appelait un « sacvayage ». Avec son samovar, c'était l'un des rares objets qu'il avait ramenés de Moscou.

Notre docteur était d'origine russe. Exilé avec ses tantes, il avait vécu quelques années à Londres, puis à Paris, et enfin s'était installé dans notre ville pour n'en plus partir. Il voulait une vie calme, des patients qui seraient aussi des amis, le temps de se consacrer à eux, de rester bavarder après sa visite, et jouer avec les enfants, et repartir sans hâte en visitant le jardin.

Lorsque mon frère est né, il parlait déjà de prendre sa retraite, mais il restait notre médecin de famille, mon père n'en aurait pas voulu d'autre.

Ne pouvait en avoir d'autre.

Le jeune médecin qui était son remplaçant et devait devenir son associé était venu une fois chez nous, parce que notre docteur était indisponible. Mais il ne s'agissait peut-être pas d'une indisponibilité, mais de la « querelle », ce différend étrange, que nous ne comprenions pas, car notre docteur faisait partie de notre maison.

Il venait presque tous les jours. Après ses visites, mon père et lui parlaient de longs moments en marchant de long en large dans le jardin, de choses qui s'étaient passées il y a longtemps dans le pays de notre docteur, dans le pays de notre père, dans d'autres lieux, cela nous plaisait de les voir marcher ainsi, « les voilà à leur messe », disait Nicole que ces conversations ennuyaient, mais nous cela nous plaisait et nous les imitions de loin, marchant les mains dans le dos, gravement, n'approchant pas trop près, ce n'était pas notre moment et nous le savions.

Notre moment à nous, nous l'avions dans la maison lorsque nous ouvrions la sacoche du docteur, qu'il nous appelait ses « petits pandores ». Dans le même temps, lui et mon père relançaient leur vieille plaisanterie sur leur tâche de « second ordre » ou d' « éternels seconds » ou de « poseurs de rustines ».

J'oublie cette autre source de plaisanteries qu'était le nom du docteur : Minor.

« Mineur, oui », disait le docteur.

« Mais non », disait notre père.

« Hélas, hélas, disait notre docteur, je connais mon Major. »

Et nous avions vaguement l'idée que ce Major avait été quelque officier redoutable qui avait fait plier notre docteur sous sa botte dans ces guerres dont il parlait si souvent avec notre père.

Lorsqu'ils étaient à leur promenade d'après la visite, dans le jardin, nous n'approchions pas, nous suivions seulement, contents et bercés. Mais il arrivait parfois que notre docteur et notre père s'enferment ensemble, et là nous ne devions approcher ni de près ni de loin, bizarrement ils ne s'enfermaient pas dans le bureau de notre père, mais dans la voiture, la grande DS grise qui était presque toujours en stationnement dans la rue, devant la grille de la maison. De temps en temps nous apercevions l'un ou l'autre des deux qui baissait la vitre comme pour reprendre un peu d'air frais puis aussitôt la remontait. Et nous savions qu'ils étaient dans cette querelle, dont aucun écho ne nous parvenait.

Tout semblait alors figé dans la maison, une fois nous avons cru apercevoir Tirésia derrière le massif d'hortensias qui se trouvait près de la grille, mais lorsque nous sommes arrivés, par la pelouse pourtant, pieds déchaussées et silencieux, il n'y avait personne et nous avons filé, craignant d'être aperçus dans le rétroviseur.

Une autre fois, la portière de la voiture s'est brusquement ouverte, Minor a jailli au-dehors, « MENSONGE » criait-il, et le mot a claqué avec la portière dans le même fracas. Il nous a semblé que la rue allait s'ouvrir, engloutir les maisons, la voiture, nous-mêmes. Minor s'éloignait à grands pas, l'autre portière s'est ouverte, notre père est sorti, il courait derrière Minor, à la main il tenait la sacoche, le docteur s'est retourné, a vu ce que tenait notre père, alors il s'est arrêté, et nous avons vu comme au ralenti notre père tendre le bras et le docteur tendre le sien, et leurs mains se rejoindre sur la sacoche.

Ce devait être lorsque notre docteur avait tenté de prendre sa retraite, leur querelle était alors en son plus grand et dernier déferlement. Peut-être Minor avait-il voulu profiter de cet événement officiel pour rompre avec nous, se retirer de cette querelle, je ne sais... Je sais, pourtant.

Le jeune médecin avait été très empressé et dévoué, mais je revois mon père remontant l'allée du jardin après l'avoir accompagné à la grille, puis s'arrêtant sur le perron et se tournant soudain vers moi, dans un de ces moments où il semblait oublier que j'étais une enfant, où il me parlait comme à une égale, comme à son épouse, comme de fait il ne parlait jamais à notre mère.

— Que veux-tu, a-t-il dit, c'est tellement au-delà...
Et il avait eu ce geste d'impuissance.
— N'est-ce pas, tellement au-delà...
— Oui, papa, avais-je dit.
Et il m'avait regardée en hochant la tête, une légère détente sur ses traits fatigués, l'esquisse d'un sourire, comme si ma présence, la présence d'un compagnon, d'un ami de confiance, si petit fût-il (mais je ne crois pas qu'il voyait à cet instant que j'étais une enfant), était déjà une consolation.

Je n'avais aucune idée bien sûr de ce qu'il voulait dire, et pourtant d'une certaine façon c'était comme si j'étais au-delà de cette nécessité de savoir.

Dans ces moments il se produisait un glissement non pas du temps, car nous ne devions jamais nous parler de façon plus précise, mais de l'espace. Nous nous trouvions alors, mon père et moi, dans un espace où nous nous comprenions totalement, parce que d'une manière inexplicable, par des terrains différents, en sens inverse l'un de l'autre, nous avions fait le même parcours.

Et puis il s'éloignait, je redevenais une enfant, avec dans la gorge un étrange serrement. Car de cet espace où j'avais été adulte aux côtés de mon père et son compagnon le plus proche, il me fallait toujours revenir puisque réellement je n'étais qu'une fillette, et alors je me sentais triste et abandonnée, sans le savoir, sans pouvoir le dire ni me plaindre et pleurer.

J'allais du côté de ma mère Nicole, dans le garage transformé en studio de danse, où les murs étaient tendus de toile bleu ciel et ceinturés d'une barre de bois poli.

Elle était là, presque toujours, dans ce garage qu'elle avait voulu semblable au ciel, dans lequel la force de son illusion voyait le ciel, la plus pure, la plus inviolable des étendues, ses cheveux relevés en queue de cheval, ses pieds dans les chaussons de danse à rubans, légère et absorbée, absorbée dans la danse, si jeune...

Je n'osais pas la déranger, je n'osais même pas entrer, avec mes bottes de caoutchouc toujours couvertes de boue, ma jupe plissée d'écolière, le pull-over qui m'engonçait. Bientôt, très vite, je serais plus grande que ma mère, plus robuste. Et elle, elle aurait l'air d'une fillette à côté de moi, elle était si menue. Moi, j'étais grande, comme mon père, mais contrairement à lui, large de carrure.

Alors je cherchais Tirésia.

Je n'avais jamais besoin d'aller bien loin pour la trouver, elle était toujours ici ou là dans la maison, et surgissait quand je la cherchais. Elle n'avait pas un bureau à elle comme notre père, ni une salle de danse comme notre mère. Elle avait un piano au salon et sa chambre tout en haut, au dernier étage, en face du grenier, mais elle ne restait pas à son piano ou dans sa chambre, elle était ici ou là dans la maison.

Tirésia était là et enfin ma tristesse reculait. Elle m'écoutait, me regardait avec ses lunettes sombres, touchait légèrement de ses doigts ce pull-over dont je me plaignais, qui me faisait les épaules volumineuses, les chaussures qui me faisaient la démarche lourde, les chaussettes qui m'empêchaient d'avoir l'air d'une jeune fille, d'une jolie jeune fille comme ma mère. Et parfois un peu plus tard il arrivait que le pull-over disparaisse, et je le retrouvais, retricoté d'une autre façon, tel que j'avais décrit à Tirésia le pull-over idéal. Je ne l'avais pas vue à cet ouvrage et elle ne m'en disait rien. Elle avait dû le faire dans sa chambre du dernier étage, lorsque nous étions avec notre père et notre mère Nicole au salon après le dîner, durant ces longues heures du soir dans notre ville de province. Et dans sa chambre, nous n'allions pas. Je ne me souviens pas qu'on nous l'ait interdit et pourtant cela a dû se faire à une époque que nous ne nous rappelions pas, car jamais nous n'allions à sa chambre et l'idée ne nous en venait pas.

Ce ne pouvait être qu'elle. Mon père ne voyait pas ce que nous portions, et nous n'aurions pas songé à le déranger pour de si pitoyables histoires. Et ma mère... Elle aurait secoué la tête avec insouciance et dit :

— Mais Estelle, tu n'as qu'à prendre un de mes pulls, celui qui te plaît le plus.

Ma mère Nicole était généreuse, généreuse comme un oiseau qui laisserait tomber ses jolies plumes au hasard. Seulement ses pull-overs étaient trop délicats pour moi, ils ne pouvaient m'aller et j'en avais honte, je n'osais le lui dire, je ne voulais pas lui faire de peine, refuser son cadeau, l'obliger à me regarder, à voir cette fille qui n'avait pas sa grâce et son talent, qui ne serait pas une danseuse. J'étais si gênée.

— Nicole, j'ai changé d'avis, je préfère le mien.

Elle haussait les épaules.

— Cette gamine !

Et aussitôt elle avait oublié.

Je trouvais Tirésia, ma tristesse reculait mais ne m'abandonnait pas. Nul ne pouvait s'approcher vraiment de Tirésia. Il y avait une barrière invisible autour d'elle, qu'aucun de nous ne franchissait. Je ne pouvais me blottir contre elle, mettre ma tête contre son ventre, serrer sa taille dans mes bras. Cela, nous le faisions avec Nicole, qui pourtant n'aimait pas qu'on la touche. Et avec Tirésia, qui pour nous était l'essence même du toucher, du contact le plus proche, nous ne le faisions pas. J'aimais Tirésia de tout mon cœur, mais cet amour devait rester comme en suspens.

Mais bien sûr ce n'était ni mon père ni ma mère Nicole ni Tirésia que je quêtais vraiment.

C'était mon frère.

Avec lui seul je pourrais être enfin une enfant, et à lui tout seul il serait mon vrai père, ma vraie mère et bien plus que tout cela.

Mon frère tout petit, qui n'était qu'un nouveau-né dans son berceau cette nuit du cauchemar de ma mère.

Dans mon anxiété, dans ma hâte, je chevauche les périodes, je mêle les moments.

La force qu'il faudrait, je ne la sens pas en moi, madame, elle a été rongée par les vents et les pluies de ces longues heures solitaires de mon enfance d'avant l'arrivée de mon frère, ces vents et ces pluies qui étaient comme l'avenir prématuré, trompé d'heure, cet avenir où mon frère ne serait pas. J'ai peur de chuter dans les sanglots que je sens clapoter au fond de moi. Je n'ai plus cette force simple et drue que mon père essayait de planter en moi, que j'ai crue si longtemps être mienne de nature, qui m'a permis de poursuivre avec tant de sérieux ces études de droit où il m'avait engagée, et je croyais en ces études, elles me faisaient croire en un monde de justice, où les égarements, les horreurs n'étaient qu'accidents qu'on pouvait surveiller et circonscrire, prévenir même.

Cette force droite, je ne l'ai plus. Je ne peux qu'avancer le plus vite possible au milieu de déferlements irréguliers et incontrôlables, seule la vitesse peut me sauver, peut-être au bout de cette course y aura-t-il un rivage plus ferme, plus calme, et alors je pourrai connaître la lenteur, à laquelle j'aspire, que j'entrevois parfois... Mais je ne veux pas même porter mon regard sur cet espoir, il le détruirait. Il me faut faire comme s'il n'existait pas, ne pas le regarder, ne pas porter vers lui ce regard qui est en moi et qui me fait peur. Au prix de tout cela, peut-être un jour la lenteur, c'est-à-dire le repos dans le présent, et un autre amour, quelque chose qui pourrait ressembler à un amour, si cela est possible.

Le docteur a soudain posé sa sacoche contre le mur, sa fameuse vieille sacoche de cuir ridé qu'il appelait « sacvayage » et à cause de laquelle il nous appelait, nous, ses « petits pandores »...

Madame, madame, laissez-moi encore vous parler de cette sacoche, je sais que je m'accroche à cet objet, que je recule le moment de retourner au cauchemar de ma mère, comment retourner au cauchemar de ma mère sans cette sacoche de notre docteur, elle comptait tant pour nous, elle nous protégeait, son « sacvayage », j'entends tant de choses dans ce mot maintenant...

C'était plus tard bien sûr, quand mon frère marchait déjà.

Le docteur faisait semblant de nous gronder, interdisait l'accès à sa sacoche, parlait de danger redoutable, de microbes tenus en cage, de virus mis aux fers, de bactéries en cellule, « pire qu'un zoo, les enfants, cette sacoche, pire qu'une prison », cela nous faisait tordre de rire, nous écoutions les punitions de ces malfaiteurs avec ravissement, et quand il en avait terminé avec les bactéries, en soupirant et levant les bras au ciel, il nous permettait d'ouvrir sa sacoche, nous traitant de « vilains petits pandores ».

Et j'avais toujours cru que ces « petits pandores » qu'il voyait en nous étaient de petites chèvres de montagne à cornes menues et dures.

Nous étions de petites chèvres essayant de brouter les bonbons cachés au milieu des fourrés de seringues et thermomètres, sur quelque rebord d'une falaise abrupte auquel seul notre bon docteur nous donnait accès.

Seulement de là, partaient des lignes zigzagantes et cachées qui rejoignaient brusquement d'autres lignes éloignées pour s'enchevêtrer avec elles, et dans cette zone d'aimantation et de trouble se tenait une petite chèvre blanche, celle qui s'était arrachée à son enclos pour aller affronter des forces plus grandes qu'elle, et dans l'ombre de notre bon docteur, qui voulait tant nous protéger des virus et des microbes et des bactéries, il y avait ce Monsieur Seguin du conte, qui avait été vaincu.

Hélas nous oubliions vite ce Monsieur Seguin, et lorsque nous avions trouvé les bonbons derrière les seringues et que rien de terrible ne s'était passé, Minor disait : « Très bien, mes potions sont de bonnes gardiennes », et nous étions si heureux, mon frère et moi. Heureux non pas des bonbons, qui n'étaient qu'un prétexte et que nous n'aimions pas vraiment (cela bien sûr nous n'aurions pas voulu le dire à notre bon docteur, pour rien au monde nous n'aurions voulu lui dire que ses berlingots nous les trouvions durs et piquants, car lui les aimait et pouvait ainsi se permettre d'en manger un aussi, « pour m'assurer qu'ils ne sont pas empoisonnés ou contaminés » disait-il), non, nous étions heureux de ses potions si bonnes gardiennes et de sa compétence, de tout ce rempart que notre docteur élevait entre le mal et nous.

Notre père disait « je ne suis qu'un modeste avocat de second ordre », notre docteur disait aussi « je ne suis qu'un docteur de second ordre ». Un jour dans une de ces illuminations qu'on a parfois, j'ai compris ce qu'ils voulaient dire l'un et l'autre.

Ils voulaient dire que le mal arrive en premier, et eux ne pouvaient venir qu'ensuite, ils étaient les éternels seconds, « des poseurs de rustines », se disaient-ils l'un à l'autre parfois, ce qui m'intriguait si fort puisque je ne les avais jamais vus faire du vélo.

Mais pour Dan et moi, notre docteur était un rempart, nous nous sentions protégés, rien ne pouvait nous arriver tant que notre docteur était là, il nous fallait simplement à chacune de ses visites renouveler le rite et revérifier la force de cette puissance tutélaire et la pérennité de sa protection, et lui dans la bonté de son cœur sentait peut-être combien nous avions besoin de lui, combien notre amour était menacé, cet amour d'enfant, frêle comme nous-mêmes, qui cherchait des appuis, qui appelait à l'aide...

Cette vieille sacoche ridée de notre docteur, voilà maintenant qu'elle est plantée là devant moi, prenant toute l'attention, objet énigmatique, familier et terriblement étrange.

J'ai déjà rencontré ce genre d'objet.

Je vois sur un tableau, flottant à mi-hauteur de la toile, un cageot qui n'était qu'un cageot à légumes, en planches ordinaires, mais brusquement on pensait « des planches ordinaires, comme celles d'un cercueil [1] ». C'était à Paris, à un vernissage, mon frère était encore dans la première salle, je suis allée le rejoindre, je lui ai dit que je voulais partir, « mais je n'ai pas vu la suite Estelle », « il n'y a rien à voir Dan » et nous avons fait volte-face et quitté la galerie aussitôt. « Où allez-vous ? » criait Vlad, courant derrière nous dans la rue. « On nous appelle » répondait mon frère en m'entraînant plus vite. Dans la nuit Vlad nous a téléphoné, il était en colère, « qui vous appelait, hein ? », « le bonheur » a dit mon frère, et contrairement à Adrien que ce genre de réponse rendait fou, Vlad s'est mis à rire, « vous êtes vraiment imprévisibles » a-t-il dit en raccrochant, *et cette phrase de Vlad nous avait fait du bien, madame, comme si ce pouvait être un atout pour nous d'être imprévisibles, comme si nous cherchions des atouts pour déjouer le destin, mais nous allions tout simplement à l'aveuglette...*

Je vois une photographie, faite par un ami de Dan à New York. On y voyait une rangée de bocaux sur le rebord d'une fenêtre, de simples bocaux pris en photo [2], mais mon âme était comme tombée en eux, et j'avais pensé à ces fœtus humains, qui étaient conservés dans le formol sur une étagère poussiéreuse au musée de notre ville à G., on ne nous les montrait pas au cours de nos visites avec l'école, mais nous savions qu'ils étaient là, et nous trouvions le moyen de nous faufiler jusqu'à eux, leurs grands yeux fermés et blancs nous bouleversaient...

1. *Nature morte avec cageot*, Barbâtre.
2. Collection Claude et Suzanne Jacot, New York.

8

Sauve-toi

Le docteur a posé sa sacoche contre le mur, il s'est agenouillé devant moi, m'a pris les deux mains, et d'une voix que je ne lui connaissais pas, une voix de vieil homme, infiniment triste et compatissante, il a répété :

— Pardonne-moi, petite.

Dans la demi-obscurité du couloir, son regard plongeait dans le mien comme s'il rencontrait derrière mes yeux d'enfant un savoir profond qui était là déjà, qu'il avait déposé lui-même peut-être mais qu'il ne pouvait amener au jour.

Soudain il a porté mes deux mains à ses lèvres, y a déposé un baiser, puis a refermé mes mains comme pour y imprimer l'empreinte de ce baiser, pour me le laisser en viatique et pendant un instant, un instant qui m'a paru immense, qui m'a paru couvrir tout le temps où nous nous étions connus, moi enfant lui adulte, il est resté le front contre mes mains jointes.

Il m'est souvent arrivé par la suite, lorsque je ne savais plus vers qui ou vers quoi me tourner, d'ouvrir mes mains en coupe et de les regarder fixement. J'avais l'idée folle que ce geste, fait brusquement, à un moment d'inattention du destin, pourrait me ramener en arrière, à cet instant où notre docteur avait failli me dire quelque chose, où j'avais failli l'entendre.

Plus tard encore, j'ai refait ce geste, mais dans un autre but. A force de fixer cette coupe, il me semblait qu'un peu de mon amertume s'y déposait, et lorsque je la sentais emplie, j'ouvrais mes mains, c'était fini, je pouvais reprendre les activités de ma vie. Et puis plus récemment, je me suis surprise encore à ce même geste, mais cette fois c'était pour recueillir des forces, que je sentais sourdre enfin, en gouttes autour de moi.

Je n'ai jamais vraiment essayé de me débarrasser de ces bizarreries. Parfois je redoute qu'elles n'éloignent de moi les autres, qu'elles me deviennent à moi-même inquiétantes, et alors inopérantes, rituels morts et repoussants. Mais toutes ces années sont passées sur moi, laminant l'épaisseur qui sépare des autres, l'usant parfois jusqu'à la percer, j'ai fini par voir que les bizarreries sont partout, elles affectent parfois des apparences de normalité, des formes quasi invisibles, mais il suffit d'un peu d'attention pour découvrir que ce ne sont que bizarreries aussi, à peine plus surprenantes que mon absorbement dans la coupe de mes mains jointes.

Le docteur soudain reprenait sa sacoche, se relevait. Il me repoussait d'un air grondeur, « veux-tu bien filer ! ».

Mon père était à la porte.

— Minor, excusez-moi, je n'aurais pas dû...

— Vous avez bien fait, disait le docteur en passant devant lui.

Mon père m'apercevait.

— Sauve-toi, me disait-il.

Son ton était celui d'un ordre froid, comme dans les cas de grande urgence ou de péril.

« Sauve-toi ». Toujours, depuis, lorsque ces deux mots affleurent dans le présent, et ils ne sont jamais loin, nœud vivace de la mémoire, il y a ce léger flottement qui se fait en moi. Parfois il me semble entendre « file », comme me l'avait demandé le docteur, et parfois c'est l'autre sens que j'entends, l'avertissement, très clairement dans la voix de mon père : « Tu es en péril, mon enfant, garde-toi. »

Dans mes moments de grande force, lorsque la vie semble un joyeux et stimulant combat de boxe, lorsqu'il est possible de bondir d'activités en activités comme un singe insouciant de liane en liane, alors c'est le premier sens que j'entends, et j'ai envie de rire de mes imaginations sinistres. « File ! » Il avait bien raison, mon père. Quel embarras pour lui cela avait dû être, l'apparition de sa fille au milieu de ce mélodrame.

Pauvre père, je voudrais pouvoir le consoler, lui dire que j'ai survécu, qu'il ne se fasse pas de souci, que les parents sont ce qu'ils sont, chacun son lot.

Ces moments-là m'arrivent. De loin en loin, parfois de proche en proche. C'est ce qui me permet de tenir, bien sûr. J'imagine qu'il en va de même avec les autres.

Mais il y a les moments où j'entends l'autre sens, alors le même vieux froid que je connais si bien revient m'entourer, je grelotterais si l'on pouvait grelotter de ce genre de froid, je me dis « encore une fois ! Patience, tu connais déjà, cela va passer », mais je sais qu'à tout moment il peut venir un autre froid encore plus froid que celui-ci, et s'il avance sa pointe gelée du fond de ce passé, s'il mène sa grande offensive une seconde fois, ce sera sa percée définitive, *je ne pourrai lutter, madame, c'est pour cela que je dois aller vite.*

Mon père m'a dit « sauve-toi », d'une voix neutre et nette, le docteur et lui se sont légèrement bousculés dans la porte, ma mère délirait encore, je suis repartie vers ma chambre.

En arrivant sur le palier de l'escalier qui menait au second étage, j'ai heurté Tirésia, qui se tenait appuyée à la rampe, immobile, tout habillée, si immobile que j'ai pris peur. « Tirésia ? » Elle m'a fait un léger signe de la main, elle aussi me disait « va, va », comme si je l'empêchais de percevoir, comme si ma présence faisait un mur entre elle et ce qui importait.

Je suis entrée dans ma chambre et alors, malgré les rafales de la tempête, et les cris de ma mère venant par intermittences sur ces rafales comme si de grands oiseaux tournoyants étaient soudain rabattus sous le vent, et les claquements des volets contre les taquets de métal, et le chuintement ininterrompu des grands marronniers, et l'effrayante commotion que faisaient en moi la tempête et les cris de ma mère et les volets et les arbres et les paroles jetées au milieu de tout cela, j'ai entendu mon petit frère.

Nul bruit ne venait de sa chambre, et pourtant j'ai su avec la plus grande certitude qu'il pleurait, j'ai vu ses yeux grands ouverts dans la nuit, sa détresse, elle était en moi, j'étais lui soudain, seul dans ce berceau comme au fond d'un immense puits noir.

Aucune explication rationnelle n'enlèvera la puissance de cette sensation : à cet instant, j'ai été mon frère, mon frère était en moi.

Lorsque je suis arrivée à son berceau, ses yeux étaient tournés vers moi, deux reflets au fond du puits noir. Ils étaient exactement tels que je les avais vus, grands ouverts, pleins d'une eau tumultueuse montée brusquement par les fissures secrètes de la maison et le terrorisant.

Je l'ai soulevé délicatement, je l'ai mis contre moi en tenant sa tête par-derrière, et j'ai senti son corps qui se collait contre le mien, comme s'il le reconnaissait, comme si c'était exactement cela qu'il avait attendu, pour cela qu'il était venu sur cette terre. Aussitôt tous deux nous nous sommes calmés et je suis restée debout, immobile, mon petit frère serré contre moi, tandis que la tempête faisait rage au-dehors et que dans la maison le délire faisait claquer les portes, crier les êtres sous son emprise, courir les pas dans les couloirs.

Sur ma poitrine d'enfant s'est posée une marque indélébile, la marque du poids de mon frère. J'ai senti un tourbillon de forces encore inconnues et informes qui se cherchaient, qui cherchaient un canal par où se pousser à la surface. J'ai senti la pointe de mes seins sur ma poitrine plate d'enfant. Les pointes de mes seins avaient perçu la présence de mon frère, s'étaient dressées comme des antennes, elles ne reconnaîtraient jamais que lui. Et la poitrine de mon frère toujours chercherait la mienne, chercherait à s'y coller, à s'y écraser, et sa tête chercherait la saignée de mon cou pour s'y poser et écouter avec moi, dans l'alerte de nos corps soudés, le battement de l'étrange vie.

9

Le paratonnerre des rêves

— C'était un rêve, disait mon père le lendemain de ces cauchemars.

Je ne savais pas s'il parlait de la nuit de Nicole, ou de la mienne.

Beaucoup d'orages, beaucoup de rêves. Sûrement ils n'avaient pas toujours lieu en même temps, mais je les ai associés indissolublement.

Les rêves erraient au-dessus de notre région, parfois s'abattaient brutalement, fondaient sur nous.

— D'où viennent les rêves ? demandais-je à mon père.

— Ce sont des orages de la tête, disait-il.

Pourquoi n'avions-nous pas un paratonnerre contre les rêves alors ?

De loin, à travers les parois, nous parvenait la musique que notre mère jouait sur son Teppaz pour danser, le *Boléro* de Ravel presque toujours. Nicole dansait dans son garage, joyeuse, délivrée.

— Les rêves passent comme les orages, tu vois bien, disait mon père, les traits tirés de fatigue, et je ne savais toujours pas s'il parlait de Nicole ou de moi.

— Qu'est-ce qui attire les rêves ? demandais-je.

Je voyais la pointe noire du paratonnerre plantée sur notre maison.

— Qu'est-ce qui attire les rêves ? répétait mon père, troublé.

Il y a des pointes noires dans les maisons qui attirent les rêves, comme le paratonnerre attire les orages. C'est ce que je disais à mon père, et il disait vivement, trébuchant presque sur les mots :

— Oui, mais qui protègent aussi, comme les paratonnerres.

Et Tirésia, qui avait été assise jusque-là (quelque chose dans sa façon d'être assise suggérait une extrême fatigue chez elle aussi), se levait.

Sa forme noire, droite et isolée, brusquement dressée dans la maison...

Elle s'en allait.

Incrédules, nous écoutions les bruits qui venaient du vestibule, elle sortait, bientôt on entendrait grincer la petite grille de la porte latérale du jardin, celle qui donnait sur la partie déserte de la route qui menait au cimetière ou dans les collines.

— Il faut que je mette de l'huile sur les gonds, murmurait mon père.

Il se tenait debout, légèrement en retrait derrière le rideau, les yeux fixés dehors.

— Qui protègent comment ?

Mais mon père ne pouvait plus répondre, il était là-bas sur la route où s'éloignait Tirésia, les paroles qu'ils jetaient à mes questions insistantes étaient creuses maintenant, des bulles qui s'évanouiraient aussi sur la peau, qui ne me nourriraient pas, me laisseraient mourir de faim.

De nouveau nous étions seuls. Mon petit frère se serrait contre moi. Lui aussi avait attendu de savoir quel paratonnerre nous protégeait des cauchemars, il avait vu Tirésia se lever, et disparaître par la grille du jardin, il avait vu notre père devenir transparent devant nous comme un brouillard, et comme moi il entendait, venant du Teppaz, les notes privées de leur chair par la distance et la répétition, des notes creuses qui traversaient les murs, pour nous dire que là-bas dans le garage tendu de toile bleu pâle, notre mère poursuivait son désir d'un corps immatériel et invulnérable que les cauchemars les plus acharnés de l'histoire ne pourraient atteindre, pure arabesque dans l'infini bleuté du ciel.

Tirésia ne revenait pas, notre père s'enfermait dans son bureau, notre mère continuait ses exercices, l'heure du dîner était oubliée depuis longtemps, mon frère et moi allions à la cuisine.

Nous écoutions d'abord dans le hall, en retenant notre souffle, incertains des lignes de force de ce soir-là, redoutant des turbulences et nous efforçant de les prévoir, mais aucune modification nouvelle ne semblait en cours, la grille du jardin ne grinçait pas, les pas de notre père ne résonnaient pas dans le couloir, les petites notes creuses que nous connaissions bien continuaient à s'étouffer à travers les murs, et bientôt nous étions rassurés.

Personne ne s'inquiéterait de nous ce soir-là.

Alors nous entrions dans la cuisine, nous fermions doucement la porte et poussions la petite targette qui se trouvait en bas, difficile à manœuvrer parce qu'elle ne servait qu'à nous et n'était pas entretenue, personne sûrement ne se rappelait son existence. Mais cette targette était à notre hauteur, je veux dire à la hauteur de mon frère, et elle était petite, il nous semblait qu'elle avait été faite pour nous, peut-être par ces êtres invisibles en qui croyait Nicole. A moins de se baisser, les adultes ne pouvaient la voir.

Elle ne se débloquait que de quelques millimètres, peut-être ne franchissait-elle pas vraiment le vide entre la porte et le mur, peut-être ne pénétrait-elle pas vraiment dans sa petite loge de l'autre côté, mais elle nous paraissait néanmoins aussi solide qu'un bon verrou.

Une fois notre petite targette poussée à grand-peine, nous nous sentions en sécurité, ensemble chez nous.

Et soudain nous étions heureux.

Mon frère avait les idées les plus folles, il me commandait et j'obéissais, stupéfaite de son audace et l'éprouvant aussitôt comme la mienne.

Je me posais sur l'audace de mon frère comme sur le fond solide d'un bateau, et puisque je n'avais plus à chercher ce fond solide sur lequel m'installer, il me venait à moi aussi une forme d'audace, tranquille et libre, et je pouvais donner toute mon attention à l'exécution des ordres de mon frère.

Je m'appliquais sans effort, car dans cet élan qu'il me donnait, les gestes venaient d'eux-mêmes, gestes vus sur les grandes personnes dans la cuisine, comme s'ils n'avaient attendu pour exister en moi que le désir de mon frère.

Il voulait que je casse des œufs, et sans l'avoir jamais fait, je savais le faire. Il voulait que je fasse du « gruyère râpé » avec le chocolat, et je trouvais la râpe et le chocolat et râpais à m'érafler la peau, jusqu'à ce que mon frère estime suffisamment haut le petit tas annelé et marron sur le papier argenté, et après, malgré l'interdiction formelle qui nous en avait été faite, j'allumais la cuisinière à gaz et mettais le feu sous la poêle.

Mon frère voulait la plus grande, celle qui ne servait jamais, parce que ce n'était pas une poêle mais un plateau et que ma mère l'avait acheté pour décorer le mur, puis bien sûr elle avait renoncé à chercher un clou, à le poser et le plateau était resté sur une étagère. Mais elle aimait se laisser fasciner par l'éclat doré du cuivre, « regardez, regardez », « quoi Nicole ? », « comme ça brille », « oui Nicole », « comme ça fait gai dans cette maison », disait-elle.

Gai ?

Nous n'avions pas pensé à cela.

Parfois Tirésia enlevait le plateau de l'étagère pour le nettoyer, avec un produit qui sentait étrangement mauvais.

Comme alerté par cette odeur, notre père arrivait, il voyait Tirésia, ses belles mains tachées de noir par l'horrible produit, frottant ce plateau d'un air que nous ne comprenions pas mais qui semblait de la même couleur que le produit et de la même étrange odeur, comme si en cet instant Tirésia était sous l'influence d'un génie sorti de ce flacon, et obligée de frotter, de frotter ce cuivre, déjà trop brillant dans notre cuisine aux peintures passées.

Notre père disait :

— Non !

Et Tirésia s'arrêtait, comme revenant brusquement à elle.

— Non, disait notre père, ce n'est pas ton travail.

Elle levait la tête vers lui, ils semblaient se défier. Que voyait notre père sous le voile de Tirésia, sous ses lunettes sombres? Et elle, que voyait-elle de lui, de l'autre côté de ce voile et de ces verres?

Au bout d'un moment, elle reposait le plateau, notre père hésitait, puis s'en emparait, le rinçait rapidement sous l'eau, cherchait un torchon, hésitant encore dans cette cuisine où il se retrouvait mal — Nicole par simple inattention changeait sans arrêt les choses de place — puis il essuyait l'objet brillant à l'odeur piquante et le replaçait sur son étagère.

— Bon, faisait-il en regardant Tirésia, bon.

Puis il disait :

— Je ne veux pas que tu fasses cela, regarde tes mains.

Il se tournait vers nous :

— Les mains de Tirésia sont belles, n'est-ce pas les enfants?

Et nous, nous approuvions. Nous les trouvions très belles, les mains de Tirésia, blanches et longues, surtout lorsqu'elles volaient sur le clavier, soulevant très vite les touches, qui ressemblaient alors à un minuscule corps de ballet tout excité et débordant comiquement d'exubérance. Mais depuis quand ne nous avait-elle pas fait une telle démonstration?

— Va jouer du piano, disait-il tout bas, presque craintivement. S'il te plaît... Je voudrais t'entendre de mon bureau.

Un murmure.

« S'il te plaît, je voudrais t'entendre de mon bureau », cela voulait dire, nous l'entendions très clairement, « je n'en peux plus de l'autre musique, celle qui vient du Teppaz, je veux la vraie musique, celle de notre grand piano, celle que toi seule sais jouer ». Mais Tirésia secouait doucement la tête, ses deux mains plaquées inertes sur sa robe.

Notre père hésitait encore. Il était déplacé dans cette cuisine, nous sentions que quelque chose tournait en lui, comme une bête rétive qu'il ne savait dompter, et cela nous inquiétait, nous ses faibles disciples, nous qui nous reposions sur lui pour le partage du bien et du mal, pour la défaite du mal et la victoire du bien, nous étions tendus vers lui, mon frère et moi, offrant tout ce que nous pouvions avoir de forces, et il sentait ce secours qui venait de nous.

Une brise légère semblait lui effleurer le visage, détendant ses traits, il retrouvait sa voix que nous aimions, bienveillante, un peu amusée, et à bonne hauteur :

— Fais-leur un gâteau, Tirésia, pourquoi ne leur ferais-tu pas un gâteau ?

Et Tirésia avait un beau mouvement, renvoyant sa tête en arrière dans une attitude où nous voyions soudain très clairement, comme sur une photographie d'un temps de gloire, la silhouette d'une femme belle, célèbre et aimée. Comme nos yeux d'enfants solitaires étaient claircoyants ! Sans le savoir, nous avions à tout instant connaissance d'une autre Tirésia derrière celle qui vivait avec nous, voilée de noir, dans la maison.

Cette fugitive image passait comme un fantôme bienfaisant, semant dans son sillage les douces, les impalpables graines de l'apaisement.

— Un gâteau ! s'écriait mon frère avec ravissement, en jetant ses bras autour de ma taille, en enfonçant son visage dans mon ventre, comme s'il ne pouvait croire en un tel bonheur.

— Ah, ah ! faisait mon père, du ton d'un inventeur ayant enfin buté sur sa grande découverte.

Et mon frère, comme chatouillé par ce ton, se trémoussait de plus belle.

— Mais vous savez bien que je brûle les gâteaux, dit alors Tirésia de cette étrange voix, voilée comme son visage, qui ne semblait pas une voix pour porter les mots, mais un cristal blessé sur lequel continuaient de tinter les échos d'un autre monde, des échos qu'elle seule pouvait capter, et que nous entendions dans sa voix toujours.

Toute notre enfance, nous avons entendu ces échos sur le cristal blessé de la voix de Tirésia, tintant autour de nous comme dans une brume, se déplaçant mystérieusement, nous ne savions ce qu'ils signalaient, mais une alerte qui était en nous et ne nous quittait jamais s'orientait au son de ces échos, jusqu'au jour où ils se sont tus presque entièrement, et alors nous avions tout de même son corps pour nous orienter.

— Je brûle les gâteaux, a répété Tirésia, avec cet étonnement presque joyeux qui lui venait parfois et qui nous rendait si joyeux en retour.

Maintenant je sais ce que c'est, cet étonnement qui la remplissait d'un bonheur simple et inespéré, c'était celui d'entendre sa voix porter des mots, des mots ordinaires, de la vie de tous les jours. Sa voix pouvait faire cela, pouvait être un innocent seau de fer-blanc et porter des phrases simples et bonnes comme du lait !

— Un gâteau brûlé ! criait mon frère avec un enthousiasme décuplé, roulant la tête et s'accrochant à moi comme s'il était pris de vertige.

Il était si drôle alors, notre père se mettait à rire et ce rire de notre père, qui était si rare, nous rendait comme fous. Mon frère grimpait sur moi comme un petit singe, je le saisissais et l'installais à cheval sur ma taille, mais il sautait, se plaquait sur ma poitrine, je vacillais sous son poids, mais j'étais forte en même temps car il était mon bouclier, bientôt mes seins chercheraient cet abri, se blottiraient contre lui, ne sauraient plus exister sans ce rempart.

Tirésia commençait à s'activer dans cette cuisine où elle cherchait les objets dans un léger tâtonnement, nous l'aidions, au bout d'un moment c'était nous qui agissions, mon père regardait le désordre, puis il soupirait, se passait les mains sous l'eau et s'en allait.

Alors les gestes de Tirésia se ralentissaient.

Nous sentions comme un froid qui aurait pénétré dans la cuisine. La chaleur expansive du four avait reculé, était rentrée à l'intérieur de la cuisinière où elle ne faisait plus qu'obéir mécaniquement aux ordres des boutons de température. Tous les objets semblaient être retournés prudemment en eux-mêmes, dans les limites ordinairement assignées à eux. Le papier argenté du chocolat n'avait plus son éclat d'étoile magique, il avait l'aspect froissé et morose de ce qui va partir à la poubelle, les œufs avaient laissé des glaires sur le bol, la farine collait à la table.

Malgré la chaleur, la cuisine avait cet air refroidi que nous connaissions bien, car ce n'était pas la première fois.

Mon frère se mettait à sucer son pouce, mon cœur battait, la détresse nous avait rattrapés.

J'essayais de repousser cette détresse, je faisais grand bruit, frappant fort avec le fouet contre les parois du bol où étaient les blancs d'œuf. Si Tirésia s'en apercevait et me demandait d'être moins brutale en montrant la faïence qui s'éraillait, c'est qu'il y avait encore possibilité de la rattraper, de la garder avec nous, et avec elle la vraie chaleur de la cuisine, mais le plus souvent il n'y avait rien à faire.

Tirésia donnait quelques vagues directives puis s'en allait.

Nous écoutions ses pas, puis lorsque nous ne les entendions plus, j'allais vite refermer la porte.

Mon souci principal, mon énorme souci était que mon frère ne tombe pas dans cette froide mare de détresse qui était montée autour de nous.

Je ne savais trop que faire, la cuisine semblait soudain le lieu du chaos, d'un chaos insurmontable pour nous deux. Avec une ardente nostalgie je pensais à la Nanou de nos voisins, qui venait parfois chez nous pour aider, envoyée par eux je le sais maintenant. Ce devait être Adrien qui transmettait le signal d'alarme. Il avait notre âge, c'est-à-dire plus jeune que moi et plus âgé que mon frère, au milieu exactement, et venait souvent chez nous, regardant tout d'un œil froid et critique. Mais à moi seule je ne pouvais faire venir Nanou.

Car il ne fallait pas non plus que notre père se rende compte que Tirésia nous avait abandonnés au milieu de la préparation du gâteau, que l'espèce d'enthousiasme qu'elle avait manifesté lors de la présence de mon père s'était petit à petit éteint après son départ, et que nos forces à nous, les enfants, n'avaient pas été suffisantes pour rallumer cet enthousiasme.

Il ne fallait pas que notre père sache, nous étions tacitement mais totalement d'accord là-dessus, Dan et moi. Mais si on nous avait demandé pourquoi, nous n'aurions pu répondre, nous ne savions pas même que nous le voulions. Et si j'y pense maintenant et me pose la question : « Pourquoi voulais-tu si fort éviter que ton père ne sache cette chose, ne sache que Tirésia vous avait laissés seuls au milieu de la petite fête qu'il avait lui-même mise en train ? », certes je trouverais des réponses, puisque je sais maintenant tout ce qu'à l'époque nous ignorions, mais derrière toutes ces réponses possibles il n'y en a qu'une.

Je voulais pour mon frère un anneau de chaleur et de bien-être, je voulais qu'aucune horreur ne pénètre sur le territoire où il se tenait. Il me semble, oui, que je ne cessais de lutter, de renverser des situations pour maintenir autour de lui une sorte de scintillement doux et chaud, mais mon inquiétude était trop grande sans doute et ma méthode trop sérieuse.

Car finalement, c'était lui mon frère si petit, qui nous sauvait de cette détresse que je voulais lui éviter.

On aurait dit qu'il se tenait à la source de mon être, là où se formaient les vrais désirs, et que de cette source, sûr, rapide, il bondissait vers l'extérieur pour accomplir ce que je cherchais encore péniblement à élucider.

Et de penser à cela, les larmes me brûlent, si seulement je pouvais pleurer, les jeter dehors comme un seau d'eaux usées et avec elles un peu de ma rage, mais je sais qu'elles vont rester là, autour des yeux, sans couler, demain mon visage sera bizarrement gonflé, ainsi des jours et des jours.

Mon frère était à la source de mon être et depuis qu'il n'y est plus, cette source est corrompue, étouffée de végétation pourrissante.

Alors il se mettait à sauter dans la cuisine désertée, remuant tout ce qu'il pouvait attraper, me donnant des ordres extravagants avec une autorité et une détermination pleines de drôlerie. J'étais trop troublée pour comprendre d'où venait cette drôlerie, mais elle me faisait rire aux larmes. Elle était rassurante, et dans la détente qu'elle amenait, le rire pouvait jaillir enfin.

Je n'ai jamais plus ri comme je riais avec mon frère. Si je pouvais retrouver ce rire... je pourrais dormir aussi, je pourrais vivre.

Mon petit frère imitait. Il imitait les gens de notre maison, notre docteur, mais aussi nos voisins : Adrien, ses parents, leur Nanou, et aussi des gens que nous n'avions fait qu'entrevoir, les clients de notre père par exemple, et les êtres qu'il avait vus sur nos livres d'images ou dans mes livres d'histoire. Il savait tout imiter, mais il allait si vite, passant d'une expression à une autre, qu'on n'avait pas le temps — moi du moins, tellement plus lente, et sérieuse, et pesante — d'en identifier l'origine.

La chaleur, entendant ces rires, sautait de nouveau hors du four et se dilatait à travers la cuisine, le papier d'argent oubliait la poubelle et brillait comme une étoile, les casseroles s'entrechoquaient joyeusement dans nos mains malhabiles. L'idée de mon frère, maintenant que Tirésia n'était plus là pour nous guider, c'était de tout mélanger, tout ce qui n'était pas trop dur, trop sec ou trop inaccessible, il mélangeait avec un sens sûr, car finalement malgré notre ignorance et notre maladresse, nous finissions par produire une sorte de gâteau que nous allions montrer solennellement à notre père.

Nous le lui montrions seulement, de la porte de son bureau, tous deux dans l'entrebâillement, « le gâteau de Tirésia, papa. » Il était plongé dans son travail maintenant, nous étions à peu près sûrs de ne pas être découverts. Il levait les yeux, « magnifique, disait-il, gardez-m'en une grosse part », « oui, papa », disions-nous, battant aussitôt en retraite, « et fermez la porte », ajoutait-il. Pas d'inquiétude à avoir, il avait déjà oublié cette grosse part.

Alors nous allions sur le perron avec notre gâteau.

Adrien, qui nous guettait de son jardin, surgissait.

« Dégoûtant », disait-il après une bouchée. Du coup, aussitôt, nous décidions de le manger. Adrien nous regardait d'un air furieux, pendant que nous mâchonnions notre gâteau, côte à côte, dans la paix d'un soulagement momentané.

Je croyais sauver mon frère, mais c'était lui, toujours, qui me sauvait.

Et maintenant que je me prépare à un rendez-vous d'amour avec celui qui n'est pas mon frère, peut-être est-ce encore lui qui me sauve.

Je lui en ai tant voulu pourtant, ma haine a été aussi forte que mon amour. Même maintenant, après tant d'années, au milieu de mon amour pour lui je sens la haine monter comme une lave brûlante et brûler mon amour autour, le laissant calciné et noir.

Je hais mon frère d'avoir existé et de m'avoir abandonnée, je le hais de s'être retiré du monde et de m'avoir laissée sur cette planète imbécile où je ne sais ni où ni comment me tenir.

Mais peut-être n'a-t-il fait encore que me sauver. Peut-être fallait-il toucher à ces deux extrêmes, cet amour sans limites et cette absence radicale de l'amour, pour arriver à se tenir au milieu, pour que j'accomplisse ma vie sur cette planète, telle qu'elle s'accomplit communément, à cette époque où je suis maintenant.

Je ne parlerai pas de mon frère à Phil, cet homme qui n'est pas mon frère, et je changerai mon nom. Je ne m'appellerai plus Estelle, le nom qu'avait choisi ma mère Nicole, qui veut dire « étoile », et dans sa tête voulait dire « danseuse étoile ».

Je veux être anonyme, une pièce de chair fabriquée par cette époque et la reflétant obscurément, mélangée à toutes les autres, serrée contre elles dans l'entassement du métro, des embouteillages, des trottoirs.

Philippe, un nom comme un autre. Je l'appelle « Phil », parce que alors j'entends « ami », oui, et aussi parce que j'entends « filou ». Et cela semble aller, à mon époque, à l'amour dans mon époque et à moi aujourd'hui, une amitié qui n'est que de la filouterie.

Phil m'a envoyé par la poste une cassette, c'était après notre promenade à vélo, j'ai eu du plaisir qu'il se manifeste une seconde fois. Sur la cassette il a enregistré des chansons pour moi, il s'était étonné que je ne les connaisse pas. Je ne lui ai pas dit que depuis longtemps je n'écoute de musique avec personne. Je me contente de ce que jouent mes petits élèves et ils distinguent à peine une note d'une autre lorsque je leur corrige un morceau.

C'est une musique d'aujourd'hui, une filouterie sans doute.

J'écouterai sa cassette. Je lui en parlerai avec amitié. Une filouterie cela encore.

10

C'est elle

Tirésia avait préparé un plateau de petits fours, Nicole avait son air d'ennui profond, elle avait mis la robe qu'elle n'aimait pas, une robe bleu marine de pensionnaire.

Les lendemains de cauchemar de notre mère, il y en a eu tant. Je me souviens du premier, après la naissance de mon frère. Et puis je me souviens aussi de celui-ci.

— Parfait pour ces gens, m'avait-elle dit d'un air grognon, et dire qu'il fait beau pour la première fois et que je pourrais danser les portes ouvertes !

Notre père avait un air inquiet.

— Ce sont nos voisins, m'avait-il dit, il faut bien les recevoir, tu comprends Estelle.

Mon père et ma mère m'expliquaient tout cela à moi, et je les écoutais tous les deux, l'un puis l'autre, tout entière à chacun, soucieuse. Alors j'allais du côté de Tirésia, pour donner mon aide où je le pouvais, et nous portions des plateaux, rangions. J'allais et venais, concentrée, muette, de la cuisine au salon, je sens encore cette courbature dans la nuque, qui ne venait pas des plateaux que nous portions.

A un moment, Tirésia s'est penchée vers moi, elle a passé sa main devant mon visage, et je ne sais comment nous nous sommes retrouvées au piano toutes les deux, oh comme nos doigts étaient heureux sur la longue rangée de touches blanches, les touches volaient vers eux, les portaient littéralement, les touches venaient les secourir, chacune d'elles glissait un de nos doigts sur son dos et avec lui prenait son essor, c'était les oies sauvages qui emportaient Nils Holgerson, nous jouions, Tirésia et moi, dans ce bruissement d'ailes et ce caquètement léger qui s'envolaient vers le grand ciel de printemps tout ouvert devant nous.

Et soudain Nicole qui avait erré maussadement çà et là s'est jetée d'un mouvement vif dans l'escalier, comme emportée elle aussi par l'envol exubérant des notes, et presque du même mouvement elle redescendait, tournoyait dans la pièce, et nous nous étions arrêtées de jouer et nous la regardions.

Elle s'était changée, Nicole, elle avait maintenant une vraie robe de fête, oh je la vois si bien, la robe à volants jaunes de Nicole, un grand volant d'une épaule à une autre, la taille serrée dans une haute ceinture du même tissu, une ceinture à « gros-grain » m'avait-elle expliqué, avec un large nœud dont les pans tombaient plus bas que le bord de la jupe, et la jupe faite de trois ou quatre volants superposés.

— Nicole, s'est écrié mon père, tu ressembles à un papillon.

Sa voix était pleine de joie soudain, une voix que par la suite nous devions appeler sa voix de papillon. On y entendait un froufrou d'ailes menues dans une bulle de lumière, profuses et duveteuses, elles devaient le chatouiller dans la gorge car on entendait aussi un petit rire et Nicole s'était jetée vers Tirésia, à genoux devant Tirésia, et lui embrassait la jupe avec emportement.

— C'était la robe de son premier concert, disait-elle bien fort, comme si ses paroles aussi devaient s'élancer vers le ciel et s'y écrire sur une grande banderole ondulante qui aurait flotté là depuis toujours au-dessus de notre maison, la robe de son premier concert, et elle l'a fait resserrer pour moi. Tu entends Estelle, pour *moi*.

Et mon père disait, avec un tressaillement dans la voix :

— Bien, en ce cas je vais mettre mon costume blanc.

Il se précipitait dans l'escalier et soudain s'arrêtait à mi-chemin et me disait, les yeux pleins de larmes :

— Estelle tu comprends, ces femmes sont si belles, il faut que je me fasse beau moi aussi.

Et il montait quatre à quatre pour cacher cette émotion qui l'avait pris en surprise. Comme il était jeune mon père, alors, il montait les marches quatre à quatre, il avait ces impulsions...

Je le vois lorsqu'il est redescendu, dans ce costume blanc qui le faisait différent soudain.

— Oh, s'est écriée Nicole, tu as l'air d'un camélia !

— D'un camélia ? a dit mon père, et j'ai vu une rougeur apparaître sur son visage.

Et Nicole a répété, encore plus fort :

— Oui, d'un camélia, et elle rougissait elle aussi.

Je voyais mon père et ma mère qui rougissaient, j'étais intimidée, mon père s'en est aperçu et m'a soulevée dans ses bras.

— Tu sais, Estelle, j'ai l'air d'un camélia mais je suis toujours ton papa.

Nicole a éclaté de rire, son rire haut perché, nerveux, elle répétait : « ton papa ».

Mon père m'a serrée contre lui.

— Nicole ! a-t-il dit.

— Pardon, disait Nicole penchant la tête d'un air boudeur, mais cela n'a duré qu'une seconde, soudain elle s'exclamait : Et Estelle justement ?

— Quoi Estelle ?

— Elle ne peut pas rester habillée comme ça !

— Ah, dit mon père, c'est juste.

Aussitôt j'ai entendu le soulagement dans sa voix, et j'ai senti à la façon dont il me serrait comme il était reconnaissant à Estelle d'exister, d'exister pour lui apporter ce soulagement dans ces moments étranges qui passaient sur nous parfois, comme de brusques brises, soufflant de territoires inconnus, étouffantes ou glacées, chargées des rumeurs impénétrables de ces territoires.

Et je voulais être cette Estelle qui avait ce don d'apporter semblable soulagement à notre père, dans ces passages étranges et imprévisibles que nous traversions.

— C'est juste, disait mon père en me reposant à terre avec une feinte gravité, si Nicole a la robe du premier concert de Tirésia, si j'ai le costume blanc de ma fête de fin d'études, Estelle doit avoir une robe. Oui mais quoi?

Tirésia savait.

Elle était montée dans sa chambre, là où nous n'allions jamais, et au bout d'un moment elle était revenue avec une robe en voile à plumetis rose, un nuage de robe, qu'elle secouait pour lui redonner son gonflant.

— Oh, disait Nicole, je ne la connaissais pas, celle-là.

— J'étais si mince à l'époque, disaient les mains de Tirésia en passant la robe sur ma tête, elle lui ira presque.

— C'est drôle, disait mon père, je ne connaissais pas ces deux robes.

— Bah, disait le regard de Tirésia, tu ne connais pas tout.

— Tout de même, disait Nicole, tu n'as pas toujours été là, tu vois bien que c'est une robe d'avant toi.

Pendant ce temps, Tirésia remontait la robe à la taille avec des épingles, puis serrait par-dessus la grande ceinture qui était faite comme celle de la robe jaune de Nicole, avec un gros-grain aussi, je ne peux oublier ce mot parce que je ne le comprenais pas, parfois je pensais qu'il s'agissait d'un grain d'orage, mais cela n'allait pas avec une robe si belle, et le mot restait accroché comme un point d'interrogation à ces deux hautes ceintures, peut-être est-ce pour cela que je n'ai rien oublié de cette scène, et la robe m'allait.

— Mais Estelle est une jeune fille, disait mon père, étonné.

La robe m'enveloppait comme un nuage, tous mes gestes étaient ralentis.

Je me sentais la servante de celle qui était dans cette robe, et il en venait un sentiment de dignité étrange, de tristesse aussi, car nous étions deux, l'une qui n'était qu'une servante et l'autre que je rencontrais pour la première fois, qui m'intimidait, mais je la désirais parce qu'elle était moi aussi.

Mon père baisait la main de Tirésia, puis il mettait cette main de Tirésia sur son bras à lui et il la faisait avancer cérémonieusement entre les fauteuils, au milieu des flaques de lumière qui venaient des fenêtres ouvertes pour la première fois depuis l'hiver, il conduisait Tirésia qui avait une robe de soirée aussi, une robe longue de taffetas rouge sombre.

Est-ce possible ? Nous avons toujours vu Tirésia vêtue de noir, alors nous trompions-nous, est-ce ce que nous sentions en elle que nous mettions sur ses vêtements, sur son voile ?

Je vois cette robe d'un rouge pourpre, saisissant, presque déplacé dans la lumière légère du printemps. Tirésia marchait comme une reine, elle avait l'habitude des robes longues, je voyais comme elle plaçait ses pieds, de façon à ne pas trébucher dans les plis.

— Tu as l'air d'une reine, disait Nicole avec tristesse, moi je ne serai jamais qu'un papillon.

— Mais quand tu danses, Nicole, disait mon père, quand tu danses, c'est toi la reine.

Et Nicole se mettait à rire. Il en fallait si peu pour la faire rire alors.

Ce qui la faisait rire maintenant, c'était l'idée de nos voisins arrivant au milieu de ce bal costumé, en plein après-midi, avec leur pot de fleurs à la main, lui dans son polo « parce que ça fait jardinage » disait Nicole, et elle « les bigoudis fraîchement dégourdis » disait encore Nicole qui avait des expressions bien à elle parfois, et elle pouffait de rire, riait si fort que la ceinture de taffetas jaune éclatait.

— Aïe, s'écriait-elle dans une sorte de ravissement.

— Qu'est-ce qu'il y a ?

Nous l'interrogions tous.

— J'ai fait pipi !

Je regardais stupéfaite, il y avait une petite flaque jaune sous la robe jaune, à côté de la ceinture jaune tombée sur le sol et Nicole recommençait de rire.

Et voilà qu'à cet instant le crâne chauve de notre voisin passait sous la fenêtre, « les voilà » chuchotait mon père éperdu, et Tirésia courait vers la cuisine, Nicole s'enfuyait vers le cabinet de toilette, mon père se précipitait vers l'entrée.

Nos voisins arrivaient, avec leur petite plante en pot. Les fenêtres du salon étaient grandes ouvertes sur le jardin, nous étions là tous, comme de grandes fleurs luxuriantes autour de la petite flaque, et nos voisins arrivaient avec leur plante, ils traînaient Adrien derrière eux qui portait un sac de bonbons pour moi, mon père me tirant par la main s'est précipité pour les arrêter au perron.

— Vous êtes élégant ! disait notre voisin.

— Oh, disait mon père, c'est mon premier vrai costume, celui de la fin des études, il est trop étroit maintenant, mais elles ont voulu...

— Nous vous dérangeons..., disait notre voisin.

— Mais non, disait mon père, au contraire...

— Vraiment nous avons l'air de mendiants, disait notre voisine, je disais bien à mon époux, nos voisins apprécient l'élégance, mais vous le connaissez, le jardinage avant tout, et Adrien, pas moyen de l'habiller convenablement, c'est un chenapan, pas comme votre demoiselle...

Adrien derrière sa mère me tirait la langue, et mon père, la plante en pot dans la main, restait debout dans l'encadrement de la porte, n'osant encore inviter nos voisins à entrer, ils se poussaient tous les trois presque sur ses pieds, je voyais mon père qui me jetait des regards suppliants, alors je me suis faufilée entre lui et la porte, serrant le ballon de la robe de tulle entre mes deux mains (Adrien ricanait) pour aller voir où en étaient Nicole et Tirésia, elles finissaient de passer la serpillière sur le parquet, je suis vite revenue tirer sur la veste de mon père, si heureuse de lui apporter encore une fois le soulagement qu'il attendait, et aussitôt il est entré, les voisins sur ses talons, et Adrien traînant derrière.

Nicole était assise dans le petit fauteuil crapaud qu'elle adorait, sa robe largement étalée autour d'elle. Dans ce tout petit fauteuil dont on ne voyait pas les accoudoirs, avec ces immenses volants répandus autour, elle avait maintenant l'air d'une grande rose jaune épanouie, les « roses nicole » disait mon père à cause du rosier jaune que nous avions au jardin. Mais l'expression sérieuse qu'elle arborait était celle d'une jeune fille qui se retient de rire et fait sa polie. Tirésia était comme d'ordinaire dans son grand fauteuil devant la fenêtre du fond, cette fenêtre qui faisait en sorte qu'on ne la voyait qu'à contre-jour, obscure dans l'obscurité du fauteuil.

Non, je me trompe, ce sont les jours suivants, la longue suite des jours venus par la suite qui pèse sur ce jour-là et le tord en son sens.

Tirésia n'avait pas sa robe noire, elle n'était pas dans le fauteuil à contre-jour. Elle était devant le piano à queue, avec sa robe qui faisait une chute de plis à ses pieds, appuyée comme une grande rose, elle aussi, une rose pourpre, haute et droite contre le piano noir. Et son voile ? Etait-il rouge sombre aussi ? Aussitôt je vois un voile à mouchetures rouges attaché à un petit chapeau et au cou par un velours rouge sombre lui aussi. Est-ce que j'invente ? Ai-je vu un tel voile dans un film, dans un magasin ? Je ne peux plus demander à Tirésia maintenant, ni à notre père ni à notre mère, ni à Dan bien sûr.

— Va jouer avec Estelle, disait le voisin.

Mais Adrien refusait.

— On peut pas jouer avec une fille habillée comme ça, disait-il.

— Adrien, tu te tiens mal, grondait sa mère, et personne ne savait plus que dire.

Alors Tirésia allait au piano et jouait un petit passage du *Boléro* de Ravel et notre mère glissait jusqu'au sol, se pliait comme un bouton de fleur, puis très lentement dépliait son corps, se levait, tout élancée, le regard vers le ciel dehors, et elle dansait un petit passage de sa danse à elle, sans se soucier de nos voisins, tout entière absorbée, tandis que Tirésia jouait doucement, presque modestement, et que mon père la regardait, absorbé, oubliant nos voisins lui aussi.

Adrien me regardait intensément, et je savais ce que disait son regard noir, il disait « vous êtes tous cinglés ici, ma pauvre fille, et si on reste encore un peu, c'est parce que mes parents sont polis, si c'était moi, il y a longtemps que j'aurais fichu le camp, et dire que je pourrais être au cimetière à m'entraîner au foot avec Alex », et je me raidissais dans ma robe de tulle dont j'aurais bien voulu qu'elle décolle du sol brutalement, comme un ballon-fusée, et me subtilise à sa vue.

Et puis notre voisin se raclait la gorge, faisait un compliment, sa femme aussi faisait un compliment, et l'espèce d'envoûtement dans lequel nous étions (ces fameuses brises qui venaient sur nous de territoires inconnus, soufflant tantôt de paralysantes touffeurs, tantôt des brouillards ou des froids, et toujours portant leurs étranges rumeurs impénétrables) disparaissait, Nicole retombait dans son fauteuil crapaud en lissant les volants de sa robe, le piano se refermait, mon père était dans une discussion sur le conseil municipal de notre ville, toujours au sujet de la petite route dangereuse, si tentante comme raccourci, Tirésia apportait le plateau de petits fours, Adrien prenait un air plus amène.

« Elle est belle ta robe, disait-il la bouche pleine, mais c'est pas pratique pour jouer au foot »,

« ce n'est pas ma robe, disais-je, je l'essayais juste pour la montrer à ma mère »,

« elle est belle, ta mère, disait Adrien, plus belle que ma mère, mais elle est bizarre »,

« elle est pas bizarre », disais-je,

« si, elle est bizarre, d'ailleurs mes parents l'ont dit »,

« elle est pas bizarre, répétais-je avec désespoir, c'est parce que tu n'as jamais vu de danseuse »,

là-dessus Adrien hochait la tête,

« en tout cas c'est la plus belle femme de la ville, c'est mon père qui l'a dit, et toi tu es bizarre aussi, mais je trouve que tu es la plus belle fille de la ville aussi ».

84

Et il ajoutait d'un air plein d'importance et de sérieux, cet air qui devait devenir son expression la plus habituelle lorsqu'il serait adulte, « en tout cas, ton père, il se débrouille bien, votre maison, elle est plus grande que la nôtre et pourtant nous, on est d'ici ».

Et ainsi nous étions sauvés pour cette fois encore, nos voisins serraient la main de nos parents sur le perron, mon père descendait avec eux jusqu'à la grille au bout de l'allée, ils se serraient la main encore, on s'apercevait qu'Adrien n'était pas là.

— Où est Adrien, Estelle ?
— Il est parti avant, à cause du foot, disais-je.
— Le chenapan, il a dû filer par le trou du mur sous le lilas, disait sa mère.
— Non, disais-je, je lui ai ouvert la grille.
— Il faudra faire réparer cette brèche, disait son père.
— Oui, disait mon père, il faudra la faire réparer, mais ça ne me dérange pas vous savez, enfin quand vous voudrez.
— Ça ne nous dérange pas non plus, enfin quand vous voudrez, disaient les voisins.

Tout allait bien, la bonne volonté de part et d'autre avait chassé les brises venues d'ailleurs, elles étaient venues bien sûr, mais nos voisins avaient fait semblant de ne pas les voir et ainsi elles étaient parties plus vite, la ville nous acceptait, nous ne nous en sortions pas si mal.

A l'école demain Adrien serait de mon côté parce que je ne l'avais pas dénoncé alors qu'il était passé par le trou du mur sous le lilas, et lorsque Tirésia viendrait me chercher et que les autres enfants commenceraient à murmurer vilainement « voilà la sorcière », Adrien leur donnerait un coup de poing et leur dirait de se taire, que ce n'était pas une sorcière mais ma mère, « alors elle a deux mères » ? diraient les enfants, « pauvres ânes, dirait Adrien de son ton le plus méprisant, vous êtes tellement ignorants, il y a des choses que vous ne pouvez pas comprendre, et quand on ne comprend rien on se tait ».

Oui, nous étions sauvés encore une fois, malgré les brises venues de si loin et qui ce jour-là par un de leurs tours imprévisibles avaient métamorphosé nos parents en grandes fleurs, Tirésia la rose pourpre, Nicole la rose jaune, notre père le camélia blanc, et leur fille Estelle un nuage de plumetis rose.

Lorsque je reviendrais de l'école, la façade de notre maison serait encore debout sous le ciel, j'entendrais lointain dans son bureau le rythme pondéré de la voix de mon père en conversation avec un client, j'entendrais venant du garage le tapement léger des chaussons de Nicole, Tirésia me lâcherait la main et bientôt je l'entendrais elle aussi, Tirésia au piano, les accents de la musique qui portaient notre maison, la maintenaient entière et vivante, et même plus tard lorsque Tirésia cesserait de jouer, je l'entendrais quand même en revenant de l'école, en arrivant devant la façade, je serais avertie de la présence de Tirésia, et cette présence serait toujours elle qui de manière mystérieuse portait notre maison, la maintenait entière et vivante, et alors je pourrais remonter l'allée, passer les marches, le perron, passer derrière la façade et rejoindre mon frère qui m'attendait...

Madame,
Mon esprit dérape dans le temps, attache des moments disparates, je voulais parler du pommier dans la prairie, de mon frère rampant vers ce pommier, puis ces robes sont venues devant mes yeux, je ne peux résister à ces visions, je suis sûre qu'elles ont leur raison de venir.
Rien n'est faux...

Madame,
J'entends la vibration de ces robes, la robe jaune de Nicole, la robe pourpre de Tirésia, et ce pommier dans la prairie et mon frère rampant dans l'herbe étincelante.
C'est cette musique qui est vraie.
Des moments différents peuvent appartenir à la même musique...

Madame,
La chronologie, la vraisemblance, un tel effort.
Pardonnez-moi d'errer, vous trouverez le fil conducteur...

Nos voisins étaient venus avec leur plante rabougrie, Tirésia était dans son fauteuil le visage dans le contre-jour, mon père parlait du conseil municipal avec notre voisin, Nicole faisait sa polie dans son fauteuil crapaud, et notre voisine enfilait des compliments sur sa robe, sur sa danse, Adrien faisait des grimaces dans le dos de Nicole.

Où était Dan ?

Je ne le trouve pas en cet instant, peut-être l'avait-on confié à la Nanou de nos voisins, et tous deux s'étaient installés sur une couverture dans le pré, ce serait possible, oui cela a bien dû arriver, mais je ne revois pas mon frère Dan dans cet instant, et si je ne le revois pas c'est qu'il y avait malheur autour de moi et j'étais seule dans ce malheur.

Mon père avait dit « tu comprends, Estelle, ce sont nos voisins », mais cela ne suffisait pas, la brise infernale était sur nous, je la sentais, Nicole disait ses sottises, Tirésia ne se levait pas pour aller chercher des petits fours, mon père me regardait en coulisse, « tu comprends, Estelle, tu comprends ».

Père, je n'en peux plus de comprendre ce que tu ne m'expliques pas, je n'en peux plus de prendre cette chose sans nom, ce fauve, dans mes bras, et de le tenir comme un chaton parce que tu me le demandes, père, parce que tu crois que ta fille a ce don, parce que tu as besoin d'elle, parce que tu ne veux pas vraiment penser à elle.

Tu as déjà tellement pensé à Tirésia, et à Nicole, tu ne peux plus penser à Estelle.

Nicole se raidit sur son fauteuil, le silence de Tirésia devient fracassant, les voix de nos voisins se décalent sur le côté, toi tu parles, ta voix d'avocat, comme si de rien n'était, et tu me regardes, « Estelle, tu comprends, n'est-ce pas, tu comprends ? ».

Je suis descendue vers le pré, sous le pommier, et me suis mise à pleurer. Qui nous sauverait cette fois ?

Dans la prairie, j'ai vu quelque chose qui bougeait. C'était un enfant tout petit qui avançait sur le ventre en se tirant avec les mains. Je pleurais, encerclée par mon malheur. Et puis l'enfant a relevé son visage et il a continué d'avancer dans l'herbe, son visage rond souriant, dans un babil d'oiseau, au milieu des flaques de soleil, vers le pommier en fleur. Dans le brouillage de mes pleurs, je ne reconnaissais pas cette ondulation sur la prairie. Il arrivait sous les premières branches, un mouvement dans le feuillage a secoué sur lui une pluie de fleurettes et il a éclaté de rire en tendant les bras vers les pétales qui continuaient de voleter, et soudain je suis revenue à moi, je l'ai reconnu, Dan mon petit frère, ses yeux riaient dans le soleil et il tendait ses petits bras ronds vers les fleurettes, et je l'ai soulevé pour qu'il puisse attraper un petit bouquet, il a tiré fort et d'autres fleurettes sont tombées, nous étions nimbés de blanc, son corps était chaud et rond et pesait dans mes bras, ses yeux plantés dans les miens riaient, et il agitait le minuscule bouquet devant ma bouche, j'ai mordillé une fleur, oh comme il riait Dan mon frère, et soudain toute ma tristesse a disparu, je n'étais pas seule, je me suis rappelé que je ne serais plus jamais seule, « oh Dan, Dan », j'ai enfoui ma tête dans son épaule grasse, son petit bras est passé autour de mon cou, son autre bras continuait d'agiter la branche au-dessus de nous et de faire pleuvoir les pétales blancs, je pleurais et riais en même temps, « Dan, Dan ».

Loin en haut de la prairie, nous avons entendu des cris.

Je ne bougeais pas, dans un bonheur si parfait qu'il ne laissait rien pénétrer. Comment avais-je pu oublier que je n'étais plus seule, plus jamais seule, Dan gazouillait, c'était la première fois qu'il enchaînait des sons, et je me berçais dans cette musique.

Notre père est arrivé tout pâle : « Nous le cherchions partout », et Nicole derrière irritée : « Ton père pensait qu'il était tombé dans la mare », et notre voisine : « Monsieur Helleur, les enfants ça se retrouve toujours », et son mari : « Vous aviez raison, madame Tirésia, c'était bien le pommier », et Nicole jetait nerveusement : « Tirésia a toujours raison. »

Nous remontions tous maintenant, « comment a-t-il pu venir si loin » ? demandaient-ils, et notre voisine donnait une taloche à

Adrien, « Adrien, ça ne m'étonnerait pas que ce soit toi qui l'aies posé dehors, il aurait pu aller à la mare, hein » ! et Adrien la joue rougie se mettait à hurler, « sale môme, sale Dan, je me vengerai un jour », et son père lui allongeait une autre taloche, alors il s'enfuyait en braillant et disparaissait par le trou du mur sous le lilas, et soudain mon père s'apercevait que Dan parlait.

— Mais Nicole, il parle, ton fils, écoute-le.

Tout le monde s'arrêtait, nous étions dans le jardin maintenant, sur la pelouse, Nicole a posé Dan sur l'herbe, tout le monde s'est tu et il a continué de gazouiller.

— Tu entends, dit mon père, tu entends ce qu'il dit, Nicole ?

Nicole écoutait, l'air dubitatif, déjà prête à abandonner, comme si toute cette alerte avait été trop pour elle, une éprouvante démarche administrative qui vous dérange pour rien et ne mérite que d'être effacée ausistôt, par autre chose, par ce qui vaut vraiment la peine, mais quoi Nicole, quoi ?

Et soudain nous avons perçu la voix de Tirésia, qui était restée au salon et nous rejoignait maintenant pour nous faire entendre ce que nous n'entendions pas.

— Il dit : « c'est elle, c'est elle ».

Et c'était bien ce que disait mon frère, il disait « cételle », et moi j'entendais mon nom comme personne ne le dirait jamais, « c'est elle, Estelle, celle qui existe, celle dont je suis venu prononcer le nom », tout le monde s'exclamait devant le bébé qui parlait pour la première fois, « étonnant, disait notre voisine, d'habitude les enfants commencent par papa, maman », et mon cœur se gonflait de joie, mon nom était le premier que mon frère avait prononcé, il était venu le dire sous le pommier en fleur, il était venu au monde pour dire mon nom afin que je ne sois plus jamais seule.

11

Petites gangrènes

Le pommier, je ne l'avais jamais remarqué avant ce jour du premier mot de mon frère, mais maintenant, tous deux, nous étions liés à lui.

Nous y retournions souvent, et tantôt il nous était bon tantôt il nous était mauvais. Lorsqu'il nous était bon, nous l'appelions « gaudy », lorsqu'il nous était mauvais nous l'appelions « maudy », arrangeant à notre façon les mots latins que notre père nous avait appris à table, et ainsi nous pouvions parler du « pogaudy » et du « pomaudy » en tout lieu et sans crainte d'être découverts, ce qui n'était pas inutile comme on va le voir.

Nous l'aimions quand il nous était bon, mais nous l'aimions aussi quand il nous était mauvais.

Et mauvais, il ne l'était en fait que lorsque monsieur Raymond perchait dans ses branches, bien que nous n'ayons jamais explicitement perçu cette correspondance. Ainsi lorsque nous parlions du « pomaudy », s'agissait-il du pommier portant monsieur Raymond, et aller au « pomaudy » voulait dire aller voir monsieur Raymond ramasser les pommes ou tout aussi bien, en corollaire, sécher l'école.

Les jours de « pomaudy », nous tournions autour de l'arbre, curieusement excités, comme s'il contenait en lui une réponse, et c'était cela le plus étrange car nous n'avions pas de question à poser, je l'ai dit, nous vivions dans la non-question, mais il nous semblait que notre pommier avait une réponse, de cette réponse nous ne pouvions par définition être curieux puisque nous n'avions pas idée d'une question, mais nous sentions l'excitation. Elle semblait mauvaise dans l'instant, de ces moments sous le pommier nous n'osions pas parler à nos parents, nous n'aurions pour rien au monde voulu que nos parents en soient informés.

Je suis sûre que si quelque haut justicier nous avait dit :
« Estelle et Dan,
sous le pomaudy
des paroles sont tombées
que par outrepassement
vous avez volées,
sur-le-champ
et sans vous défiler
rapportez-les à vos parents
ou
mourez »
nous aurions répondu sans hésitation : « Mourons. »

Car « mourons » était peut-être terrible mais n'avait pas de contenu, tandis que rapporter à nos parents les paroles de monsieur Raymond, c'était voir des choses réelles, des choses qui se seraient fichées jusqu'au fin fond de nos chairs tremblantes, une pâleur soudaine de notre père peut-être, cette tachycardie qui ne cessait de nous angoisser malgré ce qu'en disait Minor, car nous savions bien que notre père n'était pas une mauviette, donc Minor nous mentait (un peu, jusqu'où, nous ne savions), et il y aurait une raideur dans le corps de Tirésia, et d'infimes laideurs qui tressauteraient sur le visage si gracieux de notre mère, petits nains à grimaces qui viendraient ensuite nous poursuivre, si minuscules que nous n'arriverions plus à les attraper au cours de nos promenades inquiètes.

« Mourons », ce n'était jusque-là pour nous que le cortège sombre des enterrements qui serpentait sur la route du cimetière, beaucoup de chapeaux, rien de terrible finalement.

A cause de ce secret, l'excitation était mauvaise. Mais plus loin, bien au-delà de ce courant du temps qui emportait notre maison et sa prairie derrière et le pommier au milieu et nous sous le pommier, la tête levée vers l'homme qui bougeait invisible dans le feuillage, il y avait un lieu où cette eau mauvaise atteignait une vaste et calme anse, s'étendait luxueusement et, clarifiée, apaisée, brillait transparente dans le soleil. Et à cause de ce lieu qui existait en suspens au-dessus des courants confus du temps, l'excitation était bonne aussi.

Mon frère et moi ne savions rien de cela dans la conscience, mais dans notre corps qui savait tout, nous étions à la fois malheureux et contents, et lorsque cet homme venait, monsieur Raymond, pour ramasser les pommes du pommier, nous abandonnions tout pour le suivre, sautant l'école et le payant pour qu'il ne nous dénonce pas.

C'était ainsi, notre accord bizarre avec cet homme qui ne nous aimait pas, qui nous aimait peut-être, des années après ma vision s'est renversée, sa claudication m'apitoie, une claudication qui n'était que l'une des séquelles d'une déformation infantile de la colonne vertébrale et qui le pliait presque en deux lorsqu'il marchait, maintenant je pense que peut-être il nous aimait, essayait à sa façon tordue et grossière de nous prévenir de quelque chose qu'il devinait à demi, sans doute étions-nous ses seuls admirateurs, peut-être ses seuls interlocuteurs, je pense maintenant que monsieur Raymond était un pauvre hère solitaire et que toutes les méchancetés qu'il laissait tomber sur nous d'entre les branches, au lieu des pommes que nous espérions, étaient des mots d'amitié et d'affection.

Le pommier se trouvait à peu près au milieu de la prairie qui s'étendait entre la façade arrière de notre maison et les collines boisées qui ceinturaient notre ville de ce côté-là.

Nous avions l'usage de cette prairie, mais lorsque le pommier avait donné ses fruits, cet homme venait sonner chez nous, Tirésia le recevait, l'amenait à la grande échelle que nous gardions le long du mur sous la véranda derrière, il chargeait l'échelle sur son épaule sans mot dire, puis se dirigeait à pas lourds et bien mesurés, dans ses bottes de caoutchouc qu'il enfonçait dans la terre, vers le pommier au milieu du champ.

Les pommes n'étaient pas pour nous, il les ramassait pour quelqu'un d'autre, nous pensions que c'était pour les « Invalides » (ce vocable prononcé souvent en rapport avec lui nous avait frappés), depuis j'ai appris que mon père l'employait pour ramasser ces pommes et en sus lui permettait de les garder.

Ainsi quand il venait chez nous était-il payé trois fois :
en nature par le pommier,
en billets par notre père,
en pièces de monnaie par mon frère et moi,
et une quatrième fois encore puisqu'il vendait sa collecte à droite et à gauche.

Dès le moment où la première pomme chutait de l'arbre, nous guettions sa visite. Si c'était un jour de congé, nous l'attendions à la grille du jardin. Si c'était un jour de classe, nous nous cachions dans le fossé en bas du champ. Le champ était en pente, que nous soyons dans le fossé ou derrière l'arbre, on ne pouvait nous voir des étages inférieurs de la maison, c'est ce que nous nous étions dit Seule Tirésia, parce que sa chambre était à hauteur du grenier, aurait pu nous apercevoir si elle s'était mise à sa fenêtre à ce moment-là, et savoir que nous n'étions pas à l'école.

Elle devait bien aller à sa fenêtre parfois dans cette chambre où personne ne montait, à sa fenêtre elle nous avait vus, sinon comment expliquer que le fait de nos absences de l'école ne soit jamais parvenu à nos parents ?

Il y a tant de choses que j'aurais pu demander à Tirésia les jours de son agonie, pendant lesquels enfin elle s'est mise à parler, parler... *Ces questions ne me viennent que maintenant, madame, les questions sur tel ou tel détail, toutes ces menues questions qui posées en leur place m'auraient permis de degré en degré d'atteindre la grande, la terrible question assise comme un sphinx au fond de mon malheur, et prendre le sphinx de court et Dan ne serait pas mort. Tirésia, pourquoi ?*

Nous suivions monsieur Raymond de loin.

Il nous faisait peur, à cause de ses jambes courtes et torses, de son dos si courbé qu'il ne semblait voir personne et qu'il lui fallait relever la bouche par le côté pour jeter sa voix vers l'extérieur, cette voix sortait tordue elle aussi, comme son corps.

Il était un rebut de la Grande Guerre, arrivé dans le ventre d'une réfugiée polonaise morte peu après, une sorte de sauvage qui avait une cabane dans les collines et vivait de menus travaux, et de la charité de ceux que son destin pouvait émouvoir.

Nos parents en étaient, bien sûr.

Jamais nous ne rencontrions ses yeux. Pourtant il savait très bien voir. Il savait si des pommes avaient disparu du pommier par exemple. Il nous appelait.

— Hé toi la grande, viens voir là, et toi le petit aussi

Nous approchions, tremblants de terreur, et pleins de désir pour cette terreur qu'il nous jetait par la figure généreusement

— C'est vous qui avez pris cette pomme-là ?

Il nous montrait une petite blessure non cicatrisée sur une branchette entre deux feuilles.

— Il y avait une pomme là, et elle n'y est plus.

Il maniait la culpabilité comme un râteau, et nous nous laissions prendre dans les fourches comme de souples brins d'herbe. Râteleur et râtelés, comme nous nous rencontrions aisément !

— Elle est peut-être tombée par terre, disais-je.

Dan aussitôt se jetait à quatre pattes et cherchait dans l'herbe haute.

— Il y a des fourmis, disait-il (une colonne indestructible passait par notre maison), ce sont peut-être elles qui l'ont emportée.

— Et les fourmis vous emporteront aussi, petits menteurs ! disait l'homme.

Dan s'accrochait à mes jambes et je serrais fort ses épaules. Nous avions peur.

— Vauriens, bougonnait-il, petites gangrènes...

Ce mot-là, qui revenait sans cesse, nous le retournions dans tous les sens, pendant des heures, et après chaque visite, toujours avec le même acharnement.

« Il veut peut-être dire que nous sommes un gang, un gang de haine », disait Dan, qui entendait surtout le mot gang. Moi j'avais entendu graine, « non, ce serait plutôt graine de gang », disais-je à Dan.

Nous n'avions pas une idée exacte de ce que pouvait signifier « gang » non plus, mais cela nous paraissait suffisamment mauvais pour s'accorder au ton haineux de notre détracteur. Et nul doute, d'une façon que monsieur Raymond connaissait et que nous ne connaissions pas, nous étions des gangrènes.

Il nous fascinait.

Nous restions plantés sous l'arbre, le regardant déplacer son échelle jusqu'à ce qu'il ait trouvé le bon appui.

— Ça vous amuserait bien de le faire tomber, le bossu, hein petites gangrènes. Si je vous faisais pas si peur, vous donneriez bien un coup de pied dans l'échelle, hein !

Et nous apprenions ainsi avec horreur qu'en nous logeaient la félonie et le meurtre. Nous ne mettions pas en doute sa clair-voyance, pas un instant, aussi longtemps que nous étions sous ce pommier. S'il nous avait demandé de nous jeter à genoux et de nous battre la poitrine à coups de branchages, nous l'aurions fait.

— Hein, toi la fille avec ton ruban dans les cheveux et ton faux frère avec son air de chérubin rusé ? Eh bien moi si je pouvais, je vous en donnerais des coups de pied au cul, mais je peux pas...

— Pourquoi, monsieur Raymond ?

— Je peux pas. Passez-moi le panier, petites gangrènes.

Hypnotisés, nous lui passions le panier.

Il montait au sein de l'arbre, nous l'avions déjà perdu dans le feuillage lorsque soudain une grande branche s'abaissait brutale-ment devant nous et nous apercevions une partie de sa tête à quelques mètres au-dessus.

— N'en profitez pas pour changer l'échelle de place, petites gangrènes.

Nous faisions non de la tête énergiquement. Je pense qu'il

voulait vérifier si nous étions toujours là, si son pouvoir sur nous était toujours opérant, nous étions sans doute les seules créatures de la terre sur lesquelles il avait du pouvoir.

Peut-être sa rage venait-elle de là : nous étions les créatures qu'il savait dominer, seulement ce n'était qu'une humiliation de plus, puisque nous étions si faibles.

La branche remontait brutalement, nous arrachant presque la figure au passage, nous faisions un saut en arrière puis revenions à notre poste d'attente, et nous n'entendions plus que le bruit sec des pommes arrachées, et le bruit mat des pommes tombant dans le panier, et le remue-ménage du feuillage.

Monsieur Raymond soufflait fort pendant cette tâche et continuait de bougonner (il assurait sa présence et maintenait son emprise), mais nous n'entendions plus ses paroles.

— Partons, disais-je tout bas à Dan, c'est le moment, il ne nous voit pas.

A cet instant les branches s'écartaient et sa voix tombait dru sur nous.

— Vauriens, petites gangrènes, vous complotez encore. Oh je vous vois, toi la fille avec ton air d'étonnée et tes cheveux bien peignés. Qui c'est qui te les peigne, tes cheveux, hein, l'allumeuse blonde ou l'autre, la folle en noir ? Belle famille, c'est moi qui vous le dis, belle famille.

Il redisparaissait.

Je tirais Dan pour nous enfuir, mais il résistait, pétrifié de peur et de fascination, et le ramasseur de pommes reparaissait dans un autre coin du feuillage.

— Et toi le chérubin, t'es arrivé dans le ventre de ta mère, comme moi, ah ah, comme moi. Sauf que t'as vu tes futailles, hein, t'as vu tes futailles, moi à ton âge j'étais déjà en guenilles.

Dan regardait son pantalon, il était très fier de ce vêtement, sa lèvre inférieure commençait à trembler. Je disais bien fort :

— Dan, ne pleure pas, c'est ce qu'il veut, nous faire pleurer. Ne pleure pas, ça lui ferait trop plaisir.

L'homme se mettait à rire.

— Pas bête, la grande. Vous me plaisez bien, petites gangrènes. Eh bien, allez tout rapporter à votre papa, puisque vous avez tellement la frousse. Il sait défendre les gens lui.

Et Dan disait :

— Non, on reste.

L'homme ricanait et retournait à ses pommes. Dan et moi nous asseyions par terre. Nous regardions le grand ciel bleu où traînaient de petits nuages. Nous arrachions quelques herbes. Le temps paraissait immense, sans fin, et nous flottions dans ce temps comme les petits nuages dans le ciel.

Et puis un bruit de feuillage se faisait, continu, nous savions que l'homme redescendait de l'échelle. Il jurait, ça ne devait pas être facile pour lui avec ses jambes torses et son cou qui se pliait vers la taille. Nous nous redressions d'un bond, c'était notre moment, celui pour lequel théoriquement nous étions restés sous l'arbre à attendre.

L'homme, sans un mot, nous tendait le panier rempli. Je l'attrapais, il était lourd et inévitablement un bon tiers des pommes se renversait.

— Maladroite, enfant gâtée, fille à rubans, créature inutile, disait-il.

Mais Dan déjà s'activait, c'était son rôle à lui d'aider à remettre les pommes là d'où elles avaient versé, et ensuite je reprenais le panier, allais le vider à une sorte de cuve attachée sur une mobylette, à la barrière en bas du pré, et le rapportais.

— Voilà, monsieur Raymond.

— Tu n'en as pas mangé au moins ?

— Non.

— Tu sais que vous n'y avez pas droit. Vous avez la jouissance du pré, mais pas des fruits.

— Je sais, monsieur Raymond.

Dan fouillait dans les poches de son fameux pantalon (c'était un petit pantalon de lainage que Nicole avait voulu parce que le motif écossais rappelait celui de sa robe en taffetas) et tendait une poignée de pièces à monsieur Raymond pour qu'il ne signale à personne notre absence de l'école.

Jamais il ne nous donnait une pomme. Mais après son départ, nous apercevions qu'il en était resté quelques-unes par terre, et nous les ramassions avec application.

Nous ne les mangions pas.

Au début nous les portions dans notre pigeonnier, mais cela nous gênait qu'elles soient si près de nos parents, ensuite nous les avons portées dans la grotte, notre grotte au flanc de la première colline.

Nous les alignions sous l'image peinte de la paroi.

« Celle-là pour... », disait Dan.

Je hochais la tête.

Oui, c'était pour l'allumeuse blonde.

« Et celle-là pour... »

Pour la folle en noir.

Et la troisième ?

Pour celui qui savait défendre les gens.

(Qu'avait-il dit, monsieur Raymond ?

« C'est un avocat non, il sait défendre les gens, ouais ouais il défend tout le monde, mais celui qu'il devrait défendre, ça serait bien lui pour commencer, je vous le dis, à force il finira plus bas que moi... »)

Deux autres encore pour les petites gangrènes, et ce qui restait de pommes était aligné derrière le front des premières.

Après nous restions là à les regarder avec notre lampe électrique en grignotant les morceaux de chocolat que nous gardions dans une boîte de chaussons de Nicole sur un petit surplomb de la grotte.

Quand l'heure de la fin de l'école approchait, nous prélevions quelques pommes de la seconde rangée, sortions de la grotte et, passant par le chemin des collines puis par une étroite ruelle entre deux murs de jardin, nous rejoignions notre rue.

Déjà on entendait Alex et Adrien, en cheminant ils tapaient leur cartable contre les murs, ou les réverbères, ou l'un contre l'autre, cartable contre cartable, alors on entendait Alex qui était plus doué à ce jeu-là répéter « synchrone, mon vieux, synchrone » et l'inévitable réponse d'Adrien qui était : « merde ».

Cette grossièreté était encore d'usage peu fréquent à cette époque dans notre petite ville et elle nous faisait l'effet d'un projectile lancé par les cordes vocales et chargé de toute la puissance animale de l'être qui l'expulsait. Et cette puissance était mystérieuse, comme celle de l'animal justement, ni bonne ni mauvaise en soi, mais pouvant aussi bien être l'un ou l'autre. Je crois que nous enviions Adrien pour cette faculté de dire « merde ». Nous, nous ne le pouvions pas, bien sûr.

Plus tard, lorsque je l'ai dit la première fois (et pourtant la grossièreté s'en était déjà banalisée), il m'a semblé littéralement changer de corps, et j'en suis restée effrayée plusieurs jours.

Plus tard encore, j'ai même eu l'idée que ce mot pourrait parfaitement suffire à toutes les circonstances de la vie, « merde, merde, toujours, partout », mais aussitôt quelque chose l'empêchait de s'installer. Dehors l'idée! Il me restait deux mots qui culbutaient sur toutes les pentes de mon esprit brusquement inclinées vers le sommeil, ces mots étaient : « pas encore ».

Ils approchaient de l'entrée du passage. Alex se mettait à courir. Il surgissait devant nous, la tête si fort tendue en avant dans sa hâte de nous apercevoir qu'il lui arrivait de littéralement tomber à nos pieds, comme le héros épuisé du Marathon. Et en effet il apportait des nouvelles du front.

« Adrien a dit que vous aviez ramassé des champignons tout seuls et que vous avez vomi toute la nuit, parce que vous voulez faire les malins mais que vous y connaissez rien en champignons », ou bien « il a dit qu'en poursuivant un lapin dans les collines vous avez débusqué un sanglier qui vous a rien fait, mais que vous avez eu une telle trouille que ça vous a donné une crise cardiaque... ».

Ces informations étaient de première importance pour nous, et

Alex nous les jetait en haletant, avalant la moitié des syllabes, tant il avait peur qu'Adrien entende sa trahison. Mais n'aurait-il expiré qu'une syllabe par mot, nous aurions compris.

En ce qui concerne Adrien, nous avions un véritable don de divination. Comme aux voyants il suffit d'une rognure d'ongle ou un cheveu pour voir aussitôt devant eux tout le champ de la personnalité du sujet, pour Adrien il nous suffisait d'un minuscule début d'indication (son regard, le mouvement de ses cheveux à la lisière du front, le premier son qui sortait de sa bouche) et déjà nous savions de quoi il retournait. Il s'en était aperçu, et le mot « merde » qu'il balançait sans cesse dans ses échanges avec nous était sûrement une sorte d'exorcisme.

Plus l'explication fournie par Adrien à l'école était extravagante, plus grand serait le prix à payer.

Notre raisonnement était le suivant : une telle extravagance retiendrait les responsables d'importuner nos parents. On ne pouvait imaginer notre petite surveillante générale, guère plus audacieuse qu'une souris, dire à notre père : « Comment se fait-il que vous laissiez vos enfants manger des champignons vénéneux, devons-nous alerter la police ? » ou bien : « Les pauvres, une crise cardiaque à leur âge, avez-vous demandé une battue pour abattre ce sanglier ? » Non, bien sûr.

Les gens ne manquaient pas de méchanceté dans notre ville, mais ils avaient de la retenue.

En ce cas bien sûr, tout l'embarras de l'affaire se transférait sur Adrien, « une sanction » tombait sur son carnet (un certain nombre de ces sanctions vous amenait sur la redoutable frontière de l'exclusion). Seulement nous ne lui faisions pas confiance, notre seul instrument de vérification était Alex, et pour qu'Alex dise la vérité, il ne fallait pas qu'Adrien soit présent. D'où l'accélération de dernière minute et les chutes.

Voici comment nous payions Adrien.

Nous lui donnions une première pomme.

— Avec celle-ci, tu perdras la « sanction ».

Premier point. La prédiction ne manquait pas d'arriver, car il suffisait d'un effort de bonne conduite dans la semaine qui suivait l'offense pour que la sanction soit effacée.

Deuxième pomme.

— Avec celle-ci tu marqueras un point sur Alex au foot.

Cela arrivait aussi car Alex, inconsciemment ou non, cette semaine-là, se laissait battre.

Troisième pomme.

— Avec celle-ci, tu auras le camion que tu as demandé pour Noël.

Là nous prenions un risque. Mais pas véritablement non plus, car nous avions la certitude intérieure qu'en effet, malgré sa sévérité et ses menaces constantes de représailles (Adrien avait toujours quelque « bêtise » en cours) monsieur Voisin se laisserait plier et qu'Alex aurait son camion.

Notre don de divination était réel, il produisait des effets, pour nous il allait de soi, nous n'en parlions jamais.

Mais dans la maison Helleur, où il était le plus violemment excité, il se trouvait aussi le plus violemment brouillé. Sur le seul point qui pouvait nous importer, nous étions aveugles.

Adrien mangeait ses trois pommes devant nous, avec application, avalant même le trognon et les pépins. Il n'avait aucun doute qu'elles étaient magiques.

Il en restait encore une dizaine. Nous les donnions à Alex qui les fourrait dans son cartable. Il était entendu que celles-là étaient d'ordinaires pommes. Alex les apporterait à son père. « Tiens » dirait celui-ci, s'étonnant vaguement, « encore des canada », car l'après-midi même monsieur Raymond lui en avait vendu un plein cageot, mais il était taciturne et ne demandait pas son reste. Il les transformait en petites pelures séchées et cela faisait le dessert et le goûter d'Alex pour tout l'hiver.

Dans notre grotte aussi, devant l'indéchiffrable image peinte sur la paroi, nos cinq pommes « sacrées » suivaient le cours de destins variés tout autant qu'impénétrables. Elles se recroquevillaient ou s'ouvraient, séchaient ou pourrissaient. Quand elles avaient visiblement atteint le bout de leur destin, que restait-il à faire ?

Les déclarer pommes ordinaires et les jeter, bien sûr.

12

Dan, attention

Courant derrière la façade arrière de la maison, il y avait une soupente où s'empilait le bois de l'hiver. La soupente donnait sur une bande caillouteuse, puis le pré, qui lui-même amenait jusqu'aux collines.

Chassés de la maison par un sentiment mauvais, nous errions mélancoliquement dans le pré, perdus comme au milieu d'un nuage, ne sachant où aller, n'osant nous regarder.

Nous marchions en nous heurtant de temps en temps, presque surpris de sentir la jambe fléchir ou le pied buter sur un obstacle, cela nous réconfortait déjà, de nous laisser porter par notre marche commune flanc contre flanc, cela recentrait notre attention. Une motte, une pierre, un creux, notre attelage prenait les à-coups du chemin, c'était déjà une aventure, nous n'étions plus dans un nuage.

Par les accidents de son relief un chemin se manifestait à nous, du coup nous redonnait existence, mon petit frère commençait de rire, soudain il avait la force de se retourner.

Il se campait sur ses jambes, regardait notre maison.

Moi aussi, je me retournais alors. Je regardais.

C'était notre maison, là-bas. De cet endroit du pré, on n'entendait aucun bruit. Je ne sais combien de fois nous nous sommes plantés là, mon petit frère devant, moi un peu en retrait, mais collés l'un contre l'autre, à regarder notre maison. Nous ne nous disions rien, nous étions terriblement absorbés.

Deux silhouettes sur un radeau, fixant le haut navire, leur navire, là-bas devant eux. Tout près ou loin? Sur l'infini de l'océan, on ne peut être sûr.

C'est ainsi qu'un jour mon frère soudain s'est exclamé :
— Regarde !
— Quoi ?

Il était follement excité.
— Là-haut, Estelle, là-haut.
— Dan, je ne vois rien.

Mais il me tirait déjà.

Ce qu'il avait vu, c'était une porte, au-dessus du toit de la soupente, une porte de dimension inhabituelle, carrée, petite. Elle ne semblait pas faite pour les adultes.
— Tu vois, tu vois ? demandait Dan.

Tout de suite il a ajouté « c'est chez nous », et comme d'habitude tout de suite je l'ai cru.

A tout ce qu'exprimait mon frère, dès l'époque où il savait à peine parler, avant même cette époque — avant même qu'il ne soit né, mais je ne poursuivrai pas sur ce chemin, je l'ai dit, je m'en tiendrai aux limites de la raison — l'adhésion en moi était tout de suite là.

J'opposais des arguments, « Estelle, tu ronchonnes » disait Dan, ma nature était lente, suivit une continuation, alors que mon frère filait par les raccourcis. Son esprit dansait, comme son corps devait le faire plus tard.

Il me fallait un peu de temps pour le rejoindre là où il était et souvent, lorsque j'y arrivais, il était déjà ailleurs. Mais je n'avais pas à le chercher, avant même que je ne me retourne il était revenu près de moi, me chercher.

Je le suivais entièrement. Mon frère ne pouvait se tromper. Le monde entier pouvait sembler lui donner tort, à la racine de moi-même je savais que c'était lui qu'il fallait suivre. Il ne pouvait en être autrement. S'il est vrai que c'est toujours soi qu'on cherche, alors je ne pouvais me tromper en suivant mon frère, puisqu'il était à la racine de moi-même.

— On ne peut pas monter à cette porte, ai-je dit.

En effet, elle donnait directement sur le toit de la soupente, qui était d'inclinaison raide, recouvert de feuilles de zinc gris.

Peut-être pouvait-on y arriver par le grenier principal, en passant par l'intérieur de la maison, mais de cela nous ne voulions pas. S'il fallait passer devant la chambre de notre père, de Nicole, devant la chambre de Tirésia, ce lieu ne serait jamais le nôtre. Dan n'aurait pu dire « c'est chez nous ».

Nous avions pensé à l'accès par le grenier principal, et nous avions rejeté cette idée. En quelques secondes, et sans qu'un mot ait été échangé, nos deux esprits avaient parcouru ensemble ce bref chemin, en avaient exploré les possibilités et senti les dangers.

Comme deux chiens de chasse, nos esprits avaient couru sur la même piste, reniflé les mêmes odeurs, et ensemble étaient revenus à leur point de départ, sans que nous ayons eu à les siffler, à leur donner des ordres, à bouger. Sans que nous ayons même su qu'ils étaient partis et revenus.

Et maintenant que je suis seule, que mon esprit ne chasse plus en compagnie, qu'il erre solitaire sur des chemins où sans cesse il se fourvoie, je sais que cette chasse constante de deux esprits filant côte à côte dans le monde mouvant des possibilités est une occurrence rare, un hasard fou de la nature. Trésor irremplaçable, que j'ai eu, que je n'ai plus.

Maintenant, quoi que je fasse, même les activités les plus familières : toujours le vertige.

C'est que le chien de chasse de mon esprit a perdu son compagnon, et les mille détours qu'il parcourait autrefois en quelques instants, il n'ose plus les faire, il reste frileusement collé à moi. Le paysage autour demeure brouillard confus d'où ne vient plus d'écho, j'ai perdu mes antennes, plus rien ne me donne la position, et j'ai le vertige.

Je ne savais pas à l'époque combien l'esprit de mon frère et le mien chassaient de concert. Je nous croyais toujours en désaccord. Nous ne cessions d'argumenter.

« Ces enfants n'arrêtent pas de se disputer », disait notre mère Nicole négligemment, et elle fuyait. Elle ne supportait pas les états de contradiction. Chacune de nos querelles devait être pour elle l'équivalent d'un faux pas dans un ballet, une rupture dans l'enchaînement fluide qu'elle cherchait avec tant d'obstination. Notre mère cherchait l'oubli, une mort de la mémoire, c'est-à-dire — mais cela seul peut-être notre docteur le savait — une mort au monde, et elle espérait la trouver dans la perfection formelle d'un enchaînement de gestes, dans la perfection d'un moment de danse. Le reste pour elle était sans doute chaos et, la plupart du temps, hébétude.

Nos argumentations passionnées devaient lui être une souffrance, mais d'un genre que nous ne pouvions imaginer. D'ailleurs elle ne nous grondait jamais.

L'enchaînement fluide : ce à quoi elle aspirait, comme une plante à l'oxygène.

« Ces enfants n'arrêtent pas de se disputer », disait Nicole, en s'éloignant.

Mon père, nous écoutant de loin, disait « ces enfants s'entendent comme larrons en foire », et ils avaient tous deux raison.

Tirésia ne disait rien, son regard nous suivait constamment, il me semble que le regard de Tirésia était toujours sur nous, sur nous ensemble, nous tenant ensemble comme dans un filet, mais nous ne pouvions savoir alors de quelles mailles était fait ce filet.

— Impossible d'aller là-haut, ai-je dit à mon frère, la soupente, la gouttière, le toit en pente, etc.

Je savais que nous irions, cette porte était une porte d'enfant, elle était pour nous, nous faisait signe, l'évidence m'en sautait aux yeux. Mais j'avais la manière prudente et procédurière de notre père (et je ne parle pas là des chiens de chasse de l'esprit, les invisibles et superbes lévriers, mais de mon esprit lui-même, qui n'était pas semblable à celui de mon frère), et il me fallait considérer les différents aspects du problème. Mon frère lui ne s'embarrassait pas de considérations, il sautait droit au but.

C'est ainsi qu'il a toujours fait, pour toutes choses sauf une, et à cause de cette unique chose vers laquelle il n'a pu aller droit, nous avons tout perdu et depuis des années je pleure en dedans.

— Estelle, tu es bête.
— C'est toi qui es bête. La soupente, la gouttière, le toit en pente...
— Et alors ? disait-il.
— Tu veux que je te fasse la courte échelle ?
— Mais non, comment tu monterais toi ?
Je recommençais :
— Alors on ne peut pas. La soupente, la gouttière, le toit en pente...
Il riait. Et rien que pour ce rire, j'aurais fait la bête la plus bête qui soit.
— Fais-moi la longue échelle, Estelle.
— Quoi ?
Dès qu'il y avait jeu de mots, je ne pouvais résister. Lui de même. (« Quoi Dan, dis-moi quoi, laisse-moi entrer dans ce petit castel que tu viens de trouver, ne me laisse pas tourner autour des minuscules remparts derrière lesquels tu te caches comme une minuscule souris et je t'entends rire là-dedans et je gratte, gratte... »)
— Allez Estelle, l'échelle.
— Quelle échelle ?
— Celle de monsieur Raymond.

Il avait la solution, solution presque aussi difficile que le but lui-même. C'était l'échelle du pommier, que j'ai portée, puisque j'étais la plus grande, une échelle de bois, de plus de quatre mètres, que je tirais en serrant les dents.

Sûrement de l'extérieur, j'avais l'air d'une fillette prête à plier, à tomber écrasée. Le jardinier ne la déplaçait qu'avec l'aide de mon père ou de monsieur Raymond s'il était là.

Mais à moi, il ne semblait pas qu'il y avait effort. Car Dan sautait tout autour, tantôt derrière où il modifiait légèrement l'orientation de l'échelle en la poussant de côté et aussitôt l'obstacle que je n'arrivais pas à franchir disparaissait, tantôt devant où il me dirigeait comme un poisson pilote, avec une autorité totale, un enthousiasme sans faille.

S'il m'avait dit « Estelle, mettons cette échelle contre la lune », j'aurais dit « Dan que tu es bête, tu sais bien que c'est impossible », et il aurait dit « pourquoi ? » et j'aurais répondu « l'échelle est trop courte et la lune n'est pas dans l'atmosphère », bien sûr, et pourtant ce n'aurait été que ma voix qui aurait parlé et ma nature raisonneuse. Au fond de moi, je l'aurais cru aussitôt, et mes arguments si évidents m'auraient paru misérables, et l'impossibilité de mettre cette échelle contre la lune une faiblesse en moi ou une faiblesse dans le monde, mais pas une impossibilité en soi, pas une impossibilité dans le seul domaine qui comptait, celui que créait mon frère, et en aucun cas une folie ou un caprice chez lui.

Madame, il me semble parler d'un monde qui était immense et qui est devenu infime, un monde qui a existé ailleurs, dont personne n'a plus idée, dont je suis pour mon malheur l'unique rescapée.

Comment vais-je faire pour vivre avec les autres, pour apprivoiser la réalisation que personne, personne au monde, ne sera mon frère. Jamais.

Comment vais-je faire pour côtoyer Phil, qui n'est pas mon frère, qui est et sera toujours un étranger, à qui je ne dirai jamais « je t'aime » sans entendre comme le rire âcre de la mort murmurant dans ma tête « tu mens », que je ne peux voir marchant à mes côtés ou couché sur mon corps sans une stupeur étourdissante, Phil, qui ne m'est rien, mais qui est vivant, vivant dans ce monde d'aujourd'hui, et qui sans le savoir m'apprend à m'y tenir, à y rester, à y dire des choses.

Il ne saura jamais que je ne suis pas chez moi dans ce monde où il va avec tant de banal aplomb, et que chacune de ses phrases, bien que je les comprenne et encore plus parce que je les comprends, m'est pourtant horriblement, entièrement étrangère.

Chaque moment passé avec lui est un immense effort pour cacher mon origine, je veux dire l'origine de mon être, qui était en mon frère.

Mais je veux que la tombe couverte de lierre de mon frère Dan reste sur notre monde qui était immense et est devenu infime, qu'elle y reste comme sur une planète inhabitée, dérivée très loin, et je ne la regarderai plus que parfois le soir, étoile lointaine dans le ciel froid, le soir dans la rue obscure, avant de retourner vers les lumières de l'immeuble, où il y aura cet homme d'aujourd'hui, Phil, que je saurais à peine décrire.

Et alors nous aurons véritablement échangé nos noms, Dan et moi.

L'étoile, ce sera lui, mais ce genre d'étoile qui n'est qu'un point scintillant au fond de l'immense voûte, couleur bleu d'encre, de si peu d'importance finalement, et moi je serai Dan, Dan comme j'ai si souvent perçu son nom, c'est-à-dire « dans », dedans, parmi les vivants de cette terre dans le temps d'aujourd'hui.

Toute la force que tu avais mise à quêter ce qui brille, à chercher les étoiles, à chercher ton étoile, Dan, je vais la mettre à chercher le sol, et le sol le plus ordinaire, celui sur lequel tout le monde prend pied.

Sais-tu que, depuis quelque temps, j'écoute la radio, que je me suis acheté une télévision, un magnétoscope, que rien du dehors ne m'est maintenant indifférent? Oh je m'applique, Dan.

J'apprends par cœur (je devrais dire « par tête », puisque justement ce n'est pas avec mon cœur que j'apprends ces choses, mais par la force de ma volonté « entêtée »), j'apprends le nom des chanteurs à la mode et les chansons qu'ils chantent, bonnes, moins bonnes, nulles, cela m'est égal (sauf pour une, Dan, mais plus tard, ce sont presque tes paroles, Dan, les paroles que tu disais pour expliquer ta danse, cette chanson-là est sur la cassette que Phil m'a envoyée, son premier cadeau et l'occasion de notre seconde rencontre, est-ce que cela veut dire quelque chose, mon amour, plus tard, plus tard...),

je vais sur les quais des métros et dans les fast-food regarder les vidéo-clips qui me transforment l'esprit en un pare-brise de voiture éclaté, je marche le long de l'avenue de C. où s'alignent les nouveaux magasins de fripes et gadgets qui ressemblent à des entrepôts où échoueraient les débris d'une catastrophe universelle, et les haut-parleurs braillent comme s'ils voulaient détruire ce qui reste de pensée dans les cervelles,

oui Dan, comme si une petite pensée personnelle ne pouvait plus être qu'en

109

cellule dans le crâne, une cellule haute sécurité soumise non pas à l'absence
mais à la saturation sensorielle, une enfance comme la nôtre ne pourrait exister
dans ce monde, et si elle existait elle serait dans ces crânes comme dans une
cellule à saturation sensorielle, broyée, néantisée,

je marche au milieu de foules nouvelles, qui viennent frapper aux portes du
monde moderne, les portes les plus accommodantes, les plus clinquantes, notre
avenue de C., Dan, tu ne la reconnaîtrais pas.

Mais ce quartier, je n'y suis plus guère, mon amour, je suis chez Phil le
plus souvent, là où il est se trouve le sol que je ne dois plus lâcher. Si j'y arrive.
Peut-être...

Je portais cette échelle qui me blessait aux épaules et aux mains,
j'étais comme les fourmis que nous avions si souvent observées
(toujours la même colonne indestructible qui passait à travers
notre maison, malgré les conseils, indestructibles eux aussi, de
notre voisin), avec leur fardeau quatre à six fois plus gros qu'elles,
et j'étais complètement heureuse.

Car c'était de toute évidence une tâche au-dessus de mes forces
et pourtant je réussissais à l'accomplir.

Un miracle, l'effet d'une grâce spéciale. Et comme dans les
miracles, les lois ordinaires étaient effacées. Le poids m'était léger,
la peine de l'effort convertie en joie, la douleur aussitôt conquise
des meurtrissures engendrait un sentiment de puissance, la longue
distance entre le pommier et la soupente raccourcissait à vue d'œil,
et l'ennuyeuse corvée se transformait en aventure héroïque.

Héroïque et joyeuse, car Dan faisait défiler nos lectures d'enfant
dans cette traversée du pré, non pas en les citant ou les racontant,
mais à son habitude en les mimant. En les dansant. Et en même
temps il mimait sa sœur sous son échelle. Et ainsi j'étais moi aussi,
à quelques secondes d'intervalle, Sancho Pança, Don Quichotte,
chien de traîneau, Perlette goutte d'eau poussant son rondin de
bois, les Oulhamr dans la nuit effroyable portant le feu, je pourrais
en retrouver tant et tant.

Nous avons amené l'échelle en haut du pré, nous l'avons fait
basculer dans la cour par-dessus la murette, puis nous l'avons

posée contre la soupente. Dan a grimpé pendant que je tenais les montants, il était sur le toit de zinc, il rampait, se redressait contre la porte, et ce n'était pas fini encore, la porte ne s'ouvrait pas, il tâtait la surface, cherchait le point magique, « oh Sésame, ouvre-toi », la porte s'est ouverte. J'ai rejoint mon frère.

L'échelle était haute, mal maintenue par le sol caillouteux, la toiture de zinc était de pente raide et glissante.

Lorsque mon frère est parti aux Etats-Unis et que je pensais comme nous tous qu'il ne reviendrait plus, j'ai voulu retourner dans ce premier nid de notre enfance, je voulais m'y enfermer, m'y jeter comme dans une cellule et y prier jusqu'à en perdre la douleur. Mais je n'ai pas réussi à atteindre la porte. L'échelle glissait sur le sol, et lorsque j'ai trouvé le moyen de la caler en bas, précairement, et à atteindre le sommet, il m'a paru impossible de passer sur la toiture.

L'échelle s'appuyait à la gouttière qui courait au bord, la gouttière était couverte d'une fine mousse glissante, qui empêchait l'appui stable, et cette gouttière elle-même semblait mal attachée, déglinguée.

J'avais peur, je me suis forcée pourtant, en étendant le plus possible de mon corps sur le toit, sans lâcher l'échelle, mais aussitôt j'ai senti que mon poids me faisait glisser, je n'arrivais pas à m'étendre assez haut pour atteindre le rebord de pierre sous la porte et m'y accrocher.

La pluie s'est mise à tomber, et j'ai souhaité de toute la force morbide de mon désespoir qu'elle m'entraîne avec elle, comme une feuille morte dans la gouttière, qu'elle m'entraîne dans un ruissellement aveugle et sans fin, je pleurais affreusement sur cette toiture, sonnée par mes larmes et la pluie et le vent qui s'était mis à souffler comme si souvent dans notre région, jusqu'à en perdre le sens.

Et ensuite, la pneumonie, notre docteur une fois de plus, ma mère plus négligente que jamais, mon père plus enfoncé dans ses dossiers, et Tirésia errant de plus en plus violemment dans la maison.

C'étaient d'étranges vacances, si peu de temps après mon

mariage, étrange lui aussi, pourquoi Yves n'était-il pas venu avec moi pour cette première visite à ma famille ?

Mais avec Dan, je volais sur l'échelle et sur la toiture. Plusieurs fois par jour, pendant des années, nous avons fait ce manège. Par tous les temps, qui étaient souvent des temps de tempête, dans notre région.

Surtout d'ailleurs par les temps de tempête, car de cette pièce du grenier, on entendait la pluie mieux que partout ailleurs. Les plaques de zinc qui couvraient le toit de la soupente juste en dessous faisaient résonner chaque goutte avec force et douceur, on pouvait l'écouter sans fin, c'était une musique à mélodie unique au sein de laquelle se faisaient de subtiles variations, de sorte qu'on avait à la fois le sentiment de l'éternité et du moment, et cela produisait dans notre esprit une transe d'étonnement, presque de frayeur, comme si nous venions de buter par hasard, en cet endroit que nous avions trouvé, sur une des formules secrètes du monde.

Lorsque nous avons essayé d'expliquer cela à notre père un jour, il nous a dit « ah ! les Anglais ont un mot pour cela : *awe* ». C'est le premier mot d'anglais que nous ayons appris, et je pense parfois que si mon frère est parti aux Etats-Unis lorsqu'il a voulu nous fuir, me fuir, c'était par espoir inconscient d'y trouver le lieu d'une autre formule de l'univers, d'une autre transe totale, qui le sauverait.

Dès qu'il pleuvait, nous courions à notre échelle. Cette échelle qui avait été déclarée perdue (nous la couchions dans les buissons derrière la murette à notre départ). Les êtres de notre famille étaient dans une telle absence, ne la voyant plus sous le pommier, ils l'avaient oubliée, et si par hasard ils l'avaient aperçue dressée contre la soupente, je ne suis pas sûre qu'ils l'auraient même remarquée.

Lorsque enfin Tirésia l'a vue, elle avait déjà été remplacée sous le pommier par une neuve, beaucoup plus moderne, en tubulures d'acier, et personne n'a songé à nous priver de l'autre, personne non plus n'a songé qu'il pouvait être dangereux pour deux enfants de grimper là-haut plusieurs fois par jour et par temps de vent et de pluie.

Cette pensée a bien dû se présenter à notre père, lui qui était toujours si inquiet pour nous, mais il n'y avait plus place dans sa tête fatiguée pour d'autres horreurs que celles que contenaient ses dossiers, celles de son passé et celles aussi qui se continuaient, en notre temps, dans la banalité du quotidien.

Notre mère était dans son rêve. Quand elle nous a vus enfin, grimpés à cette échelle, je suis sûre que nous ne faisions pour elle qu'une figure dans un ballet. Mon frère était si agile et gracieux dans ses moindres gestes, transformait instinctivement chaque geste en danse, et moi par mimétisme je devais bien aussi n'être pas trop empêtrée.

Lorsqu'on lui a montré le lieu de notre exploit (et nous nous sommes prêtés à une démonstration, complaisamment, pour elle), elle a ri, son rire qui pouvait être si jeune et si frais.

« Comme des écureuils », a-t-elle dit, et elle répétait ravie, pour nous encourager, « comme de vrais petits écureuils ».

Elle nous regardait, de ce regard transparent qu'elle avait, et je suis sûre qu'elle ne voyait pas Dan et Estelle, ses enfants, mais deux petites bêtes aux membres vifs dansant sur les branches d'un arbre.

Mon cœur se serrait alors, je souffrais lorsqu'elle nous parlait ou nous regardait ainsi, je ne retrouvais ma paix que lorsque je la savais revenue dans son garage et que s'entendait la musique familière sur laquelle elle faisait ses assouplissements, là-bas, loin dans la maison.

J'étais grande et large d'épaules, comment pouvait-elle parler de moi comme d'un écureuil ? Il n'y avait qu'une réponse, c'est que devant **Dan** et Estelle, elle ne voyait que Dan. Et à travers Dan, le danseur de son grand rêve. (Il était déjà clair alors que je n'avais pas les dons véritables.)

J'aurais voulu que notre mère ait des peurs pour moi, pour sa fille, comme je voyais bien, à l'école ou dans la rue, que les autres mères avaient des peurs pour leur fille. Mais ce que je ne pouvais voir, c'est que notre mère Nicole était une jeune fille, la danseuse étoile d'un ballet éternel. Comment aurais-je pu être sa fille ?

Tirésia savait que cette échelle était dangereuse. Cela, je l'ai senti au fond de moi où se terrent les certitudes. Je l'ai senti par quelque chose dans son corps, ce corps de Tirésia que nous ne cessions de consulter sans jamais pouvoir le déchiffrer.

Un jour, elle était là. Il pleuvait à torrents, le temps que nous affectionnions. Dan était en train de passer de l'échelle sur le toit, j'étais encore sur la murette, m'essuyant les mains contre ma jupe. J'ai tourné la tête et elle était là. C'était la première fois que nous nous faisions surprendre. Elle avait la tête levée vers Dan et immédiatement, sans doute possible, j'ai su qu'elle anticipait l'accident, la glissade sur la toiture mouillée et luisante, le rebond plus bas sur la murette de pierres, et puis la chute de l'autre côté, sur les cailloux aigus entassés là. Et ma peur a été si grande que j'ai hurlé « Dan, attention ».

Dan, surpris, s'est retourné et bien sûr il a glissé. Presque aussitôt, Tirésia s'est trouvée sous la gouttière et lui a cueilli les pieds quelques secondes après qu'il s'était détaché du toit. Dan aussitôt a regrimpé par l'échelle. Et je me suis mise à sangloter, roulée dans une angoisse démesurée, qui semblait venir en déferlant de très loin au-delà de moi.

Tirésia s'est approchée, m'a tirée par la main presque rudement, et poussée sur le premier barreau de l'échelle. J'interrogeais son visage. Ses yeux derrière les lunettes étaient insondables. Oh comme je l'interrogeais ! Elle tenait l'une de ses mains plaquée sur ma main qui tenait l'échelle, et je sentais quelque chose dans cette main, un enseignement, une urgence, quelque chose de tragique, ce jour-là j'ai senti la violence de Tirésia, l'horreur et la passion qui étaient en elle et produisaient cette sorte d'immobilité que nous lui connaissions et qui n'était que l'équilibre tendu de deux forces terribles et opposées.

— Tu l'as fait tomber, a dit une voix qui devait être la mienne mais que je ne reconnaissais pas.

— Je l'ai rattrapé, a-t-elle dit tranquillement et ses paroles aussi semblaient appartenir à quelqu'un d'autre.

Et ces deux personnes qui n'étaient pas nous se dévisageaient de part et d'autre du voile sombre.

Mon frère, perché sur le seuil de la petite porte, écoutait cette voix qui n'était pas celle de Tirésia répondre à la voix qui n'était pas celle de sa sœur. Et sa voix à lui, claire et large, est descendue sur nous, ouvrant une trouée de lumière irisée dans l'étrange noirceur pleine de pluie qui nous maintenait figées, au pied de l'échelle, trempées l'une et l'autre maintenant.

— Elle m'a rattrapé, Estelle, a-t-il crié mi-taquin mi-sérieux, c'est toi qui m'as fait glisser avec ton cri de chouette.

Nous avions une chouette, tout au fond du pré. On disait qu'entendre son cri la nuit annonçait une mort. Certes ce n'était pas la nuit, mais mon frère ne parlait jamais à faux. Il continuait :

— Ton cri de chouette, Estelle, ton cri de chouette. Tu m'as fait peur.

Et soudain j'ai compris ce qu'il y avait dans le rire lumineux de mon frère, ce qu'il me disait par-dessus l'entendement de Tirésia, par-dessus nos propres entendements, qui étaient si faibles à l'époque, ceux d'un garçon de neuf ans trop mûr pour son âge et d'une jeune fille de quatorze ans trop rêveuse.

Il me disait :

« Estelle, ma sœur, tu as vu, errant non loin de nous dans les royaumes invisibles, ma mort, échappée d'un temps et d'un lieu que nous ne connaissons pas. Elle glissait furtivement, tâtonnant le long de l'invisible frontière, elle cherchait une faille pour passer dans notre monde à nous, pour me trouver et m'emporter. Elle cherchait, cherchait, et tu as cru sentir que cette faille était là, cachée en Tirésia. Maintenant cette chose que tu as vue s'est éloignée, oublie, nous avons gagné pour l'instant. »

Et il criait, le garçon rieur :

— Tirésia, pousse-la aux fesses, elle a peur de monter maintenant.

Et soudain Tirésia avait retrouvé sa voix normale :

— N'aie pas peur, Estelle, je te tiens l'échelle.

Ma croyance en ce qui venait de Tirésia était totale. Si elle avait vu la chute de mon frère, c'est que cette chute de mon frère existait en un lieu que je ne pouvais déterminer, mais j'avais perçu l'avertissement et je ne pourrais plus l'oublier. Et si elle me disait que je pouvais monter et qu'il n'y avait pas danger pour moi, je le croyais aussi. J'ai grimpé, puis rampé sur la toiture ruisselante, et mon frère penché à genoux me tendait la main au-dessus.

Une fois dans le grenier, nous n'avons pas échangé un mot. Car finalement qu'avaient à se dire à haute voix, en cette époque de leur vie, un garçon de neuf ans et une fille de quatorze ?

Pas grand-chose. Sinon rien. C'était sans importance.

Nous étions assis en tailleur sur le vieux tapis que nous avions hissé là-haut, et nous avons fumé les cigarettes que nous volions à notre docteur. Car dans sa sacoche, il n'y avait pas que des berlingots, il y avait aussi ses cigarettes, et je pense qu'il savait que nous fumions à ses dépens, qu'il le désapprouvait bien sûr, mais n'avait pas le cœur de nous le défendre.

Et pourquoi n'avait-il pas le cœur de nous le défendre ?

Il ne nous venait pas à l'idée de chercher pourquoi, de nous interroger, ou de le lui demander. Mais nous le sentions avec la même certitude que j'ai déjà signalée plusieurs fois, nous sentions que notre docteur avait pour nous une pitié étrange, venue elle aussi, comme les cauchemars de notre mère Nicole, d'un monde hérissé de terreurs que nous ne connaissions pas, qui était tantôt proche, tantôt presque oublié, mais là, toujours là.

Par contre, si nous ne savions pas la raison de cette pitié, nous savions très bien la manipuler. Et c'est ainsi que nous avions des cigarettes, à l'insu de notre père et de notre mère.

Tirésia savait que nous fumions. Il arrivait parfois des choses surprenantes, un paquet qui approchait dangereusement de sa fin (nous en étions à économiser par moitiés puis par moitiés de moitiés, la dernière visite de Minor étant déjà assez lointaine) se retrouvait un jour, à notre retour de l'école... plus si vide. Et alors que Minor fumait des brunes, celles-ci étaient des cigarettes américaines, les fameuses Camel, que nous révérions car elles semblaient porter en elles le prestige de nos sauveurs, vainqueurs comme nous le savions d'une récente guerre.

Nous nous regardions, mon frère et moi, mais là aussi nous n'allions pas au bout de notre étonnement. Cet événement faisait partie de l'univers plein de choses étranges, non dites, senties à l'oblique, qui était le nôtre.

Nous étions des enfants, nous ne pensions pas à intervenir dans cet univers et nous le supposions semblable à tous les autres.

13

Je vous trouverai

Le récit de Tirésia, j'ai voulu le jeter au vent.
J'étais faible, devenue presque une autre, incapable même de deviner ce qu'était cette autre.
Je l'ai jeté au vent.
Mais le vent a trébuché.

Le récit de Tirésia est revenu à moi, essoufflé et larmoyant, et je ne peux le supporter, madame. Tirésia était sans larmes et d'une force presque indestructible.
Son récit était devenu celui d'une pleureuse de village. Je l'ai écouté devant sa tombe, le lendemain de sa mort, et il m'a semblé que déjà le temps l'avait aspiré, commençait à le sucer, à l'amollir, à le préparer pour ses digestions secrètes.
Je ne veux le raconter à personne aujourd'hui, de peur qu'à nouveau il ne me revienne, déformé par ceux qui l'auraient écouté, déformé par moi-même. Madame, de moi aussi je me défie, je n'ai jamais aimé parler, mon frère parlait pour nous deux, et ce qu'il disait était ma vérité.
Comment parlerai-je, maintenant que je n'ai plus ma voix?

Mon frère et moi, nous vivions selon notre vérité, et elle paraissait souvent imprévisible ou étrange, mais nos amis les plus proches reconnaissaient ce qu'elle était, une vérité, et à cause de cela, des années plus tard, alors que j'ai disparu sans donner le moindre signe, ils ont répondu à mon appel malgré leur colère ou leur chagrin.

Madame, je voudrais que vous fassiez le récit de Tirésia. Notre père croyait en la justice, peut-être voulait-il y croire, peut-être n'avait-il plus d'autre choix, il était avocat (non pas juge, il n'aurait pu l'être, le désordre moral de la nature le bouleversait, malgré les railleries de notre voisin, un simple ver de notre jardin avalé devant lui par un merle pouvait le faire pleurer, car alors madame tout son savoir ne servait à rien, c'est ce qu'il disait, notre père), il était avocat et nous, ses enfants, nous pensions qu'il pouvait placer le fléau de la balance du bien et du mal à son exacte place et ainsi donner à chaque acte son exacte identité.

Je voudrais que vous placiez le récit de Tirésia à son exacte place et que vous lui donniez son exacte identité, afin que je puisse le reconnaître, tel que je l'ai entendu, pendant les cinq jours et cinq nuits d'une agonie, le récit d'une femme sans larmes et d'une force presque indestructible.

Mon frère et moi avons vécu selon notre vérité, et notre père selon sa justice, et Tirésia selon sa vision, et notre mère Nicole, la plus frêle d'entre nous, selon ses rêves.

Un récit doit vivre selon sa juste écriture et de même que notre père était pour nous seul dépositaire et garant pour les choses du bien et du mal, vous êtes pour moi seul dépositaire et garant pour les choses de l'écriture, puisque vous êtes écrivain.
Et ainsi le récit de Tirésia aura son identité et sa place au milieu de toutes les histoires que l'histoire charrie et transporte, je ne sais vers où, madame, mais qu'importe, où qu'il aille et même s'il va vers le néant, le récit de Tirésia sera rétabli.

Mon frère m'a dit un jour « notre mère Nicole cherchait à redresser un tort, un tort immense... ». Elle était faible, notre mère Nicole, et elle est morte alors qu'elle était encore toute fine et blonde et gracieuse sur les éternelles pointes de ses chaussons de danse, mais elle a essayé.

Je n'ai pu aider Nicole dans son grand effort, mais je peux une chose peut-être : que soit redressé le récit de Tirésia.

Il y a longtemps que je vis « hors du monde », c'est l'expression d'un de ces amis dont j'ai parlé (elle m'a fait rire, car ce « hors du monde » a d'abord été pour moi le monastère et, pour les sœurs là-bas, le monastère certes n'était pas « le monde » non plus, seulement mon ami Vlad, et les sœurs du couvent d'A. ne parlent pas du même monde), mais je vous trouverai.

Je vous trouverai et vous saurez traduire, vous saurez rétablir...

Si j'y suis arrivée, si j'y arrive...

J'ai peur, madame...

14

Ce tas épais d'enfants

Périodiquement notre père nous annonçait l'arrivée d'étrangers, « vos cousins », nous disait-il fermement, et nous avions l'impression que pour cette déclaration il s'approchait de Tirésia, se mettait au garde-à-vous auprès d'elle.

Ces cousins habitaient un autre continent, ils devaient venir pour les vacances, puis pour une raison ou une autre, que nous oubliions sur-le-champ, ils ne venaient pas, et nous étions soulagés, tranquilles pour l'été, tranquilles pour toute une année.

Mais chaque fois le danger avait semblé proche. Nous avions vu la lettre timbrée du Canada, Tirésia avait manifesté une agitation inhabituelle, notre père avait dit sa phrase, « vos cousins », et nous avions bien entendu l'insistance curieuse et senti le garde-à-vous de son corps, alors nous filions au grenier pour nous tranquilliser avec nos cigarettes volées et exhaler dans la fumée un peu de notre ressentiment.

— Le Canada, c'est grand, disait Dan, ça devrait leur suffire.

— Peut-être qu'ils ont envie de nous voir, disait Estelle.

— Ils ont même l'Arctique et des Esquimaux, continuait Dan, toujours dans Jack London.

— Ou peut-être qu'ils se sentent *obligés* de venir nous voir, disait Estelle.

— On ne les a pas appelés.

— Ils ne nous ont pas demandé notre avis.

— Et à quatre, en plus, disait Dan outré.

— A cinq.

— Ah oui, la cousine, disait Dan. Une cousine, tu imagines, comme ce pauvre Adrien.

Ce pauvre Adrien, notre voisin qui avait deux ans et demi de moins que moi et deux ans et demi de plus que Dan, avait des cousins qui venaient rendre visite chaque semaine, et parmi eux une cousine endimanchée que nous regardions avec étonnement se pavaner sur la route avec des talons sur lesquels il était visible qu'elle se tordait les pieds et un corsage aux aisselles duquel se voyaient de grandes auréoles.

Nous, nous étions à la lucarne de notre grenier, grimpés sur un tabouret, vers le milieu de l'après-midi, guettant ce moment où nous savions qu'ils sortiraient tous sur la route, renvoyés sans doute par les parents qui voulaient finir leurs digestifs en paix.

Leur nombre nous stupéfiait, cinq garçons plus Adrien plus cette fille, sept, sept enfants à tourner sur la route! Cela nous causait de la hargne. Il ne nous venait pas à l'idée de les rejoindre, et eux ne se seraient pas aventurés jusqu'à notre grille.

Adrien, nous le tolérions, il était notre voisin, et d'ailleurs il se passait d'autorisation.

Adrien venait quand il en avait envie, il passait par la partie du mur mitoyen écroulé, sous le lilas, et il nous trouvait sans coup férir, obstiné et rusé. Nous n'arrêtions pas nos occupations, il restait là à nous surveiller, d'un œil morose ou critique, cela ne nous dérangeait pas, c'était une forme d'accommodement entre nous, d'une certaine façon nous nous comprenions. Ou plutôt, notre façon de ne pas nous comprendre avait quelque chose de profondément intime. Et cette incompréhension entre nous était sans doute d'une richesse inépuisable, car Adrien venait quasiment tous les jours et nous ne songions pas à nous débarrasser de lui.

Mais tous ces cousins, ce tas épais d'enfants...

Rejetés au-dehors par les panses alourdies des adultes — eux-mêmes groggy de trop de nourriture et d'ennui —, tournant sans but sur ce bout de route, dans un mouvement qui finissait par amener chacun à la place de chacun et rien de nouveau n'arrivait, images de la désolation dans les longues plaines mornes de l'enfance.

Et nous, nous étions à la lucarne de notre grenier, le vasistas relevé à son cran le plus bas, afin de ne pas attirer l'attention. Nous étions là, ce vasistas posé quasiment sur la tête, le menton sur les mains, les mains accrochées au bord, qui finissait par nous meurtrir la peau, et nous les regardions.

Dan s'en prenait à la fille, moi aux garçons.

— Tu te vois avec ça, Estelle, pour grimper sur la toiture ou aller à la grotte !

Je savais très bien ce qu'il visait. Il visait les chaussures vernies blanches à talons et les bas noirs de la cousine (des bas, c'est-à-dire des cuisses, des sections du corps détachées de l'ensemble pour devenir « cuisses », défiguration absurde pour l'enfant danseur), et son corsage ajusté à craquer et le tissu trop ajouré, on voyait les brides du soutien-gorge qui entamaient l'épaule, et la marque rouge du tour de bras, et les auréoles sous les aisselles. Tout cet accoutrement de fille.

J'essaie de revoir cette cousine maintenant. Une jeune fille, tout simplement, à la mode des jeunes filles de l'époque : jupe de vichy, corsage de broderie anglaise, taille bien serrée, comme les nouvelles stars dans *Paris-Match* (qu'Adrien nous amenait pour nous épater, sa mère y était abonnée), seuls les bas et les talons trahissaient la provinciale. Mais jolie je crois, et aimable. Alors d'où venait notre hargne ?

Peut-être de ceci : qu'elle, elle et ses frères, étaient en visite de dimanche, que cette visite de dimanche se faisait d'un bout à l'autre de notre ville, d'un bout à l'autre du pays, ce même jour, dans toutes les familles, les familles normales. Cela nous causait une sorte de mépris, de vague dégoût.

— Donc, dimanche prochain, disait Dan, c'est Adrien qui va aller chez eux. Qu'est-ce qu'il va s'ennuyer !

Et Estelle, raisonneuse, posait ses problèmes mathématiques.

— Comment font-ils s'il y a d'autres cousins dans d'autres

branches de la famille, je veux dire s'il y a plus de quatre branches de la famille, comment font-ils pour arranger ça avec les quatre dimanches du mois ?

— Ils font des rotations.

— Mais s'il y a plus de quatre branches ?

— Alors, disait Dan, ils décident qu'il y a plus de quatre dimanches par mois.

— Impossible.

— Pourquoi pas ? disait Dan.

Etc.

C'était à mon tour maintenant de m'en prendre aux voisins. Je prenais tous les garçons à la fois.

— Et les garçons avec leurs oreilles décollées et leur façon de siffler les filles !

— Ils t'ont sifflée ?

— Euh...

L'idée que ces lourdauds aient pu siffler Estelle, sa sœur, emplissait Dan d'une joie cynique. C'était cela, les familles normales, les gosses se pavanaient sur la route comme les poules, ou sifflaient comme les gendarmes. Pendant que les parents s'empiffraient et devenaient rouges et parlaient les uns sur les autres, de plus en plus fort, on les entendait en cet instant, des voix trop fortes qui donnaient l'impression de se frayer un chemin à coups de front de bélier, au milieu de rires qui moutonnaient en grand énervement, « des voix avinées » disait Dan qui avaient dû apprendre ce mot récemment.

Certainement personne chez nous n'avait « une voix avinée ». Et nos parents à nous ne s'empiffraient pas. D'ailleurs où étaient-ils ? En ce dimanche comme tous les autres jours, notre père à son bureau parmi ses dossiers (les « dossiers obligés », le dimanche), notre mère Nicole en train de danser au son du Teppaz, Tirésia... Tirésia, on ne l'imaginait pas en train de « faire », elle « était » quelque part dans la maison, probablement ni à son piano ni à sa chambre, et sa façon d'être là où elle était n'avait rien à voir avec celle des parents d'Adrien et des parents des cousins d'Adrien, voilà qui était sûr.

— Alors, qu'est-ce que tu as fait, Estelle ?

— Eh bien...

Estelle n'avait rien fait bien sûr. Et les cousins d'Adrien, rien non plus peut-être. Et s'ils avaient sifflé, Adrien les avait fait taire tout de suite : « 'c'est ma voisine », mais peut-être pas, peut-être Adrien avait-il trouvé malin plaisir à regarder cette voisine, sous les sifflements de ses cousins, peut-être même était-il l'instigateur des sifflements...

Mais maintenant l'histoire était lancée, je ne pouvais plus l'arrêter.

— Qu'est-ce que tu as fait ? disait la voix pressante de mon frère.

Lui, il dansait pour moi. Moi, je racontais pour lui. Il en a été ainsi toute notre enfance et longtemps après encore.

Il me restait un peu d'hésitation, à cause du mot « mensonge » qu'avait crié notre docteur lorsqu'il avait claqué la portière de la voiture, et du même mot « mensonge » qu'avait répété notre père d'une voix si étrangement blessée, avant de courir derrière lui sur la route, la sacoche tendue à bout de bras. Raconter ce qui n'existait pas, était-ce un mensonge ?

Etait-ce cela qui mettait notre docteur hors de ses gonds et altérait ainsi la voix de notre père ?

— Raconte, Estelle.

— Oui...

Dan changeait la vérité de mon cœur. Il lui fallait un monde plein d'intensité changeante, il me le faisait créer à mesure, au gré des fluctuations de sa voix ou de ses yeux. Et ces fictions devenaient notre vérité, celle de notre monde à nous.

Dan est toujours tapi dans le fond de mon cœur et je ne fais rien d'autre aujourd'hui que mentir encore pour devenir la vérité de ce qui est tapi dans mon cœur.

— Alors, Estelle ?

— Je suis allée vers eux...

Il se mettait à briller, mon frère ! C'était cela qu'il voulait, l'affrontement avec les géants, une aventure improbable et cocasse, qui pourtant, à un détour ou un autre, finirait par rejoindre notre vie, et là elle s'approcherait, dérivant de concert avec nous, comme une planète jumelle, et pendant un temps nous pourrions nous croire sur cette autre planète où l'histoire se faisait selon les désirs de ceux qui l'avaient fait venir et qui savaient la regarder.

Il brillait, sans me tourner je sentais l'animation de son visage, chassé-croisé d'éclairs rapides qui jetaient autour de lui un poudroiement électrique.

Alors je faisais le bond...

— Je suis allée vers eux et je leur ai demandé s'ils désiraient quelque chose.

— Comment ? disait Dan.

— D'un ton froid, comme ça : « Vous désirez quelque chose ? » Et alors ils se sont mis à rougir et leurs oreilles décollées battaient dans le vent comme des voiles en détresse. J'ai dit : « Pardonnez-moi, messieurs, mais j'ai cru entendre siffler. » Ils ont bafouillé « non, non ». J'ai dit...

— Les subjonctifs, Estelle, soufflait Dan en dessous de mon discours pour ne pas l'interrompre.

— J'ai dit : « Je ne voudrais pas que vous fussiez en tort sans le savoir au sujet de quelque chose. Je serais désolée qu'il vous arrivât malheur et que vous ayez à faire un séjour en prison. »

Je m'arrêtais, à court d'idées, épuisée par les subjonctifs.

— Après, Estelle ?

— J'ai dit : « Je serais désolée qu'il vous arrivât malheur et que vous ayez à faire un séjour en prison, surtout si j'en étais la cause. Je ne pourrais pas nier que vous me siffliez (" siffliez ! ", murmurait Dan avec respect, toujours en dessous de mon discours) depuis un certain temps, or vous le savez, la loi punit sévèrement le... »

— Le détournement de mineure, soufflait Dan.

Nous connaissions ce mot par notre père, qui parlait souvent de ses affaires à table, de toutes ses affaires si nous le lui demandions sauf des « dossiers obligés ». Le langage de la loi nous enchantait, Dan surtout, qui y voyait un déguisement étrange et attirant des mots, un nouveau type de ballet, joué par les mots dans cette grande danse qu'était pour lui le langage.

— Et aussi « incitation à la débauche », ajoutait-il aussitôt.

— Naturellement, disait la sœur, qui prenait tous les virages derrière lui sans faiblir et poursuivait dans la nouvelle voie avec sérieux comme elle le faisait toujours pour tout ce qu'elle faisait.

— Et « racolage sur la voie publique »...

— Je leur ai dit : « La loi punit sévèrement le détournement de mineure, ainsi que l'incitation à la débauche et le racolage sur la voie publique. »

— Alors, qu'est-ce qu'ils ont dit ?

— L'aîné s'est tourné vers les autres, et il a dit : « Attention, son père est avocat. » Et les autres se sont mis à trembler et ils ont dit : « Qu'est-ce qu'on fait ? » Et l'aîné a dit : « Il n'y a qu'une chose à faire, se rendre sans conditions. »

Nouvelle pénurie d'idées. Nouvel arrêt.

Dan sautait à la rescousse :

— Tu leur as dit : « Venez un par un mettre genou à terre et, et... »

Je suivais sa mimique et nous arrivions à peu près au discours suivant :

— Et prononcez les paroles suivantes : « Veuillez, mademoiselle, accepter nos excuses pour la façon grossière dont nous nous sommes conduits en vous sifflant dans la rue comme une péripatéticienne. A notre décharge, nous devons dire que nous ne connaissons pas de jeunes filles car nous sommes trop répugnants et n'avons donc pu jusque-là qu'acheter des professionnelles pour nous embrasser, ce qui est la raison pour laquelle le mur mitoyen de notre cousin Adrien qui sépare sa maison de la vôtre n'a jamais pu être réparé, le père de notre cousin Adrien ayant dû voler à notre secours pour régler nos dettes dans ces lieux malfamés. Compte tenu de ces diverses circonstances affligeantes, nous espérons, mademoiselle, que vous voudrez bien oublier à quel

127

point nous sommes affreux, velus, comme nos oreilles sont décollées et notre nez rigolo, et comme nous sommes bêtes en tout, ce qui n'est pas un délit et que nous vous prions de considérer comme circonstances atténuantes. »

Arrivés à ce point, nous faisions tous deux de gigantesques efforts pour ne pas laisser éclater nos rires (pas question bien sûr que les cousins et la cousine d'Adrien s'aperçoivent de notre présence à la lucarne). Nous tenions à peine sur le tabouret à force de nous tortiller. C'est que dans la voix de Dan passaient des accents de notre père lorsqu'il nous exposait ses affaires, ou de certains clients que nous avions guettés de derrière les troènes qui faisaient un buisson juste sous son bureau.

Il mimiquait aussi le père d'Adrien et les conversations que nous avions entendues au sujet de ce mur mitoyen, puis la cousine revenait sur la scène, il fallait qu'elle soit présente à la défaite de son camp et à notre victoire, car maintenant Dan m'avait rejointe dans l'aventure.

L'humiliation des autres était terrible. L'aîné des cousins n'arrivait pas à faire son amende honorable, il restait pétrifié au milieu de la route, la raison en était que dans sa vexation, il n'avait pu retenir ses fonctions naturelles, qu'il n'osait bouger de peur d'éventer l'horreur, mais que l'horreur maintenant luisait comme une plaque de verglas au milieu du chemin. Une ambulance de l'hôpital débouchait à toute allure (cette ambulance que nous redoutions toujours de voir arriver chez nous), mais il était sauvé de justesse, les pneus dérapant sur la flaque. L'ambulance, elle, s'écrasait sur le bas-côté. Les frères transis de peur n'osaient bouger, pas plus que la sœur dont les talons de chaussures s'étaient tordus et l'avaient envoyée face contre terre. Nous volions au secours des ambulanciers et du malade (celui-ci était un personnage en vue), nous les arrachions à la tôle en feu, nos cheveux flambaient, les victimes avaient la vie sauve, et quelques jours plus tard nous recevions la médaille du courage. Cette cérémonie était présidée par le chef national de tous les médecins. Emu par nos supplications, celui-ci entreprenait de soigner notre mère de ses cauchemars. En secret bien sûr, pour que notre bon docteur Minor se croie son guérisseur. Notre mère n'avait plus de cauchemars et du coup ne cherchait plus à être danseuse (nous avions l'obscur sentiment que les deux choses étaient liées), nous pouvions l'embrasser du matin au soir, entortiller les frisons de sa nuque sur nos doigts, elle nous faisait de vrais gâteaux et nous chantait des chansons au piano.

Il y avait une autre version.

Notre mère n'avait plus de cauchemars et du coup devenait la grande danseuse qu'elle rêvait d'être, une danseuse mondialement célèbre, notre maison était sans arrêt couverte de bouquets de fleurs gigantesques qui montaient jusqu'au faîte du toit.

— Non, disait Dan soudain, cela fait cimetière
— Cela fait cimetière ? répétais-je.

Nous étions affreusement frappés.

L'histoire était finie. Nous restions l'un contre l'autre, les mains rivées à la lucarne, pris dans un souci obscur, incapables même de descendre du tabouret, fatigués jusque dans la moelle de nos os d'enfants. Sur la route, les cousins avaient disparu depuis longtemps.

C'était un accès de ce que nous appelions la « valétude ». Il passait. Mais nous ne pouvions en rester là. Une inquiétude s'était incrustée en nous, une curiosité bizarre, nous voulions savoir ce qu'il en était des tombes et des fleurs. Toutes les fleurs pouvaient-elles aller sur les tombes, ou bien certaines espèces leur étaient-elles réservées ?

Je pensais aux tulipes de ma mère Nicole, qui étaient arrivées le jour de la naissance de mon frère, ces fleurs qui avaient l'air d'être noires et faisaient un bouquet monstrueux dans la chambre très blanche de l'hôpital. Dan, lui, était obsédé par le mot « tubéreuse », il suggérait que s'il y avait une fleur des cimetières, c'était celle-là, à cause je pense de la rime avec « vénéneuse », les rimes l'envoûtaient, elles lui jetaient des frissons, non seulement les belles princesses des poèmes, mais aussi les passantes de hasard, errant méconnues dans le discours quotidien mais que le danseur reconnaissait.

Fleurs des danseuses, fleurs des cimetières.
Vénéneuses tubéreuses noires qui grimpaient à l'assaut des murs, montaient jusqu'au faîte du toit, ensevelissaient notre maison.
Nous nous sentions abominablement faibles, ignorants.

Ce qu'il fallait, concernant les fleurs des cimetières : d'abord savoir si c'était un problème qui avait existence et dont on traitait, et ensuite apprendre ce qu'il en était.
Pas question d'interroger qui que ce soit, restait donc à chercher dans les livres.
Le salon était désert. Nous commencions à fouiller dans les dictionnaires et l'encyclopédie, mais il y avait trop d'articles.
— Emportons-les au grenier, soufflait Dan.
— Mais...
— Personne ne s'en apercevra, disait Dan.
Il avait raison.

Personne ne s'en apercevrait, c'étaient les livres du salon, ceux de Tirésia et de notre mère Nicole donc, puisque notre père avait sa propre bibliothèque dans son bureau. Notre père avait beaucoup de livres dans son bureau, et il y en avait beaucoup aussi dans notre salon et partout dans la maison.
Des livres partout dans la maison, mais notre mère Nicole ne lisait pas. Et Tirésia...

Nous la voyions parfois un volume à la main, les pages ne tournaient pas, à un moment ou un autre elle levait la tête, son regard partait vers des lieux que nous ne connaissions pas, mais qui nous étaient comme familiers.
Je veux dire ceci : ces lieux vers lesquels sans cesse elle retournait, nous ne savions ce qu'ils étaient, mais si nous les avions rencontrés, nous les aurions tout de suite reconnus. Voilà ce dont j'ai la certitude.

Les sombres royaumes où sans cesse s'échappait l'esprit blessé de Tirésia, nous en étions les hôtes secrets sans le savoir.

Tirésia ! Assise, à contre-jour, penchée sur un livre, une main soutenant ses lunettes comme si elle ne pouvait s'habituer à leur présence, à ce poids, et qu'il valait mieux les manipuler comme des jumelles ou des appareils ménagers. Son voile alors glissait, elle lâchait le livre pour le replacer. Au bout d'un moment, était-ce le texte qu'elle ne pouvait suivre ou la gêne que lui causaient voile et lunettes, elle abandonnait, elle lâchait prise.

Ce qui n'était qu'une activité banale était devenu une tâche insurmontable. Elle lâchait prise doucement, comme un alpiniste vu de loin, glissant le long de la falaise.

Nous regardions, Dan et moi, nous observions Tirésia glissant loin du livre, silencieux tous deux à l'autre bout du salon, immobilisés, dans un absorbement total.

Il y avait beaucoup de livres chez nous et apparemment personne ne les lisait. Pourtant il semblait que tout le monde les avait lus. Notre père et Tirésia sans cesse faisaient allusion à telle ou telle atmosphère, ville, personnage, situation qui se trouvait dans un livre. Ils en parlaient comme si ces choses existaient réellement, comme on parle de sa parenté. Mais par allusion, si bien que nous ne réussissions pas à placer gens et lieux et événements de façon précise. Nous côtoyions un monde fantastique d'êtres rapidement entrevus, qui nous faisaient une forte impression et que nous placions ensuite, selon notre inspiration ou nos besoins du moment, dans le paysage que nous partagions, mon frère et moi. Et ainsi pour nous Don Quichotte pouvait très bien être amoureux de la Princesse de Clèves et à cause de cet amour impossible se transformer en cette fameuse vermine qui s'appelait Samsa et tomber du fameux pont qui était dur, qui était froid, qui était un pont, un pont jeté sur un ravin.

Nous nous demandions : quand, quand avaient-ils lu tous ces livres ?

Cette question nous plongeait dans un état de malaise, une faiblesse du corps. Nous nous sentions mal. C'était notre « valétude ».

Cela nous arrivait souvent, à Dan et à moi, de tomber brusquement mal. Je ne parle pas des maladies extérieures, dont nous avons eu un compte normal et que notre docteur Minor soignait fort bien, mais de ce qui était pour nous la *vraie* maladie, ces malaises qui semblaient remonter du fond de noirs marécages, nous sentions soudain ce fond instable en nous, ce fond de vase et de sables mouvants, on ne pouvait s'appuyer dessus, on essayait tout de même, et soudain il y avait quelque chose comme une bête qui émergeait, agitant tout autour d'elle, c'était le sommet de la crise, on ne pouvait plus que se laisser ballotter, cette chose était en nous et nous n'avions qu'une seule pulsion, sortir de nous-mêmes où était cette chose terrible qui nous faisait tourner le cœur.

Cela nous arrivait souvent ensemble, mais tout de même avec un léger décalage. Celui qui allait bien tenait la tête de l'autre, lui frottait les mains, courait lui chercher de l'eau, une pierre à serrer, un jouet, n'importe quel objet qui semblait pouvoir être bénéfique.

Nous pensions à l'époque où notre père et Tirésia avaient dû lire ces livres. Et aussitôt nous avions notre « valétude ». La simple idée de cette époque faisait un blanc nauséeux, quelque chose comme la mousse sale que nous avions vue une fois à la mer, qui montait autour des jambes, restait accrochée par lambeaux, comme de la chair de noyé, battue en une sorte de neige monstrueuse par le ressac.

Nous nous sentions devenir de la couleur de cette mousse, nous le voyions tout de suite dans le regard de l'autre et cela accélérait notre chute dans la « valétude ». Nous sortions vite de la pièce, pour que Tirésia ne devine rien, nous allions nous laisser tomber sur une marche de l'escalier, nous respirions bruyamment. Petit à petit la chose qui nous noyait de l'intérieur s'en allait, nous retrouvions de l'air, reprenions nos couleurs, c'était fini. Nos malaises étaient bouleversants mais ils ne duraient guère.

Notre père et Tirésia convoquaient des livres dans leur conversation, notre mère Nicole écoutait, semblait savoir de qui ou de quoi il s'agissait, mais d'elle-même elle ne faisait pas venir tous ces livres autour de la table de notre salle à manger, elle n'appelait pas ce monde fantôme qui semblait entourer notre père et Tirésia avec autant de réalité que les murs et les gens de notre petite ville.

Lorsque notre père et Tirésia se parlaient, ce monde fantôme semblait parfaitement réel, et les phrases qui circulaient de l'un à l'autre le faisaient sur une assise cohérente, nous les écoutions comme les enfants écoutent les grandes personnes, d'une oreille distraite en surface mais, en dessous, attentive et totalement crédule.

Et puis notre mère Nicole parlait et soudain nous nous redressions sur la chaise, en état d'alerte. Ses remarques étaient incongrues.

« Samsa, ce pourrait être un rôle pour un danseur », avait-elle fait un jour, d'un ton rêveur et lointain, interrompant le cours tranquille mais serré d'une conversation.

Je m'en souviens, car cette phrase nous a fait l'effet d'une météorite atterrissant au milieu de la table.

Je m'en souviens aussi, à cause de la repartie agacée de notre père :

— Quelle idée !

Et notre mère de continuer, les larmes aux yeux :

— Mais si, ces pattes qui remuent sur le lit, et lorsqu'il grimpe sur les murs, et lorsqu'il rampe vers la sœur pour l'écouter jouer du piano, ce serait bien pour un danseur, occuper tout l'espace, le sol, les murs, dessus, dessous, agiter les membres pour donner l'impression de pattes... Pas pour moi bien sûr, mais dans la danse nouvelle, pour Dan...

Et elle s'était levée en sanglotant, elle disait quelque chose, quelque chose que nous n'arrivions pas à comprendre, sur la culture et notre père et Tirésia, elle partait de table brusquement, et Tirésia se levait, notre père se levait aussi, saisissait Tirésia par le bras pour l'empêcher de sortir à la poursuite de Nicole, Tirésia se retournait vers notre père, ils restaient immobiles, raidis, et nous comme d'ordinaire nous lisions quelque chose sur le corps de Tirésia, nous lisions un ordre, une prière, qui nous était adressée.

Cette prière disait : « Je ne puis bouger, votre père non plus ne peut bouger, car nous sommes sous l'influence d'un sort dont je ne dois rien vous dire. Si nous agissions, nul ne peut prédire ce qui arriverait. Mais vous enfants, vous êtes libres, allez vite vers votre mère, trouvez-la, et faites ce que les enfants savent faire, allez, allez, sinon nous serons tous perdus. »

Et nous allions, nous cherchions notre mère partout dans la maison, ce n'était pas facile, car elle ne voulait pas être trouvée tout de suite, peut-être voulait-elle éprouver le degré de notre obstination, peut-être ne voulait-elle pas se montrer dans son bouleversement, et puis nous l'entendions rire, un rire encore mouillé de larmes mais séchant très vite, car notre recherche était devenue un jeu de cache-cache, alors nous courions sur elle, nous la serrions à l'étouffer, nous caressions ses cheveux, les frisons du cou, si jolis si blonds, Dan la léchait comme un petit animal, il fallait en profiter, c'était un des rares moments où elle nous laissait faire, se donnait à nous.

Je vois bien maintenant que même en ces moments elle ne se donnait pas à nous comme une mère, mais comme un petit animal elle aussi. Dan et Nicole, deux petits chats alors, et à côté une sorte de chien, c'est-à-dire moi, qui n'osais trop en faire, car ma mère m'intimidait. Je la caressais aussi, mais à la dérobée, elle avait l'air si fragile, le regard émouvant dans la pâleur du visage, toujours un peu creusé sous les yeux. J'avais peur de la faner, je crois. Peur de la voir se faner brusquement sous mes yeux, comme les fleurs que le sécateur aveugle de notre jardinier laissait tomber sur le tas de branches et de feuilles à brûler.

Dan faisait semblant de la soulever, peu de temps plus tard (il grandissait vite, dans toutes ses classes il était toujours le plus grand) il a réussi à la soulever pour de bon, puis à la transporter. Je suivais, excitée et terrifiée. Il la portait, il la tenait comme dans une cage, notre mère qui était un oiseau, toujours à chercher les espaces du ciel. Je ne pouvais croire une seconde (toujours en cette source de moi-même où habitait Dan) qu'il puisse la laisser tomber, mais elle gigotait en riant, elle gigotait si fort, ne voyait-elle pas comme Dan était petit ?

Mon cœur battait de frayeur. J'en voulais à notre mère d'être si inconsciente, d'avoir si peu de crainte, de ne pas penser à la chute qui guettait Dan, à la blessure qu'il pourrait se faire, la blessure d'orgueil aussi, s'il trébuchait, avec ce poids de notre mère dans ses bras. Et presque en même temps je pensais aux cauchemars de Nicole, je m'en voulais de lui regretter cette insouciance et cette gaieté. Lorsque nous arrivions au perron, un trou s'était creusé en moi et mes forces étaient tombées dedans.

Notre mère déjà ne s'occupait plus de nous, elle nous avait congédiés, à sa façon négligente, et moi j'appelais Dan, sans un mot, de tout ce qui me restait de substance. Je m'imagine, pour être plus précise, que je devais être penchée à la balustrade du perron, la tête posée sur la pierre arrondie, je sens cet arrondi de la pierre pressant contre la joue, rude presque à meurtrir, mais si solide (la pierre de la balustrade me faisait penser à la main de notre docteur lorsqu'il nous tenait ferme pour une auscultation), et tout le reste, à l'intérieur à l'extérieur, ce tournis.

Et Dan entendait mon appel, « tu as la valétude », disait-il en me regardant, son regard me ranimait, pas de mimique alors, Dan prenait ces accès très au sérieux, bientôt grâce à l'intensité de ce sérieux je ne me sentais plus si mal, quelques soins encore de lui, ceux que j'ai décrits, d'autres peut-être que j'oublie, trop puérils mais ils marchaient, ils marchaient, notre univers se remettait en place.

Et alors nous pouvions retourner à la salle à manger, affronter la suite de cet épisode.

Notre père n'était plus là, Tirésia non plus.

Nous finissions notre repas seuls tous deux, mélangeant les plats à notre façon comme lorsqu'il n'y avait personne pour nous surveiller. Mais personne ne nous surveillait. C'était nous de notre propre gré qui, en la présence des adultes, nous surveillions. Pour ne pas ajouter à leur souci, instinctivement. Puisque nous avions ce sentiment qu'ils avaient un souci.

Mais une fois seuls et ensemble, Dan et moi, nous n'en faisions qu'à notre goût, comme des enfants déréglés, notre repas devenait le lieu de tous les mélanges, après nous rangions tout au mieux de nos capacités, notre père passait hâtivement, il voyait notre zèle, nous faisait un compliment, il avait l'air absent et je sentais l'effort qu'il faisait pour nous garder debout sur l'horizon de sa pensée, j'avais honte de son compliment, j'étais prête à lui dire « papa, ne te donne pas cette peine », mais un coup d'œil sur Dan et je me taisais. Il n'était pas question de trahir Dan.

Le soir tombait, il y avait dans la cuisine cette odeur de refroidi, cette odeur des « choses » reprenant leur empire après l'éphémère remue-ménage des humains.

En partant, sans s'en rendre compte, notre père avait éteint, aussitôt une masse sombre était apparue derrière les carreaux, toute l'immense obscurité du dehors pleine de mouvements impénétrables. Frappés d'immobilité, nous regardions. La nuit s'épaississait.

Alors nous tournions la tête, l'escalier était éclairé. Là aussi quelqu'un s'était trompé et avait oublié d'éteindre. Bientôt nous ne pouvions plus détacher les yeux de cette lueur qui arrivait du vestibule comme sur la pointe des pieds, étendant un triangle mystérieux sur le sol de la cuisine.

Nous nous prenions la main.

C'était notre maison, là autour de cette colonne de l'escalier, et nous étions dedans.

15

La terre nous désire

— Estelle, viens.

Mon frère chuchotait contre ma joue. Je me suis dressée instantanément. L'arrivée imminente de nos cousins nous rendait insomniaques. Un grand clair de lune illuminait la chambre.

Nous sommes sortis dans le couloir. Pas un mouvement dans la maison. Seule la grande horloge de Nicole poursuivait le tic-tac de son balancier.

— Où allons-nous, Dan? murmurais-je dans l'escalier.

— Viens.

Nous nous glissions par la porte-fenêtre de la cuisine. Une pelouse ovale s'étendait devant la façade. Ce soir-là la lune l'éclairait comme une scène de théâtre.

Dan s'est avancé jusqu'au milieu, me tirant toujours par la main. Nous étions pieds nus.

— Là, a-t-il dit.

Nous sommes restés un moment immobiles. Sous nos pieds la pelouse semblait gonfler, la lumière était de plus en plus intense. Dan a tourné vers moi son visage hanté.

— La terre nous désire, a-t-il dit.

Il avait cet air transi qui me faisait toujours si peur. J'aurais voulu avoir la puissance d'un dieu pour le rassurer.

— Nous, nous regardons la lune, mais elle n'est là que pour nous distraire, Estelle. Pendant ce temps, la terre nous suit pas à pas, elle n'a pas besoin de bouger, elle sait ce que nous faisons à tout instant, elle attend, mais je sens son désir si fort.

Dan vacillait. Je le regardais, et il me semblait moi aussi sentir la force d'aspiration du sol.

— Tu sens comme elle nous veut, oh Estelle, tu le sens?

— Dan, disais-je.

Son nom, Dan.

C'était mon appel lorsqu'il s'égarait, une petite liane vers lui par-dessus ces gouffres qui nous guettaient au-dessous de minuscules moments.

J'aimais la brièveté de son nom, le « d » claquant, lançant le « a » à travers l'espace, tout droit vers son but à travers l'espace qui se fendait, et lorsque la voyelle s'était déroulée jusque-là, elle retombait doucement en courbe dans le « n », et mon souffle rentrait à son gîte. Ce nom était un mot d'appel. En le lançant, j'étais toujours sûre de rattraper mon frère. Et dès que son nom l'avait rattrapé, il s'apaisait. C'était un mot qui contenait tous les autres. Souvent je ne trouvais pas de paroles à donner à mon frère, alors je disais son nom, et c'était tout ce dont nous avions besoin.

« Estelle, j'ai peur », voilà ce qui affleurait dans les folles élucubrations de mon frère.

Je me tournais vers lui, je disais « Dan », et il s'apaisait. « Dan », cela voulait dire « Estelle est là », et c'était la seule réponse convenable. Cela faisait un frôlement léger de mon être sur le sien. Durant toute son enfance, j'ai touché mon frère avec son nom.

— C'est la force de gravité, Dan.

— C'est le désir de la terre. Je le sens dans mes jambes, mais il ne tire pas, il attend. Cela fait une vibration suspendue, qui résonne dans les jambes, Estelle.

— C'est cela ta danse?

— Je sens cette vibration suspendue tout le temps, Estelle. Parce que mes jambes résistent, tiennent l'autre force en respect. La nuit, parfois, cela m'empêche de dormir. Parce que je suis allongé. Je n'aime pas être allongé. Car je n'ai plus de moyen de résister à la terre. Ça lui serait si facile de me prendre, si facile, Estelle. Si tu ne dormais pas à côté de moi. Tu dormiras toujours à côté de moi, Estelle ?

— Dan.

— Quand je danse, je suis plus fort. Pas plus fort que la terre. La terre est plus forte que nous tous. Mais un peu plus fort en moi. Mes pieds frappent le sol, c'est comme s'ils frappaient à la porte de la terre, je l'appelle, je la provoque, je lui dis que je sais qu'elle m'attend, et je la sens qui se ramasse, qui vient écouter là où mes pieds ont frappé, alors je m'enlève, je fuis vers l'air, et alors je suis heureux, Estelle, tu ne peux pas savoir comme je suis heureux, quand mon corps s'arrache à la terre et se déploie dans l'air, j'ai tant de force alors, je peux recommencer, retomber sur le sol, je n'ai pas peur, je sais qu'elle ne pourra me saisir, que je pourrai m'envoler aussitôt de nouveau, c'est cela ma danse, Estelle, provoquer la terre et m'arracher à elle, et recommencer encore et encore. Aller plus vite qu'elle. Tant que je danserai, elle ne pourra rien contre moi.

— Tu veux vraiment devenir danseur, Dan ?

— Je voudrais aller à New York.

— Comme Nicole, Dan, comme Nicole ?

Et il sentait la peur dans ma voix.

— Mais ce ne sera pas pareil, Estelle, je te le jure. Tu viendras avec moi, tu seras avec moi partout, tu joueras pour moi, je n'aurai pas d'autre pianiste.

— Oh j'ai peur Dan, ne pars pas.

Un grand froid est venu en moi, je ne voyais plus Dan...

Je voyais une jeune fille inconnue. Elle voulait m'emmener promener dans un square de la ville. J'étais toute petite, je ne voulais pas aller avec cette jeune fille, mais Nicole était impitoyable. Sa robe blanche était glacée, mes doigts glissaient sur l'étoffe.

— Je ne peux pas te garder du matin au soir, Estelle. Il faut une garde, j'en ai trouvé une, maintenant tu vas te promener avec elle et tu me laisses.

139

Je pleurais, la voix de ma mère était méconnaissable, dure, méchante.

— Pleure, pleure tant que tu veux. Quand tu auras pleuré autant que moi, tu prendras une valise toi aussi, et tu t'en iras, tu t'en iras.

Je m'accrochais à sa robe, éperdue dans cette blancheur glacée et glissante, elle m'a soulevée dans ses bras et jetée violemment sur le lit.

— Est-ce que tu vas me lâcher un jour, est-ce qu'un jour vous allez me lâchez tous ? Non, vous ne voulez pas, alors je m'en vais, tu comprends, Estelle, je m'en vais.

J'étais sur la pelouse, avec Dan qui parlait du désir de la terre et de la danse et de New York, et soudain ces paroles vibraient autour de moi comme un vol de frelons : « est-ce que tu vas me lâcher un jour... ». Le bourdonnement s'amplifiait, il réveillait des phrases hideuses couchées dans les suaires de mon esprit, contre lesquelles je ne pouvais rien parce qu'elles étaient mes créations : « je ne t'aime pas, tu ne me ressembles pas, tu es grande, tu es brune, tu n'aimes pas danser, je ne t'aime pas, et c'est toi qui me tiens prisonnière... ».

— Qu'est-ce qu'il y a, Estelle ?

D'où venaient ces phrases ? Elles avaient fusé tout droit à travers des couches de temps, de fragiles couches de temps qui s'ouvraient sous la poussée, et le long de la fêlure ces phrases montaient. J'étais pétrifiée. J'avais oublié cette scène avec la jeune fille inconnue, Nicole, la valise... Et maintenant elle était là tout près, comme une ombre qui m'aurait suivie tout le temps par en dessous, guettant le moment de surgir.

— Estelle, parle-moi, me parvenait la voix effrayée de Dan.

Je ne pouvais parler... si j'avais essayé, cela aurait été ma voix d'enfant, et ma voix d'enfant aurait pleuré, je me serais mise à pleurer comme à ce moment-là sur le lit où je rampais vers ma mère, ma mère Nicole qui tournait en rond dans la chambre et soudain saisissait une valise que je n'avais jamais vue et disparaissait sans un regard, sans un baiser pour moi.

— C'est parce que j'ai dit que je voudrais partir ? disait Dan. De toute façon je ne partirai pas si tu ne veux pas. Mais tu voudras. Nicole, elle était faible, elle était seule. Moi, je suis fort, Estelle, et tu seras avec moi.

Il parlait, il parlait mon frère, effrayé et persistant et découvrant de la force dans sa persistance, je l'entendais de très loin, la scène ancienne m'entourait, je luttais contre son emprise, mais elle se prolongeait.

Voilà, j'étais avec une jeune fille qui n'était pas ma mère, nous marchions entre des bosquets, puis sous des arbres, j'étais dans une forêt, perdue, il n'y avait pas de fin à ce sentier, il se tournait et retournait comme un ver, mes yeux étaient brûlants, enchâssés dans de la pierre dure, la jeune fille elle aussi semblait perdue, elle disait « je ne sais pas quoi faire », le soleil faisait des flaques blanches, le sentier était pris dans une blancheur. Etait-ce l'hiver, la neige ? Non, Nicole était partie au printemps, ce devait être le soleil, un soleil blanc sur une forêt sombre où le sentier n'allait nulle part.

Puis nous avions débouché devant notre jardin.

C'était notre jardin parce que la jeune fille le disait, parce que je voyais mon père arriver du fond de l'allée, mais ce n'était plus le même jardin. Mon père était tout là-bas, au bout de l'allée, devant le perron, il venait vers nous, mais si lentement. La jeune fille ralentissait, me poussait vers l'avant. « Va, disait-elle, moi je n'ose pas, je m'en vais, va, petite fille, je ne sais pas quoi faire », et elle me lâchait la main, reculait, je l'entendais qui reculait, s'évanouissait derrière moi, sombrait dans ma mémoire.

Je marchais vers mon père, et il venait vers moi.

— Eh bien, Estelle, je suis seul maintenant, disait mon père.

Sa voix elle aussi était blanche, avec derrière de l'ombre accumulée, qui rendait cette blancheur opaque.

En y repensant maintenant, je m'aperçois que c'était la première fois que mon père s'adressait à moi de cette façon qu'il devait toujours avoir par la suite, non plus comme à une enfant, un bébé encore, mais comme à une égale, sa confidente, celle qui remplaçait l'épouse. Et même lorsque Nicole est revenue, il a continué à me parler de cette voix.

La jeune fille que ma mère avait déléguée pour me garder m'avait lâché la main, avait disparu.

J'avançais dans cette allée de notre jardin, j'avançais vers mon père, vers lequel je voulais me précipiter, pour jeter mon indignation et mon désespoir, pour réclamer justice, j'entendais crier les graviers et ils criaient avec moi, un horrible chœur grinçant s'élevait dans notre jardin, je courais maintenant, je sentais que mon corps emporté trop vite inclinait vers l'avant, vers les graviers qui hurlaient, et soudain j'ai entendu cette phrase de mon père, « Eh bien, Estelle, je suis seul maintenant », et d'un seul coup ma petite enfance est tombée de moi, comme sectionnée par cette phrase de mon père, sectionnée si puissamment que je ne me souviens de rien avant cette journée.

Je n'ai pas pleuré, je me suis rattrapée comme j'ai pu et je ne suis pas tombée sur les graviers. Mon père ne m'a pas tendu les bras, il me regardait d'une façon abstraite. Il tenait à la main un papier blanc. Lorsque je suis arrivée tout à fait à sa hauteur, il a fait demi-tour et nous nous sommes dirigés vers la maison.

« Nicole nous a laissé une lettre, disait-il, tandis que je trottinais à ses côtés. Elle est partie pour New York, pour essayer de devenir une vraie danseuse. Quand elle aura réussi, elle nous écrira pour que nous allions la voir. » Mon père m'expliquait les choses et j'écoutais.

Nous montions l'escalier du perron. J'avais encore du mal à grimper ces marches inégales. Mon père ne m'aidait pas, il s'arrêtait et m'attendait. Lorsque j'avais franchi l'obstacle, il montait encore deux ou trois marches, puis s'arrêtait pour m'attendre. Et tout du long il continuait de me parler de cette voix qui était en train de me transformer, qui descendait dans les cellules du corps de l'enfant pour les transformer, je gravissais ces marches, les yeux fixés sur le papier blanc dans la main de mon père, écoutant sa voix blanche derrière laquelle étaient massées des ténèbres.

J'avais quitté pour toujours le corps de l'enfant de quatre ans, je ne montais plus ces marches de la même façon, je n'entendais, ne voyais plus de la même façon, j'étais un être intermédiaire qui se dressait comme une flamme transparente vers les adultes restés dans la maison, vacillant selon leurs paroles, leurs humeurs.

Il me semble que je n'ai plus pleuré une seule fois pour moi. J'écoutais mon père, je suivais Tirésia, j'obéissais à notre docteur. Pendant toute cette absence de Nicole et après son retour j'ai été ce fantôme en attente circulant entre les adultes. Et puis mon frère est né, et enfin je suis entrée dans mon corps, je suis devenue moi-même : Estelle, que je connais depuis que je me connais, qui a grandi mais n'a plus changé puisque celui qui devait lui donner substance était arrivé.

— Je danse à cause de ce désir de la terre, Estelle, de ce désir que la terre a pour nous, et je danserai pour les autres, pour leur montrer ce désir et comment lui donner réponse, oh Estelle ma sœur chérie, il n'y a rien d'autre à faire pendant l'espace d'une vie.

Dan mon frère, si jeune, d'où savais-tu comme la vie peut être courte, peut n'être qu'une brève échappée à travers la mort?

Dan avait connaissance des choses de la mort.

Souvent nous regardions ensemble du vasistas de notre grenier le long serpent des enterrements monter vers le cimetière. J'étais occupée quelque part dans la maison et Dan arrivait, dans une surexcitation nerveuse : « Estelle, viens vite. » « Dan, quoi ? » « Je t'en prie, viens voir. » Et je le suivais, comme je l'aurais suivi partout, nous grimpions tous deux sur le petit escabeau qu'il avait tiré sous le vasistas, il avait déjà soulevé la vitre et calé le bras de fer rouillé, nous posions le cou sur le rebord et Dan montrait le mur blanc du cimetière : « il y a un enterrement, Estelle ». Puis il ne disait plus rien, sa surexcitation avait disparu, il regardait dans un absorbement profond.

Moi, je le regardais. C'était sur son visage que je voyais monter le ruban sombre sur la route, s'ouvrir les deux grilles, rouler le corbillard. Sur son visage mobile je suivais le cortège à travers les tombes, par son visage je savais aussi si nous verrions la cérémonie ou si elle se ferait hors de notre vue. Si la tombe nous était visible, Dan restait jusqu'au bout. Moi je l'observais.

Il me semblait qu'à travers ses traits si connus, quelque chose cherchait à prendre forme, une chose immense, qui cherchait une entrée dans ce moment trop étroit pour elle...

Madame,
J'essaie de dire des choses indicibles...

Madame,
Le bruit d'une télévision me parvient de l'autre côté de la rue, un pilonnement de phrases sur des élections, c'est un voisin âgé qui laisse sa fenêtre ouverte et son poste en marche, toute la journée même lorsqu'il sort, je pense qu'il est sourd et seul, il y a une querelle dans la rue aussi, pour une place de parking...
tout ce bruit qui vient du dehors...

Madame,
Je regarde ces notes pour vous, elles sont inadéquates, elles ne sont pas le récit de Tirésia. Elles pourraient me faire rire aussi bien...
Ne m'abandonnez pas...

Ce que je voyais sur le visage de mon frère, c'était la route où progressait un corps, la terre ouverte qui attendait au bout de cette route, qui se refermerait sur ce corps, et nous qui étions ici le menton appuyé au rebord du vasistas, joue contre joue, à regarder cette chose, joue contre joue, nous encore vivants.

— Je danserai, Estelle, a dit mon frère, comme les grilles se refermaient et que se dispersait le cortège.

Soudain sa voix a changé.

— Hé !

— Quoi ?

— Tu vois, là, là-bas ?

De nouveau nous étions collés contre le rebord. Derrière le tas de terre se distinguait une forme sombre, comme assise.

— Qu'est-ce que c'est ?

— Je ne sais pas.

Nous murmurions, vaguement impressionnés. Soudain j'ai dit :

— C'est un homme, Dan.

L'homme tenait quelque chose à la main, qu'il levait de temps en temps devant son visage :

— C'est le père d'Alex, Dan !

— Qu'est-ce qu'il fait ?

— Il boit...

Nous avons tiré le vasistas, nous sommes descendus du tabouret, et Dan a répété « Je danserai, Estelle ».

Nous avions descendu le vasistas, repoussant l'air du dehors qui contenait le mur blanc du cimetière et le cortège noir et la tombe, et le père d'Alex en train de se saouler, seul, devant son nouveau mort.

Ce jour-là, Dan a dit à notre mère Nicole qu'il ne travaillerait plus avec elle, qu'il voulait prendre des cours au nouveau Conservatoire que la mairie, sous l'impulsion de la Fédération des œuvres laïques, venait d'ouvrir.

Jusque-là c'était Nicole qui le faisait travailler, dans son garage bleu. Il était paresseux, fantasque, ne songeait qu'à faire des facéties, je travaillais plus sérieusement que lui, moi qui n'avais aucun don.

— Mais Dan, pourquoi tu ne veux plus danser avec Nicole ? lui disais-je, ulcérée qu'il l'abandonne, qu'il m'abandonne, pour aller dans un lieu qui me serait étranger.

Ce que Dan a répondu, je l'ai entendu, mais sur le coup je ne l'ai pas compris, comme bien des choses qu'il disait. Lui non plus ne savait pas qu'il avait compris quelque chose. Une intuition parlait à travers lui, pénétrait en moi, cette intuition passait à travers nous, petite comète dans un ciel obscur, ne laissant qu'une traînée comme un signal que nous percevions. Cette trace était illisible, était incompatible avec une lecture. Pourtant elle était là.

— Nicole fait une danse d'ange. Moi je veux danser pour la terre.

Nous l'avons tous regardé, stupéfaits. Nous étions à table je crois, notre père est sorti de sa méditation.

— Qu'est-ce que tu disais, Dan ?

Et mon frère a répété, presque surpris, « Nicole fait une danse d'ange, moi je veux danser pour la terre ».

Dan pouvait parler ainsi, avec des mots qui n'étaient pas de son âge, qui semblaient lui venir comme s'ils avaient toujours été inscrits en lui. Par la suite, nous avons toujours appelé la danse de Nicole une danse d'ange. Personne ne se rappelait plus d'où venait l'expression, notre père lui-même l'employait, s'étonnant souvent de sa puissance de pénétration. « Une danse d'ange, bien sûr, pauvre Nicole », disait-il et les larmes lui venaient aux yeux. Dan ne se rappelait pas l'avoir inventée. Elle était d'une telle évidence pour lui qu'il pensait sans doute l'avoir trouvée sur son chemin lorsqu'il en avait eu besoin. Moi seule savais que c'était lui qui l'avait employée pour la première fois, mais il ne me venait pas à l'idée de le dire à notre père. Confusément, je sentais qu'il en aurait été effrayé.

Dan contemplait silencieusement le cortège funèbre qui entrait au cimetière, puis presque au même moment, il redevenait l'enfant fantasque que nous connaissions si bien. Il me pinçait le bras.

— Estelle, qu'est-ce que tu fais là ?

— Je regarde l'enterrement.

— Et tu trouves ça marrant de regarder les enterrements ?

— Mais c'est toi qui m'as appelée pour le voir.

— Pour jeter un coup d'œil, pas pour regarder jusqu'au bout, pendant des heures.

— Mais Dan, c'est toi qui...

J'étais stupéfaite, indignée. Dan me regardait et soudain il me serrait dans ses bras, me serrait à m'étouffer, m'embrassait le cou, les bras.

— Estelle, ma petite sœur, tu es prête à pleurer.

Les larmes plein les yeux, je protestais.

— Non, je n'ai pas envie de pleurer, qu'est-ce que tu crois, qu'est-ce que tu crois !

Et il passait son doigt délicatement dans le creux de mes yeux.

— Tu crois que je me moque de toi, que je t'ai trahie, oh, Estelle, ne crois jamais cela, je ne te trahirai jamais, jamais tu entends.

Et un jour qu'il me serrait ainsi très fort, il m'a dit soudain tout bas :

— Estelle, quand je serai mort, je voudrais que tu viennes me voir.

— Comment ça, Dan ?

— Que tu viennes me voir dans ma tombe, une fois, une seule fois.

— Qu'est-ce que tu veux dire, qu'est-ce que tu veux dire ?

Mais déjà il s'écartait, se mettait à rire.

— Estelle, tu prends tout au sérieux, viens jouer...

Les périodes, les moments, ils se rejoignent, s'étreignent, les racines sont inextricablement mêlées, font d'autres pousses, comment pourrais-je les trancher, les séparer, madame, c'est ma vie, je vous en prie, ne m'abandonnez pas...

Je regardais mon frère. A tout instant, je voyais le monde sur son visage, notre vie, notre mort, le long, le tortueux chemin qui menait de l'une à l'autre, et comment aller sur ce long, tortueux chemin qui se déroulait devant nous.

Il me suffisait de me tourner vers mon frère, et je voyais où nous en étions sur ce chemin et ce que nous y faisions.

Je regarde Phil aussi. Mais je ne vois rien sur son visage. Je le regarde lorsqu'il conduit la voiture et que je suis à la place

147

du passager. Il surveille la route et ne sait pas que je l'observe. Mais je ne vois rien sur son visage qu'un assemblage de traits masculins que j'ai appris à désirer, et je me détourne avec une telle tristesse, oh Dan, je voudrais lui dire de faire demi-tour, d'arrêter là cette comédie, de me ramener chez moi.

Est-il possible que ce soit cela maintenant ma route sur le long tortueux chemin, rouler en voiture auprès d'un homme dont j'ai appris à désirer le visage mais sur lequel je ne lis pas d'indication?

Ce visage de Phil. Qui peut comprendre ce que c'est qu'aimer le visage de celui qui n'est pas votre frère? C'est une chose insensée.

Ce visage me tourmente, je n'ai plus le crayon nécessaire pour l'inscrire en moi, et même si j'avais un tel crayon, il n'y a plus de surface en moi pour en recevoir le dessin.

Depuis notre rencontre, le visage de Phil reste comme suspendu en l'air, me causant chaque fois le même étonnement, qui abrite la répulsion et l'attirance. Je ne peux mettre ensemble ses traits, ils restent dans ma mémoire comme un chaos.

Je regardais mon frère parce que son visage m'indiquait le sens et qu'il me fallait souvent m'y rassurer, je regarde Phil parce que ses traits me montrent un chaos et qu'il me faut à chaque fois les réinstaller dans un ordre, qui ne durera que le temps précis de cette rencontre.

Mais j'ai vu ce visage dans l'amour, je désire le voir dans l'amour, et il n'y a pas très longtemps, me tournant vers lui dans la rue, au milieu des passants, il m'est venu la réalisation que ce visage avait une beauté, que Phil était un homme jeune et séduisant. Et j'ai éprouvé une douleur nouvelle, Dan, parce qu'il était séduisant *mais* qu'il n'était pas mon frère, et qu'à tout instant cet amour de hasard pouvait se perdre dans les pavés de la rue.

C'est ainsi qu'ils vivent, Dan. Tout le monde a peur à tout instant. Pas peur de perdre l'autre dans la mort, Dan, mais peur de le perdre dans la vie, peur du désir qui change, passe par ici puis par là. C'est de cela qu'ils parlent tous. Ils ne parlent pas de la danse, ni de la musique ni de la justice, mais de cela, de l'amour qui trahit. Et dans la rue, moi qui suis revenue dans leur monde, moi aussi j'ai peur maintenant, oh, Dan, mon frère, mon petit frère, pourquoi m'as-tu envoyée dans ce monde où je suis ?

Phil n'est pas mon frère, je n'ai pas d'amour pour lui, mon amour est de l'inquiétude, l'inquiétude que marchant à côté de moi, soudain son pas fasse une embardée et qu'il se trouve à marcher auprès d'une autre. Dan, peux-tu imaginer cela ? Peux-tu imaginer que ce soit cela, la vie ?

Je suis partie en week-end avec Phil. Pas comme nous le faisions, nous, parce que nous étions arrivés au bout de notre travail et voulions faire une petite promenade ensemble avant d'y retourner. Nous sommes partis « en week-end » parce que sommes devenus amants et que les amants s'en vont en week-end.

Je n'avais pas idée de partir, je suis déjà partie si loin, il m'a fallu si longtemps pour revenir. Phil parlait de vacances et j'avais envie de rire, il me semblait entendre un speaker de la radio, Dan. Et soudain je me suis rappelé mon nouveau prénom, Claire, et cette Claire parlait en moi. Elle disait, elle implorait : « Estelle, tais-toi ! »

Nous sommes partis au bord de la mer.

Pour faire je ne savais trop quoi, Dan pour « prendre un week-end ».

Sur le balcon de l'appartement de location, en regardant la mer, comme le soleil se couchait, j'ai essayé d'écouter Phil vraiment. J'ai agrippé la dalle qui se déplace sans cesse en moi et se pose tantôt sur mon cœur tantôt sur mes yeux tantôt sur mes oreilles, m'empêchant d'entendre. J'ai essayé de m'ébrouer, de vivre cet instant, Dan, comme si tu n'avais jamais existé, de le vivre avec cet étranger aussi chaleureusement que possible. J'ai essayé mais j'ai tant de mal à l'entendre.

« On a voulu faire la révolution, et puis on a voulu faire la famille, maintenant on ne sait plus quoi... On avance... Oui c'est cela, avancer, et puis on voit... »

Tout le temps qu'il parlait accoudé sur ce balcon dans le soleil couchant devant la mer (et ce qu'il disait me touchait soudain, accrochait mon attention), il y avait une douleur en moi.

Parce que j'attendais ta voix, Dan. Dans l'amour, j'attends toujours ta voix, mais à la place je ne trouve que des paroles détachées, qui tombent où elles le peuvent, comme de petits parachutes perdus, sans certitude d'être recueillies quelque part, par quelqu'un.

De l'autre côté de la baie, dans le crépuscule rougeoyant, la ville était semblable à une falaise de corail blanchi penchée sur un miroir fastueux (« Ces reconstructions en béton après les bombardements de la guerre, pouah » disait Phil), puis le soleil a plongé, les lumières se sont allumées, la ville était maintenant comme un collier de diamants posé sur une soie opaque où s'étalaient de longs reflets liquides d'un gris délicat, tout ce déploiement de beauté, j'avais le sentiment désolé d'une erreur, d'une tricherie, puis Phil a écrasé sa cigarette, « trêve de philosophie » a-t-il dit vigoureusement, et il a quitté le balcon pour aller faire la cuisine.

16

La traîne de la mariée

Notre père une fois de plus avait annoncé l'arrivée de nos cousins. Le démenti ne venait pas. Chaque fin d'après-midi nous guettions le facteur, il n'apportait pas une seconde lettre du Canada. Déjà nous étions dans l'énervement. L'été était proche, il restait peu de temps.

Où coucherait cette horde, combien de chambres lui faudrait-il? Et nous, que nous arriverait-il?

C'était cela qui nous tourmentait.

Nous avions chacun une chambre, Dan et moi, mais depuis longtemps, depuis le premier cauchemar de notre mère, Dan dormait dans la mienne.

Chaque soir, j'ai poussé ce berceau qui était plus haut que moi jusqu'à ma chambre. Je me forçais à rester éveillée longtemps, jusqu'à ce que les adultes se soient couchés, et si je m'étais endormie, je m'éveillais en sursaut à un moment ou un autre de la nuit et j'allais chercher le berceau.

Le lendemain il était de nouveau dans la chambre de Dan, nous ne savions qui le replaçait.

Plus tard Dan s'était trouvé un matelas léger qu'il amenait lui-même le soir. Il avait été si rusé, et si naturel dans sa ruse, personne ne s'était rendu compte de rien.

Dans sa chambre trop petite, il n'y avait pas place pour un vrai lit, disait-il.

Nicole passait, regardait le berceau qu'il aurait fallu enlever, pour installer un vrai lit. Elle avait toujours ses cauchemars et les lendemains, elle restait plus distraite que d'habitude. Dan guettait ces moments. « Pas besoin de lit, un matelas par terre, c'est bon pour la tenue d'un danseur », disait-il alors et Nicole l'avait cru. Un jour un magasin de sport avait fait son apparition dans notre ville et Dan tout seul y était allé et avait trouvé ce qu'il voulait. Nicole avait dit « Ah oui, un magasin de sport ? » et elle y était allée elle aussi, au cas où ce nouveau magasin aurait eu des chaussons de danse, et y allant dans cet espoir de voir des chaussons de danse, elle s'était trouvée là-bas et le commerçant lui avait présenté un paquet et une facture et Nicole étonnée avait dit « Ah ? », mais c'était les chaussons qui l'intéressaient, le commerçant s'y intéressait aussi, ils avaient eu une conversation là-dessus, la facture était passée au milieu de tout cela et le paquet avait été livré.

Dan avait son matelas léger, moins encombrant qu'un lit, et qui était bon pour « la tenue d'un danseur ».

Le soir, il arrivait dans ma chambre, traînant ce matelas à deux mains. Tout le monde dans la maison le savait, c'était devenu une sorte de référence familiale.

Nous disions « comme Dan et son matelas » à propos et mal à propos, pour rire, par habitude ou par superstition. S'il menaçait de pleuvoir : « Pourvu qu'il ne pleuve pas, par Dan et son matelas ! » S'il faisait beau temps : « Espérons que ça tiendra, comme Dan et son matelas ! » Du fou de la ville courant et marmonnant sur les trottoirs : « Il traîne ses malheurs comme Dan et son matelas ! » Mais aussi d'une mariée que nous avions regardée sortir de l'église un jour de tempête : « Elle s'accroche à sa traîne comme Dan à son matelas ! »

Nous étions en ville, mon frère et moi, l'orage avait éclaté soudain et nous avions dû nous arrêter sur la place, chercher un abri, il y avait ce cortège sur le parvis, quelqu'un a dit « elle s'accroche à sa traîne », et aussitôt nous nous étions regardés, la phrase nous avait jailli aux lèvres en même temps, « comme Dan à son matelas », et nous avions eu le fou rire, un de ces rires qui nous secouaient jusque dans la tête, qui nous faisaient mal, et nous laissaient ensuite accrochés l'un à l'autre, les yeux chavirés, soudés par ce spasme commun que nous avions eu et que personne ne pouvait partager.

La traîne de cette mariée claquant dans le vent mouillé et cette vieille plaisanterie usée bondissant soudain entre nous, pleine d'une vigueur nouvelle, d'une vigueur étrangement agressive, nous avait rendus comme fous.

J'avais eu envie de pleurer, Dan avait eu une flambée d'humeur, nous ne comprenions pas ce qui arrivait sur nous, je ravalais des sortes de sanglots et Dan cognait nerveusement sur le côté du mur. Nous n'osions pas nous regarder, mes reniflements énervaient Dan, il cognait plus fort sur le mur, et ce geste saccadé m'ébranlait les nerfs.

Soudain nous nous sommes mis à rire, à rire.

La traîne de la mariée échappait aux mains des enfants du cortège, se tordait sur les dalles du parvis, se relevait soudain en claquant et venait se plaquer sur le couple qui se débattait dans cette blancheur, dans un linceul blanc affolé de volants et de dentelles, au milieu des torrents de pluie et des noires rafales de vent.

Oh heureusement que nous n'étions pas de la noce, car notre rire aurait résonné vilainement dans l'humide et froide église, notre rire aurait saisi le cœur des mariés et jeté un frisson sur l'assistance, mais nous étions sous le porche d'une maison en face, serrés l'un contre l'autre à cause de la pluie battante, et c'est là que cette infernale blancheur surgissant de la profondeur noire de l'église nous a saisi le regard, nous a jetés dans un énervement insupportable, et roulés dans les convulsions du rire.

Au-dessus du porche, il y avait une fenêtre ouverte, une vieille femme regardait la noce, la concierge peut-être.

Elle a entendu notre rire, mais elle ne pouvait nous voir. « Taisez-vous, a-t-elle crié soudain, taisez-vous ! » C'était à nous que ces mots étaient adressés, ces cris de corneille qui perçaient la tempête, « malheur à vous... n'avez de respect pour rien », et plus la voix aiguë et cassée tournoyait au-dessus de nous, plus les saccades de notre rire s'accéléraient, « vauriens, vauriens », criait la voix de corneille.

Je pense que la pluie et le vent et l'orgue tonnant qui se déversait de l'église l'empêchaient de saisir exactement ce qui se passait en dessous, elle ne reconnaissait pas des voix d'enfants, c'était un râlement étrange qui devait lui parvenir, tel celui qu'elle avait peut-être imaginé aux diables cornus sculptés sur le porche de l'église, lorsqu'ils s'activent à leurs besognes d'enfer.

Mais nous savions qui elle était maintenant, nous l'avions souvent vue arpenter les rues en branlant du chef, qu'elle avait toujours couvert d'un chapeau semblable à un pot de fleurs. Quand elle passait près de nous, elle branlait encore plus du chef et nous regardait d'un air mauvais. « Collabo », avions-nous entendu dire à son sujet. Et nous avions pensé que, comme certaines personnes peuvent avoir le pied bot, d'autres peuvent avoir le col dans une condition également fâcheuse, ce qui expliquait le branlement de la partie attenante.

Il nous semblait que la vieille pendait, tête en bas, pour nous asperger de ses insultes, nous sentions presque la pression de ses pieds crochetés au fer forgé de l'appui, et son épouvantable voix mêlée à la fureur des éléments et à la fantastique tache de blancheur se tordant dans la bouche noire de l'église nous a finalement catapultés dans le dernier cercle de l'exaspération et de l'énervement.

Lorsque notre crise de rire s'est arrêtée, la douleur musculaire et nerveuse s'est calmée, mais nous étions pâles et défaillants. « La valétude », ai-je pensé avec terreur. Je n'ai pas prononcé le mot, car j'étais déjà trop mal, mais Dan l'a lu sur mon visage dont il connaissait chaque expression et j'ai lu sur le sien qu'il voyait ma faiblesse, mais aussi que la sienne commençait à passer.

— Il faut sortir de là, murmurait-il contre mon oreille.

Notre sorcière se taisait maintenant, elle nous guettait de là-haut, peut-être même était-elle en train de descendre l'escalier.

Nous ne voulions pas être reconnus. Oh pas pour nous, nous pouvions tout supporter, rien d'aussi « extérieur » ne pouvait nous atteindre, mais pour notre père à qui notre « mauvaise conduite » aurait aussitôt été rapportée, car notre ville était petite et notre famille, si à l'écart que nous vivions, connue.

Encore nous était-il égal que notre père apprenne que nous nous étions moqués d'une mariée, que nous avions fait scandale devant l'église et nous étions conduits comme des vauriens et des enfants du diable. Nous savions bien qu'il ne nous aurait pas grondés, qu'il aurait à peine entendu de quoi il s'agissait, mais cela aurait été un tracas pour lui. Que dire, que répondre à ce genre de gens qui vous arrêtent dans la rue pour vous dire ce genre de choses ?

Nous ne pouvions supporter la pensée que notre père ait à affronter un tracas. Ou Tirésia. Pour notre mère Nicole nous étions moins inquiets, elle aurait secoué sa queue de cheval blonde et passé son chemin, sans même s'apercevoir qu'elle venait d'offenser irrémédiablement un habitant de notre ville.

— J'ai une idée, a murmuré Dan.

Et mon cœur a bondi de joie.

La valétude, désarçonnée, m'a lâchée d'un coup.

Tant que Dan avait des idées, j'étais sauvée, la vie coulait comme du sang chaud, comme le sang qui me revenait maintenant au visage, et Dan avait toujours des idées. Comme je l'aimais, comme je l'aimais, Dan mon frère, l'intarissable.

— Je grimpe sur tes épaules, tu me tiens les jambes, je mets ton imperméable sur moi, avec le capuchon bien serré, toi tu tiens mon imperméable autour de tes hanches, et tu marches à longs pas comme une grande personne. Comme ça on croira qu'on n'est qu'une seule personne.

C'est ce que nous avons fait. J'ai porté mon frère sur mes épaules, il était déjà lourd. Il me semblait que j'allais trébucher sur ces pavés de la place de l'église, et en même temps il me rendait légère. Ce jour-là, avec son poids sur mes épaules, j'ai été plus légère que je ne l'ai jamais été depuis, dans tout ce qui m'est venu de vie.

Il en avait été de même le jour de l'échelle, lorsque j'avais transporté cette échelle de bois massif qui faisait plus de quatre mètres, tandis que mon frère sautait autour de moi et me dirigeait comme un poisson pilote.

Je ne sais pas expliquer comment une telle chose est possible, elle est étrange, toujours lorsque j'y repense, j'éprouve un état intérieur que je peux à peine décrire. Je le pourrais, mais il me faudrait employer un mot comme « miracle », et je ne crois pas aux miracles. Le seul miracle que j'ai désespérément appelé n'a pas eu lieu, je hais tout ce qui veut faire croire en eux.

Si le seul miracle qui compte ne peut avoir lieu, à quoi bon tous les autres, à quoi bon cette légèreté, ce bonheur, oh Dan à quoi bon ?

Il y avait des invités de la noce partout sur la place, qui se bousculaient et couraient à cause de la pluie, et d'autres qui se serraient sous des parapluies, leurs yeux balayant l'espace incessamment, et nous sommes passés à travers cette cohue comme une barque fendant les eaux agitées d'un lac.

J'avançais par la seule force de la conviction que me transfusait mon frère.

Il tenait ses deux mains sur ma tête, il m'enserrait fortement la tête, me dirigeant, car je ne voyais presque rien à travers la maigre ouverture entre deux boutons de l'imperméable, les pavés glissaient, il pleuvait, nous ne sommes pas tombés, nous n'avons pas été reconnus.

Nous sommes arrivés sains et saufs dans notre rue, Dan est descendu de mes épaules, j'ai remis mon imperméabble et lui le sien, nous avons ensuite, tandis que l'eau dégoulinait des bords du ciré à nos jambes, parcouru toute la longueur de la rue jusqu'à notre maison, en silence, gravement, comme si c'était nous qui avions prononcé un serment d'union devant le représentant d'un dieu.

Et maintenant je m'inquiète, quelque chose m'arrête dans cette scène qui se tient pourtant si vivace devant mon esprit.

Si je portais Dan, si Dan était sur mes épaules et nos deux corps ainsi semblaient une seule personne, ce ne pouvait être l'année de l'arrivée de nos cousins, nous ne pouvions avoir dix-huit et treize ans, ni même dix-sept et douze, ni seize et onze.

Et pourtant l'impression s'impose à moi que c'était cette année-là, celle de l'arrivée de nos cousins. Je ne comprends pas, madame.

Mais, qu'importe...

Le temps qui nous emportait, Dan et moi, savait ce qu'il faisait, et faisait ce qu'il voulait.

17

Cette femme qui erre la nuit

Dan arrivait dans ma chambre le soir, il étalait son matelas, sa couverture, j'étais déjà dans mon lit, nous commencions à parler, à nous endormir en parlant, la nuit entrait par la fenêtre où nous ne tirions ni volet ni rideau, pénétrait la maison qui semblait devenir creuse et profonde et s'altérer secrètement pour l'accueillir, elle imprégnait nos paroles, nous entendions à l'aveuglette, devinant plutôt qu'entendant, alors je glissais par terre, sur le tapis, tirant une couverture de dessus le lit, sans rouvrir les yeux tout en continuant à chuchoter, nous finissions par nous endormir, lui sur son matelas mince, moi sur le tapis encore plus mince, nous campions ainsi dans ma chambre la nuit.

Jamais mon sommeil n'a été plus exactement « le sommeil » qu'en ces nuits où nous étions sur le sol, sans draps la plupart du temps, les draps étaient trop compliqués à arranger dans ces circonstances, sous nos couvertures qui nous laissaient découverts et frissonnants à l'aube, j'ai eu là les seules vraies nuits de ma vie, des nuits fermes, où les heures faisaient comme les planches bien jointes d'un parquet.

Je ne dormais pas profondément pourtant, jamais nous ne dormions profondément. Je pense que nous guettions ce qui pouvait venir de la chambre de notre mère Nicole, nous redoutions ses cauchemars, et chaque nuit je suis sûre que nous avons entendu sonner la plupart des heures à la grande horloge qu'elle avait voulue sur le palier de l'étage, pour que tout le monde puisse l'entendre.

— Mais elle est toute rongée et le balancier est bloqué, avait dit notre père.

— Je la ferai réparer.

— Et tu la mettras où ?

— Je la mettrai devant les chambres.

— Devant les chambres ?

— Comme ça, avait-elle dit, je suis sûre que vous ne vous en irez pas complètement.

— Mais où, Nicole, où crois-tu que nous allons nous en aller ? avait dit notre père.

Et elle nous avait regardés tous de son air apeuré.

— Mais... dans le sommeil, avait-elle dit.

Nous ne partions pas complètement dans le sommeil, selon le désir de notre mère Nicole, nous entendions sonner l'horloge, mais ce n'était pas le signe d'une insomnie, au contraire c'était le signe d'une bonne jointure des heures de la nuit, le carillon nouait solidement les heures les unes aux autres et, malgré cette anxiété des cauchemars de notre mère, nous avions le vrai sommeil avec nous, nous étions au cœur du vrai sommeil.

Car tant que nous étions ensemble et que la maison était calme, ces cauchemars n'avaient pas prise sur nous. Ils ne prenaient leur pleine puissance qu'à partir du moment où ils fondaient sur la maison. Le reste du temps, ils étaient comme enfermés dans une malle, et tant que nous n'entendions pas sauter les serrures de cette malle, nous étions en paix.

Ces nuits m'étaient une fondation solide sur laquelle toute la journée ensuite je pouvais prendre appui.

Je n'ai plus jamais connu ce genre de sommeil.

Ni après l'agonie de Dan, lorsque j'ai cru que ma sensibilité était éteinte, ni dans la cellule du couvent à V., où le silence était si profond que ma propre respiration m'effrayait, ni lorsque je suis revenue dans notre maison qui n'abritait plus ni vivants ni morts, ni lorsque je dors auprès de Phil.

Je m'endors auprès de Phil, je touche ses cuisses chaudes, je sens ses mains fortes posées sur ma hanche, la chambre est paisible, je sais que demain il se lèvera le premier et allumera le chauffage et fera le café, je sais qu'après le café bouillant et le pain qu'il me coupe lui-même, il s'adossera au mur au haut du lit et m'installera entre ses jambes et me tiendra contre sa poitrine, plusieurs minutes dans le silence, n'interrompant le silence que pour souffler la fumée et tapoter la cigarette contre le cendrier, plusieurs minutes avant que nous partions chacun de notre côté, je sais tout cela et me le répète, et je sens affluer dans ma tête, là où se représentent ces choses, des vagues d'émotion et de reconnaissance, mais cela ne sert à rien.

A un moment ou un autre, je me réveillerai.

La nuit aura cette horrible blancheur noire, j'entendrai un calme étrange, qui n'est pas celui de la chambre où je dormais avec mon frère, ce sera une chambre étrangère, tous les bruits me seront affreusement étrangers, et je me tournerai sur le côté pour ne pas voir ce visage, qui ne sera pas le visage de Dan.

Je ne sais où aller dans cet appartement qui n'a pas de portes entre les pièces.

Cela m'a terriblement frappée, ces gonds à nu sur les montants où manquait la porte. « Où est la porte ? » ai-je dit à Phil. « Je ne sais pas, à la cave peut-être », a-t-il répondu distraitement. J'ai insisté, « mais pourquoi ? », quelque chose se mettait à gémir en moi. Je pensais qu'il devait entendre ce qui gémissait en moi, je pensais que lorsque je reviendrais la porte serait là, entre les deux pièces, mais il n'y avait que les gonds, à nu, et le même vide entre les montants.

Pulsion brutale de s'enfuir, « fous le camp » criait l'ancienne Estelle, il semblait impossible de rester, puisqu'il ne m'avait pas entendue, puisque mon angoisse n'était pas arrivée à lui, et soudain l'autre voix murmurait dans ma tête : « Attention, Claire, cet homme n'est pas ton frère. »

J'ai entendu cette voix distinctement.

Phil n'est pas mon frère, comment pourrait-il entendre ce que je ne dis pas ?

Mais je ne veux pas lui dire que je ne sais plus dormir, que la mort marche dans ma tête, que le couvent a mis la rigidité dans mes membres, que je ne supporte pas un corps près du mien, oh je voudrais le supporter, mais la mort qui veille en moi n'en empêche.

Je ne veux dire aucune de ces choses.

Phil n'est pas mon frère, il ne les devinera pas.

Et il faudra bien que je m'habitue à ces pièces ouvertes les unes sur les autres (clair, clair l'espace), dans cet appartement où j'ai envie de revenir, où je veux tant pouvoir revenir.

Alors je me glisse furtivement hors du lit, je me lève, passe devant la salle d'eau où il n'y a pas place pour s'asseoir, passe devant un placard (toujours fermé celui-ci, peut-être est-ce un trompe-l'œil), vais dans la cuisine où il n'y a pas de porte non plus mais une fenêtre qui donne sur un vaste espace entre les chutes raides d'immeubles neufs, la lune éclaire des terrasses en étages où balancent des arbustes, je regarde tout cela sur lequel passe un ciel qui semble celui d'un autre hémisphère, je suis appuyée à l'évier, je me passe un peu d'eau sur le front, en essayant de ne pas faire crier le robinet.

Dans ma boîte aux lettres, il y a eu une enveloppe à l'écriture inconnue. Je l'ai tournée dans tous les sens, il n'y a plus personne pour m'écrire, les dernières lettres que j'ai reçues étaient de Vlad et de Michael, il y a quelques mois déjà, et ils ne m'écriront plus. J'oublie celle du couvent, mais l'écriture pointue et serrée de Béatrice ne pouvait se confondre avec cette écriture-ci, large et ferme. C'était une lettre de Phil.

Un petit mot plutôt. Je n'ai vu qu'une phrase : « cette femme qui erre la nuit... ».

Cette femme qui erre la nuit, c'est moi, c'est ce que Phil voit de moi.

Et encore une fois j'ai pensé que je ne pourrais retourner chez lui.

Dan savait si bien ce que c'était qu'errer la nuit.

Même à l'époque où nous dormions par terre dans ma chambre avec tant de bonheur, nous connaissions toutes sortes d'errances. Celles où nous lançait le premier cri des cauchemars de notre mère, celles qui suivaient les plus méchants accès de notre « valétude », et plus tard celles qui nous prenaient, de façon imprévisible, n'importe quand, et nous jetaient dans les rues au milieu de la nuit, enlacés, un peu fous, parce que nous étions ainsi, parce que tout ce que nous faisions ensemble nous le trouvions naturel, parce que notre amour rendait toute folie naturelle, normale.

Il m'a fallu un peu de temps pour voir le reste de la lettre de Phil. « Claire, je pense à toi. Beaucoup de boulot aujourd'hui, je me suis échappé du chantier pour te faire ce mot. J'entends ton rire si gai, je sens ta peau. Et puis je pense à cette femme qui erre la nuit et que je ne comprends pas. Mais ça ne fait rien. J'ai envie de te retrouver. Si tu veux, viens ce soir, je t'attends. Phil. »

Phil dort la nuit, se lève tôt le matin, fait le café et s'étonne des insomnies. C'est ce qu'il présente de lui, ce que j'ai vu aussi, et cru et aimé.

Phil, mon allié, mon intermédiaire dans le monde où il faut vivre sans son frère.

Mais je ne vois plus les choses tout à fait de cette façon. Car depuis cette lettre je me suis avisée de ceci : chaque fois que je bouge ne serait-ce qu'un peu, Phil bouge aussi, et si je me lève, je sens son esprit qui se lève, qui suit mes déplacements à travers les pièces.

« Cette femme qui erre la nuit », dit-il, c'est donc que lui non plus ne dort pas.

Et d'abord cela m'a gênée, je restais dans une immobilité forcée, à essayer de deviner l'heure, à essayer de repousser le passé, à essayer d'aimer cette chambre. Les camions grondent sur le boulevard, avec de longues reprises forcenées au feu rouge qui est devant l'immeuble. Ils déchiquetaient mes heures, au lieu de les joindre doucement, comme le carillon de l'horloge, à l'étage dans notre vieille maison, dans notre maison Helleur. Au matin (Phil doit être tôt sur les chantiers) j'étais épuisée, et il y avait cette autre épreuve, cacher l'épuisement, supporter l'insolent et tonitruant déversement des informations, et sur le palier en partant évoquer un prochain rendez-vous, comme si de rien n'était...

Comme si de rien n'était, Dan !

Je me suis enhardie. Maintenant je me lève, je vais aux toilettes (le cri scandalisé de la chasse d'eau), je vais à la salle de bains (le cri des robinets qu'on n'a pas domestiqués), je fume une cigarette, je cherche ce calmant que j'ai toujours dans mon sac depuis que Dan a abandonné mon univers, mon père avait résisté, moi j'ai cédé, docteur Minor, mais je ne suis pas sûre que vous auriez approuvé ce médicament-là, bien différent du petit sédatif que vous recommandiez à votre ami, et en souvenir de vous je n'en prends qu'un demi-comprimé, mais cela ne change rien pour le bruit (cris effarouchés de ces petits objets qui se cachent dans les poches de ténèbres, le bouchon du tube qui roule par terre, les verres surpris qui tintent à contretemps, l'eau qui se rue, des clés qui tombent), et sentant l'esprit de Phil qui me suivait, si vite éveillé, j'ai enfin pensé que s'il m'entendait, s'il entend tous ces menus bruits, c'est que lui aussi a perdu le plancher solide des vraies nuits, et nous avons commencé à parler. Un peu, à peine.

Comme il est étrange et monstrueux de parler à celui qui n'est pas son frère.

Je voudrais tout arrêter, n'avoir pas commencé à parler de moi, n'avoir pas entendu Phil, je voudrais remettre l'horloge de notre temps au seul temps que je veux connaître désormais, l'instant le plus immédiat, je voudrais que nos paroles s'effacent aussitôt, que ce soit des paroles de buée ou de vent, ma honte est si grande.

Et lorsqu'il semble qu'en effet nos paroles se sont évaporées, que l'esprit de Phil ne les retient pas, qu'elles se mêlent pour lui au discours de la radio qu'il écoute incessamment, à la rumeur du boulevard qu'on entend fort de son appartement, aux pages des journaux, aux conversations des voisins, des marchands, des gens, alors j'ai honte encore, d'une sorte de honte différente, et je voudrais cette fois que nos paroles l'aient marqué au fer rouge, qu'elles se soient gravées sur lui comme sur les dalles funéraires, je voudrais mordre, parler avec mes dents dans cette chair indifférente, le scandale m'est si grand, ma honte est frénétique.

Dan, est-ce possible que ce qu'on dit avec ces êtres ne soit rien, tombe aussitôt dans l'immense poubelle commune?

« C'est sympa de parler avec toi, dit Phil, tout te fait rire, ça décontracte... »

Je ne sais comment parler avec Phil, je ne sais comment l'écouter, je ne sais que faire de ce que nous disons.

Seuls peut-être des milliers d'années ensemble pourraient nous donner ce que nous avons eu, Dan et moi, dès la première seconde. Mais nous verrons-nous encore dans huit jours?

Comment aiment les êtres qui ne sont pas frère et sœur? Quel don le temps veut-il bien leur faire? Quelles étoiles veillent sur eux? Sont-ils livrés au hasard, séparés par n'importe quel vent, par la première brise, le premier courant d'air? Est-ce cela, l'amour de ces êtres? Est-ce cela que je vais connaître avec Phil? Est-ce que ce sera cet « amour humain » dont parlait avec tant de méprisante compassion le prêtre qui venait dans notre couvent?

Alors je soutiens que l'amour de Dan et Estelle n'était pas l' « amour humain ». Je soutiens que c'était un autre amour, le seul que rien ne pouvait altérer car il prenait sa source dans l'enfance et nul ne peut changer son enfance.

(Et si vous étiez ici, « notre » prêtre Dureuil, qui étiez si sévère à la chapelle devant les sœurs silencieuses, vous qui vous êtes marié pour aussitôt retourner à l'Eglise et devenir l'évêque Dureuil, plus sévère encore s'il est possible, je vous dirais que cet amour est supérieur à l'amour de Dieu et de sa créature, car ces deux-là ne sont pas à égalité.)

Claire, ne parle jamais ainsi à Phil, ni à quiconque, tu es retournée « dans le monde » comme on disait au monastère, c'est pour y rester, fais attention. Apprends la langue qu'on y parle et l'amour qu'on y vit, sinon tu es perdue, sinon c'est vers la tombe couverte de lierre qu'il te faudra retourner, et cette fois pour t'y coucher à jamais.

18

Je connais ces diamants

Notre père a dit :
— Votre cousine Sara couchera avec Estelle dans la petite chambre de Dan. Vos cousins Sam, Olivier, Paul et Frank coucheront avec Dan dans la grande chambre d'Estelle. J'ai commandé des sacs de couchage et des matelas pneumatiques, vous les monterez au grenier dans la journée pour pouvoir vous occuper dans les chambres s'il pleut.

Il ajoutait avec une légère réticence :
— Je suis allé dans ce magasin de sport... où le nom Helleur est bien connu apparemment.

Mais nous ne l'écoutions plus.

« Votre cousine Sara couchera avec Estelle, vos cousins coucheront avec Dan... »

Nous nous sommes regardés, Dan et moi.

Sans quitter notre père des yeux, bien sûr. Je parle d'un regard intérieur que nous avions, toujours braqué l'un sur l'autre, je pense à ces pêcheurs qui laissent leur ligne posée au bord de l'eau, tandis qu'eux-mêmes s'affairent à autre chose apparemment, s'éloignent parfois. Mais la ligne est là dans l'eau, ils la sentent comme si elle était en eux-mêmes, dérivant discrètement avec le courant, et lorsqu'une secousse la fait plonger, si petite soit cette secousse, ils la perçoivent aussitôt, elle fait un ébranlement en eux.

Mais il y a plus. Cette ligne que nous avions, toujours plongée dans le courant de l'autre, c'était aussi comme si elle était en nous. C'était comme si nous avions à tout instant cette même ligne braquée à l'intérieur de nous-mêmes. Et lorsque j'ai perdu la ligne qui plongeait vers mon frère, j'ai perdu aussi celle qui plongeait en moi, je ne savais plus rien de moi, il m'a fallu toutes ces années pour essayer de retrouver non seulement une ligne, mais le courant qui portait ma vie. Et maintenant que je crois l'avoir retrouvé, je vois que ce n'est plus le même, et mon désespoir aussi a changé, il est devenu comme vide, un désespoir vide, car j'ai retrouvé ce courant de ma vie, j'ai retrouvé l'endroit où nous posions nos lignes, mon frère et moi, mais nous n'y sommes plus et de tout cela, je ne sais plus que faire.

J'ai entendu la voix de Dan, sa voix flûtée d'innocent, qu'il prenait lorsqu'il s'aventurait en terrain dangereux. Mon cœur a fait un bond. Voici ce que disait Dan, de son innocente voix flûtée, voletis d'oiseau filant par là à tire-d'aile :

— Et pourquoi cette cousine Sara ne coucherait pas avec Tirésia ? C'est Tirésia qui est de sa famille après tout, pas Estelle.

J'étais brûlée de sueur, Dan, comment peux-tu dire ces choses qui n'ont l'air de rien et qui sont terribles ? As-tu oublié que personne ne va dans la chambre de Tirésia, jamais ? Et maintenant regarde le corps de Tirésia, ne vois-tu pas comme ses mains tremblent, ses belles mains de pianiste qui ne jouent plus, Dan comment peux-tu faire cela à Tirésia, qui est le centre de notre maison ? Dan ?

Mais rien d'affreux ne s'est passé. Il avait touché le centre aveugle de notre foyer, et personne n'a vu la ruse qu'il tentait, ni nos parents ni Tirésia ne l'ont grondé.

Au contraire, notre père soudain l'a attiré sur ses genoux.

— Oui, Dan, disait-il, oui petit garçon.

J'entends encore comme il disait « petit garçon », puis plus doucement « mon petit garçon ».

Sa voix avait une intonation presque douloureuse et nous comprenions bien que ce « oui » voulait dire « non », voulait dire

« Dan, je dois refuser ce que tu demandes, et je ne peux te dire pourquoi, mais mon refus est plein de tristesse et de regrets et d'angoisse ».

Il disait :

— Si Sara est de la famille de Tirésia, c'est comme si elle était de notre famille, tu le sais cela, Dan, n'est-ce pas ?

— Oui, oui, a dit Dan précipitamment.

Mais il s'était tourné vers Tirésia.

« Oh Tirésia, je ne sais rien de ce que c'est que la famille, et si je devais en savoir quelque chose, ce serait sûrement cela, que tu es plus de notre famille qu'aucun d'entre nous, mais je t'en prie, laisse-moi dormir avec Estelle... »

« Oh Tirésia, je ne sais rien de ce qu'il y a derrière vos paroles, et si j'en savais quelque chose, ce serait pour t'aider encore davantage, mais je t'en prie, laisse-moi dormir avec Estelle... »

« Mais je t'en prie, laisse-moi dormir avec Estelle... »

Et Tirésia entendait cette supplication muette.

Elle qui ne vivait pas dans les dossiers du passé comme notre père, ni dans les nuages de l'avenir comme notre mère, elle qui avait perdu son passé et son avenir, elle devait comprendre cette passion terrible des enfants qui n'ont pour eux que le présent.

Pour Dan, une nuit sans Estelle, c'était l'abandon noir, la nuit sans étoiles, dont l'approche effraie tous ceux qui la devinent.

Mais Tirésia ne pouvait rien. Elle était là, muette, immobile, j'entendais comme le bruit d'une déchirure à l'intérieur d'elle.

— Arrête Dan, ai-je hurlé soudain, arrête...

Ma voix résonnait devant moi, je ne pouvais la rattraper, elle courait comme un loup rendu fou, droit devant, sur la neige jusqu'à l'horizon, tout noir et hurlant sur cette blancheur, et sur ses talons un incendie gigantesque engloutissant l'air...

Oh je ne sais comment dire tout cela, il y avait dans notre maison tant de choses énormes qui nous faisaient vaciller, et parfois s'emparaient de nous et nous jetaient tout chétifs et nus dans l'entonnoir où tourbillonnait leur secret monstrueux.

Je sentais le corps de Tirésia, à contre-jour devant la fenêtre comme elle se tenait le plus souvent, et la déchirure continuait à l'intérieur d'elle, et je continuais à crier « arrête, Dan, arrête... ». Tirésia s'est approchée, a posé ses mains sur mon visage, juste le bout de ses doigts sur mes tempes, mais aussitôt l'horreur s'est arrêtée.

Oh Tirésia, tes mains, il me semblait que je les connaissais comme aucunes mains au monde, ma peau les retrouvait d'une connaissance très ancienne, elles calmaient d'ignobles terreurs ensevelies dans les plus anciens repaires de mon être, j'ai porté mes mains sur mon visage, à l'endroit que les siennes venaient de quitter, je sanglotais.

— Pardon, ai-je dit au bout d'un moment.

— Ce n'est rien, Estelle, a dit mon père, mais il me regardait avec une sorte de stupéfaction.

Etait-ce là son Estelle, sa fille aînée à qui il parlait comme à une épouse? J'étais si posée d'ordinaire. Je ne pense pas qu'il reconnaissait la crise nerveuse.

Dan aussi me regardait avec stupéfaction. Je n'avais jamais crié ainsi, et ce cri avait été contre lui.

C'était la première rupture dans notre vie, elle est venue par nos cousins, et à cause de cette rupture, nous avons encore un peu plus détesté ces étrangers que nous n'avions jamais appelés à nous.

Mais ce n'était que le commencement de notre adolescence désolée, je parle de l'adolescence de Dan, moi bien sûr j'avais dix-huit ans déjà, mais qu'importait l'âge entre nous? Dans l'espace où nous vivions ensemble, nous avions le même âge et il ne se comptait pas en années.

— Eh bien, a dit Nicole qui jusque-là s'était tue, puisque Dan est sur les genoux de son père, pourquoi ne viens-tu pas te mettre sur mes genoux, Estelle, ma fille?

Nicole! Nous l'avions oubliée. Oui, il arrivait que nous oubliions notre mère. Elle était si souvent ailleurs, à danser dans son garage,

169

ou à ses cours de danse, ou à ses rêves de danseuse étoile, si lumineux qu'ils faisaient un éblouissement autour d'elle et la subtilisaient au regard.

Mais elle était là, elle avait assisté à toute notre scène, et voici ce qu'elle suggérait maintenant, que j'aille me mettre sur ses genoux, moi qui étais tellement plus grande et plus lourde qu'elle. Elle avait pris une voix curieusement torse, qui m'a glacée, parce que notre mère Nicole n'allait jamais que sur les lignes de grâce et d'harmonie.

Mais Tirésia de nouveau posait ses mains sur mes tempes, j'entendais réellement ces mains qui murmuraient doucement à ma peau : « Estelle, va, va sur ses genoux. »

Déjà elle s'éloignait, retournait à sa place, dans le fauteuil à contre-jour devant la fenêtre. Elle disparaissait dans l'ombre du large fauteuil. Tirésia s'était enfoncée dans l'ombre, j'étais seule.

Je me suis levée, affreusement gênée, et suis allée m'asseoir sur les genoux de ma mère Nicole.

Chaque détail de cette scène est tombé rudement en moi, le temps les modifie, mais leur impact reste, une sorte de cratère qu'on peut fouiller indéfiniment sans en altérer les contours.

Je portais une jupe écossaise de grosse laine, des bottes de pluie en caoutchouc, et un de ces pull-overs informes que Tirésia n'avait pas encore eu le temps de modifier, sans doute, et qui engonçait.

Il n'y avait pas à l'époque toute cette mode variée et si seyante aux jeunes, elle n'est venue que plus tard, lorsque j'étais déjà une jeune femme, mariée, et alors je me suis jetée sans discernement dans tout ce qui venait de cette mode, changeant de vêtements dès qu'elle changeait, à vingt-cinq ans, à trente ans je me suis habillée comme une gamine de quinze ans, mon mari, le mari que j'ai eu, trouvait cela absurde et coûteux, sans doute aimait-il terriblement cet affolement vestimentaire, mais il n'était pas assez subtil pour le savoir, j'ai oublié ce garçon, je n'ai jamais voulu penser à lui, c'était le mari que j'avais parce que Dan était parti dans un autre pays, et plus loin encore que dans un autre pays. Il existait pourtant, maintenant je pense à lui, je voudrais réparer. Tout ce que je fais avec Phil est aussi en réparation pour ce jeune homme, Yves, qui ne méritait pas la trahison que je lui ai apportée.

Ma mère Nicole, elle, malgré l'hiver portait une robe de taffetas.
— Nicole, disait notre père, tu n'as pas froid ?
— Si, disait-elle, il fait toujours froid dans ce pays.
— Tu ne veux pas mettre un lainage ?
— Comme une vieille femme ?
— Ce n'est pas moi, c'est Minor qui...
— Alors tu n'as qu'à changer la chaudière.
— Changer la chaudière ?
— Oui !
— Mais...
— Tu n'aimes pas mes robes ?
Notre père interloqué se taisait. Puis quelque chose se desserrait sur son visage, il se mettait à sourire.
— Oh si Nicole, j'aime tes robes...
— Alors ! disait-elle triomphalement.
Et il la prenait sous son veston, ses cheveux, sa robe se coinçaient, elle s'ébrouait là-dessous, soudain on voyait sa queue de cheval dorée surgir par-dessus l'épaule du veston, ils riaient...

Elle raffolait du brillant et de la roideur de cette étoffe si fine pourtant, elle en avait acheté des mètres, de différentes sortes.
Une fois, revenant de l'école plus tôt que prévu, je l'avais aperçue dans le vestibule et quelque chose dans son attitude m'avait figée sur le perron. Peut-être parce que je ne pensais à Nicole que dans le mouvement, dans cette arabesque dansante que ses yeux voyaient et que ses membres infiniment s'efforçaient d'atteindre.
Toujours ses membres s'efforçaient de suivre cette arabesque qui était dans sa tête, nous le devinions confusément, à la façon dont son corps louvoyait entre d'alarmants obstacles, c'est-à-dire nous tous, Dan, moi, tous les autres, des écueils.
Là, elle était immobile. Immobile et nue.

Oh nous l'avions souvent vue nue, quand elle se changeait, puisqu'elle se changeait si souvent, pour passer de la danse à la maison, et de la maison à la danse. Son corps clair et effilé toujours à la poursuite d'un mouvement était pour nous comme celui des enfants. Mais immobile ainsi, ses épaules blondes dans le vestibule sombre...

Au bout d'un moment, j'ai compris qu'elle tenait plaqué contre elle un métrage de taffetas et se regardait dans le miroir. Ce qu'elle voyait au milieu des reflets obscurs, ce devait être bien autre chose qu'un bout de tissu, ce devait être un costume de scène et, concentrée, absorbée, elle guettait la brume lumineuse d'un ballet fabuleux irradiant d'une cascade de taffetas. Oh Nicole!

Elle ne me voyait pas, je suis repartie vers la grille, derrière le massif d'hortensias, et j'ai attendu, attendu, jusqu'à ce que Dan arrive à son tour et m'arrache à la paralysie.

Et maintenant ma mère m'appelait, dans sa robe de taffetas, et je n'osais aller vers elle.

Comme ma jupe, les carreaux de sa robe étaient écossais, mais d'un écossais bien différent. Le rouge avait un reflet orangé qui semblait flamber sous la lumière de la lampe, le vert était un vert profond d'eau, il y avait un autre vert, émeraude, de la couleur des yeux de ma mère, et un bleu royal, et un autre bleu, presque violet, profond et intense. La robe avait une haute ceinture de taffetas noir, un col à liséré blanc avec un petit ruban de velours noir pour le fermer. Notre mère était d'une beauté stupéfiante dans cette robe. Elle portait ses cheveux roulés haut sur la tête avec un nœud de velours aussi, ou peut-être ce nœud se confond-il dans ma mémoire avec celui du col. Ses joues d'ordinaire si pâles étaient empourprées. Et à ses oreilles il y avait quelque chose que je n'avais jamais vu auparavant, deux petits diamants à facettes qui accrochaient la lumière et renvoyaient les reflets de toutes les couleurs de sa robe. Ses yeux étincelaient.

Je me suis arrêtée devant elle, je n'osais m'asseoir sur cette robe. Toute la soirée j'avais joué au jardin avec Dan dans les mêmes vêtements, et traîné dans notre grenier et dans le pré et peut-être dans notre grotte sous la terre, ils sentaient la laine humide, mes bottes avaient encore la boue du dehors.

Tout cela je le percevais comme si mes sens avaient brusquement changé.

Quelques instants auparavant j'étais avec Dan, sans une pensée pour cette jupe ou ces bottes ou quoi que ce soit concernant mon corps, lente à ma façon habituelle et Dan léger et vif, nous deux tels que nous avions toujours été, sans souci de soi-même et ne regardant guère l'autre non plus puisque nous le voyions de l'intérieur.

Et maintenant devant ma mère, j'éprouvais une chose nouvelle, la solitude en son propre corps. Je me sentais si entravée.

L'épaisseur de mes seins devant, tous ces plis de la jupe sur mes hanches, et mes jambes soudain coulées comme du ciment à l'intérieur des bottes. J'avais honte de n'être pas assez belle, de n'être pas pour Nicole une fille aussi belle que sa mère. Mais je l'aimais et je ne voulais pas l'ennuyer avec mes embarras. Je ne savais que faire. Oh l'odeur de moisi sur ma jupe et les reflets brillants qui jouaient sur le taffetas de sa robe !

Et Dan ne bougeait pas, Dan ne venait pas à mon secours, je sentais comme un vide là-bas, du côté de notre père, sur les genoux duquel il était prisonnier, prisonnier volontaire peut-être, et un vide aussi du côté de Tirésia, comme si elle avait lâché prise dans cette scène, ainsi qu'elle lâchait prise si souvent.

Soudain Nicole m'a saisie, fait pivoter sur moi-même et assise sur ses genoux.

— Là, a-t-elle dit, de cette même curieuse voix, comme si elle parlait à des êtres qui n'étaient pas dans la pièce, ou qui y étaient mais que je ne voyais pas, ne connaissais pas ; et ces êtres portaient le trouble, l'aversion peut-être.

— Là, puisque tu es *ma* fille, tu dois t'asseoir sur mes genoux. Dan s'est bien assis sur les genoux de *son* père. Alors toi, assieds-toi sur les genoux de *ta* mère.

Elle disait cela (accentuant « ma » et « son »), et ce n'étaient pas les paroles d'une mère. Mais je sentais bien que les bras qui enserraient ma taille ne portaient pas de méchanceté. Nicole notre mère si jeune, je t'aimais aussi! Et je me suis retournée pour l'embrasser.

Elle avait un parfum de Guerlain, *l'heure bleue*, que mon père lui rapportait de Paris et qu'elle aimait à cause de cette couleur dans le nom... Je voulais poser mes lèvres dans le cou, là d'où venait ce parfum, mais seulement dans le cou, pour ne pas la gêner, elle n'aimait pas nos caresses brouillonnes.

Faire comme si j'allais à ce parfum, et pourtant l'embrasser vraiment, pour lui montrer que je l'aimais, malgré ma jupe rêche, malgré mes formes robustes et mon visage qui n'avait pas la finesse de ses traits et la pâleur translucide de son teint.

Je me suis tournée vers elle en m'installant un peu mieux sur ses genoux, je sentais ses jambes minces sous mes cuisses, et j'ai penché mon visage vers elle.

Elle ne se reculait pas, je pense qu'elle m'aimait aussi, notre mère Nicole, il y avait même une sorte de compassion au milieu des reflets belliqueux de ses yeux verts, je voyais cette compassion, je la vois toujours, avec le même remords que je ne peux réparer, car je ne suis pas allée au bout de mon geste, je n'ai pas embrassé ma mère, quelque chose m'a arrêtée, les diamants que je regardais sur ses oreilles, les diamants qui me regardaient plutôt.

Ils me regardaient comme deux yeux venus d'un territoire lointain, inconnu, et terrible. Leurs feux me brûlaient à l'intérieur de la tête.

Au lieu de murmurer « maman Nicole, petite mère chérie » comme je me l'étais énoncé en moi-même, je me suis entendu dire :

— Où as-tu pris ces diamants ?

La compassion s'est noyée au fond du regard vert et à la place j'ai vu monter, comme un poisson redoutable du fond de cette eau, une méfiance, une rage, et je savais que cet afflux noir n'était pas pour moi, sinon je me serais arrachée de ses genoux et jetée dehors, vers le fond de notre pré, les collines, la route, n'importe où pour disparaître d'un monde où ma mère aurait eu cette méfiance et cette rage pour moi.

— Ils sont à moi, a-t-elle dit. On me les a donnés et j'y tiens. Beaucoup. Tu n'y connais rien, mais je peux te dire qu'ils ont une grande valeur, et j'en ai d'autres, un collier, que tu n'as jamais vu non plus, on me l'a donné en même temps, un choker de diamants, cela ne se fait pas, figure-toi ! D'habitude les diamants sont en rivière, mais je l'ai voulu comme cela, il a été refait sur mesure, juste pour mon cou, et quand je le porte, c'est comme une chaîne, tu comprends Estelle, comme une chaîne, mais il me va bien, je suis très belle avec.

Ma mère qui ne parlait que par brefs éclats, et ce long discours soudain, et je ne l'écoutais pas ! Si j'avais pu l'écouter, oh Nicole, pourquoi ne m'as-tu pas secouée et frappée sur la tête pour que je t'entende ? « Comme une chaîne », pauvre Nicole si jeune, « comme une chaîne ».

— Je connais ces diamants, ai-je dit, entêtée soudain, avec une obstination infantile qui venait je ne savais d'où mais si puissante que je ne pouvais la lâcher.
— Impossible, a dit ma mère sèchement, je ne les mets jamais, c'est la première fois.
Et puis elle s'est mise à rire :
— Pour voir l'effet qu'ils font, à cause de vos cousins. De vos fameux cousins. Il me faut bien les séduire, car j'ai l'impression qu'ils pourraient ne pas m'aimer.
Et moi je répétais « je connais ces diamants » et pour un peu, j'aurais dit « ils sont à moi ».
Oh l'éclat infernal de leurs petites facettes !
— Estelle, je te prie, a dit mon père. Qu'est-ce qu'il t'arrive ce soir ?

Et enfin Dan est revenu, sautant au milieu de la pièce, et m'a sauvée du tourbillon qui m'aspirait.
— Elle n'est pas contente parce qu'on lui prend sa chambre, a-t-il crié.
Mon énervement s'est évanoui aussitôt. Je me suis levée, Nicole tapotait sa robe, ailleurs déjà.

— C'est vrai, Estelle ? a dit notre père. Cela t'ennuie de prêter ta chambre à tous ces garçons ?

Comme j'aimais mon père d'avoir présenté ainsi sa question, de m'offrir une façon de me défendre !

Repensant à cette phrase arrivant tranquillement au milieu de notre bouillonnement d'émotions, j'ai envie de sourire, notre père était avocat après tout ! « Et jamais un mot plus haut que l'autre, c'est à cela que vous devez votre carrière finalement, mon cher Helleur », raillait Minor, qui n'arrivait pas à dominer ses propres turbulences vocales.

— Oui, père (tout de même, quelque chose de la solennité du tribunal avait dû me parvenir à travers sa voix, je l'ai appelé « père », ce qui ne m'était pas habituel, en général je l'appelais... non, je ne l'appelais rien, je ne lui donnais aucun nom).

— Continue, Estelle, pressait Dan.

J'ai continué, avec un effort.

— Oui, cela m'ennuie. Je ne connais pas ces garçons, et j'ai l'habitude de ma chambre.

Notre père avait l'air soucieux. Sa ferme autorité du début avait disparu. Il ne supportait pas de me causer de la peine, je pense, de causer de la peine à qui que ce soit, pour son malheur peut-être.

— C'est que vois-tu, Estelle (et de nouveau il me parlait d'égal à égale, comme il le faisait d'ordinaire, comme s'il parlait à son épouse), je ne vois pas d'autre solution. Ces cousins ont demandé à venir, je crains toujours que vous ne vous trouviez seuls, Dan et toi, il m'a semblé que ce serait une bonne chose que vous, que vous... ne soyez pas seuls...

Il hésitait, notre père, comme tout cela devait lui coûter !

— Mais nous avons déjà les voisins, et les cousins des voisins, et les camarades à l'école, s'est écrié Dan, nous ne sommes jamais seuls, tu ne te rends pas compte, père.

Et il ajoutait d'un air dégoûté, avec les inflexions curieuses que prenait parfois sa nouvelle voix d'adolescent :

— Pas moyen d'être seuls, au contraire !

Notre père a souri un peu.

— Ah oui, Dan?

— Parfaitement, a répété mon frère avec énergie, pas moyen d'être seuls!

— Mais je pensais à des jeunes de votre famille, a dit notre père. Nous pouvons disparaître Tirésia et moi (et soudain il a semblé désorienté, s'est repris), Tirésia, votre mère et moi, et nous ne voulons pas que vous n'ayez personne. N'est-ce pas Estelle, tu ne voudrais pas que ton frère n'ait personne?

— Il m'aurait, moi, ai-je dit.

Mais notre père savait qu'il avait gagné. Son Estelle ne pouvait que partager ses vues, ne pouvait que vouloir ce qu'il estimait juste et lui épargner du souci.

— Tu es une bonne fille, Estelle, a-t-il dit. Et je suis heureux que Dan t'ait pour sœur.

— Alors, qu'est-ce qu'on fait pour la chambre? a repris Dan qui n'aimait pas ces échanges sentimentaux.

(« Une sœur! allait-il me dire après, une bonne sœur oui! On aurait dit une conversation de curé et de bonne sœur, parfaitement Estelle, c'était écœurant », et je devais me défendre comme un diable pour lui prouver que je n'étais pas une « bonne sœur », oh Dan, si tu avais pu me voir tant d'années plus tard, dans cette chapelle, et les couloirs, et nos gestes avec le voile, et le silence, oh Dan.)

— Laisse tomber, ai-je dit, on n'y peut rien, on fera comme papa a dit.

Car il m'arrivait d'être du côté de notre père, surtout en cet âge où j'avais dix-huit ans et Dan treize. Mon âge, l'âge de jeune fille, me tirait parfois loin de Dan, qui avait sûrement l'air d'un gamin poussé trop vite, bien que je n'arrive pas à le voir ainsi, ce sont des photos qui pourraient me le dire, pas mon souvenir.

Mais jamais, jamais aussi nettement que ce soir.

— Bien, a dit Dan, et il s'est refermé brusquement, quelque chose est passé sur son visage qui l'a noirci brusquement, notre père a dû s'en rendre compte, malgré sa distraction.

— Dan, je crois que ta barbe pousse, a-t-il fait soudain.

— Je me fiche de ma barbe, a crié Dan, et il s'est enfui brusquement.

Ce n'était pas une barbe naissante que notre père avait vue sur le visage de Dan (elle était déjà là, et plutôt claire), mais quelque chose de noir, l'annonce du nuage qui devait venir sur notre vie et l'obscurcir pour tant d'années.

Dan s'était enfui et il m'a semblé que la nuit venait de tomber. Il faisait sombre dans le salon, chacun restait à sa place, des ombres qui se laissaient gagner par la nuit, finalement c'est moi qui suis allée allumer.

19

Je sais des choses que tu ne sais pas

Nos cousins sont arrivés, ils ne ressemblaient pas aux cousins de nos voisins.

Sara avait de longs cheveux ondulés qu'elle portait de toutes sortes de façons surprenantes. Il me semblait que c'était la première fois que je voyais une jeune fille de mon âge. Lorsque nous nous déshabillions le soir, je ne pouvais m'empêcher de la regarder par en dessous.

— Pourquoi tu ne me regardes pas franchement, Estelle ? Tu en meurs d'envie.

Je mourais d'envie de la regarder ? Elle l'avait deviné ? En une seconde une assise en moi a basculé. J'ai rougi horriblement.

Nous étions dans la petite chambre de bébé de Dan, celle où je l'avais senti contre ma poitrine la première fois après sa naissance, la chambre où je lui avais tenu la main si souvent, assise par terre à côté de son berceau le bras tendu à travers les barreaux, la chambre à laquelle je pensais toute la journée, où je finissais par passer la nuit, m'endormant à même le sol lorsque mon bras engourdi glissait, et je me réveillais plus tard au milieu d'un grand silence noir bordé de blanc, transie, terrorisée et presque au même instant submergée de bonheur.

Je n'étais plus seule, je n'étais plus seule enfant ,au monde, j'avais un frère et il était là tout près de moi, je me levais et le regardais dormir, et toujours il me semble, mais je dois me tromper, il ouvrait les yeux et me voyait, il souriait, je me penchais sur lui et l'embrassais et aussitôt il se rendormait, et alors j'enlevais le rideau qui masquait le cagibi et enveloppée dans ce rideau, au pied du berceau de mon frère, je dormais enfin de mon vrai sommeil.

Je sais que je répète. Je sais que j'ai déjà dit ces choses. Elles ne sont rien dans le monde. Au moment où j'écris ces notes, une centrale nucléaire a déjà répandu ses radiations sur notre planète, des otages de notre pays attendent mois après mois piégés dans un coin du monde d'où personne n'arrive à les faire sortir, et moi je ne peux que répéter ces phrases si petites,
« j'ai touché sa main,
je me suis couchée près de lui,
j'ai dormi, je me suis éveillée,
il était là, il me souriait,
je l'ai embrassé,
c'était la nuit,
je me suis rendormie de mon vrai sommeil ».

Il n'y a jamais, jamais rien eu d'autre au fond de mon cœur que ces mots, ces phrases minuscules, toutes les autres paroles c'est par l'effort de ma volonté que je les prononce, mais si on descendait au fond du couloir de mon être, soulevant l'une après l'autre les mille tentures du discours, ce seraient ces mots qu'on trouverait tout au bout, simples et ignorants dans l'obscurité, et lorsque je mourrai ce sont ces mots que je voudrais savoir marqués sur ma tombe, et s'il n'y a pas de tombe, les seuls que je voudrais voir tourbillonner dans l'univers glacé entre les planètes, les seules que j'aurais voulues dans le premier souffle sur le monde, je crache tout ce qui me vient dans ces images absurdes, que m'importe, j'ai donné ma part au silence, des années de silence, maintenant je veux bien prendre tous les mots, les plus gonflés, les plus sanguinolents, les plus exaltés, vous ne pourrez comprendre, vous ne connaissez pas le silence, que m'importe votre gêne, votre dédain, les mots ne sont plus de précieux objets pour moi, ils sont des fœtus misérables jaillis tels quels, peut-être morts, peut-être vivants...

« Estelle, attention ! »

Bien, j'entends ta voix, Claire, mon double d'aujourd'hui, je vais me calmer, mais ne crois pas que tu gagneras à chaque fois.

Ne crois pas, Phil, que tu auras toujours devant toi cette Claire au regard transparent, qui est paisible comme tu dis et que tout fait rire comme tu dis, le torrent jaillira de nouveau, je le sens là en moi, tantôt brûlant, tantôt glacé, et pourtant je veux aller jusqu'au bout, repasser par notre adolescence meurtrière. Pour me sauver, Dan. Pour me sauver, Phil.

Ma cousine dénouait ses cheveux, ils brillaient avec des reflets rouges, elles les lavait à la camomille et les brossait chaque soir cent fois, la tête renversée en avant pour les aérer. Je n'avais jamais entendu parler de ces choses.

— Mais Estelle tout le monde sait cela !

Elle était devant moi en culotte et soutien-gorge, la taille pliée en deux. Sa tête se secouait énergiquement.

— Je les aère.

J'étais assise sur le lit.

— Estelle, ne reste pas là comme un gourde, viens me les brosser.

Alors cette cousine inconnue s'est assise au milieu de la petite chambre de mon frère, à califourchon sur une chaise, et je me suis approchée d'elle, j'ai brossé ses cheveux, je les aurais brossés des heures, tandis qu'elle parlait, parlait, de dessous la cascade de ses cheveux, me racontait la vie des filles de notre âge, je l'écoutais, fascinée, malheureuse, je n'étais plus moi-même, mais une enveloppe vidée de tout ce qui avait été moi, se gonflant du duvet léger de ces paroles que ma cousine jetait négligemment, perversement autour d'elle, et toute la journée ensuite j'allais dans une légère somnolence, la tête comme un oreiller plein de ce duvet.

Ce dont ma cousine m'emplissait n'était pas pour moi, ne convenait pas à l'intérieur de mon être. Ses paroles n'accrochaient pas à mes parois, flottaient dans un vide, tout le temps du séjour de nos cousins, j'ai eu cette sorte de somnolence.

Mais ses cheveux m'attiraient. Et lorsque ma main se paralysait, elle disait :

— A ton tour, Estelle.

Et elle venait à son tour derrière moi et défaisait mes barrettes et brossait mes cheveux. Sous ses doigts agiles et ses paroles de sirène, je tombais dans un engourdissement.

— Estelle...

C'était Dan derrière la porte.

— Ne rentre pas, criait Sara, nous sommes en culotte.

— Estelle, Estelle, criait Dan sous la fenêtre.

Je ne pouvais répondre. Je ne voulais pas que s'arrêtent cette caresse dans mes cheveux, ces paroles d'or.

Ces paroles de ma cousine !

Du duvet et de l'or et de la magie, sûrement c'était tout cela à la fois, dans un mélange qui anesthésiait, il me faut bien le croire, sinon comment expliquer que je ne l'aie pas interrogée, ni elle ni aucun de nos cousins, qu'ils soient venus et repartis et que ce qui aurait pu nous sauver n'ait fait que précipiter notre malheur ?

— Estelle, disait Sara, je sais des choses que tu ne sais pas, mais je ne les dirai pas, j'ai promis.

Et je ne demandais pas.

Je n'ai pas demandé à ma cousine Sara quelles étaient ces choses qu'elle savait et qu'elle avait promis de ne pas me dire. Elle en brûlait d'envie, sûrement, mais l'engourdissement me tenait, je ne pouvais relever aucune de ses paroles.

Je sais maintenant que si je n'ai rien demandé, c'est parce que en un sens je n'avais besoin de rien demander. Tout le savoir nécessaire était en moi, je suis sûre que j'ai tout su dès le début, dès la naissance de mon frère.

Mais ce savoir est resté enroulé sur lui-même. Le magicien qui tient les secrets n'a pas voulu porter sur lui sa baguette, en dérouler les anneaux, et Sara ma cousine ne m'a rien dit, que ses insinuations qui se déposaient à la lisière de mon entendement comme des algues, pendant des années j'ai marché à travers ces algues sans les voir, sentant seulement l'effort et la gêne et l'empêchement, et la douleur qui s'amassait dans les recoins de l'être.

Je n'ai jamais revu ma cousine Sara. Elle est retournée au Canada, elle ne m'a pas écrit, j'ai perdu son adresse. Et pourtant, en cette année de mes dix-huit ans, lorsqu'elle peignait mes cheveux dans cette petite chambre où Dan n'avait plus le droit d'entrer, je croyais que j'avais enfin une sœur, je croyais qu'une sœur de mon âge était préférable à un frère qui n'était après tout qu'un gamin, comme le disait Sara.

— Estelle, criait Dan devant la porte.
— Estelle, criait Dan sous la fenêtre.
Et j'entends encore sa voix, elle n'a cessé de s'enfoncer en moi, « Estelle », criait la voix de mon frère, et je ne répondais pas.

Pendant des années j'ai fait le même cauchemar.

Je me trouvais dans une maison qui ressemblait à une ville, avec d'épais remparts. Un froid glacial régnait dehors, la lune était haute, la nuit noire, la neige silencieuse et blanche autour des remparts. Et soudain j'entendais une voix qui m'appelait, j'allais à la fenêtre, le cœur mordu, comme si j'avais été dans un oubli monstrueux, et il y avait un enfant dehors, un tout petit enfant presque nu, qui ne pouvait entrer et appelait et errait autour des remparts dans cette nuit glaciale, sur cette neige infernalement blanche.

Mon horreur était si grande, je m'éveillais, et aussitôt je sanglotais, car je n'avais pas eu le temps de faire entrer l'enfant, je m'étais éveillée trop vite, je n'avais pas eu assez de force, et j'avais la certitude que quelque part dans ce royaume de la mort où il était, cet enfant transi continuait d'appeler et de chercher l'entrée du rempart et je n'étais plus là pour l'aider, oh Dan.

Dan, il neige ce soir, c'est la première neige depuis trois ans, les journaux disent que le froid a été exceptionnel, que les températures vont atteindre des records jamais vus depuis des années, peut-être depuis un siècle, j'ai regardé dehors, la couche est épaisse sur la chaussée, égalise les voitures et les poubelles, elle ne fond pas, et les flocons continuent de tomber, ils scintillent en traversant la lumière du réverbère, la lune est comme une lampe qui diffuse une lumière jaune très douce, une lune de neige.

Dan, peux-tu imaginer qu'il y a cette neige qui vient d'arriver sur la ville, tous ces flocons qui tombent dans la nuit, et que Phil ne m'appelle pas, qu'il ne téléphone pas, ne vient pas?

Tu te rappelles, Dan, chaque fois que la neige arrivait, elle nous rendait comme fous. Une fois tu étais à dîner chez des gens, des gens importants de l'université, moi j'étais restée seule dans notre appartement, je travaillais à ta table près de la fenêtre, à un moment quelque chose à la vitre m'a fait sursauter. J'ai couru à la fenêtre, je pensais à une explosion, un accident, je n'ai pas eu le temps de penser réellement, je te voyais Dan, dans la rue, tout saupoudré de blanc, et tu criais dans ton enthousiasme et ton rire :

— Estelle, la neige, il neige, il neige, petite sœur.

Je ne m'étais aperçue de rien, occupée à recopier des partitions, dans un morne ennui sans le savoir, et soudain il y avait cette avalanche de beauté, toi Dan, surgi dans la rue sous la fenêtre, la neige qui resplendissait sous le réverbère, ton rire.

J'ai ouvert la fenêtre, je me suis penchée à tomber.

— Dan, ton dîner, qu'est-ce que tu fais là?

— Je suis venu te dire qu'il neigeait, disait mon frère dans la rue.

Il s'était approché juste en dessous de la fenêtre, il levait le cou et riait, sans cesser de chasser les flocons qui lui tombaient dans les yeux. Je voyais ses yeux qui brillaient, tout son visage brillait, et ses parole aussi brillaient.

— Je suis venu te dire qu'il neigeait, petite sœur, je voulais être le premier à te le dire. Dis-moi, dis-moi, Estelle, je suis le premier?

— Dan, je travaillais, je n'avais rien vu.

— Alors je suis le premier, vraiment le premier, criait mon frère en riant de joie. Je savais que tu n'aurais rien vu si je n'étais pas venu. Je suis sûr que tu n'as pas bougé de ta chaise.

— Oh, Dan, tu es fou, et ton dîner, et les gens, et...

— J'ai dit que j'allais chercher des cigarettes, j'ai dit n'importe quoi, et je suis venu en taxi, je repars tout de suite, mais Estelle, viens me donner un baiser avant.

— Pars, Dan, ils vont t'attendre.

— Estelle, viens m'embrasser avant.

Et nous étions là, à discuter, tout seuls dans la rue silencieuse, moi penchée à la fenêtre et mon frère étincelant dans la neige sous le réverbère.

Il avait lancé un caillou sur la vitre, le caillou a fait une fêlure, nous nous en sommes rendu compte des mois plus tard, le vitrier nous a dit que le carreau casserait très vite, cette fêlure est toujours là et la vitre ne s'est pas cassée.

Je suis descendue dans la rue, telle que j'étais, sans manteau, et mon frère m'a prise dans ses bras et nous nous sommes embrassés follement sous la neige et soudain nous nous sommes entraînés l'un l'autre dans le couloir du porche et nous avons fait l'amour couchés sur les dalles tandis que la neige pénétrait par l'entrée en rafales légères, dans la lumière magique du réverbère, sans nous déshabiller presque et dans une joie insensée.

Dan est reparti en courant, je l'ai regardé tourner le coin de l'avenue, un taxi roulait tout doucement, qui l'a emporté. Sur la neige de notre petite rue, il n'y avait que la trace de ses pas, j'ai enlevé mes chaussures et je suis sortie pour marcher sur ces traces, pour mettre mes pas dans chacun des siens, je posais mes pieds nus l'un après l'autre, exactement et soigneusement, dans les traces laissées par les chaussures de mon frère. Au bout de la rue, les traces étaient brouillées par le passage du taxi, je suis revenue, et je me suis couchée ainsi, toute couverte de neige, les pieds trempés, mes cuisses pleines du sperme de mon frère, je me suis couchée sur notre lit, pour ne pas perdre ce qui me restait de lui et l'attendre avec toute ces traces de lui sur moi. Lorsqu'il est revenu, j'étais glacée, je n'avais pas fermé la fenêtre, pour continuer à voir la neige merveilleuse qui traversait la lumière du réverbère et dans cet éblouissement guetter le retour de mon frère.

Mais je m'étais endormie et soudain il était là mon frère, à me frotter les pieds, il embrassait mes pieds, mes jambes bleuies, mes cuisses qui avaient son odeur et la mienne mêlées, nous avons pris un bain ensemble, et parlé et ri et mangé, et nous sommes retournés dehors pour nous rouler dans la neige et nous avons repris un bain, il n'y avait plus assez d'eau chaude, notre baignoire était trop grande, nous avons mis le camping-gaz dans la salle de bains, le « vlad-gaz » comme nous disions, à cause d'une histoire entre cet objet et notre ami Vlad, et fait chauffer casserole après casserole, l'aube était là lorsque nous nous sommes couchés, endormis au milieu de l'amour, trop épuisés pour aller jusqu'au bout, l'un dans l'autre.

C'était notre meilleur temps, ces courtes années bien après notre adolescence, après mon mariage absurde, ce temps où nous avons été si terriblement heureux.

Dan, peux-tu imaginer cela, qu'un homme d'aujourd'hui, un homme qui est à peine plus vieux que tu ne l'étais, n'appelle pas celle qu'il aime lorsqu'il y a cette neige dehors ? Cela existe Dan, je t'assure, c'est l'amour d'aujourd'hui, est-ce que tu peux comprendre ces choses Dan, dans ta tombe couverte de lierre ? Oh mon amour, comme tu me manques encore, à qui, à qui raconter ?

Phil est à un dîner ce soir aussi, je le sais par hasard, il verra la neige en partant, il la verra en revenant, ce sera tout, Dan, l'hiver passera, une saison, une autre, les voit-il, les sent-il, sait-il qu'elles ont partie liée avec l'amour, je n'en sais rien, je ne sais rien de ces hommes, Dan.

Sans doute il m'appellera dans un jour ou trois, nous parlerons de l'hiver et du froid, et de notre prochain rendez-vous, c'est comme cela que ça se passe, Dan, dans ce monde où je vis sans toi.

Et tu ne viendras plus sous la fenêtre m'appeler, comme le soir où dans la maison Helleur Sara me peignait, comme le soir des années plus tard où tu étais venu m'annoncer la neige, pour être le premier, mon amour, dans l'étincellement de ta jeunesse. Tu ne viendras plus jeter de petit caillou à mon carreau. Jamais, jamais plus je n'entendrai ce bruit d'un caillou au carreau dans le silence d'une nuit neigeuse.

Si quelqu'un lançait un caillou aujourd'hui, le carreau se briserait cette fois, accomplissant enfin la prédiction de notre vitrier, et il n'y aurait qu'à s'affairer dans la rue et dans l'appartement, pour ramasser les éclats de verre, chercher des ciseaux, coller un papier au carreau...

20

Ne mets pas de soutien-gorge, Esty

Ma cousine peignait mes cheveux, et en me peignant elle parlait de sa vie à Montréal, de New York où elle était allée avec ses frères en voiture, et alors elle racontait les grandes étendues enneigées où la trace de la route se perdait. Il leur était arrivé d'être sauvés d'une congère par un hélicoptère de l'armée, ils avaient couché avec d'autres automobilistes en perdition dans un temple luthérien. Ses trois frères aînés avaient déjà le droit de conduire. Elle avait fait de l'auto-stop aussi et le camionneur l'avait emmenée sur une petite route pour lui demander de se déshabiller devant lui, elle allait le faire, « le pauvre type, il n'avait que des filles en papier dans son cubicle », « des filles en papier ? », des « pin-up, quoi », « mais une voiture de la police les avait suivis parce que le camionneur était en excès de vitesse, « du soixante, tu te rends compte ! ». Du soixante, non ça ne me paraissait pas beaucoup, mais je n'osais pas le dire. Qu'avait-elle fait encore ? Des choses qui me paraissaient abasourdissantes : elle allait dans un camp d'été où on grillait des guimauves emmanchées sur des bâtonnets, où elle faisait du tir à l'arc.

— As-tu déjà embrassé un garçon, Esty ?

— Estelle, Estelle, appelait Dan du dehors.

Soudain la vieille défaillance était là, mais comment parler de la « valétude » à quelqu'un comme Sara ?

Je voyais bien que Sara ne connaissait pas cette sorte de maladie-là, qu'on ne pouvait même pas commencer de lui expliquer. Et moi qui l'avais toujours considérée comme une intempérie naturelle, à subir et oublier, je la prenais en haine maintenant. Je lui résistais.

Cette sorte de maladie-là empêcherait n'importe qui de faire de l'auto-stop, de griller des guimauves le soir autour d'un feu de camp et de tirer à l'arc.

Elle m'empêchait en cet instant de peigner Sara, j'étais allée me jeter sur le matelas, comme si j'en avais assez soudain, de ses cheveux, mais en fait pour résister à la valétude, pour que Sara ne la voie pas. Heureusement, comme la plupart des gens qui ne devinent chez les autres que ce qu'ils ont éprouvé eux-mêmes, elle ne voyait rien, elle continuait à parler.

— Les garçons, ils nous embrassent dans les voitures, on se met à l'arrière, tu sais les voitures ne sont pas minuscules comme ici, ils se couchent sur toi, ils te collent la bouche sur ta bouche et avec une main ils essaient d'écarter le bord de ta culotte et de l'autre de défaire leur braguette. Il y en a qui doivent s'entraîner parce que ça n'est pas facile de faire tout ça en même temps, je t'assure, disait Sara avec sérieux. Nous, on achète des culottes qui ont des bords bien serrés et on les jette si l'élastique est tout détendu, parce que tu comprends on ne veut pas qu'ils aillent plus loin. Est-ce que tu es allée plus loin, Esty ?

La valétude ne comprenait pas ma résistance, ne comprenait pas qu'elle n'avait rien à faire ici, j'avais peur d'échouer à la cacher, la respiration m'échappait, il m'aurait fallu de l'eau froide.

Dehors, Dan était revenu et de nouveau je l'entendais appeler :
— Estelle, Estelle...

— Qu'est-ce qu'il a, ce gosse, à crier comme ça ? disait Sara. Il ne te lâche jamais les baskets ? Tu n'es pas sa baby-sitter, non !

189

J'entendais ces expressions pour la première fois. Elles me faisaient peur.

Et voilà qu'un autre genre de malaise m'attaquait. Ce n'était plus la valétude ordinaire, qui venait de l'intérieur et à proprement parler ne faisait pas souffrir. Ce malaise-ci était destiné à moi seule cette fois, et il était méchant. Ni l'eau froide ni aucune de nos petites médecines ne pourrait l'amadouer. Je ne savais même pas d'où il venait, mais il savait faire mal. J'étais couverte de sueur. Je fermais les yeux.

— Tu es drôle, Esty, tu ne réponds jamais, disait ma cousine.

Et soudain, inopinément :
— Tu as de beaux seins aussi, pourquoi tu ne les montres pas ?
Ma cousine Sara ne se laissait jamais abattre apparemment. Seulement, qu'est-ce que ça voulait dire, montrer ses seins ?
Ni Tirésia, ni ma mère qui était très belle pourtant, ni personne dans notre petite ville ne montrait ses seins.

Ah si pourtant, quelqu'un. La cousine de notre voisin Adrien, dont le corsage de broderie anglaise laissait voir les brides de soutien-gorge et des bourrelets de chair devant et des auréoles sous les bras, « la v'là montée à son balcon » avait dit monsieur Raymond, et cela nous avait paru un spectacle ridicule, cette façon de détacher une partie de son corps et de s'exhiber dessus, loin du centre, loin de l'âme en somme. Mais cela n'arrivait que le dimanche, jour peu recommandable comme nous le savions, et qui sait si par un maléfice particulier de ce jour-là, la cousine n'était pas obligée de « monter à son balcon » ?

Nous avions bien vu aussi les seins de notre mère Nicole, mais elle ne les « montrait » pas, ils suivaient chacun de ses gestes, faisaient partie de la ligne que traçait son corps dans l'espace, ses seins dansaient avec elle et elle ne les envoyait jamais en détachement solitaire, hors d'elle, hors de la danse.

La ligne fluide du corps de notre mère et sa peau soyeuse nous étaient familières, les seins en faisaient simplement partie. J'ai vu

Nicole nue presque tous les jours à un moment ou un autre, mais je n'arrive pas à isoler les seins, à les planter dans ma mémoire. Nicole était d'une telle beauté.

Peut-être la beauté est-elle cela, ce qui ne peut se détailler et entre en vous comme un bloc. Mon frère Dan, est-ce que je peux en cet instant rappeler son corps devant moi ? Je ne le peux pas, un éblouissement douloureux annule ma puissance de vision, je perçois l'éblouissement mais je ne vois pas son corps.

Plus rien depuis n'est ainsi entré tout d'un bloc en moi.

Ou bien je ne perçois plus la beauté, ou bien il n'y a plus de beauté à voir et tout est égal sur la terre. Je ne sais de ces deux choses laquelle pour moi serait la pire.

Et Sara ? Elle portait un soutien-gorge à balconnet (elle tirait ses seins dessus avec énergie pour qu'ils « pigeonnent ») et une chemise très collante, un tee-shirt, disait-elle. Elle a voulu que nous regardions nos seins dans la glace. J'ai préféré les siens parce qu'ils étaient petits, c'était le genre de seins qui permettait d'être danseuse, mais je voyais bien qu'elle enviait les miens.

(Et d'ailleurs comment étaient les miens ? Nouvelle incapacité. Pour les siens j'avais un demi-regard et pour les miens pas même un centième, le reste se dispersant éperdu à travers la pièce. Vers cette époque, il avait été question de me faire porter des lunettes. Mais quelle science optique aurait pu remédier à cette mathématique de mes yeux ? Les lunettes ont vite été abandonnées. « Tu n'as pas besoin de ça avec moi », avait dit Dan, ce qui était vrai, je ne voyais juste qu'en sa compagnie, mais personne à la maison, pas plus que l'opticien ou l'oculiste, ne s'en était avisé.)

— Si mes frères te voyaient, Esty ! Tu ne devrais même pas mettre de soutien-gorge. Ne mets pas de soutien-gorge, je t'en supplie, et prends mon tee-shirt, tu vas voir mes frères demain !

Nous nous sommes disputées là-dessus, je pensais qu'elle se moquait de moi, et en même temps je voyais bien que non.

L'idée de marcher devant mes cousins en tee-shirt serré et sans soutien-gorge me rendait instantanément malade, vertige et nausée, valétude toujours, mais j'avais peur de perdre l'amitié de Sara.

Je voulais qu'elle continue à me peigner, en culotte et soutien-gorge, et à me raconter ses histoires folles et à me regarder et me dire que j'étais belle. Que je serais belle si je faisais ceci ou cela.

Elle me maintenait le visage sur un bol empli d'eau chaude, me passait du citron sur les mains, des glaçons sur les paupières, me maquillait, me tirait les cheveux, et pendant qu'elle faisait toutes ces choses qui me baignaient dans un lac de frissons, par intermittence je pensais à ce qu'elle savait et que je ne savais pas. Mais les frissons mordillaient cette étrange idée, la faisaient fuir. Je n'arrivais pas à penser.

— C'est dommage, Sara, que tu ne sois pas ma vraie cousine, ai-je dit.

— Ah oui! a dit Sara d'un ton soudain lointain mais curieusement vibrant, comme si elle me répondait de la lune avec un haut-parleur.

Mais je tenais un bout de l'étrange idée et j'essayais de la retenir.

— Je voudrais que tu sois ma vraie cousine.

C'était le mot « sœur » que je voulais dire, mais je n'ai pas osé.

Je n'ai pas osé dire à Sara que je l'aurais voulue pour sœur car cela aurait été une déclaration d'amour, et je n'aimais pas Sara d'amour. Comment aurais-je pu à cette époque démêler cette confusion?

Je n'avais pas de guide, la confusion allait gagner et nous emporter, Dan et moi, et notre père et Nicole et Tirésia. Elle s'était insinuée là, menue et sans importance, par la faille de notre adolescence, de nos sottes et banales histoires d'adolescence, mais elle allait s'installer et gagner et petit à petit rattacher son fil à une chose énorme qui s'était tenue loin un temps, et alors c'en serait fait de nous.

— Enfin, ai-je dit en guise de consolation et parce que l'étrange idée déjà m'échappait, la famille de Tirésia, c'est comme notre famille.

Je ne faisais que répéter ce que nous avions si souvent entendu.

192

cela semblait aller de soi, je disais cette phrase mécaniquement et elle ne suscitait en moi aucune réflexion particulière. C'était ainsi.

— Tes parents sont drôlement bizarres, a dit Sara.

— Tu trouves que nos parents sont bizarres ?

— Vous êtes tous bizarres.

— ...

— De toute façon, on m'avait prévenue, a ajouté Sara.

Une assise en moi revenait. La bizarrerie, oui, nous connaissions.

Mais elle était du côté des autres, des familles qui se rendent visite le dimanche, des parents bruyants qui s'empiffrent, des enfants par tas, des cousins par tas, des filles qui « montent à leur balcon », de tous ceux qui ne consacrent pas leur temps à la justice ou à la beauté ou au mystère, ceux qui ne travaillent pas à leurs dossiers le dimanche, ne dansent pas sur leurs chaussons au son du Teppaz, ne savent pas se tenir immobiles et silencieux au centre du monde.

La phrase de ma cousine m'avait sortie de mon engourdissement, m'avait ragaillardie. Le malaise était passé, tous les malaises. J'étais à nouveau chez moi et j'avais envie d'en expulser l'intruse. L'idée de passer la nuit à côté de cette inconnue, cousine parmi les cousines, m'a paru impossible, j'avais besoin de voir Dan, il me semblait que je ne lui avais pas parlé depuis des années. Il n'appelait plus. L'après-midi s'était écoulé presque en entier, où était-il, qu'avait-il fait ?

Nos cousins et lui étaient partis en promenade dans les collines alentour.

Nos cousins pratiquaient l'escalade et voulaient voir s'il y avait des falaises à grimper dans les environs. Ils faisaient du canotage aussi, et ils avaient suggéré à Dan de descendre un fleuve. Malheureusement nous n'avions pas de fleuve, juste une rivière à goujons. Et pas de falaises, juste quelques gros rochers.

Les cousins avaient ri et finalement s'étaient résignés à pêcher puisqu'il n'y avait rien d'autre à faire.

Dan avait dû les emmener en ville chercher des cannes à pêche et autre attirail, les cousins s'étaient moqués de lui parce qu'il n'avait pas le permis de conduire, ils lui avaient raconté l'histoire des filles qu'on embrasse à l'arrière des voitures, apparemment lui aussi avait été gratifié d'histoires de toutes sortes, bien qu'il ne m'ait pas raconté quoi exactement, puisque notre brouille, ou plutôt le brouillage dans notre amitié, a commencé cette semaine-là.

L'aîné de nos cousins étudiait la « psychologie anormale » comme il disait, le second était en première année de médecine, le troisième préparait la première année de médecine, le quatrième qui était le plus joyeux n'aimait pas les études, il voulait être mécanicien, « de voitures et puis un jour d'avions ». Sara redoublait ses classes. Toutes.

C'est notre voisin Adrien qui nous avait appris tout cela. Nous ne l'ignorions pas sans doute, mais nous ne le savions pas non plus. Il y a un espace entre ignorer et ne pas savoir, une sorte de terrain vague, invisible de l'extérieur. Mon frère et moi étions les habitants naturels de cet espace.

Adrien, lui, réclamait des précisions. Pour les rapporter à sa mère, laquelle ensuite les rapporterait à son mari. Ces cousins (canadiens) étaient venus chez leurs voisins (nous) pour une visite (les vacances). Situation connue. C'était la même chose que se rendre visite en famille le dimanche.

Ainsi de gré ou de force, mon frère et moi, nous étions tirés de notre terrain vague, jetés dans le monde des autres, pour être malaxés avec eux, mélangés, égalisés, et un jour anéantis.

Cela a commencé le soir, le premier soir de l'intrusion de nos cousins.

Nous avons dîné tous ensemble avec nos parents. D'être ainsi « en tas » nous rendait si drôles, Dan et moi... chacun à un coin de table, séparés, contents et désespérés, perdus.

Nous avons dîné avec toute cette masse entre nous, et nos parents en faisaient partie, ils étaient animés et eux aussi racontaient beaucoup d'histoires, même Tirésia, qui semblait quasiment briller derrière son voile, même notre mère Nicole. Nos cousins la regardaient, elle avait mis sa robe de taffetas écossais aux belles et profondes couleurs et aussi les petites boucles de diamant, qui faisaient au fond de mes yeux deux points incandescents, douloureux, dans des ténèbres à une distance insondable.

Moi j'étais en tee-shirt, celui de Sara, sans soutien-gorge, et très gênée, je voyais le regard de Dan sur moi, il me regardait par en dessous de temps en temps, son regard ne venait pas franchement vers moi, il semblait en colère. Mais cela devait être plutôt vers le deuxième ou troisième soir du séjour de nos cousins.

La fin du dîner est venue. Nicole brillait de plus en plus, notre père a cessé de poser des questions, il avait l'air las soudain, un air que je connaissais si bien, j'entendais flotter dans ma tête les paroles qu'il avait eues une fois, « c'est tellement au-delà, n'est-ce pas, tellement au-delà... ». Tirésia s'est levée et nous avons compris que la journée était finie, que c'était le moment de la nuit.

A un moment dans l'escalier, comme nous montions vers l'étage, Dan m'a glissé une note dans la main. Je suis allée la lire aux cabinets. « *Estelle, impossible de passer la nuit avec tous ces types. Viens me rejoindre à la grotte.* »

J'entendais la voix de Sara maintenant dans ma tête : « Qu'est-ce qu'il a à t'appeler comme ça, ce gamin ? Est-ce qu'il ne te lâche jamais les baskets ? Tu n'es pas sa baby-sitter quand même ! »

J'ai jeté le papier dans la cuvette des w-c et tiré la chasse. Puis aussitôt j'ai voulu le reprendre, mais l'eau tourbillonnante l'emportait, je ne pouvais l'attraper, et il n'y a plus eu au fond de la cuvette qu'un miroir rond et tranquille qui ne me renvoyait même pas mon image.

Je regardais cette eau et il m'a semblé que mon être venait de s'y noyer. J'ai eu la certitude qu'un jour je regarderais un lieu comme celui-ci, familier et ignoble, lié aux fonctions secrètes, aux fonctions vitales du corps, que ce lieu se serait vidé et que mon être y aurait disparu. A cet instant j'ai su exactement, non pas ce qui allait arriver, mais ce que j'allais éprouver. Cela a été très rapide.

Et c'est sur notre petit voisin Adrien, que nous ne voulions pas avec nous et que nous ne repoussions jamais, qui devait en ce moment guetter de son cabinet de toilette ce qui se passait dans notre maison, Adrien qui n'avait guère d'intuition et détestait les sentiments, c'est sur lui que des années plus tard devait arriver le ricochet de cet incident fugitif.

Alors je me demande lequel, de l'avenir ou du passé, influe sur l'autre, si le temps n'est pas plutôt une immense étendue plate couverte de fils se rejoignant en tous sens, si tous ceux qui veulent chercher une histoire ne font pas que s'y empêtrer, tirant au hasard dans leurs mouvements une figure tout aussi bien qu'une autre.

J'ai eu envie de me voir, voir mon visage. Tant que Dan et moi avions été ensemble, je n'avais pas eu besoin de visage.

Maintenant que j'étais sans lui depuis des heures qui n'étaient pas juste des heures mais une déchirure ouvrant sur la possibilité de l'absence, d'une absence s'étirant à l'infini comme une perspective, j'avais besoin d'un visage.

J'étais malheureuse de ce que je venais de faire. Jeter une lettre avec l'écriture, avec les mots de Dan, dans ce conduit infini des w-c dont la surface ne me rendait rien et pas même mon reflet, il fallait que je me retrouve, même si ce n'était que de l'extérieur, je suis allée dans notre salle de bains, Sara y était, je me suis jetée vers la glace, je ne pensais plus à elle, qu'elle s'en aille aux cinq cents diables, mais bien sûr elle ne bougeait pas d'un pouce, et je me suis mise à me débarbouiller pour avoir un prétexte de me regarder.

— Tu as de drôles de façons de te démaquiller, a dit Sara.

— Je ne me démaquille pas.

Se démaquiller ! Je la détestais en cet instant. Elle m'empêchait de rejoindre Dan, de me retrouver moi-même, c'est-à-dire mon frère, de retrouver mon univers, ma vie, mon âme.

Mais comment échapper ? Comment Dan comptait-il faire, lui ? J'étais au désespoir.

Cela peut paraître si peu de chose, deux filles dans une salle de bains, à se laver et s'épier, et l'une désespérée pour un rendez-vous d'adolescent. Mais les désespoirs d'enfance ne sont pas des niaiseries de gosse, c'est la toupie de leur destin qui s'est mise à tourner sur sa pointe minuscule, et ils le savent, même si l'ébranlement est infime et infime le mouvement, même si personne ne voit encore l'énorme masse de la toupie au-dessus, et pour moi c'était la mort qui commençait à tourner sur son axe et mon corps le savait.

Je n'écoutais plus rien de ce que Sara racontait, je guettais les bruits de la chambre en face, de la vaste chambre, la mienne, où tous les garçons étaient ensemble, ils faisaient un raffut, j'entendais les grosses voix masculines de nos cousins, ils parlaient très fort, je m'en rendais compte, ou plutôt je me rendais compte combien nous parlions bas à la maison.

Nos cousins avaient des voix normales, des voix fraîches et fortes de gens habitués à l'espace et au grand air, nous avions les voix de gens qui partageaient une cellule exiguë avec un personnage qui s'appelait Tourment.

Il y avait un clair de lune brutal dehors, éclatant comme une déclaration de guerre. La fenêtre était restée grande ouverte. Sara voulait que je vienne sur le même matelas qu'elle, elle gémissait niaisement :

— C'est triste de dormir tout seul.

Et comme je ne répondais pas, elle recommençait :

— C'est triste de n'avoir que des frères. On dort toujours toute seule.

Comme je la croyais enfin endormie, elle repartait dans sa litanie :

— Pour une fois où je pourrais dormir avec quelqu'un...

Et puis :

— Il y a des gens qui disent qu'ils veulent être votre sœur et ils ne sont même pas capables de dormir avec vous.

J'ai failli crier « menteuse, je n'ai jamais dit *sœur* », mais au ton geignant de sa voix, j'ai senti qu'elle s'endormait, elle parlait en dévalant la pente du sommeil, dans quelques instants je serais libre, je pourrais sortir.

Je me suis levée. Et aussitôt Sara a sauté sur son matelas :

— Où vas-tu ?

— Je vais faire un tour, ai-je répondu du ton le plus dégagé possible.

— Ne me laisse pas toute seule, s'est mise à supplier Sara, j'ai peur dans cette maison. Vous me faites tous peur. Tirésia me fait peur. Et Nicole. Et ton père. Et Dan, cette façon qu'il a de regarder en dessous.

Je me suis recouchée. J'étais vaincue. La lune était énorme dans l'embrasure de la fenêtre. Il me semblait qu'elle fermait la sortie comme une lourde porte d'acier poli. Je rêvais peut-être. Au milieu de ce rêve, il me semblait aussi entendre la voix de Dan qui m'appelait, mais très faiblement, et soudain quelqu'un m'appelait réellement, c'était Tirésia :

Elle était penchée sur moi.

— Estelle, viens.

On criait affreusement dans la maison. C'était notre mère, son cauchemar. Mais pourquoi Tirésia m'appelait-elle ? D'ordinaire, notre père téléphonait à Minor, Minor venait, et elle se tenait à mi-hauteur de l'escalier, dans le tournant obscur, où nul ne faisait attention à elle, appuyée à la rampe. Mais cette fois, je la sentais bouleversée. Et notre mère criait, criait. Comme toujours les mêmes mots revenaient, ceux auxquels nous étions si habitués que nous ne les entendions pas vraiment, nous ne percevions que le tourbillon de souffrance qui les jetait dans la maison, le crépitement d'un feu qui les attisait et les jetait partout dans la maison comme des brandons rougeoyants.

— Estelle, disait le corps de Tirésia penché sur moi, va parler à tes cousins, empêche-les de venir, il ne faut pas qu'ils voient Nicole, emmène-les...

Du corps de Tirésia se déversait un flot de supplications tumultueuses, des remous qui tournaient sur eux-mêmes et repartaient et ne savaient où aller. Je ne lui avais jamais connu une telle agitation, elle me regardait différemment aussi, comme s'il y avait entre nous une connivence particulière, qui se révélait pour la première fois. Elle s'en remettait à moi.

Même notre père n'agissait pas ainsi à mon égard. Il me parlait comme à une épouse, je l'ai dit, mais à une épouse de qui il n'attendait rien, sinon de l'écouter et de le soutenir par cette écoute.

Je lisais sur le corps de Tirésia une anxiété inaccoutumée, qui n'était pas causée par l'état de ma mère. Nicole criait comme à l'ordinaire, et notre docteur allait arriver. Dans quelques instants elle aurait sa piqûre, notre docteur lui parlerait, elle se calmerait, nous connaissions tout cela.

Ce n'était pas pour notre mère que Tirésia s'agitait, mais pour cet intervalle de temps où nos cousins pouvaient sortir, aller dans le couloir, aller à la porte de la chambre de nos parents, voir ce qu'il y avait à voir et que j'avais vu la première fois, peu de temps après la naissance de Dan, et plusieurs fois ensuite sans doute.

— Dan n'est pas là, disait-elle aussi, il n'y a que toi, Estelle, fais vite...

Déjà la porte de la chambre en face s'ouvrait. Derrière moi Sara se levait, venait me rejoindre d'un air somnambulique. Tirésia avait disparu.

Il me semblait rêver, être en plein milieu d'un cauchemar qui incluait le cauchemar de Tirésia, lequel incluait le cauchemar de notre mère, et il me semblait que les cauchemars pouvaient ainsi s'emboîter à l'infini, qu'on ne sortait de l'un que pour entrer dans l'autre et ainsi dans des cauchemars de plus en plus vastes jusqu'au dernier qui engloberait tout l'univers.

Mais même à l'intérieur des cauchemars, il peut faire beau soudain, et ce cauchemar-là avait un cadeau pour moi. Les deux cousins du milieu, ceux qui étaient en année préparatoire et première année de médecine, et l'aîné, celui qui étudiait les maladies mentales, semblaient tout à fait calmes. Ils étaient tous trois devant la chambre, dans le couloir sobrement éclairé, grands, torse nu, en short, il y avait sur leur visage l'ombre rude de la barbe qui avait poussé, soudain je me suis tranquillisée, comme si c'était à moi qu'on avait fait une piqûre, c'était un état satisfaisant à l'intérieur duquel je pouvais éprouver et me dire des choses de ce genre : par exemple que je n'avais jamais rien vu d'aussi extraordinaire que ces trois jeunes gens en short dans notre couloir, avec leur air tranquille et décidé.

— Sara et Esty, a dit l'aîné, venez dans notre chambre.

— Mais qu'est-ce qui se passe, gémissait Sara.

— Ce n'est rien, a dit Paul. Tante Nicole a des cauchemars, tu sais bien, on t'a déjà expliqué.

— Mais c'est affreux, disait Sara, c'est affreux, on ne m'avait jamais dit ça.

— Mais si on t'a dit. Arrête de couiner, et venez avec nous.

Nous les avons suivis dans la chambre et ils ont entrepris de jouer au Monopoly avec nous. Mais les cris nous paralysaient.

— Il n'y a pas un autre endroit dans la maison où on pourrait aller ? a demandé l'aîné. Esty ?

Il s'adressait à moi. Il me regardait droit dans les yeux. Ce visage noirci de barbe, marqué par le réveil au milieu de la nuit, ce visage masculin, un visage d'homme où il me semblait reconnaître les traits de Tirésia, que je n'avais jamais vus pourtant, pénétrait à l'intérieur de moi et de son regard d'adulte chassait l'Estelle ancienne, amenait à jour une Estelle nouvelle, fabriquée instantanément pour le monde d'adultes où il vivait.

J'avais l'esprit très clair soudain.

Ce que je ne pouvais savoir, c'est que cette lucidité était bonne et juste dans son univers, mais qu'elle était fausse et mauvaise pour moi.

— Si, ai-je dit toujours dans cet état de tranquillité quasiment médicamenteuse. Je connais un endroit, mais ce n'est pas facile d'y grimper.

— Ne t'en fais pas et montre-nous. Ces cris, ce n'est pas pour vous.

Ce « vous », cela s'adressait à Sara et au plus jeune cousin, Frank. Cela ne s'adressait pas à moi et je me suis trouvée absurdement fière.

— Ce n'est pas qu'ils m'inquiètent, disait encore le cousin, mais ce n'est pas bon pour vous.

— Ce qui m'inquiète le plus, c'est la disparition de Dan, disait un autre cousin.

200

La disparition de Dan ne m'inquiétait guère, moi. Je savais où il était. Il était allé à la grotte et j'étais sûre qu'il y resterait toute la nuit et peut-être le lendemain matin, à bouder, puisque je n'y étais pas allée.

Et en cet instant, sa fuite vers la grotte de notre enfance me paraissait si futile, si enfantine, ridicule. De grandes choses se passaient dans la maison, et il n'était pas là, il était dans sa cachette comme un gamin !

Mais c'est lui qui avait raison. Si je l'avais rejoint, si je t'avais rejoint, cette nuit-là, Dan...

— Dan, je sais où il est, ai-je dit. Tout va bien, inutile de s'en occuper.

Et l'équipée nocturne avec les cousins a commencé : tout d'abord sandwichs à la cuisine, ils avaient une technique efficace, apprise dans les camps d'été où ils étaient tous allés pendant des années, ils m'ont fait chercher une lampe électrique, nous nous sommes organisés pour le transport des couvertures, et bientôt nous grimpions à la queue leu leu vers le toit de zinc, vers le grenier de Dan et Estelle, et c'était Estelle qui les conduisait.

Dans ma chemise de nuit blanche, sous la lune infernalement blanche, un moment, alors que j'étais en haut de l'échelle, la première de la file et parfaitement consciente du regard de mes cousins sur mes jambes nues et mes cuisses, j'ai eu de nouveau le sentiment de la trahison. Et cette fois au lieu d'avoir honte, j'ai été horriblement contente.

La lune était énorme, elle semblait s'être rapprochée pour nous regarder. Je sentais littéralement le halo de lueur blanche nous encercler.

Eclaire bien les jambes d'Estelle, que ses cousins les voient, Estelle n'aime plus son frère. Eclaire bien ses jambes, Estelle est une sorcière, et tant pis puisque son frère n'est pas là, puisque son frère a failli. Je montais lentement vers le haut de l'échelle, la lune dispensait un éclat mat et morbide, et c'était la blanche lèpre d'amour qu'elle déposait sur ma peau.

Un instant je me suis retournée, le pré baigné d'une clarté surnaturelle ressemblait à la surface d'une eau immobile, et le pommier au milieu à un bateau fantôme, voiles figées, dans l'absence de vent. Plus loin les collines faisaient un arc sombre. L'aîné, Sam, qui me suivait, m'a saisi les cuisses.

— Hé Esty, a-t-il murmuré, tu vas nous faire tomber. Qu'est-ce que tu regardes comme ça?

De la soupente, on n'entendait presque plus Nicole. Nous sommes tous passés sur le toit de zinc, nos cousins ont ri en écoutant le récit de nos difficultés premières, eux n'auraient pas eu besoin d'échelle, l'escalade, ils connaissaient. J'ai appris récemment par le journal que l'un d'eux avait été le médecin d'une expédition à skis sur l'Annapurna, mais des trois qui avaient fait des études de médecine, je n'ai pu démêler duquel il s'agissait, et je n'ai pas reconnu la photographie.

Nous avons installé un camp dans le grenier, nous avons même fait un feu, autour duquel nous avons repris le Monopoly. Je pensais à ces guimauves qu'on fait griller au bout de bâtonnets, cela me paraissait terriblement désirable, j'oubliais mon frère, dans sa caverne obscure.

Dans l'intervalle du jeu, nos cousins parlaient de « tante Nicole ».

— C'est dommage, disait l'aîné, pour une si jolie fille.

— Ça ne doit pas être drôle pour elle, disait l'autre, cette situation.

— Si ce n'était pas une situation comme ça, disait un autre, je me la ferais bien.

— Ferme-la, répondait l'aîné. Tu n'es pas le seul ici.

J'entendais leurs paroles comme dans un rêve, ils parlaient en anglais, vite et bas entre les exclamations du jeu, ce qu'ils disaient n'était pas pour moi, je ne connaissais pas assez d'anglais et pourtant j'entendais. J'entendais comme s'il m'était poussé des antennes, les antennes recueillaient toutes ces paroles, se repliaient et venaient les déposer, toutes traduites, en un petit tas net dans un coin de mon cerveau. Moi, j'étais avec passion dans le jeu de Monopoly.

L'aîné, Sam, était assis à côté de moi. Chaque fois qu'il se penchait pour choisir une carte ou déplacer une maison, il mettait sa main sur ma cuisse, pour prendre appui. Le feu jetait de brefs éclats qui illuminaient bizarrement nos visages. Nos regards couraient à travers ces éclairs.

21

La danse de la pelouse

Nous étions sur le perron, mon frère et moi, assis sur la balustrade, les jambes pendantes, nous ne bougions pas.

Nos cousins étaient occupés avec Tirésia, ils écrivaient des lettres pour le Canada, notre père était au garage à regarder danser notre mère, notre mère dansait au son du Teppaz.

La maison respirait sans nous, paisiblement, peut-être cela n'arrivait-il presque jamais, peut-être étions-nous souvent inquiets, aux aguets.

Nous avons senti une paix comme plus jamais nous ne devions en retrouver, quelque chose qui est venu sur nous, une sorte de don.

Beaucoup plus tard, nous avons essayé de retrouver cette sensation, qui devait être la dernière sensation heureuse de notre jeunesse. « J'ai dû penser à la rosée, a dit Dan, il m'a semblé qu'une sorte de rosée pénétrait en moi, et tout était transparence et fraîcheur. » Et Estelle ? « J'ai eu l'impression qu'un fond agité s'apaisait, l'océan courbait le dos, se couchait, tout était étale et je pouvais marcher en moi sans être sur le qui-vive. »

Et puis l'un de nous a dit « si Sara nous entendait » ! et nous avons ri.

Heureusement, au moment en question, elle était en garde à vue à l'étage, contrainte de recopier sur plusieurs lettres son paragraphe personnel, la composition duquel lui avait déjà demandé beaucoup d'efforts, et elle ne risquait guère de venir sur le perron pour y flairer nos métaphores futures et s'en moquer.

Dans la période heureuse de notre vie, mon frère et moi, nous vivions avec des métaphores, elles étaient notre nourriture commune, nous en inventions, nous nous roulions en elles, nous les consommions comme les thés brûlants que Minor nous avait appris à aimer ou les coca-cola à la glace pilée dont nous avions pris le goût à New York, nous les partagions comme des gâteaux, nous ne cessions de les reprendre, de les enrichir, elles s'accumulaient en nous, les plus anciennes devenant références pour les nouvelles et ainsi à l'infini.

Elles étaient les chambres d'écho de notre vie et par elles nous vivions mille vies, dix mille vies.

Lorsque Dan a disparu, ma vie s'est rétrécie brusquement à ma taille, une taille banale, comme si un ciel immense qui était notre dais naturel s'était dégonflé et que sa toile m'était tombée dessus, se resserrant autour de moi, m'emprisonnant.

Au début de notre rencontre, je ne savais comment parler avec Phil.

Et si notre premier rendez-vous s'était fait dans un café ou un appartement, sans doute n'y aurait-il pas eu de suite. Au bout de quelques instants, je serais partie.

J'avais peur à tout instant, peur que mes paroles ne m'échappent, ne se tordent devant moi, ne s'emballent, que quelque chose d'affreux, d'inconvenant ne se passe, j'avais peur de commencer la moindre phrase.

Mais nous ne sommes pas allés dans un café et nous ne sommes pas restés dans une pièce.

« Claire... », a-t-on crié dans la rue.

C'était à la fin de l'été, il y a quelques mois à peine. J'entendais mon nouveau nom pour la première fois.

Phil était en bas devant chez moi.

Perché sur un vélo, pied au sol en plein milieu de la rue, il appelait vers la façade, je crois que c'est à ce moment que j'ai commencé à l'aimer.

Son corps m'a paru extraordinairement vigoureux, il m'a semblé que cette vigueur irradiait dans la rue tout entière, que les fenêtres s'ouvraient sous la pression, attirant les habitants terrés à l'intérieur, que les chiens se mettaient à courir, que les passants levaient leur regard morne, et cette vigueur me faisait crier « j'arrive » et empoigner mon vélo (en fait celui d'une de mes élèves de solfège) et descendre l'escalier, trop vite, maladroitement, le cadre frottant rudement contre ma cuisse, la chaîne crachant du cambouis.

Maintenant je sais que c'était la première fois qu'un être vivant faisait irruption dans le caveau où je me tenais, enfermée avec la mort de mon frère. Cette vigueur de Phil, c'était la présence d'un être vivant que mon corps percevait.

Nous avons traversé la ville, je me concentrais à cause des voitures, camions, motos, mobylettes et puis nous sommes arrivés sur le chemin de halage le long du canal de l'Ourcq, il était trop étroit pour deux, Phil est passé devant, nous avons roulé des heures, sans hâte sur ce chemin assez uni, je gardais les yeux sur le dos de Phil, j'étais hypnotisée par ce dos, le dos d'un être vivant, puissant, où la chemise commençait à se marquer de sueur par grandes plaques, bientôt il me semblait que je ne faisais plus d'effort, j'étais collée à ce dos et c'était de là que partait le mouvement, le sien entraînant le mien, je ne me suis aperçue de ma fatigue que lorsque nous nous sommes arrêtés pour pique-niquer et là non plus nous n'avons guère eu à parler, il faisait chaud, nous mangions, devant il y avait un pêcheur, le soleil nous est tombé dessus à travers la voûte de feuillage, la sueur coulait tout droit du front de Phil et je sentais la mienne qui faisait une rigole entre mes seins, la sueur nous tenait lieu de paroles, et aussi le scintillement de la lumière sur les feuilles de platane, et les reflets moirés sur le canal, et les trouvailles incongrues que le pêcheur sortait méthodiquement de l'eau, puis nous sommes repartis sur nos vélos et ainsi jusqu'au soir, et c'est à cause de cette journée sans paroles avec seulement le crissement des roues sur la terre du chemin de halage que j'ai senti ce que j'appellerais « la reprise d'un chemin », je ne l'ai pas su aussitôt, mais dans le soir, alors que nous revenions vers la ville et que mon regard restait toujours collé au dos de Phil, forme claire devant, en cadence régulière, une gratitude se formait en moi.

Et puis la nuit arrivait, nous avons pris le train à Meaux, accrochant nos vélos aux crochets dans le wagon-fourgon, et dans le train Phil a parlé de la mort d'un ami, qu'il avait suivi à travers sa maladie, je ne sais ce qu'il en disait exactement, le roulement du train et la fatigue noyaient ses phrases, mais il y avait ces mots auxquels j'étais habituée, mort, hôpital, maladie, il était assis devant moi, dans sa chemise qui laissait largement à découvert son cou large et le haut de sa poitrine, la sueur riche et brillante ruisselait dans la toison blonde à l'échancrure, il ne me regardait pas, je l'entendais mal, mais c'était comme une ligne qui venait pêcher en moi ce qui restait de vivant, et pour la première fois, j'ai senti, très loin, mais pas si loin, mes années au couvent se déplacer légèrement.

Elles bougeaient, se poussaient vers le passé, le train roulait à travers les banlieues hérissées de maisons, un soir banal, mon premier soir banal, et quelque chose en moi s'emparait de cette banalité, la buvait, la lapait avidement, je regardais ce train, ces banlieues, les rails, les caténaires, les façades des maisons que le train frôlait, avec leurs fenêtres pleines de vies intimes comme des sexes, et cette banalité venait remplir en moi des gouffres géants, oh Dan toi seul pourrais comprendre de quoi je parle et justement c'était toi que cette banalité recouvrait, elle te faisait descendre, descendre, elle se déposait par-dessus, légèrement comme un duvet, la douce banalité, oh Dan encore des métaphores...

Et je m'emplissais de cette banalité pour t'éloigner, pour me transformer. Je la buvais comme un philtre, pour muer, Dan, pour devenir une mutante.

Il faudra que le philtre soit puissant.

Le visage de Phil était devant moi, pendant notre pause sur la berge, et il me semblait que ce visage était opaque, qu'il ne me renvoyait pas l'eau du canal, les reflets moirés, le frémissement des feuilles, le pêcheur, tout ce qui était là, et le monde tout autour, en cet instant.

A un moment il m'est venu un désir abrupt, comme nous en avions Dan, j'ai eu envie de me jeter contre son corps, d'entendre les bruits de son ventre, de manger l'herbe avec lui, de toucher la terre, de nous rouler dans cette lumière chaude et mouvante. Un reflux qui venait de si loin, Dan, mais je me suis retenue bien sûr, je suis restée à l'intérieur de moi, comme si de rien n'était.

Ces êtres sont ainsi, Dan, ils vivent comme si de rien n'était. Et maintenant je pense que c'est bien, je ne chercherai plus rien d'autre, mon bonheur n'ira plus sans cesse vers le large, il restera en moi sagement et je serai contente, toujours contente, Dan.

Nous étions sur la balustrade, assis côte à côte, et soudain dans une déchirure des nuages une lune est sortie.

— Estelle, tu as vu ? a dit Dan.

— La lune ?

— Elle nous parle, a dit Dan.

— Qu'est-ce que tu veux dire ?

— Je veux dire qu'on la voit, c'est tout. Toi et moi, juste maintenant, nous voyons la lune. C'est ça qu'elle nous dit. Et Tirésia est avec nos cousins, et notre père est avec Nicole, et nous, nous sommes assis sur la balustrade, et c'est ce moment-là et pas un autre. Estelle, jure-moi que tu n'oublieras pas ce moment.

Ma voix s'est mise à trembler.

— Et toi aussi, jure-le Dan.

— Oh Estelle, je n'ai pas besoin de jurer, disait Dan, mais comment saurons-nous quand il faudra se rappeler ce moment, Estelle, comment faire, comment faire ?

— Je le jure, Dan, si tu veux.

— Mais Estelle, ça ne suffit pas de ne pas oublier, il faudrait se rappeler aussi, ce n'est pas la même chose. Et pas seulement se rappeler ce moment-là, mais se rappeler à tout instant...

— Quoi, quoi, Dan ?

208

— Se rappeler que je suis là, que tu es là, que toutes les choses sont là en même temps que nous.

Les phrases qu'il disait, mon frère ! Elles contenaient le monde entier, elles faisaient vibrer tout l'espace autour de nous, du sol obscur du jardin jusqu'au ciel où était la lune, elles étaient la matière même du crépuscule tremblant, *et voici ce qu'elles deviennent, quand j'essaie de vous les donner, elles sont maigres et nues, oh madame, je me désespère, il me semble qu'il n'existe plus de mots pour ces choses aujourd'hui.*
Nous parlions tout bas, étroitement ensemble et ensemble avec le jardin, la lune, les massifs, le crapaud qui chantait sous la dernière marche. Nous n'étions pas seuls, nous étions l'un avec l'autre, et avec nous il y avait tout cela, ce jardin qui se prolongeait vers la ville, vers la forêt, vers l'océan, vers l'espace et l'immense nuit où nageait cette lune.

— Regarde, a dit Dan, un rayon vient de nous toucher.
Et je le jure, nous avons senti quelque chose, la sensation d'un rayon de lune qui nous effleurait, si une telle chose peut exister, et ce rayon de lune était autre chose que lui-même, c'était le doigt de l'univers qui avait pris cette forme pour venir nous saluer, et nous l'avons senti en même temps, mon frère et moi.
Soudain, nous sommes devenus comme fous.
— Viens, a dit Dan, il faut faire quelque chose...
Nous avons sauté de la balustrade, Dan était à genoux, « regarde, disait-il, la trace de nos pieds, notre trace sur la pierre », et il embrassait l'incurvation de la pierre sur le perron, sur les marches, nous descendions à reculons, embrassant la pierre, « là où je pose mes lèvres, tu poses les tiennes », et je l'ai fait, « la pierre, la pierre de notre maison, oh Estelle », disait Dan, et il me semblait aussi que quelque chose d'immense se passait, et puis nous étions sur la terre, Dan embrassait la terre aussi, « même elle, oui », il tenait ma main et la pressait contre le sol, « tu sens, Estelle, le cœur de la terre, comme il bat », et je le sentais, oui, même si je savais que c'était mon propre sang qui cognait dans ses tuyaux de chair, « oh, elle a froid, la terre, nous ne l'avons pas

embrassée depuis si longtemps », et puis nous avons sucé l'herbe, les rêches brins d'herbe jusqu'à ce que nos lèvres se déchirent, « tu saignes, Estelle, moi aussi, c'est cela qu'elle voulait l'herbe, un peu de sang pour un peu de rosée ». Et nous serrions les arbres dans nos bras, nous caressions l'écorce, nous courions à travers le jardin et Dan a voulu toucher le fer de la grille, « la grille, elle aussi », disait-il, et je savais qu'il pensait au cimetière qui se trouvait au bout de notre rue, où nous avions si souvent vu monter les enterrements, collés l'un contre l'autre sous notre vasistas au grenier, oui, tous les barreaux de la grille de notre jardin parce qu'elle ressemblait dans cette nuit de lune à celle du cimetière et que cela aussi nous devions le prendre avec nous.

Je sentais tout ce que mon frère exprimait en cet instant, je le suivais aveuglément, ses gestes les plus fous avaient un sens, et maintenant je ne sais exprimer ce sens.

Mon frère était profondément sage, il avait à sa façon d'enfant connaissance de sa mort, de ma mort, et il voulait nous garder ensemble dans cette mort qui nous durerait plus longtemps que notre vie. De cela, je suis sûre. A cause de ce que j'ai senti ce soir-là et à cause de ce qui s'est passé dix ans plus tard, dans ce même cimetière au bout de notre rue.

Et soudain nous avons entendu la voix de notre père :
— Ces enfants sont fous !
Mais nous n'avons pas pris peur, car Nicole était à côté de lui et elle riait, et notre père baignant dans son rire était sans frayeur et sans jugement.
Le souci qui était toujours en lui s'était dissous en cet instant dans le rire de Nicole et le laissait léger, si léger qu'il nous semblait flotter littéralement dans l'air, comme un poisson de lune.
— Estelle, Dan, voyons ! disait-il.
Mais ses paroles n'avaient pas de poids pour nous arrêter.
— Mais non, disait Nicole, ils dansent, eux aussi. Dan, viens, viens danser pour moi.
Dan est venu sur la pelouse, il me tirait par la main.
— Danse pour moi, Dan, disait Nicole.

J'étais dégrisée soudain, j'étais si médiocre danseuse, mais Dan ne voulait pas me lâcher, il m'a mise au milieu de la pelouse.

— Laisse-la, disait Nicole, tu sais bien qu'elle ne veut pas danser.

— Mets-toi ici, a soufflé Dan, assieds-toi sur l'herbe et je vais danser autour de toi.

— Dan, je ne peux pas, ai-je murmuré.

— Si tu n'oses pas, tu n'as qu'à mettre ta tête dans tes mains comme ça, murmurait-il en plaçant ma tête, mais je veux danser autour de toi.

— Estelle, si tu ne veux pas danser, viens à côté de moi, disait notre père, nous allons nous asseoir sur la balustrade.

— Non, non, chuchotait Dan contre mon cœur, reste, Estelle, sans toi je ne peux pas danser.

J'ai enfoui ma tête dans mes mains, car je ne voulais pas rejoindre mon père et Nicole, et bientôt mon embarras s'est évanoui.

Je n'avais pas besoin de lever les yeux pour voir ce que faisait Dan. Je sentais chacun de ses mouvements, cette danse je la perçois, mais comment la retrouverai-je? Elle n'est écrite nulle part, il n'y a pas de partition ni d'image, aucun support, pas même ma mémoire, il n'y a qu'une trace insistante, parfaitement claire sur mes nerfs, pour laquelle je n'ai pas de langage.

Mon frère dansait pour moi et pour la terre qui nous portait, j'ai senti sa danse qui m'entourait, et au bout d'un moment je me suis trouvée à l'aise, tout simplement à l'aise, et puis notre père a recommencé à parler, il parlait tout bas, je n'aurais pas dû l'entendre, mais je l'ai entendu, et ses paroles m'ont paru si étranges que je les entends encore aujourd'hui.

— C'est de la danse, ça, Nicole? disait-il.

— Chut, disait Nicole.

— Mais, murmurait notre père, c'est cela qu'il apprend au cours de danse?

— Bien sûr que non, disait Nicole, il improvise.

— Toi, tu ne danses pas comme ça, disait notre père.

— Moi, je ne peux pas, mais lui il peut.

— Toi, c'est de la vraie danse.

— Non, disait Nicole, moi ce ne sont que des pas, lui, c'est de la vraie danse.

— Enfin, disait notre père, il ne va pas gagner sa vie avec ça ?

— Pas ici, bien sûr, disait Nicole, mais à New York, oui.

— Tu ne vas pas l'envoyer à New York, Nicole, Nicole ? disait notre père.

— Chut, disait Nicole, ne gâche pas cette soirée.

Leurs paroles passaient comme de minuscules cailloux à travers le filet de la danse de mon frère, je les recevais dans mon cœur où ils s'inscrutaient.

Ils avaient dû parler souvent de ces cours que prenait mon frère. Mon père avait dû être réticent, mais Nicole n'en avait été que plus enthousiaste, elle pensait que mon frère pourrait devenir un grand danseur si seulement on lui donnait de bons maîtres.

Dan allait à ses cours, plusieurs fois par semaine, mais il ne s'entraînait pas dans le garage avec Nicole. A l'époque, je trouvais cela normal, mon frère allait au Conservatoire, notre mère dansait dans son garage bleu, notre père travaillait dans son bureau, et Tirésia avait aussi sa pièce où nul n'entrait. Nous n'avions pas de question à poser sur cet ordre de choses. Et maintenant que je sais tout ce qu'à l'époque je ne savais pas, je trouve cela normal aussi.

Et puis soudain, la porte d'entrée s'est ouverte en grand, nos cousins sont arrivés sur le perron, une lumière raide nous a encadrés, Dan s'est arrêté de danser, je me suis relevée, notre père et Nicole soudain se sont séparés, il me semble qu'ils sont partis chacun par un côté de l'escalier, arrachés l'une à l'autre et soufflés par l'irruption de nos cousins, Tirésia était derrière eux je crois, mais aussitôt elle a reculé à l'intérieur du vestibule, et il nous a fallu nous avancer dans cette lumière que nous n'avions pas suscitée, sous l'œil moqueur de nos cousins, Sara s'exclamait :

— Mais ils sont dégoûtants. Dan, tu as vu comment tu es ? Et Estelle ?

L'un de nos cousins disait :

— De vrais sauvages !

Nous sommes montés sans rien dire, j'avais honte, Dan aussi je suppose, nous avons dû nous laver, puis nous avons dû rejoindre chacun notre nouveau groupe, moi Sara, Dan les garçons. Notre monde ne tenait pas devant le leur.

Pendant plusieurs jours j'ai à peine vu mon frère. Nos cousins avaient opéré une jonction avec notre voisin Adrien et ses propres cousins, ils partaient pour des expéditions dans les collines, Sara et moi et la cousine d'à côté, nous faisions des choses de filles, je ne sais plus quoi, j'étais déchirée à l'intérieur de moi-même et par cette déchirure tout filait, je me souviens que mes notes à la rentrée de ces vacances avaient été très mauvaises. Notre père qui ne se souciait guère de notre vie scolaire, supposant qu'elle se faisait comme il le fallait, s'était inquiété. Il avait reçu une lettre du nouveau lycée où je redoublais mon année de baccalauréat, dans la ville voisine.

— Estelle, quelque chose qui ne va pas ?

— Non, papa, c'était nos cousins, ça nous a perturbés.

— Ah oui, bien sûr, bien sûr, a dit mon père.

Et d'un seul coup, il était bien loin de mon lycée, de mes notes.

— Cette visite a fait du bien à Tirésia, a-t-il dit soudain. Cette visite lui a fait du bien, et maintenant elle lui fait du mal.

— Oui, papa, ai-je dit. Cela passera.

— Ah, a fait mon père de ce geste de la main que je connaissais si bien, un geste d'impuissance.

Cela ne s'est pas passé en effet. Mais je ne l'ai pas vu.

Car la veille du départ de nos cousins, mon entente avec Dan s'est brisée, c'était l'année de mon bac, que j'ai passé et raté en septembre, ensuite je devais redoubler dans la ville voisine, puis partir à l'université pour étudier le droit, et pendant toutes ces années de mes études, lorsque je revenais à la maison, la brisure

qu'il y avait entre Dan et moi était toujours là et toutes mes forces étaient requises sur cette frontière hérissée, douloureuse.
Je n'ai rien vu de ce qui arrivait à Tirésia.

Nos cousins préparaient leurs valises, Sara pleurait et riait alternativement. Sam ne me lâchait plus, il me suivait dans l'escalier, m'attendait devant la porte de la salle de bains. « Estelle, disait-il, ta dernière chance de faire l'amour cette année », je lui disais « tu crois que tu es le seul garçon au monde ? », il disait « je te connais, tu ne feras pas l'amour avec un étranger », et j'enrageais, « qu'est-ce que tu sais de moi ! », et il insistait, « tu es une sauvage, Estelle, je te connais mieux que toi-même », nous argumentions comme des fous au point de ne plus savoir de quoi nous parlions, Dan passait sans cesse, il fallait nous séparer, Sara nous surveillait, elle et moi ne cessions de nous peigner, elle voulait dormir contre mes seins, moi aussi j'aurais voulu, mais Sam entrouvrait notre porte au milieu de la nuit, je n'aurais pas supporté qu'il nous trouve nues l'une contre l'autre, « si tu ne fais pas l'amour bientôt, Estelle, tu vas devenir lesbienne », c'est ce qu'il disait, mais je ne voulais pas faire l'amour avec lui, « mais pourquoi, pourquoi Estelle ? », il enrageait de ce refus incompréhensible, « tu ne risques rien avec moi, je suis médecin quand même », « ce n'est pas cela » je disais, « quoi alors, Estelle, quoi ? », nous arrivions là où il n'y avait plus de réponse, après des heures de ce questionnement j'étais hagarde et lui aussi, « je ne peux pas, disais-je, je voudrais et je ne peux pas », et pour finir, « pas ici », « alors prenons la voiture et allons à la campagne », disait-il.

Mais la campagne c'était encore ici, la terre entière c'était encore ici, je le sentais si fort, Sam était mon premier désir mais il aurait fallu un autre monde pour que mon corps puisse aller en amour avec le sien.

22

Oh laisse-moi te faire l'amour

Ces cousins, j'ai perdu leur trace aujourd'hui. Mon souvenir d'eux est vague, je crois que je mélange les deux du milieu. La télévision a présenté un reportage sur l'expédition de l'Annapurna, le médecin du groupe a expliqué en français pendant quelques minutes les raisons de sa participation, son visage encapuchonné et comme figé par le froid et le soleil ne livrait pas les traits, mais il n'avait pas l'air pensif et les gestes mesurés de Sam, ce ne pouvait être que l'un de ces deux cousins du milieu, les hebdomadaires canadiens et français ont publié certaines parties du journal de bord qu'il écrivait pendant les étapes (camp 1, camp 2, etc.) de leur grimpée à skis sur la face nord de la montagne, j'avais hâte de lire ce journal, il me semblait que j'y trouverais une aide, mais l'Annapurna, comme le récit de Tirésia, ne se laissait pas raconter. Les mots de mon cousin, privés de la neige éblouissante, n'étaient comme les miens que de pauvres cailloux ternes. Je ne lui ai pas écrit.

L'aîné, Sam, était pensif, et calme. Le quatrième, le futur mécanicien d'avion, celui qui était le plus proche de l'âge de mon frère puisqu'il devait avoir seize ans à peu près, était un beau garçon, carré d'esprit, qui aimait l'action.

Ces deux-là, je les revois mieux car tous deux m'ont fait « les yeux doux » comme disait mon père, qui était parfois étonnament sentimental, fleur bleue même, et j'ai été amoureuse des deux.

— Sam et Frank font les yeux doux à Estelle, disait mon père en riant.

Nicole semblait brusquement redescendre parmi nous.

— Dommage qu'ils soient cousins, disait-elle, cela aurait pu se terminer en mariage.

Elle avait sa drôle de voix « interplanétaire », que nous n'aimions pas.

— Mais nous ne sommes pas de vrais cousins !

— Oui, oui, disait mon père, oui...

Puis il s'était écarté, comme cela lui arrivait souvent, mais en m'entraînant, et alors je l'avais entendu continuer sa phrase, qui dans sa tête sans doute ne s'était pas interrompue :

— ,.. enfin les mariages à l'intérieur des familles, quelles qu'elles soient, je veux dire quelle que soit la forme que revêt cette famille, ce n'est jamais bon. C'est de l'endogamie, c'est une forme d'égoïsme, enfin non, je ne trouve pas ça recommandable...

Notre pauvre père s'embarrassait dans ses explications, et comme cette conversation ne me plaisait guère à moi non plus, nous n'y sommes pas revenus, ni lui ni moi. Il m'avait parlé dans l'allée du jardin, comme s'il s'adressait à sa voiture, personne ne nous avait entendus et c'est comme si rien n'avait été dit sur ce sujet.

Il n'empêche.

Nos cousins avaient abandonné les expéditions avec nos voisins dans des collines. Ils restaient à la maison. Nous restions tous à la maison, malgré le beau temps d'été.

Notre père avait fini par le remarquer. Un matin il était arrivé à notre étage, essoufflé d'avoir grimpé les escaliers quatre à quatre et tout équipé d'une façon étonnante (je ne l'avais jamais vu qu'en costume de ville, même à la maison, je pense qu'il avait simplement troqué chemise et cravate pour un gros pull, mais ma surprise était si grande que je n'ai saisi aucun détail de cette innovation vestimentaire).

— Je vous emmène en promenade, a-t-il annoncé d'une voix

tellement poussée au-dessus de son volume normal qu'il s'est aussitôt enroué et qu'il lui a fallu reprendre.

— En promenade, tous, disait-il.

Nous nous étions groupés tous les sept sur le palier et nous le regardions, consternés.

— En voiture, a-t-il ajouté, pour vous faire prendre l'air, pour vous distraire...

Il avait presque l'air de nous supplier maintenant.

Aucun de nous ne bougeait, nous ne voulions pas lui faire de peine, mais nous n'avions pas envie d'aller en promenade. Finalement Sam a pris la parole.

— Vous savez, Helleur, a-t-il dit (c'était ainsi qu'il appelait notre père, ses frères disaient « oncle »), au Canada nous sommes toujours au grand air. Nous sommes vraiment très heureux de rester à la maison avec Dan et Estelle... si nous ne vous dérangeons pas trop.

— Non, non, vous ne me dérangez pas, je n'ai qu'à fermer la porte, la porte de mon bureau, elle est capitonnée, vous savez...

Soudain il a eu l'air très soulagé.

— Vous êtes sûrs ? J'étais prêt à vous emmener. Sam ?

— Absolument sûrs, merci énormément, disait mon cousin Sam avec la plus grande politesse.

Notre père a eu un sourire inattendu, un sourire d'enfant, comme s'il s'en remettait à plus grand que lui.

— Bien, je vais dire à Nicole que nous partons sans vous.

— Helleur, criait Sam du haut de l'escalier, nous nous occuperons de Tirésia.

— Merci, merci, criait mon père d'en bas.

— Et voilà, a dit Sam, se retournant vers nous.

Les yeux de mon frère Dan allaient et venaient, plongeaient dans l'escalier où notre père s'en allait vers Nicole, interrogeaient l'étage au-dessus où devait être Tirésia, puis passaient sur chacun de nous, sur moi, sur Sam. Mais il n'a rien dit.

Moi, je voyais les yeux de mon frère, mais je ne pensais qu'à la victoire de Sam.

217

Nous ne faisions plus que jouer à cache-cache.

C'était pour cela que nous ne voulions plus sortir, que nous restions à la maison.

Jouer à cache-cache, c'était se blottir à deux dans des endroits étroits où on était obligés de se serrer sans faire le moindre bruit pendant que dans la maison mille petits bruits furtifs vous faisaient sauter le cœur, tous pouvaient être ceux des chasseurs sur leur piste, et il fallait se comprimer la poitrine pour ne pas hurler soudain « nous sommes là » et en finir.

Nous nous divisions en clans, les chercheurs et les cachés, et il y avait querelle pour savoir qui serait avec qui. Je me retrouvais avec Sam, ou avec Frank.

Sam me prenait dans ses bras, me serrait à sa manière rêveuse et sans avoir l'air de quoi que ce soit. J'attrapais des crampes et me demandais à quoi il pouvait penser.

Avec Frank, c'était plus simple. Lorsque nous étions tous les deux, à moitié couchés sous la cage d'escalier, il se mettait carrément sur moi et cherchait ma bouche. Je me détournais. Sa bouche dérapait, il m'embrassait sur les yeux, sur le coin des lèvres, dans le cou, mais je ne pouvais le laisser m'embrasser en plein sur les lèvres. J'en avais envie pourtant, tout mon corps en avait envie, mais je ne le pouvais pas. Je pensais que c'était parce que je préférais Sam.

Pendant ce temps partout dans la maison, les autres, par équipes de deux, nous cherchaient. J'entendais Sam qui nous appelait, il y avait de la colère et de l'amusement dans sa voix, il savait bien ce qui se passait avec son jeune frère.

Un grand désir de les rendre jaloux était entré en moi, comme venu de l'extérieur, j'essayais de faire ce que ce désir commandait, mais les ordres n'étaient pas clairs et je n'y arrivais pas vraiment. Je crois qu'en fait tous deux s'étaient mis d'accord, avaient même pris un pari sur lequel des deux me ferait céder, ils devaient être surpris de mon entêtement, Sam surtout qui n'en était pas à sa première aventure et n'avait aucun doute sur mon désir. Son air rêveur ne l'avait pas empêché de promener sa main sous ma jupe :

— Estelle, tu as envie de faire l'amour, disait-il de sa voix calme et amusée.

Et j'avais envie de le battre, de le battre à m'en épuiser les bras, car c'était vrai, et je ne voulais pas que ce soit vrai.

— Estelle, Estelle, dit Frank, j'ai tellement envie de toi, oh laisse-moi te faire l'amour.

Et lui aussi, je lui en voulais, mais moins, car il tremblait un peu et cela me rassurait. Sam était trop fort pour moi. Il était trop perspicace aussi. Cela me faisait peur.

— Estelle, je sais pourquoi tu ne veux pas faire l'amour, disait-il, et je te le dirai si tu veux.

Nous étions dans l'étroit placard à balais, dans l'odeur de poussière des balais, il me tenait serrée par-derrière, la bouche dans mon cou, et je sentais de tous côtés en différents endroits le contact raide des balais et parmi eux le membre de mon cousin qui devait être ce qui se pressait si durement contre mes fesses.

— Je te dirai pourquoi tu ne veux pas faire l'amour, Estelle, continuait mon cousin.

— Je ne te demande rien.

— Mais je te le dirai quand même.

Nous étions descendus loin au fond du champ malgré la pluie, jusqu'à la tranchée qui avait été creusée par le précédent propriétaire à l'époque de la guerre pour se protéger des bombes.

« Quelles bombes, quelle guerre ? » avait demandé Sam. « La guerre, quoi, je n'en sais rien », avais-je dit énervée. Mon frère et moi n'aimions pas l'histoire, il y avait un refus en nous, dans mes révisions j'avais survolé la Première Guerre mondiale et quasiment sauté la Seconde, qui m'avait paru une affaire incompréhensible. Aux deux grandes guerres de mon siècle, je dois mon échec au baccalauréat.

« Ne t'énerve pas, avait dit Sam, tout ce qu'on lui demande à ton bonhomme, c'est d'avoir fait une belle tranchée pour nous cacher ! »

Nous avions pensé que justement à cause de la pluie, les autres ne penseraient pas à venir nous chercher là. La tranchée était profonde, recouverte par des planches pour qu'un animal ou une personne n'y tombe par mégarde, je suppose. A une certaine époque, avant notre découverte de la grotte, Dan et moi en avions tapissé les parois de bouts de toile cirée.

— C'est à cause de ce gamin de Dan. Il te suit partout et te surveille comme un chien. Dis-le que c'est ça, dis-le.

J'ai entendu ces paroles de mon cousin Sam, qui avait sans doute vingt et un ou vingt-deux ans à l'époque, une déflagration s'est faite en moi, ah mon cousin n'avait pas réussi à ouvrir mon corps, mais il venait d'ouvrir une fente dans mon âme et une violence que je ne connaissais pas en est sortie avec une force incontrôlable.

Je l'ai giflé et frappé, loin vers le haut du champ j'entendais Dan qui appelait « Estelle, Estelle », j'entendais sa voix telle que je ne cessais de l'entendre depuis que nos cousins étaient arrivés, lointaine, déchirante, comme au-delà des montagnes, au fond d'un défilé.

Avant l'arrivée de nos cousins, nous étions toujours ensemble, ou si nous ne l'étions pas, nous savions où était l'autre exactement, à n'importe quel moment du jour et de la nuit. Nous n'avions jamais eu besoin de nous appeler.

Mais pendant cet été, nous avons été comme perdus.

Sara m'entraînait à sa façon, Sam et Frank à la leur, ils entraînaient Dan aussi, si bien que nous ne savions jamais où l'autre était. Nous étions égarés sur des chemins qui n'étaient pas les nôtres. Nos pistes habituelles avaient été brouillées, notre territoire envahi par des étrangers, nous ne retrouvions plus nos traces, il nous fallait avoir recours à ce moyen grossier, l'appel, et cela ne marchait pas.

A cause du jeu de cache-cache, et puisqu'on nous mettait nécessairement dans des camps opposés, nous ne pouvions nous répondre, le reste du temps j'étais comme paralysée, la présence de l'un ou l'autre de mes cousins m'empêchait de répondre aux appels de Dan, c'étaient leurs moqueries sans doute, et le poison que Sam avait jeté en moi.

Sara non plus ne voulait pas que je réponde. Elle me voulait à elle seule, pour que je la peigne ou qu'elle me peigne et que nous regardions nos seins et nos soutiens-gorge et nos culottes, je lui étais devenue un miroir indispensable. Et moi ?

Mon désir était si fort qu'il allait partout, mon désir inconnu qui ne pouvait suivre sa pente véritable, débordait comme une rivière et se répandait sur qui était là, n'importe qui. Sur Sara le soir.

« Estelle, Estelle », appelait Dan, et je restais tapie dans la petite chambre, prise dans l'engourdissement des doigts de Sara sur mes cheveux, de mon regard sur ses seins et de son regard sur mes seins, et je ne répondais pas.

Et bientôt il y a eu autre chose. Sara s'est mise à me parler de Dan, elle aussi, mais d'une autre façon.

— Ton frère n'est pas si gamin que tu le crois, a-t-elle dit soudain un soir.

Ce mot « gamin » pour la deuxième fois ! Il m'était intolérable. C'était un mot du dehors, qui n'avait rien à voir avec mon frère et avec moi, un mot de l'immense extérieur où tournaient tous ces êtres humains qui pouvaient tout aussi bien être des extra-terrestres, et Sara parlait leur langue. Seulement cette langue des extraterrestres, elle s'insinuait dans notre monde, elle venait lécher les pourtours de notre vie, elle cherchait une entrée.

J'ai senti ma bouche qui se desséchait. La valétude venait, j'allais me trouver mal, mais je ne le voulais pas, je ne voulais à aucun prix que Sara voie mon trouble, cela m'aurait obligée à le voir moi-même.

— Continue.

— Ecoute, je ne peux pas, minaudait Sara. C'est son secret quand même, et tu es sa sœur aînée, enfin tu vois ce que je veux dire.

— Sara, continue.

Ma voix m'a surprise, une voix autoritaire et glacée que je n'avais jamais entendue à personne, qui semblait venir de quelqu'un d'autre, des êtres qui peuplaient les cauchemars de ma mère peut-être. Mais aussitôt j'ai compris que je n'obtiendrais rien de Sara de cette façon. Avec les extraterrestres, il fallait ruser.

— C'est un gamin, Sara, je ne vois pas ce qu'il peut faire, c'est toi qui imagines.

Oh, la douleur qu'elle m'infligeait. Je ne sais si ses histoires étaient vraies, si elle voulait se rendre intéressante, garder mon attention, je pense maintenant que ce devait être cela.

Sara me voulait pour elle et elle avait senti que pour me retenir tout entière, il fallait me parler de Dan. Et ce qu'elle inventait, ma cousine Sara! Elle aimait la séduction, elle aimait les histoires qui se trament dans les regards, les attouchements furtifs, les mille menues aventures du flirt, c'était comme des paillettes scintillantes dont elle voulait sans cesse se parer, sans lesquelles la vie n'était qu'une loque grise. J'ai été très surprise d'apprendre qu'elle est devenue une bonne mère de famille, un peu trop grosse, et sans autre souci que sa progéniture.

Ce qu'elle me racontait me faisait souffrir, et ce qui était encore plus insupportable, c'est que je ne savais pas pourquoi cela me faisait souffrir.

Ma tête raisonneuse me disait que Dan se développait, qu'il était audacieux et plein de charme, que c'était bien, que j'avais d'ailleurs bien vu cela moi-même, mais dans les fonds sombres de ma chair, des serpents tout noirs se tordaient sans fin, sans fin pendant ce court séjour de nos cousins qui a été comme une éternité et si lourd de conséquences.

Ces serpents sont sortis de moi dans la tranchée où mon cousin me tenait serrée contre son membre que je sentais à travers l'étoffe, lui ont sauté à la figure, c'étaient des monstres griffus venus d'un autre âge, semblables à ceux qui figurent sur le porche de l'église de notre ville. Sam se défendait comme il pouvait, je pense qu'il avait reconnu la crise nerveuse et ne s'effrayait pas outre mesure, je devais être effrayante pourtant.

La pluie tombait dru, j'entendais Dan, loin encore, mais je savais qu'il nous découvrirait, car il connaissait cette cachette.

Si habilement que je me cache avec l'un ou l'autre des cousins dans la maison ou dans les environs, Dan ne pouvait que me retrouver, et cela ajoutait à la tension du jeu une agonie étrange, insupportable, quelque chose qui ressemblait à un spasme indéfiniment différé, lorsque j'ai commencé à me masturber, très peu de temps après cette période, il m'a semblé que c'était exactement cette situation que je reproduisais.

Nous avons roulé dans la boue au fond du fossé, Sam et moi, il me giflait maintenant je crois, pour me calmer, mais il m'embrassait en même temps, et je l'embrassais et le battais aussi. Chaque appel de Dan me parvenant à travers la pluie d'un point ou d'un autre du champ, de tous les points cardinaux semblait-il, renouvelait ma fureur, ma violence. Nous avons dû avoir un orgasme tous deux, moi sans le savoir vraiment, mais cela ne m'a rendue que plus véhémente, il me semblait qu'après un accès de fureur en surgissait toujours un autre, que cela ne s'arrêterait pas, nous étions couverts de boue, et de sang aussi, à cause des planches ou des branches je ne sais, ou peut-être de nos lèvres qui se mordaient, où était-ce mes règles, « calme-toi », disait Sam, mais bientôt lui non plus n'arrivait plus à se calmer, et soudain Dan s'est trouvé au-dessus de nous.

— File, lui a crié Sam.

Mais Dan est tombé sur lui comme une pierre. C'est à peine une métaphore. Il m'a semblé que Dan d'un seul coup perdait conscience, régressait à travers les âges, se pétrifiait, devenait pierre. Il est tombé droit sur Sam. Sam a voulu l'attraper, mais ses mains étaient visqueuses, Dan s'était déjà élancé hors du fossé, et voilà que de nouveau il chutait, inconscient et compact, comme un rocher, sur notre cousin.

Ma fureur est tombée. J'ai vu Dan, ma sollicitude habituelle était là en moi, soudain. J'avais peur qu'il ne se fasse mal.

— Dan, attention, arrête, ai-je crié.

Et Dan a dû reconnaître ma voix ancienne, celle d'avant nos cousins, il a semblé sortir de sa densité de pierre, et j'ai entendu sa voix normale, la vraie voix de mon frère ·

— J'arrête si tu sors de là.

23

Gouttes d'eau

— Bien, je sors.

C'était nous à nouveau. Nous, mais pas tout à fait nous.

Mon frère ne m'a pas aidée à grimper hors du fossé. Il restait au bord, très raide, sans me tendre la main. J'ai senti la morsure d'une douleur.

Mon frère venait de m'infliger une douleur, volontairement.

Pendant des années, nous avions joué dans ce fossé, et notre sortie se passait toujours de la même façon : je faisais la courte échelle à Dan pour qu'il grimpe sur le bord, puis de là il me tendait la main et m'aidait à sortir.

A cet instant où je grimpais maladroitement hors du fossé, me salissant encore plus, le corps collé à la terre gluante, dans une position humiliante, obligée de ramper pour passer sur le rebord, j'ai senti la longue colonne des moments où nous nous étions tenus mains et pieds pour nous aider à sortir.

C'était une colonne frêle, faite de ces minuscules instants superposés, mais elle plongeait loin dans le temps, elle plongeait profondément dans notre chair, notre présent s'appuyait sur des centaines et des centaines de frêles colonnes de ce genre, et Dan mon frère venait volontairement d'en briser une.

Sam avait déjà grimpé de l'autre côté. Lui non plus ne m'avait pas aidée.

224

Il continuait à pleuvoir.

Je suis restée immobile sous l'eau qui coulait dans mon cou. Je me concentrais sur cette pluie, la sensation des rigoles dans mon cou, je me jetais dans les bras de la pluie, je l'aimais, je fuyais avec elle vers son domaine, dont les êtres humains ne font pas partie, j'aurais passionnément voulu devenir goutte d'eau, et de fait il y avait dans ma tête cette histoire enfantine d'une goutte d'eau, je voyais l'image où la goutte quitte son nuage pour aller sur la terre des hommes et des animaux, et la dernière image où grâce au soleil elle remonte vers le nuage, vers toutes ses sœurs les gouttes d'eau. L'histoire de Perlette m'avait fait pleurer lorsque j'étais petite, et j'avais très envie de pleurer en cet instant.

Cette première douleur que m'a infligée mon frère, je l'ai fuie en essayant de devenir pluie, eau, goutte, pour rejoindre des sœurs, des êtres non pas semblables, mais identiques, pour me fondre en elles.

Des années plus tard, lorsque mon frère m'infligerait la douleur ultime, la douleur sans appel, j'essaierais de fuir de la même façon, vers des êtres qui ne seraient pas semblables mais identiques, des êtres en qui se fondre, des sœurs aussi, celles qui se mêlent en leur Dieu comme les gouttes d'eau dans leur nuage.

Et cette seconde fois, comme la première bien sûr, ce serait une folie et je me serais trompée.

Nous avons regardé l'arc-en-ciel qui venait de se former, puis il s'est défait, notre cousin Sam avait disparu. Nous avons remonté le pré lentement. Lorsque nous sommes entrés dans la maison, Sara et Frank nous attendaient, « ils sont couverts de saletés ! » s'est-elle exclamée, et Frank, « ça recommence ! ».

Et Sam arrivé derrière eux, déjà changé et propre (personne ne l'avait vu), appuyé à la rampe de l'escalier, disait calmement :

— Il semblerait que ce soit une habitude chez eux.

Oh, pourquoi n'ai-je pas regardé mon frère, avec mes yeux nouveaux d'amoureuse, de jeune fille qui venait d'être caressée, qui venait de jouir, si seulement j'avais pu !

Les forces qui circulaient entre nous auraient trouvé leur vrai chemin, nous aurions pu les saisir, nous appuyer à elles, nous en faire des alliées, oh Dan, qui sait alors ce qui se serait passé, cette année de mes dix-huit ans, cette année de tes treize ans.

A cet instant où j'émergeais du fossé, avec sur ma jupe le sperme d'un autre et entre mes cuisses la chaleur humide de ma jouissance, si je t'avais regardé, Dan, si nos regards s'étaient rencontrés, nous aurions compris, cette idée n'a cessé de me torturer des années, mes années d'aberration au monastère.

Mais nous avons regardé l'arc-en-ciel.

« Mon Dieu, laissez-moi retourner en arrière, laissez-moi revenir à ce fossé détrempé, au rebord où j'étais à demi agenouillée, la tête baissée, où je fuyais dans l'écoulement de la pluie, rien qu'un instant, mon Dieu, un miracle infime. Le temps tout entier doit être étalé devant vous et cet instant est minuscule, mon être est minuscule, si vous ne voulez pas vous pencher, si vous ne voulez pas agir, ôtez seulement votre volonté de dessus moi, et je me déplacerai rapide comme une libellule sur l'eau et seule, par moi-même, je retrouverai cette minute dans l'immense enchevêtrement du temps. »

Voilà ce que je racontais dans mon imbécillité, là-bas au monastère.

La puissance de mon désir était si forte, je me sentais au bord d'un accomplissement, ma pensée ne pouvait s'arrêter une seconde sur ce mot Dieu, ce n'était qu'un objet x, en aucune façon mon affaire, dont mon esprit s'emparait pour prendre appui. Que cet objet x s'enlève au monde, qu'il me laisse dans le flottement d'un temps dénué de lui-même, et alors aussitôt je bondirais vers cette minute. Et Dan serait là, je verrais de nouveau ses bottes de caoutchouc toutes maculées de boue, je lèverais les yeux et alors je saurais si le monde est un ou plusieurs, s'il y a une immensité de mondes possibles tous ouverts en même temps comme en un immense éventail, et à la seconde où je rencontrerais ton regard, Dan, vite je sauterais avec toi dans un autre de ces mondes.

Jour après jour parmi les sœurs j'ai anticipé cet instant, je ne pensais pas à leur Dieu, les prières de leurs livres glissaient sur moi, ne pouvaient me pénétrer, tout mon corps n'était qu'une prière, et ma prière se servait des leurs, je voulais retourner à cet instant près du fossé, à cet instant de notre jeunesse, pour y défaire la mort qui allait venir sur nous.

Un jour, c'était ce moment après le déjeuner où nous avions le droit de rompre le silence, la sœur a levé les yeux vers l'horloge, puis elle s'est appuyée contre la paillasse et elle a dit, de cette façon solennelle et enfantine qu'elles avaient, qui aurait pu me faire sourire à une autre époque :

— Il faut rechercher l'anéantissement de soi.

Elle venait de retirer le bouchon sous l'eau bouillante de l'évier. Ses mains rougies fumaient dans l'air froid, elles les essuyait sur son tablier.

— C'était une grosse vaisselle, a-t-elle repris, comme s'il s'agissait de la même phrase.

La fenêtre grillagée était couverte de buée, on n'apercevait même plus les poules qui picoraient dans la cour derrière. Une autre sœur est venue prendre les hauts récipients de fer-blanc qui s'égouttaient sur la pierre à écoulement, à côté de l'autre fenêtre. Elle les a pendus à leurs crochets, puis elle est sortie. La première sœur avait enlevé son tablier. Quelque chose dans mon immobilité a dû la frapper. L'eau de la vaisselle finissait de disparaître, dans un gros bruit de glouglous.

— ... pour ouvrir un horizon où la lumière de Dieu puisse pénétrer, a-t-elle dit dans la dernière éructation de l'eau, si fort ce bruit grossier qu'il couvrait presque sa voix, et une rougeur a envahi son visage bien récuré.

Il y avait un problème avec l'évier, expliquait-elle, un coude dans le tuyau, qui faisait refluer l'eau, causait de l'humidité dans le mur.

Mais mon cœur avait bondi, il m'a semblé que je ne m'étais pas trompée, cet anéantissement de soi, c'était bien ce que j'étais venue chercher, j'étais venue le chercher pour ouvrir en moi ce vaste horizon où je reverrais enfin le champ d'herbes étincelantes sous le soleil et la pluie, et le fossé boueux, mon frère debout près du fossé et notre cousin déjà parti, et moi à demi agenouillée sur le rebord et levant les yeux, non pas vers l'arc-en-ciel, non pas vers le spectre diapré, mais dans le champ d'herbes étincelantes, vers les yeux de mon frère Dan qui me regarderait, alors le monastère n'était pas une erreur, j'étais bien venue là où il le fallait, les mots de la sœur s'étaient engloutis avec l'eau grasse de la vaisselle, mais j'étais prête à faire toutes les vaisselles de la communauté, jour après jour, dans cette arrière-cuisine archaïque, humide et froide, et bonne...

Toutes ces heures au monastère, dans la chapelle, dans ma cellule, dans l'oratoire!

A la fin je ne cherchais pas même à te retrouver, non, je n'avais plus assez de force, je n'avais plus que cet obsédant désir de savoir, de savoir s'il existait d'autres mondes, ouverts en éventail à côté de nous à chaque instant, cela m'aurait suffi, cela aurait calmé ma brûlure, je me serais dit que Dan et Estelle quelque part vivaient, sans moi mais ensemble, cela aurait été une consolation, infime sur ma brûlure, mais une première consolation.

Peut-être y avait-il un temps où notre vie n'aurait pas été cet affreux saccage, où je me serais couchée chaque soir contre ton dos, comme je le faisais au court temps de notre bonheur, contre ton dos, Dan, comme un coquillage sur un rocher, et nous nous retournions au milieu de la nuit, et alors c'était toi le coquillage et j'étais ta chair intérieure, tout le temps où nous avons dormi ensemble, nous avons dormi ainsi.

Chaque soir, Dan, jusqu'à ce que nos corps se défassent ensemble, et alors nous serions allés ensemble dans la terre comme tu le voulais tant.

Comment raconter ces choses, madame, paraissent-elles étranges, paraissent-elles rebutantes, parle-t-on de ces choses dans le monde où vous êtes, je ne sais pas, madame, elles appartiennent au corps, pas aux mots, pas aux phrases...

Je ne compte ni sur les mots ni sur les phrases pour les faire comprendre, je compte sur les autres, ceux qui se sont un jour couchés contre un être qu'ils aimaient, ceux qui ont un jour perdu cet être, ceux qui ont vu un fossé humide où descend un cercueil, et dans ce cercueil, dans cette boîte du cercueil il y a la chair de leur amour, ceux qui pour le restant de leurs jours essaient de vivre à reculons, comme des animaux dénaturés.

Ces pitoyables monstres, je les devine dans le métro, dans la rue, je sens en eux cet effort contre nature qui tord leur vie, tous mes sens sont alertés, je flaire le passage de ces êtres dont je suis, il y en a beaucoup, je ne sais ce qu'ils font à la vaste trame du temps, parfois il me semble qu'ils doivent ronger cette trame comme des mites, et que le temps va s'envoler en poussière, c'est ainsi que je vois la fin du monde parfois.

24

C'est physique

Je passais des bras d'un des cousins à ceux de l'autre, puis je retrouvais Sara qui me parlait de mon frère, de ses frères et de nos voisins, nous regardions nos corps, Sara disait qu'elle avait fait l'amour avec mon frère, « et il sait tout faire, Esty », je l'écoutais et cette phrase ne pénétrait pas ma tête, elle errait au milieu de la turbulence qui était venue sur nous, mes seins étaient constamment douloureux, je quittais Frank pour tomber sur Sam, et la nuit il y avait Sara à côté de moi, avec son corps ivoire, ses jambes entrouvertes, dans la lueur de la lune.

— Ne ferme pas les volets, Esty, c'est comme fermer son corps.

Nous laissions les volets ouverts et la fenêtre aussi, et nous parlions de toutes les rencontres de la journée, de ces petits événements d'amour que nous commentions à l'infini, que Sara commentait, je posais des questions, m'endormais à demi, on entendait marcher dehors sous nos fenêtres, « Esty, il y a des rôdeurs », soufflait Sara à mon oreille, je me réveillais, nous écoutions le cœur battant, « je vais fermer la fenêtre », suppliais-je, « non, non, Esty, murmurait Sara le souffle oppressé, non, j'aime avoir peur », et je l'écoutais avec stupéfaction, « tu aimes avoir peur ? », « mais bien sûr, et toi aussi, tu voudrais bien que nous soyons violées ensemble par celui qui marche dehors », et je jetais toute mon âme pour essayer de la convaincre, « non, Sara, non, je n'aime pas la peur », mon cœur battait une folle chamade, est-ce que je mentais, est-ce que j'aimais la peur ?

Je ne savais comment convaincre Sara, c'était une sirène, elle m'entraînait dans des vertiges, je ne savais comment lutter, et pourtant je luttais, nous argumentions à voix basse, sa voix était moqueuse, la mienne désespérée, aujourd'hui je sais que j'avais raison, je ne pouvais aimer la peur car je vivais dans la peur.

Dans cette maison protégée de notre enfance, au milieu d'êtres aimants, mon frère et moi avons eu la peur sans cesse autour de nous. C'était une ombre monstrueuse qui nous guettait, qui nous a rattrapés un jour, et nous le pressentions.

Pour Sara, la peur était une toute petite anguille qui venait lui picoter les jambes parfois, dans l'eau douce où elle vivait. Mais comment aurais-je pu expliquer cela ?

Mon esprit se mordait de tous les côtés, nous ne pouvions dormir plus d'une heure de suite, Sara revenait à la charge.

— Esty, chuchotait-elle à moitié couchée sur moi, il y a quelqu'un dehors, je t'assure.

On marchait dans le jardin.

Soudain l'énervement de Sara, que j'avais tenu en lisière avec toute la force de mon esprit raisonneur, a pénétré en moi. Je l'ai repoussée et me suis assise.

— Il faut y aller, ai-je dit.

Ma voix tremblait.

— Mais il faut prévenir les garçons d'abord, a dit Sara.

Bien sûr c'était cela qu'elle avait en tête.

Mais je redoutais le corridor obscur, et plus encore je redoutais de frapper à la porte de mes cousins. Mon frère ? Je ne pensais pas à lui. Il était dans la constellation de mes cousins, il y était comme noyé, je me sentais livrée à Sara et à son monde où tout m'était étranger. Puisqu'elle le disait, oui, il pouvait bien y avoir des rôdeurs dans le jardin, ils pouvaient entrer par notre fenêtre, ou par une autre fenêtre, ailleurs dans la maison.

— On n'a pas le temps, ai-je chuchoté.

Nous nous sommes levées en silence, nous sommes allées vers la fenêtre, l'une par le côté droit, l'autre par le côté gauche, chaque trébuchement nous faisait battre le cœur. Si nous allions nous trouver nez à nez avec un visage, avant d'avoir le temps de ramener les battants, de tourner la crémone ?

C'est ce que chuchotait Sara, « qu'est-ce qu'on fait s'il y a quelqu'un dans la fenêtre ? » soufflait-elle, je lui disais « tais-toi », car séparée de son corps quelques instants, je m'étais retrouvée moi-même, et d'un seul coup c'était ma peur à moi qui m'était revenue, la peur ancienne qui nous avait servi de berceau à Dan et à moi, je la sentais là, tout près, j'aurais voulu revenir en arrière.

Il me semblait qu'il ne fallait pas aller à cette fenêtre, ni entendre ces pas, ils n'avaient rien à voir avec nos énervements de jeunes filles, mais déjà Sara s'écriait, s'écriait en chuchotant :

— Ça alors, viens voir !

Rassurée mais encore plus excitée, Sara était passée de mon côté, elle me tenait le cou.

— C'est ton père, Esty, c'est ton père.

C'était mon père, oui, qui marchait lentement, à sa façon habituelle, sauf qu'il n'avait pas les mains derrière le dos.

Ses deux mains tenaient la main de quelqu'un d'autre. Avec cette personne il marchait précautionneusement, et la façon qu'ils avaient d'aller tous les deux était si particulière, on aurait dit deux fantômes d'un monde disparu, deux fantômes profitant d'un relâchement dans la vigilance du présent pour regagner un passé perdu, ils marchaient comme des réfugiés, des rescapés, qui savent qu'ils vont être repris bientôt.

Tout cela je l'ai senti en une seconde. Mais ce n'était pas important, car cela ne m'était pas une découverte.

Ce que je voulais surtout, c'est que Sara n'insiste pas, ne pose pas de questions, je voulais que nous retournions vite à l'état de non-question où Dan et moi avions réussi à nicher notre vie, mais Sara ne pouvait se contenir.

— Esty, c'est elle, tu te rends compte, c'est Tirésia.

Et puis j'ai vu qu'elle se ressaisissait.

Elle faisait grand effort sur elle-même, ma petite cousine, on avait dû la chapitrer férocement, comme ce devait lui être dur, à ma petite cousine pulpeuse et sensuelle, si avide de bavardages et d'historiettes, jolie petite sangsue du temps présent, qui voulait sucer avidement tout ce que ce présent déposait devant elle, tout sucer et dans la seconde même.

Mais il y avait là quelque chose de plus fort qu'elle, elle a reculé, tiré le rideau, lentement pour ne pas faire grincer les anneaux, et nous sommes retournées à nos matelas respectifs, sans un mot, et enfin nous nous sommes endormies.

Et puis je me suis réveillée.

J'étais brutalement et entièrement réveillée, comme si un clairon avait sonné à l'intérieur de moi-même.

Sara ronflait, elle était profondément endormie, sa chemise relevée jusqu'au cou, mais son corps ne m'intéressait plus. J'étais en alerte, et je ne savais de quoi. Je me suis dis que j'avais soif. La maison semblait entièrement paisible, mes cousins devaient dormir eux aussi, en tout cas je ne pensais plus à eux. Je sentais la voie libre pour moi dans la maison et sans presque m'en rendre compte, je me suis retrouvée sur le palier, en haut de l'escalier.

Toutes les portes du couloir étaient fermées, à l'étage au-dessus aussi le silence était épais, j'étais sûre que Tirésia était dans sa chambre et dormait, j'en avais une certitude presque surnaturelle, mais il en était toujours ainsi en ce qui concernait Tirésia, entre elle et nous il ne pouvait y avoir que du savoir, opaque et immédiat, et en cet instant je savais qu'elle était allongée sur le lit, tout habillée, apaisée par cette promenade avec mon père dans la nuit du jardin, et que pendant quelques heures, elle goûterait elle aussi l'oubli et le sommeil.

J'ai descendu l'escalier, j'avais si soif soudain, je pensais à la cuisine, à l'eau fraîche qui coulerait du robinet. J'étais déjà dans le vestibule, où il faisait sombre mais pas entièrement nuit car la porte de la cuisine était entrouverte et, par elle, filtrait un peu de la lumière lunaire du dehors. Et soudain je me suis heurtée à quelqu'un.

C'était mon frère. Lui aussi avait eu soif sans doute et sortait de la cuisine où il n'avait même pas allumé.

Je dis que nous nous sommes heurtés, mais cela ne peut être possible. J'ai dû voir son ombre devant la porte de la cuisine, découpée sur la faible lueur de la lune. Lui aussi a dû me voir, une ombre au pied de l'escalier. Nous avons dû être à un mètre ou deux l'un de l'autre, et pourtant nous nous sommes heurtés violemment, comme si nous avions fait un faux pas, comme si la terre avait bougé sous nos pieds, comme si quelqu'un dans notre dos nous avait projetés brutalement en avant.

Cela s'est passé très vite, ce moment qui devait détruire notre jeunesse.

Mon frère me serrait dans ses bras, il était si grand dans l'obscurité, ce n'était plus mon frère, c'était exactement celui que j'avais attendu, celui qu'aucun de mes cousins n'avait pu être et que je trouvais enfin dans cette obscurité, et je me serrais violemment contre lui, emportée par cette brutale rupture de l'attente, mes seins se tendaient sur sa poitrine et je sentais son sexe dur contre mon ventre. Il a cherché ma bouche, j'ai hésité une fraction de seconde, par terreur, par amour, déjà c'était fini.

Je reconnaissais le visage de mon frère, lui me reconnaissait, il s'écartait brutalement et j'ai entendu sa voix qui disait : « c'est physique », ces deux mots seulement, d'une voix cassante, et pendant des années cette phrase comme un rasoir n'a cessé de découper de nouvelles lamelles dans mon cœur, qu'avec toutes mes forces je ne cessais de recoudre.

Images excessives, ne les rejetez pas, ne riez pas, madame, elles ne sont pas fausses, seulement « déplacées », dans un lieu qui existe parce que je l'ai connu, il y a de la chair nue et rouge et des lames qui coupent au travers, vicieusement, sans arrêt.

« C'est physique. »

En une seconde, nous étions devenus ennemis.

Analyser ces mots était inutile, ils ne pouvaient que me déchirer, encore et encore.

Si ces mêmes mots étaient venus d'un de nos cousins, ma bouche les aurait répétés à Sara, la bouche de Sara les aurait repris, nous les aurions décortiqués et commentés des heures durant avec excitation.

« C'est physique. »

La phrase de mon frère était une flèche au bref parcours, et là où elle devait entrer, elle s'est fichée pour devenir invisible.

Je ne sais comment Dan et Estelle ont regagné leur chambre respective. Il y a pas de souvenir entre les deux rives de cet instant. Un silence compact est tombé sur les mots de Dan, sur notre brutale étreinte, un silence qui semblait fait d'un matériau réel mais pas véritablement de ce monde, un silence de météorite.

Nos cousins sont partis le lendemain matin. Ils ont écrit quelques cartes de Montréal pendant les mois qui ont suivi, puis nous les avons tout à fait perdus de vue. Je n'ai pas eu mon bac en septembre, je suis partie dans une autre ville, puis à Paris pour la faculté. Dan est resté seul à la maison. Je savais par les lettres de mon père qu'il ne s'intéressait plus qu'à la danse. Mais au lieu que cette passion le tienne à la maison, comme notre mère, elle le tenait au-dehors. Il passait maintenant toutes ses soirées au nouveau Conservatoire à l'autre bout de la ville, mon père pensait qu'il ne ferait plus d'études. A travers ses phrases, je comprenais que Dan n'était presque plus à la maison, qu'il avait une bande de camarades que mon père n'approuvait pas, que notre foyer s'était disloqué. Notre mère s'enfonçait dans son rêve. « Je ne crois pas qu'elle soit choisie pour la tournée de sa troupe », disait mon père et j'avais la certitude que ma mère en fait ne faisait plus partie d'aucune troupe. « Tirésia a de l'arthrite dans les mains et se tenir assise trop longtemps lui est pénible », disait mon père et je comprenais que Tirésia ne jouait pratiquement plus du piano et que son lien avec un monde, un monde quel qu'il soit, se défaisait lentement. « Je m'occupe de plus en plus de mes dossiers obligés », écrivait mon père, et je comprenais que lui aussi s'enfonçait à sa façon, il était retourné s'affronter dans son travail au lieu le plus aride, le plus pénible, et il en retirait l'épuisement de ses espoirs, et peut-être une sorte de paix. Car ses « dossiers obligés » lui parlaient une langue que le fond de son cœur comprenait, et cela sans doute lui était un soulagement. Mon père n'avait plus la force ou le désir de se mesurer au monde nouveau, apparemment plus léger, qui naissait, il retournait vers le passé, vers le lieu des enjeux mortels et terrifiants, c'étaient ceux qui avaient marqué sa vie et celle de sa famille, le reste du monde ne l'intéressait plus.

Là, d'une certaine façon, je me trompais. Car parmi ses « dossiers obligés » il en était deux sur lesquels mon père travaillait avec acharnement et qui visaient l'avenir, mon avenir et celui de Dan. Mais nous n'avions pas connaissance de ces choses à l'époque.

Je faisais mon droit, et mon père était heureux de mes succès. Je n'étais guère brillante pourtant, mais je passais mes examens les uns après les autres, selon le cursus qu'il connaissait, et cela le rendait heureux. J'ai épousé un étudiant en droit. « *Je suis content de la vie que tu te fais,* m'a-t-il écrit. *Je suis content égoïstement, car comme tu le sais tu es la seule de notre famille qui suit la voie que j'ai souhaitée, je me sens moins seul et plus fort, c'est une grande joie pour moi lorsque tu me parles de tes cours, de tes sujets de devoir. Je vais chercher dans mes livres et cela me rajeunit. Je te suis très reconnaissant de me donner tous ces détails. J'espère seulement que tu ne t'imposes pas une tâche trop lourde en me tenant ainsi au courant de tout ce qui se passe dans ta faculté et dans tes cours. Mais si tu te forces, et je suis sûre que tu te forces tout de même un peu, sache au moins que ce n'est pas en vain. Tes lettres sont actuellement ma plus grande joie, elles me tiennent en forme intellectuelle en quelque sorte, sinon je ne serais bien vite qu'un vieil avocat démodé. Mais, ma chère Estelle, je ne suis pas qu'égoïste. J'ai l'espoir que cette voie que tu suis t'écartera des dangers de la vie, ton mariage avec quelqu'un qui a les mêmes intérêts que toi ne peut qu'affermir ta vie, et puis je reste un avocat, et je pense aussi que cette formation pourra t'aider à te défendre si le besoin s'en fait sentir un jour. Comme tu le sais, je n'ai pas les mêmes certitudes tranquilles pour Dan. Sa mère ne se fait pas de souci pour lui et j'essaie d'imiter sa sagesse.* »

Mon père n'en disait pas plus, ni sur Nicole ni sur Dan ni sur Tirésia. Il parlait beaucoup du jardin, de notre vieux docteur, « *Minor a rangé son samovar, il dit que puisque vous n'êtes plus là, il se contentera d'une casserole, je lui ai dit : " et moi alors ? " et il m'a dit :*

« *Helleur, plus de thé pour vous, c'est mauvais pour votre cœur* », il me cherche querelle plus que jamais, je me demande si cela aussi n'est pas un traitement, s'il n'expérimente pas secrètement sur moi quelque thérapeutique moderne, il faut dire que je refuse obstinément ses petits sédatifs, « *c'est vous qui me donnez de la tachycardie, mon cher Minor* » lui dis-je toujours, *tu vois que nous ne nous améliorons guère !* », il parlait du jeune remplaçant de Minor, de nos voisins, et bizarrement de sa voiture pour laquelle il s'était pris d'un grand intérêt.

Je revenais parfois à la maison. Je n'amenais jamais mon mari et personne ne s'en étonnait.

Si, quelqu'un s'en étonnait, mon mari justement. Je lui disais que c'était mieux ainsi, qu'il ne comprendrait pas et que de toute façon ces séjours m'assommaient. Il n'avait pas beaucoup insisté. Notre mariage lui aussi avait été « sans insistance », quelques récents copains de la faculté et un déjeuner au restaurant vietnamien du quartier, à propos de la cérémonie à la mairie il y avait eu un problème, mais je l'avais aussitôt oublié.

A mes retours à la maison, je voyais à peine Dan. Il était devenu extraordinairement beau, d'une beauté stupéfiante, qui m'était presque une gêne. Nous nous parlions par phrases toutes faites, nous n'avions plus rien à nous dire, et pourtant, quelques jours après, mon père m'écrivait : « *Grâce à toi, nous avons vu Dan plus longtemps que d'habitude* », et pendant des jours la tête me tournait bizarrement lorsque je pensais à cette phrase de mon père, je la recherchais dans sa lettre, la relisais, je ne pouvais me concentrer sur rien.

« Estelle a son quart d'heure colonial », disait mon mari Yves qui avait fait collection d'un certain nombre d'expressions de ce genre pendant son service militaire. Et je lui en voulais sournoisement.

25

Je voudrais que tu ailles à New York

Sur le balcon de Phil, un pigeon a fait son nid. Ce nid se trouve derrière quelques cartons oubliés, contre la grille de séparation. Il y avait deux oisillons au début, l'un d'eux est mort. Le second est devenu gros maintenant, ses ailes d'un jaunâtre sale ont viré au gris, il ne reste plus que quelques plumes de la couleur d'origine, autour du cou, comme une fourrure pelée qui finit de se défaire. La pigeonne n'est plus là souvent. L'oisillon est seul la plupart du temps sur son nid presque entièrement défait, couvert de déjections blanchies, je lui ai apporté quelques miettes de pain, mais il ne semble pas les vouloir, il recule contre la grille quand ma main approche.

Il n'est pas très beau, sa mère l'a déjà abandonné, son jumeau est mort, bientôt il s'envolera et se mêlera à tous les pigeons de la ville, qui meurent, naissent, se reproduisent, si je le rencontrais dans la rue, en train de picorer, je ne le reconnaîtrais pas. Petite chose frémissante (on voit son cœur battre contre le bréchet) tapie dans un coin de balcon, tout petit coin dans la grande ville, qui se mêlera à son troupeau, puis disparaîtra.

Ce pigeon, je ne peux m'empêcher de l'observer.

Phil était dans la cuisine à réparer un joint. Je suis allée sur le balcon, un de ces balcons étroits qui souvent rehaussent les façades des immeubles du début du siècle, un au second, un autre au cinquième, celui de Phil est au cinquième.

Au début, à cause de cela, je redoutais de me trouver chez lui.

Après mon retour du monastère, je vivais à un premier étage, j'avais besoin des conversations de la rue, elles montaient jusqu'à ma fenêtre et, sans effort, cet effort que je ne pouvais faire, je me trouvais prise dans une végétation flottante de paroles, tantôt fournie tantôt clairsemée. Les variations du temps, les défaillances de la santé, les problèmes avec le chien, c'étaient les conversations des gens du quartier arrêtés sur le trottoir, mais il y avait aussi les conversations de ceux qui passaient, comme des navires aperçus un instant et aussitôt disparus, laissant derrière eux un sillage d'interrogations qui me soulevaient un instant. Des vies passaient sous ma fenêtre, j'aurais aimé sortir, drapeau blanc en main, et les héler.

Une fois j'ai cru entendre « Helleur », c'était peut-être « est leurre » ou « c'est l'heure », ou tout à fait autre chose et j'ai failli courir derrière ces gens et crier « quoi, quoi ? ». Le matin le camion des poubelles faisait un tel vacarme qu'il semblait traverser ma chambre et je trouvais que j'avais de la chance de me trouver sur son chemin, d'être au milieu du grondement de la benne, des cris brefs des éboueurs et des insultes des automobilistes. Plusieurs fois par jour il y avait aussi sur le trottoir le claquement menu et précipité des enfants de l'école voisine, leurs appels passionnés.

Je trouvais que j'avais de la chance que la vie vienne me cueillir là où j'étais.

Au cinquième j'aurais été trop haut.

C'était ainsi, madame, après mon retour du monastère : leçons de piano pour le matériel et conversations de la rue pour le social.

Du balcon de Phil, on aperçoit par beau temps les collines autour de la capitale. Il y avait un grand soleil chaud hier, peut-être le premier de la saison. Je me suis aperçue que cela faisait plusieurs fois que je venais dans cet appartement, que j'y avais connu les heures du jour et les heures de la nuit, des saisons différentes déjà.

En somme je réussissais, dans le nouveau contrat que j'avais passé avec les vivants.

Seulement, au lieu de me sentir fortifiée, j'ai éprouvé une faiblesse dans le corps, et aussitôt j'ai redouté la « valétude ordinaire », l'obstinée visiteuse, que deviendrait-elle dans ce lieu qui ne la connaissait pas ? Mon frère et moi savions l'apprivoiser, et au monastère les sœurs ne portaient pas attention aux bêtes de son espèce, mais ici ? Deviendrait-elle enragée de n'être pas reconnue, de ne pas retrouver ses marques habituelles ?

Appuyée sur la barre de fer forgé, je sentais la faiblesse gagner.

J'ai pensé à Phil, qui pouvait venir, je me suis précipitée à la cuisine, glissant presque sur un magazine féminin étalé par terre. « Phil, je fume une cigarette à la fenêtre, tant que le soleil est du bon côté. » Il était affairé sur sa boîte à outils, il ne me regardait pas, « il y en a pour un petit quart d'heure », ai-je entendu. Tout était en trouble à l'intérieur de moi, mais il ne le voyait pas, ça ne se voyait pas, j'ai pris un sachet d'allumettes sur une étagère et je suis repartie en faisant semblant de rien.

En faisant semblant de rien. Je sais bien que c'est cela qu'il me faut apprendre.

La « valétude » avait reculé. Elle était toujours là, voulait que je m'occupe d'elle, mais elle me laissait un peu d'espace pour le faire. De nouveau, je me suis appuyée à la balustrade.

Jusqu'au bout du boulevard, les arbres étaient verts. Sur les pans de trottoirs qui apparaissaient entre les bouquets de feuillage, des gens passaient, bras nus, démarche nonchalante, côtoyant avec flegme le flot bruyant de la circulation. Quelques instants sur le trottoir, puis ils disparaissaient sous la touffe de feuillage suivante, d'autres passants surgissaient, semblables. Les façades des immeubles aussi étaient pleines d'animation, d'une animation nonchalante de dimanche.

Et sur le balcon de Phil, je la voyais, celle que je voulais, Claire, l'une parmi des milliers de femmes qui s'étaient levées tard en ce matin, qui traînaient dans l'appartement, le sexe repu, jouissant du premier grand soleil, entourée de menues pensées féminines, robes et hâles de printemps peut-être, comme dans le magazine, pendant que son amant bricolait dans la cuisine ou prenait sa douche.

Je lui disais « regarde tout cela, les belles façades, le boulevard avec ses voitures et camions qui roulent de tout leur désir de rouler, et la longue enfilade des arbres gonflés de tout leur désir de feuillage, et les passants, et le grand ciel éployé généreusement, pur aujourd'hui de tout nuage. C'est ta ville, ta vie, ton amour ».

Et je lui disais aussi « prends, vas-y, tu es Claire, rien derrière toi que ce qu'il y a là devant ».

J'essayais de l'emplir de tout cela, cette nullité, ce fantôme vide posé par hasard sur ce balcon, mais Estelle par-derrière avait le vertige, le soleil brusquait sa tête, faisait scintiller ces trop beaux éclats de vie, mais entre ces éclats, rien, le vertige.

Le pigeon s'était reculé dans son coin. Une petite plume blanche flottait dans l'immensité bleue. Un avion. Je crois que c'est le premier que je voyais dans le ciel ici, à Paris.

A New York, lorsque je m'étendais sur le muret de Riverside Drive ou d'East River Park ou en n'importe quel endroit au cours de mes exténuantes marches de haut en bas de Manhattan, je voyais les avions, il en passait toutes les minutes, en larges courbes, vers Kennedy Airport.

Mon père m'avait écrit :

« Nous n'avons presque aucune nouvelle de Dan. Je devrais aller là-bas pour le voir, mais tu sais combien je souffre de claustrophobie, je ne sais pas si je serais capable de supporter l'avion, même le bateau, pendant de si longues heures. Et puis je ne pourrais emmener Tirésia, et notre docteur ne pense pas qu'il soit bon que je la laisse seule. J'ai toujours évité de le faire. Lorsque je suis parti, c'était pour un jour ou deux, et encore tu étais là, toi, ma fille.

Nicole parle d'y aller, puis elle n'en parle plus. Franchement Estelle, je ne tiens pas à ce qu'elle retourne là-bas. Cette ville ne lui a pas été bonne, et ses projets ne marchent pas assez bien en ce moment pour que je lui fasse confiance. Elle n'est pas retenue pour la prochaine tournée de sa compagnie, c'est un coup pour elle bien qu'elle ne le montre pas. Je trouve qu'elle danse moins bien, tu sais ce que c'est, il faut la foi, et pour avoir la foi, il faut être un peu encouragé. Mes encouragements à moi ne suffisent pas et puis je n'ai peut-être pas assez la foi. Certains jours elle nous dit que Dan est en train de devenir un grand danseur. Elle nous dit que nous ne comprenons rien au talent de Dan, que nous voulons qu'il échoue, que c'est nous qui le faisons échouer, comme nous l'avons fait échouer elle. Je ne voudrais pas t'attrister, je me rends bien compte pourtant que c'est ce que ma lettre va produire, ne m'en veux pas trop Estelle, parfois je me sens un peu seul, surtout depuis que Tirésia ne joue presque plus du piano et que Nicole danse moins.

Je me rends compte, Estelle, que c'était cela mon bonheur. Entendre, de mon bureau, le son du piano de Tirésia dans le salon et le tapement des chaussons de Nicole dans le garage. Oui, c'était cela mon bonheur, tant qu'il y avait ces deux bruits dans la maison, il me semblait que j'avais gagné, que j'avais gagné mon plus grand procès, que ma défense avait été bonne, que justice avait été faite et le monde rendu à son fonctionnement normal. Toi et Dan, je vous ai pris pour acquis, je devais croire que votre bonheur, votre stabilité suivraient d'eux-mêmes. J'ai dû me tromper. Peut-être aurais-je dû m'occuper davantage de toi et Dan. De Dan surtout. Il me reste encore l'idée que toi, Estelle, tu t'en sortiras toujours, que tu seras toujours là à m'écouter, de ton air réfléchi et sérieux. Peut-être est-ce une illusion, cela aussi. Je pense parfois que je ne t'ai pas traitée comme une enfant et je redoute qu'un jour ta vie se retourne brutalement, cela me ferait chavirer, Estelle. Je vois bien que je compte trop sur toi, que je prends ton soutien pour acquis, que je l'ai toujours fait, ma grande. Bah ne fais pas trop attention à toutes ces confidences complaisantes, mets-les au compte d'un gâtisme précoce, non cela tu ne le voudras pas, j'entends déjà ta voix grondeuse, bon, mets-les au compte de mon inquiétude pour Dan.

En fait Estelle, je me fais du souci pour Dan et si tu acceptais, je voudrais que tu ailles à New York le voir, essayer de le ramener ici, du moins nous rapporter des nouvelles. Les réactions de Nicole ne me disent rien qui vaillent, et moi j'ai peur de cette ville. Tu étais trop petite pour t'en souvenir, mais Nicole s'y est fracassée terriblement, elle était en piètre état lorsqu'elle en est revenue, heureusement j'étais jeune encore et Tirésia aussi et tu étais là. Mais si Dan doit revenir abîmé lui aussi, je ne sais pas qui pourra l'accueillir et l'aider à remonter la pente.

Il est bien possible que j'exagère, que je me laisse entraîner par ces deux femmes trop émotives. Madame mère dit que les garçons c'est comme ça et que ça passe. Et de me raconter de nouveau les frasques d'Adrien avec le

242

propriétaire du bar. Enfin, je ne sais pas. Si tu veux aller voir ton frère, je t'enverrai l'argent du voyage. Nous avons des amis là-bas chez qui tu pourras habiter... »

J'ai aussitôt répondu à mon père que bien sûr j'irais à New York voir Dan, qu'il ne se fasse aucun souci, que cela me faisait plaisir.

Mon père a répondu :

« *Mon Estelle, je suis content, content, tu ne peux savoir à quel point. Mais ne me dis pas que cela te fait plaisir. Je crois que, comme d'habitude, tu veux aider ton père qui n'est pas à la hauteur. Mais ne crois pas que je sois totalement aveugle en ce qui te concerne. J'ai bien vu la distance qui s'est installée entre toi et ton frère. Je ne sais pas quelle en est la cause, peut-être finalement êtes-vous trop différents.*

Mais je crois plutôt que c'est Dan qui a changé. Depuis la visite de vos cousins, il n'a plus été le même, comme si l'irruption du monde extérieur dans notre univers un peu fermé lui avait découvert une autre ligne de vie. L'avait révélé à lui-même peut-être. Il était devenu sombre, lui qui était si rayonnant. J'ai eu l'impression qu'il ne nous aimait plus. On dit " la crise de la puberté ", bien sûr. Mais ça n'a pas été une crise. C'est quelque chose qui s'est installé là, de ce moment de la visite de vos cousins, et qui n'est plus parti. Certains jours il était tout à fait comme avant, comme si la chose avait disparu, mais elle revenait, parfois plus fort, parfois moins fort.

J'ai eu l'impression qu'il ne nous aimait plus. Sa mère surtout. Du moins avec elle, c'était le plus visible. Tu te rappelles comme il aimait danser avec elle, comme ils étaient heureux tous deux dans le garage bleu, tu te rappelles sa danse sur la pelouse. Je n'y comprenais pas grand-chose à sa danse, cela me paraissait un peu bizarre, mais tout de même je voyais bien comme il était heureux, comme il se donnait, son être entier semblait se développer comme un parfum dans l'air de cette soirée, même moi qui ne vois pas toujours ces choses je l'ai perçu. Il dansait autour de toi, sa sœur, et Nicole était assise à côté de moi sur la balustrade du perron, elle le dévorait des yeux, elle était si fière de lui, j'avais peur alors qu'elle ne s'exalte trop, je la sentais si vibrante. Quelle sottise, comme je regrette maintenant cette exaltation ! Je ne savais pas alors ce que pouvait être son abattement.

C'était une belle soirée, comme il y en a si rarement dans notre région, un crépuscule très clair, les ailes fines des chauves-souris filant à travers la transparence de l'air, et toi mon Estelle tu étais un peu gênée d'abord, ça ne te disait rien d'être là au centre de la pelouse, plantée à ne rien faire, tu aurais bien voulu venir nous rejoindre, Nicole et moi, te mettre avec nous au balcon comme au théâtre, je crois même que tu aurais préféré aller te cacher derrière les rideaux du salon et regarder de derrière la fenêtre, bien tranquille toute seule, loin des commentaires et arguties de tes parents, est-ce que je me trompe ?

Mais tu ne pouvais résister à Dan, aucun de nous ne pouvait lui résister, tu t'es mise comme il le voulait au centre de la pelouse, je vois encore comme il arrangeait tes bras, ton cou, et comme tu te laissais faire, comme une poupée dans ses mains, mon Estelle si raisonnable, et après je voyais bien comme tu le regardais par en dessous de ton coude, pas si malheureuse tout compte fait, flattée je crois, est-ce que je me trompe ?

Mais sûrement tu ne te rappelles plus cette soirée, ce n'était rien de particulier pour vous, mais pour moi, Estelle, c'était un moment si heureux.

Je me rends compte que ma lettre tourne à l'évocation émue de souvenirs, c'est que cela me fait du bien de me rappeler ces moments. Je n'ai pas toujours eu l'impression d'avoir donné à Dan assez d'attention, assez d'affection, je te l'ai déjà dit, il me semblait suffisant de m'occuper de Tirésia et de Nicole, et que par ricochet Dan recevrait suffisamment. Et le soir de sa danse, j'avais une sorte de confirmation, n'est-ce pas, d'avoir agi comme il le fallait.

Mais je ne connais rien à la danse. Je pensais que c'était comme le piano. Tirésia était une grande pianiste, mon Estelle, elle avait à peine vingt-cinq ans et pouvait espérer devenir une des plus grandes, je ne sais pas si je t'en ai assez parlé, c'était si difficile, je craignais de peiner Tirésia : rappeler son talent, ses succès, ne pas les rappeler, de toute manière je ne pouvais que la peiner. Et peiner Nicole, qui n'avait pas le même don et ne réussirait jamais comme elle. Souvent j'ai choisi de me taire, j'allais à mon bureau lorsque je ne savais que faire. Quelle image de père j'ai dû te laisser, celle d'un homme toujours dans son bureau ou partant vers son bureau !

Pour en revenir à Tirésia,

(on dirait bien que j'ai du mal à suivre une idée, n'est-ce pas, moi qui t'ai si bien appris à faire des plans et à mener des raisonnements, tu te rappelles ce pensum de tes rédactions, et nos versions latines, il faut que je te dise la vérité sur ces dernières, Estelle, ces traductions avec lesquelles je t'éblouissais, quand tu arrivais presque en pleurs dans mon bureau après de longs efforts infructueux, je les avais lues un peu avant dans mes " auteurs classiques ", que je cachais derrière mes dossiers, et dire qu'ensuite tu courais raconter à Dan

quel subtil latiniste était votre père, et voilà, j'étais pris au piège de votre admiration, et je ne pouvais plus me dévoiler, je m'aperçois que cela me fait tout un effet de te révéler cela maintenant, j'en suis étonné moi-même)

bref pour en revenir à mon souci actuel, j'ai toujours connu Tirésia solide, en pleine possession de son art, et cet art s'épanouissait dans les belles salles de concert pleines d'un public chaleureux et attentif, oui Estelle, c'est cela que je t'ai pas raconté assez, ni à toi ni à ton frère : ces belles salles de concert, pleines de bonheur. Nous avons des photos, je vous les montrerai, si vous revenez ensemble, si Dan a réussi ce qu'il voulait. En tout cas, en ce qui concerne cet art de Tirésia, il croissait avec elle et elle croissait avec lui, le temps était de son côté, et son art aussi.

La danse, cela me paraît bien différent. Je trouve le danseur si solitaire. Il me semble qu'il se dresse contre les lois de la nature, je dois dire des sottises Estelle, mais après tout je n'ai guère d'autre expérience que ce que j'en connais à travers Nicole et Dan maintenant. Il lui faut lutter avec le sol, avec son corps. Tu sais à quoi je pense souvent, Estelle ? Un danseur traîne sur la scène ce sac plein de merde qu'est son corps et il doit le faire briller comme un diamant. Cela tient de l'illusionnisme.

Oui, lorsque je regarde le danseur, je pense toujours à un moment ou un autre à ces mètres d'intestins remplis de merde, à peine cachés par la peau et qu'il est obligé de traîner à travers chacun de ses mouvements. Lorsque je raconte cela à Minor, il me dit " ne venez pas sur mes plates-bandes, je vous rappelle que c'est moi qui fais des dissections, pas vous ", ou s'il est de bonne humeur : " bon, bon, voulez-vous un petit sédatif, Helleur ? ".

Le piano est tout propre à l'intérieur. C'est un ami pour le pianiste. J'avais souvent peur pour Tirésia la veille, ou bien juste avant, au moment où elle traversait la scène, mais dès qu'elle s'asseyait sur le tabouret et que je voyais ses mains, ma peur tombait (j'amenais toujours mes jumelles pour bien voir ses mains à ce moment-là, tu ne savais pas cela, Estelle, même du premier rang d'orchestre), j'éprouvais une paix, et la musique entrait en moi comme dans un espace largement ouvert entre de hautes colonnes.

Le danseur n'a pas d'ami, rien sur quoi s'appuyer, que le sol qui veut le retenir. Tu ne peux savoir la souffrance que j'ai éprouvée lorsque j'ai vu trébucher Nicole, à une représentation. Elle est tombée, Estelle, et c'était une sorte de rupture de barrage ou de tremblement de terre, quelque chose de monstrueux, de l'ordre de la nature qui reprend ses droits et rejette les pauvres

humains prétentieux comme des pantins désarticulés sur le côté. Enfin, je
suppose que je sens les choses de cette façon si exagérée parce que c'est ainsi que
Nicole les sent. Elle n'a pas le tempérament solide qu'avait Tirésia, je la crois
trop fragile pour être une véritable artiste, cet art la domine au lieu que ce soit
elle qui le domine.

    Je ne sais pas ce qu'il en est de Dan. J'avais l'impression qu'il était plus
fort que Nicole, tu comprends ce que je veux dire, Estelle. Je connais bien la
sensibilité de Dan, son émotivité, mais il me semblait plus fort que tout cela.
Je ne m'explique pas bien ce sentiment, Dan me paraissait différent, innocent,
et génial oui, je crois bien. Peut-être n'est-ce que l'effet de la jeunesse après
tout, c'était un si bel enfant, si séducteur.

    Sa danse aussi me paraissait différente de celle de Nicole. Elle était
puissante et ne connaissait pas de peur. Tu te rappelles comme il imitait les
gens lorsqu'il était petit, et pas seulement les gens, mais les animaux, les
plantes et les arbres, et même des choses aussi subtiles que les humeurs du
temps. Il m'a semblé retrouver tout cela, dominé, métamorphosé. Sa danse
avalait tout, le laid, le grotesque, douleur et insignifiance, il était capable de
tout saisir par sa danse et d'en faire de la beauté. C'est ce qu'il m'a semblé
comprendre en y réfléchissant après, après que je l'ai réellement vu danser, cette
première fois sur la pelouse.

    Et je me suis dit qu'il était assez fort pour New York, que là où sa mère
s'était fait broyer il s'exprimerait, il grandirait, et que par retour cela ferait
du bien à Nicole, cela la guérirait de cette souffrance qui s'est plantée en elle
là-bas, elle qui n'avait guère besoin de cela. Et je n'ai pas trop insisté pour
qu'il ne parte pas.

    Enfin, Estelle, pour être tout à fait sincère, je souhaitais peut-être son
départ de la maison. Momentanément bien sûr. C'est étrange à dire pour un
homme de mon âge, mais le non-amour des autres m'est presque insupportable.
Je sens là comme une injustice. Seulement, contrairement aux autres
manquements humains, il n'y a pas de tribunal où porter sa plainte. Et c'est
pourquoi le non-amour me fait tant de mal. Tu sais Estelle, comme j'ai besoin
de " redresser les torts ", pour employer ton expression quand tu te moques de
moi. Mais là, impossible de redresser. Dan ne nous aimait guère ces derniers
temps. Il voyait la danse de sa mère d'un œil critique et ne s'en cachait guère. Il
n'a jamais été dissimulateur.

    Il y a eu une scène, Estelle, il lui a dit que s'il voulait jamais devenir un vrai danseur, il fallait qu'il la quitte. Bon j'ai pris cela comme la rébellion du fils envers la mère, mais Nicole était si peu mère, la pauvre, en un sens elle ne méritait pas cela. A Tirésia, il ne disait rien, mais il avait une façon de regarder ce piano, à table, Estelle, une façon si étrange. Il s'arrêtait tout à fait de manger et restait les yeux fixes. " Qu'est-ce que tu regardes, Dan ? " disait Nicole. Et Dan disait : " je regarde le piano ". Mais il y avait tant de choses dans sa voix, cela me faisait froid dans le dos, vraiment Estelle. Je me demande comment il osait. Parfois j'avais envie de lui expliquer des choses, tu sais Estelle, tu me comprends, des choses douloureuses, mais nous avions décidé il y a très longtemps de n'en pas parler justement, et en parler maintenant, cela ne semblait pas le moment. J'avais juste envie de lui clouer le bec, il me devenait insupportable. Et ce n'est pas un sentiment que je trouve particulièrement honorable.

Il ne m'aimait pas, ces temps derniers. Je ne sais pourquoi, sinon que je ne comprends rien à la danse, il devait me trouver lourd et raisonneur, un jour il m'a dit : " tu viens après l'incendie avec tes gros véhicules qui ne servent à rien, moi j'ai envie de passer à travers le feu ", ou quelque chose de ce genre. J'étais si troublé que j'ai mal entendu. Une autre fois il a dit : " je veux aller droit comme l'éclair ". Il a marmonné quelque chose sur les éléphants d'Hannibal et les poules qui battent les buissons avec de grands bruits d'ailes inefficaces. Enfin, ce genre de choses qu'on dit à l'adolescence.

Mais depuis qu'il n'est plus là, je pense constamment à lui. C'est étrange, Estelle, mais j'ai l'impression que lui parti, nous ne sommes plus que des âmes en peine dans la maison. Ton absence ne m'a pas causé la même impression. Tu nous écris, c'est comme si tu étais toujours ici, tu ne nous as jamais vraiment quittés, d'ailleurs tu vois cette immense lettre que je t'envoie encore.

Laisse-moi te dire cela avant d'arrêter. Je ne suis pas seulement ce père égoïste et demandeur que j'ai bien l'air d'être. Je travaille pour toi et Dan, sur un dossier dont je ne veux pas te parler maintenant. Mais s'il nous arrive malheur, tu trouveras tous les renseignements chez notre notaire, tu le connais d'ailleurs, c'est le frère de votre ancien professeur de philosophie. Si un jour tu veux reprendre la musique et Dan des études, je veux que vous le puissiez, quoi qu'il nous arrive. Ne m'en veux pas d'être mystérieux, il s'agit d'argent et il n'y a rien d'autre à en dire, sinon que je ne veux pas que vous en manquiez, toi et Dan.

Pour l'instant je t'envoie la somme dont je t'ai parlé pour l'avion et le séjour. Je pense que Tirésia aimerait que tu ailles à Montréal voir ses cousins et au cas où cela te ferait envie, je te joins les adresses.

Je t'envoie la somme pour deux billets d'avion, car je suppose que tu voudras en profiter pour emmener ton mari. J'espère bien qu'il voudra t'accompagner, dis-lui que je le lui demande, que cela me rassurerait de te savoir avec lui là-bas.

Adrien est venu nous voir. Il est devenu bel homme. Le mur sous le lilas s'effondre de plus en plus, nous parlons toujours de le faire refaire, mais ni nos voisins ni nous-mêmes ne commençons à nous y mettre. Adrien continue de passer par là et sa mère continue de le gronder comme s'il était encore un petit garçon. Il m'a dit qu'il aurait aimé aller te voir maintenant qu'il a une voiture à lui (une sorte d'engin décapotable qui me paraît tout à fait dangereux et dans lequel je n'ai aucune envie de te voir monter) et de l'argent à " faire péter les poches des garçons de restaurant " (texto, Estelle), mais qu'il n'a aucune envie de promener aussi ton mari car il ne supporte pas les " aventuriers du papier jauni " (j'imagine que le papier jauni, ce sont les livres et revues de droit !). J'aurais pu prendre cela pour moi aussi et me vexer, mais je crois tout simplement qu'il est un peu jaloux. A ton sujet, je veux dire. Et puis tu sais comment est Adrien, il dit les choses les plus vexantes avec tellement d'aplomb qu'on a presque envie de l'approuver. Et finalement il n'est pas antipathique, à cause de cet aplomb et de cette franchise qu'il a toujours eus. Tout de même, je préfère ne pas l'avoir pour gendre. Ses idées politiques sont un peu sommaires ! J'ajoute qu'il était prêt à t'accompagner à New York (" à mes frais, monsieur Helleur, mon billet et celui d'Estelle ", je suis sûr que tu entends sans peine le ton de sa voix) mais que je l'en ai découragé. »

Une autre lettre de mon père est arrivée sur celle-ci, pleine d'inquiétude et d'angoisse, « *que Dan surtout ne s'imagine pas qu'on le pourchasse* », « *nous voudrions tant le revoir* », « *je crains de mauvaises fréquentations pour lui là-bas* », et cette phrase : « *Estelle, je suis si déchiré et il n'y a personne pour m'indiquer le bon chemin.* »

2
à New York

26

L'aéroport

Mon frère m'attendait à l'aéroport. « Kennedy Airport », avais-je insisté au téléphone. « Oui, oui, JFK », avait-il répondu, et j'avais raccroché, toute glacée soudain, n'ayant pas reconnu les initiales, prononcées à l'anglaise.

Je ne le voyais pas et pourtant aussitôt j'ai perçu sa présence, dans ce vaste hall confus où piétinait une foule en miettes. Il était caché par un groupe compact de voyageurs à longues boucles, débarqués d'un avion d'El Al, tous en noir et serrés les uns contre les autres. Et ce n'était pas mes yeux non plus qui l'avaient reconnu, car il n'était plus le même, il ne ressemblait pas à mon frère Dan.

Nous nous sommes regardés rapidement, il m'a tapoté l'épaule, des phrases se culbutaient, « comme tu es bronzé », « toi, tu es pâle », « il faut chercher tes bagages », « où ça ? », « mais là, juste devant », nous nous sommes avancés jusqu'au tapis roulant, où défilaient les valises. Puis nous sommes restés debout, côte à côte, le visage bien droit vers le tapis, bousculés parfois par d'autres passagers mais ne nous détournant pas une seule fois.

Tant de valises qui défilaient, je les regardais hébétée.

Chacune de ces valises était comme une âme qui appartenait à une personne, et ces âmes et ces personnes se retrouvaient, je voyais soudain un bras écarter la foule agglutinée devant le tapis, un corps s'avancer, puis la valise était soulevée, les lames continuaient leur chevauchée, le voyageur et sa valise se retiraient des abords immédiats du roulement et aussitôt, parce qu'il avait retrouvé son âme, il pouvait continuer sa route, bientôt il était entouré de famille, d'amis, et le groupe s'en allait cahotant vers la sortie.

La langue étrangère me saoulait. Jamais je ne m'étais sentie aussi dépossédée.

Je sais qu'il m'est venu une pensée bizarre, le regret de n'avoir pas mon mari avec moi en cet instant. Mon père m'avait envoyé l'argent d'un billet pour lui aussi, mais je n'avais pas voulu que nous partions ensemble.

— Tu as fait bon voyage ? disait Dan.

Les larmes me sont montées aux yeux parce que je ne trouvais pas de réponse.

« Tu as fait bon voyage ? », voilà ce que m'avait dit mon frère Dan en ces premiers instants de nos retrouvailles.

Je ne trouvais pas de réponse parce que je ne comprenais pas la question. Elle faisait un miroitement de facettes et toutes étaient d'étranges petits traquenards.

Il y avait eu quelques turbulences, nous avions été secoués : c'était un mauvais voyage.

Il n'y avait eu que quelques turbulences, l'appareil s'était posé souplement sur la piste : c'était un bon voyage.

Je n'avais jamais pris l'avion auparavant, comment savoir ?

Ou bien s'agissait-il du fauteuil, du film, du repas ? Et à cause du plateau sur lequel était servi ce genre de repas, s'agissait-il de notre enfance, des plats que nous fabriquions le soir après que Tirésia ayant raté encore un autre gâteau nous laissait seuls dans la cuisine ? Dan mélangeant dans la poêle les œufs, le chocolat râpé, des morceaux de pain effrités, riant, riant, puis servant le tout sur le grand plateau de cuivre de Nicole... non, dehors souvenir dérisoire, si lointain de toute façon, la question de mon frère m'égarait.

« Bon voyage ? »

C'était ainsi qu'il me parlait maintenant, mon frère, par phrases si lâches qu'on pouvait y mettre n'importe quel sens, des phrases qui n'appartenaient à personne, faites pour l'emprunt, comme ces chariots de l'aéroport qu'on trouve dans le hall d'arrivée, qu'on charge et puis qu'on abandonne à la sortie.

Voilà ce qu'il avançait vers moi, une phrase d'emprunt, que d'autres avait déjà prise et que d'autres prendraient encore, une phrase qu'un étranger aurait pu me dire, et alors cela aurait été plus simple car un étranger n'aurait pu faire référence qu'aux incidents strictement techniques du parcours, et là j'aurais pu parler des turbulences à mi-chemin au-dessus de l'Atlantique et de l'atterrissage souple sur la piste.

Ou bien était-ce une question pour moi, strictement pour moi, une question pour reprendre les anciens chemins de notre intimité ? Oh Dan mon frère, que veux-tu dire ?

« Bon voyage ? »

Inqualifiable, mon voyage, avec la lettre de mon père dans ma poche et le désir de te revoir, impossible à refréner, qui pressait contre les parois de mon corps, de plus en plus fort à mesure que le temps passait, que les six heures du vol avançaient vers leur fin. Ce désir n'était ni bon ni douloureux, il enflait en moi, pressant contre le siège, contre les parois de l'avion, poussant l'avion vers l'avant, tout ce que je pouvais faire, c'était de respirer, de contrôler ma respiration, de la maintenir tranquille et régulière pour ne pas déranger mes voisins, pour que rien n'éclate, sans que je sache bien sûr ce que c'était qui pourrait éclater.

« Bon voyage ? »

Dan mon frère, pose une meilleure question, une vraie question qui ne pourra venir que de toi, ne pourra aller que vers moi. Les réponses attendent ton appel, elles s'impatientent en moi, leur trépignement derrière mes tempes me fait souffrir, toi seul peux les aider à sortir. Où sont les chiens de chasse de nos esprits, qui toujours couraient ensemble? Le tien est devenu un ours au pas lourd et le mien un lapin à la patte prise dans un piège.

— Alors? disait Dan distraitement.
— Oui, ai-je dit.

Il avait encore grandi, ou peut-être était-ce tant d'exercice qui avait élancé son corps vers le haut. Pour me parler il lui aurait fallu se courber, mais il ne se courbait pas, il restait droit comme une tige, les mains négligemment glissées dans les poches de son pantalon, et me parlait de là-haut, où il y a moins de visages humains entassés, où l'air est plus pur, plus raffiné, où je n'avais pas accès.

Il avait vingt ans.

Son visage était éclatant de beauté, de jeunesse crue et fraîche, rehaussée jusqu'à l'insolence par quelque chose de contraire à tout cela mais que je n'arrivais pas à localiser puisque je n'osais pas le regarder pleinement.

Plus tard j'ai perçu que c'était un pli, qui marquait le sentier d'une souffrance sur son visage, et même lorsque la souffrance dormait, le sentier restait, qu'elle pouvait revenir hanter à tout instant. Plus tard encore, j'ai vu où était ce sentier : il s'était creusé dans le milieu des joues, Dan avait pris une sorte de tic dans les moments où « il ne voyait plus rien ». Il plissait les yeux et cela avait causé cette marque qui frappait sa jeunesse d'un sceau contraire.

L'autre chose qui me déroutait, c'était la couleur de sa peau.

Elle était d'un doré sombre, une teinte profonde et chaude, qui me le rendait étranger, qui le faisait semblable aux images de magazine. Cette beauté, je ne la connaissais pas, elle venait d'ailleurs, de lieux qui m'était inconnus, ceux d'une mégapole au bord de l'océan, traversée de deux grands fleuves, prolongée de plages immenses, secrètement parsemée de penthouses juchées sur le toit de hauts immeubles luxueux avec des terrasses semblables à des jardins, elle venait d'escapades répétées dans ces îles qui ressemblent à de grands nénuphars sur la mer des Antilles, elle

254

venait d'autre chose encore, peut-être, de rayons artificiels dans des clubs pour hommes, je devinais tout cela confusément, qui n'était pas nous, qui n'était pas notre vie, et Dan ne nous en avait rien écrit.

Et moi j'étais pâle, mon corps ne connaissait pas la direction à suivre, était lourdement entravé. Le désir qui l'avait poussé en avant semblait maintenant se retourner à l'intérieur de lui. Et cela me décontenançait terriblement.

Mon corps voulait rester sur la parcelle de sol déjà apprivoisée, si possible revenir en arrière, dans le couloir où il avait suivi le troupeau des passagers, en arrière encore dans l'avion où comme les autres passagers bien parqués dans leurs boxes il attendait, et encore en arrière, bien plus loin... la direction ultime vers laquelle il tendait, vers laquelle il criait sans oser le faire savoir... en arrière jusqu'au jardin de notre maison, sur la pelouse, au centre de cette pelouse tel que Dan l'avait marqué et où il avait enfoncé comme une racine éternelle, ce jour de sa danse fantasque et généreuse, sa première danse d'amour.

— Non, disait Dan soudain, pas bon ton voyage !

Il ne me regardait toujours pas, il surveillait le tapis où il n'y avait plus maintenant que quelques valises, malmenées par les mains étrangères qui les avaient bousculées pour attraper leurs voisines plus fortunées, abandonnées de travers comme de gros corps mous, loin les unes des autres, et qui revenaient après chaque tour, butant contre les rebords au tournant et se positionnant de façon encore plus maladroite, ces valises me donnaient envie de pleurer.

Il y avait des gens encore, qui attendaient autour du tapis, mais valises et voyageurs semblaient incapables de se retrouver et j'entendais le bruit grinçant, désolant du roulement, le léger floc des pattes de caoutchouc qui se soulevaient de loin en loin au passage d'un bagage à l'entrée du tapis, et quelque chose d'autre, un bourdonnement diffus, impalpable, répandu dans l'air, flottant sur les objets, pénétrant tout, et qui était l'étrangeté, le bruit du pays étranger.

— Oh Dan, ai-je dit.

Mais nos élans se frôlaient pour se perdre aussitôt.

— Enfin, Estelle, ce n'est pas possible, il ne reste pratiquement plus rien sur ce tapis. Il va falloir faire une déclaration, what a drag!

Cette conversation que nous avions était si maigre, mais je n'arrivais pas à la suivre, je n'arrivais pas à suivre mon frère.

Ce n'était pas Dan, et pourtant Dan était là aussi, celui qui ne laissait jamais tomber le fil de mes pensées et de mes émotions, à l'instant il venait de le relever, « non, pas bon ton voyage », ou avais-je mal entendu? Il n'y avait déjà plus personne pour me donner confirmation.

Pourquoi ne se tournait-il pas vers moi, pourquoi ne m'avait-il pas embrassée, pourquoi n'étions-nous pas jetés l'un vers l'autre dans un tourbillon brouillon et animé, comme les autres voyageurs?

Je ne pouvais pas l'interroger, je ne trouvais rien à demander.

S'il était mécontent de ma visite? S'il y voyait une surveillance de la part de nos parents? S'il pensait que je venais lui porter un ordre, un ultimatum, ou encore que j'étais déléguée pour vérifier ce qu'il faisait de l'argent qu'on lui envoyait de la maison? Non, rien de tout cela ne me venait à l'esprit, je n'avais jamais vu en Dan un enfant, cette fois-ci moins que jamais. Que lui puisse me voir en aînée venue pour gronder, c'était pareillement impossible.

Je restais figée sur place à regarder défiler ce tapis désolant.

Mais Dan avait dit quelque chose. Et enfin, à retardement, comme si sa phrase avait été elle aussi portée par un tapis poussif et rétif et grinçant, j'ai entendu « Enfin Estelle, ce n'est pas possible... », et j'ai su aussi ce qui avait ralenti la phrase, l'avait empêchée d'arriver directement à mon entendement.

Une poussière, un rien, c'était mon nom, mon petit nom enfin prononcé par Dan : Estelle.

Comme c'était étrange d'entendre mon nom dans cette bouche qui était devenue étrangère. Et le reste de la phrase arrivait enfin à la suite : « Ce n'est pas possible, il ne reste pratiquement plus rien sur ce tapis. »

Ce n'était pas possible en effet, puisque je n'avais pas emmené de valise, mais seulement un sac, mon sac ordinaire, que j'avais gardé avec moi dans l'avion.

Pas de valise parce que je ne voulais pas arriver les bras chargés, donner l'impression que je venais pour longtemps, donner une impression quelconque, je voulais descendre de l'avion comme une coccinelle, me percher sur sa manche, et qu'il m'emporte sans même s'en rendre compte dans les lieux où il vivait, où il mettait son existence.

Un jour, quelques semaines plus tard, nous nous trouvions sur une plage de Long Island où Michael, l'un des danseurs, nous avait amenés dans son taxi, Michael avait levé le doigt vers nous, au bout de son doigt il y avait une coccinelle et il nous avait demandé si nous en connaissions le nom en anglais, ni Dan ni moi ne savions, « well it's a love-bug » avait-il dit en soufflant la frêle créature vers nous, et alors j'avais pensé à ce jour de mon arrivée où je voulais tant être cela exactement, un insecte d'amour. J'ai pensé au jour de mon arrivée, et aussitôt cette pensée a tourné court, comme le faisaient toutes nos pensées à cette époque, nous laissant désemparés dans un air brutalisé d'éclairs invisibles, « what faces you make, avait dit Michael en riant, real weir-dos [1] ! ».

A *weirdo*, certes je devais en avoir l'air, sous la pancarte lumineuse où s'affichait le numéro d'un vol depuis longtemps arrivé, aux bagages depuis longtemps débarqués, mais je n'avais

1. « Quelle tête vous faites ! Vous êtes vraiment bizarres... »

jamais pris l'avion, ne savais comment s'enchaînent les couloirs d'aéroport, et maintenant je n'osais pas dire que nous attendions pour rien, il ne pouvait y avoir de valise m'appartenant sur ce sinistre tapis désert et de plus en plus grinçant, je n'avais pas emporté de valise, et je ne m'étais pas rendu compte de ce que nous faisions, tout debout en ce lieu, oh l'absurde filet et pourquoi mon frère ne m'aidait-il pas en sortir ?

— Je n'avais presque rien dedans, ai-je dit, c'était une vieille valise, partons.

— Il va falloir faire une déclaration, disait Dan, what a drag, et Alwin m'attend.

— Pas de déclaration, Dan, je n'en veux pas de cette valise, elle est usée, elle est abîmée, je l'aurais jetée de toute façon.

— Qu'est-ce qui te prend, disait Dan, tu veux jeter ta valise, et tes affaires ?

— Je veux m'acheter des affaires neuves, des choses américaines, je t'en prie, partons.

— Non, disait Dan. Tu peux te faire rembourser, à quoi bon faire du droit si tu ne sais pas cela !

Il savait si bien ce qu'il fallait faire, lui, Dan. Ce n'était pas la première fois qu'il venait chercher des amis à l'aéroport (« des amis », avait-il dit, étais-je devenue une amie, et qu'est-ce que c'était, une amie ?). Cette disparition des bagages, c'était déjà arrivé à l'un d'eux, un Sud-Américain, et ils avaient déclaré un manteau de fourrure et des bijoux, et l'ami avait été remboursé largement, alors qu'il n'avait eu dans sa valise que quelques vieux jeans et tee-shirts, et ses photos de danseur, son « press book », qu'il avait en double de toute façon sur lui.

Dan, Dan, toute cette vie que tu avais, que je ne connaissais pas, dont tu ne m'avais pas dit le moindre mot, pas une lettre, rien.

Nous passions maintenant devant un jeune douanier souriant. Mon frère lui faisait tout un long discours. « Thanks a lot, Kenny », disait-il enfin, et se tournant vers moi, « c'est un danseur d'Alwin, il m'a laissé passer pour aller te chercher, parce qu'on n'a pas le droit... ». Mais je n'écoutais pas.

— Pourquoi tu ne m'as pas écrit ? disais-je soudain.

Nous étions dans le petit bureau de l'Office des réclamations, on me montrait un papier représentant quantité de bagages différents où il me fallait cocher celui qui ressemblait le plus à celui que j'avais supposément perdu. Je tenais cette feuille en main, à l'envers, comme si elle avait été couverte de signes cabalistiques.

— Tu tiens la feuille à l'envers, disait Dan.

— Pourquoi tu ne m'as pas écrit ?

J'avais trouvé une question, quelque chose qui m'appartenait. Comme elle m'était chère cette phrase, elle me redonnait ma substance et ma force, il me fallait une réponse immédiate, là dans cette pièce minuscule à peine à la taille de l'énorme préposé, si énorme qu'il semblait tenir son bureau sur son ventre, nous avions dû nous placer l'un à droite, l'autre à gauche de cette masse et maintenant nos phrases rebondissaient de part et d'autre de sa grosse tête crépue, qui penchait de côté et d'autre, tour à tour, comme le fléau d'une ténébreuse balance.

— Parce que je ne savais pas quoi écrire, voilà pourquoi, disait Dan.

— Tu ne savais pas quoi écrire ?

— Non, pas un mot, rien.

Et c'était tellement ahurissant, qu'il m'a semblé d'un coup retrouver l'ancien Dan, lorsqu'il me faisait des farces. J'ai reposé la feuille.

— Il n'y a pas de valise.

— Comment pas de valise ?

— Je n'en ai pas pris.

— Tu n'as pas pris de valise !

— Je ne savais pas quoi emporter.

— Tu ne savais pas quoi emporter?
— Non, pas une idée, rien.
— Tu n'as que ce sac-là, sur toi?
— Oui.
— Pas de bagage enregistré?
— Je n'ai pas réalisé ce que nous faisions tout à l'heure, devant le tapis roulant.

Dan m'a regardée un instant. Il m'a semblé que c'était la première fois qu'il me regardait depuis que j'étais arrivée.

— Tu n'as pas réalisé ce que nous faisions devant le tapis roulant?

Puis il s'est mis à rire, il a dit quelque chose à l'énorme agent qui tenait le petit bureau sur son ventre, la grosse tête a cessé d'osciller, s'est penchée en avant pour reprendre le papier, et nous sommes sortis, enfin, sortis de cet aéroport.

27

Le taxi

Dans le taxi, Dan s'est remis à rire, de façon déplaisante.

— Tu es une vraie provinciale, finalement. Ma sœur est une petite provinciale, comme ma mère. Hey, sir, disait-il au chauffeur, my sister is a real simpleton, and my mother is just about worse.

L'anglais s'est inscrit en moi, pour être compris plus tard, mais le français !

Nicole, oh ma Nicole ! Une petite provinciale imbécile... moi oui, qu'importait, je voulais bien l'être, je l'étais, mais Nicole, qui pleurait en dansant sur les pointes de ses chaussons toujours neufs dans son garage tendu de toile bleu ciel, toile maintenant fanée, presque grise, pleurait parce qu'elle ne serait pas une grande danseuse, parce que son fils avait le don qu'elle n'avait pas, et il était parti vers la ville qui l'avait meurtrie, ne revenait pas, ne donnait pas de nouvelles, Nicole si seule dans sa danse et qui pleurait pour d'autres choses obscures que je ne pouvais pas même deviner, son fragile corps de fillette secoué de sanglots, ployé contre la barre, membres à l'abandon... c'est ainsi que je l'avais vue la dernière fois, j'avais entrouvert la porte pour lui dire au revoir, elle n'avait pas entendu cette porte s'ouvrir et elle ne l'a pas entendue se refermer.

J'avais vu le secret de Nicole : une poupée de chiffon s'accrochant à une barre et désarticulée de sanglots.

Je me suis retournée, ma main est partie seule.

Partie seule sans mon accord, je n'avais jamais giflé Dan, même lorsque, enfant, il pouvait sembler insupportable.

Je n'aurais pas pu le gifler, Dan n'avait jamais été un enfant pour moi, mais mon égal, mon seul égal, d'une égalité qui n'avait rien à voir avec l'âge ou le droit, mais avec l'incommensurable puits de la genèse, et à cause de laquelle il pouvait être mon rempart aussi bien que moi le sien. Et il ne m'était jamais insupportable, puisque j'entrais dans toutes ses humeurs, qu'elles étaient les miennes tout aussi bien, qu'elles étaient ma vie.

Ma main s'en est allée pour heurter le visage de Dan, pour dire au visage de Dan quelque chose qu'elle seule pouvait lui dire, quelque chose qui ne se disait qu'à la peau, et il fallait heurter fort au seuil de cette peau pour que le corps tout entier l'entende, pour que le son de ce heurt parvienne au fond des cellules où se recroquevillait l'âme de mon frère.

Comme elle était loin recroquevillée, l'âme de mon frère, comme il fallait frapper fort.

Mais le visage de Dan, prévenu par les signaux secrets que s'envoyaient nos corps depuis l'enfance, s'est retourné presque au même instant, et moi comprenant enfin ce que j'étais en train de faire, j'intimais à ma main l'ordre de revenir. Brusquement retenue dans sa course, elle déviait. Mais le visage de mon frère qui s'était retourné pour voir arriver sur sa première trajectoire cette chose de mon corps et s'en prémunir, brusquement la rencontrait de plein fouet, du sang éclatait sur ses lèvres, des gouttes tombaient sur sa chemise.

— You must be crazy! s'est-il écrié.
— Ta chemise, ai-je dit stupidement.

Soudain, je ne voyais plus que cette chemise.

Lorsque Dan avait quitté la maison, un an auparavant, il portait encore les chemisettes que lui achetait Nicole, chemisettes de petit garçon, tout juste un peu plus grandes, et de ce côté il était un enfant facile, mettait ce qu'on lui donnait, s'en moquait.

Je l'avais quitté vêtu comme un petit garçon de province selon les goûts de notre maman de province et soudain je voyais combien il était devenu différent.

Ce qu'il portait, c'était un vêtement d'un autre continent, pas seulement d'un autre continent, mais d'une autre vie, coupé selon des lignes qui n'étaient pas celles des corps tels qu'on les concevait dans notre ville, avec des couleurs impétueuses, comme je n'en avais jamais vu sur les gens de nos rues, et il était beau, ainsi vêtu, provocant et radieux. Mais sur la chemise, il y avait ces gouttes de sang qui continuaient de tomber et devenaient brunes aussitôt, de vilaines taches brunes, comme une maladie de la peau.

Quelque chose s'est mis à flamber sur le visage de Dan. Il a attrapé cette main qui l'avait frappé, et je ne savais plus où elle était maintenant, mais lui l'a retrouvée à la vitesse d'un oiseau de proie, s'en est emparé là où elle était, tremblante et retombée, et l'a rapportée à sa bouche pour que ses dents la mordent, la mordent jusqu'au sang elle aussi.

Je sentais les dents de Dan sur ma main, elles vibraient sur ma peau, prêtes à se jeter dans la chair, vibrant d'impatience, attendant un ordre, leurs pointes déjà incrustées, elles attendaient et ma main vibrait, tout mon corps vibrait de cette attente, de cette tension.

J'avais failli le gifler, il voulait me mordre.

— Leave her alone, sir [1], dit alors le chauffeur.
Et mon frère a laissé tomber ma main.
Nos corps étaient en morceaux, cahotés pêle-mêle dans ce taxi.

Le chauffeur ressemblait à l'agent du bureau des réclamations de l'aéroport, noir et énorme lui aussi. Sa voix traînante coulait comme un fleuve antique.
— Leave her alone, sir, dit-il encore, d'un ton lassé, comme s'il répétait le refrain d'une chanson très vieille.
Sa voix nous attirait sur les bords d'un fleuve sombre et

---

1. Laissez-la tranquille, monsieur.

mystérieux. Nous étions recomposés maintenant, ne nous regardant pas, ennemis toujours, mais emportés tous deux vers les berges du fleuve où coulait cette voix.

— One should not speak ill of one's mother, disait-il maintenant. She will soon be dead, will be dead before you know it.
— She hit me, disait Dan, se renfonçant au fond de son siège.
— She hit you because you spoke ill of your mother. And right she was.
— I'll say what I want of my mother, marmonnait Dan
— But your mother is her mother too.
— And how do you know that?
— Because you're brother and sister [1].

Où était New York?
Nous étions dans la grande métropole américaine, roulant sur le Van Wyck Expressway, puis sur le Grand Central Parkway, passant le péage du Triboro Bridge, roulant vers les grandes tours de l'île fabuleuse, mais tout cela n'était rien, détails adventices, gênants, à repousser derrière les vitres de ce taxi où se tenait maintenant ma vie.

Le voyage au-dessus de l'Atlantique se ratatinait dans une parenthèse, et la longue absence de Dan, et mon mariage.

Il me semblait que cette conversation méchante prolongeait une autre conversation méchante, interrompue des années plus tôt dans notre petite ville natale, que par la déchirure de notre adolescence nous avions sauté directement dans ce véhicule. Notre vieille maison s'était bizarrement transformée en cette voiture jaune cahotante, mais le lien tortueusement avait été rétabli.

J'étais en alerte, le dos à la vitre, le dos à la ville, tout entière tournée vers l'intérieur du véhicule.

---

1. Il ne faut pas dire du mal de sa mère... Elle sera bientôt morte, morte avant que vous n'ayez le temps d'y penser / Elle m'a frappé. / Elle vous a frappé parce que vous avez dit du mal de votre mère. Et elle a eu raison. / Je dirai ce que je veux de ma mère. / Mais votre mère est sa mère aussi. / Et comment vous savez ça? / Parce que vous êtes frère et sœur.

Et pourtant c'était New York.

C'était la ville où notre mère Nicole était venue avant la naissance de Dan, dont elle nous avait si souvent parlé.

— ... brother and sister, avait dit le chauffeur.

— And how do you know that one, mister know-everything ? continuait mon frère Dan.

— Well sir, a cabbie knows those things. I have been a cabbie for the best part of my life and I know things. And if you're not brother and sister, you're...

— We're what ?

— This I am not allowed to say.

— Not allowed by whom ?

— By the one who watches everything and foresees everything.

— And he does not allow you to say what we are ?

— No [1].

Et maintenant notre chauffeur de taxi ne voulait plus parler. Son mutisme était massif et sombre comme lui. Et c'était mon frère qui insistait, qui lui posait des questions de plus en plus folles, sur moi, sur notre famille, sur son avenir, sur notre avenir.

Accrochées au tableau de bord, des images formaient un motif labyrinthique et pourtant vaguement familier. A force de le fixer, j'ai fini par reconnaître des images du Christ, toutes les mêmes mais collées en tous sens et se chevauchant, selon un ordre ou au hasard, il m'était impossible de le deviner.

Le chauffeur se taisait, de temps en temps jetait un coup d'œil dans le rétroviseur, pas pour nous regarder mais pour surveiller la circulation, nous étions déjà dans Manhattan, sur le FDR où de houleuses flaques d'eau obligeaient à de soudains déportements, le véhicule sautait et grinçait sur les nids-de-poule de la chaussée.

---

1. ... frère et sœur. / Et comment vous savez ça, monsieur Je-sais-tout ? / Dans mon métier on sait ces choses. Ça fait des années que je fais le taxi, et il y a des choses que je sais. Et si vous n'êtes pas frère et sœur, vous êtes... / Nous sommes quoi ? / Ça, je n'ai pas le droit de le dire. / Qui vous en empêche ? / Celui qui voit tout et prévoit tout ! / Et Il ne vous permet pas de dire ce que nous sommes ? / Non.

— Well, sir, tell me, tell me, since you know everything[1].

Et toujours le chauffeur se taisait, et Dan insistait, et la ville défilait comme un décor inutile.

— And meanwhile you took the long way[2], disait-il soudain.

Le chauffeur cette fois lui jetait un bref regard. Cynique, amusé ?

— C'est bien ça, maugréait mon frère, il aurait dû prendre le Long Island Expressway et le tunnel, mais bien sûr ça lui fait plus de fric comme ça.

Je m'étais retournée vers la vitre.

Dan, tu ne me montres rien, tu ne m'expliques rien, de cette ville pour laquelle tu nous as quittés, tu laisses ces paysages glisser autour de moi comme des décors tournés à l'envers, et tout ce que tu penses à faire, c'est de t'enfoncer dans ce dialogue obsédant avec cet homme que nous ne reverrons jamais.

Dan, parle-moi.

— Et ton mari ? disait-il soudain.

— Quoi ?

— Ton mari ?

— Il vient un peu plus tard parce que...

— Il vient ? s'exclamait-t-il.

— Je te l'ai dit au téléphone.

— Tu ne m'as rien dit du tout.

— Tu ne m'as pas écoutée, Dan.

Dan s'est tourné vers moi, et il avait son regard ancien, le regard venu de notre enfance, mais blessé, si blessé, portant un reproche que je ne pouvais comprendre.

— Je t'écoute toujours, Estelle, disait-il.

Soudain c'était Dan, mon frère retrouvé. Cette blessure dans son regard, je ne pouvais la supporter, mon regard allait se jeter vers le sien, le saisir, le consoler, mais de nouveau nos élans partaient à

---

1. Eh bien, monsieur, dites-le, dites-le, puisque vous connaissez tout.
2. Et pendant ce temps, vous avez pris le chemin le plus long.

contretemps et à cet instant Dan se penchait vers le chauffeur et de sa voix redevenue insolente, il disait :

— Well, sir, what do you think of that ? She says she told me her husband was coming too, and I say she never mentionned anything about any husband coming. Who's right, sir, tell me, who's right [1] ?

Notre chauffeur ne répondait pas.

— Dan, suppliais-je.

— Alors je vais vous avoir tous les deux chez moi ? Ce n'est pas très confortable chez moi, Estelle.

— Nous irons chez des amis.

— Des amis ? Estelle a des amis à New York ?

— Pas moi, tu le sais bien, mais Yves, oui.

— Qui est Yves ?

— Mon mari, tu sais bien, Dan, je t'ai écrit.

— Ton mari s'appelle Yves ?

— Oui.

— Yves, vraiment ?

— Tu le sais.

— Yves comme le poison ?

— Dan, qu'est-ce qu'il y a ?

— Will you tell her, sir, what « poison ivy » is ?

Le chauffeur ne répondait pas.

— C'est une sorte de lierre ici, qui pousse au pied des arbres, et qui est très toxique. On l'appelle « poison ivy ». Il y en a dans Central Park. Il faudra que tu fasses attention.

Puis :

— Et comment se fait-il qu'il ait des amis à New York, Poison Ivy ?

— Ne l'appelle pas comme ça, Dan. Il est très, très...

A cet instant il m'est arrivé une chose curieuse qui devait me revenir souvent par la suite et que je redoute presque autant que notre « valétude ordinaire », notre maladie d'enfance.

Je ne me rappelais plus mon mari, j'avais une sorte d'épuisement qui se portait sur ce point précis de ma vie, rien ne me venait de son

---

1. Alors, monsieur, qu'est-ce que vous dites de ça ? Elle prétend m'avoir dit que son mari allait venir aussi, et moi je prétends qu'elle n'a jamais parlé de l'arrivée d'un mari. Qui a raison, monsieur, dites-moi, qui a raison ?

visage, de notre mariage, de notre appartement, de nos projets. Tout était masqué par ce mot, dont je ne connaissais pas la traduction exacte mais qui s'imposait obsessivement, méchamment : « Poison Ivy, Poison Ivy... »

Le nom lui-même était vénéneux, ma langue se liait, devenait épaisse dans ma bouche.

— Ton mari est très bien, Estelle. Il y a plein de jeunes Français très bien ici, tout frais sortis des grandes écoles. Il est sorti d'une grande école, ton mari, n'est-ce pas Estelle ? Il saura tout sur la ville, oh, what a drag it's going to be ! Enfin je compte sur lui pour te faire visiter !

Poison Ivy...

J'entendais ces deux mots pour la première fois, mais je savais qu'avec eux le poison était entré dans ce taxi, qu'il était déjà en nous, qu'il ne partirait pas. Je le savais de cette étrange certitude dont nous savions les choses dans notre enfance. Et je savais aussi que seul une sorte de choc pourrait faire sortir ce poison, un choc qui nous démantèlerait d'un coup, nous ferait éclater en pièces défaites, alors le poison jeté à l'air libre s'évaporerait, mais nous, où en serions-nous alors, et quel serait ce choc ?

Des choses affreuses et confuses remuaient en moi, et la ville défilait, la ville dont je verrais si peu.

Je suis restée six mois là-bas, et je n'ai rien visité.

D'emblée je me suis trouvée dans un lieu qui m'appartenait, qui m'appartenait aussi simplement et directement que notre petite ville natale, puisque mon âme s'y trouvait tout entière.

Oh madame, je sais que ces mots feraient rire s'ils étaient dans un livre, mais je n'en vois pas d'autres pour dire ce que c'était : être dans cette ville immense, New York, où je venais pour la première fois, et ne pas regarder les rues, les gratte-ciel anciens et neufs, les vieux brownstones, les immeubles de fonte de notre quartier, ne rien regarder spécialement, parce que j'étais là avec mon âme et non pas avec mon guide touristique, et que c'était mon âme qui m'occupait et rien d'extérieur à elle.

New York, il ne me venait pas à l'idée de la visiter. J'y vivais, puisque Dan y était et que Dan était aussi mon âme, et cette vie qui était ma vie, simplement transportée d'un lieu à un autre, suffisait à m'occuper.

Plus tard, lorsqu'il m'arrivait de mentionner ce séjour de six mois, on me demandait si j'avais vu ceci ou cela, si j'étais allée sur la côte Ouest, au nord, au sud, que sais-je. Que pouvais-je répondre ? Cette ville, je la connaissais par l'intérieur de moi, je n'avais pas grande idée de l'air qu'elle avait, vue de l'extérieur, habillée de ses gratte-ciel aux noms prestigieux, ceinturée de ses deux grands fleuves, parée de ses lumières étincelantes la nuit, les joyaux de ses ponts autour du cou, je n'arrivais pas à la voir dans sa grande tenue de capitale du monde.

J'étais dans un taxi, nous nous querellions, mon frère et moi, c'était une querelle empoisonnée, étrange. Un chauffeur noir, énorme, au visage las et patient nous parlait en anglais, et j'entendais ses phrases directement en français, à l'intérieur de ma tête, « il ne faut pas dire du mal de sa mère, elle sera morte bien vite, avant que vous n'ayez le temps d'y penser... frère et sœur, sinon... ça je n'ai pas le droit de le dire... »
Ces phrases, noires et lourdes et lentes comme lui, c'était cela qui était la ville pour moi maintenant, et aussi les secousses brutales sur les nids-de-poule qui faisaient grincer la voiture comme si elle allait se désintégrer sur place et qui nous jetaient chaque fois, Dan et moi, vers les portières, chacun sa portière, à laquelle nous nous accrochions, avant de revenir à notre position, Dan penché vers le chauffeur, moi renfoncée dans le siège, ou l'inverse, avec un espace entre nous au milieu duquel se profilait le rétroviseur et dans le rétroviseur le visage de notre chauffeur, aux traits pesants et marqués d'une myriade de cratères, comme s'il portait les traces d'une vérole des siècles passés.
Que m'importait le FDR[1] dont je ne savais même pas ce que signifiaient les initiales, que m'importait l'immeuble de l'ONU

1. Franklin Delano Roosevelt (voie express sur East River).

devant lequel je n'ai pas su que nous passions (sous le semi-tunnel une pancarte signalait « UN garage [1] », mais « UN garage », ce n'était pour moi rien d'autre qu'un garage), que m'importait le Williamsburg Bridge qui s'apercevait maintenant et que je n'ai jamais bien distingué des autres ponts sur East River...

Je voyais, j'enregistrais la présence, mais pas plus, à peine plus que, dans notre ville, la petite église Sainte-Marie-du-Marché, ou le mur blanc du cimetière.

Il y a peu de temps, Phil, qui est technicien dans les travaux publics, m'a parlé de tous ces ponts, des tours gothiques et de la trame de câbles du Brooklyn Bridge, se jetant à lui-même des bribes d'histoire, « seize ans, vingt morts, y compris celle de Roebling le concepteur », le comparant au Williamsburg et au Manhattan Bridge, de là passant au Verazzano, « j'aimerais aller un jour faire des photos là-bas », puis soudain s'interrompant, « je t'ennuie, Claire, tu connais tout cela, toi ! ».

Non, véritablement je ne connaissais pas tout cela.

— Père a vu Poison Ivy ? disait soudain Dan.

— Non, disais-je à contrecœur, blessée de ma capitulation, de cette sorte de trahison envers mon mari, qui s'appelait Yves, et ne méritait pas ce nom de Poison.

— Ah, disait Dan.

Puis il reprenait :

— Il est avocat comme lui pourtant, non ?

— Je croyais que tu ne savais rien d'Yves ?

— J'ai dû lire les lettres de Nicole, je suppose.

— Nicole t'a écrit ?

J'étais douloureusement surprise. Nicole n'écrivait pas, je n'avais jamais eu de lettre d'elle.

— Enfin, elle a dû me téléphoner.

Et c'était à mon tour de dire « Ah ! ».

1. United Nations Garage (garage de l'ONU).

Madame, je me désespère ce soir. Pourquoi, pourquoi rappeler ces choses ?
Tous sont morts, ceux de cette histoire, sauf moi et Adrien. Adrien
ne lit pas de livres, encore moins lirait-il des notes désordonnées,
pleines de souvenirs télescopés, de détails démesurément agrandis,
et tout cela de mon écriture qu'il prétendait indéchiffrable, « tu
écris comme une demeurée », disait-il avec jubilation. Dans notre
école communale, il était le premier en écriture et moi la dernière,
je m'en sortais mieux en rédaction, encore une cause de friction.
« C'est mieux d'écrire pas beaucoup avec une belle écriture que
d'écrire des tas de choses avec des pattes de mouche », avait-il
déclaré à propos d'une rédaction où il fallait faire le portrait de son
chat : « Mon chat a quatre pattes une queue et des moustaches »,
tel avait été le contenu intégral de son devoir. S'il avait eu vent de
la fameuse formule concernant le même animal, sans doute la
rédaction aurait-elle été plus expéditive encore, « mon chat est un
chat » aurait-il écrit. *Et de penser à cela, j'enrage encore aujourd'hui, « ma
famille comptait trois adultes et deux enfants, quatre sont morts », cela
devrait-il suffire, madame ?*
Adrien ! Je l'imagine recevant ce paquet de notes, peut-être y
jetterait-il un œil, à cause de notre jeunesse, de ce cercueil que nous
avons traîné ensemble une nuit, et de notre laid et bref accouplement
sous le lilas. Oui il ferait peut-être un effort, mais à quoi cela me
servirait-il ? A rien, Adrien ne peut rien pour moi, pas plus en notre
enfance qu'aujourd'hui et je ne sais même pas sa nouvelle adresse.
Elles ne servent à rien, à personne. Pas même à nous qui les
avons vécues. Elles s'en vont sombrer dans le grand gouffre du
temps, toutes nos absurdités, et moi là, comme bien d'autres, je
suis en train d'essayer de les repêcher, comme bien d'autres,
piètres pêcheurs, je nous vois alignés sur cette bordure mouvante
de notre espoir, penchés avec nos pitoyables instruments, l'un de
temps en temps trop penché, sombrant avec ses menues prises dans
un remous qui s'efface aussitôt.

Je ne peux supporter ton silence, Dan, mon mort. L'amertume
me revient, n'as-tu pas encore trouvé moyen, où que tu sois, quoi
que tu sois devenu, de m'envoyer un signe ? Toi si rusé et subtil,

n'as-tu pas encore réussi à les rouler, ceux qui ont prise sur toi ? Mais peut-être m'as-tu envoyé ces signaux, peut-être est-ce toi qui te désoles, là où tu es. Tes forces, de quelque nature qu'elles soient, s'épuisent à inventer des signes. Alors tes appels vibrent partout autour de moi, ils m'entourent comme un vol épais, et moi je ne les perçois pas.

Cette pensée m'a torturée, Dan, je suis allée dans le lieu le plus silencieux, pour pouvoir t'entendre, si tu m'appelais. J'ai tendu vers toi tout mon être, et je n'ai rien recueilli. Des heures, la nuit, le jour, dans la chapelle du monastère, partout, à guetter le moindre signe, je n'ai rien entendu, Dan, que les crampes de mon estomac et les gargouillis de mon ventre, alors laisse-moi maintenant.

Pauvre Dan, tu m'as laissée, ce n'est pas vers toi qu'il faut porter des plaintes.

Qu'Estelle oublie Estelle, ce nom absurde, lamentable étoile. Je voudrais la jeter cette étoile dans le fond noir du ciel, qu'elle me laisse en paix, elle et ses lamentations, son pauvre éclat si vite détruit, son espoir pitoyable d'un dernier scintillement. Estelle, dans la poubelle du ciel.

Tout ce que je veux : être une simple motte de chair sur cette terre, le temps qui me reste et faire comme tous les autres. Baiser, manger, travailler et puis floc. Va-t'en, estrella, étoile infortunée.

La peine ne me lâche pas. Elle trouve d'autres voies.

Infinies, les voies de la peine.

Phil a pris des places pour m'emmener voir un spectacle. C'était une surprise, le comité d'entreprise avait des billets, il a eu l'idée de m'y emmener, une idée qui passe par la tête, tout simplement. Il m'a dit « ce soir, je te sors ! » et j'ai ri à cause du ton gouailleur qu'il prend souvent pour s'amuser.

J'avais oublié que les vivants vont au spectacle, qu'ils y emmènent leur petite amie, que ça peut être cela une « sortie ». « Qu'est-ce que c'est ? » ai-je demandé. « Surprise ! » a-t-il dit du même ton gouailleur et j'ai encore ri. Mais nous étions déjà arrivés. Phil attachait nos vélos.

C'était le théâtre de la Ville, le spectacle était un ballet

Le ballet se composait de deux parties. Pendant la première partie, sur un fond d'un bleu translucide, les danseurs se déplaçaient selon d'imprévisibles aimantations, les figures étranges et belles semblaient des équations mathématiques, se formant au hasard dans un espace qui aurait pu être celui d'un univers en création, les danseurs se rejoignaient en constellations, se séparaient, grains de matière tournant dans l'éther, on entendait seulement le bruit de leurs pas et leur respiration entre les rares éclats de sons de la musique de John Cage.

Le bruit des pas et des respirations, c'était tout ce qui parvenait à moi, et il fallait opposer une profonde glaciation pour que les pas ne viennent pas marteler ma peau et la respiration se jeter sur mon cœur et en précipiter le rythme et l'affoler.

C'était le premier entracte, et Phil applaudissait.
— Tu n'aimes pas?
— Si...
Il avait l'air content. Il se penchait vers moi et parlait, lui si peu loquace.
— Ces mouvements, ils ne racontent pas d'histoire, c'est reposant, tu ne trouves pas? Il n'y a qu'à regarder...
Phil parlait de la danse.
Phil me parle de la danse... Phil... la danse... c'était tout ce que je pouvais me dire.
Phil, qui n'est pas mon frère, me parle de la danse.
Je suis assise avec Phil, qui n'est pas mon frère, à un spectacle de danse.
Je regarde avec Phil, qui n'est pas mon frère, cette compagnie qui était celle de Dan et qu'il admirait tant.

L'espace translucide de la scène s'était assombri, un vieillard était seul au milieu, il bougeait ses bras puis ses jambes, ceux-ci étaient encore sveltes, encore déliés, mais ralentis par l'arthrose. L'étrange mouvement anguleux se détachait dans la transparence bleue et sombre, progression lente, solitaire. Imperceptiblement d'autres danseurs sont apparus, de grands roulements filaient sur les côtés, passant comme des orages, tremblements de terre, orageuses comètes de début des temps. Le vieillard avançait sur le milieu de la scène, les mains en avant, cherchant un chemin sous les ébranlements cosmiques, tandis que les autres danseurs, rapides, filaient tantôt d'un côté tantôt de l'autre, comme des bandes d'oiseaux inquiets.

Ce vieillard, c'était Alwin.

— Phil, mon frère était danseur.
— Qu'est-ce que tu dis, Claire ?
— *Mon frère était danseur... Mon frère était danseur... Mon frère était danseur.*

Mes lèvres bougeaient, il me semblait que les mots sortaient, qu'ils dérangeaient mes voisins, ils éclataient dans ma tête, mais Phil haussait seulement les sourcils, puis se détournait de nouveau vers la scène. Instant infime, dont il ne se souviendrait pas après le spectacle. Négligeable embrouillamini de trois ou quatre menus gestes et paroles, comme il y en a à tout moment. Balayé comme un léger mouton de poussière.

Dans ce mouton de poussière, il y avait ma vie, mon frère, Nicole, Tirésia, notre père, notre enfance, ma douleur, le monastère, la mort, la mort, il y avait tout cela, balayé, inaperçu, tandis que le spectacle continuait sur la scène, avec les lumières rouges des synthétiseurs dans la fosse d'orchestre, la pente obscure de la salle couverte de tous ces gens qui tout à l'heure comme nous sortiraient dans le hall, bavarderaient, se presseraient à travers les portes pour aller grossir les flots des rues et des métros.

« *Mon frère était danseur, un danseur de cette compagnie...* » Nous sortirions du théâtre nous aussi, et Phil n'aurait pas entendu Claire, que Claire se taise et sourie et accepte une bière à la brasserie et tutti quanti, et surtout qu'avant toute chose elle aille se rincer les yeux et repoudrer la figure pour cacher ses traits hagards.

Que Claire se taise, mais qu'Estelle n'oublie pas Estelle.

Cet être brisé qui avançait en aveugle sur la scène, tendant les mains, il m'a semblé que c'était Tirésia, et derrière elle, tous les autres, mes autres morts, qui étaient montés du fond de leur monde pour m'appeler, ils tâtonnaient à l'intérieur des mouvements d'Alwin, ils me cherchaient, mais ils arrivaient sous les projecteurs de la scène, et celle qu'ils cherchaient était dans l'obscurité de la salle, peut-être n'avaient-ils pu faire autrement, peut-être était-ce leur seule solution, le corps d'Alwin leur avait ouvert cette faille sur notre monde, le corps d'Alwin leur avait permis d'avancer presque jusqu'à l'entrée de notre monde.

Non, qu'Estelle n'oublie pas Estelle...

Je les voyais mes morts, conduits par Tirésia, leur avancée dans une très longue et étroite galerie que leur ouvrait la danse d'Alwin, et ce que dansait le corps d'Alwin, c'était l'avancée lente de ces morts dans cette échappée secrète qu'ils avaient perçue, le corps d'Alwin bougeait lent et cassé sur la scène, mes morts n'arriveraient pas plus loin, ne parviendraient pas jusqu'à la lumière...

Et alors je me suis juré que je leur ouvrirais un vrai passage, que si la scène était le lieu dont ils pouvaient s'approcher, je leur trouverais une scène magnifique où ils seraient plus grands et plus beaux que notre monde misérable le leur avait jamais permis, où leurs rêves détruits s'épanouiraient comme d'immenses fleurs, où leurs voix anonymes rayonneraient dans la musique et les chants, où Nicole aurait des robes de taffetas en cascades inépuisables, où le voile de Tirésia glisserait enfin le long de sa robe pourpre, révélant son visage sans défaut, resplendissant de puissance au-dessus du grand piano étincelant, où les doigts de Tirésia courant sur les touches feraient lever le bruit léger des chaussons de Nicole.

Et une silhouette haute et claire apparaîtrait dans la nuit dehors, mon père, arrêté à mi-chemin, écoutant flotter par les fenêtres grandes ouvertes les deux musiques qu'il aimait le plus au monde, son visage profondément attentif, puis ils se rejoindraient sur le perron derrière la balustrade, tous trois, mon père si jeune dans son costume blanc, Nicole sa rose jaune à un bras et Tirésia sa rose pourpre à l'autre, et devant la balustrade du perron, la pelouse monterait surnaturellement verte dans le clair de lune, chaque tige d'herbe finement lisérée d'argent, et alors de dessous la terre se lèverait la chair la plus vivante, la plus éblouissante, oh mon frère...

28

Le loft

Je ne suis pas allée voir Alwin après le spectacle. C'était sa dernière représentation à Paris, il partirait sans doute dès le lendemain, je connaissais ses habitudes.

Quand nous sommes sortis, il pleuvait à torrents. Nous avons pris une bière à la brasserie en attendant qu'il pleuve moins. Puis nous sommes repartis sur nos bicyclettes. Dans les rues obscures, presque désertes, Phil sifflotait en pédalant, il me dépassait puis me laissait passer devant, cette exubérance lui était inhabituelle.

Inhabituelle, presque insupportable, cette exubérance, chez Phil.

Mon esprit était dans le trouble, pesant. Il me semblait que son poids l'avait entraîné jusque dans les roues du vélo, où il se laissait prendre aux rayons comme une ronce ramassée au talus, et qu'il ralentissait le roulement. Je sentais le poids de mon esprit dans les muscles de mes jambes.

— En avant, sifflotait Phil passant une fois de plus devant mon vélo.

Claire, prends garde, la mort rôdeuse est là, elle s'agrippe à toi.

Mon esprit amer voulait m'éloigner de cet autre vélo zigzaguant autour de lui, de ce sifflotement qu'il repoussait avec horreur.

— Phil, mon frère était un danseur.
— Qu'est-ce que tu dis, Claire?
— Mon frère était un danseur.

— Claire, ma petite clarinette, qu'est-ce que tu dis ?
— Mon frère était un danseur.
— Claire, parle plus fort.

Mon frère était un danseur de cette compagnie, Phil, le plus brillant de cette compagnie que tu m'as emmenée voir, Phil, comment ne sais-tu pas ce que tu m'as emmenée voir, comment n'entends-tu pas ce que dit ma voix ?
Le vent soufflait dans les rues désertes, les roues chuintaient sur l'asphalte mouillé.
— Claire, je n'ai pas entendu.
Phil est venu à ma hauteur, s'est penché vers moi, il a voulu prendre mon guidon, j'ai fait un écart brusque, la roue a tourné et buté sur le rebord du trottoir, je suis tombée, ma tête a heurté le sol.

— Eh bien, Claire, eh bien Claire...
Phil était accroupi près de moi, il me frottait la tête.
La douleur à ma tempe était nette comme si à chaque seconde se répétait le choc, et ce choc ressemblait à celui d'une pierre qui aurait été lancée avec force.
« Il pleut, disait Phil, ton pneu est trop lisse », il regardait la roue de mon vélo, « un peu voilée, mais ça devrait aller jusqu'à la maison », il s'affairait maintenant sur la chaîne du vélo retourné.
La mort rôdeuse m'avait envoyé une pierre, avait tenté son étrange lapidation.
Phil tirait sur la chaîne récalcitrante, ses mains fortes déjà noircies, pas une seconde ne l'effleurait l'idée que la mort avait fait une approche. Et parce que cette idée ne l'effleurait pas, la mort s'en trouvait repoussée. Elle s'éloignait, le lancinement à ma tempe n'était plus que ses dernières tentatives affaiblies, le souvenir de ses tentatives.
Le vélo était réparé, mais je restais assise encore. Phil avait allumé une cigarette, il regardait la petite bruine, de temps en temps demandait « ça va ? ».
Je l'entendais qui parlait aussi, je crois, d'un de ses auteurs

favoris qui savait si bien décrire ces soirs de crachin dans Paris, un auteur de romans policiers, « un vieil anar, tu devrais lire ». « Un crachin comme ce soir et une rue basse de plafond, elle existe tu sais cette rue, je te l'emmènerai voir. »

Ses paroles, que je ne suivais pas, me faisaient du bien.

J'ai touché ma tempe. La douleur était vive.

— Alors on y va ? disait Phil.
— Bien sûr, ai-je dit.

Et soudain il m'est venu l'idée que c'était mon frère qui m'avait envoyé un avertissement, qu'il l'avait fait par le seul intermédiaire qu'il avait, la mort, et qu'il me fallait, dans ce simulacre de lapidation, reconnaître l'autre message, celui qui disait : « Estelle mon amour, je n'ai que la mort à t'envoyer pour te parler, et ce que je veux te dire, c'est de prendre garde à elle, elle rôde, elle te guette, maintenant tu as compris mon message, renvoie-moi l'envoyée, Estelle mon amour, renvoie la mort. »

Et j'ai senti que cette douleur à ma tête se muait en force. En cet instant, assise sur ce rebord du trottoir, pas très loin encore du théâtre où nous avions vu le ballet de la compagnie d'Alwin, dans cette petite pluie qui tombait sur nos deux vélos luisants, tandis que Phil parlait encore de la rue Watt et fumait tranquillement une cigarette après l'autre en attendant que je me relève, j'ai senti la force exacte de ma décision, celle de devenir Claire, et que rien ne vienne obscurcir ce nom que je m'étais donné.

Qu'Estelle s'occupe d'Estelle.

De nouveau nous étions sur nos vélos, dans les rues désertes, pédalant lentement et fort dans la montée vers la butte, Phil ne zigzaguait plus autour de moi, se retournait de temps en temps pour me jeter un coup d'œil. Comme lors de notre première sortie, le long du canal, je suivais son dos, le mouvement puissant et tranquille de son pédalier, et par le mouvement de ce pédalier, j'entrais enfin en Phil, je roulais dans le flot de ses pensées et aucune d'elle ne me parlait de la mort, et apaisée je revenais en moi-même, sachant ce qui se passait sur cette planète où je voulais me tenir désormais.

Phil, mon guide.

Il avait emmené son amie à une soirée, maintenant il rentrait avec elle, c'était un samedi soir, soir de sortie, demain était jour de congé, il pourrait rester longtemps avec elle au lit, il parlerait encore un peu du ballet, puis il mettrait la radio, autre chose viendrait, on ne parlerait plus du ballet, mais de ce que lançait la radio, floc-floc dans chaque petite boîte de ce grand empilement de boîtes qu'était notre ville, et chacun des petits habitants de la boîte se mettrait à grignoter ce que la radio jetait à grignoter, aujourd'hui ceci, demain cela, puis ils mâchonneraient et recracheraient, et ainsi tous étaient occupés dans le même mâchonnement et recrachement, et la radio viendrait dans les rues repêcher ce qui était tombé de toutes les petites boîtes empilées les unes sur les autres, et une substance se formait qui était le résultat de ces repêchages et parachutages et grignotages et mâchonnements et recrachements, et nous étions tous emportés dans cette substance, qu'elle me prenne aussi, oh qu'elle me prenne et m'emporte et surtout ne me laisse pas dans un coin, comme un noyau indigeste, seule nourriture pour la mort, Claire prends garde.

— Ah, disait Phil sautant du lit le lendemain matin, je vais mettre la radio, peut-être qu'ils vont parler du ballet. Tu veux bien?

Je l'ai regardé se lever, son dos trapu, vigoureux. Cette vigueur dans les fesses, ce n'était pas la danse, non.

Du lit au poste de radio sur la cheminée il n'y avait pour lui qu'un espace à annuler et son corps le traversait massivement d'un coup. Ce n'était pas la danse, non. Rien entre son premier pas et son dernier, le mécanisme du transport, un moment de brute répétition. Pas la danse, non.

La danse, ce n'était ni le point de départ ni le point d'arrivée, c'était ce temps entre les deux, que mon frère aurait porté à l'existence, somptueusement, et la vie boudeuse qui s'ennuyait se serait alertée brusquement, se serait jetée dans cette chair, aurait fait germer tous ces mouvements en une jungle splendide, inépuisable.

Je regarde le dos solide de Phil qui va droit vers son but, vers la radio où peut-être on parlera du ballet d'Alwin, on en parle en effet puis d'autre chose, Phil de la cuisine répond allégrement à la radio, il prépare le déjeuner pour nous, dans quelques minutes il reviendra avec le plateau au café fumant et un autre sujet jeté par la radio, que nous grignoterons en mangeant nos tartines épaisses. Oh ce n'est pas un danseur, Phil mon ami, il étale de grandes coutelées de beurre et de grandes cuillerées de confiture, son corps n'est fait que pour lui, ne sert qu'à son usage personnel, et moi je le suis, je mange aussi les grosses tartines épaisses, qu'importe, la danse m'a désertée, c'était un autre monde.

Et puis nous irons faire du vélo sur les sentiers cyclables dans les grands bois autour de la ville et nous reviendrons à la nuit, nous ferons le dîner, il y aura la radio encore, un dimanche ordinaire qui nous amènera vers la nuit où nos corps se réchaufferont puis se sépareront, le lendemain, dans l'aube grise et pluvieuse sans doute, ou peut-être ensoleillée, pour la journée de travail. Cela une vie humaine sans la danse. Ta vie, Claire.

Je ne suis pas allée voir Alwin après le spectacle. Je n'ai pas parlé d'Alwin à Phil.

— Ça ne t'a pas tellement plu cette soirée, Claire?

— Oh si beaucoup.

Ce qui m'a plu, Phil, c'était toi, la surprise que tu voulais m'offrir, tes applaudissements, tes mains fortes sur la chaîne de mon vélo, la fumée de tes cigarettes dans la bruine, tes histoires de Léo Malet et de la rue Watt, et puis ta chère radio, et tes commentaires vigoureux là-bas dans la cuisine, que j'entendais mal, que j'entendais suffisamment bien.

Toi, vivant près de moi.

Je n'ai pas parlé d'Alwin, ni de cette compagnie que j'ai si bien connue, ni de New York.

La douleur que j'ai connue là-bas, ces mois où j'étais près de mon frère et séparée de lui, elle est revenue cogner ma tête sous les espèces d'un bord de trottoir, et là elle devra rester, il n'y a personne auprès de qui la déposer.

Je croyais qu'elle s'était autodétruite lorsque Dan et moi nous sommes retrouvés enfin, je croyais que notre temps de bonheur l'avait proprement volatilisée. Ce n'est pas vrai. Elle s'était seulement retirée, me permettant momentanément de l'oublier, et je n'ai pas eu le temps de la montrer à Dan, de la déposer devant lui pour qu'il souffle dessus et m'en débarrasse à jamais.

Notre temps de bonheur a été trop court. Il nous aurait fallu vieillir un peu ensemble pour nous raconter tous les détours de la folie haineuse de ces six mois avant la mort de nos parents et l'user sur la meule de notre nouvelle vie. Ensemble, nous aurions fini par l'assassiner, je le crois.

Je crois encore qu'avec mon frère j'aurais pu assassiner la douleur, toutes les douleurs.

Mais nous n'avons pas eu le temps de le faire et cette douleur particulière de ces mois à New York où j'étais près de mon frère ennemi, voilà qu'elle est revenue. Elle veut qu'on s'occupe d'elle, prends garde, Claire, ce qu'elle veut, c'est se faire entendre, c'est s'éclabousser sur des êtres qui ne la connaissent pas, maintenant cette vorace douleur pense à Phil, c'est sur lui qu'elle voudrait se jeter, trop belle occasion, à cause du ballet, et de la compagnie d'Alwin, et d'Alwin sur la scène.

Toute cette soirée et pendant l'amour et toute la journée du dimanche, j'ai eu la tentation de parler à Phil, de lui dire qui était Alwin, et quelle était cette compagnie que nous étions allés voir, et la souffrance qu'il m'avait causée sans le savoir. Trop de passé, d'incommunicable passé. Il faut que Phil soit mon présent.

Nous resterons deux planètes étrangères. De personne je ne serai plus la sœur, celle dont on possède le passé, dont l'existence va de soi comme la sienne propre. Et moi je n'aurai plus de frère.

Parfois il me vient à l'esprit que Phil aussi possède un passé, une existence. C'est une idée que je n'ai pas encore la force de cueillir.

Restons dans l'instant, dans le roulement de nos bicyclettes qui ne laissent pas de traces sur les chemins du canal et des bois et des rues.

Que Claire soit Claire, et qu'Estelle s'occupe d'Estelle, madame, vous comprenez combien j'ai besoin de vous...

L'appartement de mon frère à New York était un ancien espace industriel, ce qu'on appelle un « loft », très vaste, sans mobilier, les murs défraîchis mais le plancher décapé et propre, une barre devant un grand miroir, un ensemble stéréo posé dans un coin, et aussi un appareil à barres asymétriques comme dans une salle de sport. A l'extrémité du loft, du côté de la rue, il y avait une construction rectangulaire en bois, dont le dessus portait un grand matelas, et qui abritait en dessous deux canapés dépareillés et une télévision. Contre le mur, juste à côté de la fenêtre à guillotine et passablement opaque, s'alignaient une douche, un lavabo, une cuisinière, un four, un réfrigérateur, tous côte à côte comme s'ils étaient restés là tels que les déménageurs les avaient déposés, en un désordre correct.

— Tu peux dormir sur la plate-forme, m'a dit Dan.

— Et toi, tu dormiras où?

— J'irai chez Alwin.

Chez Alwin?

Dans notre maison d'enfance, nous dormions dans la même chambre.

— Ne me regarde pas de cet air, Estelle. Tu es mariée après tout.

Comme elle me blessait, l'insolence de cette nouvelle voix de Dan!

— De toute façon, Alwin habite de l'autre côté du palier.

Alwin, je devais le voir aussitôt.

Il était là, appuyé à la porte, à l'autre bout du loft, me regardant. Je ne l'avais pas entendu arriver, mais il était là, il me regardait.

— Elle ne te ressemble pas, disait-il.

Ce qu'il y avait dans cette voix rocailleuse, je ne le savais pas, mais je l'ai redouté aussitôt. Beaucoup de ceux qui ont approché Alwin, même à cette période où il n'était qu'un danseur et chorégraphe marginal, disent que sa présence « vous plaquait au mur ». L'expression m'avait gênée. « Etre plaqué au mur », dans la perspective que me donnaient mes études de droit, évoquait autre chose. Maintenant je comprends que c'est exactement ce que j'ai senti en cet instant. Il était à plusieurs mètres et je le voyais mal, mais je me suis sentie rejetée contre le mur. Seul un danseur sans doute pouvait ne pas être touché par cette bourrasque invisible, pouvait la traverser en se jouant.

— Elle ne te ressemble pas, disait-il à Dan.

Alwin ne s'adressait jamais à moi directement, mais à Dan, à qui il disait « elle... ».

« Elle », c'était moi, la sœur, c'est-à-dire le vieux continent, la province, la famille, celle qui ne dansait pas, celle qui était une femme.

Celle qui ne dansait pas.

Celle qui était une femme.

Mais à Estelle, qui avait été une étoile dans cette famille au sein de cette province sur le vieux continent, il fallait longtemps pour comprendre cela, il a fallu six mois.

— Tu viens ? me disait Dan.

— Où ?

— Mais au Studio, je t'ai bien dit, dans le taxi.

— Elle vient ? disait Alwin.

— Tu ne veux pas venir ? disait Dan se retournant vers moi, presque surpris.

— Elle a besoin de repos, disait Alwin.

J'étais ivre de fatigue, je n'avais qu'une seule aspiration : me jeter sur le matelas ou l'un des deux canapés, et je haïssais cet homme inconnu de m'offrir ce que je souhaitais.

284

— Le voyage a été long, Dan, ai-je dit.

— Le voyage a été long ? disait Dan.

Sa voix que j'aimais tant, dansante et pure, comme elle était tordue désormais.

— Long ton voyage ? répétait-il, de cette nouvelle voix étrange et si blessante.

Et soudain il était à la porte avec Alwin, dans une conversation pressée et absorbante, puis tous deux étaient partis.

Dan n'avait même pas pensé à me donner la clé de l'appartement, j'étais enfermée.

29

Le Studio

Ce qu'est Alwin, on le trouve aujourd'hui dans de nombreux livres, que ce soit des études spécialisées, des textes imagés à l'intention du grand public, ou cette sorte d'autobiographie spirituelle qu'il a publiée récemment avec des croquis de sa main et ces fameux diagrammes qu'il était si souvent en train de raturer et de recomposer. Je les ai reconnus sur un livre exposé en vitrine dans une librairie derrière le Sénat et j'ai aussitôt passé mon chemin. Je n'ai lu aucun de ces livres et d'Alwin, comme de New York, je n'ai presque rien vu.

En sa présence, ma vision se brouillait.

Il n'était pas encore connu du grand public pourtant. Son dernier Studio — il en changeait souvent à cette époque pour d'évidentes raisons financières — était vaste mais sans chauffage, au dernier étage d'un immeuble délabré, voué à la destruction, dont il était le dernier occupant, illégal je crois. De là aussi il lui faudrait déménager bientôt, lorsqu'une partie du plafond se serait effondrée.

Je suis allée voir travailler mon frère dans ce Studio le lendemain de mon arrivée.

— Est-ce qu'elle veut travailler aussi ? avait dit Alwin lorsqu'il m'avait aperçue dans l'encadrement de la porte.

— Je suis venue regarder Dan, ai-je dit.

— Mets-toi là, avait dit Dan en me désignant un tapis roulé dans un coin.

Je me souviens combien je m'étais sentie gênée par le sentiment que ces quelques mots et ensuite mes pas et même ma discrète installation sur le tapis causaient une perturbation démesurée dans cette grande pièce nue, arrêtaient l'ensemble de mouvements que j'avais indistinctement perçu en entrant, rompait un rythme, et cela, me semblait-il, non pas vraiment à cause d'eux-mêmes mais à cause du bruit qu'ils produisaient, un bruit hors de proportion avec sa cause, c'est-à-dire moi, qui refermais la porte doucement et glissais le long du mur et me coulais sur le tapis, corps le plus discret et le moins encombrant de tous les corps qui se déplaçaient dans ce vaste espace pénétré d'une lumière froide, voguant quasiment en plein ciel ou plutôt, car le ciel d'une certaine façon appartient à notre terre, dans une sorte d'étendue interstellaire où ce qu'on apercevait des immeubles avoisinants ressemblait à des météorites aux formes anguleuses et disparates, voyageant à la même vitesse, mais loin, infiniment loin.

J'étais assise sur ce tapis, plus seule que je ne l'avais jamais été.

Dans ma tête très faiblement s'égrenaient les seize mesures du *Boléro* de Ravel.

J'ai fini par prendre conscience de cette présence du *Boléro* en moi, et ma détresse s'est soudain amplifiée. Il me semblait que quelqu'un dans ma tête le fredonnait ou le jouait, quelqu'un qui était moi, l'un des êtres de ma tribu, un de ceux que je connaissais mal, et pour cette raison je n'avais pas la force de démêler pourquoi il s'était avancé, comme l'ancien joueur de flûte, pour porter jusque dans les rues de ma conscience les sons si familiers.

Et les autres êtres de ma tribu tressaillaient en entendant l'envoûtante mélodie, voulaient la suivre, mais elle était si ténue.

Contradictoirement j'avais peur aussi qu'elle n'éclate soudain, alors je restais figée, n'osant pas bouger les genoux, « tu avais l'air d'une sculpture hyperréaliste », m'a dit Dan, mais cela n'avait aucun sens pour moi et il ne me venait pas à l'esprit de lui demander s'il y en avait un véritablement et ce qu'il était.

Toujours ce brouillard entre nous, où le futile comme l'important se profilaient avec la même massivité, impénétrable et inquiétante.

J'étais encore sous le coup de ce vacarme qu'il m'avait semblé causer en entrant.

C'est qu'il n'y avait pas de musique dans le studio, rien que des bruits menus, isolés, ceux des corps dans leur travail, la voix basse d'Alwin, les craquements du plancher.

Alwin travaillait sans musique. La musique le gênait, il ne voulait pas avoir à interrompre un mouvement pour suivre une séquence musicale, ou au contraire pour la même raison en rallonger un autre qui selon lui était arrivé à sa fin. La musique venait « après », et il la faisait composer par l'un des deux ou trois musiciens qui faisaient partie de ses proches et qui devaient se faire connaître en même temps que lui, quelques années plus tard.

Madame, je parle d'Alwin, de ses musiciens, d'autres personnes célèbres.

Si je le pouvais, je n'en parlerais pas du tout.

J'aurais voulu n'avoir jamais à en parler, j'aurais voulu que jamais ne se produisent les circonstances qui m'ont amenée près d'eux.

Je me suis trouvée dans l'entourage, seulement l' « entourage », de quelques personnes dont les noms font maintenant partie du discours de notre époque. Cela arrive à toutes sortes de gens anonymes et chacun se débrouille selon ses faiblesses ou ses forces avec ce détour particulier de son destin.

Je ne parle de ces gens qu'à cause de mon frère Dan, et mon frère Dan est mort.

Je n'ai rien vu d'eux, je ne sais rien d'eux, encore moins que quiconque, car tout individu normal vivant à mon époque ne pourrait empêcher que son intérêt un jour ou l'autre ne flotte vers l'un de ces noms célèbres.

Moi, je m'en détourne.

Je ne le fais pas volontairement. Je ne peux pas même dire qu'il s'agit d'une décision consciente, que comme Chopin je ne veux « rien savoir, rien voir, rien vivre ».

Alwin chérissait ce trait de caractère de Chopin. Lorsque l'un de ses danseurs se mettait à parler d'un projet, voyage, mariage, enfant, quoi que ce soit, il se renfrognait et d'un seul mot arrêtait net toute expansivité. « Chopin », disait-il. Rien de plus mais tous les danseurs savaient de quoi il s'agissait.

J'avais comme d'ordinaire, à cause de la prononciation américaine, construit sur ce mot toute une argumentation complexe et fausse bien sûr. C'est Michael un jour qui m'a expliqué la chose. Mais il ne connaissait pas le musicien et après que je lui ai offert quelques cassettes pour qu'il les écoute dans son taxi, il s'est étonné qu'un artiste aussi doué ait pu avoir des idées aussi « bornées ». Et je me souviens d'avoir pensé avec tristesse : « well Michael, c'est bien pour cela qu'Alwin pense que tu ne seras jamais un grand danseur ».

Ce que je voulais dire, madame, c'est que je ne peux pas parler de leurs œuvres. J'essaie et c'est comme frapper à une porte blindée. Je n'y arrive pas.

Ce danseur que mon frère était allé rechercher à New York, c'était Alwin C.

Mon frère non plus, je ne le voyais pas bien. Il travaillait en short souple et tee-shirt du genre débardeur, comme tous les autres étudiants d'Alwin, et je crois que mon regard n'osait pas le distinguer d'eux.

Dans le ballet que, bien malgré moi, je suis allée voir récemment, j'ai été frappée par la musculature des hommes, l'extraordinaire indécence de leur corps sculpté par le maillot, la sueur qui luisait sur le rebondi des bras et dans le creux de la poitrine, l'amoureuse révélation des potentialités secrètes d'un corps humain.

Mon frère ? Mon frère dans le Studio d'Alwin à New York ? C'était la première fois que je le voyais depuis longtemps, il était presque nu à quelques mètres de moi, en pleine force et jeunesse, et non, je n'ai pas de souvenir de son corps. Mais je sais bien que je me trompe, quelqu'un en moi, quelqu'un de ma tribu, devait le voir, devait boire chaque détail de son corps. Et des mois plus tard, lorsqu'il est venu contre moi dans cette nuit si noire où nous étions, son corps m'a semblé si familier, si familier à la main.

Je voyais par contre combien mon frère avait du mal à se plier à la stricte discipline que lui imposait Alwin. Son esprit fantasque se rebellait et Alwin semblait mettre une insistance particulière à le contenir. Ils avaient de terribles querelles.

— Je ne sens rien, rien, s'est-il écrié une fois, et ce devait être quelques jours après mon arrivée.

— Pas besoin de sentir, a dit Alwin, travaille ton dos.

— Mais avec quoi veux-tu que je travaille mon dos ? disait mon frère, plissant durement les yeux.

— Avec les muscles du dos, disait Alwin froidement.

— Et avec quoi tu crois qu'on fait travailler les muscles du dos ?

— Je n'en sais rien, répondait Alwin, et ça m'est égal. Si c'est la raison qui fait sauter les grenouilles qui t'intéresse, tu n'as qu'à aller à un cours de biologie à la Cornell Medical School. Ou alors va dans un de vos restaurants français et mange des pattes de grenouille, ça te donnera peut-être une réponse par osmose.

Alwin avait en horreur toute nourriture d'origine animale et était strictement végétarien. « La chair morte, disait-il, il n'y a rien de pire pour un danseur. » Lorsqu'il était très en colère, c'était toujours dans le domaine de la nourriture qu'il cherchait ses insultes. A ces « grenouilles » qu'il amenait dans la conversation sans pourtant la moindre trace d'agitation dans la voix, j'ai compris qu'il était exaspéré au-delà de ses limites habituelles, et aussi que seul mon frère Dan, pour des raisons que j'ignorais, pouvait l'amener à ce point d'exaspération.

— C'est toi qui ferais bien d'y aller dans ces restaurants français, si tu n'étais pas si fauché, ça te ferait sûrement du bien de mettre un peu d'animal en toi, ça te donnerait un peu de chair.

— Et tu crois que c'est ce genre de chair dont un danseur a besoin, disait Alwin.

— De chair, n'importe quelle chair, hurlait mon frère hors de lui. Tu ne sens rien, tu ne veux rien sentir, tu vas finir par danser comme un pantin ou un robot. Et moi je ne sens plus rien non plus à la longue. Pour les faire bouger tes sacrés muscles du dos, il faut une impulsion, une émotion, quelque chose, et je l'ai perdue depuis que je suis ici, perdu, tu entends Alwin.

Et mon frère se jetait par terre et frappait le plancher de ses poings.

— Ce plancher ne me parle pas, autant danser sur une pierre tombale.

— Et si tu continues à le frapper comme ça, disait Alwin, il te parlera encore moins, parce qu'à la place il y aura un trou.

Et ce n'était pas faux, c'est exactement ce qui devait arriver quelques mois plus tard, le plafond en s'effondrant entraînant dans sa chute une partie du plancher aussi.

— Un trou, répétait Dan, un trou. Bien, très bien, alors on aura peut-être une chance de voir le sol, la terre. J'en ai marre de faire le clown sur un plancher de bois mort à trente mètres au-dessus du sol.

— Parce que dans ta précieuse petite ville de province, tu ne travaillais pas sur un plancher de bois mort ?

— Pas un plancher à trente mètres au-dessus du sol.

— Et tu voudrais travailler sur quoi ? disait Alwin.

— Sur la terre, hurlait mon frère, mais ça tu ne peux pas comprendre. Je danse pour la terre, moi, pas pour des suites de chiffres.

Et Alwin s'arrêtait, intrigué soudain, sa colère tombée.

— Qu'est-ce que tu veux dire, la terre, Dan ?

Et la colère de mon frère tombait aussi. Il se redressait et restait droit au milieu de la salle, silencieux, les traits du visage comme brouillés. Il me semblait alors qu'un nuage paralysant était descendu sur lui, je percevais littéralement la présence de ce nuage autour de lui, et je savais d'où il venait.

Il venait de cette pelouse ancienne où mon frère avait dansé sa vraie danse pour la première fois, de ce qu'il avait senti sous ses pieds : une force vivante, puissante, qui avait inscrit un message sur sa peau, et ce message s'était propagé dans ses muscles, son sang, tout son corps, et toute la danse de mon frère n'était qu'un effort pour déchiffrer ce message énigmatique, qui était celui de la terre.

Les mots anciens qu'il avait dits, enfant encore, tournaient dans ce nuage, mais il ne se les rappelait plus. « La terre nous désire, Estelle », avait-il dit, je les entendais ces mots, j'aurais voulu aller vers mon frère et les lui souffler, lui rappeler l'impulsion secrète de sa danse, mais le nuage que je voyais sur lui me paralysait moi aussi.

Le cœur serré, je regardais Dan revenir lentement à sa présence dans cette salle, désespérant d'expliquer à lui-même, d'expliquer à Alwin, et aux autres qui s'étaient arrêtés de travailler le temps de cette querelle, ce qu'il avait voulu dire, ce qu'il avait cru sentir.

— Reprenons, disait-il à Alwin.

Alwin haussait les épaules. « Et pourtant tu as tout », marmonnait-il.

Ce garçon émotif et lunatique, Dan Helleur, arrivé sans crier gare du vieux continent, formé selon des méthodes anciennes et d'ambition incertaine, avait en effet tout ce que le dieu de la danse peut dispenser à un être humain pour en faire un grand danseur selon ses voies et ses désirs à lui, Alwin.

« Tu as tout », marmonnait-il, seulement dans ce marmonnement morose, j'entendais très clairement la suite qu'il ne formulait pas : « tout, sauf pour une chose », et cette chose je ne savais si elle manquait à mon frère, et en ce cas c'était l'esprit des chiffres, ou s'il s'agissait d'une chose qu'il avait en trop et en ce cas, c'était moi, la sœur de Dan, mais dans les deux cas cela voulait dire que tous les dons dispensés par le dieu étaient annulés pour cette seule chose qui manquait ou était en trop.

Alors je sentais profondément que c'était l'être même de Dan qu'Alwin refusait et j'avais envie de lui sauter à la gorge.

Oui, sans arrêt me traversait l'image de ce chien que nous avions vu littéralement bondir à la gorge de monsieur Raymond un jour de ramassage de pommes où comme à son ordinaire il était entré sans sonner. Heureusement monsieur Raymond avait sa fourche à la main et notre père était à quelques mètres. « Je vais le faire piquer », avait dit notre père l'instant d'après, encore tremblant.

« Bah, laissez faire, avait marmonné le vieux bossu à sa manière sibylline, trop pareils sauf pour une chose, c'est ça la cause. Ça lui passera. » Mais notre père avait eu peur, et il avait fait piquer ce chien errant que nous avions adopté et auquel il s'était attaché déjà un peu.

Lorsque Alwin marmonnait ainsi « tout » et que j'entendais « sauf pour une chose », il me semblait aussi qu'au-delà de moi, c'était Nicole qu'il nommait ainsi, la mère de Dan, son origine, et que chaque rébellion ou erreur de Dan, il la mettait au compte de Nicole, et rien ne pouvait être pire puisque Dan était de la même chair que Nicole et que Nicole avait failli.

Je sentais alors que tout en irritant Alwin, je comptais pour rien, je n'étais que la représentante de Nicole, ou encore une sorte de concrétion extériorisée de tout ce qui en Dan était inacceptable.

Je pense qu'Alwin a dû souffrir par Dan, car ce qui lui résistait en mon frère était aussi ce que mon frère avait de meilleur, ce qui était à la source de ce don extraordinaire qu'il possédait et qu'Alwin admirait et aurait voulu façonner.

Je pense cela maintenant. Mais à l'époque, je l'ai dit, c'est à peine si je voyais Alwin. J'avais de lui une perception confuse, inquiétante, et mon esprit ne pouvait le regarder en face.

Les premières fois dans le Studio, mon esprit tout entier était mobilisé, hanté par Nicole.

Je ne connaissais de la danse que ce qu'elle avait pu m'en montrer, et ce qui se passait dans ce studio était presque sans commune mesure avec ce que faisait Nicole.

Nicole avait été pour nous la danse même, des années de ma vie s'étaient passées à admirer sa silhouette gracieuse, encore affinée par les chaussons sur les pointes desquelles elle s'élançait ou ployait, les bras prolongeant toujours le corps dans cette aspiration éperdue à la courbe, à l'arabesque sans angle ni fin,

notre mère Nicole,

qui n'était pas comme les autres mères de notre ville, qui ne ressemblait en rien à ces femmes petites, trapues, cheveux noirs frisottés par la permanente, châles au crochet tirés autour du cou, manteaux trop étroits qui les boudinaient, campées devant l'école sur leurs jambes épaisses et leurs chaussures couleur de peau morte aux talons écornés, ni hauts ni bas, et Nicole arrivait, en retard...

Du bout de la rue nous la voyions arriver enfin, de sa démarche dansante, en ballerines trop légères pour le froid ou la pluie qui dominaient si souvent dans notre ville, ou dans ces chaussures à talon aiguille qu'elle adorait, sans doute parce qu'elle y retrouvait quelque chose de l'envol que donnaient les pointes de ses chaussons de danse.

Les autres mères qui avaient déjà ficelé leurs enfants dans leurs imperméables bonnets écharpes se retournaient. Il pleuvait, et Nicole arrivait tête nue, le nœud blond de ses cheveux haut perché sur la tête se défaisant en ruisselets dorés.

Elle ne voyait personne, Nicole, elle arrivait de son garage tendu de toile bleu ciel, de son rêve d'azur où les oiseaux tracent des lignes si pures que seul l'œil des anges les perçoit, et nous, grelottants et inquiets, les derniers devant la grille, soudain nous étions heureux, grelottant encore d'avoir piétiné dans la pluie sans imperméable et inquiets toujours bien sûr, mais si fiers, car le troupeau des autres mères se retournait, elles regardaient Nicole qui arrivait dans la rue grise comme une apparition dorée, si svelte et éthérée...

Un « Botticelli » disait notre docteur Minor, nous ne savions ce que cela voulait dire sinon que les deux dernières syllabes « celli » nous évoquaient le mot « aile » ou « ailé » ou encore « violoncelle », et que les deux premières nous semblaient être le mot « beauté », tout cela mal prononcé par notre docteur à cause, pensions-nous, de son origine russe et de son âge que nous croyions si avancé, ce qui fait que « Botticelli » devenait pour nous la beauté ailée, ou la beauté des ailes, ou la beauté des sons du violoncelle, et bien sûr tout cela s'appliquait à Nicole, Nicole était un « Botticelli », et ce « Botticelli » était notre mère.

Et d'un seul coup nous oubliions tout, notre journée de classe, nos camarades qui s'éloignaient sur l'autre trottoir en nous appelant encore, nos instituteurs qui sortaient en fermant la grille et puis saluant, nous marchions aux côtés de Nicole, la flanquant de part et d'autre, nous étions sa garde, la garde de la beauté ailée, pris dans une gravité, une extase qui n'était pas le bonheur, qui était... oh je ne saurais dire ce que c'était.

Et notre « Botticelli » était venu ici, à New York, dans ce studio d'Alwin, peut-être était-ce un autre studio à l'époque, mais il devait être semblable à celui-ci, sans chauffage, dans un immeuble délabré, abandonné, à un cinquième ou sixième étage qu'on atteignait par un ascenseur d'entrepôt agonisant sur ses chaînes, et Alwin aussi devait être le même qu'aujourd'hui, froid, obstiné, rigoureux, sachant déjà exactement ce que devait être la danse, et ce n'était en rien ce que voulait Nicole, ce que pouvait faire Nicole.

Nicole était ma mère, la mère de Dan, mais dans ce studio où je me rendais depuis des jours et des jours maintenant, je sentais sans cesse sa présence comme une ombre furtive, et c'était celle d'une jeune femme brisée qui était venue non pas en quête d'un « développement » comme elle le croyait, d'un saut en avant, mais en quête d'une régression, d'un rêve de fillette, qui était un rêve de bébé, et même de fœtus, et encore au-delà, d'enfant non née, un rêve d'ange.

Nicole ne pouvait, ne voulait rien apprendre nulle part en ce qui concerne la danse, et son rêve bleu de ciel s'était fracassé sur la pierre dure de la détermination d'Alwin.

Elle était venue ici, s'était pliée à cette discipline d'Alwin, avait vécu ici, où ? Toute autre école de ballet aurait été meilleure pour elle que celle-ci, il y en avait tant à New York, comment avait-elle échoué dans celle-ci ? Pourquoi Alwin l'avait-il acceptée ?

Elle était venue ici et était repartie honteuse et rejetée, et maintenant son fils à son tour était venu et là-bas, dans la petite ville du vieux continent, elle attendait.

Les notes obsédantes du *Boléro* venaient sans cesse dans ma tête, affaiblies, douloureuses, il me semblait que Nicole voulait m'appeler par-delà l'énorme distance, mais les notes étaient trop faibles, je n'arrivais pas à me prendre en main, à agir dans un sens ou dans l'autre.

Mon père avait voulu savoir ce que Dan faisait dans cette grande ville étrangère, si ce qu'il faisait était bon pour lui, et pourquoi il n'envoyait pas de nouvelles.

Et voilà que moi non plus je n'arrivais pas à envoyer de nouvelles.

Bien sûr j'écrivais, mais je ne parlais pas de ce pour quoi mon père m'avait envoyée à New York. Je demandais qu'il ne nous envoie plus de mandat, expliquant que Dan avait trouvé à gagner un peu d'argent, en donnant des leçons de français, là-dessus soudain j'entrais dans des détails sans fin, les leçons avaient lieu dans une petite école française qui venait de s'ouvrir au premier étage d'un hôtel, lequel s'appelait le Croydon Hotel et se trouvait 86ᵉ rue, West. L'école n'avait encore que peu d'élèves, mais elle s'était trouvé le nom prometteur de cours Victor-Hugo et donnait de grandes espérances à son jeune fondateur-directeur-administrateur-professeur, Louis, un Haïtien que mon frère avait rencontré par hasard sur le « shuttle », le bateau qui fait la navette nuit et jour entre Manhattan et Staten Island.

J'avais trouvé un fil épistolaire pour ainsi dire et je le tirais consciencieusement, ce fil. Mon frère en était donc à sa troisième ou quatrième traversée aller et retour ce dimanche-là et il avait fini par remarquer un jeune homme (beau, l'air intelligent etc.) qui, comme lui, ne descendait pas à quai et restait accoudé à la rambarde, le regard tourné vers la statue de la Liberté, solitaire, pensif, tandis que le bateau avalait ou crachait ses passagers. Plusieurs fois ils s'étaient trouvés seuls sur le pont, ils s'étaient adressé la parole, surprise ! ils parlaient français tous deux, surprise encore ! ils étaient tous deux sur ce bateau (vingt-cinq cents le ticket) pour « réfléchir à leur avenir ». Vingt-cinq cents pour réfléchir toute la journée, ce n'était pas cher, première opinion partagée. Avec en toile de fond la statue de la Liberté mais aussi les immeubles de Wall Street, décor particulièrement propice à une activité de ce genre, seconde opinion partagée.

Là-dessus j'esquivais l'avenir de Dan pour sauter à pieds joints sur celui du Haïtien, ce qui m'obligeait d'abord à parler de son passé. C'était un opposant au régime de Duvallier, il avait une nuit été encerclé dans sa maison par les tontons macoutes, s'était enfui en leur lâchant dans les yeux tout le cheptel de coqs de combat de son père, avait eu si peur qu'il s'était jeté à l'eau et s'était mis à nager droit devant lui, avait été recueilli par un bateau, réfugié politique aux USA, le cours Victor-Hugo allait marcher il en était sûr, il ne visait pas la même clientèle que le très installé Lycée français etc.

Et un jour mon père qui avait une si grande répugnance pour le téléphone avait appelé.

Il y avait un tel embarras dans sa voix. Il craignait que mon frère ne disperse ses efforts, il ne comprenait pas comment une école pouvait se trouver dans un hôtel et puis : « Estelle, ce jeune Haïtien, nous sommes un peu inquiets, est-ce que... crois-tu que... Yves... je ne voudrais pas... ce n'est pas que... » « Mais père, il est marié, il a deux petites filles, et d'ailleurs je ne l'ai jamais vu. »

Stupéfaite, je comprenais que ce Louis, jamais vu en effet, occupait toutes mes lettres. Et j'étais submergée d'une incontrôlable détresse.

Ce que Dan était venu faire à New York, je n'arrivais pas à en parler. Il aurait fallu dire par exemple « ce que fait Dan n'est pas bon pour lui » et en ce cas le ramener, mais j'étais incapable d'un jugement, encore moins d'une action. Ou alors il aurait fallu dire « ce que fait Dan est bon pour lui, je peux l'affirmer, et en ce cas mon rôle est rempli et je m'en vais », mais je ne voulais pas rentrer, c'est-à-dire le quitter.

Paralysée sans comprendre pourquoi, j'écrivais de brèves missives à mon père, à Nicole, sans leur parler de ce pour quoi ils m'avaient envoyée à New York. Mais je ne mentionnais plus le Haïtien, il était évident d'ailleurs que le cours Victor-Hugo ne tiendrait pas l'année.

Je leur décrivais des lieux.

Des lieux que je ne regardais pas. Je n'arrivais pas à regarder.

Les multiples paysages de la ville immense passaient directement de mes yeux à mon stylo, sans s'arrêter dans ma mémoire ou ma pensée.

Mais ceci encore n'est pas tout à fait juste. Sans fond est la vérité lorsqu'on la cherche. En fait je répétais ce que Nicole nous avait raconté de New York, quand nous étions petits, les soirs où elle était d'humeur détendue et venait dans notre chambre et voulait bien répondre à nos questions ensommeillées et avides.

Elle venait, elle fermait la porte derrière elle, d'un air particulier, et sur-le-champ nous nous rappelions qu'elle et nous possédions un secret, oh nous ne sautions pas sur ce secret, nous faisions semblant de n'avoir rien remarqué, la suivant des yeux seulement, nous connaissions son petit rituel, « chut » faisait-elle, immobile contre la porte, dans une attitude de guet si sérieuse, si convaincante que nous en éprouvions des frissons de peur, de peur et de plaisir, nous ne le montrions pas, nous nous figions sur place et écoutions comme elle, la maison était calme, l'horloge se mettait à sonner ses neuf coups du soir, sitôt le dernier coup sonné, oubliant toute retenue, Nicole s'écriait à voix haute et excitée « alors qu'est-ce que je vous raconte ce soir ? », et Dan aussitôt disait « raconte quand tu étais à New York », « pourquoi pas » répondait Nicole, comme s'il y avait en effet un interdit mystérieux qu'il fallait braver, mais elle était mauvaise conteuse et l'interdit que nous aurions peut-être pourchassé se noyait dans ses descriptions convenues, son récit finissait par nous ennuyer, ce que nous aimions, c'était l'avoir avec nous dans la chambre, et quand elle partait nous oubliions le secret, son existence, son contenu et toute l'excitation qu'il irradiait, *c'est ainsi que cela se passait, madame, parfois il me semble que nous abritions à notre insu un mécanisme diabolique, placé en nous par le manipulateur de notre destin, croire à cela ce serait déjà croire à quelque chose, ce serait avoir un interlocuteur, madame je n'ai que vous...*

Ce n'était pas les paysages qui passaient directement de mes yeux à mon stylo, c'était les descriptions de Nicole qui passaient directement de mon souvenir à mon stylo. Les paysages que mes yeux étaient bien obligés de voir, ne servaient que de déclic

Parfois il m'arrivait de relire ces courtes missives, par simple inertie, en attendant l'arrivée d'une autre phrase, et j'étais saisie, il me semblait que c'était quelqu'un d'autre qui avait écrit ce qui était couché là dans mon écriture.

Je relisais et relisais et glissais dans une sorte de torpeur, la lettre ne partait que le lendemain, parfois une semaine plus tard, j'oubliais d'en poster certaines.

A l'époque je n'avais pas reconnu que ces descriptions me venaient de notre enfance, de Nicole, que je ne faisais en somme que copier sous la dictée, dans cet état de transe somnambulique où j'ai été tout le temps de ce séjour à New York, mais Nicole, elle, avait-elle reconnu ses visions et ses mots ? Je ne le crois pas.

Elle devait reconnaître « ses » paysages, non pas la description qu'elle nous en avait faite. Et de reconnaître dans mes lettres ce qu'elle avait vu, elle, à New York, devait la rassurer, lui donner le sentiment que nous étions dans un lieu familier, proche en somme, peut-être est-ce pour cela qu'elle n'a pas perçu le vide de mes lettres, qu'elle n'est pas venue aussitôt, qu'elle a attendu six mois, six longs mois, et alors son départ s'est fait dans une révulsion violente, comme on se jette du haut d'une falaise pour raccourcir le chemin, annuler la distance qu'on a laissée s'accumuler.

30

Lazy kids

Un après-midi que je revenais d'une de mes exténuantes marches dans la ville, j'ai trouvé mon frère en haut de l'escalier. Il tenait, un dans chaque main, deux grands sacs de toile brune qui pendaient lourdement, et me regardait monter.

La fatigue me brouillait la vue et il m'a semblé voir dans cette silhouette dressée à la proue du palier supérieur, sous la verrière du toit d'où tombait la lumière rude et presque opaque, une sorte de justicier, la figure de celui qui dans un autre monde pèse la somme des mérites et des contre-mérites, selon des critères que notre entendement s'efforce depuis des siècles à déterminer, et est-ce la vision vertigineuse de ces siècles courbés sous le joug de l'énigmatique balance ou une sorte de récidive de notre « valétude ordinaire » (mais ce n'était pas notre « valétude ordinaire », ce ne serait plus jamais elle, la « valétude » de notre enfance, nous ne l'avions jamais éprouvée qu'ensemble, nous l'avions soignée ensemble, tandis que le mal qui m'attaquait dans cet escalier m'attaquait seule et j'étais seule contre lui), une fois de plus j'ai trébuché et buté durement du tibia contre les marches raides.

— Tu n'es pas au Studio ? ai-je balbutié.
— Je suis allé chercher ça, a-t-il dit et il soulevait alternativement les deux sacs, à distance de son corps comme si des diables y étaient enfermés et qu'il redoutait d'être griffé par eux.

— Tu es allé chercher ça ?
— Je suis allé à la poste.
— A la poste ?

Je restais au milieu de l'escalier, assujettie à la marche sur laquelle j'avais trébuché par la douleur à mon tibia, et ses mots me semblaient curieusement être la cause de cette douleur, ils tombaient sur ma jambe endolorie comme des cailloux.

— Pour toi.
— Pour moi ?
— Oui, pour toi, dit-il en laissant glisser au sol les deux sacs qui se sont répandus de part et d'autre, se cassant selon des angles inattendus, comme s'ils avaient contenu des squelettes cette fois.
— Qu'est-ce que tu veux dire, « pour moi » ?

A cette époque, les paroles ne nous étaient guère de favorables et bienveillantes passerelles. Portés par elles, nous ne faisions que nous croiser ou nous perdre, loin l'un de l'autre, après nous être hélés.

Nos conversations étaient faites pour l'essentiel de répétitions de ce que l'autre venait de dire.

Il semblait qu'une phrase ne pouvait être considérée comme fiable que si elle avait été reprise plusieurs fois de suite par l'un et l'autre, et seulement après plusieurs de ces répétitions il était possible d'aller tâter une autre phrase, laquelle également se voyait soumise au même processus.

Oh je vois tout cela maintenant parce que cette scène dans l'escalier, anodine pourtant, est devant moi avec tous ses détails. *Si anodine cette scène, qu'a-t-elle à faire avec le récit de Tirésia vers lequel tendent mes efforts ? Elle ne me lâche pas, elle se glisse d'elle-même devant moi, pourquoi, madame ? Et il en est de même pour bien d'autres, pour toutes peut-être. Que me veut-elle, retarder le récit de Tirésia, en hâter la venue... Je peux me tromper du tout au tout... madame, je n'ai aucun critère... pas de pouvoir...*

— Qu'est-ce que c'est ? disait Dan.
— Je ne sais pas, disais-je.

Oh j'étais sincère. Comment aurais-je pu donner une réponse puisque je ne savais pas sur quoi portait la question.

Cela peut paraître incroyable, l'instant précédent je voyais les deux sacs bruns de la poste en haut de l'escalier, et l'instant suivant cette image était engloutie dans l'opaque lumière sous la verrière, « qu'est-ce que c'est ? » disait mon frère et la question résonnait comme dans de hauts-fonds marins et je répondais perdue « je ne sais pas » et mon frère lui aussi était perdu, un instant nous flottions dans ces hauts-fonds, puis cela passait, les deux sacs bizarrement affalés redevenaient distincts en haut de l'escalier et mon frère m'enjoignait de finir de grimper.

Nous retombions dans l'univers provisoire que nous avions vaguement établi, sur les mauvais pilotis de dialogues vacillants, et tout hérissé de ces infernales répétitions à travers lesquelles il nous fallait progresser, péniblement, comme à travers des chicanes.

— Mais enfin tu ne peux pas ne pas savoir ce que c'est.
— Je ne peux pas ne pas savoir ce que c'est ?
— C'est à ton nom.
— Quoi ?
— Ton nom.
— Mon nom ?
— Helleur.
— Helleur ?
— Tu ne t'appelles pas Helleur ?
— Ce doit être pour *Dan* Helleur.
— Ah, disait mon frère soudain intrigué et se penchant sur son papier. C'est pour Helleur, tout court.
— Alors ça peut être pour toi.
— Ou pour toi.

Cela durait, durait. Maintenant je ne retrouve plus la suite des phrases, elles venaient pourtant, se succédaient, s'enchaînaient, c'est cela, nous étions comme tirés par une chaîne de phrases absurdes mais solidement maillées l'une après l'autre. Elle nous tenait si bien cette chaîne, infernal serpent annelé !

Impossible de nous y arracher avant qu'elle ne veuille bien, d'elle-même, craquer à un maillon ou un autre, après peut-être dix minutes de discussion froide et fiévreuse, de froide fièvre, la chaîne de ces phrases irritées se brisait, je montais l'escalier, nous ouvrions les sacs, c'étaient des livres.

Les sacs de toile brune étaient ceux de la Poste française — les lettres étaient défraîchies, mais comment Dan avait-il pu ne pas les voir — et à l'intérieur il y avait les manuels et revues de droit que j'avais demandé à mon mari Yves de m'envoyer. L'avis était arrivé pendant l'une de mes affreuses promenades et Dan était allé à la poste à ma place.

J'avais réclamé ces livres, seulement je les avais imaginés arrivant dans des paquets bien ficelés avec des nœuds doubles comme ceux que faisait Tirésia lorsqu'elle envoyait des cadeaux à nos cousins, et pas dans ces sortes de sacs de marin.

— Ce sont mes livres de droit.

— Ce sont tes livres de droit, répétait vaguement Dan, soudain lointain et soucieux de rejoindre le Studio.

Mais le soir il revenait et la première phrase qu'il jetait avant même d'avoir refermé la porte était celle-là même :

— Ce sont tes livres de droit ?

La voix était pleine de provocation et d'angoisse et de rage.

— J'ai un examen, disais-je.

— Qu'est-ce que tu veux faire d'un examen ? disait Dan.

Et cela voulait dire « qu'est-ce que tu veux faire d'un examen qui se passe en France et conduit à des activités qui se passeront en France, loin de moi, et qui ne sont pas la danse ».

Mais je ne pouvais pas entendre cela encore, l'horrible manipulateur de notre destin ne le permettait pas, et je rétorquais méchamment que si lui envisageait de tirer sur les muscles de son dos toute sa vie pour le seul bénéfice d'Alwin, moi j'avais l'intention de gagner ma vie.

A peine sortis ces mots, il me semblait voir littéralement le plancher se soulever et quelque chose surgir entre nous et alors ensemble, aveuglément, avec la pleine fougue de notre jeunesse, nous chevauchions cette chose, la rage.

Dan disait :
— Tous ces livres ! Tu avais besoin de tout cela ?
Et je disais que « tout cela » n'était pas grand-chose pour qui voulait utiliser son cerveau.
Ou encore :
— Tous ces livres ! Tu veux donc rester ?
— Tu veux que je parte ?
Et que je parte était la chose que Dan redoutait le plus au monde. La méchanceté avait frappé juste, et Dan hurlait :
— Ta mission est finie, non ?
— Quelle mission ?
Et encore nous repartions au galop sur la rage, la même mais chacun la nôtre, côte à côte, comme autrefois couraient les lévriers de nos esprits.

La nuit tombait, au loin les sirènes hurlaient dans la rumeur de la circulation, nous avions oublié le dîner, toute occupation serait-ce même la télévision nous rebutait, nous étions trop agités pour dormir, le lendemain nous serions exténués.

Il n'y avait pas de fin, je ne voyais pas de fin à cette vie hébétée qui me tenait. J'avais épuisé la somme d'argent que j'avais emmenée, mon père m'en envoyait d'autres, par petits mandats irréguliers.

Mon intention était de me mettre au travail à cause de ces examens que j'avais à passer en septembre, mais je butais contre un obstacle simple en apparence et pourtant insurmontable : je n'arrivais pas à soulever mes manuels.

Ni à les soulever, ni par conséquent à les porter jusqu'à une table, où ils se seraient laissé ouvrir.

Yves me les avait envoyés, je les avais sortis des deux grands sacs postaux en toile brune, les avais rangés par terre, à côté de la plate-forme puisque c'était là que j'étais le plus souvent.

Ils étaient rouges pour la plupart, ces manuels, et empilés comme des briques, des briques qui auraient été du béton. Me pencher, en prendre un dans la main, le soulever, c'était un effort, un effort qui épuisait d'avance. Quelque chose comme un nerf en forme de corde opérait une torsion soudaine dans la tête, les avant-bras devenaient douloureux, la nuque aussi devenait douloureuse et raide.

Ces manuels étaient trop lourds, voilà exactement ce qui se passait, mon esprit s'était approché d'eux, les avait soulevés, et aussitôt leur poids s'était porté sur les muscles, et maintenant cet endolorissement m'accablait.

Un engrenage alors se mettait en place.

Cet endolorissement était intenable, il empêchait toute action qui ne le concernait pas, il obligeait à s'occuper de lui. Il fallait trouver le moyen de ne plus sentir cette raideur dans la nuque, ce poids dans les avant-bras, sans parler du mal de tête qui était comme un orage bourdonnant au loin sous un ciel bas, pas la « valétude », non, quelque chose de nouveau contre quoi je ne savais comment lutter.

Un mal nouveau qui se fait connaître dans le corps, c'est comme une épidémie inconnue se déclarant dans le monde, on n'arrive pas à saisir l'événement, on pense que c'était une erreur, quelque chose comme une météorite qui se serait trompée d'horizon et que les services de la voirie auront vite enlevée.

Et puis on continue à ne pas saisir, on a recours à des formes d'exorcisme, on essaie de retourner à une époque antérieure où le mal n'existait pas, lorsqu'on était enfant.

Ou bien on essaie de passer ailleurs, là où le mal ne peut pas atteindre, pense-t-on, dans un autre corps par exemple.

On se retourne en tous sens, comme dans un cauchemar.

J'essayais quelques exercices à la barre, revenant pour cela à ce que m'avait enseigné Nicole.

De Dan, je ne pouvais plus rien apprendre, sa technique était telle qu'on n'y voyait plus les étapes, la danse de Dan m'était inaccessible. C'était à Nicole que je pensais le plus, je l'imaginais si mal dans cette ville et pourtant c'était vers elle que je cherchais secours.

Sur cette barre dans le loft de Dan, je me rendais compte qu'elle avait été douce et patiente, Nicole, avec moi qui étais si peu douée.

« Ecoute, écoute la musique, Estelle, laisse-toi aller », disait-elle dans le garage bleu.

J'écoutais, mais voilà, la musique entrait dans mon esprit, mon esprit s'en emparait, j'étais là tout entière, suivant le cheminement des notes dans des espaces qui se dévoilaient au fur et à mesure, que je ne connaissais pas et qui me ravissaient. « Estelle, tu n'écoutes pas la musique », disait Nicole, presque désespérée. Si, j'écoutais la musique, j'étais même absorbée par elle, mais par des fragments, je n'entendais pas la « musique tout entière ». S'aventurant sur ces fragments qui l'avaient capturé, mon esprit voletait, mon esprit essayait des ailes.

Le corps restait en rade.

« Estelle, bouge, bouge », disait Nicole.

Mais bouger, c'était m'arracher à cet errement intérieur. Bouger, c'était lancer une pierre lourde, celle de mon corps, dans la toile fine de la musique qui était la seule chose que je voulais.

Soudain je revois une scène.

Une forme noire, debout dans la lumière. Ce doit être l'été, les portes du garage sont ouvertes et cette forme noire, arrêtée à l'extérieur, c'est Tirésia. Elle n'était pas « venue », elle ne venait jamais au garage. Errant dans le jardin, elle avait dû se trouver du côté du bureau de mon père, donc du garage qui le jouxtait, et elle s'était arrêtée, l'élan erratique de sa promenade butant là, devant les portes grandes ouvertes, où jouait à grand bruit l'exaspérant Teppaz. Nicole, à bout de nerfs, les frisons blonds de ses cheveux se défaisant dans la sueur, répétait « écoute la musique, Estelle », et soudain il s'était passé une chose étonnante, si étonnante que nous nous étions arrêtées Nicole et moi dans notre travail. Tirésia était dans le garage, elle faisait une tache noire à l'intérieur, dans ce décor bleu ciel où ne passaient jamais que nos silhouettes vêtues de rose (Nicole ne tolérant pour nos costumes que ce rose très pâle qui n'est pas la couleur de la chair, bien qu'il en porte le nom, mais la couleur d'une chair idéale), cette tache noire était d'une telle violence que le Teppaz l'a senti dans son cœur de bois et de métal, et lui aussi s'est arrêté. Et dans le silence nous avons entendu : « mais Estelle ne fait que cela, écouter ».

Oh si Tirésia avait été ma mère, je me serais jetée dans ses genoux, mon cœur battait violemment, car c'était la « vérité » en personne que je venais d'entendre, et la « vérité » qu'on entend en personne, pour la première fois, cause une étrange commotion à ceux qui n'y sont pas habitués. Mais celle qui était ma mère était Nicole et je n'osais bouger.

Nicole était très pâle, « si c'est la musique qui l'empêche de danser, alors fais-la jouer, fais-lui faire de la musique ». Je ne trouve plus leurs paroles, je ne suis pas sûre de celles que j'ai citées, je sais seulement que Tirésia était entrée dans notre garage et qu'alors j'avais entendu « la vérité en personne ».

Puis je me retrouve dans le salon devant le piano, Nicole dévisse avec acharnement le tabouret, pour le ramener à ma taille, elle se coince cruellement les doigts dans sa maladresse, Tirésia en tremblant essaie de refermer le clavier mais Nicole avec le même acharnement interpose sa main meurtrie, Tirésia est pâle aussi, d'une pâleur terrifiante, mais cela est impossible, *c'est un souvenir impossible, madame, on ne voyait pas le visage de Tirésia sous son voile, pourtant elle était pâle, je le sais par l'intérieur, vous voyez ce que je vous apporte, des « souvenirs par l'intérieur », madame si vous n'avez un sens qui vous permette de vous orienter par l'intérieur, j'ai bien peur que vous ne vous perdiez et alors madame je serai perdue moi aussi...* J'étais au piano enfin et mes mains tremblaient si fort qu'elles tombaient comme fauchées par la racine sur les touches, et le piano pleurait.

Les pleurs lamentables de notre grand piano résonnaient dans la maison et soudain mon père était là et mon souvenir se brise net lui aussi.

Dans le garage bleu, souvent, j'avais eu envie de dire à Nicole « chut », mais elle n'aurait pas compris, et j'aurais été incapable de lui expliquer.

J'avais envie de lui dire « chut, tu me déranges », et qu'aurait-elle compris, notre petite mère Nicole qui voulait tant que ses enfants soient de petits prodiges de la danse ? Elle n'aurait même pas su me gifler ou me gronder.

Ah si Nicole avait su gifler ou gronder, peut-être aurais-je eu le courage de lui dire « chut tu me déranges, Nicole », de dire comme Adrien, « tu m'embêtes, merde », j'aurais dit ça méchamment comme font les vrais enfants, Nicole aurait foncé sur moi, elle aurait été une ogresse au visage convulsé, aux cris aigus, la gifle serait arrivée sur moi, j'aurais hurlé, et peut-être d'un seul coup, sous la pression de la révolte, j'aurais trouvé l'issue, elle se serait brutalement présentée, l'issue qui m'aurait sauvée, qui nous aurait sauvés, Dan.

Nicole voyait bien que je n'y arrivais pas. « Il faut que tu te décontractes d'abord, disait-elle, je vais te montrer. »

Et ces exercices-là, je les aimais, parce qu'ils étaient lents, qu'il n'y avait plus de musique à suivre. « Déroule-toi vertèbre par vertèbre, disait Nicole. Ecarte les jambes et laisse tomber la tête d'un coup, comme si c'était un poids, d'un coup tu lâches tout. » Et j'aimais rester dans cette position, la tête en bas flottant devant les jambes. Les notes de musique qui étaient dedans, libérées, tombaient à l'envers, flottaient à leur tour, je les entendais littéralement tomber à l'envers puis flotter librement, ensuite je balançais la tête, et les notes roulaient d'un bord à l'autre.

A Paris, lorsque je vivais avec Dan et que tout ce que nous tentions devenait possible, j'ai essayé de produire ces sons. C'était au Conservatoire, pour le prix Marguerite Long que je préparais. Je voulais des sons « renversés », puis qui flotteraient librement, selon d'imprévisibles aimantations. Les résultats nous faisaient crouler de rire, Dan et moi. « Gare à l'effet robinet » disait Dan, et en effet mes notes s'écoulaient bêtement, comme d'un tuyau étroit,

« mais j'aime l'effet robinet » disait Dan, aussitôt prêt à le danser. « Arrête, arrête, disais-je malgré mon fou rire, ce n'est pas ce que je cherche. » « Mais qu'est-ce que tu cherches ? » Et je lui avais rappelé l'exercice de Nicole : « laisse tomber, lâche tout et balance », « ah, avait dit Dan ce qui te manque, c'est un contenant, un contenant à effacer ». Et j'avais enfin réussi, j'avais produit en musique l'équivalent d'une tête dans laquelle soudain des notes libérées se renversent, flottent, et la tête alors s'efface... Ce morceau, bien sûr, je ne l'ai pas présenté, mais c'est grâce à lui que j'ai pu jouer celui qui m'a permis d'obtenir le prix. *J'ai essayé de retrouver ce morceau, madame, il échappe à ma mémoire, il échappe à mes doigts, le don que j'avais est mort avec mon frère, est-ce possible ces choses, j'ai eu un don pendant trois ans, je ne l'ai plus...*

Et puis Nicole me faisait recommencer le même exercice, mais à la barre cette fois, et j'aimais ce soutien. Il y avait moins besoin de penser à ses membres, la barre les prenait en charge, la barre s'occupait de mon corps en quelque sorte, je le lui confiais, et moi je pouvais poursuivre les notes qui me plaisaient, que je détachais du reste de la musique, ou plutôt elles se détachaient d'elles-mêmes, et je les suivais...

« Bon, disait Nicole déconcertée tout de même, ça va mieux ? »

Eh oui, cela allait mieux, et parfois j'arrivais même à faire quelques enchaînements et alors elle applaudissait avec ravissement. Elle était généreuse à sa façon, ma Nicole.

C'était ces exercices-là que j'essayais de refaire dans le loft de Dan. Mais ils ne suffisaient pas.

Un regard sur les manuels, les manuels de droit envoyés par Yves et empilés sous la plate-forme, aussitôt le même malaise, et l'impossibilité de les soulever.

Je me disais « il faut que ça passe », et pour que ça passe, il fallait sortir, marcher, marcher de haut en bas de Manhattan, regarder le fleuve, le ciel, les avions dans le ciel.

Et continuer de marcher.

Puisque le retour à l'enfance ne se faisait pas, il fallait essayer de passer ailleurs, dans un autre territoire, et pour cela j'avais en somme imaginé de marcher jusqu'à la douleur physique, après quoi un seuil était franchi, le corps ne pouvait que devenir autre et c'était cela exactement que je devais chercher.

Que la fatigue pénètre petit à petit dans les muscles, qu'ils commencent à se transformer, à s'accrocher aux os de la jambe comme de lourdes grappes d'abord, puis comme des animaux épais et mutiques, poursuivant un but à eux, incompréhensible à l'esprit, et bientôt les épaules elles aussi se laissaient gagner, et les bras. Une autre vie prenait possession, prenait le relais, ce qui était « moi » se trouvait refoulé dans un réduit de plus en plus étroit, je voyais mes chevilles enfler, et des cordes apparaître sous la peau de mes mains, mes chaussures rétrécissaient, je commençais à gémir, mais il fallait marcher, et bientôt la souffrance franchissait un seuil, et au-delà de ce seuil je n'étais plus la même.

Le corps s'était fléchi vers l'avant, les jambes se traînaient, le cou pendait, la crispation sur le visage s'étalait impudiquement, se vautrait, je geignais sans pudeur, marcher, marcher, j'étais sur le grand pont, il y aurait des kilomètres pour revenir, l'Hudson roulait profondément en dessous, des pensées toutes faites circulaient par les rares chemins de ma pensée non occupés par l'envahisseur, *un mal inconnu, madame, qui vient comme un envahisseur,* des pensées d'écolière sur le grand fleuve qui vient du Canada, sur l'île où galopaient les Indiens, mais l'envahisseur bientôt avançait aussi par ces chemins, mes pensées déjà peu vaillantes s'écrasaient sur les côtés, je marchais, lancée vers la vieillesse, la déchéance, l'abandon...

Ensuite je redescendais par Broadway.

Ceux à la ressemblance de qui je tendais étaient avachis sur les bancs du terre-plein central, par-dessus les bouches d'aération du métro, entre les deux flots contraires de la circulation, au milieu des papiers gras. Les yeux rougis et asséchés, je les regardais et ils m'attiraient, leur banc me faisait envie... échapper définitivement à son envahisseur, devenir méconnaissable à tous et à soi-même, au carrefour poussiéreux de deux rues, abîmée dans l'instant, traversée seulement du grondement des voitures, d'un hurlement de

sirène, d'un petit tourbillon de papiers gras, de cris indistincts, de
paroles de hasard...

— Hey, lady ?

J'ai levé les yeux, c'était un policeman qui me regardait
curieusement.

— Quelque chose qui ne va pas ?

— Non, non. C'est la chaleur.

— Besoin d'aide ?

— Non, je vais prendre un taxi.

— Je vais vous en appeler un, disait ce policeman.

Et soudain, à cause de ces simples paroles, un peu de bon sens
me revenait, je me redressais, repoussais mes cheveux trempés,
lançais l'ancienne chasse de mon esprit sur les crispations de mon
visage. L'envahisseur était parti, en changeant de corps j'avais
réussi à le semer, le terrain était libre, je pouvais revenir à moi-
même.

Et tout aussitôt je sentais le déferlement d'un flot bienfaisant,
celui que poussent nos forces et qui nous jette dans la grande
circulation des désirs, et pour la femme que je venais de retrouver à
l'instant où elle se levait de ce banc de clochards, c'était l'envie de
rentrer au loft, de faire la cuisine pour Dan, de prendre une
douche, d'écrire à notre père.

Comme ce policeman était aimable.

Posté comme un gros bourdon au bord du trottoir, il sifflait.
J'aimais son sifflet, et aussitôt un taxi jaune ralentissait dans un
grand bruit de freins, et j'aimais ce taxi jaune semblable à un gros
papillon.

Là sur Broadway poissé de chaleur et de poussière, c'était le
jardin de notre enfance qui soudain descendait devant moi comme
présenté par une fée. Un bonheur m'inondait. J'aimais tout de
cette ville.

Il y avait tant de papillons lorsque nous étions enfants, nous les
suivions, surtout les gros jaunes aux ailes duveteuses.

« *Il n'y a presque pas de papillons cet été*, m'avait écrit mon père, *hier alors que je marchais sur la pelouse, j'en ai aperçu un, un tout petit jaune, et d'un seul coup je vous ai vus, Dan et toi, main dans la main, vos deux petits visages flottant dans le sillage du lépidoptère (" de la famille des hélicoptères ", disiez-vous avec sérieux), comme s'il vous tirait de ses ailes magiques. Et le cri d'horreur que vous aviez poussé lorsque je vous avais dit qu'on en faisait des collections en les piquant sur des bouchons dans une boîte, Dan s'était écrié : " papa, faisons de notre jardin un refuge pour tous les papillons du monde ", j'avais dit " oui ", bien sûr, sans y penser vraiment. Je ne pensais jamais vraiment à vous, Estelle, comme je le regrette, je vous croyais d'un monde différent, de libres oiseaux, moi aussi je vous croyais magiques.*

Nous avons tous besoin de croire en quelque chose, et moi à l'époque je ne croyais plus en rien, ni en Dieu ni en les hommes, ni en la politique, je ne croyais pas vraiment en la justice, je me consacrais à elle parce que je ne voyais pas ce qu'on pouvait faire d'autre, mais Estelle, ne croire en rien ne doit pas être humain, et sais-tu ce que je devine maintenant ? Je devine que je croyais en vous.

Vous étiez toujours ensemble, Dan et toi, vous sembliez avoir une sorte d'étrange sagesse, l'innocence de ceux qui savent tout par avance, et puis vous étiez si beaux, Estelle, je n'ai jamais vu d'enfants si beaux. Et toujours ensemble. Je ne peux pas te parler de ma vie avec Nicole, elle n'a pas toujours été heureuse, ni de mon fait ni du sien, la pauvre jeune fille, mais lorsque je vous voyais Dan et toi, je crois bien que c'était l'image du couple total que je voyais, le frère et la sœur, indissoluble.

Comme ces choses sont étranges, je commence tout juste à les comprendre. Je vous croyais invulnérables. Le besoin de croire et d'espérer qui restait en moi sans que je le sache, il s'était glissé vers vous, et je ne le savais pas non plus. Voilà pourquoi je vous voyais sans vous voir.

Quel père j'ai été, Estelle ! Un père en rêve, voilà ce que je vois maintenant ; si je n'étais pas si vieux, je crois bien que j'irais consulter un psychanalyste, cela devient à la mode, tu sais, même dans notre petite ville, je soupçonne votre ancienne institutrice de s'être lancée là-dedans, je l'ai aperçue au train de Paris plusieurs fois à la même heure, le même jour, avec un air absorbé et mystérieux.

Voilà pourquoi je suis si inquiet maintenant, Estelle. Mes pieds retombent sur terre. J'ai peur pour vous. Je vous avais mis dans une bulle irisée, qui flottait sans cesse devant mes yeux pour ma joie, maintenant cette bulle a éclaté, vous êtes des personnes avec un passé, ce passé c'est nous, Tirésia,

312

Nicole, moi, et puis l'énorme monde tout autour, qui ne s'est transformé qu'en surface, j'en ai bien peur. Tu te rappelles ce que disait votre docteur Minor lorsqu'on le complimentait sur ses talents de médecin, " Bah, je connais mon Major ! ", eh bien moi j'ai mon hydre géante, le labeur de milliers comme moi ne réussit jamais à l'abattre et l'avocat que je suis me semble rapetisser de jour en jour, je crains de finir en nain comme votre docteur qui devant son " Major " se trouvait de plus en plus " mineur " pour ne pas dire " minus ". Mais je vais t'inquiéter. Nous allons très bien, Minor et moi, et continuons à nous disputer au sujet de notre guerre favorite, l'autre jour il m'a traité d'" Anglais rentré " et en retour je l'ai appelé " vieux Russe raté ", tu vois que nous avons encore du ressort.

Dis-moi Estelle pourquoi ne reviens-tu pas ? Je redoute que tu ne puisses passer tes examens en septembre. Parle-moi de Dan. Crois-tu à ce qu'il poursuit là-bas ? Mon Estelle, je voudrais parfois te dire, ne te laisse pas entraîner trop loin de toi-même. Il est inévitable que Dan et toi preniez des chemins différents. N'essaie pas de le suivre trop loin dans le sien, s'il s'écarte trop du tien.

C'est moi qui t'ai envoyée là-bas et maintenant je voudrais que tu rentres. Quel père inconséquent, tu dois te dire.

Ce petit papillon jaune sur la pelouse. Le père d'Adrien prétend que ce sont les essais nucléaires qui ont transformé l'atmosphère et fait disparaître les papillons. Madame mère hausse les épaules, ils se sont acheté une télévision et elle ne s'intéresse plus à rien d'autre. Elle parle de pays lointains comme si elle y vivait, mais pour ce qui se passe dans son jardin elle a des yeux de presbyte. Nous parlons toujours de réparer le trou du mur sous le lilas, mais figure-toi qu'un nid de frelons s'est installé dedans, une sorte de grosse lanterne vénitienne qui bourdonne sans arrêt et plus personne n'ose s'en approcher. Il faudrait faire venir les pompiers et j'ai peur que leurs produits ne détruisent aussi le petit papillon que j'ai aperçu. »

Le taxi jaune bourdonnait à travers la circulation de la ville, et la lettre de mon père chantait dans ma tête comme un chœur oublié. Je massais doucement mes jambes, mon énergie revenait, une confiance, d'un seul coup une joie immense, j'étais à New York, venue rendre visite à mon frère, ce soir j'irais le voir danser et ensuite il avait promis de m'emmener quelque part, « quelque chose que tu n'as jamais vu, Estelle ! ». Nous téléphonerions à notre père, nous les inviterions à venir, pour eux nous repeindrions le loft, nous emmènerions Nicole à une répétition, elle verrait comme Dan était superbe, oh la joie de voir le visage de Nicole transfiguré, et je montrerais mes manuels à mon père, je lui dirais que je m'étais inscrite à Columbia, c'était presque vrai, j'avais demandé un dossier d'inscription, parlé par téléphone au conseiller des études, je n'avais qu'à rentrer très vite maintenant et mettre au point tous ces projets avec Dan et prendre un rendez-vous pour un entretien à la faculté de droit de Columbia.

Quand le taxi me déposait au pied du vieil immeuble, au numéro 100 de Greene Street, tout était simple et beau.

Ma « vision » n'était guère plus précise qu'auparavant, mais au moins je sentais notre quartier, quelque chose de la magnifique composition des façades en fonte parvenait jusqu'à moi, la présence des immeubles du numéro 72 et du numéro 28 me réchauffait (« un couple, nous avait expliqué David, le 72 plus grand avec une sorte de panache viril, le 28 femelle, plus discret, mais tous deux de conception presque identique »), et aussi pour une fois, comme s'il était le compagnon du grand couple d'immeubles, j'aimais le chat en trompe l'œil sur la façade en trompe l'œil du coin de Spring Street.

Je me jetais dans l'escalier, un étrange escalier, semblable à une suite de hautes échelles, aux marches étroites et raides, des échelles qu'on aurait disposées à chaque palier, chacune s'élevant comme à l'assaut d'une muraille, avec la lumière de la verrière tombant roide et dure comme du fil à plomb dans un puits.

Je pensais à l'escalier de notre maison, aux marches patinées qui avec grâce changeaient de forme au tournant, la rampe qui tournait elle aussi avec la même grâce, si douce sous la main, comme si les murs et l'escalier s'étaient mis d'accord, tous deux ensemble, pour trouver l'accommodement le plus souple, le plus à la mesure des faibles habitants de la maison, afin de les soutenir discrètement dans leurs incessantes, dans leurs misérables grimpées et descentes.

Je pensais aux tendres escaliers de notre maison et me lançais trop vite sur ces marches qui se succédaient exactement semblables les unes sur les autres, à peine déclarées, perspective montant droit à l'assaut vers l'aveuglante blancheur de la verrière, et mes tibias inhabitués à cette inclinaison presque verticale heurtaient rudement la tranche du bois, l'escalier me fauchait les jambes, je tombais à genoux, glissant une ou deux marches plus bas.

« La voilà », disait une voix moqueuse et rocailleuse. Alwin était sorti sur le palier. Je voyais son ombre en haut dans l'éblouissement blanc de la verrière.

Le petit pantin tombé se redressait, l'escalier le faisait monter, le faisait redescendre.

« Estelle, est-ce que tu pourrais... » disait mon frère Dan.

A tout instant le jour, le soir, la nuit, « est-ce que tu pourrais... » disait mon frère Dan.

« Est-ce que tu pourrais me laver cette chemise, aller au Deli[1], aller à la banque, est-ce que tu pourrais me prendre le journal, il y a un article..., est-ce que tu pourrais... », matin, soir et nuit, et le petit pantin montait et descendait le long de l'escalier.

« Alwin dit que je suis encore loin, je n'ai pas le temps, est-ce que tu pourrais aller à la pharmacie, je voudrais du Tylénol », c'était le milieu de la nuit, Dan me réveillait, il arrivait du loft voisin, je voyais son visage pâli, « je me suis couché tard, Estelle, je n'arrive pas à dormir, est-ce que tu pourrais me chercher du Tylénol ? », je lui disais en riant, en essayant de rire, « c'est notre valétude ordinaire, Dan, ça va passer », mais il voulait que je bouge, que je bouge pour lui, il m'occupait sans cesse, et si je me dirigeais vers la pile de mes manuels de droit :

— Estelle, tu n'es pas venue ici pour faire du droit.

— Mais j'ai mes examens en septembre, Dan.

— Poison Ivy les passera à ta place, disait-il.

Je me mettais à hurler :

— Ne l'appelle pas Poison Ivy !

Et Dan criait à son tour :

1. *Delicatessen* (épicerie).

— Why wouldn't I call him Poison Ivy, why not, tell me, why not ?

En anglais comme chaque fois qu'un sentiment incontrôlable l'envahissait, en anglais, la langue étrangère pour ce qui était le plus intime, je comprends cela maintenant seulement.

— Pourquoi, dis-moi !

— Parce que c'est mon mari, là.

Et je savais exactement la portée et le poids de cette flèche, je savais la quantité de mal qu'elle ferait, et ce qu'elle déclencherait, je savais tout cela, mais je ne savais pas de quoi était faite cette flèche ni pourquoi je l'envoyais, c'était ainsi dans cette folie où nous étions.

— A husband ! Well, Adrian would have been better, criait-il.

— Adrian, Adrian, je criais à mon tour, répétant ce nom dans sa prononciation anglaise comme il l'avait fait. Et qu'est-ce qu'Adrien vient faire là, tu peux me dire ?

Ce qu'Adrien venait faire là, je le comprends maintenant. Adrien, notre voisin, celui qui habitait dans la maison à côté de notre maison, qui connaissait notre grenier, le trou du mur sous le lilas, le fossé au fond du pré, notre mare aux reflets blancs, Adrien notre presque-frère.

Et soudain nous nous disputions comme des chiens à propos d'Adrien.

— Adrian has balls, that's what ! criait mon frère.

— Quoi, quoi ?

Je criais si fort que mes tympans me faisaient mal, j'attrapais mon frère par le bras, nous étions prêts à nous battre.

— Il dit qu'un certain Adrien, originaire de votre précieuse petite ville française je présume, a des couilles.

— Alwin !

Il était là, l'inévitable Alwin, rameuté par nos cris, son éternel pagne noué sur les hanches.

— Et qu'est-ce que tu veux qu'elle fasse des couilles de cet Adrien ? disait-il à Dan.

— Oh damn it all, disait Dan, dégrisé soudain.

— Dan n'aime pas que je parle ainsi, disait placidement Alwin en s'adressant à un invisible courant d'air. Il a des idées sur les sœurs, des idées du vieux continent. Je ne le blâme pas. Mais il devrait se rendre compte que les sœurs, ce n'est pas bon pour la danse.

— Quoi ?

Je bredouillais.

— Quoi ? Je fais ses courses, je lave ses chemises, je vais chercher ses journaux et ses Tylénol et tout le reste, qu'est-ce qu'il y a, qu'est-ce qu'il y a...

— Il n'avait pas besoin de sœur pour tout ça avant. Depuis que sa sœur est là, il se conduit comme un bébé, voilà ce que je pense, et il danse...

Et Dan soudain se retournait contre Alwin.

— Je danse comment ? Je danse moins bien, c'est ça que tu veux dire, Alwin. Mais tu te trompes, je danse mieux, mais tu ne veux pas le voir, tu as peur de le voir, parce que je vais plus loin que toi, plus loin que tu ne peux le voir...

Et brutalement il s'arrêtait, cela arrivait à mon frère Dan, il s'arrêtait au milieu de sa colère comme s'il avait tout oublié, comme si un nuage l'avait enveloppé, un nuage qui était du temps, des milliers de gouttelettes de secondes condensées autour de lui en un nombre d'années mystérieux, et au sortir il était différent.

— You want to know something, Alwin. I don't care if I don't dance half as well. I don't care. Just leave me alone, will you. Leave me alone. And leave her alone. I'll dance the way I want to [1].

— Bien, disait Alwin en partant. Bien.

Sur le palier, il revenait et lançait son trait empoisonné :

— Comme ta mère Nicole, penses-y Dan, comme ta mère Nicole.

Puis il partait, Alwin, et nous restions Dan et moi seuls dans le grand loft obscurci comme deux chiens fous, égarés.

Les sirènes des voitures de police hurlaient dans la nuit, leurs

---

1. Tu veux savoir, Alwin. Je m'en fiche si je ne danse plus aussi bien. Je m'en fiche. Laisse-moi tranquille. Et laisse-la tranquille. Je danserai comme je veux.

phares éclataient en tournoyant sur le plafond puis disparaissaient, la rumeur de la nuit revenait, comme un océan battant au pied de la falaise, au pied de ces escaliers si raides qu'on ne pouvait imaginer les aborder par des nuits semblables sans qu'aussitôt ils ne vous précipitent, tous membres brisés et tordus, vers d'épouvantables rebonds.

Nous ne pouvions sortir par ces nuits.

Alwin tirant la porte sur nous avec ce trait empoisonné la verrouillait plus sûrement qu'avec un vrai verrou de fer. Il nous enfermait comme dans un coquillage, et nous tombions à l'intérieur de ce coquillage, sur le matelas de la plate-forme qui devenait un radeau fermé et perdu, loin l'un de l'autre, écrasés de fatigue, les hurlements lancinants de sirènes semblaient errer dans le fond même de notre conscience, nous nous assoupissions et ces cris affreux erraient au fond de nous, tirant nos âmes sans défense derrière eux comme ces corps des vaincus attachés à la queue des chevaux et sautant, sautant sur les pierres brutales des chemins, avant d'être jetés au fond d'une oubliette... parfois l'un de ces hurlements passait directement en nous, nous remontait à travers la gorge comme par une meurtrière abandonnée, j'entendais mon frère gémir durement, je me dressais terrifiée soudain, je ne savais plus où nous étions, ce qui s'était passé et pourquoi nous étions malheureux.

Par les fenêtres on voyait le ventre grisâtre des nuages, notre radeau s'était perdu dans une brume morte, nous étions laids dans cette heure décolorée qui n'était ni du jour ni de la nuit, il n'y avait ni souvenirs ni projets, nous étions réveillés l'un l'autre par nos gémissements et nous étions comme deux poissons agonisants. De la journée passée rien ne nous soutenait par en dessous, et de la journée à venir, pas une planche ne se tendait vers nous.

Comment faisaient les humains pour se lever chaque matin, se jeter dans leur journée avec à la bouche le désir de requin, le goût pressant du jus des heures à venir?

Nous avions des courbatures, nous étions raidis comme si nous avions passé la nuit enfermés dans une coquille d'huître sans air, sans espace.

Nous laissions passer cette heure de l'aube et puis d'autres heures, par une inertie qui nous était nouvelle, parce que ni l'un ni l'autre ne se levait d'abord, que cela nous mettait dans une expectative, un expectative bien tenue en laisse, étouffée, et qui en retour nous étouffait.

Nous restions sans bouger, ne nous tournant pas même vers l'autre, comme si le matelas s'était retourné sur nous. Nous respirions à petits bruits, occupés suffisamment à trouver assez d'air et à ne pas attirer l'attention, par une peur irraisonnée que ce peu d'air même nous soit retiré.

— Just lazy kids, disait Alwin avec mépris.

Peut-être en effet étions-nous devenus paresseux, moi parce que pour la première fois j'étais loin de mes études, et Dan parce que j'étais là et le ramenais aux temps fantasques de l'enfance.

— Just lazy kids, disait Alwin.

Et j'en éprouvais un plaisir de la même consistance qu'une dragée, enrobé de méchanceté sur le dehors et cachant une douceur secrète à l'intérieur.

Si je l'avais pu, j'aurais retenu Dan encore plus longtemps sur le matelas de cette plate-forme, étalé écrasé sur le drap et bras écartés, à travers la touffeur de la journée et la moiteur du soir, ne serait-ce que pour voir l'expression d'Alwin, son mépris, la répugnance, oui la répugnance.

Ne serait-ce que pour l'entendre dire encore : « lazy ».

C'était un serpent qu'il faisait filer sur nous, « lazy », encore aujourd'hui, si je veux éprouver un afflux de haine, il me suffit de penser à ce mot.

Et cela voulait dire « Dan n'est pas un artiste, capricieux mais qu'on peut discipliner, Dan n'est pas un enfant, sauvage mais génial, Dan n'est finalement qu'un paresseux, et sa sœur, une paresseuse aussi, de la même farine tous les deux, l'un seul pouvait faire illusion, mais si on l'additionnait à l'autre, alors il montrait sa vérité, des paresseux, enfants de la même mère, mous et sentimentaux comme elle, et sans dure volonté, paresseux... ».

Alors je pouvais repousser Alwin dans un monde où il n'était rien, ne comprenait rien, où ses critères n'étaient pas plus affûtés que de petits canifs de pacotille, dans un monde où il ne comptait plus, et j'entendais la voix de notre père dans la maison Helleur le soir lorsqu'il ouvrait la porte de notre chambre d'enfants et nous découvrait, assis l'un contre l'autre, moi lisant un livre à voix haute, Dan posant d'avides et étonnantes questions, et moi jetant toute mon immense application à lui chercher des réponses, le front tout tendu et s'éclairant soudain lorsque notre père arrivait, car il donnerait, lui, une réponse à Dan, plus profonde et plus vaste que celle que je pouvais trouver à grand-peine.

« *Ma pauvre petite Estelle*, écrivait notre père, *tu étais une enfant si sérieuse. Parfois je pense que nous t'avons laissé une charge trop lourde avec Dan. Je ne peux m'empêcher de le dire maintenant que je suis si inquiet, c'est toi qui l'as élevé, Estelle, non pas parce que nous ne l'aimions pas, cela je n'ai pas besoin de t'en convaincre, mais parce que tu semblais le faire tellement mieux que nous.*

Mais ce qui me tourmente maintenant, c'est cette question : est-ce Estelle qui a pris son petit frère en charge et nous avons laissé faire par attendrissement et reconnaissance, ou est-ce notre lâcheté qui a donné Dan en charge à Estelle ? Je crois qu'aucun de nous trois n'était capable d'élever un enfant.

Toi, Estelle, tu t'es élevée seule, grâce à Dieu, mais Dan ? Moi je me contentais d'admirer ses reparties, son infinie ressource, Nicole contemplait sa beauté, sa grâce, Tirésia vous surveillait de loin à sa façon que tu connais, silencieuse... mais c'était toi Estelle qui menais notre barque quotidienne. Je ne peux comprendre comment je n'ai pas vu cela plus tôt, comment il se fait que cela ne m'apparaît que maintenant.

Comme si le souci que je me fais maintenant avait enfin arraché une sorte de voile qui recouvrait... une couche non pas d'insouciance, je n'ai jamais été insoucieux, mais de stupide immobilisme. Heureusement tu étais si sérieuse au travail et Dan si vif... »

J'étais « si sérieuse au travail » et Dan « si vif », mais Alwin ne voulait rien connaître de cela.

Il ne voulait rien connaître de ce qu'il y avait derrière Dan.

Dan commençait pour lui à Long Island à l'aéroport Kennedy où il était arrivé, et cela avait déjà été une bien longue course pour Alwin, car il avait été chercher ce nouveau venu lui-même et avait perdu un après-midi dans les embouteillages et encore plusieurs jours à l'observer danser puis à le convaincre de rester avec lui, car Dan aurait d'abord voulu voir plusieurs compagnies.

Je pense parfois que si Alwin avait pu regarder au-delà de cet aéroport, remonter jusqu'à la pelouse argentée où Dan avait vraiment dansé pour la première fois autour de la sœur qu'il aimait, sous la balustrade qui portait comme un balcon de marbre dans un opéra de rêve notre père et Nicole, dans cette maison où quelque part se tenait attentive et silencieuse la femme voilée et muette de notre enfance, s'il avait pu entendre Dan lui dire de sa voix d'adulte ce qu'enfant il m'avait dit cette première fois, « la terre nous désire, c'est à cause d'elle que je danse », si Alwin avait pu faire tout cela, alors le danseur génial qui était en mon frère se serait totalement épanoui, notre destin aurait suivi cet épanouisse-ment, ils ne seraient pas morts, ni mon père ni Nicole ni Dan ni Tirésia, souvent dans ma douleur j'ai pensé qu'Alwin était un assassin.

Qu'il n'ait jamais existé, voilà ce que je souhaitais, et aussitôt après je pensais à ce que je sais maintenant, et alors j'aurais béni Alwin à genoux d'avoir existé, c'était au monastère, j'étais près de perdre la raison...

Alwin obstinément ne parlait à mon frère que des muscles du dos et des chiffres qu'il manipulait et des diagrammes qu'il dessinait. Au milieu de la nuit, mon frère arrivait du loft voisin, nous dormions mal, tard dans la matinée Alwin ouvrait la porte, il nous regardait là-bas à l'autre bout du loft, encore roulés chacun de notre côté sur la plate-forme ou traînant devant les fenêtres opaques de poussière, blêmes et sans forces.

— Just lazy kids, disait-il et il s'en allait sans un autre mot.

31

L'exterminateur

Ces lettres de notre père, je les apercevais avec joie dans la boîte aux lettres déglinguée, avec leurs timbres rouges marqués des lignes noires ondulées de la poste et l'écriture fine si bien tracée de l'adresse, je les lisais, mais elles n'éveillaient en moi aucun mécanisme de réflexion.

Ce qu'elles disaient, je ne l'entendais pas. Je ne cherchais pas même à l'entendre. L'inquiétude de notre père, non, elle ne se levait pas d'entre les lignes pour se dresser devant moi et m'obliger enfin, à...

— Que dit la lettre? demandait Dan.

Et je lui parlais du petit papillon jaune, de madame mère discourant sur des pays qu'elle n'avait jamais vus, de la querelle entre « l'Anglais rentré » et « le vieux Russe raté », de la lanterne vénitienne bourdonnant de frelons dans le trou du mur mitoyen, Dan m'écoutait, il restait absolument immobile, le regard comme trempé dans mes yeux.

Des cris de meurtre pouvaient monter de la rue, le téléphone pouvait sonner, Alwin pouvait entrer, passer littéralement entre nous et repartir, Dan restait immobile, les yeux fixes, et je continuais à raconter la lettre de mon père.

Et voici qu'on frappait à grand fracas à notre porte :

— Exterminator, sir, EX-TER-MI-NA-TOR-SIR...

Il s'époumonait, le stentorien candidat à l'extermination des cafards qui villégiaturaient en si grande quantité dans cet immeuble de Soho, comme dans bien d'autres immeubles du quartier. Après avoir fait les autres lofts, il était revenu et recommençait son glapissement effrayant : « Exterminator, sir », mais Dan ne bougeait pas, tout juste un sourire lui passait-il sur le visage sans déranger la fixité de son regard.

J'en étais en effet à cette lanterne vénitienne que notre père avait cru voir dans le trou du mur et qu'il avait jugée habitée de frelons, alors qu'elle était en fait suspendue à une branche basse du lilas et l'œuvre minutieuse de guêpes et non de frelons, c'était notre voisin qui avait « *fait le jardinage dans les idées erronées* » de notre père et « *lui avait magistralement éclairé sa lanterne* », ainsi qu'il l'expliquait dans sa lettre suivante.

Ah, semblait murmurer le léger sourire de Dan, si nous pouvions envoyer là-bas cet « exterminateur » qui hurle à notre porte depuis le lever du jour semble-t-il, pour qu'il aille débarrasser notre père de cette lanterne à hyménoptères qui l'a ridiculisé aux yeux de notre sentencieux voisin et de sa télésavante épouse, afin que la maison Helleur retrouve son lustre et brille à nouveau de l'éclat qui lui convient...

hein Estelle si ce gros garçon joufflu, armé de cet étonnant engin qui n'est après tout qu'une bombe insecticide grossie à la taille d'un aspirateur, bien qu'il soit en train si doctoralement de nous expliquer que son appareil n'a rien à voir avec un appareil ménager et demande des compétences particulières, qu'il possède lui puisqu'il est autorisé par la Ville de New York à faire ce travail particulièrement dangereux...

hein Estelle si ce superman du cafard débarquait devant le fameux lilas en poussant son épouvantable cri « Exterminator » qui t'a causé une si grande frayeur la première fois que tu l'as entendu,

tu imagines, Estelle, monsieur Voisin et madame mère et Adrien et tous les petits frères d'Adrien se précipitant à la grille de notre jardin et hurlant « monsieur Helleur, monsieur Helleur, au secours... »

Car l'exterminateur était entré finalement, se sentant autorisé par la Ville de New York et la gravité particulière de sa mission à pousser la porte, et nous l'avions prié de venir détruire un nid de frelons, « jamais vu ça ici », disait-il inquiet, « mais si, disions-nous, et vous seul pouvez le détruire », « où ça ? » disait-il serrant fort l'embout de son tuyau, « là », « où là ? », « mais là » disions-nous en lui désignant la lettre de notre père, et il nous regardait, ce gros adolescent si fier de son premier travail, devenait tout rouge et reculait vers la porte, balbutiant qu'il devait se renseigner d'abord, qu'il reviendrait...

Exit l'importun.

— Continue, Estelle, disait mon frère.

Je reprenais ce passage de la dernière lettre de mon père où il racontait plaisamment comment il s'était fait en quelque sorte chapitrer par notre voisin pour son manque de connaissance de la nature :

« J'ai toujours été mauvais en sciences naturelles, Estelle, cela m'atterrait enfant car en Angleterre particulièrement, les affaires de temps et de jardins et de chiens et choses de ce genre ont une grande importance, mais je crois que je sais maintenant pourquoi cela ne rentrait pas, tout cela refusait de rentrer dans ma tête, je crois que sans me le formuler vraiment je trouvais la nature cruelle, Estelle, sans règle morale, cela doit paraître bien ridicule et je n'ai pas dit cela à notre voisin, rassure-toi et encore moins à madame mère, je l'aurais fait volontiers avec Adrien parce que lui au moins ne refuse jamais une discussion, mais voici donc à quoi se résume mon aversion pour les sciences naturelles :

Que peut faire un avocat avec la nature, avec un partenaire qui méconnaît tous codes de lois, et ne connaît que la force ?

Réponse : rien.

Notre voisin était un peu outré de mon indifférence à ses instructions je crois, cela m'a piqué (mais voilà la différence, si c'était un de ces maudits frelons ou plutôt guêpes qui m'avait piqué, mes plaidoiries les plus ardentes devant leur superbe palais vénitien accroché en lanterne au lilas ne m'auraient valu aucune réparation, tandis que ces mêmes plaidoiries pourraient faire merveille devant le plus ordinaire des individus de notre espèce pour peu qu'on puisse lui attribuer la propriété ou la responsabilité de ces insectes), cela m'a piqué donc

et justement je lui ai sorti que la jurisprudence admet l'existence d'une
présomption de garde à l'encontre du propriétaire d'un animal, tu dois
connaître, notre voisin a dit alors avec une certaine hauteur : " *Monsieur*
Helleur, songeriez-vous à un procès ? ", *je lui ai dit :* " *Certes non, je voulais*
simplement vous expliquer pourquoi j'étais distrait pendant vos intéressantes
explications, je cherchais simplement à me rappeler cet article du code civil
français dont s'est inspiré la jurisprudence " " *Alors, monsieur Helleur ?* "
" *Article 1385, monsieur Voisin* " *ai-je dit, bref cela lui en a bouché un coin*
comme on dit en français. (Je dois te dire, ma chère Estelle, que j'avais été
chercher cela le matin même dans mes livres, parce que m'était revenu l'incident
de ce chien errant qui s'était jeté à la gorge de monsieur Raymond.) En tout cas,
ainsi rétablis dans notre respect mutuel, nous avons pu encore une fois discuter
paisiblement de ce mur mitoyen à retaper... »

Mais je ne lisais pas la lettre elle-même à Dan, je lui racontais à
ma façon la suffisance de notre voisin et l'habile retournement
opéré par notre père grâce à son code de jurisprudence.

Sans même que je m'en rende compte, toute l'inquiétude
qu'exprimaient l'incapacité de notre père à apprendre les sciences
naturelles et son effroi devant la cruauté de la nature restait
tranquillement couchée dans les lettres qui la contenaient, elle ne
prenait pas souffle, ne venait pas à mes lèvres.

L'inquiétude de notre père, peut-être parce que je lisais toujours
ses lettres en pensant à ce que je pourrais en raconter à Dan, ne
s'exhumait pas, et Dan par conséquent, pas plus que moi, n'en
prenait conscience.

Je lisais à peu près textuellement un autre passage de la lettre,
dans lequel notre père narrait une nouvelle mortification :

« *Madame mère a donc dit : on arrivera bien à le rapetasser un jour, ce*
trou, monsieur Helleur. Et ma chère Estelle, figure-toi que j'ai compris
" *rapetisser* ", *pour t'écrire j'ai dû aller chercher l'orthographe exacte du verbe*
de madame mère, mais je n'avais jamais entendu ce mot auparavant, je lui ai
donc répondu avec l'esprit que tu me connais : " *Mais pourquoi tant de*
modestie, madame ? Pourquoi seulement le rapetisser ? " " *Comment, dit*
madame mère, vous ne voulez tout de même pas l'agrandir ? " *Et cetera*
jusqu'à éclaircissement final.

Rapetasser ! Connaissais-tu ce mot-là, toi Estelle, Nicole dit que c'est un mot de grand-mère, encore une fois j'ai pu vérifier combien cruellement nous manquons de grand-mères à la maison... »

Mais je survolais le passage où mon père disait :

« *Pour la première fois, Estelle, j'ai regretté qu'il n'y ait pas eu de grands-parents dans votre entourage. J'ai été très heureux lorsque ces cousins sont venus vous voir du Canada, je pensais que cela vous ouvrirait une sorte d'avenir, je sentais que Tirésia et moi et même Nicole étions du passé, pas seulement par l'âge, ma chère Estelle, et je ne voulais pas que vous n'ayez que ce passé pour soutien, je ne voulais pas vous donner notre passé. Mais vous sembliez, Dan et toi, si peu désireux de famille, vous vous moquiez toujours de nos voisins, des frères et des cousins d'Adrien, sais-tu comment vous les appeliez : une couvée de petits cochons, nous n'aurions pas dû le laisser voir mais cela nous a grandement égayés et je ne sais plus si je vous ai dit que " couvée ", non, cela n'allait pas pour des cochons.*

Je vous avais bien vus lorsque vous montiez en haut dans le grenier pour les regarder sur la route le dimanche, cela me faisait souffrir au début, je pensais que vous étiez envieux de cette large et remuante famille, mais vous aviez un tel air de dégoût en parlant de cette " couvée de petits cochons " ! Adrien lui-même je ne vous ai jamais vu rechercher sa compagnie, et l'annonce de la visite des cousins canadiens vous a rendus moroses pendant des jours. J'ai fini par n'y plus penser, je me persuadais que vous étiez heureux ainsi, que nous suffisions à votre éducation.

C'est maintenant qu'étrangement j'aspire à des grands-parents, cousins, que sais-je, tout ce que vous n'avez pas eu, qui pourrait vous aider aujourd'hui, qui pourrait m'aider moi, car je me sens démuni, Estelle, je lis mal dans tes lettres et il est au-dessus de mes forces de te téléphoner... »

Et Dan n'apprenait de tout cela que l'histoire des petits cochons, par quoi nous avions « grandement égayé » les êtres de notre maison.

Mon père écrivait aussi ceci :

« *En me promenant dans votre pré... j'écris votre pré car je vous y vois constamment, Estelle, j'en suis venu à penser que je m'y promène pour vous y retrouver, vous étiez si souvent là à marcher gravement la main dans la main, nous vous regardions des fenêtres du premier étage, nous nous demandions ce que vous pouviez bien vous dire.*

Je vous vois aussi sous le pommier, attentifs des heures, pendant que notre pauvre monsieur Raymond s'activait dans l'arbre, et encore nous nous interrogions : que pouviez-vous guetter ainsi puisqu'il ne vous donnait jamais de pommes ?

Et je vous vois encore, arrêtés à peu près au milieu du pré, regardant la façade arrière de la maison, absolument immobiles, comme si vous voyiez quelque chose que personne d'autre ne pouvait voir et, pour nous rassurer je pense, nous finissions par nous dire que c'était nous que vous aviez aperçus derrière la vitre, et nous filions chacun de notre côté, assez honteux à vrai dire.

Vous étiez un grand mystère pour nous, Dan et toi, nous avions une sorte de respect mystique pour ce mystère (tiens voici pour Dan, qui aime les jeux de mots : tous ces " myst ", ne serait-ce pas dans mon inconscient mist *la* brume *?). Sans doute aurions-nous dû être un peu moins respectueux (un peu moins brumeux) et un peu plus parents, mais ce que je voulais te raconter Estelle, puisque après tout tu es ma fille en ce domaine, celui du droit j'entends, c'est encore un de mes démêlés avec la nature, mon aventure d'avocat dans ce pré.*

Il y avait tout simplement un merle (sous toute réserve, la dénomination exacte de l'oiseau) qui tirait un ver de terre hors de terre. Tu sais comme sont les vers de terre, on peut les couper en deux, le morceau qui a la tête survit et se reconstitue. J'étais donc là en train de dire à ce merle (dans ma tête, rassure-toi, madame mère ne pourra pas dire que je parle tout seul !) qu'il serait souhaitable qu'il se contente de la moitié du ver. Je lui exposais que le ver. ainsi se reconstituerait, ce qui serait à l'avantage de tous, du ver qui vivrait, du merle qui pourrait continuer à manger du ver, de monsieur Raymond qui veut des vers pour pêcher, et de la terre elle-même qui a besoin de vers à ce que m'a expliqué monsieur Voisin, comme tu peux l'imaginer. Et j'expliquais au ver qu'en ce cas, il n'avait qu'à se laisser faire plus aisément et abandonner carrément sa partie inférieure, si facilement remplaçable, en différents endroits du pré accessibles au merle ainsi qu'à monsieur Raymond.

Je commençais à constituer un code, ma chère Estelle, à l'usage des merles et des vers, et une sorte de répartition du territoire pour ainsi dire, enfin je m'amusais à ma façon, mais je crois bien qu'en fait ma tête marchait toute seule et que je reconstitue cela ensuite sous forme d'un amusement volontaire pour ne pas te paraître tout à fait radoteur.

Seulement pour en finir, il est bien évident que le merle n'avait que faire d'un vieil avocat idéaliste et il a sauvagement extirpé tout ce ver qui était très long et l'a emporté dans les airs ou gobé, je n'ai pas regardé, parce que d'un seul coup m'est revenue ma vieille répulsion pour la nature et sciences associées (parmi lesquelles je compte la théologie et la polémologie!), je me suis quasiment trouvé mal, comme toi et Dan, lorsque vous aviez ces petits malaises que je ne prenais pas au sérieux malgré les objurgations de votre docteur Minor. Ces malaises enfantins, encore un sujet de contrariété pour lui dans cette maison, il me disait certains jours " prenez garde que votre maison Helleur ne devienne la maison Usher ", enfin c'était un Russe, excessif, c'est ce que je me disais, et je le remerciais d'avoir lu des poètes de langue anglaise, bref Estelle, je suis remonté à la maison comme j'ai pu et suis allé essayer de trouver réconfort auprès de mon cher Bergson, dont les vues sur la nature ont quelque chose de revigorant.

Lorsque je pense à la nature, je pense fermeture, monstre qui se mange les entrailles, lui pense ouverture... J'ai trouvé la phrase qu'il me fallait. La voici : " Pourtant (en ce 'pourtant', bien abusivement sans doute, mais après tout chacun se sert comme il veut dans un livre, je mettais mon pessimisme et ma faiblesse momentanés) un fluide bienfaisant nous baigne, où nous puisons la force même de travailler et de vivre. " Plus loin Bergson dit : " Il est de l'essence du raisonnement de nous enfermer dans le cercle du donné. Mais l'action brise le cercle. "

Pour briser le cercle vicieux du merle et du ver et de ma défaillance, je me suis jeté à l'eau une fois de plus (cette métaphore sur la nage vient un peu plus loin dans la même page du même volume) je me suis jeté dans l'action, c'est-à-dire dans mon bureau et mes dossiers.

Ma chère Estelle, ne va surtout pas mettre dans tes devoirs ces interprétations toutes personnelles et à vrai dire sentimentales de Bergson, je ne les raconte qu'à toi et à Minor, qui les approuve, mais cela lui est facile car il ne l'a pas lu, il préfère les histoires fantastiques à la Poe, car là, dit-il, il retrouve son vieux " Major " tel qu'il le connaît et il trouve mon philosophe trop dans la généralité. Je lui ai alors lu le passage sur le Sphex à ailes jaunes qui, choisissant le Grillon pour victime, sait qu'il a trois centres nerveux qui animent ses trois paires de pattes et donc pique l'insecte sous le cou, puis en arrière du prothorax, enfin vers la naissance de l'abdomen.

Hein, appelez-vous cela des généralités? ai-je dit à Minor. Ce sont de

précises observations de scientifique et cela devrait susciter votre respect au
moins. Peuh, a dit votre bon docteur, allez donc lire ça à votre voisin le
jardineur, ça l'intéressera peut-être !

Il dit que ce qui le concerne lui en tant que médecin, c'est la survie du
" système clos ", c'est-à-dire de l'individu, et hélas pas celle de " la vie ". Et,
bizarrement, pour conclure cette conversation qui se tenait comme d'habitude
dans ma voiture devant la grille du jardin, toutes vitres fermées malgré la
douceur de l'air, car nous redoutons les oreilles de madame mère, il m'a dit que
nous ressemblions à des personnages de son auteur favori Tchekhov, et c'est
toujours ainsi que nous nous coinçons mutuellement, lui qui ne lit pas mes
philosophes et moi qui ne lis pas ses écrivains... »

Je racontais à Dan l'histoire de notre père essayant d'arbitrer
entre le ver et le merle, il m'écoutait Dan, le regard toujours fixe,
mais il ne disait rien, et l'inquiétude de notre père, qui aurait pu
nous sauver, qui aurait pu venir entre nous comme un ouragan
salutaire et agiter notre torpeur et nous réveiller, nous funestes
dormeurs, nous la laissions, nous la laissions...

Elle restait gisante, prise dans les lignes noires comme dans un
cercueil, et avec elle tout ce que notre père disait de Nicole et de
Tirésia et de nous, tout cela restait enfermé, qui aurait pu nous
sauver, et moi je parcourais ces lettres joyeusement et les portais
dans les poches de mes vêtements à travers la ville et les déposais
partout dans le loft de Dan, sur le moindre entablement, comme
des bouquets de fleurs.

Comme nous étions semblables, mon père et moi. Il avait été un
père en rêve, disait-il, et moi, toute mon enfance et là encore à New
York, j'étais une fille en rêve.

C'est maintenant seulement, tant d'années après, que frénéti-
quement j'essaie d'entendre.

Ce que les lettres de mon père suscitaient, c'étaient des images,
toutes de notre vieille maison et de l'enfance de Dan. Ses lettres
ravivaient une source devenue tapie et stagnante, y faisaient
frétiller mille petits désirs endormis, comme les goujons qu'il nous
emmenait, non pas pêcher, il avait horreur de la pêche, mais sentir

autour des jambes, dans la petite rivière froide qui sinuait entre les collines derrière la maison.

Je me mettais à repenser à mes manuels de droit, exactement comme s'ils ne m'avaient jamais été nausée et répulsion, j'oubliais leur entassement en briques rouges, leur résistance de béton, je faisais des plans de révision, et au milieu de ces plans de révision, tracés en grands carrés impeccables dans ma tête, frétillaient, comme les petits goujons de notre rivière, les « idées » suivantes :

— une chemise verte à reflets opalescents, vue dans Canal Street et qui me faisait envie, une XL pour Dan, une L[1] pour moi (oh maintenant je sais pourquoi cette chemise, couleur d'herbe à reflets blancs... tels ceux d'une source au coin d'une prairie),

— les carreaux du loft que j'avais envie de nettoyer (et eux aussi je sais d'où ils venaient, ils venaient d'une fenêtre tombée un jour dans le jardin voisin, que je voulais réparer peut-être, réparer ce qui est perdu à jamais),

— un piano, qui manquait dans le loft (et le piano aussi... assez, Estelle, assez).

La voix de mon père murmurait dans ces lettres, elle pénétrait dans mon cœur, reconstruisait autour de lui les murs de notre vieille maison, une chaleur un peu poussiéreuse se répandait en moi, l'éclat rude des fenêtres et des murs du loft s'adoucissait, je sentais la présence du velours pourpre des fauteuils et des rideaux de notre maison, soudain je me retrouvais moi-même, ma voix retrouvait son écrin, et maintenant elle s'exhibait tout naturellement, avec les mêmes paillettes qui la faisaient briller, lorsque j'étais enfant avec Dan dans notre maison.

— Tu sais, Dan, je n'arrive pas à écrire à Tirésia et tu sais pourquoi ?

— ...?

— Parce qu'il n'y a pas de piano ici.

Je lui avais dit cela un soir que nous étions ensemble, seuls parce que Alwin était à une réunion du City Council for the Arts où il

1. XL : extra-large ; L : large.

espérait faire renouveler la subvention qu'il recevait pour sa compagnie, je venais de lire une lettre de notre père, ma voix brillait, et Dan m'avait écoutée, écoutée comme avant, de son regard fixe qui semblait venir se tremper dans le mien.

Ce regard me disait de continuer, qu'une porte était ouverte, que je pouvais entrer.

— Tu comprends, père sait que mes manuels de droit ont été envoyés...

(Quel mode sagace et utile, le passif, il évite de nommer l'auteur de l'action, permet de passer des caps dangereux sans renoncer à la cargaison, « ils ont été envoyés », les manuels de droit, point n'est besoin de préciser par qui ils l'ont été, par qui ils sont arrivés, reste en repos Poison Ivy, ton innocent venin ne viendra pas cette fois nous couvrir de démangeaisons cuisantes.)

Dan ne bronchait pas, il me regardait avec la même attention, comme si toutes ces années n'avaient pas existé, comme si nous étions dans notre grenier vaguement éclairé de lune ou dans notre crevasse sous la terre.

— Mes manuels de droit sont arrivés et tu connais père, c'est une façon d'avoir un peu de lui ici, de dire qu'on ne l'oublie pas, qu'il est avec nous. Enfin, tu vois ce que je veux dire, Dan.

— Oui, disait Dan, et s'il ne le disait pas, son regard le disait pour lui.

— A cause de ça, je me sens, oh je ne sais pas comment dire, je me sens...

— Tu te sens en règle, il y a un pont et tu as les papiers pour le prendre, me disait le regard de Dan.

— Exactement. Et pour Nicole, c'est encore plus facile, il y a la danse, tu es là pour ça, et moi je suis là pour...

— Tu es là pour moi qui suis là pour la danse, disait le regard de Dan.

— Oui... Mais pour Tirésia, je n'ai rien. Cela me met, comment il disait Minor... en état d'atonie, c'est ça, lorsque je pense à elle. Je commence une lettre et je n'arrive pas à continuer. Alors au moins je voudrais mettre un paragraphe pour elle dans mes lettres à père ou Nicole, mais tout ce que j'écris me paraît faux. C'est comme si j'écrivais à la mère d'Adrien... Je leur ai écrit, tu sais, aux parents d'Adrien, c'était facile, Dan, il n'y avait qu'à se servir dans les phrases toutes faites, et pour Adrien et ses frères, c'était encore plus facile, j'ai trouvé une carte toute prête avec dessins et humour exactement pour ce genre de correspondance, les Américains ont vraiment du culot, mais cela sert des fois, jamais je n'aurais osé faire une chose pareille avant, mais ici cela m'a paru juste, je suppose que les frères vont hurler de rire, s'ils arrivent à traduire, et qu'Adrien va être furieux...

Je continuais, continuais, c'était si doux, si incroyablement doux d'avoir l'attention de Dan à nouveau, la douceur d'un soir d'été qu'on n'aurait plus espéré après une saison froide et pluvieuse, quelque chose se dilatait en moi, prudemment, avec précaution, mais si prudemment et précautionneusement que ce soit, je ne pouvais pas ne pas le sentir.

Un pétillement avait éclaté dans les yeux de Dan lorsque j'avais parlé d'Adrien.

— Adrien, Adrien, disait-il d'une voix de revenant, qu'est-ce qu'il devient?... Cela me paraît si loin, si loin, Estelle.

Comme il disait cela, mon frère! Ma peau se hérissait, c'était comme une voix d'envoûté, et j'entrais dans son envoûtement, j'y étais tout entière, tremblant seulement de la crainte qu'il ne s'évanouisse.

De tout mon séjour à New York je n'avais pas pensé à Adrien en dehors de cette carte collective que j'avais envoyée à toute la « couvée de petits cochons », mais en cet instant où mon frère m'écoutait tout me revenait d'un seul coup, de certaines lettres que j'avais dû lire si distraitement, je parlais vite, vite, les mots culbutaient, je me faisais l'impression d'être ivre, oh comme j'aimais Adrien soudain d'être ce qu'il était, de me fournir tous ces mots qui faisaient sourire mon frère, qui me rendaient le sourire d'enfance de mon frère.

— Oh sa mère dit qu'il fait les quatre cents coups. Tout ce qu'il veut, tu sais, c'est gagner beaucoup d'argent. Il a essayé d'être garçon de café pendant les vacances, dans le café-bar-tabac de la place de la Mairie, mais le patron a dit qu'il trichait sur les consommations, il voulait le traîner en justice, c'est papa qui a dû tout arranger, Adrien a fait le garçon de salle pendant le reste de la saison sans salaire, tu l'imagines en train de balayer les mégots. Eh bien figure-toi, il les ramassait tous les mégots, à la fin de la saison il les a collés sur une espèce de toile, une toile de plus de trois mètres, avec un pistolet à peinture il a écrit sur la toile : « Deux mille neuf cents mégots en vingt-neuf jours = cent quarante-cinq cancers. Boycottez ce café pousse-la-mort. » C'était incroyable, Dan. Il avait dû suspendre ça pendant la nuit avec des copains, non seulement la suspendre, mais la coller. Impossible le lendemain de la décoller d'un coup. Elle est restée toute la journée, il y avait un attroupement, un véritable embouteillage, les gens disaient « c'est vrai, c'est pas les mêmes qui devraient faire tabac et café ». Adrien lui, impossible de le trouver, il était parti à Paris et il disait qu'il ne remettrait plus les pieds dans la ville tant que le propriétaire du café ne lui aurait pas fait des excuses. L'autre bien sûr disait qu'il lui collerait les gendarmes aux fesses s'il se montrait sur la place.

— Monsieur Voisin devait être furieux...

— Oui, mais pas comme tu imagines, il était furieux contre Adrien, bien sûr, mais encore plus contre le patron du bar, de vieilles rancunes de guerre, je crois. Ça aurait pu durer longtemps, mais papa a tout arrangé, je ne sais pas comment, et de toute façon la mairie a besoin de place, la ville veut acheter le café pour agrandir la bibliothèque, et le patron doit partir sur la Côte d'Azur. Alors Adrien est revenu.

— Et son copain, celui qui était toujours à ses basques ?

— Alex ?

— Oui, Alex, c'est bien cela, Alex Bonneville, disait mon frère de sa voix de revenant.

— Alex, il a raté son bac et passe son temps à jouer au football. Quand son père est ivre, c'est lui qui garde le cimetière. Et tu sais quoi ? Il joue au football dans le cimetière. Tu te rappelles la chapelle funéraire à moitié en ruine vers le mur du fond ?

— Le mausolée ? disait mon frère.

— Oui...

— Le mausolée d'Akbar ! disait mon frère.

— C'est toi qui l'avais appelé comme ça, après la projection sur l'Inde.

— Ah oui, la projection sur l'Inde !

— Votre classe y avait eu droit, elle aussi, je t'avais prévenu que le prof de philo vous ferait cette projection, même si ce n'était pas sa matière, l'Inde ça avait été le voyage de sa vie, et chaque fois le prof d'histoire piquait sa colère !

— Le mausolée d'Akbar, je m'en souviens...

— Alex a enlevé la porte qui était déjà à moitié écroulée de toute façon, ça fait un but, et l'autre but, c'est l'autre mausolée...

— Attends, disait mon frère, attends...

— Mes barrettes.

— Akbarette, c'est ça, le mausolée d'Akbarette !

— Un pour le roi, un pour la reine, la reine barrette, à cause de mes barrettes, c'est Adrien qui disait ça, pour se moquer de nous...

— Oui, disait mon frère, je me souviens, les mausolées d'Akbar et d'Akbarette...

— En tout cas Alex s'est aperçu que le mausolée d'Akbarette se trouve juste à la bonne distance de l'autre. Il ouvre simplement la porte, puisqu'il a la clé, et ça fait l'autre but. Maintenant, tu peux imaginer le nombre de pots de fleurs et de couronnes qui giclent entre les deux buts quand il joue avec Adrien. Il paraît qu'on les voit le soir, Dan, on les entend... Ils ont inventé tout un système de points lorsqu'ils touchent une tombe au passage, en fait c'est un genre de flipper football auquel ils jouent... à vingt ans et quelques, tu imagines !

Je me rendais compte d'une chose étrange. J'avais quitté la maison depuis plus longtemps que Dan, et pourtant c'était moi la plus proche de notre ville. Qu'était-il arrivé à mon frère pour qu'il se soit tant éloigné, en un temps si court ?

— Tu te rappelles la petite vieille qui portait toujours des chapeaux avec une sorte de pot de fleurs dessus, celle qui nous avait injuriés le jour où on avait regardé la mariée qui sortait de l'église, et Adrien qui disait qu'il voulait shooter dans ce chapeau chaque fois qu'il la voyait, il disait qu'il ne voudrait pas mourir sans avoir pu shooter dans ce chapeau une fois dans sa vie, eh bien quand la pauvre vieille est morte, il y avait le même genre de pot de fleurs sur sa tombe, et Adrien allait shooter dedans quand Alex sarclait dans un autre coin du cimetière, et après le pauvre Alex était obligé de le recoller à la sécotine, il a dû le recoller au moins vingt fois et un jour il était tellement ennuyé parce qu'il n'avait plus d'argent pour acheter de la sécotine que je lui ai donné tout ce que j'avais.

— Tout ce que tu avais, Estelle, tout ton argent pour acheter de la sécotine ? disait mon frère Dan de sa voix d'enfant qui avait toujours été une voix de jeune homme, sa voix intense et riche.

— Il y avait beaucoup de dégâts, des choses à réparer ou racheter avant Toussaint. Quand je suis venue à Toussaint, je lui ai donné tout l'argent que j'avais à moi, il me faisait tellement de la peine, toujours à recoller les pots cassés d'Adrien. A avoir peur de se faire frapper par son père. Et le pire, il a peur de la mort, Alex. Ça le terrorise, ces jeux dans le cimetière la nuit, il dit qu'il sera damné. Alors pourquoi, pourquoi est-ce qu'il le fait ?

— A cause d'Adrien, disait Dan. Et puis à cause de toi.

— A cause de moi ?

— Pour ne pas être en dessous d'Adrien.

— Quoi, quoi ?

— A cause du manège d'Adrien avec toi. J'imagine qu'il veut faire mieux.

— Le manège d'Adrien ?

— Adrien cherchait toujours à t'épater.

— Adrien ne pouvait pas me supporter !

— Et toi, depuis nos cousins, tu ne voyais rien. Et pour Alex c'est pareil. Pauvre Alex, il a réussi à amener Adrien sur son territoire, dans son cimetière. Et je suis sûr que depuis que tu lui as donné cet argent... donné ou prêté ?

— Donné, le pauvre, je ne vois pas comment il l'aurait rendu.

— Depuis que tu l'as sorti de ce pétrin, il t'adore et te révère comme une de ses madones en pierre sur les tombeaux...

Une madone en pierre sur un tombeau.

Si rapide et étrange qu'elle ne m'a fait ni chaud ni froid, m'a juste traversée, est revenue l'impression que j'avais eue dans l'escalier, celle d'un diable, d'un abominable justicier d'outre-monde, empruntant la voix, la forme de mon frère, une fraction de seconde, ne me laissant pas le temps de saisir, de réfléchir.

Les yeux de Dan avaient pris cet éclat opaque que je connaissais si bien. Nous étions là tous deux assis en tailleur sur le matelas de la plate-forme dans son loft à New York tandis que les sirènes comme d'habitude hurlaient dans les fonds de la ville et que les avions transitant de tous les coins du globe vrombissaient au-dessus de nos têtes, très fort ce soir parce que la nuit était claire et qu'il n'y avait pas de vent, et c'était comme si nous étions encore au vasistas du grenier de notre vieille maison provinciale, debout tous deux sur le tabouret branlant, collés l'un contre l'autre, agrippés au rebord coupant et rouillé, pour ne pas tomber, comme deux poissons pris au même hameçon, regardant le cortège qui montait vers le cimetière, regardant le cortège qui se segmentait en petits vers noirâtres dans le cimetière, regardant le cortège regroupé et immobilisé en un cercle irrégulier, tirant nos yeux vers cet endroit comme s'ils étaient cousus au bout de longs élastiques jusqu'à ce que la racine de cette sorte d'élastique se mette à brûler et cuire au fond de nos orbites, pour voir, voir ce qui se passait dans ce trou autour duquel s'agglutinait le cortège, mais maintenant c'était Adrien et Alex que nous regardions, avec la même folle intensité, et je parlais, parlais, pour que nous restions encore sur cet ancien tabouret branlant, serrés l'un contre l'autre, le regard fixé vers un point qui nous tenait collés ensemble comme à un hameçon.

Soudain j'étais en train d'inventer tombe par tombe d'impossibles histoires : les plaques changeant de destinataires sous les chocs indiscriminants du ballon, les guirlandes de fer attachées en enfilade pour devenir cibles à traverser, les dalles servant de bases à ricochets, et le dédale complexe entre les tombes devenant parcours de golf.

Nous connaissions toutes les familles qui avaient leur nom inscrit là, c'était un livre connu que je pouvais feuilleter avec Dan, il suffisait de jongler avec ces noms, de faire voler le ballon où il fallait entre eux, et dans ce cimetière si familier un rire commençait à courir comme un feu follet, oh va feu follet, ne nous abandonne pas, l'un de nous t'appartiendra bientôt, cours feu follet, tu auras ta récompense.

— Seigneur, disait Dan, Alex et Adrien, en train de jouer au flipper-football dans le cimetière, Alex Bonneville et Adrien...

Le feu follet que nous avions appelé dans notre cimetière familier devenait incendie.

Nous nous roulions dans le rire, le bas-ventre me faisait mal et cette douleur était bonne, Dan aussi se tenait le ventre, nous ne pouvions plus nous arrêter de rire, un mot, le début d'un mot, le susurrement du début d'un mot, et aussitôt les ondes de rires repartaient, des spasmes qui nous secouaient, nous jetaient sur le lit dans les postures les plus folles, nous ne nous touchions pas, « j'ai mal, mal, oh Estelle j'ai mal ! » disait Dan les yeux pleins de larmes de rire, et je répondais « Dan, je n'en peux plus, arrête », « arrête, toi d'abord », disait Dan, mais c'était impossible, les tombes dansaient devant nos yeux et Adrien et Alex comme deux petits pantins fous couraient de l'une à l'autre et le ballon jaillissait, tournoyait, rebondissait, « attrape » disait Estelle, « chloc le voilà sur la tombe des B. » disait Dan, et maintenant tous deux nous nous lancions ce ballon imaginaire entre les tombes imaginaires, en ajoutant d'autres maintenant, d'autres tombes inconnues avec des noms inconnus gravés dessus, de plus en plus fantastiques, nous nous doutions si peu de ceux qu'il y aurait bientôt...

32

Le loft encore

Petit à petit nous nous sommes calmés, nous avions les muscles douloureux, une fatigue forte et apaisante, nous avons pris une longue douche l'un après l'autre, Dan a commandé une pizza à Mulberry Street dans la Petite Italie toute proche, elle nous était livrée à peine un quart d'heure plus tard, énorme et ronde dans sa boîte de carton carrée, nous avons bu des cocas à la glace pilée, nous étions calmes et repus et nous parlions peu, entre deux grandes bouchées de la pizza à la pâte blonde, dégoulinante de sauce et épaisse de fromage fondu.

— Alors tu comprends, sans piano je ne peux pas écrire à Tirésia.
— Un piano? disait Dan tranquillement.

Tranquillement, mais j'entendais sous la surface unie de sa voix, semblable à une toile d'eau bien tendue aux quatre coins d'une mare, frémir le bruit lointain d'une source.

Oh ces images ne viennent pas au hasard.

Cette petite mare presque carrée, elle était dans un coin en haut de notre pré, on en voyait de loin le reflet immobile comme un mouchoir étalé entre les herbes. Mais nous connaissions son secret, Dan et moi.

Nous nous couchions sur le sol, la tête tout près de l'eau, mais sans la toucher, car nous avions respect de cette petite mare

338

discrète, nous ne voulions pas la troubler dans son recueillement entre les herbes, et là, couchés dans le grand silence du pré, au bout d'un moment au milieu des menus bruits d'insectes et de bulles, nous entendions le chantonnement lointain de la source.

« Lorsqu'une source se tarit soudainement, nous avait dit Tirésia un jour, c'est qu'il se prépare un changement profond dans le sol, un tremblement de terre, un cataclysme... »

Tous les après-midi après l'école nous allions à la mare guetter le bruit de la source, nous assurer que le sol sur lequel reposait notre maison continuait dans la paix, qu'il ne se préparait pas de cataclysme.

Nous étions les gardiens de la source. Tant que nous l'entendions, la paix resterait chez nous. Mais gare, il ne fallait pas oublier un seul jour. Il nous semblait que si une seule fois, nous n'y descendions pas, la source oublierait de jaillir. C'était comme un cœur qui dépendait de nous pour continuer à battre.

A cause de cela, nous ne voulions pas voyager.

« Mais enfin, c'est absurde, disait notre père, nous allons trois jours au bord de la mer et vous ne voulez pas venir. Estelle ? »

Je baissais la tête, un peu gênée, mais têtue. « Non, père... »

« Dan ? » demandait notre père.

Dan secouait la tête gravement. « Non, père... »

« Qu'est-ce qu'ils ont ces enfants, tu le sais, toi Nicole ? »

« Dan et Estelle, venez, venez, disait Nicole de sa voix enfantine et passionnée, nous allons nous ennuyer sans vous, venez, on dansera sur la plage... »

Et nous étions si honteux de ne pas lui céder.

Résister à notre père, ce n'était pas trop difficile, c'était la résistance à l'autorité, cas de figure que nous avions appris à l'école. Naturellement ce cas de figure-là ne s'appliquait que de loin à notre situation à la maison avec notre père, mais enfin on pouvait se l'imaginer, faire semblant, aux dépens d'un peu de malaise.

Mais Nicole ! C'était résister au charme, et cela nous paraissait un véritable péché. Nous étions très malheureux, surtout lorsque Nicole évoquait la danse sur le sable, devant la mer, « sur le sable de l'entre-deux » expliquait-elle, ni le mouillé qui est du côté de la vague, ni le sec qui est du côté de la terre, mais la bande qui s'étend entre les deux, ni dorée ni marron, de sable dur mais pas trop dur, qui répond aux pieds, les garde juste un peu puis les renvoie, oh c'est spécial et merveilleux de danser sur ce sable, disait Nicole, c'est comme si on n'avait plus de volonté, plus de tête qui commande, il n'y a que les pieds avec le sable, les pieds qui parlent avec le sable, venez, venez, vous verrez...

Alors, honteux et souffrant, nous nous tournions vers Tirésia, et je ne sais ce qu'elle lisait dans notre regard, je ne me rappelle pas non plus ce qu'elle disait, ni si elle parlait, mais finalement notre père et Nicole partaient pour le bord de la mer, Tirésia restait, nous aussi, et nous pouvions descendre à la source, comme chaque jour vers six heures, au moment où la lumière commençait à décliner, où la mare avait cet indéfinissable reflet dans l'herbe, qui évoquait la méditation, nous descendions gravement accomplir notre tâche pour que le sol continue de se tenir ensemble, pour qu'il continue à porter notre maison, pour qu'un cataclysme ne surgisse pas des profondeurs irritées et insondables de la matière.

Nous avons dû accomplir ce rite des années. Tirésia devait le savoir, elle qui était toujours à portée de vue lorsque nous l'appelions. Quant à notre père et Nicole, ils n'ont sûrement jamais rien vu ni soupçonné de ce rituel.

Tirésia leur avait-elle expliqué les raisons de nos refus répétés d'aller au bord de la mer ? Je ne sais pourquoi, mais je ne le crois pas. Je n'imagine Tirésia que silencieuse.

Puis nos cousins sont venus, et la séparation de notre adolescence, nous avons oublié la source.

Des années plus tard, le cataclysme s'est produit qui a emporté notre petit îlot, tuant ceux qui y vivaient, me laissant la seule survivante. Alors je voudrais croire au destin au moins, je voudrais lire un signe, dans l'œil muet de cette petite mare d'autrefois, asséchée maintenant sans doute, puisqu'un immeuble va se construire dans ce qui était notre prairie.

Mais je me rappelle autre chose : Adrien, dans la petite loge vitrée que ses parents avaient fait rajouter sur le côté de leur maison et dans laquelle ils avaient installé une salle d'eau (« pour la chambre d'amis », avaient-ils dit, et ils en étaient si fiers, eux qui ne recevaient jamais d'amis), Adrien grimpé sur la lunette des w-c, tout droit à la fenêtre étroite comme une meurtrière et, avec son arc, tirant des flèches dans notre mare...

Une fois se trouvant privé de ses armes habituelles sans doute par la ruse et la convoitise de ses frères, il avait voulu en revenir à des techniques plus archaïques et muni de cailloux avait fait un grand moulinet avec le bras pour en lancer un vers notre mare.

Nous étions repliés derrière le pommier et nous devinions très bien son intention.

— Ignoble, disais-je à Dan. C'est vraiment ignoble.

Pourquoi l'ébranlement de notre mare par un caillou lancé à main nue me paraissait-il un outrage plus grand que le même ébranlement par une flèche, je ne le sais plus, j'essaie de retrouver ce moment, je sens l'outrage, la violence faite à nous, et par-delà, à quelque chose de plus vaste que nous, je sens monter en moi la même rage, je découvre que c'était une rage énervante et délicieuse, mais je ne peux en retrouver la raison.

Peut-être n'y en avait-il pas dans le geste lui-même, mais dans quelque autre événement de la journée, que j'ai oublié maintenant.

— Chut, avait dit mon frère, tu vas voir quelque chose, Estelle, tu vas voir quelque chose de jamais vu.

Adrien a fait un grand moulinet avec le bras, mais il n'avait pas assez de recul, son bras a cogné brutalement la fenêtre, qui s'est tout simplement décrochée, il a glissé, son pied s'est pris dans le fond de la lunette des w-c, en voulant se rattraper il a fait basculer le cadre de la fenêtre qui est allée s'écraser en bas, tout à côté de la chaise longue où madame mère faisait sa sieste.

Le soir tel un volcan, l'irascible monsieur Voisin était entré en éruption et sa colère s'entendait jusque chez nous, « tu vas voir, garrrrnement... », Adrien fuyant la tempête était arrivé en clopi-nant jusqu'à la brèche du mur et s'était réfugié de l'autre côté, dans notre jardin, où monsieur Voisin, retenu par sa femme, avait renoncé à le poursuivre.

Nous lui avions porté à boire, Dan et moi, car ses grimaces de souffrance ne semblaient pas feintes.

Comment cette fenêtre avait-elle pu se décrocher de ses gonds ? Il y avait là un mystère qui faisait rire mon père et Nicole et même Tirésia.

Chacun avait sa théorie. Notre père pensait que les parents d'Adrien, après avoir fait construire cette pustule hideuse sur le côté de leur maison, n'avaient plus eu assez d'argent pour installer une vraie fenêtre. La fenêtre tombée n'était donc en fait qu'une installation de fortune dont il avait même fait un dessin pour mieux nous convaincre. Nicole disait que les petits frères d'Adrien, connaissant son habitude, avaient saboté la fenêtre, pour le punir de son autorité arrogante sur eux. Et Tirésia ? Je ne me rappelle plus ce qu'était la théorie de Tirésia.

En plus de la semonce de monsieur Voisin, Adrien avait eu une entorse à la cheville qui l'avait tenu au lit plusieurs semaines, et notre mare avait retrouvé son calme.

Nous avions attendu notre docteur Minor dans la rue pour lui demander de ne pas guérir Adrien trop vite, il avait posé sa sacoche et nous avait regardés d'un air altéré.

— Vous savez ce que vous me demandez ?

— Oui, de ne pas guérir Adrien trop vite, avions-nous répété bien clairement, pensant qu'il était déjà un peu sourd.

— Ne demandez jamais cela, ne demandez jamais de chose pareille.

— Mais pourquoi, docteur Minor ?

— Cela porte malheur, voilà pourquoi.

— Mais c'est lui qui nous porte malheur.

— Qu'est-ce que vous voulez dire ? demandait notre docteur en nous regardant au fond des yeux.

— Adrien blesse la mare.

Adrien de ses flèches transperçait la peau délicate de la mare au fond de laquelle vivait la source qui tenait notre monde ensemble. Les flèches perçaient la surface opaque aux reflets blancs, filaient dans les profondeurs interdites, touchant la source secrète. Les flèches ne remontaient pas, elles disparaissaient dans les blessures. Notre mare chaque fois était blessée et chaque fois absorbait l'arme, jusqu'au jour où nous l'avons oubliée, où nul n'est plus venu guetter le murmure de sa source ni attaquer sa surface muette, puis tous sont morts, la prairie a été vendue, la source est asséchée, on va construire un immeuble par-dessus.

Tous sont morts, mais Adrien n'a eu qu'une entorse.

Mon frère pourrit dans son cercueil, mais Adrien se promène entre Hong-kong et Canton, revient chaque fois plus bronzé et plus entreprenant et pour entretenir son bronzage et son dynamisme va dans les clubs de santé et les restaurants à la cuisine raffinée et coûteuse, Adrien prospère et mon frère pourrit.

Il n'y a de signe nulle part et moi que puis-je faire, madame ?

J'ai revu Adrien il y a quelques jours. Pour la première fois depuis la mort de Tirésia.

Ses parents s'inquiétaient de moi, « elle n'est pas venue depuis si longtemps, sait-elle que le pré a été vendu ? ». Pour faire plaisir à sa mère, Adrien m'a invitée au restaurant. Comme autrefois.

Et à cause de ces choses qui remuent constamment en moi, madame, depuis que je vous parle, j'ai accepté.

Il était joyeux, son costume d'été, de coupe italienne, lui allait bien. N'était quelque chose d'entêté et de paysan dans les traits de son visage, il aurait presque eu l'air d'un play-boy de magazine, lui notre ombrageux copain d'enfance qui s'était fait une entorse en tombant dans la lunette des w.-c. il y a bien longtemps parce qu'il voulait enquiquiner ses deux petits voisins qui s'appelaient Dan et Estelle.

« Mon chat a quatre pattes, une queue et une moustache... »
« Ma famille comptait cinq personnes, trois adultes et deux enfants, quatre
sont morts... »

— Tu aimes toujours l'opéra, Adrien?

— Bien sûr. J'ai un abonnement au Palais Garnier avec ma femme, et nous allons au festival de Bayreuth, tu te rappelles qu'elle est allemande.

Son allure prospère et gaie me frappait, cet air de fête qu'il sait si bien créer (mais qui peut si vite devenir un air de partouze, oh Adrien, avec toi il faut prendre garde, toujours prendre garde), et le restaurant animé, et le vin.

Lorsqu'une source disparaît, c'est qu'un cataclysme se prépare, nous avait dit Tirésia. La source a été percée de flèches et de cailloux, puis elle a disparu. Ceux qui la gardaient l'ont oubliée. Mon frère Dan pourrit dans sa tombe et Adrien prospère.

— Je pense écrire un opéra, Adrien.

— Comment ça?

— J'ai un sujet, je fais rédiger le livret par un écrivain, et je compose la musique.

— Estelle, tu m'étonnes.

Il était prêt à l'enthousiasme, oh oui le projet lui plaisait, j'allais vers lui, j'entrais dans son univers où l'opéra par je ne sais quelle chimie sociale avait sa place. Il me versait à boire, Adrien, du champagne rose, celui qui me monte vite à la tête et je crois qu'il le sait.

Et à cause de son enthousiasme et du champagne rose et d'une douleur qui revenait mordre à mon cœur, je lui ai rappelé l'incident de la mare, des flèches, de la fenêtre tombée, de son entorse, et sa vieille rage est remontée. Oh nous étions dans le restaurant nouvelle cuisine si bien célébré dans le gotha de la cuisine, et les serveurs étaient comme des laquais de conte de fées, et les dames élégantes et les messieurs riches, mais Adrien était de nouveau le petit garçon rageur debout à la meurtrière de son château et lançant ses flèches et cailloux dans le pré d'à côté où derrière un pommier se cachaient ceux qui s'appelaient Dan et

Estelle, qu'il aimait et détestait plus que tout au monde dans un mélange d'émotions inextricables et qu'il ne cherchera jamais à débrouiller, Adrien, parce qu'il se moque des sentiments et des livres et des intellectuels et de l'effort qui ne rapporte pas et de la souffrance et de la lenteur et de tout ce qui ne claque pas comme un énorme pourboire sur la table d'un restaurant de luxe.

Je sais, je sais qu'Adrien a des cartes de crédit et laisse des pourboires sous forme de plats billets de banque, comme tout un chacun. Parce que c'est ainsi aujourd'hui. Mais s'il n'existait que d'énormes pièces, étincelantes et épaisses, c'est la plus étincelante et la plus épaisse qu'il ferait rouler sur la table pour qu'elle sonne, sonne à l'infini le bruit de la vie telle qu'il se l'est donnée pour l'adorer.

— Ton opéra, c'est une bonne idée, une trop bonne idée pour toi, tu n'y arriveras jamais.

Et ma colère à moi aussi revenait, ma vieille colère contre Adrien, qui n'était pas mon frère et que j'aurais pu aimer et épouser et qu'on en finisse, mais qui n'était pas mon frère, oh Adrien que je te déteste encore parce que tu es vivant et que tu ne seras jamais mon frère.

— Pourquoi est-ce que je n'y arriverais pas? J'ai eu un prix Marguerite Long, que je sache et j'ai déjà participé à un disque qui a eu le Grand Prix du disque.

C'était ainsi que je parlais avec Adrien.

— D'abord, c'était il y a longtemps. Ensuite ton prix Marguerite machin et ton Grand Prix du disque ou je ne sais quoi, c'est comme tes prix d'honneur au lycée, autrement dit rien du tout, de la soupe de bons écoliers. L'opéra, ce n'est pas ça.

— C'est quoi?

— Tu l'as regardé cet Opéra, avenue de l'Opéra à Paris dans le 9e arrondissement, tu l'as regardé? C'est des gens.

— L'opéra, c'est de la musique.

— C'est des gens qui viennent écouter de la musique. Et ce qu'ils veulent, ce sont des sentiments simples et forts. Toi tu vas tout embrouiller de subtilités et coller ta musique moderne qui emmerde tout le monde, où il n'y a pas une seule mélodie qu'on peut retenir.

— Tu te trompes, Adrien, je veux un véritable spectacle, avec des décors, des ballets, des chants, des personnages merveilleux, des airs que tout le monde puisse reconnaître et aimer, *tout le monde, madame, les êtres anonymes que je côtoie dans la rue, dans le métro, ceux dont le visage est morne, qui ne savent plus qu'ils vivent, pour leur donner mon amour, l'amour des Helleur, pour qu'ils sachent comment la vie a habité chez ceux-là et vibré fort, père tu te rappelles ce que tu disais, un sac de merde sur la scène et le danseur doit faire bouger ce sac de merde, mais il y a les mêmes partout dans la salle, dans la rue, le métro, les vivants, mes contemporains, ce spectacle aussi pour eux, qui traînent ce sac de merde chaque jour, ma mère Nicole voulait s'en échapper et voler vers le ciel, mon frère Dan voulait l'arracher à la terre qui nous désire, ma mère Tirésia s'y était enfoncée et perdue, et mon père Andrew Helleur les soutenait tous trois parce que sa compassion comprenait leur effort, à mon tour madame, pour ceux-là qui ne sont plus que merde dans les ténèbres de leur cercueil, je veux les décors du dessus de la terre, les lumières, les corps souples des danseurs, les voix des chanteurs, la musique, et la respiration des vivants, les applaudissements des mains des vivants, qu'ils se perchent sur ces mains, qu'ils entrent dans la sensibilité des vivants, qu'elle soit pour eux un abri inaltérable, madame, c'est un livret d'opéra qu'il faudra m'écrire, « ma famille comptait cinq personnes, trois adultes et deux enfants, quatre sont morts », cela peut-il suffire à l'amour, un livret d'opéra, madame, parce que je hais leur mort...*

— D'abord, qu'est-ce que c'est le sujet de ton opéra? m'a dit Adrien.

C'était il y a quelques jours, dans ce restaurant où il m'a invitée, à l'un de ses retours de Hongkong ou de Canton.

— Non, c'était des Philippines. Ma pauvre Estelle, tu n'as pas grande notion de géographie. C'est vrai que tu n'as pas beaucoup voyagé.

J'ai dû faire un geste de dénégation.

— Oh New York, n'en parlons pas. Tu n'as rien vu, rien de rien là-bas. Et si par hasard tu y avais vu quelque chose, tu t'es empressée d'aller l'oublier dans ton ridicule monastère.

— Tu ne vois rien, Estelle, a-t-il repris, en dehors de toi et de ton sacré frère, tu n'as jamais rien vu.

Il était là à me dire ces choses, je n'en revenais pas, comme si tout ce temps ne s'était pas écoulé, et ce qu'il disait était vrai et en même temps entièrement faux.

— Je suis sûr que tu as déjà oublié ce que je fais. Import-export. Ça ne veut rien dire pour toi. Je pourrais te le répéter jusqu'à la fin de ma vie, tu ne t'en souviendrais pas. Et tu ne sais même pas ce que j'achète et je vends. Je suis sûr que tu ne t'es même pas rendu compte qu'il y a une boutique, une très belle boutique, qui porte mon nom, Adrien V., rue du Bac. Dis-moi, Estelle, qu'est-ce que je vais faire aux Philippines ?

Je ne sais ce qui m'a pris. Adrien me poussait hors de moi-même, lui seul le pouvait, il le savait, je croyais que mes années au monastère auraient changé cela. Mais Adrien me mettait hors de moi. Je me suis mise à chanter, assez fort, oh c'était plus fort qu'un chantonnement : « Adrien prend sa faucille, pour aller aux Philippines, pour aller couper des joncs. En chemin il rencontre une seule mais mauvaise fille, une seule mais mauvaise fille... »

— Tais-toi, Estelle, ou je casse la bouteille sur la table.

Et je me suis tue, car il l'aurait fait, Adrien.

— Ecoute, je sais bien que tu vends des meubles en rotin.

— Bon, raconte-moi le sujet de ton opéra.

Et j'ai su que c'était impossible. Raconter mon opéra à Adrien ?

Déjà il n'en restait rien, là sous son regard moqueur il s'évaporait, et je ne voulais pas être vaincue devant Adrien, je cherchais une phrase, une phrase si simple et directe qu'il n'y aurait pas une faille où il pourrait pénétrer, avec son ironie moqueuse... « *Mon chat a quatre pattes, une queue et une moustache* »... Je ne voulais pas qu'il entre dans mon opéra encore embryon, qu'il y dépose ses poisons corrosifs. Ah si Adrien aujourd'hui entrait dans mon opéra, je ne pourrais plus rien pour lui. Plus tard, plus tard...

— C'est une histoire d'amour, Adrien.

— Bien sûr, ce sont toujours des histoires d'amour. Mais encore ?

Et soudain je l'ai vu rougir, cette rougeur sombre qui le prenait autour des yeux, montait vers son front, je l'avais vu tant de fois, cet incendie noir qui montait vers ses cheveux, et ses cheveux qui semblaient s'écarter sous l'effet d'un souffle brûlant et bouger comme la lisière d'une forêt. J'ai eu peur.

— Je sais, sifflait Adrien entre ses dents, c'est ton histoire que tu vas raconter, ta sacrée histoire, et je serai dedans, n'est-ce pas que je serai dedans Estelle, le méchant, le vilain, et ton précieux frère sera le pur, le beau, la plus pure voix de ténor pour lui, et moi ce sera la basse, et tu lui feras chanter la grande scène du viol sous le lilas près du cadavre du frère mort, oh je te hais Estelle, si tu savais comme je te hais, toi et toutes tes conneries...

La bouteille de champagne rosé a jailli du seau et Adrien l'a cassée net sur la table entre nous deux. C'était il y a quelques jours.

Et voici ce que je disais à Adrien pendant que le champagne coulait doucement en bulles dorées sur la nappe, en bulles qui s'égouttaient doucement sur le parquet, j'entendais le petit bruit qu'elles faisaient, je l'entendais avec délice et horreur, le bruit cristallin de cascade qui tombait de la table, et au-dessus de ce bruit ma voix disait :

— Si tu n'existais pas Adrien, il faudrait que je t'invente.

Et encore je disais :

— Pas la peine de fréquenter les clubs de sport et de faire tant de karaté si tu n'arrives même pas à te dominer...

— Vas-y, Estelle, vas-y, ça fait du bien, tape, tape...

Et alors oui je tapais, j'étais ivre de ce champagne non bu, de cet incendie sur le front d'Adrien qui m'échauffait la tête, je lui lançais à la tête la mort de mon frère, « c'est de ta faute Adrien », « et pourquoi je te le demande », « parce que tu aurais dû savoir, tu aurais dû me dire », « te dire quoi, je ne savais rien », « mais tu ne voulais pas, tu étais jaloux », « jaloux de Dan, tu rigoles », « tu étais plus vieux que lui », « toi aussi tu étais plus vieille que lui », « et tu es encore jaloux de lui, jaloux d'un mort », et nous nous lancions des accusations sans queue ni tête et soudain Adrien a plongé sa main dans la flaque de champagne et a promené cette main sur mon visage, lentement.

Et je savais pourquoi il le faisait, pour que je le morde, parce que je haïssais cette caresse, et je l'ai mordu comme il l'attendait, et pendant que je tenais le gras de sa main entre mes dents, il s'est penché et m'a dit :

— Descends aux chiottes avec moi, Estelle, c'est ce que tu veux, hein, qu'on recommence cette scène, et je me fous de savoir pourquoi, mais je le veux moi aussi.

Tout le temps que nous étions dans cette cellule des toilettes, l'eau des latrines à côté s'écoulait avec le même bruit cristallin de cascade, la tête me tournait, « pas de signe, pas de sens », la petite mare clignotait dans ma tête, des souvenirs désamarrés filaient d'un bord à l'autre, entraient en collision, avec de grands éclairs qui jaillissaient en arcs, traçant des figures géométriques désaxées, « j'ai trop bu », disais-je à Adrien, « tant pis », disait-il, l'odeur des toilettes était forte, je la respirais à grands coups saccadés, est-ce possible que le temps s'annule ainsi, que tout recommence, la même douleur, la même horreur, je chutais dans le passé sans rien pour me retenir, comme dans un grand puits étroit, tout droit avec Adrien, qui me poussait de toute sa force, m'enfonçait à grands coups de boutoir vers cet entonnoir au fond duquel émanait l'odeur terrible de la matière, l'odeur du corps de mon frère en décomposition, et c'était là le fond, là nous heurtions, il n'y avait plus rien après.

Adrien refermait son pantalon, l'air buté. Je redescendais ma jupe.

Puis nous sommes remontés, moi quelques minutes après lui, le champagne avait été remplacé, j'ai pris une aspirine, Adrien m'a regardée traverser la salle, son visage s'est éclairé, soudain il n'y avait plus de fureur entre nous, rien.

— Tu es devenue une jolie femme, Estelle, disait Adrien. Comme jeune fille, tu étais un peu nunuche, mais maintenant...

Il le disait sincèrement, de cette façon hâbleuse et cynique qui était sa sincérité, j'ai ri, et soudain j'ai eu un flot de reconnaissance pour lui, car mon opéra était revenu se nicher en moi.

Et c'était cela que je sentais, mon opéra comme un oiseau que j'avais perdu dans les fourrés. Il avait entendu la voix noire du chasseur, et cette voix l'avait fait jaillir du fourré où il se terrait et il avait filé dare-dare vers mon cœur pour se protéger. Maintenant il était là, son chant retenu pour l'instant, *mais vous m'aiderez, madame...*

349

Soudain, pensant à vous madame, à votre aide, j'ai vu une danseuse, son nom est à l'affiche en ce moment au théâtre de la Ville, C. la liane, et je me suis rappelé que Michael la connaissait, cette danseuse c'est elle qu'il me faudra pour Nicole, et je me suis dit que j'écrirais à Michael, pour qu'il se fasse mon intermédiaire, oh madame votre livret sera si beau qu'elle acceptera, elle dansera le rôle de Nicole, et avec elle tous les autres danseurs se trouveront aussi, ils brilleront mes êtres pâles...

Mon malaise se dissipait avec le repas, le flot de reconnaissance recouvrait l'aridité brûlante entre Adrien et moi, puis s'absorbait doucement dans cette aridité, et bientôt par un processus que je connaissais bien, l'aridité et le flot se compensaient exactement, le sol devenait neutre, l'ennui s'étendait. Adrien et moi, nous nous ennuyions ferme ensemble.

J'avais hâte de partir.

Vers la fin du repas, une gaieté factice est revenue, parce que justement la fin était proche, dans quelques instants nous allions être dans la rue fraîche, chacun rendu à sa liberté, lui aussi Adrien devait le sentir, car sa gaieté moussait de plus en plus haut, je commençais à redouter un nouvel accès, mais maintenant c'était une peur toute simple, facile à résoudre, il suffisait de se concentrer pour trouver un taxi.

Adrien, lui, rentrerait à pied. « Tu es bien sûr...? » ai-je dit. « T'occupe ! » a-t-il répondu. Depuis son accident, il boitait légèrement, mais il ne voulait pas le montrer. La marche à pied solitaire l'avait toujours calmé, et de toute façon ce qui se passait après ne me regardait pas, il s'en est toujours bien sorti, c'est un homme d'affaires, Adrien, après tout.

33

La danse de l'escalier

Et maintenant je racontais à Dan notre enfance.

Lorsqu'il arrivait tard dans la nuit, je me réveillais instantanément, il était fatigué, il avait faim, je lui demandais « tu te
rappelles les plats que tu faisais enfant ? ». Il tournait vers moi son
beau visage où la fatigue se posait comme un voile de sensualité,
son regard m'interrogeait, « tu veux dire dans la cuisine une fois
que Tirésia était partie ? » et je disais « oui, oui, tu te rappelles les
idées que tu avais ? ».
Sa voix de revenant alors...
— Quelles idées, Estelle ? Je ne me rappelle plus. Cela semble si
loin, si loin tout cela.
— Tu avais inventé un plat, tu disais que c'était un plat
magique parce qu'il utilisait deux ingrédients très ordinaires, mais
que personne n'avait jamais pensé à mélanger seuls ensemble. Tu
disais qu'on les mélangeait avec d'autres, avec la farine, avec les
œufs, avec le lait, avec mille choses, mais jamais tous les deux
seuls.
— Estelle, disait mon frère troublé. Les choses que tu me
racontes. C'est là tout près, elles tournent autour de moi, j'ai dit ces
choses, Estelle ?

Et soudain moi aussi j'étais troublée. J'entendais la voix
enfantine de Dan : « ces deux-là, tu comprends, on ne les met

jamais tout seuls ensemble. Eh bien nous on va le faire, tu vas voir Estelle, on va le faire ».

— Qu'est-ce que c'était ? disait la voix adulte de mon frère. Je t'en prie, dis-le-moi.
Et je disais, vaguement vexée :
— Trouve tout seul.

Et pour me faire enrager, car nous n'étions pas totalement amis, il énumérait tout ce qu'il mangeait dans ce pays, « pizzas, hamburgers, Kentucky fried chicken, french fries, heros, tuna sandwiches, hot dogs », ce qu'il mangeait lorsque Alwin ne le surveillait pas.

— Les deux éléments qu'on ne met jamais seuls ensemble, Dan.
— Estelle, je suis fatigué, j'ai envie de dormir. Dis-le-moi.

Mais je savais que la fatigue était dans une autre personne que celui qui était devant moi.

La fatigue était dans celui qui avait discipliné les muscles de son dos tout l'après-midi au Studio sans climatisation d'Alwin, dans celui qui avait cherché ensuite la nuit étouffante et poussiéreuse de New York pour revenir les yeux cernés et la voix rauque (et à cette voix rauque je devinais les passages de la rue surchauffée aux cavernes glacées des bars, je devinais un peu mais si peu encore, rien véritablement), la fatigue n'était pas dans celui qui était devant moi, car à l'instant, éveillé par ma question, il se transformait littéralement sous mes yeux.

Le regard lourd et ensommeillé reculait, cédait la place au pétillement que je connaissais si bien, et tous les traits du visage comme autour d'un feu de brindilles se redressaient, une ronde de petites émotions dansantes courait sur son visage.

— Dan, rappelle-toi, le domestique et l'exotique, l'animal et le végétal, le jaune et le noir...

Soudain il bondissait, enfilait son tee-shirt, cherchait fébrilement quelques dollars, se jetait vers la porte.

Oh comme j'absorbais chacun de ses gestes, les gestes du danseur, pour moi seule, dans cette quête pour moi seule. J'entendais la descente de son corps dans l'escalier, ce n'était pas un martèlement pesant, comme celui des autres locataires de l'immeuble, ni une suite d'accrochages avec chevilles éraillées, comme si fréquemment dans mon cas, c'était un flirt subtil avec les marches, ces marches rudes, si peu portées à la diplomatie, et avec elles mon frère menait une négociation rusée, légère, une négociation qu'il gagnait, oh je ne sais comment exprimer cela.

Pas un geste, pas un mouvement de mon frère Dan n'était morne, et mécanique et sans âme. Chacun de ses gestes portait toute sa vie à tout instant, chacun de ses mouvements était un pas de deux avec le monde.

La porte claquait derrière lui, et mon cœur se mettait à battre, un sentiment d'urgence, je courais sur le palier pour ne pas perdre une nouvelle phrase de sa danse. J'entrouvrais cette porte sans bruit, j'avançais sous la verrière, et puis je regardais.

Je regardais, c'est tout. Et je ne ne savais pas que je regardais mon amour.

Et puis il revenait, le même tourbillon de vie qu'autrefois. Je le sentais au bas de l'escalier avant même de l'entendre. Un nuage d'énergie rayonnait vers le haut, alertait toutes les marches, les rendait sensibles, dans l'attente, comme les notes d'un clavier sur lequel va venir le joueur. Je savais que mon frère Dan était revenu, qu'il était en bas de l'immeuble, tout près de la première marche, parce qu'un changement s'opérait dans ma perception, l'escalier qui avait été vide et droit se gonflait de présence, repoussait les murs, l'escalier devenait un grand piano couché docilement en travers de l'immeuble, et soudain les pas de mon frère couraient sur les touches, et le son emplissait l'espace de l'immeuble, qui avait été vide et raide, l'emplissait de musique et de danse.

Cette fois, pas question d'aller sous la verrière car il m'aurait vue aussi, et je ne pouvais le supporter. Mais je restais près de la porte, et j'écoutais jusqu'à la dernière note, jusqu'au bouquet final où il bondissait sur le palier. La porte s'ouvrait.

— Estelle, criait-il, comme si j'avais été très loin...

Aujourd'hui parfois, il m'arrive cette chose étrange. Je suis dans la rue et j'entends mon nom. Je m'arrête le cœur battant. J'ai entendu quelqu'un m'appeler. Je me retourne et regarde autour.

Cela peut se produire plusieurs fois de suite dans un court intervalle, cela peut ne plus se produire pendant de longues périodes.

Estelle...

Il ne reste plus personne pour m'appeler de ce nom.

Seul Adrien. Mais il le prononce avec tant de mépris, ce prénom qu'il juge provincial et ridicule, « le nom de la gouvernante du curé » dit-il, et de cette façon il raille aussi mon séjour au monastère. Je sais dans quel livre ce prénom est celui de la gouvernante du curé, mais lui qui ne lit pas, comment l'a-t-il appris ?

Si je lui disais que c'est dans un livre, il ne le croirait pas. Pourtant ce passage a dû un jour lui tomber sous les yeux ou quelqu'un le lui a mentionné, il a oublié le roman, l'histoire du roman, la personne qui lui en a parlé, de tout cela il n'a retenu que mon nom et l'association qui lui permet de me mépriser.

— Estelle, criait mon frère.

Je me tournais lentement, comme si je ne l'avais pas entendu arriver, comme si j'étais dans une autre préoccupation, il arrivait de ce pas du danseur qui traverse la scène, les mains présentées en offrande.

— Regarde, disait-il.

— Ta main, et il déposait dans ma main un petit sac de papier brun.

— Ton autre main, et il déposait dans mon autre main un autre petit sac de papier brun.

Puis il passait derrière moi, étendait mon bras, et là-bas, comme au bout d'une branche, sur ma paume ouverte il dépliait doucement le sac, des œufs apparaissaient, comme dans un nid.

— Ne bouge pas, murmurait-il, ils sont fragiles.

Et soudain c'était comme lorsque nous étions sur la pelouse, le jour où Dan avait dansé devant nos parents.

Docile, appliqué, mon corps s'était placé comme mon frère l'avait demandé, je ne bougeais pas, je n'étais que le centre pour sa danse, mon bras tremblait légèrement, peut-être par timidité, depuis mon départ de la maison je n'avais pas pris de cours de danse et Nicole n'était plus avec moi pour corriger mon maintien. Je ne pouvais plus tenir les bras écartés sans trembler, et pourtant je sentais dans mon corps un enseignement ancien qui revenait, mes épaules se plaçaient d'elles-mêmes, basses, droites, mon cou se tournait légèrement, je sentais même dans le dos une sorte de fierté qui le redressait.

C'était mon amour qui cherchait son chemin, qui cherchait dans cet affairement des muscles, à venir au jour, à exister, cet amour que j'ignorais.

Dan restait derrière moi, sa main soutenant mon bras qui portait le petit nid brun des œufs, nous ne bougions ni l'un ni l'autre, mais c'était une danse encore, comme si nous écoutions tous deux une musique qui tenait nos corps ainsi. Puis cette musique que nous entendions a dû s'interrompre, Dan a enlevé le nid, mon bras est retombé, je lui ai tendu le second sac de papier brun, celui-ci contenait un sachet de chocolat râpé, pailleté de petits copeaux de sucre multicolores, notre danse était terminée.

— Bon, disait Dan, tu vois bien que je n'ai pas oublié.

Et nous avons refait l'absurde plat de notre enfance, œufs frits et saupoudrés de chocolat, au dernier moment j'ai dit « quand même Dan, ça serait plus raisonnable avec du gruyère et du ketchup », mais il a ri, « pas question, Estelle, j'ai vraiment envie de ça et toi aussi ! ».

Et je me souviens de ce qui s'est passé en moi, un réarrangement furtif et total de l'être, que je ne reconnaissais plus, qui surprenait, que je reconnaissais enfin : notre bonheur ancien.

J'en avais été privée si longtemps.

Entre-temps des satisfactions s'étaient présentées à moi, sous la raison sociale de « bonheurs », et dans ma passivité, je les avais reçues comme tels. Mais ce n'était rien d'autre que des satisfactions, des choses qui arrivaient, dont les autres se réjouissaient, et un peu de la réjouissance des autres rebondissait jusqu'à moi. Ainsi mes banals succès universitaires, le mariage avec Yves, mais à quoi bon énumérer, tout ce qui était venu après Dan n'avait été que petits événements plaisants ou déplaisants, le ruisseau des petits événements défilant sous mes yeux et moi me trouvant là, rien de plus.

Dan s'apprêtait à casser les œufs. Debout à côté de lui, je tenais le sachet de chocolat déjà ouvert. Dan s'est arrêté.

— Non, c'est toi qui mets les œufs et moi je verse le chocolat.

— Mais Dan, quelle importance ?

— C'est toujours toi qui as cassé les œufs.

— Parce que j'étais la plus grande, mais maintenant c'est toi le plus grand, à ton tour alors.

Nous argumentions sur ce sujet minuscule exactement comme lorsque nous étions enfants, en y mettant tout notre être, cherchant d'étranges raisons, que nous examinions tour à tour avec application. Et puis en fin de compte :

— Les œufs, c'est toi qui dois t'en occuper, et le chocolat, c'est moi. Je le sens, disait Dan, c'est comme si j'entendais un ordre.

Et la discussion s'arrêtait là, car c'était notre vieil accord, lorsque l'un disait qu'il « entendait un ordre », l'autre devait s'incliner.

J'ai porté la coquille contre le rebord de bois de la table et très doucement j'ai heurté. Toc, toc, toc.

Ce devait être le milieu de la nuit, cette heure où dans les monastères on se hâte vers la chapelle pour un office qui ressemble à une garde de vigies sur l'océan noir, cette heure où on meurt dans les hôpitaux, où un silence se fait dans toutes les villes du monde, une voiture furtive de loin en loin, le ciel livré à son immensité, un pas solitaire errant dans l'allée perdue d'un rêve.

Un vide se creuse au sein du temps, nous étions dans ce vide, enclos entre ses bords incertains, fragiles comme ceux d'une coquille.

Toc, toc, toc, je frappais si doucement.

— Tu as peur de les réveiller? a murmuré Dan.
— Oui, ai-je répondu par un signe de la tête.

Nos épaules se touchaient, nous étions proches pour la première fois, je me rappelle violemment cette phrase, « tu as peur de les réveiller? », oui je redoutais de « les » réveiller. Mais qui étaient ceux-là qui dormaient et que le tintement infime du heurt contre la table risquait d'effleurer?

Au bas de la falaise raide de l'escalier, la plus grande métropole du monde, étendue comme une eau noire et dormante, ne dormant qu'en surface... dans le silence crevaient des bulles çà et là, comme les reprises d'air d'un dormeur immergé dans les profondeurs, roulant dans les vagues de ses gestations secrètes, d'une métropole à l'autre, sous l'immense masse humaine de notre planète. Etait-ce celui-là que nous avions peur d'éveiller?

Parfois il me semble (si cela est possible, et je ne crois pas que quiconque puisse en prouver l'impossibilité) que nous glissions mon frère et moi à travers le temps, que nous avions ce qui pourrait s'appeler, contradictoirement en apparence, la prescience du passé. Quelque chose en nous savait vers quelle catastrophe roulait notre avenir et ce qui, dans le passé, avait faussé les directions. Mais ce savoir nous était fermé.

Le dormeur immergé sous l'énorme masse humaine de la planète avait déjà été réveillé, il avait déjà ravagé notre vieux continent, et sautant des décennies il allait revenir, sous une forme différente, rapetissée jusqu'à l'invisible, celle du virus, ravager des aires minuscules, ici, là. Dans l'intervalle nous étions apparus à la surface, deux fragments de la masse humaine, et nous allions nos vies, portés sur la barque du présent, notre vue trop faible pour distinguer l'horizon devant nous, et l'horizon derrière nous, et comment ils se rejoignaient.

— Allez, vas-y, Estelle !

Aussitôt j'ai brisé cet œuf sur le bord plus coupant de la poêle.

La glaire transparente se déployait lentement, tâtant l'espace, vers un bord puis un autre, portant son cœur jaune avec précaution, puis elle s'arrêtait précairement et semblait nous regarder à son tour, et attendre.

Nous avions oublié d'allumer.

A la fenêtre, retenue par l'écran de vitres salies, affleurait la lueur fumeuse de la ville, vaguement teintée de rouge. Le long du mur, les appareils ménagers ressemblaient à des menhirs de taille inégale, sur l'un d'eux grésillait notre petit feu. Au-dessus des flammes bleues, silhouette double, nous étions penchés. Plus loin vers la porte, le loft plongeait dans l'obscurité.

Nous étions absorbés et totalement nous-mêmes, à une affaire qui ne concernait que nous.

Ces choses peuvent-elles appartenir à un opéra ? J'entends les ricanements d'Adrien, « tu vas tout embrouiller avec tes subtilités », non bien sûr elles n'appartiennent pas à l'opéra, « tu l'as vu, cet Opéra, place de l'Opéra, à Paris ? ». Adrien, vas-t'en, que sais-tu de ce qu'il y a au fond de toute œuvre, tu entres dans le splendide théâtre et tu en ressors trois ou quatre heures plus tard, tu es resté le même, inchangé, et tu vas dîner, dans un de ces restaurants bien coûteux, Adrien, va-t'en, je ne sais rien, mais tu sais encore moins que moi, *madame j'ai tant besoin de vous...*

Alors Dan, d'une façon à la fois solennelle et intime (c'était cela exactement que nous figurions : une cérémonie intime) a répandu le chocolat, par petits coups, et les œufs vibrant déjà sous la chaleur du gaz recevaient cette pluie de copeaux bruns parsemée de paillettes multicolores, tressaillaient puis la prenaient en eux, leur chair se transformait, devenait blanche et en même temps se teintait de la couleur du chocolat qui fondait, oh c'était un spectacle qui nous fascinait.

La poêle était très large, après avoir observé ce premier œuf dans son déploiement tâtonnant et précautionneux, nous avons eu envie, non il ne s'agissait pas d'envie, nous avons été sous l'obligation d'en observer un autre, puis un autre, et alors nous nous sommes trouvés privés de la faculté de calculer ou de nous arrêter, et il en a été de même avec le chocolat.

C'était sûrement une grosse omelette avec une grosse quantité de chocolat. Nous avons mangé tout cela.

Et nous avons été malades.

Nous avons souillé nos draps, nous les avons changés, et plus tard nous les avons souillés encore, « je n'ai plus de draps, Estelle » disait Dan tout blanc en s'appuyant contre l'étagère, « prends des serviettes » lui disais-je, « il n'y a plus de serviettes » disait Dan, « alors du papier en rouleau », « oui, du papier en rouleau » disait Dan mais il ne le trouvait pas, et soudain un vertige lui passait dans les yeux, je le savais parce qu'il y avait le même dans les miens, « tant pis » ai-je dit, et nous nous sommes allongés directement sur le sol, « tu fais l'amour avec ton mari ? » a articulé Dan bizarrement, une nouvelle nausée nous a coupé le souffle, après nous sommes allés nous asperger d'eau froide sous la douche, sans assez de force pour tirer le plastique du rideau ou même nous essuyer, de toute façon il n'y avait plus ni serviettes ni papier, puis nous sommes retournés vers le lit, sur le matelas nu, « ça va s'arrêter là, tu crois » ai-je murmuré, « comprends pas » marmonnait Dan, « quoi ? » « me semble qu'on a rendu plus qu'on a pris » ai-je entendu, ou quelque chose de cet ordre, et nous avons fini par nous endormir.

Et le matin Alwin arrivait.

Il se tenait dans la porte ouverte, reniflait l'odeur du loft, nous n'avions fait qu'empiler dans un coin tous les linges salis.

— Lazy and dirty, disait-il et il s'en allait, sans un mot pour Dan.

L'angoisse nous prenait alors et la vieille hostilité de notre adolescence. Je me précipitais vers le tas de linge.

— Où vas-tu? disait Dan.

— Porter ce linge à laver.

Ce n'était pas ma voix, ce n'était pas la sienne, c'étaient des voix que nous avions dépouillées de leur sang, des voix que nous avions vidées comme des poulets, et que nous envoyions parler à notre place tels des fantômes sur une scène où ni l'un ni l'autre ne voulions plus être.

Mais dans les coulisses nous restions postés, et comme notre surveillance était grande !

— Tu ne sais même pas où il y a une launderette, disait Dan.

— Je trouverai.

— Et tu n'as même pas de sac.

— Je vais tout mettre dans un des draps.

— Et tu vas te balader avec cette odeur...

— Dan, qu'est-ce que tu veux que je fasse?

J'étais au bord des larmes, Dan entendait ces larmes dans le blanc fantôme de ma voix, alors il se levait, il était blême, les cheveux collés, il venait près de moi et je sentais l'odeur virulente de sa bouche.

— Va te laver les dents, tu pues.

— Toi aussi.

Nous nous lavions les dents ensemble au petit lavabo et puis nous nous lavions la figure, et puis les cheveux.

Ces gestes étaient ceux de notre enfance, du coude à coude inconscient et continuel de notre enfance, nous retrouvions nos marques au centimètre près. Sous notre nouvelle enveloppe d'adulte, les enfants d'autrefois, appelés par ces gestes, revenaient, ne pouvaient plus se quitter, et nous, sans savoir ce que c'était, nous sentions cette présence en nous qui nous faisait prolonger nos gestes, nous faisait trouver des solutions.

Finalement nous décidions d'aller porter ce linge ensemble, puis d'attendre ensemble qu'il soit prêt à mettre au séchage, et après le séchage, de prendre un café au coffee-shop du coin.

Nous étions perchés sur les tabourets devant nos cartons de café et nos doughnuts, en cinq minutes ce café serait bu, les doughnuts mâchonnés, le carton aussitôt serait ramassé et ce geste du serveur nous ferait du même coup glisser de nos tabourets, parce que c'était ainsi dans cette ville.

Je disais avec mauvaise humeur :

— Je n'aime pas les cafés, ici.

— Et pourquoi ? disait Dan.

Dan aurait dû être au Studio, et déjà nous nous engagions dans une mauvaise querelle, insignifiante et mesquine, mais importante sans doute puisque nous restions là sur place, dans un autre coffee-shop, sur le trottoir, ou même arrêtés au bas de notre escalier, expressément pour poursuivre cette mauvaise querelle, au lieu d'aller rejoindre le studio de danse ou les manuels de droit.

Oui, cela nous paraissait préférable de continuer cette querelle.

— Pourquoi est-ce que tu n'aimes pas les coffee-shops ? disait Dan d'un air menaçant.

— Parce que, parce que...

Ce que je voulais dire, c'était ceci : « parce qu'on ne peut y rester longtemps », et en dessous de cette phrase il y en avait une autre : « on ne peut y rester à flâner », et en dessous encore il y avait : « on ne peut y rester à flâner ensemble », et en fin de compte il y avait : « on ne peut y rester ensemble », c'était cela qui causait ma mauvaise humeur, mais je ne le savais pas, je savais seulement que quelque chose était là, tout noir sous ma langue et que je ne pouvais le tirer vers le jour.

— Tu n'aimes rien de ce qu'il y a ici, disait Dan, tu es comme tous ces petits Français qui viennent avec leur esprit étroit pour tout critiquer...

— Et toi tu n'es pas un petit Français ?

361

— J'ai envie de voir, pas seulement de critiquer.

— Mais je ne fais que ça, voir, je marche dans la ville, je vais te voir au Studio...

— Tu viens me voir au Studio?

— Je ne vais pas te voir au Studio?

— Tu viens une minute et tu t'en vas!

— Je viens une minute...!

— Le Studio non plus, tu ne l'aimes pas et tu ne comprends rien à ce que fait Alwin, ni à Alwin lui-même, ni à toute cette ville.

Il était de méchante humeur aussi, mon frère Dan, et maintenant je sais bien que sous ses phrases à lui aussi, il y en avait d'autres, toutes noires aussi, comme de mauvais champignons, qui disaient « tu n'aimes pas la ville que j'aime, parce que tu ne m'aimes pas, et cela me fait souffrir, parce que tu ne m'aimes pas, ma sœur... ».

Tous ces jours à New York, lorsque nous nous parlions, il y avait ces mauvais champignons sous notre langue, nous ne savions pas ce qu'ils étaient, nous allions de moment en moment, hébétés par leur poison, aveuglés, dévalant la pente du temps dans cette noire intoxication, avec parfois de brèves rémissions, la nuit, et c'était comme si ces champignons, laissant enfin sombrer au fond d'eux leur poison, se mettaient à briller, phosphorescents dans la nuit, éclairant de leur lueur magique le cercle étroit du matelas sur lequel nous étions étendus, la fenêtre blafarde, le plafond où passaient des éclairs, reflets d'embrasements fugaces éclatant dans la ville ou dans son ciel, tandis que je faisais revenir pour Dan, de notre lointain continent, les histoires de notre enfance et tout autour, comme pour les accompagner ou les protéger, les climatiseurs ronronnaient dans l'air saturé de chaleur.

Mais ce n'était pas encore la nuit et il fallait bien finalement aller à nos occupations.

Nous nous quittions la rage au cœur. Dan rejoignait le Studio, j'avais envie de le suivre, mais il fallait remonter ce linge, il y avait ces manuels à étudier, et puis j'avais peur du regard d'Alwin.

Puis le soir revenait. Nous étions si las, de la nuit précédente, de la journée. Je n'avais pas ouvert mes livres de droit, j'avais erré dans la ville, ces longues marches démesurées, douloureuses, Dan avait travaillé, il revenait la tête vide et le corps meurtri, nous avions à peine la force d'échanger quelques paroles, nos corps tombaient d'eux-mêmes, il n'y avait rien à choisir, rien à raconter, nos corps se traînaient au lit.

— Pas le courage d'aller chez Alwin, disait Dan se jetant sans se déshabiller sur le matelas de ia plate-forme.

Aller chez Alwin, c'était une façon de se tenir, de parler, de dîner, une façon de continuer à être pour la danse, à la manière d'Alwin. A partir de ce moment, ce devait être vers le milieu de mon séjour, Dan n'est plus allé dormir chez Alwin.

Nous somnolions un moment, puis comme malgré moi je m'entendais dire : « tu te souviens, Dan... ».

« Quoi ? » disait la voix ensommeillée de Dan, et de nos corps allongés, allongés loin l'un de l'autre sur cet immense matelas nu, se levaient nos voix d'enfants.

Elles sortaient comme des papillons colorés de la nymphe inerte de nos voix d'adultes, nos corps ne bougeaient pas, ils restaient loin l'un de l'autre, dépouilles abandonnées d'où s'étaient échappées les voix d'enfants de Dan et d'Estelle, que nous écoutions maintenant, dans notre demi-sommeil.

— Quand tu avais dansé sur la pelouse...
— Raconte Estelle...
— « La terre nous désire... »
— Raconte...

34

La neige

Un matin le téléphone a sonné, très tôt nous a-t-il semblé, car le silence était profond, les rares bruits de la rue comme feutrés. Nous dormions encore. C'était Michael.

— Vous avez vu, vous avez vu...

— Quoi?

— Je ne peux pas le croire!

— Mais quoi?

— Pas de taxi aujourd'hui, pas de boulot...

Des fragments de la chaude voix de Michael semblaient jaillir de l'appareil, une journée de congé pour lui, cela n'arrivait guère, Dan écoutait, mais sitôt raccroché le combiné, il s'est rendormi.

Quelques instants plus tard, le téléphone sonnait encore.

— Hi, c'est Kenny, vous avez vu...

— Oui, disait Dan pour couper court, tout ce qu'il voulait c'était se rendormir.

— Et alors pas d'aéroport pour moi aujourd'hui et...

— C'est Kenny, m'a dit Dan en replongeant dans les limbes, ils ont renvoyé la moitié des employés aujourd'hui.

Puis c'était David au téléphone, celui dont le père était architecte, voulait qu'il soit architecte et n'approuvait pas du tout ses histoires de danse dans un studio délabré sous la houlette d'un maître excentrique et sans espoir immédiat de gagner sa vie.

— Et, donc pas question de rester dans ses pattes aujourd'hui, tu peux imaginer, Dan!

— Absolument, disait Dan.

Puis Djuma, dont nul ne savait exactement quelle langue il parlait ni comment il vivait (et il n'était pas clair non plus s'il était fille ou garçon), mais qui ne manquait pas un cours, pas une seconde de la présence d'Alwin.

— D'accord, Djuma, répondait mon frère en me faisant un clin d'œil qui signifiait « rien compris comme d'habitude ! ».

Et enfin Michael, de nouveau.

Cette fois nous étions réveillés. Et prêts à comprendre qu'une tempête de neige s'était abattue pendant la nuit et que la ville et une bonne partie de l'Etat étaient paralysés.

Depuis des semaines l'hiver était là.

Dans le studio d'Alwin, la glace couvrait les vitres à l'intérieur.

Chaque matin l'eau bouillante du réchaud luttait contre sa sœur ennemie, l'eau glacée de la condensation, par le truchement de serviettes mouillées la priait, la suppliait de vouloir s'en aller, l'eau glacée ne cédait pas, collait à elle les serviettes, « damn it » criaient les croisés de la danse prêts à briser les carreaux dans leur juste mais peu judicieuse colère, alors Alwin le rusé parlait, « leave her alone » disait-il, et on ne savait quel était exactement cet être féminin « her » qu'il fallait laisser tranquille.

Je me persuadais que c'était moi Estelle, car ces derniers mois, mon frère était devenu bon, très bon, meilleur qu'il ne l'avait jamais été, malgré la fatigue de nos insomnies et de nos bizarres querelles, comme si ces mêmes insomnies et querelles lui avaient fait faire un bond et du même bond sans même l'avoir cherché il avait franchi un obstacle qui aurait dû lui prendre encore de longs mois.

« Leave her alone » disait Alwin sans hausser la voix, les danseurs rechignaient, mais Alwin le rusé, le diplomate savait ce qu'il faisait, car l'eau glacée sollicitée une fois puis laissée en paix fondait d'elle-même.

Il n'y avait plus d'électricité dans l'immeuble, mais les bougies et lampes tempêtes, passé l'heure grise de l'avant-crépuscule, apportaient la couleur et l'idée de la chaleur, seulement la couleur et l'idée, mais cela suffisait, d'ailleurs Alwin faisait à ses danseurs monter et descendre les escaliers sur la pointe des pieds plusieurs fois, très légèrement de peur qu'ils n'enfoncent les planches fragiles, chacun un bougeoir à la main pour le contrôle de leur corps et de leur souffle, et c'était un spectacle étrange et prenant que ce cortège sautillant dans la pénombre, disparaissant au tournant dans le chuchotement décroissant des chaussons puis revenant bientôt, annoncé dans l'obscurité par le même chuchotement croissant, cortège sautillant et silencieux avec de grandes bulles de vapeur en halo au-dessus de chaque tête et les lueurs fantastiques des bougies sur la lèpre ténébreuse des murs.

Les chaînes de la plate-forme d'ascenseur étaient arrivées au bout de leur agonie, elles ne se hisseraient plus d'étage en étage dans les râles et les grincements. Définitivement figées dans la cage noirâtre qui ressemblait à un puits de mine elles avaient une certaine dignité maintenant, celle de reliques, froides, intouchables.

Pendant que la troupe se réchauffait à monter et descendre l'escalier, j'allais voir ces chaînes.

Au tout début de mon arrivée, il y avait encore un vieux bonhomme qui faisait marcher l'ascenseur, humaine et dernière commodité de l'immeuble, comme si l'humain ici était plus résistant que le matériel.

Apparemment il ne recevait plus de salaire et pourtant continuait à venir au lieu de son dernier travail, les danseurs le nourrissaient je crois. Il était aussi voûté que notre monsieur Raymond, mais avec une voix douce et beaucoup de bonté dans ses yeux larmoyants. Il arrivait à grand-peine à manœuvrer l'espèce de cadran qui faisait monter l'appareil et chaque fois j'avais peur qu'il ne lâche la manette et que nous ne retombions brutalement au fond du puits.

Puis il avait disparu. Son image, pauvre vieillard vêtu des restes d'un ancien splendide uniforme plein de galons et de boutons dorés, me revenait pour la première fois. Le cortège sautillant dans l'escalier m'avait impressionnée, je me disais que mon frère et moi nous ne pensions à personne, ce vieil homme, je l'avais littéralement oublié, où était-il par cette neige et ce froid?

« Lazy and dirty kids », disait Alwin. « Et égoïstes aussi », me disaient les chaînes. Depuis quand n'avais-je pas écrit à la maison? Les lettres de mon père, je ne les lisais presque plus, elles me faisaient peur, mon père ne me faisait aucun reproche cependant, « *en somme il semble que tu as décidé de prendre une année sabbatique comme ils disent là-bas*, écrivait-il, *sans doute en avais-tu besoin et je suis sûr que tu en fais bon usage, mon Estelle, seulement n'oublie pas de prendre tes inscriptions, que ce soit ici ou là-bas, tu sais comment se passe ce genre de choses, il ne faut pas dépasser les dates, les portes de la loi ne changent pas, il ne faut pas attendre devant en espérant qu'elles s'ouvrent seules, j'ai mon avis là-dessus, il faut passer les portes et ensuite faire exactement ce qu'on veut, eh bien finalement c'est ce que tu fais, n'est-ce pas, je comprends bien que pour Columbia ce semestre c'était trop tard, mais ça ne l'est peut-être pas pour le semestre suivant, et puis il y a aussi tout ce que tu apprends extra-muros, je veux dire hors les murs de l'école, après tout les jeunes Américains ont longtemps fait leur tour d'Europe, il est temps que ce soit les jeunes Français qui fassent leur tour d'Amérique.*

Je m'inquiète par contre de ce que tu ne me demandes jamais d'argent, et je t'envoie ce mandat sur la recommandation expresse de Minor qui m'accuse de négligence, il a entendu qu'il faisait un froid record à New York et m'a demandé si seulement tu avais un manteau. " *Un manteau, lui ai-je dit, oui je suppose qu'elle en a un.* " " *Mon cher Helleur, savez-vous en quelle saison nous sommes et en quelle saison est partie votre fille?* " *Je n'ose te choisir un manteau moi-même, bien qu'étant à Paris l'autre jour j'aie un peu regardé les magasins, mais ce qui va dans une ville ne va pas nécessairement dans une autre, bref ma chère Estelle, n'attrape pas une pneumonie et si Dan est tout à fait pris par la danse comme il semble l'être et comme il faut sans doute l'être pour arriver à quelque chose dans ce domaine, veux-tu encore une fois jouer la grande sœur et lui acheter un vêtement à la Minor, mais qui convienne à lui, à toi et à votre ville.* » Il ne me parlait jamais de mon mari Yves, mais me donnait des nouvelles de la maison, espérait que nous reviendrions pour Noël, surtout à cause de Tirésia et Nicole.

Nous avions acheté dans une de ces folles boutiques qui proliféraient dans Canal Street deux extravagants vêtements, Dan et moi, le sien jaune le mien pourpre, mais très chauds, tout fourrés de peluche de haut en bas, et qui nous donnaient l'apparence des animaux animés de télévision.

La nuit, nous les étalions sur nos couvertures, Dan s'enveloppait dans le sien entre deux séances de travail dans le Studio et moi je ne quittais pratiquement pas le mien, pour traîner dans le loft ou marcher dans les rues.

Je pense vraiment que sans ces vêtements nous serions tombés malades cet hiver, Dan et moi.

Car quelque chose n'allait pas.

Malgré les immenses progrès de Dan, quelque chose n'allait pas.

Il avait commencé à disparaître des nuits entières. Lorsqu'il revenait, il semblait ne plus me connaître, et ne plus connaître Alwin, et la danse de même. Il refusait d'aller au Studio pendant plusieurs jours et restait prostré sur le matelas de la plate-forme à fixer le poste de télévision trouvé dans la rue et qui ne marchait pratiquement pas, faute d'antenne. Une fois, un couple bougeait vaguement sur l'écran, Dan a dit quelque chose, j'ai cru entendre une question, « ben oui », ai-je dit, « quoi ? », « je fais l'amour avec mon mari », « je ne t'ai rien demandé » a-t-il répliqué, Alwin alors revenait avec ses « lazy and dirty kids », mais Dan ne bougeait pas et lorsque enfin il retournait au Studio, il semblait ne plus rien savoir, repartir de zéro.

Le cœur serré je le voyais traînant son corps comme un objet qui lui était étranger, presque répugnant. Et le regard d'Alwin, alors, son terrible regard de dédain et de froideur.

Etrangement Alwin ressemblait à Dan alors, j'avais vu ce regard dans les yeux de mon frère plusieurs fois, lorsque nous tombions dans une de nos mauvaises querelles, oui ils avaient une ressemblance Alwin et Dan, mais elle n'apparaissait que dans leurs moments démoniaques, et ce devait être le même démon qui s'emparait d'eux à des moments différents, et un étrange démon, car il leur faisait à tous deux le même regard d'Indien indomptable, il leur donnait le même provocant mouvement de la tête pour repousser une aile de cheveux qui balayait les tempes de la même façon.

Mais il fallait un angle particulier, une seconde saisie au vol, car Alwin était toujours froid et de nature sobre, tandis que jusque dans ses chutes Dan gardait comme en halo autour de lui une sorte d'éblouissement, je ne sais comment exprimer cela, une lumière blonde qui rayonnait de l'intérieur, qui l'éblouissait lui, donnant à son visage cet air surpris et interrogateur qu'il avait toujours eu, et éblouissait au sens le plus ordinaire du terme tous ceux qui le regardaient.

Dan était extraordinairement beau et il était dans le plus grand éclat de sa jeunesse.

Et puis ses cheveux étaient souples avec des reflets mordorés et ceux d'Alwin étaient raides et d'un noir absolu, tels ceux du lointain ancêtre indien qu'il avait dû avoir, mais nous ne savions rien de la vie d'Alwin. Et la ressemblance qu'il avait avec Dan passait inaperçue.

Moi j'apprenais l'anglais et continuais le droit tant bien que mal, j'assistais à des cours à la Law School de Columbia, mais je survolais les lettres de notre père, je n'écrivais presque plus, et les appels téléphoniques de Poison Ivy semblaient s'engloutir dans l'océan au fur et à mesure qu'ils arrivaient et je les oubliais presque instantanément.

Dans le vieil immeuble pris par les glaces j'allais voir les chaînes de l'ascenseur.

Il y avait en cet endroit un silence de cathédrale que ne rompait pas la procession chuchotante des chaussons de danse dans l'allée centrale de l'escalier, je me postais là, attirée je ne sais pourquoi, peut-être simplement parce que je ne savais où aller pendant qu'Alwin faisait ainsi monter et descendre sa troupe.

Le Studio livré aux stalactites et stalagmites, spectrales, immobiles, qui s'évanouissaient parfois sans crier gare comme dans un craquement de tombe brusquement ouverte, me faisait peur, je ne pouvais rester seule dans ce désert lunaire, tous mes nerfs semblaient sauter, je préférais le recoin au fond du hall d'entrée où bâillait le trou vide et noir de l'ascenseur.

Je le contemplais comme une niche dans une chapelle, comme un autel à l'église, autre chose peut-être qui n'arrivait pas à ma conscience, mais il n'y avait rien à l'intérieur bien sûr, que les chaînes noirâtres, givrées par endroits. Lorsque les bougies de la troupe tournaient dans le hall ou que les phares bien orientés d'un chasse-neige pénétraient jusque-là, les chaînes luisaient d'un rapide reflet, liséré couleur argent qui semblait glisser le long des anneaux, fil argent sur noir, était-ce cela qui me retenait, l'affreuse prescience ?

Pourtant je me sentais en sécurité, le souvenir du vieillard aimable qui avait été là les premiers temps de mon séjour me réconfortait.

« Come, come, little lady, I'll take you », disait-il lorsqu'il me voyait hésiter dans le hall.

Tassé sur le tabouret de l'ascenseur, il avançait seulement un peu la tête et de sa vieille main aux doigts tordus me faisait signe de venir. « Have courage, little lady. »

« Je n'ose pas », disais-je, ce qui n'était que trop vrai.

Du discours qui suivait alors, je ne comprenais pas tout, il était originaire d'Europe centrale et son anglais était aussi vacillant que le mien. Mais il était question d'amour et du courage de l'amour et de sa femme ou sa fille ou sa sœur, je me perdais dans ses marmonnements, puis une fois que l'ascenseur s'élevait, si lentement entre les murs sales, il disait d'une voix beaucoup plus distincte « il me faut bien quelques clients tout de même », mais à la manière emphatique dont il prononçait le mot « customers », je voyais bien que c'était là une plaisanterie rituelle, bien étudiée et répétée à chaque occasion, une sorte de conjuration plaisante contre le délabrement continu de cet immeuble qui était son gagne-pain, cela ne retirait rien à ses encouragements précédents, ils étaient sincères, ils me tenaient chaud au cœur pendant la montée et c'est sûrement grâce à eux que je réussissais à ouvrir la porte du Studio, car il continuait à m'encourager le vieux bonhomme, toujours tassé sur son tabouret, la tête tirée tant qu'il le pouvait hors de la cage, et la vieille main tordue faisant le signe contraire cette fois : « go, little lady, go ».

Et nous l'avions oublié, lui aussi, le vieil homme qui était à la fois « doorman » et « elevator-operator », le « doorpater » comme nous avions fini par l'appeler, ce qui sonnait un peu comme « le père de la porte », et cela devait être juste car le nom lui était resté... tant qu'il avait été là à son poste.

Mais nous l'avions oublié.

Une angoisse s'élevait en tornade dans mon cœur, peut-être n'avait-il rien à manger, peut-être mourait-il de froid, il fallait absolument le retrouver, ne pas attendre, je saisissais les chaînes dans cette frénésie d'angoisse et les secouais, les secouais d'autant plus fort que je savais avec une certitude aussi puissante que mon désir d'aider le vieillard, je savais que j'allais oublier.

Dans cinq minutes, dans une heure, j'oublierais et je ne pouvais rien faire contre cet oubli.

Quelque chose n'allait pas.

Parfois cela allait.

Le soir de la grande tempête de neige, mon frère est arrivé en trombe dans le loft, sans prendre même la peine de secouer son gros vêtement jaune, un air joyeux sur le visage.

Oh un air joyeux, il en avait souvent, cela ne signifie rien en soi, nous étions jeunes et bien-portants malgré le froid, un rien pouvait nous rendre joyeux et je n'en parlerais pas si cet air n'avait été que cela. Mais il était différent. D'ordinaire la gaieté venait par-dessus les troubles, se posait sur eux pour ainsi dire, mais les troubles restaient par en dessous et la gaieté se tenant sur eux comme sur des échasses avait une allure d'ivresse. Cette fois-là, il n'y avait pas les troubles accumulés en couches instables sur le visage, il n'y avait que la joie posée à même la peau, je l'ai vu

aussitôt et, avant même qu'il ne me parle je me suis écriée :
— Qu'est-ce qu'il y a, Dan ?
— Tu vas pouvoir écrire à Tirésia, a-t-il dit d'une voix qui
portait la même joie simple que son visage.
— Qu'est-ce que tu veux dire ?

Dans la journée, Dan ne parlait jamais de notre passé, il ne
parlait ni de notre père ni de Nicole ni de Tirésia. Ce n'est que la
nuit, lorsque nous avions somnolé un peu puis nous étions réveillés,
que nous faisions venir à nous les êtres de notre vieille maison.
« Tu te souviens, Dan... » « Raconte, Estelle... » Sur cette plate-
forme, toutes les nuits où nous étions ensemble il se produisait cette
chose : nous nous endormions, puis immanquablement un sursaut
réveillait l'un de nous, si c'était moi je murmurais « tu te souviens,
Dan... », si c'était Dan, il balbutiait comme dans un rêve « Estelle,
raconte... » et cela suffisait à éveiller l'autre et notre enfance
revenait se glisser entre nous, semblait littéralement s'étendre entre
nous, nous prendre chacun dans l'un de ses bras, nous bercer, nous
apaiser, et nous finissions par nous rendormir... déçus et mauvais
au matin de ne trouver que l'étendue vide du matelas entre nous et
la fatigue dans les membres, comme après une chute.

— Tu vas pouvoir écrire à Tirésia, Estelle, et moi j'écrirai sur ta
lettre à Tirésia, et de cette façon Tirésia pourra donner de mes
nouvelles à père et à Nicole.
Et comme lorsque nous étions enfants, sans rien comprendre à ce
raisonnement aux médiations compliquées, je suivais Dan entièrement.
On peut ne rien comprendre, et être dans la lumière. Je sais aussi
l'autre versant de cette étrange vérité : les raisonnements peuvent
se pêcher les uns les autres comme dans une onde transparente et
pourtant laisser dans l'obscurité. Pendant des années j'avais connu
avec Dan la lumière au sein de phrases incompréhensibles, depuis
trop de mois déjà je ne connaissais que l'obscurité dans les
enfilades si bien maillées de nos dialogues, et maintenant c'était de
nouveau la lumière.

— J'ai un piano, Estelle, un piano à queue, magnifique.

Il était essoufflé, Dan, pouvait à peine parler.

— Mais l'argent, qu'est-ce que tu as fait, c'est fou !

— Viens, viens vite, Estelle, disait-il, déjà reparti et à moitié de l'escalier.

— Mais où allons-nous ? criais-je.

Sa voix était loin en bas, « viens, viens... », j'hésitais, « où, Dan, où ? », fallait-il remonter prendre mon vêtement pourpre, risquer de perdre Dan... il arrivait déjà à la rue, j'entendais la porte qui s'ouvrait, qui allait se refermer, « Dan, attends-moi ! », je me suis jetée dans la descente.

Dehors, comme accroupi sur la neige épaisse du trottoir se tenait un immense piano d'un noir luisant, ses pattes de sphinx délicatement enfoncées dans la neige, et sur toute la longueur de la rue, en plein milieu de la blancheur profuse, se voyait la trace d'un passage, large, profonde, comme celle d'un grand animal.

Il neigeait encore, autour du piano quatre des danseurs de la troupe soufflaient à grand bruit.

C'étaient ceux qui avaient appelé le matin, je les connaissais, Michael le chauffeur de taxi, Kenny l'employé de l'aéroport, David chroniquement étudiant en architecture et Djuma. Ce n'était pas les meilleurs danseurs, Djuma mis à part, mais ceux que je préférais et qui me parlaient souvent.

Dan époussetait consciencieusement les flocons au fur et à mesure qu'ils se déposaient sur le piano, pour cela il lui fallait se déplacer d'un côté à l'autre, se pencher, se relever (la fameuse flexibilité du dos), et soudain nous nous sommes rendu compte qu'il dansait.

Il dansait dans le floconnement de la neige autour du noir piano, ses cheveux fous secouant de blancs éclats autour de son visage, et la neige alertée par sa beauté accourait de tous les points du ciel, c'était avec elle qu'il tournoyait maintenant, avec ses essaims de papillons duveteux qui semblaient l'entraîner dans une direction mystérieuse... instinctivement les quatre garçons s'étaient reculés et moi je m'étais mise au milieu d'eux et ils s'étaient resserrés autour de moi, leurs bras en écharpes épaisses autour de mes épaules, car je n'avais pas été chercher mon vêtement pourpre finalement, et notre petit groupe médusé ne bougeait pas plus que le chat de la peinture murale ou les solennelles colonnes de fonte des façades.

Vers le réverbère la neige attirait son frère. Et tandis qu'à travers le faisceau de lumière surgissaient vols après vols de lilliputiens danseurs aux ailes étincelantes, l'entourant, l'absorbant dans le halo jaune qui semblait aussi absorber nos regards, sur le piano immobile une fourrure langoureuse se déployait, épaississait, gonflait

— Dan, où est le piano? s'est écrié soudain l'un de notre groupe.

Son cri d'effroi sincère nous a tous désenvoûtés.

Le piano avait en effet disparu. Dans la rue recouverte d'une nouvelle couche de neige fraîche, il ne se distinguait plus des autres monticules au relief vague, mollement ondulé, qui se voyaient à peine dans l'obscurité blanche de la rue.

N'étaient ses pattes noires qui le surélevaient encore un peu, on aurait pu imaginer sous ce masque fantomatique tout aussi bien une voiture, un groupe de poubelles, ou un tas quelconque de rebuts comme il y en avait toujours dans ces vieilles rues de Soho.

(Un souvenir m'a traversé l'esprit : un bouquet de fleurs noires que nous avions cru apercevoir dans les mains d'Alwin un jour, mais aussitôt il nous avait tourné le dos et l'avait fourré dans la poubelle.)

Nous nous sommes tous ébroués et mis au travail, car il fallait le monter maintenant, cet objet extravagant que mon frère et ses amis avaient déjà convoyé à travers plusieurs rues, grâce à la force de leurs bras et à quelques autres astuces qu'ils essayaient de m'expliquer, en soufflant dans l'escalier, mais je n'écoutais pas car m'envahissait l'impression d'une scène familière et pourtant différente, changée dans ses pôles, je ne savais ce que c'était et m'inquiétais pour Dan qui s'était placé sous le pied arrière de telle sorte qu'il me semblait porter le poids essentiel de l'énorme objet.

— Ça va, Dan? demandais-je en me baissant pour le voir par-dessous la carcasse du piano.

— Mais oui très bien, continue de montrer le chemin, disait-il en avançant un peu le visage pour que je voie son sourire ravi.

Heureusement pour le piano et malheureusement pour les porteurs, il n'y avait pas de tournant, les volées de marches se succédaient dans la même perspective après chaque palier, ce qui faisait la montée droite mais raide.

— Montre le chemin, Estelle, criait joyeusement mon frère.

Car mon rôle était de guider la troupe quasiment aveugle des porteurs, j'étais donc devant, surveillant la rampe de l'escalier et la peinture du mur et la façon dont chacun relevait ses genoux, Dan était à l'autre bout, courbé, une main soutenant la patte arrière du piano, et soudain j'ai su quelle était l'impression qui me chargeait le front et m'obligeait toutes les trois ou quatre marches à me baisser pour regarder Dan courbé sous ce poids trop lourd... et qu'il portait cependant, comme sans effort, comme dans une transe, avec ce sourire à peine crispé.

C'était il y a longtemps, dans le pré de la maison Helleur, je remontais la pente herbeuse, une lourde échelle de bois sur le dos et Dan sautillait autour de moi, me guidant... « Comme un poisson pilote, Estelle », redressant l'orientation de l'échelle, m'énonçant le nombre de mètres qui restaient à franchir.

Nous devions aller du pommier situé au milieu du pré jusqu'au pied de la soupente à l'arrière de la maison, et le but était d'atteindre la petite porte que Dan avait repérée au-dessus de la toiture de zinc de cette soupente, et cette petite porte ouvrait sur le grenier isolé, qui allait nous servir de refuge pendant des années. C'était moi, fillette de neuf ou dix ans, qui portais l'échelle, elle me meurtrissait les épaules, elle était intransportable pour une enfant, mais par la grâce de mon frère sautillant devant mes yeux, je l'avais transportée.

Et maintenant c'était moi qui le guidais et lui qui portait la chose lourde et massive dont nous avions besoin, et la portait comme par l'effet d'une grâce.

Arrivés en haut de cette montée peu compatissante, le piano posé avec de grands « ouah » de victoire sur le palier sous la verrière, les danseurs se sont groupés autour de Dan qui se relevait

le dernier, mon frère se débarrassait de son gros vêtement jaune et
de ses pulls, qui lui avaient donné chaud mais avaient servi de
molleton contre le bois du piano, et les autres tout en s'allégeant
eux aussi s'exclamaient autour de Dan, tâtaient ses muscles en
riant, suivaient le trajet de la sueur le long des élégants fuseaux
délicatement sculptés sous la peau mate, « mais Dan on ne te
croyait pas si fort, you should go into french boxing » disait l'un,
« or karaté » disait l'autre, ils le bousculaient plaisamment, se
mettaient en posture d'attaque, mon frère répondait, de nouveau
les autres tournaient autour de lui, le touchaient, finalement mon
frère a sauté nu-pieds en demi-écart sur le piano, les bras écartés
au-dessus de lui, « OK, a-t-il dit, admire me !, et soutenez-moi
aussi, a-t-il ajouté, parce que ça glisse ce vernis ! », aussitôt il s'est
trouvé maintenu de tous côtés, un danseur pour chaque pied et les
deux autres derrière lui tenant la taille et la racine des bras, et il
était maintenant comme une statue présentée à l'admiration du
public, mais le public ce n'était que moi, puisque je ne participais
pas à l'œuvre, mon frère était comme une statue présentée à moi
seule, et moi qui connaissais le corps de mon frère depuis sa
naissance, j'ai baissé les yeux, cette fois encore je ne pouvais le
regarder, je m'en aperçois maintenant, pendant tout ce séjour à
New York où sans cesse j'avais le corps de Dan presque nu devant
moi, un corps dans lequel tout vivait pour exalter cette nudité, la
rendre belle et puissante, développer toute la force et la grâce de sa
masculinité, je ne le voyais pas.

Djuma soudain a parlé. Les sons, voilés, livraient un sens
incertain (à cause de cela, Alwin l'appelait « l'oracle »). Mais nous
avons été frappés.

— We're making Estelle uncomfortable, I think, a traduit l'un
des autres, Michael, qui m'aimait je crois, à sa façon.

*Je ne sais, madame, pourquoi certaines phrases ou certains mots sont passés
dans ma mémoire directement dans la langue étrangère et il me semblerait
tricher en essayant de les changer.*

*Je voudrais m'arrêter, réfléchir, mais je n'ai pas le pouvoir, je crois que vous
comprenez cela, madame, je n'ai pas le pouvoir de m'arrêter.*

J'ai remarqué aussi que je mêle parfois les deux langues, même dans la bouche d'une même personne. Mais c'est qu'il en est justement ainsi. Certaines phrases se sont inscrites directement telles que je les entendais, comme des objets plutôt que comme des paroles, et d'autres devaient avoir un sens si immédiat qu'elles transperçaient la langue et que j'ai perçu ce sens directement, si cela est possible... sans que je les aie traduites pour autant, car en ce cas je ne donnerais pas cher de mes traductions à l'époque, j'avais été très mauvaise en anglais au lycée. Quant aux phrases françaises que je cite, elles me semblent des traductions, non pas des phrases anglaises qui ont été dites, mais de ce que j'ai perçu dans ma tête.

Il doit y avoir des théories autour de ces phénomènes, vous les connaissez sans doute, j'aimerais un jour les étudier. M'arrêter et étudier...

Il m'arrive de penser qu'un jour cette histoire sortira de moi, que ce sera grâce à vous aussi, il me semble que vous êtes tout près au-dehors, dans la rue peut-être, et que vous attendez patiemment que ce fauve sorte de chez moi, et lorsqu'il sortira, pour vous dans la rue ce ne sera qu'un animal ordinaire, un de ces milliers de chiens qu'on voit le nez filant sur le trottoir et que vous apprivoiserez en quelques minutes. Et alors mon appartement sera vide, paisible et je pourrai m'installer pour lire ou regarder ces émissions de télévision qui ont l'air si intéressantes et me font tant envie parfois.

(Ou voyager avec Phil, il est parti pour plusieurs semaines, madame, sur un chantier où l'on commence un pont. S'il avait été là, je n'aurais peut-être pas accepté l'invitation d'Adrien...)

Je vous livre le fond de mon cœur, madame. Vous devez bien savoir comme ce « fond de cœur » est naïf et brutal et peu raffiné. Oh comme on serait étonné de savoir à quel point le fond de cœur, même des plus grands, est naïf et brutal et peu raffiné ! C'est là-dessus pourtant qu'ils construisent. Vous aussi, j'en suis sûre, sinon... Mais ce sol sur lequel on construit, je sais comment il est, de la boue sale et un désir vieux comme le monde, informe et boueux, qui se tortille là-dedans comme un beau diable...

Si je ne pouvais vous parler de temps en temps, madame, je n'arriverais pas au bout...

— We're making Estelle uncomfortable, a dit Michael.

— Well, no wonder, a dit Kenny comme si c'était sa découverte.

377

— I would be too, in her place, a dit David toujours prêt à se mettre à la place des autres.

— We must look pretty stupid, a peut-être proféré Djuma.

Je l'ai dit, ces quatre-là étaient mes amis.

Le groupe s'est aussitôt rompu, le piano a été introduit dans le loft, un peu plus tard dans la soirée un ami de Michael est venu l'accorder, un ami ou son beau-frère ou son beau-père.

Comme avec le vieil homme de l'ascenseur, notre « doorpater » si funestement oublié, l'une de mes difficultés principales dans la langue étrangère était le vocabulaire des relations de parenté, je ne reconnaissais pas les mots. Peut-être était-ce dû à la prononciation américaine.

Impossible à moi d'établir un pont sûr entre « daughter » et « fille », j'entendais tantôt « water » tantôt « auteur » aussi « doughnut » (nous en mangions beaucoup, ils nous servaient de nourriture et de consolation). Des interférences bizarres pouvaient se produire à tout instant, de façon imprévisible, là était l'épine, une fois j'ai même entendu « not for her » ou « not her » c'est-à-dire « pas pour elle » ou « pas elle », et il s'est instantanément produit un bouleversement si violent en moi que j'ai eu l'un de ces accès spectaculaires de défaillance, *impossible à vous décrire, madame,* sinon que tout devient noir et blanc en même temps et j'ai dû descendre de l'autobus entre deux arrêts, je me souviens de ma gêne et de la gentillesse du conducteur, mais qui était celui ou celle qui me parlait de « daughter » ? Pour l'instant je ne le retrouve pas, se pourrait-il que je me sois dit le mot à moi-même dans ma tête dans le but de le mal entendre, *oh, comme j'ai besoin de votre aide...*

Même déroute avec le mot « brother » en lequel je n'arrivais pas à entendre « frère » mais toutes sortes d'autres choses, « other » en particulier.

Longtemps j'ai cru qu'en parlant de Dan on me disait « your other », et je trouvais cela normal.

En me parlant de mon frère on me disait « votre autre » *et je trouvais cela normal, madame, vous pouvez voir l'état dans lequel j'étais...*

Une fois quelqu'un m'a dit, c'était Alwin sûrement, « your

brother called » et j'ai entendu « your other cold », « votre autre froid » et qu'Alwin me dise cette chose étrange, cela paraissait possible, cela entrait sans peine dans mon âme à la fois brûlante et glacée, c'est ainsi que je m'explique ces étranges malentendus, car j'étais étudiante, j'avais déjà des diplômes, j'avais appris beaucoup de russe sans la moindre difficulté avec notre docteur Minor, notre père connaissait le latin et à table avec nous aimait jouer à « rosa-rosae » comme nous disions, pis que tout cela, notre père avait été anglais... mais la langue n'est pas une donnée héréditaire et en dehors de ce mot « awe » qu'il nous avait enseigné (nous l'avions retenu facilement parce que nous avions cru que c'était l'exclamation « oh », prononcée différemment bien sûr compte tenu de la différence de langue, et ce « oh » nous semblait aller parfaitement dans le sens de son explication), en dehors de « awe » donc, notre père ne nous parlait jamais anglais, « trop proche de l'allemand », nous avait-il dit une fois, et cela ne nous avait paru qu'une remarque énigmatique de plus, parmi toutes celles qui semblaient quasiment lui faire cortège comme une sorte de garde invisible.

Et nous qui étions si avides d'explications comme la plupart des enfants, sur ces remarques énigmatiques et sur elles seules jamais nous ne posions de questions. Elles étaient sa garde privée, et elles nous tenaient en respect. Nous n'avions même pas le désir, même pas l'idée d'interroger notre père. Cela nous aurait paru incorrect, je crois.

Et pourtant, madame, il l'aurait fallu. « ... anglais... trop proche... allemand... ». Il aurait fallu entendre ces mots comme si nous les avions lus, et les lire comme s'ils s'étaient trouvés sur un message de détresse, et entre ces mots deviner de grands espaces rongés par le sel, effacés par le temps, et imaginer que ce sel était celui de larmes anciennes et que dans ce temps de l'effacement il y avait eu la peur de notre père, son angoisse, sa pathétique, sa déchirante tentative, son espoir aussi. Et alors il aurait fallu se mettre à déchiffrer.

Mais nous n'avons pas été à la hauteur, madame, et le destin nous a fait la peau.

35

Le piano du pasteur

Le piano était dans le loft, accordé par les soins de l'ami de Michael... ou de son beau-père ou de son beau-frère.

Le son n'avait pas l'ampleur et la richesse de celui du piano de Tirésia, mais il faisait l'affaire, nous étions extraordinairement enthousiastes. Et nous ne cherchions pas vraiment à comprendre quelle était « cette affaire » qu'il faisait si bien.

— Well now, what will you do with it ? disait Michael, qui ne semblait pas croire que nous voulions en jouer véritablement.

Michael conduisait un taxi une partie de la journée et de la nuit, mais il venait régulièrement au Studio le soir et c'était sûrement le disciple le plus docile d'Alwin.

Il était entièrement dévoué à la cause d'Alwin. Mais il l'était à la troupe aussi (ce qui parfois le mettait dans des conflits qui le tourmentaient et nous faisaient rire), et à l'immeuble qu'il aurait volontiers reconstruit de ses propres mains, et à l'ascenseur auquel il voulait amener un autre ami (ou beau-père ou beau-frère), garagiste celui-ci, dont il était sûr qu'il pourrait opérer les réparations voulues. Dévoué aussi au « doorpater », ah c'était à Michael qu'il fallait demander où en était le vieillard, à travers lui qu'il fallait agir, si je n'oubliais pas, pourvu que je n'oublie pas... Mais j'oubliais.

Michael me rappelait un peu Alex Bonneville.

— Alors c'est pour quoi faire? disait-il, comme s'il s'agissait d'un objet décoratif ou d'un appareil ménager.

— C'est pour écrire à Tirésia, a répondu mon frère sans malice je crois.

— And who's Tirésia?

— Somebody back home.

Michael a hoché la tête. Il se figurait peut-être que nous avions besoin d'une grande écritoire et que la surface lisse du piano nous avait paru tout à fait indiquée.

Chacun sait que les gens du vieux continent aiment l'art de la correspondance, peut-être par les nouveaux papiers informatique ont-ils retrouvé le goût des parchemins qu'il faut dérouler, et tout le monde sait aussi que les habitants de Soho ont certaines coutumes, celle entre autres de détourner les objets, quelqu'un avait transformé plusieurs réfrigérateurs en tabourets (peints, munis de coussins, mais tout de même peu confortables), les avait installés autour d'un grand beau tapis moelleux, l'idée étant de mettre en scène le glacial enfermement de l'individu lorsqu'il est isolé, et d'attendre le moment où les invités, ces individus spécifiques, abandonneraient leur siège froid et solitaire pour glisser sur le tapis et se rejoindre les uns les autres, « to get stoned of course [1] », disait Michael avec un certain mépris, car il fallait être riche pour ces fantaisies et lui n'était que chauffeur de taxi. Quelqu'un avait installé un petit salon privé dans une voiture de collection, avec tout le confort, télévision, fauteuils de cuir, moquette et... rideaux pour pouvoir s'isoler du reste de la pièce, en plein milieu de laquelle pourtant trônait la Duesemberg S.J. Un aquarium servait de baignoire et une baignoire de lit, alors pourquoi un piano ne servirait-il pas d'écritoire?

Michael avait donc peiné une soirée à trimbaler une pesante carcasse de bois dont ses excentriques amis ne voulaient utiliser que le plat couvercle, alors que tout près dans Canal Street un

1. « Pour se défoncer bien sûr. »

magasin vendait des planches et des tréteaux, mais il ne s'insurgeait pas. Il nous faisait confiance, il était entièrement dévoué à notre cause à nous aussi, quelle qu'elle soit.

En tout cas il acceptait notre explication, grâce à ce piano nous pourrions écrire à cette « Tirésia back home », il n'avait pas besoin de comprendre pourquoi, ce qui comptait c'est que cette explication incongrue soit vraie pour nous, et elle devait l'être puisque nous avions l'air si contents.

Il était donc content aussi et ne cherchait pas à poser de questions.

— Mon taxi étant immobilisé par « les circonstances météorologiques »..., nous a-t-il dit.

Dès qu'il parlait de son taxi, inconsciemment il employait une langue formelle, pleine d'expressions qui lui paraissaient sérieuses ou scientifiques, nous pensions que c'était pour intimider les « diables ». Alex faisait de même lorsqu'il parlait football, lui aussi devait redouter certains diables, ceux qui convoitent les muscles et les articulations des sportifs, et cachés dans la surface irrégulière des stades guettent leur heure pour sauter sur leur proie...

Donc son taxi étant immobilisé, Michael ne travaillait pas cette nuit-là et bien après le départ des autres et après plusieurs bières, il s'en est allé à pied dans la neige avec son ami l'accordeur (beau-père, beau-frère), chantant à pleine voix dans la rue l'air des Doors, « The End ».

Nous avons ouvert l'une des fenêtres. Elle résistait et j'ai pensé qu'elle allait choir sur le trottoir comme la malheureuse fenêtre d'Adrien. Puis vite, pendant que Dan la maintenait relevée, j'ai frappé sur le piano de mes mains devenues malhabiles les accords de l'air que chantait Michael, il nous a entendus et sa bonne voix affectueuse assourdie par la neige est venue jusqu'à nous, « keep up the good work, friends, friends, friends, ends, ends... », puis nous ne l'avons plus entendu et avec précaution Dan a baissé la fenêtre rétive.

« Friends, friends, ends, ends... » fredonnait Dan tout bas, la main encore sur la vitre qu'il semblait retenir, pour la rouvrir ou la fermer plus hermétiquement ce n'était pas clair.

Figé au milieu de son geste, la tête légèrement tendue, il semblait immobilisé par quelque chose qu'il ne distinguait pas. Moi aussi j'avais eu un instant d'incertitude et m'étais arrêtée, les mains abandonnées sur le clavier, et était-ce pour étouffer un écho ou bien le reprendre et continuer ?

Des moments de flottement, nous en avons eu tant.

Sur le coup ils ne se voyaient pas, se fondaient dans le temps qui s'écoule, si nous avions pu les saisir, leur tordre le cou, leur faire dégorger leur sens et nous en nourrir comme de sang, oh ils nous auraient donné force et permis de débusquer l'endormeuse, l'enjôleuse, la mort qui rôdait.

« *Friends, friends, and, and...* », « amis, amis, et, et... ». Ou bien « friends, friends, ends, ends... », « amis, amis, fini, fini... ».

Les mots de Michael volaient à travers l'air épaissi de neige, et la neige les pénétrait, les transformait, et ce qui arrivait à nous était autre chose, les mots brouillés d'une voix hors de ce monde, qui venait de trouver passage par la confusion floconneuse de la neige... puis l'écho fantomatique s'est évanoui pour de bon, et Dan en trois bonds arrivait près du piano.

— Alors, ma trouvaille, Estelle, qu'est-ce que tu en penses ?

C'était un piano très moyen que cette trouvaille, un quart-de-queue d'ailleurs, contrairement à ce que mon frère avait lancé dans son excitation, au son juste mais étroit, un peu métallique. Mon frère avait appris que le petit temple proche de l'immeuble où se trouvait le Studio d'Alwin voulait se débarrasser de son piano parce qu'il en avait reçu un autre en don, un vrai piano à queue celui-là, tout neuf.

Le pasteur ne demandait rien de l'ancien. Tout ce qu'il voulait, c'était qu'on vienne le chercher pour ne pas avoir les frais d'un déménageur, et surtout pour contrôler où irait ce vieux piano qu'il devait chérir. Bien des gens font de même avec leur vieille automobile, qu'ils ne veulent pas « placer » chez n'importe qui, nous avait dit Michael, à qui l'univers de la voiture était l'unique source de références et de repères, mais si riche, si inépuisable apparemment qu'il en avait fait une sorte de vaste parabole du destin humain et souvent nous lui disions qu'il devrait se faire prédicateur, qu'il serait le prédicateur idéal de la civilisation de la voiture, que des sermons construits autour d'un pneu mal gonflé auraient plus de succès que les mêmes construits autour d'un épi de blé ou d'un poisson, que l'ère des pasteurs et pêcheurs d'âmes étant révolue il devrait en quelque sorte motoriser la parole de Dieu pour devenir le premier auto-stoppeur d'âmes de l'histoire.

Et Michael dans sa simplicité perspicace nous interrogeait tristement, « vous pensez que je perds mon temps à essayer de danser », disait-il, aussitôt nous lui disions « mais non Michael, c'était de l'humour », mais il ne comprenait pas l'humour, l'humour ce devait être pour lui une autre sorte de diable, et il avait une peur superstitieuse des diables, dont il parlait toujours au pluriel, « j'ai eu des diables dans mon filtre à essence aujour-d'hui », disait-il par exemple en arrivant au Studio.

De fait le monde entier lui semblait la proie des diables, avec une exception : les diables s'arrêtaient à la porte du Studio, effrayés par Alwin sans aucun doute, là devait être la source de la reconnais-sance pour ainsi dire consubstantielle que lui vouait Michael.

Michael était parti dans la neige et nous, nous ne pensions ni aux diables ni à Alwin ni à la mort.

— Le pasteur était si content que ce soit nous, Estelle ! Il pensait que nous voulions le piano pour le studio d'Alwin, pour la musique d'accompagnement (le pauvre ne se doute pas que chez Alwin justement il n'y a pas de musique d'accompagnement) et il nous a fait tout un discours sur l'art ami de la religion ou l'inverse, et comme il serait heureux de penser que son piano servait la beauté, puisque servir la beauté c'était servir Dieu, qui avait voulu cette beauté, et puis n'est-ce pas peut-être pourrions-nous venir faire un « petit numéro de danse » pour sa fête de charité, ce serait mieux que les éternels gâteaux de ses paroissiennes qui le rendaient malade à chaque fois, et je n'ai pas compris si c'était les gâteaux ou les paroissiennes.

— Alwin ne voudra jamais...

— Mais tu te trompes, Estelle, Alwin danserait pour sa fête, j'en suis sûr. Alwin pense que la danse peut se faire partout, pour tout le monde.

— Ça doit être pour ça qu'il fait la danse la moins grand public de toutes les danses qui se font dans ce pays !

Dan était trop joyeux pour se laisser démonter.

— Il pense que ce sont les autres qui font des choses compliquées, tu sais, ce qu'il appelle les « éléphants à références ».

J'avais déjà entendu cette expression en effet, « reference elephant », sans avoir même fait l'effort de lui supposer un sens, mais je ne voulais pas me laisser aiguiller sur Alwin.

— Alors vous allez danser dans le temple baptiste ?

— Michael a dit oui tout de suite, comme si le pasteur lui faisait une faveur toute personnelle. J'avais beau lui donner des coups dans le dos par-derrière, il ne comprenait rien. « Careful, careful, Michael », but Michael went on : « sure, Mr Clergyman, how nice Mr Clergyman », impossible de l'arrêter, il doit avoir la peau dure comme un rhinocéros, il ne sentait rien et pourtant je tapais fort.

— Mais Dan, tu sais bien que Michael ne dispose que d'un seul convoi pour transporter ses idées, s'il l'a envoyé sur les lèvres, il ne peut plus l'envoyer dans le dos, c'est tout.

— Comment tu as trouvé cela ? disait Dan, frappé comme quelqu'un qui a longtemps cherché sans s'en rendre compte la solution d'un problème et la voit soudain présentée à lui et c'était quelque chose de très simple.

— Michael est comme Alex Bonneville, c'est tout.

— Right, disait Dan de plus en plus frappé, I would not have thought of that.

— Oh come on, tu sais bien, c'est le truc de la vieille Miss Marple, tu te rappelles dans les policiers que je te lisais au grenier, l'analogie. Et après ?

— Après ? Eh bien, je me donnais aussi de grands coups sur la poitrine pour que le pasteur n'y voie que du feu.

Soudain, comme pour l'histoire du flipper-football parmi les tombes, le fou rire m'a prise, je me pliais en deux, je hoquetais, je ne pouvais m'arrêter.

— What's wrong Estelle ? s'écriait Dan.

Et je lui criais dans le bref instant d'un répit : « c'est le pasteur, et toute cette flagellation dans la neige et le feu » et Dan aussi partait dans le fou rire, « mais je voulais qu'il croie que je voulais me réchauffer, et réchauffer Michael aussi, on parlait depuis un moment, dans le carrefour, il faisait froid, le visage bleu, le vent... » hoquetait Dan avec le désir totalement sérieux de convaincre malgré son fou rire, comme les ivrognes qui insistent et insistent à travers leurs divagations, et cela me relançait encore plus fort dans le rire, « mais alors Dan, Michael aussi croyait que tu voulais le réchauffer, ta tactique était nulle », « mais non, Michael n'a jamais froid, il sait bien que je le sais, c'est Michael qui est obtus », « mais non c'est toi », « mais non c'est Michael »... nous avons enfin repris notre souffle.

— Alors tu n'as pas détrompé le pasteur ?

— Tu ne comprends pas le problème, Estelle.

— Enfin, tu veux danser pour lui, oui ou non ?

— C'était sur la destination du piano qu'il fallait détromper le pasteur, le reste suivrait tout seul. Je veux dire que si le piano n'est pas destiné au Studio d'Alwin, le pasteur n'a plus vraiment de raison de nous demander un numéro de danse, comme il dit, pour sa fête. Note bien que ça se fera peut-être, sûrement même, mais disons qu'il n'a plus de moyen de pression psychologique et qu'il sera notre obligé.

— Qu'est-ce que ça change ?

— Oh beaucoup, Estelle. Ça veut dire que nous danserons exactement ce que nous voudrons, comme nous voudrons, et qu'il ne pourra rien nous imposer.

— De toute façon, Alwin fait toujours comme ça, non ? Ce qu'il veut et seulement ce qu'il veut, je n'imagine pas qu'il modifie un seul pas seulement pour faire plaisir à un pasteur ou à qui que ce soit... en dehors de ses chers compositeurs de musique.

— Oui, mais ça ira tout seul, il n'y aura pas à se battre, et ça sera tout bénéfice pour nous parce que Alwin ne sera pas de mauvaise humeur.

Et de nouveau, nous nous sommes mis à rire, les mauvaises humeurs d'Alwin, glaciales ou cinglantes, elles nous terrorisaient, mais en ce moment où nous étions tous deux ensemble et Alwin parti dans le nord de l'Etat chez ses amis musiciens en attendant qu'il y ait moins de stalactites et de stalagmites dans le Studio, l'évocation de ces humeurs nous faisait rire, rire...

Je ne peux quitter cette conversation, je voudrais la rapporter dans le moindre détail, je voudrais la rejouer indéfiniment, être dedans encore, oh pas pour l'intérêt de son contenu, insignifiant bien sûr, les petites histoires de notre brève vie à New York, mais justement à cause de cette insignifiance, car cela voudrait dire qu'il y a encore avec moi quelqu'un pour porter cette insignifiance, pour lui donner la flamme intérieure qu'elle avait, qui faisait briller chaque mot d'un éclat si brûlant.

A cette époque, sous l'influence de Poison Ivy, et à cause de ma propre sottise et inexpérience, je n'avais estime que pour les conversations sérieuses. Et par Yves justement j'avais eu l'occasion d'en connaître quelques-unes (« participer » serait trop dire) au cours de rencontres amicales avec l'un de ses professeurs de droit qui devait devenir ministre. Et par Alwin bien sûr et son entourage.

Mais si j'avais à choisir maintenant parmi toutes les conversations qui se sont installées dans la mémoire, mille fois je choisirais l'insignifiante, car les autres se tiennent seules, mais l'insignifiante a l'amour pour support.

Mais sans vous madame, ce ne serait rien, parce que je ne sais pas comment se traduisent les élans, l'interrogation ardente, le ton passionné qu'en cet instant nous mettions à tout cela, oh comme j'aimais ce pasteur désintéressé nonobstant un tantinet rusé, et le naïf Michael, et les paroissiennes aux bonnes œuvres pâtissières, et l'inaccessible danse d'Alwin livrée à leurs âmes empâtées, et ce piano orphelin, et cet autre piano neuf dans le temple, qui accompagnerait peut-être « le numéro de nos chers voisins les danseurs venus offrir à Dieu et à vous leur art, comme vous avez offert à Dieu et à nos invités vos excellents gâteaux, for our charities and the development of our dear church... », et à ce moment encore je ne savais pas que c'était de l'amour, cette joie à se raconter dans les détails et les variations des détails tout ce qui arrivait autour de nous.

J'étais contente du piano, inquiète de ne plus retrouver l'agilité de mes doigts, hantée par la voix oraculaire de Djuma, remuée par la statuaire qui s'était développée et évanouie en quelques minutes sous la verrière de notre palier, réconfortée par la bonté de Michael, amusée par les histoires du pasteur, soulagée de l'absence d'Alwin, excitée par la profusion de la neige, et remuée encore par la danse de Dan avec les papillons blancs et duveteux dans le halo laiteux du réverbère, et puis fatiguée de l'heure déjà tardive et trop agitée pour songer au repos, le téléphone avait sonné longuement à un moment et dans ce tourbillon nous n'avions pas eu l'idée d'aller répondre, il avait sonné, sonné, et nous ne l'avions pas plus écouté qu'une sirène dans la rue, mais je ne savais pas que tout cela et même cette négligence extraordinaire, c'était l'amour. Et Dan non plus ne le savait pas.

Quelqu'un allait nous l'apprendre sans tarder, dans quelques instants, et nous le refuserions encore, mais nous saurions, nous saurions enfin...

Dan et moi, nous étions maintenant seuls dans le loft. Le piano faisait l'affaire, c'était certain, car nous continuions à être joyeux, et nous pensions que cette affaire, c'était bien ce que nous en avions dit à Michael. L'affaire de ce piano, c'était de nous faire écrire à Tirésia. Mais nous n'avons pas écrit à Tirésia.

Nous buvions du café bouillant, il neigeait toujours, à la télévision nous entendions que des avions avaient été retardés, avaient dû atterrir à Washington, que le nord de l'Etat était toujours sinistré, que des hélicoptères survolaient les routes pour repérer les gens en détresse, nous étions dans l'enchantement et nous bavardions, bavardions.

— Well, Alwin n'est pas près de revenir, disait Dan.

— Tu te rappelles Sara...

— Sara, la fille du Canada ?

— Oui, les histoires qu'elle racontait, qu'elle avait été coincée dans la neige, sauvée par un hélicoptère...

— Emmenée dans un temple pour passer la nuit...

— On croyait que c'était pour nous épater...

— Apparemment c'était vrai.

— On devrait lui envoyer une lettre d'excuse...

— « Chère cousine Sara, il y a quelques années en la maison Helleur une accusation erronée a été portée contre toi. Tu as été convaincue de mythomanie avancée... bla bla bla nos excuses. »

— En fait non.

— Quoi non ?

— Pas question de présenter des excuses.

— Et pourquoi ?

— Tu ne te rappelles pas ce qu'elle disait, elle ?

— Quoi ?

— Qu'on était tous cinglés dans cette maison, à commencer par toi et moi.

— Quand est-ce qu'elle a dit ça ?

— Quand on avait embrassé le jardin la nuit de la pleine lune.

— On avait embrassé le jardin...

— On était couverts de terre et d'égratignures.

— On était un peu fous, non ?

— Et aussi quand tu avais dansé sur la pelouse.

— Estelle ?

— Quoi ?

— Joue-moi cet air.

— Lequel ?

— Celui de Nicole.

— Mais pourquoi ?

— J'ai envie de danser.

— Sur la musique de Nicole ?

— Mais oui, ne prends pas cet air terrifié, Alwin n'est pas là.

— Je n'ai pas peur d'Alwin.

— Alors vas-y.

Je ne savais plus jouer. Je tâtonnais sur le vieux piano, et Dan tâtonnait dans le loft, s'arrêtant court à chacun de mes couacs, puis petit à petit la musique se retrouvait, les fameuses seize mesures du *Boléro* de Ravel, Dan trouvait ses gestes, puis il y a eu une suite de cafouillages comme des remous dans un fleuve, Dan plein de patience attendait, quelques mesures se sont formées, comme si je remontais le temps je les ai suivies, ... et j'ai joué les passages pour piano d'un morceau que nous avions entendu si souvent, lorsque Dan était tout petit, Tirésia au piano, notre père au violon et Minor au violoncelle, le trio en mi bémol majeur opus 100 de Schubert.

Soudain mon frère est venu derrière moi, m'a prise par les épaules, embrassée, « oh Estelle, je sens quelque chose sous mes pieds, il y a si longtemps, si longtemps que je n'avais pas senti cela, joue, Estelle, joue ».

C'était la première fois qu'il m'embrassait de tout notre séjour à New York, et je me suis mise à improviser, oh nous la faisions cette lettre à Tirésia, ce n'était pas mes doigts qui jouaient en cet instant, je le jure, c'était une chose impossible, je n'avais pas joué depuis des années, depuis mon départ de la maison Helleur, depuis mon mariage, et pourtant mes doigts couraient sur les touches, quittaient le *Boléro* tant de fois ressassé dans le garage bleu par le Teppaz de Nicole sur son 45-tours usé qu'il en était devenu autre, qu'il était devenu la musique de Nicole, et quittaient les fragments de la musique de Schubert si liés aux trois silhouettes familières dans notre salon qu'eux aussi s'étaient altérés en autre chose qu'eux-mêmes (et je retrouvais même les erreurs que faisait Minor dans sa partie de violoncelle, erreurs qui à la longue s'étaient quasiment pour moi intégrées au morceau).

Mes mains quittaient les musiques usées de la maison Helleur, en trouvaient d'inconnues, qui nous appartenaient plus intimement, à mon frère et à moi, des suites de notes qui étaient nos lieux à nous dans la maison, le grenier, le pré, le fossé, la grotte, la petite mare, la pelouse, la danse de Dan sur la pelouse, je jouais sans hésiter, miraculeusement. C'était mon amour mais ce ne pouvait être mes doigts, c'étaient ceux de Tirésia, ne me demandez pas comment, je sais que ces choses sont possibles, je ne sais comment elles se font.

C'étaient les doigts d'une femme qui avant de veiller sur notre enfance, le visage voilé, dans notre provinciale maison Helleur, avait été une jeune pianiste partout sollicitée et célébrée, ainsi elle nous remerciait de cette idée que nous avions eue, de ce vieux piano que Dan avait amené pour que je puisse lui écrire, elle nous répondait de l'autre côté de l'océan en le faisant vibrer merveilleusement, s'adressant à nous deux dans une sorte de pressentiment et d'élan dernier de ses forces, dans une impétueuse combustion de son talent, et Dan aussi devait sentir dans ma musique cette puissance inattendue car il dansait comme il ne dansait jamais pour Alwin, oh je sais bien que sous cette danse il y avait la technique d'Alwin, et le génie d'Alwin, la technique était restée mais le génie d'Alwin s'était effacé devant un génie plus fort, celui de mon frère Dan qui dansait notre amour pour la dernière fois.

36

Poison Ivy

Je jouais, je jouais et Dan dansait. Il y a eu un bruit à la porte.
Nous n'arrivions pas à l'entendre.

Il nous gênait, c'était un bruit qui n'allait ni avec la nuit ni avec
la neige. Les anciens lévriers de notre esprit dépêchés à notre insu
flairaient la fente sous la porte, grondaient sourdement pour le
renvoyer, tandis que je continuais de jouer, tandis que Dan
continuait de danser.

Les nuits où je ne peux dormir, madame, la journée aussi dans la rue, lorsque
la peur me prend de sombrer corps et biens dans la foule, j'essaie de me décrire sa
danse de cette nuit-là, afin d'être prête quand viendra le jour de célébration pour
mon frère, afin de ne pas perdre de vue le jour de cette célébration.

Mais je n'en ai pas d'image dans la mémoire.

Ce que j'ai, c'est une poussée immatérielle et impérieuse, si ce genre de chose
est possible, une simple poussée dans la tête, je ne pourrais y accrocher ni mots
ni musique encore, mais madame, le jour où il y aura une scène devant moi et
des danseurs et un chorégraphe, alors je n'aurai plus qu'à suivre cette poussée et
le chorégraphe la percevra, il verra de lui-même les figures se placer tout du
long, et le danseur aussi la sentira, elle fera comme une sève dans ses muscles,
et moi alors je reconnaîtrai mon frère Dan...

Le piano était resté au milieu du loft, dans ce vaste espace vide,
au plancher nu, qu'atteignait à peine la lueur de la lampe posée à
même la plate-forme du côté des fenêtres.

392

Nous étions dans une pénombre que le silence velouté dehors et la neige festonnée aux carreaux rendaient douce, intime.

J'essayais des sons, mes yeux allaient du clavier à mon frère.

Debout, mon frère écoutait et plaçait son corps, le regard sur moi, en attente. Moi, je voyais comment il avait placé son corps et aussitôt mon regard revenait au clavier, mes doigts lançaient une suite. Je levais les yeux, mon frère avait déployé un bras, oui j'avais deviné juste, mon cœur bondissait, mes doigts jetaient la mélodie dans une autre direction, et mon frère avait pris ce tournant, sa position avait changé, son corps était prêt pour un élan, alors mes doigts s'établissaient sur le dernier accord, le reprenaient fortement comme pour poser un tremplin, pour avertir le danseur, et soudain en même temps nous plongions dans l'inconnu, une cascade de notes et de mouvements jaillissait...

Je jouais sur la berge claire du clavier, sentant plus que je ne les voyais les évolutions souples d'une silhouette à travers la pénombre tranquille.

Puis nous ralentissions, hésitions. Je guettais ses gestes et il guettait les miens. La danse et la musique s'effleuraient, se quittaient, puis doucement par petites pulsions, une entente se retrouvait, nous allions précautionneusement, attentifs l'un à l'autre, dans une gravité et une concentration absolues, laissant s'étendre de longs mouvements qui ne menaient à rien, pour se reposer, pour la paix, puis nous reprenions une exploration et soudain un rythme se faisait, nous ne pouvions y résister, cela venait comme nos fous rires, un tourbillon de sons emportait Dan, et je sentais le moment exact où ce tourbillon atteignait la fin de son déroulement, où le souffle de mon frère ne pouvait plus le maintenir...

Mais je pourrais dire cela autrement, le corps de mon frère sentait le moment exact où le tourbillon des sons atteignait sa fin, où ma force ne pouvait plus les maintenir...

L'un et l'autre nous revenions sur une plage plus tranquille, des sons isolés pour des gestes isolés, l'écho du tourbillon s'affaiblissait, et finalement Dan tombait près de moi, posait sa tête sur mes genoux tandis que je laissais mes doigts jouer au hasard avec quelques notes.

— Oh Estelle, disait-il essoufflé. Oh!

Pour lui répondre je reprenais mais légèrement, comme en citation, quelques-uns des morceaux que nous avions à tous les deux inventés, je les retrouvais facilement.

— Oui, disait Dan, c'était bien, celui-là, non là, c'était trop vite.

Je ne suis pas vraiment sûre qu'il parlait, ses bras étaient autour de ma taille, il commentait par des pressions de son corps, je le comprenais entièrement, nous retracions notre parcours pour ainsi dire, commentant dans le détail des choses que nous seuls pouvions comprendre, et plus tard, demain, lorsque nous recommencerions, notre création serait plus forte, plus riche, cela paraissait évident en cet instant, c'était pour ce lendemain, pour toutes ces autres fois à venir que nous revenions sur ce ballet que nous avions joué, pour la première fois, pour la dernière fois, dans la découverte et l'inexpérience, ensemble.

Nous avons fini par prendre conscience du bruit à la porte. Et nous en avons pris conscience à cause du changement de la lumière.

De la verrière du palier qui se prolongeait sur cette partie du loft, une lumière blême était tombée sur nous, chassant la lueur voilée de neige, la pénombre douce et intime où nous avions créé notre ballet.

— Il faut changer cette lumière, murmurait Dan, pensant sans doute à l'ampoule nue qui éclairait si brutalement le palier et l'escalier.

On frappait à la porte, nous l'entendions clairement maintenant.

— Alwin, ai-je dit.

— L'exterminateur, disait Dan.

Mais nous ne nous étions pas levés et, dans le même instant, le rectangle noir de la porte s'est éclairé et nous avons vu quelqu'un dans la lueur livide de l'encadrement.

Mon frère et moi, malgré la grande peur de New York et les consignes de sécurité sans cesse répétées partout, nous ne tournions jamais la clé sur la porte du loft.

— Real « provinciaux », disait Alwin avec mépris.

Il disait « provinciaux » en français, c'était un mot dont il ne se lassait pas, le seul mot qu'il semblait connaître dans notre langue, et quand il le prononçait, il y mettait une vindicte très particulière, je ne me demandais pas pourquoi il savait ce mot, pourquoi c'était le seul qu'il employait, pourquoi il l'employait toujours dans le même afflux émotif, quelle délectation il trouvait à cette émotion aigre qui semblait lui piquer l'estomac.

Une fois nous l'avions entendu ruminer une suite de sons incompréhensible. Cette suite de sons, nous l'avions recueillie, ruminée nous aussi, et à retardement, comme cela nous arrivait souvent, nous en avions débrouillé la litanie.

C'était : « une provinciale des provinciales, un provincial des provinciaux... »

Alwin ne semblait connaître rien d'autre dans notre langue, en dehors des termes techniques de danse qu'il prononçait de façon exagérément américaine, et là non plus je ne me demandais pas pourquoi. La plupart des danseurs de la troupe les prononçaient mieux que lui, il y avait en eux un effort vers la langue originelle, une sorte de reconnaissance manifestée par les muscles de leur appareil vocal, mais Alwin faisait un effort dans le sens contraire. On aurait dit qu'il voulait arracher toute sonorité française de ces outils linguistiques, j'avais l'impression qu'il arrachait les nerfs de mots vivants et qu'il en faisait des pantins pour les plier à sa guise. Oh cela m'irritait, je sentais en moi cette irritation, mais je ne me demandais pas d'où elle venait. Je ne me demandais rien, pourquoi me serais-je demandé cette chose-là ?

Le démon qui nous tenait nous tenait bien, partout traînaient les fils que nous aurions pu suivre et nous n'en avons pas ramassé un seul.

Et maintenant je vois bien ce que je fais, je m'écarte, je me détourne de cette silhouette dans l'encadrement livide de la porte, mon estomac se contracte, j'ai peur, je pourrais me mettre à marmonner comme Alwin, je pourrais dire « un Parisien des

Parisiens, une Parisienne des Parisiennes », oui, Parisien, retourne à tes arrondissements roulés sur eux-mêmes comme une coquille d'escargot, cache-toi dessous et va-t'en ramper où tu voudras sur le sol de France, mais pas ici, pas ici, avec ton loden autrichien et ton écharpe écossaise et tes chaussures anglaises et ta valise aux belles ferrures, tout cela du simili d'ailleurs, pauvre jeune Yves, prends garde, car nous allons te traîner sous le lierre empoisonné, le sumac vénéneux et il nous brûlera tous, repars, repars vite et laisse-nous.

Notre visiteur entrait et notre beau moment de répit se refermait sur lui-même dans un bruit métallique, celui de la porte qu'Yves poussait derrière lui, puisque nous ne bougions pas.

La lumière de la minuterie dans l'escalier s'est éteinte, assombrissant la verrière du loft, un autre bruit métallique s'est attaché au premier comme un anneau : le cercle ferré de la valise heurtant le sol et la poignée claquant sur un côté.

Mes doigts étaient toujours sur le clavier. Dan avait encore les bras sur mes genoux. Nous regardions fixement la porte, je crois que nous ne pouvions croire en sa trahison, la trahison de la porte, que nous laissions toujours clé non tournée. Alwin avait donc raison, on ne pouvait faire confiance en rien à New York, oui je crois que c'est cela qui nous occupait, un sentiment de vexation. Notre esprit était lent, engourdi.

La neige tombait dru, elle picotait aux carreaux, non il était impossible que quelqu'un soit arrivé par un temps pareil, je crois que nous étions prêts à nous endormir sur place, nous avions la tête pleine de neige, et dans cet assoupissement cotonneux, il n'y avait pas place pour un voyageur.

Mon frère était en collants de danse, le torse nu, encore luisant de sueur. Je portais la chemise-peignoir qui lui servait entre ses exercices et, posé de travers par-dessus, l'extravagant vêtement pourpre vif.

En aidant à l'installation du piano j'avais eu chaud et m'étais déshabillée, puis nous avions commencé notre ballet et j'avais eu froid sur le tabouret, alors comme d'habitude j'avais simplement attrapé ce vêtement qui était si obligeant, pouvait être couverture, tente, étole...

Pourquoi vous-je dis ces sottises, ces détails, madame ? Il doit bien y avoir une raison, et si je ne fais pas confiance en cette raison, alors tout ce que je vous dis n'est que sottises et détails. Il faut que je fasse confiance...

Ce mari que j'ai eu si brièvement, madame, il m'arrive de repenser à lui. Peut-être à cause de Phil. Je commence à le voir dans sa lumière à lui, un jeune homme travailleur ou obstiné, ses parents étaient employés aux Halles, il faisait ses études grâce à des bourses, il allait présenter le concours de l'Ecole nationale d'administration, ne le réussirait pas, « pas encore au moule », avait-il dit sans amertume, il avait réussi l'autre concours d'administration, celui de Lille, « un cran au-dessous, avait-il dit, mais patience », puis l'Ecole de santé de Rouen, il allait devenir inspecteur des affaires sociales, puis je l'ai perdu de vue, Adrien m'a dit qu'il était au cabinet d'un ministre, qu'il avait parlé à la télévision, je ne regarde pas la télévision et écoute peu Adrien, pourtant j'ai dû l'écouter cette fois-là.

J'avais été touchée par la simplicité d'Yves, sa façon modeste d'être ambitieux, il allait exactement là où le menait son intelligence, sans fanfare et pas un bond de plus, mais elle allait vite et droit, il m'aidait à traverser les fourrés de mes manuels de droit, sans concession, presque rudement, mais quand nous sortions d'un cours ou d'un devoir, il se tournait vers moi et alors il aurait voulu m'entendre parler du travail de mon père, et aussi de Bergson, de Schubert, moi cela me gênait, ce que voulait Yves c'était des références précises, il voulait se constituer une sorte de vêtement de cérémonie pour le monde vers lequel l'entraînaient son intelligence et son acharnement, seulement cela n'allait pas, je me refermais alors.

Il aurait voulu que je joue du piano pour lui, que nous ayons un piano à la maison, mais je ne pouvais pas jouer pour lui et l'idée d'un piano dans notre niche d'étudiant me révulsait.

Nous n'avons guère eu le temps de nous connaître, mais pour vous résumer notre mariage, madame, je pourrais dire que Yves tournait autour de moi comme autour d'un coquillage dans lequel il avait cru voir une sorte de reflet, quelque chose qu'il convoitait, mais le coquillage restait fermé, devenait plus opaque à chacune de ses tentatives, nous n'avons pas eu le temps de commencer à nous battre.

Peut-être ne nous serions-nous pas battus, peut-être y avait-il en lui plus de ressources que je ne pouvais en deviner, il était jeune, son âge entre celui de Dan et le mien, j'avais été lentement dans mes études et lui vite, il était heureux encore, faire l'amour lui donnait des ailes, moi cela m'abrutissait, je restais au lit comme hébétée, « Estelle, il faudra que je gagne beaucoup d'argent pour que tu puisses rester au lit » disait-il sans acrimonie, je le trouvais gentil. Je l'ai dit, ma pensée n'allait nulle part, dormait en moi.

Au téléphone, je lui répondais que j'apprenais l'anglais, que ce serait utile, que les cours de Columbia étaient intéressants, cela le rassurait. Il n'y avait pas besoin de ruser, mon esprit devinait exactement les paroles qu'il pouvait entendre et ma voix les disait, cela se passait sans moi.

Et maintenant il était là devant la porte de notre loft. Madame, je vous raconte tout cela qui ne peut aller dans un opéra, parce que j'ai vu enfin par les yeux d'Yves quelque chose que je n'avais pas vu auparavant, et je voudrais que vous le voyiez aussi, madame, car cette vision-là, elle, doit aller dans l'opéra, voici ce que j'ai vu par les yeux d'Yves, et voici comment notre destin a roulé d'une marche à l'autre dans sa chute infernale.

Ce que voyait Yves, c'était une pénombre enclose dans une lueur douce, recueillie dans le silence dans la neige, et au sein de cette pénombre, il voyait un grand piano luisant, et Estelle en chemise blanche les mains posées sur le clavier, jouant peut-être encore, comme elle n'avait jamais voulu le faire pour lui, et aux pieds d'Estelle un jeune homme qu'il ne connaissait pas, d'une beauté déchirante, torse nu, la sueur et l'essoufflement relevant encore la beauté de son visage et de son corps, les bras autour de la taille d'Estelle, tous deux les yeux tournés vers lui, ne bougeant pas, ne le regardant pas, sur le fond pourpre d'une étoffe chatoyante qui semblait les isoler, les défendre.

C'est cette vision qu'a dû avoir Yves.

Il était venu sur un coup d'irritation, son avion avait atterri à Washington, il avait dû prendre un train, personne n'avait répondu au téléphone, à la porte non plus personne ne répondait, il entendait le son d'un piano pourtant, il avait tourné la poignée de la porte finalement, et il avait eu cela devant ses yeux, cette vision qui devait précipiter notre chute et ameuter la mort, qui nous attendait depuis si longtemps.

Presque aussitôt me semble-t-il je nous vois marchant tous les trois dans la neige devenue sale, c'est le soir, le vent souffle dans les ravins glacés des rues, de grands geysers de vapeur montent en tourbillonnant du milieu de la chaussée,

« qu'est-ce c'est ? » demande Yves, « c'est l'enfer » répond Dan, « où allons-nous ? » dit Yves, « demande à Estelle » dit Dan, « où allons-nous Estelle ? », « je ne sais pas Yves »,

je ne sais pas où nous allons, nous marchons tantôt de front, tantôt les uns derrière les autres, je sue et grelotte dans mon épaisse tente pourprée, Dan enfoncé dans sa carapace jaune avance comme un sous-marin dans l'air noir, Yves serre contre lui les pans de son loden, le vent à chaque instant les lui arrache, son visage est ratatiné comme celui d'une momie,

nous descendons maintenant le long de l'Hudson, sur la surface du fleuve de grands bancs de glace s'entrechoquent, la glace frotte au bord dans un grincement irrégulier, à dresser les cheveux, sur le trottoir d'invisibles bandes de terre gelée ont échappé au sel, Yves dérape dans ses chaussures anglaises à la semelle de cuir, il se rattrape à la murette du bord, ses gants de laine collent contre la glace, et le vent encore une fois arrache les pans de son loden,

le vent dévale la rue comme un dément, je ne comprends pas pourquoi nous sommes à cette hauteur-là de la ville, vers la 116e Rue, peut-être Yves avait-il voulu voir Columbia University, s'assurer que j'y suivais bien des cours, je ne sais plus,

« prenons le bus, Dan », « pas question », dit Dan, « mais

pourquoi, pourquoi ? », « Yves veut visiter la ville, on la visite », ce n'est plus mon frère Dan, c'est l'autre, celui que j'ai trouvé à l'aéroport de cette ville il y a six mois, à côté de qui j'attendais une valise inexistante devant le désert d'un tapis roulant, celui qui ressemble très affreusement à mon frère, nous sommes revenus au même point,

« on a assez visité pour aujourd'hui », dit Yves essayant un sourire que le vent lui saccage aussitôt, « tu n'as rien vu encore » dit Dan, « alors montre-moi » dit Yves, « je vais te montrer » dit Dan, ma rage s'augmente de la leur, je sens qu'il est trop tard maintenant, nous ne pouvons plus prendre aucun bus, aucun métro, aucun taxi, le vent nous pousse et nos jambes qui marchent toutes seules, nous avons pris une cadence ensemble, nous ressemblons à trois soldats fonçant tout droit vers leur but obscur et précis de soldat,

nous avons descendu une bonne partie de la ville, nous sommes dans un terrain vague, Dan enjambe des barrières abattues, nous le suivons le long d'une jetée, l'eau clapote à quelques mètres, moins de glace sur le fleuve, sans doute la proximité d'un assez grand bateau, il a l'air rouillé et vide d'existence, sans doute pas, une lumière rouge vacille au ras de l'eau, mon frère nous la montre, le quai est désert, noir et grinçant,

« c'est un port abandonné » dit Yves, on dirait que ses lèvres minces découpent les mots au ciseau dans un bloc de glace, « abandonné de Dieu mais pas des hommes » dit Dan, il rit bêtement, mon frère qui est intelligence pure lorsqu'il danse voilà qu'il rit bêtement, « nous allons sur l'eau ? » dis-je, « c'est une boîte ? » dit Yves, « les bas-fonds » dit mon frère, « les bas-fonds c'est intéressant » dit Yves,

plus nous approchons du bout de la jetée, plus nos paroles se tordent, deviennent imbéciles, j'ai peur soudain d'être dans un cauchemar de notre mère, était-ce cela qui réveillait Nicole nuit après nuit, cette avancée vers l'eau noire au milieu de mots imbéciles, je crie « c'est un cauchemar », « non, dit Yves, on va danser », ce mot me frappe horriblement, je vois la forme d'un crâne sous son visage brutalisé par le vent et le froid, Yves veut me toucher l'épaule, je le repousse d'une secousse nerveuse, déséquilibré il se raccroche à Dan, les deux vacillent un instant sur le bord gelé de la jetée, ils ne sont pas tombés, mais je sais, je sais définitivement que la mort nous guette, ici, un peu plus loin, je sais que nous le savons tous les trois, mais notre savoir est emmuré en chacun de nous.

Nous sommes dans un état affreux, traqués, sans le secours de pouvoir nous l'avouer, mes os claquent de peur, Yves aussi, je vois la panique dans son corps, on lui a dit qu'à New York il y a des crimes partout, des crimes sans raison, il s'était préparé à cela, n'en était pas effrayé, mais c'est autre chose qui l'attaque, il se sent acculé, poussé au pied du mur, mais ne sait par qui ni où est le mur, mon frère aussi a peur, il est si perceptif mon frère, il sent que nous tombons de plus en plus vite comme dans un entonnoir, mais il n'a pas de prise pour enrayer notre chute, pis il sent que c'est en lui qu'est le poids qui nous fait chuter, mais pourquoi en lui, il ne comprend pas, son regard est désespéré, je ne supporte pas ce regard dans les yeux de mon frère,

« alors, allons-y Dan » lui dis-je, « tu veux y aller ? » me répond-il, « oui, oui » lui dis-je en criant contre le vent, « tu ne peux pas y aller, Estelle » dit-il, « pourquoi ? » crie Yves, « parce que c'est une fille » dit mon frère platement, et la rafale tombe aussi, nous nous regardons tous les trois.

Un instant il semble possible de faire demi-tour, de repartir vers les rues, les stations de métro, les autobus, les taxis, mais le poids qui nous fait chuter est passé en moi, je n'ai pas senti le choc, seulement la présence soudain révélée d'une oppression gigantesque, pondéreuse,

je crie « je veux y aller », « non » dit Dan, ce « non » me pousse littéralement, je suis dans l'eau glacée, non ce n'est pas l'eau du fleuve, je suis sur une passerelle, pourtant je suis trempée, mon vêtement pourpre est comme une loque repêchée d'un noyé disparu.

Le vent soufflait de nouveau, mêlé de neige fondue et de grêle, nous étions maintenant dans une sorte de vestibule, le sol tanguait légèrement, non je ne nous vois pas dans le vestibule, nous étions

401

dans des toilettes, j'entends le bruit d'écoulement de l'eau sur des parois de zinc, ce sont des toilettes d'hommes, il n'y en avait pas d'autres, Dan maintenait la porte fermée, j'étais séchée déjà, nous avions bu un alcool brûlant, Yves me passait des vêtements que mon frère avait été chercher, un jean avec une braguette devant, que mes doigts n'arrivaient pas à fermer, c'était un pantalon d'homme, une veste d'homme aussi, « mets ça » dit mon frère, il m'enfonce un bonnet noir étroit sur la tête, il est reparti, revenu avec un autre alcool, nous sortons, Dan devant, puis moi, puis Yves,

nous sommes comme liés par une corde tous les trois, plus liés que nous ne le serons jamais, nous avançons dans un couloir obscur, mais mon frère va sans hésitation, oh comme il connaît ces lieux mon frère,

plus tard nous sommes dehors, à l'intersection de Christopher Street et de la 11ᵉ Avenue, des garçons très jeunes sautillent autour d'un banc en s'embrassant et riant hystériquement, l'un d'eux renifle dans un sac de plastique plaqué contre sa figure, c'est l'aube,

« tu es fou » hurle Yves,

« personne t'a rien fait » dis-je,

il a vomi plusieurs fois, la fatigue a mangé la chair de son visage, il répète « tu es fou », Dan répond mauvaisement « tu voulais visiter », « je repars » dit Yves, « tu n'as pas vu Alwin ni le Studio » dit mon frère, Yves lui tourne le dos, « viens avec moi » me dit-il, « quand ? », « tout à l'heure », nous marchons exténués, Yves répète sans arrêt « viens avec moi », il parle de l'avion du matin, des places en standby, dormir à l'aéroport,

nous avons été chercher sa valise, une file de chasse-neige retournant à leur base nous fait taire un instant, nous sommes devant un taxi, « vous êtes fous tous les deux » dit Yves, il sanglote, nous restons sur le bord du trottoir, regardant le taxi qui dérape un peu puis démarre doucement. Nous agitons la main, je ne reverrai plus ce garçon, Yves.

« Poison Ivy » marmonne mon frère, presque tristement.

C'est tout ce qu'il dira, tout le long du trajet. Nous prenons un café et des doughnuts dans un coffee-shop.

402

« Poison Ivy » marmonne Dan, je hoche la tête, en effet « poison Ivy », cela fait entre nous une lourde et longue conversation, rien d'autre à dire, la neige commence à fondre, Alwin va bientôt rentrer, je sais maintenant ce que fait mon frère la nuit, le Studio va reprendre ses activités, l'université va rouvrir ses portes, de toute façon il faut dormir.

à G.

37

La Rampante

Le lendemain je trouvai dans la boîte trois lettres de mon père, l'une assez longue, l'autre courte et une troisième encore plus courte.

Ma chère Estelle,
Nous aussi sommes sous la neige, monsieur Voisin se désole parce que ses camions sont cloués à l'entrepôt. Ce qu'il voulait me faire comprendre ce matin alors que nous piétinions tous deux de part et d'autre du mur mitoyen, c'est que son gagne-pain à lui est soumis à toutes sortes de variables capricieuses, « n'est-ce pas injuste, monsieur Helleur, me disait-il, moi qui suis un homme de routine, la stabilité même, moi qui ne suis heureux que dans le prévisible, le jour qui reproduit la veille pour se couler dans le moule du lendemain, il me faut sans cesse endurer d'insupportables irrégularités. Tout au long de la chaîne que je commande et surveille peuvent se produire une quantité d'événements incontrôlables. Commençons par un de mes camions. Il peut ne plus marcher, une raison ou une autre et l'éventail de ces raisons est large. Puis si le camion marche, le camionneur peut lui se trouver mal fichu ou le temps se révéler prohibant. Imaginons que tout aille bien du côté du temps, du camionneur et du camion, eh bien il y a l'accident, mon camion peut se retrouver avec sa cargaison et son conducteur dans le fossé, et on ne pourra pas nécessairement en trouver la cause, ou ce sera une cause insatisfaisante, une cause-paravent pour ainsi dire, c'est cela qui est insupportable, monsieur Helleur, ne pas savoir pourquoi soudain on se retrouve perdant... »
Je lui ai dit qu'en somme nous étions à la même enseigne. Moi de même, si

bon avocat que je sois (et là-dessus je ne veux pas lui laisser de doute) il arrive toujours le moment où on ne comprend pas pourquoi tel acte criminel a été commis, « vous ne pouvez savoir combien c'est obsédant » disais-je. « Oui, monsieur Helleur, m'a interrompu monsieur Voisin, j'entends bien, mais ce n'est tout de même pas pareil, car vous n'avez pas besoin de comprendre votre client pour le défendre. Et même si vous le comprenez, cela n'empêchera pas les mêmes actes criminels de se reproduire et donc cela ne devrait pas vous empêcher de dormir (je te rapporte ce trait de la logique de monsieur Voisin, Estelle, je pense que tu la reconnaîtras facilement). Tandis que moi, poursuivait-il, sans mon camion, plus de travail, et si je ne comprends pas pourquoi il est allé dans le fossé, je peux toujours penser à chaque instant que la cause que je n'ai pas su détecter va susciter un autre accident, je ne peux dormir, monsieur Helleur... »

Ce qui le tracasse en ce moment, c'est le petit pont au-dessus de « la Rampante », tu sais, sur la petite route qui rejoint la nationale. Tu te rappelles la Rampante, n'est-ce pas, votre rivière à goujons, « petits goujons, nous n'avons pas d'hameçon », claironnait ton frère de loin, après quoi il était capable de rester immobile de longues minutes le nez sur l'eau à observer leur danse autour de ses jambes. Et te rappelles-tu le jour où Adrien est venu avec sa canne à pêche s'installer juste devant vous ? Pendant qu'il mangeait son goûter, vous aviez rejeté à l'eau toutes les prises de son panier et vous vous étiez tellement battus tous les trois que vous aviez failli vous noyer. C'est toi qui es venue prévenir, nous t'avons entendue hurler dans le pré, monsieur Voisin et moi nous sommes descendus comme des fous, nous n'étions pas loin de nous battre nous aussi, il y avait du sang sur les pierres du bord, peux-tu croire cela, vous vous étiez bellement écorchés. Ces traces de sang, cela nous avait énervés ! Nous étions jeunes...

Pour en revenir à la Rampante, l'eau a débordé, causant du verglas. Monsieur Voisin a interdit à ses camionneurs de prendre ce raccourci, mais il ne leur fait pas confiance et l'autre nuit il s'est levé pour aller jeter du sel ou de la sciure, en pleine nuit, en pyjama sous son parka, tu vois cela Estelle, c'est madame mère qui me l'a confié sous le sceau du secret, « en pyjama sous son parka monsieur Helleur, croyez-vous que je devrais en parler au docteur Minor ? ». Ça lui a permis de dormir tranquille quelques heures, mais il y a du verglas partout dans le pays et il ne peut tout de même pas se promener avec un sceau à sciure sur toutes les routes.

408

J'ai essayé de lui dire que les criminels (et je ne pense pas qu'aux criminels avérés, mais aussi à ceux qui le sont malgré eux et sans le savoir) étaient comme le verglas, invisibles parfois et partout, et qu'il m'arrivait aussi au milieu de la nuit de vouloir me lever pour aller les débusquer et débusquer le destin qui peut faire de nous à chaque instant le meurtrier d'un autre ou de l'âme d'un autre, mais monsieur Voisin n'avait pas de patience pour mes problèmes, ce qu'il voit c'est que je suis dans mon bureau avec des dossiers et que des dossiers ça ne se renverse pas dans les fossés avec de l'essence tout autour prête à prendre feu.

De là nous sommes passés aux taupes, qui envahissent nos deux jardins, tu ne reconnaîtrais pas votre pelouse, Estelle, votre pelouse de ballet, comme vous disiez. Depuis que les pieds de Dan ne sont plus là pour tenir la terre en respect et en intimider les hôtes, les taupes ne se sentent plus.

Monsieur Voisin m'a encore fait un cours sur ces animaux, elles font des monticules pour créer un appel d'air qui aère leur terrier, « sinon comment respireraient-elles, hein, comment croyez-vous qu'elles respireraient, monsieur Helleur ? » m'a-t-il dit triomphant, comme si c'était lui qui avait inventé ce système.

Là est la grande différence entre monsieur Voisin et moi. Il prend toute chose de la nature comme si c'était lui qui l'avait créée, ce qui ne l'empêche pas de maugréer et rouspéter, et de faire tout ce qu'il peut pour la contrer. Tandis que moi je sens la création comme une chose profondément étrangère, mais voilà, je suis paralysé de respect pour elle.

Les taupes font des monticules pour respirer, d'acccord, mais votre chère pelouse est saccagée et je dois dire que cela m'est insupportable. Rien là de nouveau, tu connais mes problèmes avec les espèces animales, Estelle, et l'instinct en général et la nature tout entière !

De penser que tout cela est un élan puissant cherchant à traverser la matière est consolant. Si je vois les taupes et les guêpes et les merles et les vers et tout ce ratage cruel et sanguinaire (heureusement que nous n'avons pas de fauves dans nos régions !) comme des essais et non comme des créations délibérées, je me sens mieux. Et qui plus est, je me sens un rôle. Mon rôle est d'administrer ces tâtonnements en attendant mieux. Oui, je me sens mieux alors.

Sais-tu ce que me dit Minor lorsque je l'entreprends sur ces sujets ? Il me dit qu'il me suffirait de prendre un de ses remèdes, « un petit sédatif inoffensif qui vous permettra de parler de la pluie et du beau temps avec votre voisin, mon cher Helleur, sans que cela vous oblige à remettre en cause toute la création... ». Je lui ai dit que mon philosophe valait mieux que ses sédatifs. Mais il n'est pas d'accord. « Encore, dit-il, si vous suiviez votre philosophe jusqu'au bout, si vous arriviez jusqu'au Christ et à la foi, mais vous vous arrêtez en chemin... »

Minor est d'une pénétration surprenante. Car il est bien vrai que je m'arrête en chemin, Estelle. Cette seconde source de la morale et de la religion, oui je la comprends, mais tout de même, cela ne m'amène pas dans une église à avaler un bout de farine cuite !

Je parle de cela parce que Nicole est là-bas en ce moment, à l'église Sainte-Marie-du-Marché. Elle y va beaucoup ces temps-ci. On dirait que l'église remplace pour elle son garage bleu. Il doit y avoir en elle une grande puissance d'autosuggestion, elle s'est contentée de ce garage à la toile bleu fanée et pratiquement du même morceau de musique pendant des années (ce Boléro qui lui convenait si mal, mais plus je le lui disais plus elle s'y accrochait) et maintenant elle se contente de cette petite église peu fastueuse. Cela me fait de la peine de l'imaginer toute seule sur un banc dans cette bâtisse humide aux murs presque nus sans même un vitrail de couleur, et je regrette que nous n'ayons pas quelque grande belle cathédrale pour apaiser un peu le désir de son âme.

Elle va à l'église, et pourtant tu sais combien elle est ignorante et veut l'être. Lorsque je lui demande ce qu'elle y fait, elle me dit « je prie ». « Pour quoi, Nicole ? » « Pour que Dan revienne » ou bien « Pour que Dan ne revienne pas et devienne une star », enfin les choses habituelles. Parfois elle dit qu'elle va à l'église pour voir les anges.

Tirésia qui connaît si bien la Bible ne supporte guère ce discours de petite fille. Tu n'as pas connu leur querelle, Estelle, elles vous aimaient trop pour vous entraîner dans cet abîme où elles se débattaient l'une et l'autre. Et maintenant elles ont usé la pierre aiguë de leur querelle, enfin il me semble. Nicole veut croire, alors elle croit au Christ et aux anges, à mon avis parce que c'est ce qu'il y a de plus immédiat : nos voisins vont à Sainte-Marie-du-Marché et pour y aller mettent leurs plus beaux vêtements ! Si nous avions été en Inde, elle aurait adoré Civa, qui lui aurait mieux convenu, avec ses multiples bras et se danse, oui je trouve que nous manquons cruellement d'un dieu danseur. Elle dit qu'elle croit au Christ mais sa croyance gomme totalement la crucifixion. Elle regarde cette terrible croix au-dessus de l'autel, et elle ne voit que des anges dansant dans le ciel... Peut-être est-ce moi qui ne comprends rien, peut-être l'âme des êtres les plus proches vous est-elle plus opaque qu'aucune autre...

Et cela faisait du mal à Tirésia bien sûr, cette croyance en un sauveur qui ne l'avait pas sauvée, elle. « Mais il te sauvera dans l'autre monde », disait Nicole. Je n'aimais pas cette querelle, Estelle. Je n'étais pas convaincu de l'innocence de Nicole. Parfois il me semblait lire une sorte de triomphe insupportable dans son regard...

Alors pendant que Nicole était à l'église, je lisais des passages de l'Ancien Testament à Tirésia, ceux qu'elle aimait. Mais elle ne supporte plus la Bible non plus. Autrefois les lamentations de Job l'apaisaient, maintenant je vois que cela l'irrite.

Voilà où nous en sommes au cœur de cet hiver farouche...

Sa seconde lettre, il l'avait écrite au cours d'une insomnie, et voici ce qu'elle disait :

Estelle,

J'ai peur d'avoir commis une grande erreur.

Je travaillais cette nuit à mon bureau, parce que la neige m'empêchait de dormir, elle fait une sorte de présence, on dirait une personne qui attend au-dehors, et bref je suis descendu à mon bureau, j'ai mis le petit radiateur électrique et j'ai ouvert la fenêtre pour avoir vue sur votre pelouse, très belle dans la neige et la lune (on ne voit presque pas les monticules des taupes), et je me suis mis à travailler, mes « dossiers obligés », rien que de la routine finalement, mais soudain il m'est revenu une phrase de mon philosophe, une phrase que je t'ai lue lorsque tu es venue m'interroger de ta petite voix enfantine et grave en même temps...

Tu étais une enfant si grave, Dan aussi, je m'émerveillais de cette extraordinaire gravité que vous aviez, maintenant je comprends que j'en profitais, cela m'arrangeait bien, parce que si vous aviez une sagesse innée venue d'on ne sait où, une sagesse qui faisait en vous cette gravité, alors ma tâche était plus facile...

Mais je te parlais de cette phrase, je te revois encore, tu avais ouvert la porte de mon bureau sans frapper, tu te tenais très droite et tu disais avec cette voix sérieuse : « Père ton métier c'est quoi ? » Je savais que Dan était derrière caché pas bien loin, vous aviez dû délibérer ensemble et finalement décider qu'il

411

était important de savoir tout de suite, même s'il fallait pour cela me déranger à mon bureau et c'est toi que vous aviez envoyée en enquêteur, toi la plus grande.

Alors je m'étais levé, j'étais allé à ma bibliothèque personnelle, celle à casiers pivotants, tu me suivais du regard intensément, j'ai sorti un volume et je t'ai lu cette même phrase. Et je t'ai dit : « Voilà, ma fille, voilà mon métier, faire en sorte que cet homme ne soit pas oublié... »

C'était un peu grandiloquent, pardonne-moi Estelle, mais je sentais qu'il ne vous fallait pas moins, je sentais que vous étiez à un de ces tournants de la vie où il faut des réponses totales. Tu m'as fait répéter la phrase, tu la répétais mot à mot après moi, je devinais que c'était pour la redire à Dan, tu étais si touchante Estelle dans ta petite jupe plissée avec tes grandes bottes de caoutchouc pleines de boue comme d'habitude, apprenant avec application les déclarations de mon philosophe comme s'il s'agissait d'une fable de La Fontaine.

Et après tu es partie, marmonnant toujours, et alors tu ne sais pas cela, mais je t'ai suivie, et en effet Dan attendait dans le couloir, tu avais si peur d'oublier que tu lui as dit la chose tout de suite, toute la phrase presque sans erreur, vous vous étiez assis dans le couloir obscur, vous chuchotiez, et puis j'ai entendu Dan qui dans son excitation oubliait de chuchoter : « Alors le travail de père c'est de veiller à ce que cet homme ne soit jamais oublié, n'est-ce pas Estelle ? »

J'étais ému aux larmes. Je suis revenu dans mon bureau, je me sentais à la fois humilié et grandi. Humilié parce que bien souvent mon travail ne vole pas à ces hauteurs, grandi parce que si bas qu'il reste dans l'échelle des œuvres de l'humanité, il tend tout de même vers ces hauteurs.

Et cette nuit, cette phrase m'est revenue, c'est tout à fait extraordinaire Estelle, elle parlait en moi comme une voix (si je dis cela à Minor, il me regardera de côté comme il fait, et me dira : quelle voix, mon cher Helleur ? et je me retrouverai comme un sot, mais je sais que toi Estelle tu comprendras cela), je peux quasiment reproduire les mots sans aller chercher le volume où ils se trouvent :

« Que ferions-nous si nous apprenions que pour le salut du peuple, pour l'existence même de l'humanité, il y a quelque part un homme, un innocent qui est condamné à subir des tortures éternelles ? Nous y consentirions peut-être s'il était entendu qu'un philtre magique nous le fera oublier... mais s'il fallait le

412

savoir, y penser, nous dire que cet homme est soumis à des supplices atroces pour que nous puissions exister, que c'est là une condition fondamentale de l'existence en général, ah non ! plutôt accepter que rien n'existe ! plutôt laisser sauter la planète... »

La reconnais-tu ?

Il me semblait qu'il y avait pour moi quelque chose à comprendre là-dedans, qui n'avait peut-être rien à voir avec ce qu'y avait mis le philosophe. Et rien à voir non plus avec l'interprétation intéressée que je vous en avais donnée.

C'est ce philtre magique qui me tracasse, Estelle, qui me tracasse si profondément en ce moment où je t'écris et ne sais ce que vous faites ni l'un ni l'autre.

Je crois que j'ai commis une grave faute.

Je crois que votre enfance a été pour nous trois, pour Tirésia, Nicole et moi, ce philtre magique que nous avons voulu boire, et nous avons voulu vous le faire boire aussi. Votre enfance : un philtre magique qui devait effacer tout le mal du monde et permettre de recommencer à zéro.

Mais cette nuit je suis envahi de pressentiments inquiets, si je m'étais trompé du tout au tout, si Minor avait eu raison ?

Et maintenant tu me parles de la guerre du Vietnam, dans toutes tes lettres Estelle, tu me parles de vos peurs pour votre ami Michael, de ce garçon Kenny qui est objecteur de conscience et veut passer au Canada, du fils de l'architecte, David je crois, qui lui au contraire veut s'engager, de cette manifestation à laquelle vous avez participé, nous en avons vu quelques images à la télévision chez nos voisins, tu m'as dit que l'un des danseurs, Djuma n'est-ce pas, s'était déguisé en squelette, nous avons vu ce squelette passer un instant en très gros sur l'écran, mais peut-être n'était-ce pas Djuma... Je n'ose en parler avec Tirésia, encore moins avec Nicole, de fait il m'arrive de sauter ces passages de tes lettres quand je les lis à table...

Estelle, ces querelles que nous avions Minor et moi dans ma voiture devant la grille, c'était au sujet de quelque chose qui nous concerne, qui vous concerne toi et ton frère...

J'ai la main sur le téléphone, Estelle, mais j'imagine cette sonnerie retentissant dans votre appartement, ce que tu appelles votre « loft », non je vous appellerai dans quelques jours à tête reposée pour vous souhaiter une belle nouvelle année...

Pas de signature.

La troisième lettre disait :

Chers Dan et Estelle,

Voilà bien un acte manqué ! Je voulais vous envoyer une photo de la maison Helleur sous la neige et de ses habitants sur la pelouse, photo prise par Adrien qui est venu voir ses parents pour les fêtes, et à la place j'ai envoyé un bout de lettre incohérent que je croyais avoir jeté au panier.

Eh bien sans doute voulais-je me faire plaindre, il est certain que vous nous manquez mes chers enfants...

En tout cas je voudrais que vous puissiez vous amuser un peu après un trimestre fatigant et je vous ai envoyé un mandat... Adrien a pris cette photo avec un nouvel appareil qui développe aussitôt, ce qui explique peut-être notre drôle de tête. Je vous quitte, chers enfants, car nos voisins viennent prendre l'apéritif et je veux vérifier que nous sommes convenablement équipés. Je vous embrasse de tout cœur et pas un mot des éruptions nocturnes de ma cervelle à Minor, s'il vous arrive de lui envoyer une carte de nouvel an, je tiens encore à garder le dessus sur ce vieil épouvantail à maladies ! Affectueusement, votre père.

Je tenais ces trois lettres de mon père à la main et les relisais par fragments, incapable de voir une suite logique dans l'ordre normal et cherchant peut-être à en trouver une dans le désordre, j'avançais lentement dans l'escalier, Dan était sur le palier, anormalement pâle dans la lumière de la verrière, il me disait quelque chose.

— Quoi ?

— Adrien...

Un instant j'ai cru qu'il lisait les lettres à distance et il y avait là quelque chose d'effrayant, j'ai senti une secousse électrique, les lettres de mon père semblaient s'entrechoquer dans mes doigts, mais déjà il ne s'agissait plus de cela, je grimpais le reste des marches à toute allure, me heurtant cruellement les jambes. Adrien, notre voisin de la maison Helleur, était au téléphone.

— Qu'est-ce qu'il y a ?

Je criais, comme si la mention même du nom d'Adrien faisait sauter ma voix.

— Mais vous êtes sourds, toi et ton frère, hurlait Adrien au téléphone. Venez tout de suite, c'est tout.

Couverte par sa fureur, j'entendais la voix de sa mère, qui essayait de le calmer peut-être.

— Je veux parler à Minor, disais-je.

— Minor est assez occupé comme ça. Mais bon Dieu, Estelle, est-ce que tu comprends ce qu'on te dit ?

— Mais quoi, quoi, qu'est-ce que tu dis ?

— Venez, venez tout de suite..

Et soudain la communication était coupée, le téléphone était mort, on n'entendait même plus cette rumeur lointaine qui était comme celle de l'océan qui nous séparait. Rien.

— Qu'est-ce qu'il a dit ? demandait mon frère.

— Je ne sais pas, disais-je.

Cela peut paraître incroyable, mais nous n'avions pas entendu le message, mon frère et moi.

Que nous étions sourds, oui nous avions tous deux entendu cette accusation rageuse d'Adrien. Etait-ce la raison pour laquelle nous n'avions pu entendre le reste ?

Notre ligne était muette, nous avons passé quelques moments fébriles à essayer de téléphoner de plusieurs endroits, sans succès, ni les machines ni les humains ne semblaient comprendre ce que nous voulions, nous avions l'anxiété des sourds, il n'y avait rien de fiable dans la parole, nous nous sommes retrouvés en train de faire nos valises, oui cela paraissait juste, ces gestes, ces mouvements, nous étions à l'aéroport, en train de gesticuler vers le panneau des départs, vers les avions au-dehors, les gens semblaient sourds eux aussi, on nous dirigeait sur Icelandie Airlines, « Reykjavik, Bruxelles » disait l'hôtesse, « Reykjavik, Bruxelles » répétait mon frère d'un air désespéré, et je lisais les mots sur ses lèvres plus que je ne les entendais, et le même désespoir m'envahissait, non, non c'était trop long, « téléphonons à Kenny », disions-nous, mais nous n'avions pas son numéro de poste, non même cela prendrait trop longtemps.

Soudain nous avons aperçu une sorte de boule qui se balançait sur une masse énorme, une grosse tête noire crépue que nous reconnaissions avec force, comme si les six mois qui s'étaient écoulés depuis mon arrivée n'avaient été qu'un aller pour le balancier de sa tête, et lui aussi nous reconnaissait, sa tête s'immobilisait sur son cou, il semblait comprendre nos gestes anarchiques, il s'est extirpé de dessous le comptoir, s'est mis en marche et nous l'avons suivi, nous marchant sur les pieds dans notre crainte de perdre son sillage. Je ne sais pas par quel tour de passe-passe cela s'est fait, mais nous nous sommes retrouvés sur un avion de la TWA en première classe, avec une rose rouge sur la nappe du plateau, du champagne, et les soins attentionnés d'une hôtesse de l'air dont nous semblions être le principal souci.

Nous la voyions bien s'éloigner de temps en temps pour aller remplir quelques tâches auprès des autres passagers, mais elle revenait aussitôt vers nous. Nous avons beaucoup bu, Dan et moi, nous prenions les verres que nous tendait cette hôtesse exactement comme s'il s'agissait de médicaments et nous avions la conviction bizarre que si nous lui posions une question, elle pourrait nous répondre.

« Mademoiselle dont les cheveux sont si blonds et le visage si compatissant, dites-nous s'il vous plaît ce que nous a dit notre voisin et camarade d'enfance Adrien, qui nous aime si peu et qui ne peut se passer de nous comme nous ne pouvons nous passer de lui... » Et la fée des airs se serait penchée vers nous comme elle le faisait en cet instant avec encore une bouteille et elle aurait versé la réponse dans notre verre, mélangée aux bulles pétillantes du champagne, mais le vrombissement du moteur ou l'altitude nous rendaient sourds et du même coup peut-être muets, nous ne posions aucune question, nous buvions, espérant que la réponse serait dans nos verres « quand même », que la chose serait en nous, avalée et digérée, sans que nous ayons à demander et à savoir.

Oh j'essaie de rouler des explications, mais peut-être suffirait-il de dire que nous étions fous, nous devions être fous mon frère et moi, nous glissions vers le cimetière de notre ville natale en buvant du champagne, sourds et muets, l'un à côté de l'autre, ni amis ni ennemis, en attente, puisque l'appel d'Adrien nous avait transportés dans une sorte de parenthèse, notre sort n'était pas réglé, et d'une certaine façon si nous ne savions rien d'autre, nous savions à coup sûr que nous allions vers cela : un règlement de notre sort. En attendant nous buvions pour ne pas déranger l'accomplissement de ce règlement.

Et dans le train aussi nous étions au bar, alternant espressos et alcools, nous qui ne connaissions que les coca-cola et faibles cafés en carton de l'Amérique, tout défilait très vite ainsi, le temps, le paysage, les gens, Adrien à la gare, nos voisins à la maison avec Minor, ce dernier le visage curieusement balafré, quelqu'un la mère d'Adrien je crois qui voulait nous faire quitter nos éclatants vêtements de Canal Street, « laissez, disait le docteur d'une voix bizarrement autoritaire, le pourpre de Tirésia et le jaune de Nicole, c'est très bien, très bien », nous aussi nous trouvions cela très bien, nous titubions sur la même vieille route qui menait au cimetière avec le sentiment étrange que nous n'aurions pas dû être là, à l'avant de ce cortège qui était long, nous nous retournions de temps en temps pour regarder ce moutonnement ondulant de chapeaux, nous aurions dû être sur notre tabouret dans le grenier, sous le vasistas soulevé, à un moment Dan s'est penché vers moi, « tu crois qu'on va voir l'enterrement cette fois ? », et j'ai senti le fou rire qui montait, je savais exactement ce qu'il voulait dire.

Nous qui, du vasistas de notre grenier, avions toujours été frustrés du moment capital, celui où le cercueil descend dans le sol, à cause de la distance ou du champ trop étroit de notre vision ou du cortège qui faisait écran, cette fois nous allions être aux premières loges et cela nous envoyait constamment des hoquets de rire qu'il nous fallait à grand-peine retenir dans le fond de la gorge.

Je suis sûre que les gens pensaient que nous sanglotions, ou que nous retenions nos sanglots, aux alentours de la mort il est facile de tromper n'importe qui, nous étions pâles de toute façon, nous avions l'air malades et hébétés.

« Malades de douleur, hébétés de douleur »... « Ivres de douleur » aussi, tout allait bien, nous ne risquions guère d'être découverts.

Les cercueils dansaient devant nos yeux, et aussi les visages des gens qui se penchaient vers nous, nous embrassions tous les visages qui passaient suffisamment près, les gens étaient émus par notre spontanéité, « pauvres enfants » murmuraient-ils.

Mon frère embrassait, j'embrassais et si les gens arrivaient par l'autre sens, car il y avait eu un peu de confusion, j'embrassais d'abord, et mon frère sans faillir embrassait à ma suite. Adrien est passé, je l'ai embrassé avec la même effusion et je l'ai entendu murmurer rudement « vous déconnez ».

Cela m'a décontenancée un instant, mais aussitôt sa mère suivait et elle se penchait sur moi et m'embrassait, les joues ruisselantes de larmes, tout allait bien, j'ai laissé ma joue contre la sienne le temps qu'elle s'imprègne d'humidité, cela me faisait du bien de m'approprier ces larmes que je ne pouvais produire. Et puis le père d'Adrien à son tour se penchait et ma joue était convenablement mouillée pour son baiser, mais il ne se contentait pas de m'embrasser, il disait quelque chose en pleurant « je l'aimais, tu sais, je l'aimais monsieur Helleur, ne crois pas qu'à cause de nos disputes... il va me manquer, je l'aimais petite ». Je regardais monsieur Voisin, stupéfaite, j'aurais bien voulu savoir le consoler, mais comment se mettre sur un pied d'intimité avec un adulte qu'on a vu toute son enfance comme une sorte d'ogre, inoffensif peut-être mais qui s'y frotte s'y pique... Je passais monsieur Voisin à mon frère et à mon frère il disait la même chose ou à peu près, « je n'ai plus personne avec qui parler maintenant, plus personne », reniflant très fort sur ce « plus personne », « c'était un homme, un homme de l'ancien temps, tu comprends ce que je veux dire, Dan, avec qui on peut parler de la vie », monsieur Voisin avait un grand chagrin, cela se voyait.

Je crois que j'ai commencé à dessoûler en pensant à Nicole, personne ne me disait rien sur Nicole, je me suis penchée vers mon frère, « ils ne disent rien sur Nicole, c'est injuste », j'ai vu mon frère acquiescer, nous étions toujours debout à l'entrée de la grille du cimetière et en colère maintenant, personne ne nous parlerait-il de Nicole ?

Le marchand de chaussons de danse et de matelas pneumatiques arrivait, tout attristé sous son chapeau, accompagné de sa femme.

— Mademoiselle Helleur, monsieur Dan, votre père était important pour notre ville..., disait-il en enlevant son chapeau.

— Ah oui, et Nicole?

— Nicole?

— Leur mère, lui soufflait sa femme.

— Elle vous a acheté tous ses chaussons de danse et vous ne savez même pas son nom...

La colère grondait en moi comme un torrent, comme si le sang figé jusque-là s'était remis à rouler, soulevant les échos de ma voix dans des cavernes tapissées de muqueuses dégorgeant le sang, je me vautrais dans la colère.

— Et vous ne savez même pas son nom...

Mon frère était pâle, il me tenait aux épaules, me serrait contre lui fortement, nos deux colères s'unissaient, roulaient ensemble.

— Elle vous a acheté des dizaines de chaussons, est-ce que vous savez même la couleur qu'elle voulait?

— Bleu, disait le marchand en baissant la voix dans un effort pour faire baisser la nôtre, notre voix coléreuse et ivre.

— Alors pourquoi lui donniez-vous toujours des chaussons roses? disait mon frère.

— Je lui donnais ce que je recevais. Le bleu... il n'y en avait pas tout simplement, monsieur Dan.

— Mais elle voulait le bleu, le bleu du ciel, et pas le rose de la chair, vous n'avez pas compris ça, pas le rose de la chair qui se décompose, elle voulait danser sur du ciel...

Il nous semblait que nous venions de comprendre Nicole, que nous venions de percer jusqu'au fond de son âme fragile et sublime et nous voulions le faire savoir à toute l'assistance.

— Je ferai mieux une autre fois, disait absurdement le marchand, mais cela nous a calmés.

Ne nous a calmés qu'un instant. Nous restions serrés l'un contre l'autre. « Et Nicole? » disions-nous à chaque personne qui s'avançait pour faire ses condoléances, « et Nicole? » aboyions-nous avant même que cette personne ait ouvert la bouche.

Il y avait beaucoup de monde.

Des gens que nous avions vus passer dans le jardin vers le bureau de notre père, d'autres que nous n'avions jamais vus, des gens qui nous remerciaient de ce que notre père avait fait pour eux. Un homme était planté devant nous, tout troublé. « Dan, Estelle, disait-il, votre père était meilleur philosophe que moi. Je n'ai enseigné que des formules, lui il avait la philosophie dans le sang. » « Et Nicole ? » C'était notre ancien professeur de philosophie du lycée, nous n'avions pas reconnu son visage, altéré par l'émotion. « Et Nicole ? » Mais il ne nous répondait pas. Oh comme notre colère était grande. « C'est vrai, vous n'avez que des formules, partez, partez... »

Il ne nous intéressait pas. Depuis un moment nous attendions quelqu'un, quelqu'un qui nous parlerait de notre mère Nicole, même si son éloge funèbre devait se résoudre à quelques mots grognons : « l'aguicheuse, la blonde aguicheuse », mais presque tout le cortège avait défilé devant nous et il n'était pas encore passé. « Où est monsieur Raymond ? » ai-je demandé à Adrien qui marchait de long en large derrière nous. « Il est mort, ton père te l'a écrit non ! »

C'est vrai, mon père me l'avait écrit, monsieur Raymond avait été trouvé mort dans l'espèce de terrier qu'il habitait dans les collines, mais cette mort s'était en quelque sorte confondue pour moi avec celle du vieux « doorpater » qui gardait l'immeuble du Studio d'Alwin.

Un frisson désagréable est passé à travers ma tête, l'intuition d'une chose terrible qu'il faudrait affronter bientôt. Mais pour l'instant nous en étions à notre colère concernant Nicole.

Adrien continuait de gronder derrière nous à chaque « Et Nicole » ? que nous lancions, presque mécaniquement maintenant, nous étions fatigués.

« Allez-y, continuez, faisait Adrien, vous ne changerez jamais, allez-y, à celui-là encore, à toute la ville, ils ne méritaient pas ça, ni monsieur Helleur ni Nicole... Ni Nicole... »

Et soudain nous l'avons vu disparaître derrière le mur, nous avons entendu claquer la porte d'une voiture, Adrien revenait portant à bout de bras une couronne toute d'iris bleu clair, si pure et si belle que nous nous sommes arrêtés net, Dan et moi. Nous regardions Adrien, il nous tendait la couronne dans un geste solennel qui nous aurait fait rire s'il n'avait été si menaçant aussi. Sur la couronne, il y avait une bande blanche sur laquelle étaient accrochées des lettres d'or : « A la plus belle femme de G., à Nicole, A. V. »

Nous considérions ces mots étranges : « A la plus belle femme de G., à Nicole » et les deux initiales suivantes dans lesquelles d'abord nous avons lu « ave ».

À LA PLUS BELLE FEMME DE G., À NICOLE, A. V.

A.V., Adrien Voisin bien sûr. Nous avions envie de lui sauter à la figure, de lui arracher les muscles qui tendaient si durement ses traits, mais la couronne était la plus belle, c'était une vraie couronne pour Nicole, celle que nous aurions dû faire faire pour elle, et notre colère est passée dans un autre chenal. Tout le cortège avait défilé devant nous. Nous avons repris l'allée vers la tombe, titubant, toujours serrés l'un contre l'autre, nous avions une idée enfin.

Alex et son père pleurnichaient, chacun d'un côté de la tombe. Ils attendaient que tout le monde soit parti pour terminer leur travail.

— Alex, disais-je, tu mettras la couronne d'iris toute seule au milieu, sur la dalle.

— Et les autres... mademoiselle ?

— Pourquoi tu m'appelles mademoiselle ? Les autres, tu les mettras autour, en écrin quoi.

— Si tu veux, disait Alex en jetant un coup d'œil inquiet à son père.

Mais son père avait bu, le vin mêlé au chagrin lui ôtait toute virulence, je me suis demandé un instant pourquoi le père d'Alex pouvait avoir tant de chagrin pour ces morts-là, lui qui enterrait toute la ville. « Qu'est-ce que père a bien pu faire pour eux, il faudra qu'on lui demande en rentrant à la maison », disais-je dans mon inconscience à Dan, et Dan hochait la tête pour approuver, lui aussi se demandait de quel service le gardien du cimetière était redevable à notre père, lui aussi voulait poser la question à notre père en rentrant à la maison, à notre père que nous irions voir dans son bureau, comme nous le faisions chaque fois que nous avions une question importante...

— Ce n'est peut-être pas bien, disait la mère d'Adrien, qui nous avait suivies, inquiète.

— Quoi ? disait Adrien.

— Cette couronne toute seule, pourquoi as-tu fait ça ? Nous avons fait déposer une couronne en notre nom à tous, au nom de notre famille, tu sais Dan...

— Laisse-les faire leurs simagrées, maman, disait Adrien. Alex sait ce qu'il a à faire.

— Adrien, ne parle pas comme ça devant monsieur Helleur, disait le père d'Adrien et nous ne savions plus de quel monsieur Helleur il parlait.

— De toute façon il faut partir, disait Adrien, ils ne tiennent pas debout. Et j'entendais parfaitement : « ils ne tiennent pas debout, les salauds, ils sont ivres morts... ».

— Je veux rentrer à pied avec Estelle, disait Dan.

— D'accord, mais tu ne tiens pas debout, ni elle non plus, disait Adrien en nous poussant dans sa voiture.

Mais soudain c'était moi qui résistais.

— Attends, attends...

— Quoi encore ?

— Je veux voir quelque chose...

Je revenais à l'entrée du cimetière, je regardais le foisonnement brillant des fleurs autour d'Alex et de son père, encore debout, immobiles, tournés vers nous.

— Qu'est-ce que tu cherches ? murmurait Dan.

— Je ne sais pas, je ne sais pas...

Il y avait dans ma tête une tache qui me faisait plisser les paupières, qui cherchait à surgir parmi les fleurs, je scrutais ce monceau de fleurs au milieu duquel se trouvaient les cercueils, comment aurais-je reconnu ce que je cherchais si cela avait été là, il aurait fallu se frayer un chemin, écarter à droite et à gauche, se pencher... mais non, si la chose avait été là, elle se serait vue tout de suite au milieu des pétales gaiement colorés, une tache somptueuse et monstrueuse, je faisais un effort terrible pour me souvenir, un bouquet de fleurs noires flottait dans ma mémoire, mais quel sens cela pouvait-il avoir ? L'effort était trop grand, la vision qui m'avait ramenée là fléchissait, et la tache noire s'évanouissait au milieu des couleurs comme une création de mon esprit fatigué.

— Je ne sais pas..., disais-je à Dan, revenant avec lui vers la voiture d'Adrien.

Dans la voiture, le fou rire m'a reprise.

— Alors tu aimais Nicole ? disais-je à Adrien.

— S'il y avait quelqu'un à aimer dans cette maison..., grommelait Adrien.

— Tout ce temps qu'il venait chez nous, c'était pour voir Nicole, tu te rends compte Dan, pour voir Nicole...

Cela me paraissait incroyablement drôle, Dan et moi nous hoquetions de rire, le rire se mêlait à la nausée qui commençait à nous gagner.

— Si je le pouvais, disait Adrien, je vous enverrais gicler tous les deux contre le mur du cimetière.

Il conduisait sombrement concentré. Devant notre maison, quelque chose nous a semblé incongru. La maison avait l'air vide.

— La maison a l'air vide, ai-je dit à Dan d'un ton interrogateur.

Dan fronçait les sourcils.

— La voiture de père n'est pas là, a-t-il dit ; il articulait laborieusement.

— Où est la voiture de notre père, Adrien, pourquoi sommes-nous obligés d'être avec toi, où est la voiture ?

— Vous êtes complètement fous tous les deux, disait Adrien. Vous me faites peur, moi je m'en vais, descendez.

— Je ne descendrai pas avant que tu nous dises où est la voiture de notre père et pourquoi nous sommes obligés d'être avec toi à écouter tes imbécilités.

Adrien faisait faire un demi-tour rageur à sa voiture devant notre maison, reculant si vivement qu'il heurtait notre grille, et maintenant il se tournait vers nous :

— Vous voulez savoir où est la voiture de monsieur Helleur ? C'est ça ce que tu as dit Estelle ?

— C'est ça ce qu'elle a dit, oui, répondait Dan, imitant la voix d'Adrien.

— Bon, alors vous allez voir, puisque vous semblez incapables de comprendre ce qu'on vous dit.

Il démarrait à toute allure, croisant sans un regard la voiture d'Alex qui ramenait son père et sa mère.

Nous prenions la petite route qui passait derrière notre pré, c'était le raccourci qui menait à la nationale. Arrivé à la côte, Adrien a passé la première puis il a grimpé lentement, en haut il s'est arrêté. L'autre côté de la pente était entièrement verglacé. Des barrières de protection fermaient tout ce segment de route. En contrebas, quelques centaines de mètres avant le carrefour, dans un creux situé sous de grands chênes qui le maintenaient dans l'ombre, il y avait la rivière qu'on appelait la Rampante, un ruisseau plutôt, mais qui débordait parfois, mettant des traces d'eau sur le pont qui était de niveau avec la route.

La voiture de notre père était là, plantée dans l'un des chênes.

— Allez voir, disait Adrien.

Il sortait un cigare de sa poche, Adrien.

— Allez-y, allez voir.

Sa voix commençait à me faire peur.

Nous sommes descendus Dan et moi, en glissant et dérapant. Nous n'éprouvions plus maintenant qu'une grande fatigue, le sentiment d'un désastre imminent. Nous pataugions dans de la boue glacée. Il faisait sombre déjà. Soudain la scène s'est brutalement éclairée, Adrien venait d'allumer les phares.

De la Rampante s'élevait un brouillard blanc, qui semblait se mouvoir dans l'intense lumière. Nous nous sommes approchés de la voiture.

— Père, murmurait Dan.

Il tenait la portière qui bâillait, bizarrement déchiquetée. Le pare-brise était éclaté, le volant était tordu, mais ce qui attirait notre attention, c'était un objet sur le sol de la voiture à côté de l'accélérateur. Dan s'est penché.

Il déposait l'objet délicatement dans sa main gauche.

— Estelle? disait mon frère la voix altérée.

Cet objet n'aurait pas dû se trouver là. Si ivres que nous fussions, nous nous rendions compte que cet objet n'était pas à sa place.

C'était une chaussure de femme à talon aiguille, c'était une chaussure de Nicole. Elle était pleine de sang.

— Donne.

Dan m'a tendu la chaussure. Le liquide figé à l'intérieur ne faisait pas de reflets dans la lumière.

Adrien s'est mis à faire des appels de phare. Nous passions de l'obscurité à la lumière et c'était comme si nous traversions des couches et des couches de temps. Dan faisait ce que j'aurais fait, ou c'était moi qui le faisais. Ensuite nous avons déposé la chaussure vidée sur le siège de la voiture, tapotant de nos mains pour faire un creux dans lequel elle s'est renversée, nid pour un oiseau épuisé, puis nous avons repoussé doucement la portière déchiquetée, elle ne voulait pas tenir, Dan s'est arraché sa ceinture et a attaché la portière.

Nous sommes remontés sur le talus. Le moteur tournait, la voiture d'Adrien faisait une manœuvre, nous n'avions plus le faisceau lumineux dans les yeux, mais il continuait à faire des appels de phare et de l'autre côté de la route, nous avons aperçu une autre voiture. Elle était retournée sur le toit.

— La voiture de Minor!

Nous ne bougions plus, médusés. Le brouillard se mouvait dans les phares de ce côté aussi, on entendait le clapotis irrégulier de la Rampante, Dan s'est agenouillé brusquement. Il grattait par terre. A cet endroit le bord du talus était couvert de sciure, mais sous la sciure il avait une surface glacée et mordante.

— Touche Estelle, disait Dan.

Il posait ma main sur cette surface.

— Tu sens, tu sens? disait-il.

Oh comme je sentais la morsure de ce verglas, les dents voraces qui semblaient vibrer encore de la passion qu'elles avaient consommée.

— La terre désire, murmurait Dan.

En haut Adrien faisait demi-tour précautionneusement. Nous l'avons rejoint, regrimpant la pente moitié debout moitié à quatre pattes, nous redressant enfin avec l'aide des barrières.

— Raconte, disait Dan dans la voiture.

Nous étions totalement dessoûlés.

— Yves a téléphoné, disait Adrien.

— Yves?

— Ton mari, Estelle, ne commence pas à faire l'imbécile. Il a téléphoné sitôt revenu à Paris. Apparemment il était allé te chercher là-bas à New York. En tout cas il a téléphoné de l'aéroport, ça devait le démanger. Ton père n'était pas à la maison. C'est Nicole qui a pris la communication. Je ne sais pas ce qu'Yves lui a dit. Elle a traversé le jardin en courant, telle qu'elle était en talons hauts et sans manteau, elle est montée dans la voiture de ton père et elle est partie.

— Partie?

— Partie pour Paris, pour prendre l'avion.

— Elle ne sait pas conduire.

— Assez pour partir. Ton père est arrivé, Tirésia était sur le perron, ton père est redescendu dans le jardin comme fou. Il criait à mon père de lui prêter sa voiture. Mais un des camionneurs l'avait prise. Ton père a couru jusqu'à chez Minor, ils sont partis tous les deux, de chez nous on les a entendus prendre le virage du petit pré, la voiture dérapait sur le verglas. La route était comme une patinoire, Estelle. C'était une folie. Nicole s'en est rendu compte, en tout cas elle avait fait demi-tour. Arrivés à la Rampante, tu sais comme le pont est étroit, ils ont vu arriver une voiture dans le brouillard en sens inverse, elle allait à une allure folle, ton père a reconnu sa voiture, il a voulu la laisser passer en se jetant dans le fossé...

426

— Minor?

— Il n'a rien eu. Mes parents l'ont retrouvé un peu plus tard, sonné, mais sauf.

— Tes parents?

— Ils s'inquiétaient, ils sont venus avec une voiture de la police.

Nous méditions tout cela lentement dans notre esprit. Au bout d'un moment, nous étions arrêtés devant notre maison depuis un moment déjà, Dan a demandé :

— La sciure sur le pont?

Il y avait une telle tension dans sa voix.

Je savais ce qui se passait en lui. Cette sciure aurait sauvé nos parents. Si elle s'était trouvée là avant qu'ils ne passent, alors ils n'étaient pas morts, ils étaient encore dans la maison, l'accident passait dans une autre dimension du temps, une simple possibilité, un avertissement, et alors nous sauterions hors de cette voiture, nous nous précipiterions dans l'allée vers le perron...

— C'est mon père qui est revenu après... avec son seau à sciure... il en avait déjà mis avant, mais l'eau avait redébordé, disait Adrien.

— Avec son seau à sciure, mon père, oui..., disait-il méchamment.

Et cette méchanceté nous faisait revenir exactement au point d'où elle partait, au point où elle avait sa source, comme nous le sentions instinctivement, Adrien nous était si profondément familier.

— Qui a donné ce coup de fil? disait Dan.

— Yves, ton connard de mari, Estelle.

— Poison Yvy, criait Dan, Poison Ivy, je le savais Estelle.

Et soudain Adrien hurlait :

— Foutez le camp, foutez le camp, tous les deux.

38

Le Major

Adrien hurlait « foutez le camp ».

Il s'était jeté dehors, ouvrant toute grande la portière et de là il hurlait comme un chien « foutez le camp », il ne pouvait plus s'arrêter.

Il nous semblait que sa voix comme une pointe de silex déchirait l'air froid, arrivait jusqu'au bout de la rue, jusqu'au cimetière, c'est ce qui nous a décidés à sortir enfin, il ne fallait pas que nos parents entendent ce bruit grossier, il ne fallait pas les mêler à nos criailleries sordides avec Adrien.

Que nos parents ne sachent rien, ne s'inquiètent de rien. Jamais. Cette fois comme toutes les autres fois.

Il était accroché à la portière qu'il secouait comme s'il voulait arracher des barreaux. « Foutez le camp... » La lueur livide venue de la voiture rampait autour de ses traits, se poussait vers l'incendie qui semblait flamber tout noir à la racine de ses cheveux.

Nous nous extirpions des sièges arrière, passant devant lui avec une sorte de respect, « ça va, Adrien » disait mon frère doucement et je crois qu'à cet instant il aurait volontiers posé sa main sur l'épaule d'Adrien, et Adrien qui toujours était averti de la moindre chose qui se passait en nous a dû sentir cet effleurement à même sa peau. Ce qui était en nous aussitôt arrivait en lui et s'y défigurait. Nous l'avons vu agiter l'épaule convulsivement. Si j'avais pu sortir la première de cette voiture, j'aurais écrasé l'élan amical de mon frère dans la cellule même, dans le neurone où il se formait, j'aurais entraîné Dan tout droit vers la maison, l'aurais empêché de regarder le visage de notre presque-frère, de notre faux frère.

Je savais le geste que Dan avait eu envie de faire, et avec la même certitude je savais comment Adrien y répondrait.

— Ne me touche pas, disait-il, sa voix soudain retombée, basse et noire.

— Je ne t'ai pas touché, Adrien, disait Dan comme frappé au cœur.

Mais il ne bougeait pas, mon frère, il restait là de cet autre côté de la portière, moi j'étais encore dans la voiture, et je sentais sa compassion se contracter, devenir une interrogation, puis une sorte d'attente, et soudain cette attente s'était déployée en un terrain prêt pour la guerre et Adrien sautait sur ce terrain.

— C'est toi qui les as tués, grondait-il déjà sur lui, l'empoignant à la gorge.

Et Dan mon frère, que je n'avais jamais vu que danser, Dan se battait avec emportement.

La maison, la rue étaient noyées dans le brouillard, mais la lueur qui venait de la voiture restée ouverte montrait le gravier hérissé et étincelant du trottoir, la pierre luisante du rebord, et une plaque de route d'un noir étrangement poli. En une seconde j'ai vu tout cela et une peur affreuse m'a saisie.

Il m'a semblé que si nous restions là, ces choses nous avaleraient en un instant, nous nous fracasserions contre elles et elles refermeraient leur mâchoire sur nous et nous jetteraient dans cette voiture fanto-matique qui luisait si pâlement, nous tomberions en elle inanimés et privés de volonté, et alors les roues se mettraient à glisser furtive-ment et le véhicule disparaîtrait dans l'obscurité et le brouillard.

L'odeur de tombe me suffoquait, je crois que mes nerfs commençaient à craquer. Je tirais Dan et Adrien dans l'allée du jardin, j'étais poursuivie par cette odeur de tombe et elle me donnait une force qui semblait surhumaine, car ils avançaient avec moi tout emmêlés dans leur combat, Adrien qui répétait « c'est toi qui les as tués », Dan qui répondait « ne dis pas ça ou je te tue », moi aussi je donnais des coups, mais mes coups n'étaient que pour nous faire avancer.

Je voulais arriver à notre pelouse, j'avais l'idée obscure et puissante que là nous serions tous sauvés, mon frère et moi et Adrien aussi. Et nous y étions enfin, mon frère et Adrien roulés à même l'herbe gelée dans une bagarre pleine de halètements et de chocs sourds, et moi mêlée à eux pour les séparer ou pour frapper, cela semblait la même chose, et aussi pour recueillir les phrases essoufflées et sauvages, à peine audibles, qui tombaient de leurs lèvres pleines de vapeur, « c'est toi qui les as tués », « je te tuerai, Adrien ». Je me débattais dans notre groupe enchevêtré pour recueillir ces phrases qui voulaient glisser comme de souples et malveillantes limaces dans les ténèbres, je les prenais en moi pour les empêcher de rejoindre le sol, pour les empêcher de pénétrer la terre, cette idée démente décuplait mes forces, je me souviens d'un étonnement à sentir accourir tant de forces.

L'humidité épaisse était suspendue comme un linge noir et il nous semblait nous battre aussi avec ce linge qui claquait tout gluant autour de nous, nous étions comme coagulés tous les trois là-dedans, nous ne sentions plus la douleur, anesthésiés par le froid et la fatigue, avec d'intenses foyers de brûlure aux lèvres et aux yeux, il nous semblait être devenus des êtres de cauchemar, des sortes de vampires, et cela nous rendait encore plus fous et plus féroces, je crois que si nous étions restés sur le macadam de la rue nous nous serions littéralement entre-tués.

Soudain le brouillard est devenu jaune, jaune presque rouge.

Nous nous sommes arrêtés, hagards, cette lueur semblait sourdre de notre bagarre infernale, de la brûlure de nos corps entrechoqués, nous ne savions plus qui nous étions, nous étions allés trop loin, nous avions peur.

Dans l'encadrement de la porte, sur le perron, une silhouette s'était avancée.

— Père, a murmuré Dan passionnément.

Cet appel, aussitôt absorbé par le brouillard...

Adrien d'un coup s'est détaché de nous, il détalait à travers l'obscurité, ombre fugace déjà invisible, mais la terre gelée, la terre qui était notre ennemie, faisait résonner ses pas exactement comme si elle l'avait tenu captif dans l'un de ses couloirs souterrains. Nous suivions ce bruit de ses pas. Comme lorsque nous étions enfants il courait vers le mur, ce mur mitoyen de nos jardins où il y avait un trou sous le lilas, nous avons entendu un grincement de pierre ou de branche. Talonné par une sorte d'épouvante, il avait dû hésiter pour trouver l'endroit.

Puis plus rien.

— Ils n'ont pas encore réparé ce trou.

C'était la voix de mon frère.

Il formait les mots lentement avec une sorte de tâtonnement interrogatif, mais ce qui me frappait, c'est qu'il les prononçait à voix haute et distincte. Comme s'il essayait une voix, qui était peut-être son ancienne voix, qu'il rappelait pour l'éprouver.

Nous étions debout maintenant, ne pensant pas à remettre de l'ordre dans nos vêtements. Nous étions tout entiers dans cette voix de Dan, dans ce changement qui se faisait en elle.

— Ils n'ont jamais réparé ce trou, disait-il plus fort.

Maintenant c'était une constatation.

Mon frère Dan était enfin revenu, reprenait possession de notre vieille maison. Et ces simples paroles effaçaient le fantôme de notre père aperçu sur le perron, faisaient reculer nos parents dans le passé. Avec un frisson pour la première fois j'ai eu le sentiment physique de leur présence là-bas au cimetière. Ce n'était pas leur cadavre que je percevais, c'était simplement leur absence d'ici et leur transportement là-bas et puis, dans le sillage de cette absence, un changement qui s'opérait.

Sur la pelouse enveloppée de brouillard la « présence » pénétrait en mon frère, gonflait en lui, bientôt cette présence pénétrerait dans le vestibule, commencerait à emplir la maison. Jusqu'à quel point exactement je ne pouvais le deviner, mais je sentais de subtils et formidables glissements d'énergie, et dans mon cœur où il n'y avait pas encore la douleur, pas encore le chagrin, venait ce sentiment pour lequel il n'y a pas de mot dans notre langue, ce sentiment dont notre père nous avait parlé, qui avait été le premier et l'unique mot qu'il nous avait enseigné de sa langue maternelle, « awe ». En moi pour la première fois il y avait la place pour ce qu'était ce mot, je le sentais qui s'éployait dans toute sa puissance, « père, ai-je dit dans ma tête, this is awe »...

— Non, répondait Minor du perron. Ils n'auront jamais fait réparer ce trou.

Sa voix n'allait pas dans notre direction, elle allait du côté où avaient résonné les pas d'Adrien.

Dans la maison de nos voisins, une lumière s'était allumée à l'étage puis éteinte. Tout était silencieux. Chez nous la porte s'était refermée d'elle-même. Mais nous entendions la respiration de Minor. Il était encore sur le perron. Dans le brouillard redevenu obscur nous ne bougions pas.

— Tu es seul, Dan ? disait Minor.

— Je suis avec Estelle.

— Ah, disait-il avec une sorte de soulagement. Alors venez. Je vous attendais.

Et nous l'avons rejoint.

Dans le hall faiblement éclairé, il nous a regardés.

Lui avons-nous seulement demandé comment il allait, s'il aurait des séquelles de cet accident dans lequel nos parents l'avaient jeté, s'il avait des blessures, s'il souffrait en cet instant même ? Je ne le crois pas. Il n'était pas venu à l'enterrement pourtant. Nous n'y avions pas prêté attention.

Et maintenant c'était lui qui s'occupait de nous, lui qui avait été dans cette voiture retournée à l'envers dans la glace et la boue, où les roues avaient dû tourner dans le vide avant d'arrêter leur grincement bizarre, où alors avait dû s'entendre bas et insinuant le clapotis de la Rampante sous les herbes gelées, dans la nuit envahie de brouillard, près d'une forme qui était son meilleur ami, qui était devenu un mort...

Cette scène, je n'arrive pas encore à la quitter. Depuis des années je n'ai cessé de l'approcher, parfois j'entends le bruit étrange des roues, puis mon cœur se met à battre, mon esprit fuit, mais un peu plus tard voilà qu'il est revenu sur cette scène que je ne cesse de hanter, c'est le clapotis de l'eau qui l'a attiré cette fois, et mon cœur encore bat follement.

Comme il devait être terrible ce petit bruit insignifiant, parfois il me semble exactement savoir ce qu'il devait être, il devait être le bruit d'une couleur, le bruit exact de la couleur noire. Et je ne pourrais décrire quelle épouvante me cause alors cette idée, la manifestation de la couleur noire par ce clapotis solitaire d'une eau glacée tapie sous les herbes raidies de gel, très faible d'abord dans le naufrage de cette nuit, puis de plus en plus précis, le bruit d'une horreur...

Il nous observait, tous deux côte à côte devant lui, comme tant d'années auparavant. Et les changements subtils que j'avais sentis à l'œuvre se continuaient, se continuaient en cet instant même. Je percevais maintenant une modification dans les rapports de taille, c'était moi qui étais petite à côté de Dan, et Minor qui nous avait toujours paru si massif était devenu frêle, et la maison tout autour, inhabituée à ces changements, semblait elle-même en proie à un processus qui rendait ses anciens entours incertains. Au-delà du vestibule les lignes familières se dessinaient un instant hors de la pénombre puis y replongeaient, prises dans une mouvance qui ressemblait à un brouillard sur l'eau et nous ne savions encore quand il se lèverait...

Derrière Minor, sur le mur de côté, émergeait une mince trace verticale, mes yeux s'attachaient à elle, elle s'arrondissait en ovale au reflet poignant, c'était le grand miroir de Nicole, celui où je l'avais surprise un jour, enroulée dans des flots de taffetas, cherchant une image fabuleuse, mon cœur recommençait à frapper.

Je sentais que nous aurions dû aller devant ce miroir, et y interroger l'image que Minor voyait devant lui : Dan grand et Estelle petite maintenant, l'un jaune l'autre pourpre, et ce sang en grandes traces sur nous et nos mains déchirées et notre visage lacéré, les lèvres éclatées, les yeux brûlants... Par le miroir de

Nicole se formait en moi cette image, mais loin, trop loin, Minor faisait obstacle, et ce n'était pas sa force qui nous empêchait d'aller jusqu'au miroir, d'interroger l'image de ce couple qui venait de pénétrer dans notre vieille maison.

J'avais la certitude étrange, au contraire, qu'en d'autres temps il nous y aurait poussés, de toute son autorité massive et bienveillante. Mais il était faible maintenant, et c'était sa faiblesse qui se tenait entre nous et le miroir.

Minor nous regardait, son regard s'arrêtait à la surface de nous-mêmes. Oh il nous voyait, il voyait le sang et la terre et ces tuméfactions sur nous, mais il les laissait là où elles étaient, sans force pour les faire rentrer sous la surface. Pourtant, un peu plus tard, dans quelques minutes il allait faire une dernière tentative.

— Mon Major est venu, disait-il enfin d'une voix altérée.

Mon frère et moi nous sommes raidis l'un contre l'autre. Silence.

— Je n'ai rien pu faire, reprenait-il de cette même voix altérée. Silence encore.

— Il est arrivé comme l'éclair... mon Major.

Et soudain nous percevions une autre absence, une absence étroite cette fois, circonscrite dans un rectangle de petite taille, mais si dense qu'il semblait véritablement y avoir un trou dans cette perception floue que nous avions de la maison et d'où Minor en cet instant seul se détachait.

Il n'avait pas sa sacoche de médecin.

Nous ne l'avions jamais vu sans cette sacoche, à la main ou posée à ses côtés, mais toujours augmentant la puissance de sa présence. Et il se tenait devant nous, ses mains nues et vides, comme sectionnées de leur source vitale, et se plaçant bizarrement dans l'espace de lueur entre nous et lui.

Et nos yeux maintenant dépassaient le miroir de Nicole, tâtonnaient vers l'escalier qui menait au premier étage. Je crois que confusément nous guettions les cris familiers à nos nuits d'enfants. Mais tout était si calme. Les cauchemars qui gîtaient là-haut se taisaient. Et nos yeux retournaient aux mains vides de Minor : les cauchemars ne se taisaient pas, ils étaient partis. Nicole les avait emportés et Minor n'avait plus besoin de sa sacoche où veillaient, toujours prêtes à voler au secours de la maison Helleur, les seringues avec leur contenu magique qui faisait plier les monstres du passé.

Notre bon docteur n'était pas accouru pour soigner notre mère Nicole, notre jeune mère Nicole qui criait la nuit lorsque venait l'entourer le labyrinthe de ses cauchemars et qu'elle ne trouvait pas l'issue. Notre docteur n'était pas accouru de chez lui précipitamment, n'avait pas fait crisser sa voiture sur les graviers de l'allée, il n'avait pas monté les escaliers son manteau encore sur lui, jetant ses ordres à notre père et des apaisements aux deux enfants terrorisés qui se tenaient main dans la main au fond du couloir.

Alors pourquoi était-il ici à cette heure de nuit?

L'absence de cette sacoche nous impressionnait durement, et les mains vides de Minor.

— « Elle » est là-bas, a-t-il dit.

Sa voix était plus basse mais raffermie.

J'aurais voulu parler, mais mes lèvres tuméfiées n'arrivaient pas à bouger. Je sentais que mon frère faisait le même effort, peut-être quelques sons ont-ils franchi nos bouches impuissantes, des sons que Minor comprenait, ou peut-être s'aidait-il de l'expression sur nos visages ravagés.

Qui, qui, docteur Minor, est là?

Nous sommes-nous trompés, serait-ce la jeune femme au soulier rouge, au soulier empli de sang, serait-ce Nicole la blonde, Nicole notre mère? Et alors oui, c'est pour cela que personne ne nous parlait d'elle au cimetière, c'est pour cela que son docteur était dans la maison, l'ivresse de nouveau nous troublait la raison. Docteur, en est-il de la douleur comme de certains médicaments, il ne faut pas lui adjoindre de l'alcool, car l'alcool potentialise, c'est bien le mot, notre bon docteur qui n'êtes plus, l'alcool potentialise la douleur?

— Tirésia, disait-il.

Nous restions pétrifiés, comme pris en faute.

Tirésia ! Elle non plus n'était pas venue au cimetière. D'un seul coup nous comprenions que nous l'avions oubliée, et pourtant que c'était elle que nous attendions, elle qui nous dirait ce dont nous avions besoin, qui nous expliquerait tout ce grotesque affairement au cimetière, qui nous parlerait de Nicole. Oh Tirésia, comme nous avions besoin d'elle ! Mais pourquoi Minor nous gardait-il dans le vestibule ?

Nous voulions aller à elle tout de suite, notre raison nous revenait, il nous semblait comprendre que le médecin nous empêchait d'approcher à cause de notre apparence effrayante. Et s'il le faisait, sans doute avait-il raison, la lueur de bon sens qui nous restait nous le disait, il fallait nous nettoyer, nous changer.

— Nous allons nous changer, ai-je dit.

Mais Minor faisait un geste de dénégation.

— Je suis resté auprès d'elle, disait-il en guise d'explication.

Puis :

— J'ai peur de me tromper.

Les mêmes paroles que notre père.

Et il nous regardait, notre vieux docteur Minor, oh comme il nous regardait. Nous n'aurions su déchiffrer ce regard, nous le percevions, c'est tout, et c'était un regard qui sur une balance mystérieuse égalait les cauchemars de notre mère Nicole, égalait les regards d'Alwin sur mon frère, et l'anxiété dans les lettres de notre père et les sanglots de Poison Yvy sur la neige durcie des trottoirs de New York, et la rage d'Adrien au téléphone, et notre furie noire sur la pelouse.

— Pourtant il faut le faire, continuait-il comme pour lui-même.

— Là, a-t-il dit, désignant la petite pièce derrière le salon.

Il est passé devant nous.

Cette petite pièce derrière le salon avait dû être prévue comme pièce à desservir en des temps plus ambitieux. Nous ne l'avions jamais utilisée que comme pièce à tout faire. Nos quelques jouets et nos bottes y étaient, mon père entre deux dossiers venait s'étendre sur un sofa mis là au rebut, Nicole venait y essayer ses nouveaux chaussons, et Tirésia s'y retirait pour de brefs moments lorsque nous avions des invités et que le bruit la fatiguait.

Elle était assise sur le sofa, en ce moment, tout à fait immobile, son voile tiré sur le visage.

Elle ne levait pas la tête, elle ne bougeait pas et pourtant nous savions que tout son être était alerté de notre présence, depuis si longtemps nous savions lire le corps de Tirésia !

Elle ne nous voyait pas, elle ne nous entendait pas peut-être, mais elle savait que nous étions là, et c'était presque plus que ses forces n'en pouvaient supporter. C'est pour cela qu'elle restait ainsi immobile, la tête penchée sous son voile, Tirésia qui s'était toujours tenue si droite. Cela nous le comprenions parfaitement et nous n'avions pas besoin des explications de Minor ou de qui que ce soit.

Nous avions retrouvé le centre de notre foyer, nous aurions voulu courir vers lui, et pourtant nous restions incertains, car ce corps de Tirésia qui était tout plein de notre présence ne nous indiquait pas notre place. Le centre de notre foyer était là, aveugle comme il l'avait toujours été, mais il n'émettait plus aucune indication. Alors nous avons regardé ses mains posées comme autrefois sur la jupe, et ce sont vers ses mains que nous sommes allés, Dan et moi, agenouillés chacun d'un côté d'elle, chacun serrant une de ses mains dans les nôtres, chacun la tête posée sur cette main.

— Tirésia, disait Minor d'une voix trop forte, Estelle et Dan sont là.

Cette voix de Minor me faisait mal, elle cherchait à retrouver son ancienne fermeté professionnelle, mais elle était trop éclopée. C'était une voix déréglée.

— Tirésia, Estelle et Dan sont revenus pour l'enterrement.

... Estelle et Dan sont avec vous, dans la maison.

... Il faudrait leur parler.

... Ils n'ont pas dîné, je pense.

... Avez-vous pensé à préparer leur chambre ?
... Tirésia ?

Elle ne répondait pas, mais nous sentions dans ses mains les ondes de choc que lui envoyaient les paroles du docteur, et à cause de ces mains qui vibraient dans les nôtres comme les instruments infiniment sensibles d'un foyer de vie secret, égaré, en danger, en grand danger, nous trouvions qu'il parlait trop fort, que sa voix était trop rude et trop brutales ses paroles, nous nous resserrions instinctivement devant Tirésia pour la protéger.

— Bien, a soupiré Minor.

A partir de là, tout est devenu si étrange, j'ai senti littéralement qu'entrait dans la pièce comme un vent venu d'ailleurs, et mon frère l'a senti aussi, pardonnez-moi de dire des choses aussi insensées, mais je n'ai pas d'autre moyen de raconter ce qui a suivi, et cela a été si rapide, ce vent est venu, tout noir, plein de gémissements que nous n'avions jamais entendus, de cris, de tumulte et de silences sanglants roulés dans le tumulte, il nous a comme arrachés de notre place, nous nous sommes retrouvés à un mètre de Tirésia, de part et d'autre d'elle, debout, effrayés. La voix de Minor parlait dans cette tourmente, une voix qui était la sienne, mais changée par quelque chose que nous ne pouvions comprendre.

— J'ai pris ma décision, disait-il. Je vais leur parler, Tirésia, je vais dire à Dan et Estelle Helleur...

Sa voix s'est perdue dans la violence du vent qui était venu se jeter sur nous. Tirésia s'était instantanément contractée, je n'ai jamais rien vu de semblable à cette contraction et espère ne jamais le revoir. Son corps comme solidifié était devenu semblable à un projectile, et ce projectile immobile sur le rebord du sofa, d'une densité terrifiante, était orienté vers Minor.

En un instant nous nous sommes trouvés entre elle et Minor, nous la retenions chacun par l'un de ses bras, ils étaient durs comme du marbre, impossible de les déplier, nous l'avons saisie à bras-le-corps, Tirésia que nous n'avions jamais, jamais une seule fois touchée sur le corps, ce corps était absolument raide, comme dénué d'articulations, et il semblait continuer à se compacifier, un instant qui semblait une éternité, oh comme j'ai compris cette vieille expression alors, et toujours dans nos oreilles sifflait ce tourbillon noir plein de tourments indicibles.

Il y avait un effroi glaçant sur le visage de Minor, un effroi qu'il n'avait jamais eu pour les cauchemars de notre mère. Il reculait. « Je n'ai pas ma sacoche », nous jetait-il comme un homme perdu, et nous avons cru juste après entendre un rire.

— Tirésia, a crié Minor si fort qu'il nous a semblé que sa gorge se déchirait.

Et dans la pause de silence qui a suivi :

— Tirésia, disait Minor d'une voix surnaturellement tendue, je respecterai votre vœu, je le jure par Helleur et par Nicole.

Le corps que nous retenions entre nos bras s'est comme brisé, le vent tournait violemment, il emportait notre docteur, il emportait Tirésia, une ambulance l'emmenait, elle n'avait pas repris conscience. Nous entendions encore les dernières paroles de Minor, « c'est ma faute, je l'emmène à la clinique de L., ne venez pas, plus tard, c'est ma faute », qu'il était depuis longtemps parti et que nous étions seuls, dans la grande maison parfaitement silencieuse, calme, la maison Helleur tout entière à nous désormais.

C'était le cœur de la nuit.

Nous n'avions pas dormi depuis plus de vingt-quatre heures.

39

Le drap dans la nuit

— Est-ce qu'ils fermaient la porte à clé ? disait Dan tranquille-
ment.
— Je ne sais pas.
— Alors je la laisse ouverte, tu veux bien ?
— Ouverte en grand ?
— Oui.

La porte était ouverte en grand sur le brouillard de la nuit, un
gouffre noir.
Nous l'avons regardé un instant.

— Allons boire de l'eau, Estelle.

Nous cherchions le commutateur dans la cuisine. Dan remplissait une carafe. Je posais des verres sur la table.
— Non, montons tout cela en haut.
Où était le vieux plateau ? Au même endroit, dans le buffet. J'ai
pris le plateau avec la carafe et les verres. Dan fermait le robinet, la
porte du buffet.

— Je voudrais allumer la lampe du jardin, disait-il en cherchant
dans le vestibule.
— De l'autre côté, Dan, ils l'ont fait changer.

En arrondi sur le perron, la silhouette de la balustrade est apparue. Le perron, la balustrade semblaient solides, des repères fiables. Sûrement on les voyait de loin, ainsi émergés du brouillard.

— C'est bien comme ça ?

— Oui, c'est bien.

J'étais dans le vestibule, le plateau à la main.

Comme la nuit était froide.

Le froid nécrophage était massé partout sur la campagne, pour l'instant il se tenait hors de la maison, gardé à distance par la lumière du jardin, le rempart de la balustrade, mais nous sentions son haleine rigidifiante.

— Il faut monter le chauffage, Estelle.

Nous ne savions pas où cela se faisait. Finalement nous nous sommes rappelé le thermostat qui avait été installé dans le salon.

Nous avons écouté le ronflement subit de la chaudière. La chaleur bondissait dans le vestibule. Oh que notre maison brille, que sa chaleur et sa lumière portent jusque dans les ténèbres les plus froides, qu'elle guide les voyageurs perdus, qu'elle fasse signe...

Nous sommes montés. La rampe nous montrait le chemin. Les marches étaient douces, tournaient doucement.

— Tu veux me donner le plateau ?

— Non, ça va.

Allumer dans l'escalier, allumer sur le palier. Eteindre dans l'escalier, éteindre sur le palier. Les gestes de Dan étaient sans précipitation. A chaque pause, j'attendais, le regard tourné vers lui.

Dans ma chambre de jeune fille, le lit était fait. C'était le même lit étroit avec la même feuille d'acanthe sculptée sur le montant de bois.

Nous avons posé le plateau par terre. Nous nous sommes assis sur le bord du lit. Mon frère s'est penché, a versé de l'eau dans chaque verre. Nous avons bu.

— Tu veux boire encore, Estelle ?

— Oui.

Mon frère s'est levé. Il remplissait la carafe au petit lavabo entre ma chambre et la sienne. Il revenait et je buvais un verre et encore un autre.

— J'avais soif, Dan.

— Tu veux encore?

— Non.

— Alors viens.

Nous sommes allés à la vieilie salle de bains au bout du couloir.

— Nos affaires sont restées en bas.

— Je vais les chercher.

— Je vais avec toi.

— Oui, viens.

Nos paroles, nos gestes étaient somnambuliques. Les sacs étaient dans le renfoncement du vestiaire. Revenus à la salle de bains, nous nous sommes aperçus qu'il n'y avait rien dedans. A New York, nous les avions simplement ramassés sous la plate-forme du loft, trop agités pour les remplir.

Nous avons regardé les petits objets sur la tablette.

— Demain, on achètera des brosses à dents, disait Dan.

J'étais assise au bord de la baignoire, la tête comme dans un rêve, incapable de faire un geste.

— Pourtant je ne dors pas, Dan.

Mon frère m'aidait à me déshabiller.

— Tu as besoin d'eau sur la peau aussi, disait-il.

J'étais toute nue dans la baignoire. Mon frère se déshabillait aussi. Il tâtonnait avec la douche, dont le système avait dû être changé.

— Tourne la poignée vers le rouge, Dan.

L'eau chaude venait. Nous nous tenions sous le jet bienfaisant, longtemps, essayant de le diriger là où il y avait le plus de nous-mêmes. Nos corps étaient des pyramides qui se défaisaient, nous les laissions aller l'un sur l'autre.

Dan n'était plus à côté de moi, l'eau ruisselait à mes pieds dans une vapeur fumante, puis il était de retour, me faisait sortir de la baignoire.

— Tourne-toi, de ce côté maintenant.

— Qu'est-ce que c'est ?

— Le drap de ta chambre.

Le contact du drap était doux. Mon frère en tenait une partie dans une main et de l'autre il m'essuyait lentement. Le reste du drap faisait une traîne sur le sol. Mes yeux se fermaient.

— A toi, maintenant, disais-je, ma voix à peine audible à moi-même.

Et je l'essuyais à mon tour, m'appuyant sur lui pour atteindre les épaules.

— Tu es encore mouillé dans le dos.

— Ça ne fait rien.

Le drap était humide. Nous cherchions où l'accrocher, mais il était trop grand. Nous avons ouvert la fenêtre et nous l'avons étendu et laissé pendre au-dehors. Mon corps soudain s'est laissé glisser avec le tissu, sur le rebord de la fenêtre. D'énormes rouleaux de nuit accouraient vers la blancheur du drap. Mon frère m'a tirée par les épaules. Nous sommes sortis en fermant la porte.

Nous marchions tout doucement dans le grand couloir, nus, enlacés, les membres à la fois lourds et légers. Au milieu du couloir, mon frère m'a soulevée dans ses bras.

— Tu n'en peux plus.

Il m'a déposée, allongée, sur le petit lit.

— Toi non plus, tu n'en peux plus.

Je me suis poussée pour lui faire de la place. Il est tombé sur l'étroite bande du lit.

— Je ne vais pas chercher mon matelas, Estelle.

— Non, reste là, Dan.

Je me suis tournée vers lui, il m'a prise contre lui, puis c'est moi qui l'ai pris contre moi, son visage sur ma poitrine, nous avons encore changé de place, nous dormions, mon frère était en moi, glissé très doucement en moi avec le sommeil.

Souvent par la suite j'ai eu ce fantasme d'amour, dormir avec le sexe de son amant en soi et se réveiller creusée comme un nid tiède et sentir dans ce nid le poids du sexe de son amant. Mais toujours à un moment ou un autre, les chairs abandonnent, les corps retournent à leurs marques anciennes, l'unité fabuleuse ne tient pas. Si fort que soit l'amour, les corps se séparent.

Mais cette nuit-là de notre plus grande exténuation, cela s'est fait. Le sexe de mon frère était dans le mien et n'en a pas bougé de ce qui nous restait de nuit. Et nous dormions.

Nous dormions profondément.

Nous nous sommes enfoncés très loin vers le cœur du sommeil, au-delà des insomnies, au-delà des rêves, là où le sommeil n'est plus sommeil, mais sa source même, veille intense, si intense qu'aucun être ne peut la soutenir, qu'il ne peut l'approcher que dans l'endormissement le plus profond.

L'aube était venue, puis le matin, le brouillard s'était levé. Quelqu'un avait vu le drap blanc à la fenêtre, avait vu la lumière sur notre perron, la porte grande ouverte sur le jardin froid.

Quelqu'un était venu jusqu'à cette porte, avait erré dans les pièces refroidies en bas, puis avait monté l'escalier, vers la chaleur.

Quelqu'un maintenant nous regardait.

Puis les pas étaient redescendus, s'étaient arrêtés au rez-de-chaussée.

Quelqu'un attendait en bas.

— Tu as entendu? ai-je murmuré.

— On nous a vus, Estelle.

Il me touchait doucement l'épaule, le bras.

— Tu as mal?

— Un peu.

— Là?

— Il faut se lever.

— Laisse-moi te réchauffer d'abord.

Il frottait mes membres engourdis et douloureux, mon frère le danseur, qui savait si bien ce que veut un corps pour bouger.

— Qu'est-ce qu'on va mettre, Dan?

C'était simple, nous ne pouvions rien mettre. Nos parents n'étaient pas là pour que nous allions leur emprunter leurs vêtements, et les nôtes avaient le sang d'une morte et la souillure d'une bagarre sur la terre.

Il n'y avait aucun vêtement pour nous, et quelqu'un attendait en bas.

— Tu es mieux, Estelle? disait mon frère doucement.
— Oui.
— Alors descendons.
— Mais il y a quelqu'un.
— Allons demander à ce quelqu'un des vêtements.
— Comme cela, nus?
— Puisqu'il nous a déjà vus!

Nous chuchotions encore, mais je suivais Dan dans le couloir.

Nous avons descendu l'escalier ainsi, tels que nous étions, nus et ébouriffés, et couverts d'ecchymoses gonflées, et encore à mi-chemin sur le retour de notre grand sommeil.

Adrien, adossé à la balustrade, fumait une cigarette et nous regardait descendre. Sur son visage aussi, les ecchymoses avaient gonflé.

— Je vais fermer la porte, disait Dan tranquillement, il fait froid. Entre s'il te plaît.

Adrien a jeté sa cigarette et est entré.

— Voilà, Adrien, disait Dan. Nous n'avons strictement aucun vêtement. Je voudrais que tu ailles nous acheter ce que je vais te mettre sur une liste, tu sais où, les baskets à Sport et Danse, les pulls à Monoprix, une jupe aux Dames de France, un pantalon à...

— Tu veux que j'aille vous acheter des fringues? disait Adrien.

— Les manteaux, on ira nous-mêmes quand tu nous auras ramené ça.

— Tu te fous de moi? disait Adrien,.

— Nous avons besoin de vêtements, disait Dan.

— Tu baises ta sœur et tu me demandes d'aller t'acheter des fringues ?

Brusquement Adrien tournait les talons et sortait en claquant la porte.

— Estelle, disait Dan.

Et au même moment je disais « Dan ». Soudain nous avons ri. Nous étions dans les bras l'un de l'autre, notre vieux fou rire, nous nous serrions, le visage nous faisait trop mal pour être touché, Dan me caressait les cheveux, moi aussi je caressais ses cheveux, « well, well » disait-il, et je savais exactement tout le long discours qu'il y avait dans ce « well », et je répondais à ma façon par un autre long discours qui tenait dans un tout petit bruit que j'entendais dans ma gorge.

— Maintenant que c'est fait, disait Dan (et cela voulait dire « maintenant qu'Adrien nous a vus et bien vus »), habillons-nous quand même.

Cela ne nous a pas été trop difficile, nous retrouvions nos habitudes enfantines de déguisement, un drap entortillé à la taille, une couverture par-dessus, quelques épingles à nourrice par-ci par-là, prises à l'endroit habituel dans le semainier de Nicole sur le palier, et après nous avons fait du café dans la cuisine.

Nous procédions sans hâte, interrogeant quasiment chaque objet avant de porter la main sur lui, et les choses de la maison nous obéissaient.

Il n'y a rien de plus étrange que ce qui est familier. Lorsqu'on s'attend à l'étrange, on s'attend à tout, on est préparé à la surprise, l'étrange tombe dans une case déjà construite pour lui et étiquetée comme telle, et lorsqu'il se produit on peut être profondément déconcerté, mais au moins on reconnaît cet étonnement, puisqu'on l'attendait.

Pour le familier, on ne s'est pas préparé à l'étonnement. Et de l'éprouver engendre une étrangeté indéfinissable, et d'autant plus étrange.

446

Le plateau que nous avions trouvé hier à sa place habituelle dans le buffet, la carafe que nous avions emplie d'eau au même robinet qui fuyait à sa base, les verres de Venise dont Nicole remplissait la maison et qui s'étaient tous dépareillés à la longue, les épingles à nourrice dans son semainier d'acajou à l'étage... Ces choses étaient là, à leur place, mais comme il était étrange d'en être les nouveaux seigneurs.

Cela absorbait toute notre attention. Nous buvions notre café, le regard fixé sur les taches de décoloration au plafond, que nous avions sans doute vues depuis toujours. Mais avant elles ne s'étaient pas adressées à nous particulièrement.

Tout dans la maison s'adressait à nous, et c'était étrange d'être ainsi sollicités. Nous sentions combien cette demande était insistante, une force tirait en chaque objet, et il fallait nos forces unies pour y répondre.

A table nous étions au coude à coude. Et, debout, encore nous tendions l'un vers l'autre, sans arrêt nous contournions des choses pour nous rejoindre. Je me souviens de cela, vacillation, une sensation d'obstacles, meubles ou même petits objets, le bras de Dan écartant une tasse pour venir contre mon bras...

Nicole. Toute sa courte vie, elle avait fait cela, contourner des écueils pour rejoindre ce à quoi elle aspirait si fort. Les écueils, c'était nous entre autres, nous les enfants, qui l'obligions à tant de gestes haillonneux dont elle ne voulait pas, et ce à quoi elle tendait, ce n'était pas un autre être, mais un rêve, une guirlande idéale de gestes pour s'en vêtir, la danse parfaite des corps glorieux que nul vivant ne connaît.

Nous étions revenus à la cuisine, à la recherche d'ampoules électriques, lorsque soudain la vitre de la porte-fenêtre a éclaté dans un bruit d'explosion et quelque chose a volé à travers la pièce, me heurtant rudement la hanche avant de tomber à nos pieds.

C'était un paquet. Il s'était ouvert dans la chute.

Tous les vêtements que nous avions demandés à Adrien étaient là, sans erreur sur les tailles, au complet, avec même quelques accessoires auxquels nous n'avions pas pensé... mais noirs, tous de couleur noire, la jupe, les pulls, le pantalon, les chaussettes, la ceinture et même les baskets.

Dan examinait ces baskets avec stupéfaction.

— Il les a passés au cirage, Estelle !

Le verre s'était répandu partout sur le dallage de la cuisine. Pour balayer les éclats aigus, nous avons dû enfiler les baskets noirs. Des traces se sont mises sur nos mains et nos chevilles, plus tard nous avons voulu les laver au savon, elles ne voulaient pas partir. Ce n'était pas seulement du cirage qu'avait utilisé Adrien. Depuis, il a dû me dire quel produit il avait ajouté, mais j'en oublie toujours le nom.

Nous avons enlevé tout le verre qui jonchait le sol, puis nous avons disposé les vêtements sur la table et nous nous sommes assis pour les regarder.

Nous ne pouvions ôter notre regard de ces vêtements, il y avait en eux quelque chose que nous n'arrivions pas à comprendre. Dan les a soulevés et tournés plusieurs fois.

— Non, a-t-il dit.

— D'accord, ai-je dit.

— Les baskets ? a demandé Dan.

— Non plus, ai-je dit.

Nous avons déchaussé ces baskets et les avons soigneusement posés sur le tas de vêtements noirs.

Le sol était gelé et l'air mordant, mais je crois que nous ne sentions rien.

Nous marchions pieds nus sur le gravier de la cour derrière, dans notre accoutrement de draps et couvertures par où pénétraient toutes les langues du froid, et nous ne sentions ni le froid ni les pointes des graviers.

— L'argent ? ai-je dit soudain.

Nous n'avions rien, hormis quelques dollars et cents. Le carnet

de chèques français que je possédais était resté à Paris chez Yves.
Dan s'est arrêté un instant, puis a haussé les épaules.

— Ils nous feront crédit, a-t-il dit, jusqu'à...
— Bien sûr, ai-je dit.

Nous avons repris notre marche.

— Tu te blesses les pieds, Estelle, je vais te porter.
— Pas question, ça fera trop lourd sur les graviers.
— Tu oublies que je suis un danseur.
— Et tu oublies que ça fait six mois que je regarde un danseur.
— Laisse-moi voir tes pieds.

Dan soulevait délicatement mon talon. La plante de mes pieds
était intacte. Il a souri. Nous étions absurdement fiers.

Nous avons contourné le coin de la maison.

Le jardin s'étendait devant nous, avec sa grande allée centrale,
et au bout de l'allée la grille aux piquetons à l'ancienne, et derrière
la rue.

La rue était déserte.

Notre maison était la dernière de ce quartier. En s'éloignant sur
la droite on arrivait au cimetière. En prenant à gauche, après deux
ou trois cents mètres de trottoirs vides où pendaient les glycines, on
rejoignait quelques ruelles guère plus passantes, au-delà l'église,
pas très haute, autour la place du marché et accrochées à celle-ci
les principales rues commerçantes de la ville.

Nous avons contemplé une moment le grand jardin, l'allée qui le
traversait, la grille qui ouvrait sur la rue. Il nous semblait
vaguement entendre, amenée par nos souvenirs, la rumeur de la
place et de ses rues adjointes, les rues où se trouvaient Sport et
Danse, le Monoprix, les Dames de France...

Mon frère m'a regardée. Il regardait le drap tortillé à ma taille
avec de la ficelle (monsieur Voisin en avait offert une grosse pelote
un jour, de celle qui servait pour les menus paquets de ses
déménagements), la couverture de piqué en cape par-dessus, déjà
déchirée par les épingles qui tiraient sur l'étoffe, mes pieds nus où

se voyaient les traces noires du cirage des baskets. Je voyais son regard, je devinais l'hésitation qui s'y formait.

— Dan, ai-je dit fermement, je ne mettrai pas ces choses noires...

Comment se fait-il que je voyais, que je vois encore, mon accoutrement et non celui de mon frère? Je crois que les changements que j'avais perçus la veille en pénétrant dans la maison se poursuivaient, maintenant ils atteignaient une zone très secrète entre nous, celle par laquelle nous communiquions.

D'ordinaire nous n'avions guère besoin de nous regarder, Dan et moi, je crois même que nous nous regardions très peu, nous avions vue directe sur l'autre « par l'intérieur »

Mais mon frère me regardait. Alors tout entière attirée j'ai plongé dans ses yeux, et dans ses yeux j'ai chevauché son regard, ce regard allait vers moi, or pour la première fois peut-être il allait vers moi « par l'extérieur » pour ainsi dire. Je me suis vue du dehors par ses yeux.

Ce regard de mon frère sur moi était chose nouvelle.

En cet instant où nous observions le jardin de notre maison étalé devant nous (et au-delà du jardin, la rue, la ville) mon frère était allé plus vite que moi, il pouvait déjà porter sur moi le regard « extérieur ». Et dans ce trajet par l'extérieur, celui-ci avait comme collecté un peu des invisibles sécrétions que produisent sans cesse les agglomérations d'âmes humaines et qui flottent ensuite, par nuages mouvants, dans la ville.

Deux personnes dans notre ville avaient une allure particulière, monsieur Raymond et un vieil ivrogne que, par manque d'information et d'intérêt, on appelait « le fou ». Sans aucun doute nous avions une allure encore plus particulière.

Dan ralentissait le pas. Notre entreprise l'inquiétait, il avait peur pour moi.

Mais moi je ne percevais dans son accoutrement rien de redoutable, je voyais Dan par ma vision intérieure, comme toujours.

— Ecoute, lui ai-je dit, allons au moins jusque chez la marchande de farces et attrapes.

Elle avait aussi dans sa vitrine quelques habits, suffisamment informes pour aller à n'importe quel corps. Son magasin était le plus proche. Mon idée était de faire une première étape chez elle avant de poursuivre vers la ville.

J'ai tiré mon frère vers l'allée, vers la rue.

— Nous ne mettrons jamais les habits noirs d'Adrien.

Ma voix m'a surprise. Elle résonnait claire et haute dans l'air glacé.

Presque aussitôt une voiture qui devait attendre un peu plus loin est arrivée en roulant doucement, s'est immobilisée à côté de la grille. La portière derrière s'est ouverte.

Nous avons fini de descendre l'allée, nous avons poussé la grille, nous sommes entrés dans la voiture, nous avons refermé la portière.

— J'ai fait ce qu'il fallait, disait Adrien d'une voix butée.

— Nous ne mettrons pas ces habits.

— Vous devez porter du noir, disait-il.

— Non, disais-je, non, non, non...

Adrien s'est tourné vers moi. Il a dû entendre des sanglots dans ma voix.

— Comme tu veux, a-t-il dit, sans fioritures soudain.

Il a enclenché la vitesse et la voiture a démarré.

Et ainsi Adrien nous a conduits dans la ville, lui au volant dans son costume sombre, nous derrière dans notre déguisement de draps et de couvertures.

Il s'arrêtait et cherchait ce que nous lui demandions et retournait dans le magasin pour une autre couleur, une couleur précise que nous voulions, et revenait nous consulter, et s'il n'y avait pas cette couleur, nous repartions et Adrien nous conduisait. Il nous a conduits tout le reste de la matinée, puis il nous a déposés devant la grille de notre maison.

— Au revoir, a-t-il dit.

— Merci, avons-nous dit.

Nous avons sorti les paquets.

Adrien hésitait.

— Je vous aide... ?

— Non, ça ira, avons-nous dit.

Alors la portière a claqué et la voiture s'est élancée, glissant en grand dérapage jusqu'au milieu de la chaussée.

Nous avons attendu qu'elle reprenne l'axe normal et s'engouffre dans le garage de nos voisins, puis nous sommes rentrés à la maison, les bras chargés de nos nouveaux vêtements.

40

Blanc jaune pourpre

Ce que nous avions voulu si obstinément acheter, c'était des vêtements de couleur.

Peut-être dans notre esprit troublé une phrase avait-elle surnagé de la journée de la veille, ce que Minor avait marmonné en nous voyant arriver dans nos épaisses peluches de Canal Street aux couleurs voyantes : « Laissez, laissez, le jaune de Nicole et le pourpre de Tirésia, c'est très bien. »

Le jaune, le pourpre... Ces couleurs n'étaient pas fréquentes dans notre ville, encore moins en hiver, encore moins pour les vêtements.

« On dirait que vous le faites exprès, avait dit Adrien, vous iriez à un carnaval, ça ne serait pas pire. » Il se trompait, c'était bien nos vêtements de deuil que nous achetions, mais nous ne le savions pas. Et lui ne savait pas qu'à jamais pour nous Nicole existait en gloire dans sa robe jaune à corolle et Tirésia dans le grand fourreau pourpre qui s'ouvrait aux jambes en plis de sirène.

Pourtant elles devaient être quelque part dans sa mémoire, ces robes, il les avait vues un jour lointain, un après-midi...

Nos parents attendaient une visite, celle de nos voisins accompagnés de leur aîné Adrien, les fenêtres du salon étaient grandes ouvertes, c'était l'été, quelqu'un a plaisanté sur le pot de fleurs étriqué que ne manquerait pas d'apporter monsieur Voisin, et soudain comme sous l'effet d'une brise chaude exhalée de nulle part, une folle exubérance s'était emparée de notre salon, des guirlandes de rires, de froufroutements se répandaient par l'escalier, ondulaient dans la pièce, et dans cet entrelacement lumineux auquel acquiesçait notre vieux salon austère le visage maussade de nos parents s'effaçait, laissant apparaître en leur place rose jaune et rose pourpre, blanc camélia, papillon, prince et reine de légende, tandis que sous la fenêtre passait soudain le crâne chauve de notre voisin et que bientôt retentissait la sonnette et qu'avançait alors sur le perron l'inévitable plante empotée semblable à la tête bêtement curieuse de quelque ruminant égaré.

J'ai interrogé récemment Adrien sur cet après-midi d'été.

Il veut bien se rappeler avoir vu notre père un jour dans un costume blanc. « Ça m'avait mis mal à l'aise. Du blanc pour un homme, comme pour une mariée ! » Pauvre Adrien ! Tout le temps de cette visite il n'avait cessé de coller ses yeux sur Nicole et quand par la force des choses il devait les en décoller, c'était pour me tirer la langue dans le dos de sa mère.

Pour les robes : « Et puis quoi encore ! Tu t'imagines, que tout tournait autour de votre sacrée maison Helleur, j'avais d'autres chats à fouetter moi, de toute façon vous étiez tous cinglés là-dedans, comment veux-tu que je me rappelle une chose plutôt qu'une autre ! »

Adrian, Adrian, if you had balls, you would think, and remember !

Mais Adrien ne veut pas penser, ne veut pas se souvenir.

Pourtant l'image ancienne, enfouie dans son esprit plein de broussailles et de chemins tordus, a dû s'animer, faire signe à la manière d'une lueur lointaine, et c'est à cause d'elle qu'Adrien avait fait ces choses insensées que nous lui avions demandées.

Car il nous avait obéi en tous points.

Nous avions trouvé beaucoup de vêtements gris, puis des vert bronze, puis des marron. « Ça ? » interrogeait Adrien avec espoir. Non, cela n'allait pas. « Mais qu'est-ce que vous voulez, à la fin ?

On a retourné tous les magasins de cette sacrée ville, on ne peut tout de même pas s'infiltrer dans les tiroirs... »

Nous ne savions guère ce que nous voulions non plus, mais pas de gris, pas de vert bronze, pas de marron. Nous étions alors devant les magasins Pronuptia et soudain Dan s'est exclamé « là » en montrant la vitrine.

Je crois qu'en cet instant Adrien, pour la seule fois de sa vie peut-être, s'est senti vaciller.

Nous lui étions insupportables mais il ne pouvait s'arracher à notre folie, il aurait été enlever le mannequin qui trônait dans la vitrine si nous le lui avions demandé, à bras-le-corps il l'aurait empoigné avec ses voiles, ses bouquets et sa robe toute ballonnée de dentelles. Oui, il aurait été chercher pour nous cette blanche mongolfière matrimoniale. Mais ce que Dan avait vu, c'était sur le côté un corsage, un corsage de dame d'honneur de province, un peu niais mais d'un jaune éclatant.

« Ça ? » répétait Adrien abasourdi.

« Oui, oui. »

Nous étions enthousiastes.

Près, tout près, de longues roses élégantes balancent sur leur tige, l'air embaume, sur une mince épaule nue, chaude de soleil, un volant glisse, une main d'homme le remonte, s'attarde tendrement, boutons d'or et jonquilles dans le pré, et les ajoncs éclatants sur les collines autour, oh assis là tout droit à l'arrière de la voiture d'Adrien nous nagions dans la couleur jaune comme d'heureux oiseaux drogués.

« C'est moche et c'est cher », a dit Adrien après enquête dans la boutique.

« Prends », a répondu Dan, et Adrien est retourné dans la boutique sans plus de force pour protester.

Nous l'avons regardé passer la porte, diminué dans ce costume sombre qui ne lui allait pas, tel un commis voyageur voûté et las. Et il revenait, la voix éteinte, « il y a une jupe assortie », disait-il, répétant si exactement l'intonation d'une vendeuse que nous avons ri.

« Prends », et il est retourné et revenu avec son paquet.

« Ça fait nouille », a-t-il dit.

« T'occupe », a répondu Dan.

« C'est au nom d'Helleur, ils vous enverront la facture. »

« Ouais ! » a dit Dan.

Et maintenant comme par un glissement du spectre, une autre couleur envahissait notre esprit, l'air s'empourprait, fauteuils de velours, rideaux de brocart, sur un piano brillant de grandes roses aux têtes impérieuses, le piano ouvert, une silhouette d'homme, attentif près du piano, sous l'appel des notes les grandes roses s'effeuillent, s'unissent à la musique, à la musique silencieuse des pétales pourprés qui nous sature la tête.

Oh elle était en nous cette couleur, et pris dans le pourpre comme nous l'avions été dans le jaune, l'un comme l'autre dans la même fascination, nous n'avions pas besoin d'expliquer notre quête, d'amener au jour ses raisons.

« Je vous comprends pas », marmonnait Adrien. Tant pis pour lui, après tout c'était dans son caractère de récriminer, « Adrien de Mauvaise Grâce » l'avions-nous surnommé quand nous étions enfants.

Qu'aurions-nous pu lui dire ? Nous savions ce que nous ne voulions pas. Quand à ce que nous voulions, nous le découvrions par hasard, au fur et à mesure. Adrien, pourquoi veux-tu tout compliquer ?

Des pulls suffisamment pourpres, il n'y en avait qu'au rayon femmes, mais Dan ne voulait pas d'un pull étriqué, renvoyait Adrien demander une taille plus grande, deux fois, trois fois. Il était finalement revenu les mains vides.

« Nous ne faisons pas de rouge dans ces tailles-là », disait la vendeuse.

« Minute, disait Adrien, j'ai dit pourpre, pas rouge. »

« C'est tout comme », disait la vendeuse.

« Pas sûr, je vais me renseigner », disait Adrien.

« C'est bon, prends ce qu'elle a, disait Dan, mais grand, grand. »

456

Adrien repartait.

« Nous ne faisons pas de rouge dans les grandes tailles, reprenait la vendeuse, vous comprenez monsieur, le rouge, c'est fantaisie, pour les jeunesses. »

« La vendeuse dit que le rouge n'existe qu'en petites tailles. »

« Je ne veux pas un pull étriqué », insistait Dan.

« Comprends pas, disait Adrien, avant tu étais maigre comme un coucou. »

« J'étais un gosse », disait Dan.

« Ah oui », disait Adrien, et son regard mécontent effleurait la belle musculature de Dan, qu'on voyait sous la couverture mal amarrée.

Nous avons tourné dans les rues. « J'y vais moi-même » s'écriait mon frère prêt à bondir hors de la voiture, pieds nus sous sa couverture comme un moine, « non, non » suppliait Adrien, et nous tournions encore.

Dressée comme un décor de théâtre la couleur pourpre nous emplissait la tête, et nous assis dans les fauteuils nous attendions qu'apparaissent sur la scène les costumes accordés à ce décor.

Mais peut-être devrais-je expliquer, madame. Cela se passait dans une petite ville de province, en France, à la fin des années soixante, une petite ville enclose entre ses collines, un peu endormie. La prospérité d'après la guerre arrivait lentement et pour les vêtements, oui, il y avait peu de choix.

Dan a dû se contenter d'une chemise à fines rayures bordeaux

— Ça fait vieux, a dit Adrien.

— T'occupe, a dit mon frère.

— C'est au nom d'Helleur..., a dit Adrien.

— Et ils enverront la facture ! a dit mon frère.

— Quoi ?

— Rien !

Mais une cravate trouvée par hasard nous a causé un grand contentement, elle avait presque la couleur pourpre. « Une cravate, toi ! » s'exclamait Adrien. Et comme aucun pantalon ne se trouvait dans aucune teinte de jaune ou de rouge, Dan nous a ramenés à la boutique Sport et Danse où il restait un pantalon de l'été précédent, en toile blanche. Le blanc aussi nous agréait.

Nous avons délégué Adrien dans quelques autres magasins encore, pour des objets de nécessité courante. Mais sans discuter cette fois. Nous avions l'essentiel. Le jaune, le pourpre et le blanc. Ces couleurs nous chauffaient le cœur, elles nous paraissaient justes, il nous semblait avoir fait une bonne action.

Et ainsi, les lévriers de notre esprit filaient sur leur piste obscure, côte à côte, obstinés, sur leur piste obscure où fuyaient les incandescentes couleurs qui dès avant leur naissance leur avaient déjà brûlé les yeux.

A la maison nous nous sommes habillés avec soin. Je n'avais jamais vu Dan aux prises avec une cravate.

— Mets-la en écharpe, ai-je suggéré.

— Non, a-t-il répondu fermement.

Curieusement il faisait le nœud comme s'il en avait fait toute sa vie.

Je ne pouvais détacher mes yeux de ses doigts manœuvrant avec précision autour de cette cravate...

Notre père... Tant de fois je l'avais regardé nouer sa cravate devant le miroir de Nicole, dans le vestibule. Pourquoi dans le vestibule ? Maintenant je pense que notre père avait une petite faiblesse, que de temps en temps il voulait se faire regarder de nous, lui dont la sollicitude inquiète ne quittait jamais les êtres de notre maison. Ses cravates étaient accrochées au petit vestiaire sous l'escalier. Lorsqu'il se plantait devant le miroir, en plein milieu du vestibule, et se livrait à cette opération minutieuse et absorbante, il se trouvait toujours quelque spectateur, petit ou grand...

Et moi maintenant, fascinée, étrangement absorbée, je suivais les doigts de mon frère nouant la cravate pourpre avec agilité sans reconnaître que c'étaient les gestes mille fois observés de notre père qui revenaient dans cette agilité.

Un instant Dan s'est tourné vers moi et son regard est venu dans le mien.

Avec son regard est venue toute notre maison, notre enfance, la journée de la veille, notre nuit, l'instant présent. Tout cela passait en moi, glissait à la manière d'un calque, et renforcé dans ses lignes retournait par mon regard jusqu'à lui, toute notre maison, notre enfance, la journée de la veille, notre nuit, l'instant présent.

Et de ce large mouvement qui brassait tant de temps et de lieux et d'émotions, nous ne savions rien. Aujourd'hui encore je sais à peine exprimer ces choses. Je ne trouve que ce verbe « regarder ». *Madame mon écrivain, y a-t-il dans notre langue un autre verbe plus riche, plus total, que ce simple verbe « regarder » ? Trouvez-le, je vous en prie, trouvez-le.*

J'avais un peu de mal à arranger mes nouveaux vêtements. La couleur était bien celle de la robe à corolle de Nicole, mais le style n'était pas du tout le sien, la jupe était droite et non large et papillonnante, une jupe de dame. C'était au tour de Dan de m'observer. Il y avait quelque chose d'intrigué dans son expression, il semblait accroché par un problème dont les données même lui échappaient.

Chaussures à talon, à fin talon aiguille, celles que nous avions désignées à Adrien dans la vitrine. Elles s'attachaient par une lanière. Je me suis redressée. Sur ces talons, j'étais grande, beaucoup plus grande que Nicole, que je dépassais de toute façon de plusieurs centimètres. J'ai marché un peu pour trouver mon équilibre. Ma démarche sur ces aiguilles n'était pas dansante.

— Tu ne ressembles pas à Nicole, a dit Dan.

— Ah, ai-je dit.

Rien de plus.

Madame, l'effroyable ordonnateur de notre destin nous menait comme il le voulait, nous étions sourds, nous n'entendions pas même nos propres paroles. « Tu ne ressembles pas à Nicole. » « Ah » ai-je dit, rien de plus. Pensée enchaînée, lourdes dalles, brouillard, je pourrais hurler encore, tant d'années après.

Le moment suivant déjà s'était avancé. Nous étions habillés.

— Et maintenant ? a dit mon frère.

— Au garage.

Alors nous sommes descendus vers le garage de Nicole, son garage bleu, son studio, son paradis.

Comme la pièce était petite ! Elle n'aurait pas suffi à un bond grand écart de Dan... ou Michael, ou Ken, ou David, ou Djuma. Et de penser à Alwin ici causait une affre indicible, une sorte de désolation irrémédiable.

Les tentures bleues étaient fanées, salies tout le long de la barre.

— C'était ça, le ciel de Nicole, murmurait Dan.

Nous étions assis sur le tapis. Il faisait froid dans cette pièce qui avait été rajoutée au flanc de la maison et dont les murs devaient être de parpaing. L'odeur elle-même, que nous connaissions si bien — jasmin, peau et poussière — avait disparu. Il n'y avait plus qu'une odeur de froid. Nous grelottions.

— Tu ne pourrais pas danser ici.

— Non, bien sûr.

Nos voix chuchotaient.

— Peut-être qu'il faudra en refaire un garage ? ai-je repris plus fort.

— Il n'y a plus de voiture.

— On pourrait en acheter une.

— Mettre une voiture ici ? disait Dan, désemparé.

— Viens, ai-je dit, me levant la première.

Nous sommes montés à la chambre de Tirésia. Arrivés sur le palier, nous avons hésité un instant. Dan a porté la main sur la poignée.

— Attends, ai-je dit.

L'équilibre oscillant des forces qui ne cessaient de se déplacer entre nous venait de se modifier encore une fois.

— Attends.

La valétude ancienne bougeait en moi. J'étais en sueur. La tourmente qui avait emporté Tirésia sifflait dans mes oreilles, des mots tordus tournaient autour de moi, trop calcinés pour être déchiffrés... Peut-être je me trompe. Peut-être, sous le coup de ce que j'ai appris plus tard, des interprétations se sont-elles mises en place, surchargeant des sensations banales. *Mais que m'importe, madame, cette sorte de vérité. La mienne brûle en moi et je n'ai pas d'autre raison de faire ce récit. Il me semblait que si nous ouvrions la porte, un brasier encore retenu jaillirait en rugissant.*

— Il fait chaud, ai-je dit.

— La chaleur s'accumule en haut, a dit Dan.

Sa main a quitté la poignée.

— Une autre fois ? a-t-il dit.

— Oui, ai-je fait de la tête.

En redescendant vers les pièces du rez-de-chaussée, un peu de mon malaise a disparu. La porte d'entrée était restée ouverte, et alors que quelques instants auparavant nous grelottions dans le garage de Nicole, le froid maintenant me faisait du bien, chassait la valétude.

Nous sommes allés dans le bureau de notre père. Ce bureau, je le connaissais mieux que Dan. A la fin de mes années de lycée, et au début de mes études de droit, j'étais souvent venue ici interroger mon père sur une chose ou une autre. Je suis entrée avec vivacité, puis je me suis retournée. Dan se tenait dans l'encadrement, curieusement bloqué dans l'encadrement de la porte.

— Entre !

Mais il ne bougeait pas.

— Dis-moi ce qu'il y a sur l'étagère, demandait-il.

— Laquelle ?

— Celle qui est devant toi.

Je lui ai énuméré les titres.

— Et sur l'autre ?

J'ai commencé à me déplacer devant les vitres des rayonnages, expliquant à mon frère les livres qui étaient là.

— Tu te rappelles ce que père disait ?

— Sur quoi, Dan ?

— Sur son travail.

— Ses dossiers?

— Non, sur l'homme qu'on torture.

J'étais saisie. Dan était très petit lorsque notre père m'avait cité la phrase de son philosophe.

— Tu te rappelles cela?

— Oui, mais c'est loin. Je voudrais retrouver la phrase qu'il t'avait dite.

Je ne comprenais pas.

— Trouve-moi la phrase qu'il t'avait dite.

— Maintenant Dan?

— Oui maintenant.

Sa voix avait un tranchant qui semblait m'entrer directement dans la chair.

— Mais je ne sais plus dans quel livre ça se trouve.

— Chez son philosophe, celui qu'il lisait tout le temps.

— Bergson?

— Oui.

Une souffrance particulière me venait avec ses paroles. Comment Dan savait-il ce que notre père lisait? Mais aussi pourquoi ne l'aurait-il pas su? Je me rendais compte que j'avais fait de mon frère un étranger à notre maison, parce que cela m'avait arrangée peut-être...

— Cherche Estelle, disait-il de cette même voix dure.

— Mais où, où veux-tu que je cherche?

— Les Bergson sont là.

La tête me tournait. Ma souffrance augmentait. Les Bergson étaient sur la petite bibliothèque tournante que désignait mon frère. J'aurais dû le savoir, pourtant c'était comme si je voyais cette bibliothèque pour la première fois.

— Mais Dan, il y en a beaucoup.

— Tu as fait des études longtemps, Estelle, tu devrais savoir.

J'ai pris un volume au hasard. Les lignes se brouillaient, je n'arrivais pas à lire. J'ai voulu le remettre à sa place, mes mains tremblaient, le livre voisin a glissé, déséquilibrant toute la rangée qui m'est tombée en cascade dure sur les pieds. J'ai ramassé l'un des volumes, mais celui-ci non plus je n'arrivais pas à le lire. Puis j'ai ramassé tous les autres un à un, essayant au moins de m'y retrouver dans les titres. Je n'y arrivais pas.

— Tu ne sais vraiment pas, Estelle?

J'avais remis tous les livres côte à côte, en désordre sans doute. Mes deux mains restaient agrippées au rebord de l'étagère, et moi je me tenais agrippée à mes deux mains, que je fixais comme si je n'avais plus qu'elles au monde, et ma tête tombait sur elles.

— C'est physique, ai-je murmuré.

Ces mots sont venus d'eux-mêmes, ils ont passé mes lèvres comme des êtres autonomes, les trois mots qui avaient signé notre séparation plus de sept ans auparavant. Je ne sais comment décrire cette expérience, des mots qui passent par votre corps et se parlent par votre voix et de là réclament leur existence.

Tout le temps accumulé pendant ces sept années et qui avait paru bien cimenté et solide de sens s'aplatissait devant eux comme une armée défaite, s'annulait tout simplement. C'était la même trinité de mots, ordinaires et justement pour cela effrayants, d'une présence entêtée avec laquelle on ne pouvait traiter, composant le masque de l'idiotie.

« C'est physique. » Cette petite phrase absurde avait donc été là tout le temps, logée dans l'oubli, mais elle avait survécu de sa vie monstrueuse et idiote, et maintenant elle surgissait, intacte, contente. J'étais assommée, il n'y avait soudain aucune ressource en moi pour lutter.

Comme ma douleur était ancienne, elle remontait à flots amers, à flots tumultueux, grimpant la falaise abrupte du passé, je sentais qu'elle me rejoignait.

— C'est physique.

L'idiote phrase criait, de plus en plus fort, le flot tourbillonnait autour de ma tête, j'ai hurlé « c'est physique, Dan ».

— Estelle, je t'aime, a crié mon frère.

Sur le bord d'une falaise, avec une clairvoyance brutale, je voyais deux silhouettes dans une pâle lueur, deux enfants, ils allaient l'un vers l'autre, une poussée les jetait l'un sur l'autre, ils se heurtaient et cette même poussée allait les séparer, ils allaient tomber, « Dan », ai-je crié...

C'était nous, nous nous heurtions, mais nous ne tombions pas. Nous nous serrions fortement, nous nous tirions loin de cette falaise où hurlait la féroce douleur, « mon amour, mon amour », disait mon frère, nous nous embrassions si fort, et les murs, les portes défilaient devant nous, nous étions dans le vestibule, titubant, nous embrassant si fort de peur de nous lâcher un instant.

« C'était ici, ici » disais-je en sanglotant, désignant l'endroit où nous avions rencontré notre amour pour le perdre aussitôt.

Quelques dalles du vestibule entre la cuisine et l'escalier, inoffensives et sans mystère dans la lumière du jour, et cette banalité même me faisait sangloter encore plus fort. Je les voyais, Dan en short, torse nu, Estelle avec sa chemise de coton brodé, longue et blanche, si provinciale, « tu étais en short, j'avais ma chemise de nuit, ici, ici ».

« Je t'aime, je t'aime », disait mon frère, nous allions vers ma chambre, semant la féroce douleur qui hurlait très loin maintenant, nos baisers la faisaient fuir, nos baisers comme des brandons enflammés faisaient fuir cette bête qui était venue si longtemps s'abreuver à notre cœur, elle chutait de la falaise, chutait.

Et au fur à mesure qu'elle s'amenuisait, une force revenait en nous, vague sur vague, inépuisable.

Dans la même chambre où nous avions dormi toute notre enfance, où nous avions dormi la veille exténués l'un dans l'autre, nous sommes enfin devenus amants et cet amour était un flot clair et puissant, d'où avait disparu la bête qui s'était nourrie de nos forces tant d'années.

41

L'échange

Madame, j'ai peur que vous ne nous abandonniez, mon frère et moi.
L'instant entraîne et l'horizon du passé sans cesse recule. Mais il ne devient
pas indistinct, au contraire madame, il s'élargit, présentant de plus en plus
d'espace et cet espace se peuple de plus en plus fortement, de plus en plus
impérativement.

Dans le passé ces croissances ne cessent de se faire, arrivent jusque dans le
présent, tandis que le présent lui-même va son train, entre les deux, j'essaie de
jeter cette construction précaire.

Je ne sais s'il y a la moindre justesse dans cette description, si le philosophe
de notre père l'approuverait, je ne l'ai pas lu depuis longtemps, je ne lis plus,
madame, même pas le journal, ce que j'apprends du monde me vient par Phil et
je fais semblant, seulement semblant, d'être au courant, je n'ai plus de temps
que pour vous parler, sûrement je deviens bête, je vous dis ce que me vient de
façon brute, il n'y a que ma confiance en vous pour me soutenir, alors vite, cette
construction précaire pour que vous veniez, vous qui n'êtes pas moi, et que vous
en fassiez un palais où y jouer la musique que j'entends toujours en moi.

Un air de flûte en cet instant, si léger qu'il doit circuler entre les lourdes
cellules de la matière, atteindre au royaume de la mort, et alors ils bougent ces
êtres enfin délivrés, je les entends qui approchent, ne nous abandonnez pas
madame, ils cherchent un palais où habiter pour toujours.

Il faudrait que je vous parle de Tirésia, de notre docteur Minor,
de mon mari Yves, de ce notaire qui a surgi dans notre vie, que je
vous donne des explications sensées, mais l'inquiétude me bous-

cule, ce que je veux vous raconter maintenant c'est ce qui s'est passé cette nuit-là, qui devait être la troisième nuit que nous passions seuls dans notre maison.

J'ai entendu sonner l'horloge de Nicole sur le palier, mon frère n'était pas à côté de moi. Il était trois heures. Nos corps ne s'étaient pratiquement pas quittés depuis notre retour dans notre ville natale.

— Dan?

J'étais devant le couloir où luisait faiblement le balancier de la grande horloge. La maison était plongée dans l'obscurité.

Je percevais son passage, il était venu dans ce couloir, il avait descendu l'escalier, mais après, après? Je me suis penchée un instant sur la rampe du palier.

Madame, cette maison était faite de murs comme toutes les autres maisons, de pierres, de ciment et de bois, et ces choses ne parlent pas, je le sais, mais je sais aussi que penchée sur la rampe si douce du palier j'ai perçu dans cet espace obscur et immobile des traces de lumière, un déplacement d'air. Notre maison me disait que Dan était descendu, avait cherché un endroit spécifique au rez-de-chaussée, puis était sorti.

Notre maison me disait tout cela, si vous ne pouvez me croire, abandonnez-moi tout de suite, vous n'êtes pas pour moi... non, ne m'abandonnez pas, mon frère avait quitté la maison, madame, et c'est ce sillage de lueur et d'air déplacé qui m'a troublé la tête, comme un courant de particules. Peut-être y a-t-il des théories physiques pour ce genre de phénomènes, je vous dis ce que j'ai senti. Il était fort ce courant, il entraînait.

Je n'avais pas peur pourtant, il ne s'agissait pas de peur.

Je me suis habillée très vite, ce corsage jaune en soie, la jupe jaune en soie, les chaussures à talon. Nous n'avions pas encore eu le temps d'acheter des manteaux.

Je suis descendue en trébuchant.

Sur une patère dans la cuisine j'ai trouvé un châle en crochet, qui n'était ni à Nicole ni à Tirésia, sans doute à la Nanou de nos voisins. Le châle ne voulait pas venir, je tirais sur lui, dans un arrachement mou et bizarre il s'est détaché enfin, je l'ai jeté sur mes épaules et il m'a frappé d'un coup désagréable sur l'omoplate, les larmes me sont venues aux yeux à cause de cette dureté, je n'avais pas le temps de réfléchir, ce que j'ai senti, c'était une incitation à sortir, à me dépêcher, et si je pleurais c'était de ne pas aller assez vite.

Il se passait quelque chose et j'avais seulement peur de ne pas être à la hauteur.

La nuit était froide et claire, les ombres dans le jardin se découpaient nettement, mais c'était le dehors et je ne trouvais plus la trace de mon frère.

J'ai contourné la maison, je suis allée jusqu'au pied de notre ancien grenier, la petite porte au-dessus du toit de zinc était noire, si noire dans la blancheur lunaire qu'elle faisait une tache au milieu de mes yeux.

« Dan n'est pas ici, disait la porte par son invisibilité, s'il y était, tu me verrais, disait la petite porte dans son intensité, je ne sais pas où il est, mais cherche-le, ne reste pas ici, disait-elle, c'est pour cela que je me soustrais à ta vue, pour que tu ne t'attardes pas, va, va... », disait-elle.

Il n'y avait personne là-haut, la porte n'avait pas été ouverte.

Je suis descendue dans le pré jusqu'au pommier.

Comme la surface du pré était difficultueuse sous le gel, les talons la perçaient par endroits dans les failles entre deux mottes, et moi il me semblait que c'était la terre qui m'agrippait par ces pointes fines, « Nicole » sanglotait une voix, je me suis arrêtée transie d'angoisse, sur l'étendue noire piquée de pointes étincelantes j'entendais ce sanglot qui courait, « Nicole, Nicole », il était tout près, il était en moi, c'était ma voix qui pleurait.

Oh ma dansante Nicole sur tes ballerines trop plates ou tes talons trop hauts, c'était cela que tu menais, un rapport avec la terre, quand nous te jugions frivole ou distraite, tu menais toi aussi un rapport avec la terre.

Un pauvre, méchant combat au fond de ton âme fragile : les ballerines pour la conciliation ou la ruse, les talons aiguilles pour l'attaque, ou pour la fuite peut-être, l'échappée vers le ciel, je ne sais pas. Nicole laisse-moi, je cherche Dan, « Nicole laisse-moi » ai-je crié, et la frêle, la douce jeune femme a reculé, mon regard a roulé jusqu'au pommier.

Le regard accroché à ses branches, je suis arrivée jusqu'au milieu du pré.

Notre bel arbre feuillu, l'objet des convoitises de monsieur Raymond, le témoin de nos patientes attentes, était gelé, squelettique, comme s'il était mort avec le vieil homme qui conversait avec lui, mais il y avait une tension presque musculaire dans ses branches raidies, cette absence de mouvement ne me repoussait pas, m'informait.

« Dan n'est pas venu, s'il était venu, tu verrais quelque chose, une branchette brisée, un scintillement inattendu, il n'est pas venu, pour cela je fais le mort, disait le pommier des longues stations de notre enfance, mais je ne sais où il est, disait-il à durs traits tordus dans la blancheur lunaire, cherche-le, va, va... », disait-il.

Je suis descendue vers le fossé où Dan s'était laissé tomber comme une pierre, sur un de nos cousins qui lui aussi était comme une pierre dans notre vie, pierre sur pierre, premier ébranlement dans notre enfance, mais notre riche et profond fossé n'était plus là, il n'y avait plus qu'une légère dénivellation, « Dan n'est pas en moi, disait le fossé de notre enfance, s'il était ici, j'y serais aussi, tu me verrais, disait-il dans cette dénivellation qui était comme la surface attristée du regret qui l'emplissait, n'insiste pas, disait-il, cherche-le, va, va... »

Je suis sortie du pré par la haie du bas, j'ai remonté la pente de la colline jusqu'à l'anfractuosité de la grotte, les buissons s'étaient enchevêtrés depuis notre départ, personne n'était passé là récemment, l'odeur froide à l'entrée était celle de l'absence.

J'étais dans le glacis des petites ruelles avant la place. Tous les volets étaient fermés, les façades gardaient le dos tourné. Je suis arrivée devant l'église, les deux vantaux étaient bien serrés. Je me suis agenouillée par terre, l'oreille contre le sol, comme nous le faisions enfants. Pas un écho. Les quelques rues qui partaient de la place étaient désertes et silencieuses.

Il m'est venu une idée bizarre. Je suis passée devant le magasin Pronuptia, l'emplacement du corsage jaune était bien vide, je suis allée jusqu'à Sport et Danse dans la rue derrière, j'ai collé mon visage à la vitre qui n'avait ni grille ni rideau de fer en ce temps, le pantalon blanc qui avait été épinglé à l'intérieur sur une affiche représentant un yacht et la mer n'y était plus. Cela ne m'a pas soulagée, simplement confirmée dans quelque chose, mais quoi ?

J'étais devant le cimetière. La grille était fermée. Je la secouais, elle ne bougeait pas d'un centimètre. La tête entre les barreaux je scrutais les allées derrière. L'alignement des tombes était d'une netteté parfaite, j'aurais pu lire les noms sur les dalles presque jusqu'au bout de l'allée centrale, et même sur les allées voisines, et soudain cela m'inquiétait plus que tout, ce calme et cette netteté. « Alex », ai-je murmuré. La petite maison du gardien était juste à côté dans le prolongement de la grille. « Alex, Alex... »

Je n'osais crier, j'avais peur d'alerter notre père et Nicole.

Le volet du haut s'est ouvert.

— Estelle ?

— Est-ce que Dan est là ?

Alex s'accrochait en travers de son volet comme un oiseau prêt à choir. Il chuchotait au sommet de sa voix :

— Mais non, pourquoi, qu'est-ce qui se passe ?

— Je ne sais pas où est Dan.

— Attends-moi, je descends, tu m'attends, hein ? chuchotait Alex avec force.

J'étais plantée devant la porte de la maisonnette. Un instant s'est passé, glacé, quelqu'un courait dans le cimetière derrière, je me suis précipitée à la grille, c'était Alex, le visage entre deux barreaux, les traits sautant de contrariété.

— Mon père a planqué toutes les clés, je ne peux pas sortir.

— Alex, va voir.

— Quoi ?
— Dans le cimetière, va voir.
— Mais il n'y a rien, je t'assure.
— Je t'en prie, va voir.

Un long, long moment. Alex y allait, va, Alex, ami dévoué, pas un instant je n'ai perdu de vue sa silhouette, il courait maintenant de son pas tranquille et contrôlé de sportif de province, je le voyais entre les croix, entre les monuments, entre les tombes, j'entendais le chuintement de l'air qu'expiraient ses poumons, tranquille, contrôlé. C'est lui qui garde le cimetière aujourd'hui et il dirige aussi l'équipe municipale de football. Il a épousé la cousine au deuxième ou troisième degré d'Adrien, la jeune fille au corsage de broderie anglaise et aux auréoles sous les aisselles. Et Michael là-bas à New York possède maintenant son propre taxi et dirige une petite école de danse dans son vieux Bronx, « DeNoDe » (Dance not Drugs) l'a-t-il appelée, où les enfants du quartier viennent après la classe, pour rien ou juste une modeste contribution, et Michael est là chaque soir, attentif, passionné. Cher Michael, cher Alex, si vous aviez pu être près de nous en ces temps qui allaient venir...

— Il n'y a rien, me disait Alex pas même essoufflé.
Il touchait mes mains crochetées à la grille.
— Attends-moi là, Estelle, ne pars pas hein.
Il revenait avec un objet pendant sur les bras.
— Mets ça, tu es complètement gelée.
— C'est quoi ?
— C'est un manteau de ma mère.
— De ta mère ?
— Ben oui, quoi, tu peux bien le mettre, on est à égalité de toute façon.
Sa mère était morte à sa naissance. Elle était dans le cimetière aussi. C'était dans ce sens que je comprenais son raisonnement et il me paraissait absolument convaincant. J'ai pris le manteau de cette autre morte mais je n'arrivais pas à l'enfiler.

— Je ne le fais pas exprès, je te jure, Alex, disais-je en claquant des dents.

A travers les barreaux il essayait de m'aider. Il n'y arrivait pas non plus.

— Mais tu as quelque chose, Estelle.

— Quoi?

— Là, tourne-toi, sur l'épaule.

Il tirait sur le châle, et des mailles en crochet il extirpait l'extrémité ronde d'un morceau de bois.

— Qu'est-ce que c'est que ça? disait-il médusé.

— C'est une patère, jette-la.

A son autre extrémité, la patère était prise dans une gangue blanchâtre.

— Mais il y a du plâtre! Du plâtre, tu te rends compte!

Du plâtre, oui bien sûr. Pourquoi Alex faisait-il toute une histoire de cette chose? La patère était venue avec le châle quand je l'avais décroché du mur, c'est tout.

— Mais tu l'avais dans le dos, Estelle, dans le dos!

Il était horriblement décontenancé et cela me faisait mal.

J'avais enfin réussi à enfiler le manteau, une extrémité du châle restait prise sous l'épaule de ce vêtement qui était raide et droit comme on les faisait à l'époque, Alex tenait l'autre extrémité dans laquelle entre deux mailles se trouvait toujours la patère.

Il la tenait dans sa main comme s'il avait trouvé un champignon vénéneux. Je me suis reculée vivement. Le châle a jailli d'entre les mains d'Alex et la patère s'est comme jetée en travers des barreaux.

Nous nous sommes regardés, tout pâles.

— Je ne sais pas ce qui se passe, avec toi et ton frère, disait Alex.

— Va te recoucher, je t'en prie.

— Je ne vous comprends pas...

— Va te recoucher, Alex, je vais rentrer maintenant.

— J'essaie de vous comprendre, je voudrais vous comprendre, Estelle.

— Je vais rentrer maintenant, merci pour le manteau.

— Pourtant vous êtes mes meilleurs copains. Même Adrien...

— Je n'ai plus froid maintenant, merci pour tout.

— Adrien, ce n'est pas pareil. Il est comme moi, même si c'est sûr qu'il ira plus loin.

— Alex, je t'en prie...

— Mais toi et ton frère !

Il sanglotait presque.

— Ce n'est pas normal, tout ça.

— Non, ce n'est pas normal, Alex.

— Et monsieur Helleur et Nicole, là, dans mon cimetière, ce n'est pas normal...

Je voyais son émotion, je comprenais que quelque chose faisait craquer ses nerfs pourtant solides, mais je voulais surtout qu'il retourne dans sa maisonnette. « Plus tard, plus tard Alex », voilà ce que je pensais avec une dureté qui me stupéfie aujourd'hui.

Je ne sais pas si je l'aimais à l'époque, je crois qu'Adrien avait raison, je ne voyais personne en dehors de mon frère, ni mon père ni ma mère ni Tirésia, encore moins nos voisins, encore moins Alex.

C'est maintenant que je les vois tous si clairement, oh madame, ils sont dans ma tête nuit et jour. Et qu'est-ce que cela veut dire : « dans ma tête » ? Ils sont dans mon cœur, dans mon sang, dans les soubresauts de mes intestins, dans les orages de mes vaisseaux sanguins, dans mon cerveau où se dressent les images que sans cesse je viens quêter, mon désir d'eux est si intense, madame. C'est mon corps tout entier que je leur donne et c'est une offrande brûlante et heureuse, que moi-même je ne comprends pas.

Phil m'a dit, il y a quelques jours peut-être :

— Claire, je voudrais que tu sois bien, je voudrais t'aider à être bien.

Il rougissait de cette sorte de déclaration.

Sans doute était-ce une de ces nuits où Nicole me tourmente à la manière de ses cauchemars d'autrefois, où je me lève du lit (« Claire, qu'est-ce que tu fais ? » « Je vais juste boire un verre d'eau » et dans ma tête s'énonçait comme en avertissement

472

insidieux sa phrase du début de notre rencontre : « *cette femme qui marche la nuit* », « juste un verre d'eau Phil »...).

Ou peut-être était-ce le lendemain d'une de ces nuits où Nicole me tourmente et qui était comme étaient les lendemains de ses cauchemars, plein de fantaisie et de gaieté, trop de gaieté, pour compenser le temps dévoré par le tourment...

Ces sautes d'humeur, Phil les a perçues. Malgré tous mes efforts pour les cacher, il les a perçues. S'il savait qu'elles ne sont que les minuscules manifestations de ce qui m'inonde et m'ébouillante et me rafraîchit en dedans, sans cesse...

— Petite clarinette, je voudrais t'aider, disait-il en rougissant comme s'il avait déjà voulu rattraper ses paroles.

Et moi je ricanais en dedans. Ce n'est pas « être bien » que je cherche, c'est Dan et notre père et Nicole et Tirésia et toute notre maison Helleur que je cherche, et maintenant Alex...

Que peut un être comme Phil, un être d'aujourd'hui sur cette planète où mon frère est un mort, que peut-il comprendre à ce qu'est « être bien » pour moi ?

La peau de Phil quand il rougit... Je croyais que la peau des êtres réels étaient mate et lisse et lumineuse. La peau de Phil est semée de défauts, ses regards ne l'éclairent pas. Et ces accès de rougeur, semblables à ceux de la cousine d'Adrien quand elle se pavanait sur la route des dimanches... Mon frère ne rougissait pas, son teint prenait simplement une profondeur plus grande, et lorsqu'il souriait, sa peau s'éclairait comme de l'intérieur.

Pourtant voilà mon étonnement, Phil est un être réel. Et vivant. Je suis près de lui. J'ai envie d'être près de lui.

— Passons, a-t-il fait soudain en détournant la tête de cette manière brusque qu'il a parfois, rarement, quand quelque chose l'intimide et que soudain il préfère s'en débarrasser.

Cela aussi, madame. Les gestes d'un danseur, le moindre de ses gestes, sont de la beauté. Les gestes de Phil ne sont que des pulsions, des tentatives, des ratés. J'allais dire « ne sont que de la vie ». Mais je me suis juré d'aimer désormais ce qui est ici... la vie.

Alex sanglotait pour de bon, appuyé contre la grille.

Il avait son maillot de sport, mais dans sa hâte il l'avait passé à l'envers, et le carré de tissu noir qui servait de doublure aux chiffres ressemblait à une sorte d'emblème du chagrin portée par sa poitrine solide.

« Un beau garçon bien découpé », disait Minor.

« *Découplé*, avait dit notre père le lendemain après vérification secrète dans son dictionnaire, Minor vous avez la nostalgie de la chirurgie », « oui, oui, docteur minus je sais, mais ne faites pas la leçon, vous-même mon cher Helleur n'êtes pas à l'abri de quelques erreurs, *rapetasser* et *rapetisser* hein, je suis au courant ! ». Ces hésitations qu'ils avaient parfois sur la langue nous chatouillaient de plaisir, Dan et moi, « c'est ça, moquez-vous, vous les deux petits Français », grognait Minor en prenant son plus épouvantable accent russe tandis que notre père se drapait dans un air faussement offensé, « malenkïë Frantsouzi » tonnait Minor, et nous nous contorsionnions sans retenue, nous avions de tels afflux de bonheur, néanmoins c'était ainsi (mais nous nous sommes bien gardés de le dire) que nous avions appris le mot « découplé » et toujours il restera lié pour moi au corps de sportif et aux traits nets d'Alex.

« D'ailleurs ce garçon a quelque chose de slave, avait dit mon père un autre jour, ça doit être pour ça que vous l'avez remarqué, Minor. Ces pommettes hautes et ces yeux bleus, tout de même c'est curieux, son père ressemblerait plutôt à notre monsieur Raymond... » « C'est curieux », reprenait notre père la voix comme traversée de vapeur. « Eh bien, eh bien, Helleur », disait Minor, tous deux se regardaient, nous n'avions plus envie de rire. Notre père semblait faire un effort. « Alex Bonneville, oui c'est un garçon bien planté », disait-il. « Oui voilà, un garçon bien planté, disait Minor, et un bon cœur aussi. »

Les larmes débordaient des yeux bleus d'Alex, coulaient sur ses pommettes hautes. Mais je ne voyais rien de tout cela. Il s'essuyait la figure au fur et à mesure, il avait honte de pleurer.

— Toi et ton frère...

— Alex !

— Toi et ton frère, je ne vous comprendrai jamais.

J'avais réussi à me dégager de la patère et du châle.

— Porte tout cela chez toi, Alex s'il te plaît, je passerai les prendre demain. Et je te rapporterai le manteau.

Cette idée que je passerais le lendemain, dans quelques heures en fait, l'a calmé.

A cause de nos parents là dans son cimetière, de nos parents qui restaient vivants pour lui et qui pourtant désormais habitaient son cimetière, Alex perdait pied. Nos parents étaient sur le territoire où il régnait en maître, sur son terrain de jeux, dans son jardin personnel, cela l'intimidait, lui faisait un peu perdre ses marques. Mais son corps était solide. Et ma promesse de revenir bientôt le remettait sur le chemin des jours ordinaires. Il s'est arrêté de sangloter. Il marmonnait des excuses.

— C'est moi qui pleure, et c'est toi qui... Je ne sais pas ce qui m'arrive... Ça va maintenant, tu peux rentrer...

— Non, rentre, toi d'abord, ai-je dit fermement.

Alex ne résistait jamais à un ordre ferme. Il m'a embrassée à travers les barreaux et il est parti en direction de la maisonnette. Il avait retrouvé son calme pas élastique.

— Et j'attends que tu aies fermé ton volet, hein, Alex.

— D'accord, Estelle.

Quelques instants plus tard il était à sa fenêtre et me faisait un dernier au revoir, tirant le volet sur lui sans plus insister.

Alors je suis restée seule devant le cimetière.

Le monceau de fleurs là-bas qui brillait sous la lune et le givre, c'était ce que je regardais.

Je regardais, regardais.

Je ne sais combien de temps je suis restée la tête contre la grille, les yeux absolument fixes. La nuit était claire et froide, du temps détaché de l'éternité.

Dans un pépiement aigu un oiseau s'est envolé de l'if planté à côté de l'entrée. Alors j'ai senti que ce qui avait bougé en moi toute cette nuit avait trouvé sa place. C'était simple et évident, et cette évidence me soulageait, j'aurais pu pleurer enfin.

Les rectangles des tombes se découpaient un peu moins nettement dans cette heure avant l'aube, mais elles avaient pris une densité sombre, rébarbative, qui annonçait leur entrée en fonction dans le jour et du même coup la ligne onduleuse des fleurs au loin, si brillante tout à l'heure sous la lune, pâlissait, devenait plus indistincte. Je pleurais enfin à l'intérieur de moi.

Père voilà ce que je voulais te dire :

je ne reprendrai pas mes études, le droit ne peut rien pour moi, ne peut m'aider à regarder vos tombes, oh père comprends-moi, il me faut quelque chose qui m'aide à regarder vos tombes, qui m'aide à venir demain ou après-demain me pencher sur vos tombes. Nous ne l'avons pas fait encore, nous étions trop faibles, mais nous allons venir bientôt. Je ne ferai plus de droit. Et si cela t'est dur à comprendre, demande à Nicole, père, elle pourra t'expliquer.

Et maintenant je savais où était Dan.

Je suis partie vers la Rampante.

Du haut de la pente, j'ai aperçu notre voiture. Elle n'était plus enlacée à l'arbre qui l'avait détruite. Elle était sur le bas-côté de la route, comme n'importe quelle voiture dont le conducteur aurait voulu aller chercher des champignons par exemple. Les barrières de chaque côté de la pente meurtrière étaient encore là, mais la voiture de Minor avait été enlevée.

Tout cela me paraissait normal, je n'ai su que par la suite les démarches et même les illégalités qui avaient été faites pour que les deux voitures attendent notre retour, chacune de leur côté de la Rampante, pour que celle de notre père reste encore quelques jours, comme nous l'avions demandé.

Dan était assis au volant, il s'était endormi.

Je me suis assise à côté de lui et j'ai posé ma tête contre son épaule.

— Oh Estelle !

Il me serrait fort contre lui, son visage creusé par la fatigue avait changé au cours de la nuit.

Mais ce n'était pas la fatigue qui l'avait changé.

— J'ai dégagé la voiture, mais je n'ai pas réussi à faire partir le moteur, Estelle. Mais comme la portière est presque détachée... D'accord, Dan!

Nous avons défait la ceinture de Dan, qui avait servi à la maintenir et la portière est venue presque d'elle-même dans nos mains. J'ai mis la chaussure de Nicole dans la poche de mon manteau, le manteau de la mère d'Alex.

Nous savions parfaitement où nous voulions aller.

Nous avons coupé la route un peu plus loin, évitant la pente encore glissante malgré toute la sciure de monsieur Voisin. En marchant, Dan parlait, « je suis allé dans son bureau, Estelle... j'ai retrouvé la phrase de son philosophe... j'ai regardé ses dossiers », et moi je lui disais que je ne ferais plus de droit, que ce n'était pas suffisant, que j'allais reprendre le piano, « oui Estelle », et il disait qu'il ne retournerait pas à New York, qu'il allait étudier comme notre père, pour reprendre ses dossiers, « la danse, ce n'est pas suffisant, Estelle, j'ai vu des choses dans ses dossiers... ».

Nul besoin d'expliquer pourquoi le droit qui n'était pas suffisant pour moi l'était pour lui, pourquoi ceci ou cela, nous en parlerions bien sûr, plus tard, et même indéfiniment, mais pour le plaisir de nous parler, pas pour expliquer.

Nous marchions à travers les prés gelés tenant la portière entre nous deux, puis sur le petit chemin de la colline et enfin les rochers, les taillis. Dans la grotte, la portière passait juste, raclant les parois.

« Tu crois que les allumettes sont encore là? » disais-je. « Je les ai », disait Dan plus rapide que moi, c'était lui qui avait été chargé des feux quand nous étions enfants... Elles étaient à leur place habituelle, une petite boîte en fer dans une anfractuosité, nous allumions une branche maintenant, la grotte n'avait pas changé, nous avons porté la branche enflammée devant la paroi, l'étrange dessin rouge était toujours là, aussi indéchiffrable. Nous avons déposé la portière blessée devant.

« Voilà, a dit Dan, on te confie leur voiture. »

Et comme s'il fallait quand même une explication :

« On n'aurait pas voulu qu'elle aille à la casse, mais c'est tout ce qu'on a pu faire. »

Nous avons attendu que le petit feu s'éteigne, puis nous avons pris avec nous la chaussure de Nicole, et replacé les broussailles devant l'entrée.

A la maison, nous avons mis cette chaussure de Nicole dans le placard de l'étage avec nos manteaux de Canal Street tachés de son sang et tout le noir trousseau qu'Adrien nous avait acheté. Puis nous avons fermé le placard à clé, mis la clé sur l'horloge à balancier, tout au sommet.

Le matin se levait. Nos vêtements neufs étaient bons à jeter. Nous étions totalement fourbus, mais calmes, heureux.

— Estelle, prends ta chambre, je vais dormir dans la mienne sur mon matelas. Demain...

Demain notre vie ensemble allait commencer, cela signifiait des tâches, des visites, des décisions. Nous voulions être prêts pour tout cela, notre sérieux était immense.

Mais nous ne pouvions nous quitter. Sur le palier nous faisions des aller et retour de sa chambre à la mienne, finalement nous avons laissé les portes ouvertes et la fatigue nous a jetés chacun de notre côté dans le vrai sommeil ordinaire dont nous avions besoin et nous avons dormi presque vingt-quatre heures.

42

« *Les dossiers obligés* »

Ce que Dan avait trouvé dans le bureau de notre père, c'était une série de dossiers noirs empilés à l'étagère inférieure de l'une de ses bibliothèques.

Ces dossiers noirs me causent aujourd'hui encore un tel saisissement que je n'arrive pas à en parler sans un détour.

Les bibliothèques de notre père étaient en fait une série d'étagères qui suivaient tout le mur. Mais pour masquer ces simples planches un menuisier avait amoureusement construit des portes, conçues de telle sorte qu'elles s'ouvraient deux par deux comme une suite de meubles individuels.

Jusqu'au tiers de la hauteur, le menuisier avait gardé l'épaisseur du bois, qu'il avait sculpté sur le devant de lignes droites et fines, superposées sur quelques centimètres le long de trois côtés. Au-dessus, il avait évidé deux grands rectangles dans lesquels il avait installé des fenêtres de vitrail, aux couleurs de bleu et de rouge, avec une très mince rose jaune à peine éclose, qui ondulait comme un liseron entre le bleu et le rouge. Pour voir les détails des vitraux, il fallait tenir une lampe derrière la vitre. Mais les lignes sur le bas des portes se voyaient dès l'entrée.

Ces lignes représentaient les pages d'un livre entrouvert, seulement le travail en était si discret que l'intention originale pouvait apparaître ou disparaître selon l'inspiration du regard. Pour moi, j'avais dû connaître le sens de ces lignes, mais à force de les voir, je l'avais oublié.

Mon frère l'avait découvert cette nuit.

— Je me suis réveillé, Estelle, et j'ai entendu la voix de père. Il me demandait de descendre dans son bureau. Ce n'était pas sa voix comme nous l'avons connue, c'était une voix différente parce qu'elle avait traversé mon sommeil à moi pour venir me réveiller, mais je la reconnaissais et elle était comme un aimant. Je suis descendu...

— Tu ne m'as pas appelée?

— Mon amour, c'était une affaire pour moi seul. Mon cœur battait fort et en même temps j'étais si calme. Je suis arrivé dans le bureau, j'ai allumé...

— Oui?

— Il n'y avait personne, a repris mon frère avec effort.

— Qui pensais-tu trouver, Dan?

Il parlait lentement, cherchait ses mots, lui si vif d'ordinaire, parfois il me semble que c'était sa première incursion au royaume de la mort, que quelque chose en lui le savait, déjà se préparait, s'orientait.

— Pas ce vide... cette absence physique d'une personne.. Il y avait une telle densité de... Je crois que la présence d'Adrien m'aurait moins surpris.

— Adrien!

— Caché dans un coin, comme il faisait pour nous faire peur, ou Minor ou n'importe qui, mais quelqu'un. J'étais désemparé. Désemparé comme je ne l'ai jamais été... J'ai toujours su ce que je devais faire... tu sais, le pas qui vient après un autre. Parfois il me manquait les moyens ou l'énergie, mais je n'ai jamais hésité. Là... je ne savais littéralement pas dans quelle direction aller.

— Tu ne m'as pas appelée?

— Tu n'aurais pas pu m'aider, Estelle.

— Pourtant je t'ai trouvé cette nuit.

— Oui mon amour, mais tu n'avais qu'à deviner *mon* intention. Là, dans le bureau de père, il s'agissait de deviner l'intention... l'intention du destin, je ne sais comment dire, Estelle.

480

Cette nuit à la grille du cimetière, moi aussi, il avait fallu que je sois seule, que je regarde la ligne des fleurs, pâle et brillante sur leur tombe, pour deviner... l'intention du destin.

Mais cela était arrivé « en passant ». Car mon frère était celui qui s'était levé le premier, et moi je n'avais fait que le chercher.

— Est-ce que cela fait une différence, Estelle?

— Je ne sais pas.

Maintenant je sais que cela faisait une différence, je sais où se plaçait cette différence, je commence même à percevoir comment elle s'étend aujourd'hui à l'oblique en travers de moi et modifie mon chemin.

Mon frère s'est levé le premier et je n'ai fait que le chercher.

Madame je ne sais ce qu'on fait dans une vie lorsqu'il n'y a pas autour de soi le sillage de la chair d'un autre, cela fait des mois des années que j'essaie de l'apprendre, j'étais dans le sillage de la chair de mon frère, cette nage profonde, orientée, l'immersion, la houle contre la peau... Plus de traces, tout se vaut, la peau non prolongée, oh cette douleur madame.

— Je ne sais pas, Dan.

Et à l'époque ça ne m'intéressait pas de savoir. Ce qui me brûlait le cœur, c'était Dan seul dans le bureau de notre père et désemparé et ne sachant où porter son corps.

— Je suis allé à la petite bibliothèque tournante, j'ai sorti un de ses Bergson et tout de suite j'ai trouvé la phrase.

— La phrase sur l'homme qu'on torture?

— Sur l'homme qu'on torture et qu'il ne faut pas oublier Maintenant écoute bien Estelle, j'ai ouvert le livre et mes yeux sont tombés directement sur la phrase. Elle se détachait du reste du texte, je n'ai pas eu à chercher, je l'ai reconnue, les mots venaient à moi exactement tels que tu me les avais répétés, il y a si longtemps dans le petit couloir où je t'attendais.

— Tu te souviens de cela aussi?

— Quoi, Estelle?

— Le petit couloir...

Le petit couloir obscur entre les autres pièces du bas et le bureau de notre père. Une porte tout au fond ouvrait sur un court escalier de ciment qui conduisait au garage de Nicole. Il existait un autre accès au bureau de notre père, par le vestibule d'entrée et le salon, qui servait aussi à l'occasion de salle d'attente. Mais c'était le petit couloir du fond qui nous attirait.

On y entendait, assourdi, l'éternel *Boléro* de notre mère et le tap-tap de ses chaussons et parfois aussi, des sons plus lourds, plus indéfinissables, qui étaient ceux de son effort à travers le garage bleu, et alors il nous semblait entendre le mouvement obscur d'un animal égaré, et lorsqu'un silence se faisait, il nous semblait littéralement que notre cœur se décrochait, nous étions assis l'un contre l'autre, dans le couloir non éclairé, puis les sons indéfinissables revenaient, sourds, sursautants.

« Cette musique lui convient si mal », disait notre père, il avait murmuré : « Ce sang-froid reptilien de Ravel » et voyant notre effroi, il avait ri, « ce n'est qu'une citation », une citation, oui, mais nous voyions notre mère prise dans des anneaux glacés... « cependant peut-être est-ce celle qui lui convient le mieux », avait-il ajouté une autre fois, nous parlant comme si dans une autre dimension de la vie, mais là toute proche, irréfutable, nous étions des êtres d'infinie compréhension.

Et nous avions écouté sa phrase énigmatique, hochant la tête gravement, comme si nous comprenions.

Ce que nous préférions, c'était le tap-tap des chaussons. C'était une telle occasion de joie, les chaussons que notre mère achetait à Sport et Danse, les gâteaux chez le pâtissier en sortant, la boîte, qui servirait pour nos collections, les rubans, l'enthousiasme de Nicole...

Du bureau lui-même venait peu de bruit, sauf lorsque notre père recevait des clients. Mais nous sentions sa présence, nous entendions parfois sa chaise craquer, ou bien la fenêtre s'ouvrir, nous savions alors qu'il regardait le jardin pour se détendre, et même lorsque tout était silencieux, nous nous persuadions que nous l'entendions lire. Et je ne parle pas du froissement de pages tournées.

Un jour que nous étions assis là comme à l'ordinaire, parfaitement immobiles dans l'obscurité et respirant à peine, il était sorti brusquement.

— Dan et Estelle, qu'est-ce que vous faites là?

— Nous t'écoutons lire, papa.

— C'est vrai, Estelle?

— Oui, papa.

— Mais je lis dans ma tête!

— Nous t'écoutons lire dans ta tête, c'est ça que Dan a voulu dire, papa.

Notre père n'avait pas ri, n'avait pas grondé. Il s'était adossé au mur et nous avait regardés. Et Dan, le surnaturel petit malin, avait dit :

— Et toi, papa, pourquoi tu es sorti?

Silence, puis :

— Je vous ai entendus m'écouter.

Sa voix, calme, pensive.

Personne dans notre ville n'avait une voix aussi profondément calme et pensive, pas même le docteur Minor ou le professeur de philosophie, qui en approchaient le plus cependant. Mais celle de Minor recelait des turbulences et celle du professeur de philosophie des énervements. Quant aux autres hommes de notre connaissance, le père d'Adrien par exemple (« Adrrrien, garrrnement, viens voir par ici que je t'apprenne à obéir! »), leur voix n'était qu'un outil, plus ou moins bien dégrossi.

— Je vous ai entendus m'écouter.

S'il nous avait dit qu'il nous voyait à travers le mur, nous l'aurions cru.

Il nous a tendu ses deux mains, une à chacun, pour nous aider à nous lever et nous sommes repartis par le petit couloir serrés l'un contre l'autre.

Arrivés au bout, nous nous sommes retournés. Il était encore contre le mur, près de sa porte ouverte. Il nous a fait un petit signe. Nous aussi nous lui avons fait un petit signe. C'était notre père.

— Le petit couloir où on écoutait, tu étais inquiète Estelle, c'est moi qui t'obligeais à venir...

Vers ce petit couloir, Dan me tirait par la main, je le suivais, le cœur battant, une telle vie dans mon cœur alors, nous restions des heures assis par terre, à la fin nous n'osions même plus nous lever pour partir !

— Et ce jour-là, c'est moi aussi qui t'ai obligée à aller frapper à la porte du bureau... Comment ai-je pu oublier si longtemps ?... Pourtant cela avait été une énorme révélation, cette phrase sur l'homme qu'il ne faut pas oublier, sur ce que faisait notre père... Il fallait que je sache quel était son travail... Peut-être les autres enfants à l'école me l'avaient-ils demandé. Oui c'est cela... Le premier jour à l'école communale... « Dan, qu'est-ce qu'il fait, ton père ?... » J'avais dit « Il aide monsieur Raymond à ramasser les pommes », parce que ça devait être la saison, et les gamins s'étaient moqués de moi, alors je m'étais obstiné, « il ramasse les pommes »... tu te rappelles ce que père disait parfois, « ces pauvres gens, ils se font écraser comme des pommes », les gosses continuaient à rire soudain il y a eu un tourbillon dans ma tête, c'était à cause de père tu comprends, ces gosses comme une meute et je me noyais dans le tourbillon qui était en moi, cela n'était jamais arrivé... je l'aimais terriblement, Estelle...

La voix de mon frère s'étouffait. Au fond de sa gorge, prisonniers comme dans un gouffre j'entendais des mots effarés qui gémissaient « père, père », et je pressais mes lèvres sur les siennes, moi non plus je ne pouvais pleurer, nous nous tenions fort, les muscles raidis, puis la voix de mon frère franchissait l'obstacle, nous nous radossions contre le mur, les yeux encore vagues, dans une sorte d'étonnement, c'était si étrange d'être seuls, le silence, des bruits décharnés, cela faisait comme une terre inconnue, où étaient plantés des morceaux de notre ancien univers, et il fallait avancer...

— Dan ?

— Je crois que j'avais fait en même temps trois découvertes : premièrement les adultes avaient un « travail », deuxièmement ce travail des adultes était une chose capitale, auprès de laquelle rien de ce que j'avais appris auparavant ne comptait, et troisièmement, j'ignorais quelle était cette chose capitale en ce qui concernait notre père... Je t'avais suppliée d'aller le lui demander.

« Estelle, va lui demander, vas-y, je t'en supplie », disait-il. Je lui répondais : « Dan, je t'ai tout bien expliqué », mais je n'arrivais pas à le calmer. Son petit visage était tendu de passion. Il me disait « non, ça ne veut rien dire ce que tu m'as dit ». Elles n'étaient pas assez claires sans doute, les explications que j'essayais de lui fournir.

— Elles étaient claires, Estelle, mais elles ne me donnaient pas la clé, elles étaient comme une façade et je voulais connaître le dedans... J'étais sûr qu'il y avait quelque chose derrière ces phrases que tu édifiais laborieusement pour moi, tu me disais « il défend des gens » mais cela ressemblait à ma phrase « il ramasse les pommes », j'étais sûr que le « travail » de père ne pouvait pas être une simple façade, et cela me causait une telle tension... Il fallait que je sache et tu y es allée, mon amour, et tu es revenue, et tu avais la clé... Toute cette longue phrase s'est gravée sans effort dans mon esprit... Simplement la plaque qui portait les mots est tombée au pied du mur de ma mémoire, tu comprends, tombée au pied du mur de ma mémoire et moi je passais et repassais devant sans la voir.

Comme il parlait, mon frère. Ses paroles me mettaient dans la même transe qu'au temps de notre enfance. Je l'écoutais comme je n'ai jamais écouté personne.

Quel que soit celui qui me parle, il me faut toujours faire un effort. Il me faut aller jusqu'à la porte de moi-même, parfois au-delà de cette porte, parfois loin au-delà. Mon frère et moi avions sans doute de petits passages dérobés pour aller de l'un chez l'autre...

« Ces enfants sont toujours à se parler, je me demande bien ce qu'ils ont à se raconter », disait mon père en nous regardant d'un air intrigué.

« Des histoires de gosse », disait Nicole, que cela n'intéressait pas.

Mais notre père nous suivait du regard. Nous étions si absorbés, nous ne le voyions pas. Pourtant aujourd'hui je sens ce regard sur notre enfance. Des yeux dans un feuillage obscur, des yeux aimants et intrigués, et derrière une douleur, et derrière un espoir encore plus grand que cette douleur.

« Il me semble que je vous regardais tout le temps, Estelle, vous étiez si beaux... J'ai été un père en rêve... En me promenant dans votre pré, j'écris " votre pré " car je vous y vois constamment... »

— Alors, écoute-moi Estelle, c'est le plus étrange. J'ai reposé le livre de Bergson, j'ai levé les yeux vers cette rangée des portes de la bibliothèque de père. Et soudain j'ai vu ces lignes. Tu sais, les lignes sculptées. Estelle, je ne les avais jamais vues auparavant. Peux-tu imaginer cela ? Nous sommes allés dans le bureau de père des centaines de fois lorsque nous étions petits et je n'avais jamais remarqué ces lignes. Et ce ne sont pas vraiment des lignes que j'ai vues, mais les pages d'un livre. Qu'est-ce qu'il y a, mon amour ?

A l'instant où mon frère disait « les pages d'un livre », soudain je voyais ces « pages ».

Je voyais littéralement les pages de ce livre de bois se soulever délicatement, le regard de mon frère était fixé sur leur ondulation ténue, il avançait, les pages de bois frémissaient sur son passage, retombaient.

Il continuait à avancer le long de la bibliothèque, la nuit était parfaitement silencieuse, profonde. Dehors, le givre sur la pelouse, la grille du jardin, étincelante et noire, et la rue vide, et la lune blanche, impérieuse.

Il avançait, pénétré de cette présence qui était venue le chercher dans son sommeil, et voici que les pages frémissantes ne retombaient pas sur son passage, la clarté de la lune venait directement sur elles...

— Tu avais éteint, Dan ? ai-je murmuré.

— J'avais toujours vu ce bureau dans la journée, ou le soir sous la lampe, je me suis dit que... s'il y avait quelque chose à voir... que je n'avais pas encore vu... c'était dans un autre éclairage... Non, ce n'est pas vrai...

— Dan ?

— Je me suis dit que père désormais ne supportait plus la lumière des lampes, oh Estelle !

Je serrais mon frère dans mes bras, son visage était sur mes seins, je caressais ses cheveux.

Ne te fustige pas, mon frère bien-aimé, nos parents sont morts, ce n'est pas toi qui les enfonces dans leur tombe, ils sont morts, mon frère bien-aimé, ne tremble pas ainsi, tu ne les blesses pas, tu ne les rejettes pas, ils ne seront plus jamais dans cette maison, la lumière trop vive n'est plus pour eux, ni aucune lumière, et mon bien-aimé si tu leur donnes la lueur de la lune, c'est pour nourrir ton espoir qui s'accroche. Un fantôme qui glisse dans la lueur pâle et froide de la lune, oh mon frère même cela qui est déjà si peu, cela n'existe pas, ne tremble pas, Dan.

Mon frère s'était arrêté devant l'une des portes de la bibliothè-que, elle s'était comme ouverte d'elle-même.

— ... comme si quelqu'un la tirait, Estelle, une main ou un appel d'air. Je me suis tourné brusquement vers la fenêtre, tout était immobile, mais je voyais la grille d'entrée, au bout de la pelouse noire et blanche, et il m'a semblé que c'était la grille du cimetière, oh Estelle, il s'est passé quelque chose... C'était la grille du cimetière et je la voyais s'ouvrir... Ce qui s'ouvrait, c'était la porte de la bibliothèque et c'était moi qui l'ouvrais. Mais...

— Oui, Dan.

Nous étions dans ma chambre, serrés l'un contre l'autre, nus et tremblants malgré les couvertures que nous avions rassemblées (les miennes et celles de la chambre de Dan et celle de la petite pièce du bas), un amas de couvertures et la chaleur forcenée des radiateurs. Tout le temps de notre séjour nous avons maintenu la chaudière à son maximum, le soir nous laissions la porte du vestibule ouverte et la lanterne du jardin allumée, au matin la porte était fermée et la lanterne éteinte, « ce n'est pas moi, avait dit Adrien, déconnez tant que vous voulez, je m'en fous ! », « oui, c'est moi » avait dit monsieur Voisin sévèrement et nous n'avions pas eu de colère, nous continuions à laisser porte ouverte et lanterne allumée sur la

487

nuit glaciale, pleine de brouillard, et monsieur Voisin passait remettre les choses selon son ordre, un ordre qu'il pensait avoir été celui de son voisin Helleur, plus un mot n'était échangé là-dessus, cela nous convenait.

Ces jours nous étions nus presque tout le temps, seuls nous rassuraient nos corps, nous ne pouvions en absenter nos regards, même un peignoir était de trop, un peignoir pouvait nous jeter dans une angoisse furieuse, « enlève ça, oh enlève ça, je ne vois plus ton corps », mon frère posait son visage sur mon sexe, « tu es une fille, mon amour, tu es une fille », nous riions et pleurions en même temps, débordés, sans cesse débordés, « ces virées dans le bateau sur l'Hudson, ce n'était pas pour moi, Estelle, je le savais, mais je ne voyais pas d'issue », et moi je prenais le sexe de mon frère dans mes mains et je disais « c'est la première fois » et Dan disait « la première fois quoi mon amour », des bêtises, nous plongions dans la bêtise comme dans un miel très sucré, et de nouveau nous pleurions et riions, parce que mon frère était déjà en moi et nos mots se sauvaient comme de tout petits esquifs de papier perdant leurs voiles dans le flot qui recommençait à déborder...

Puis nous étions l'un contre l'autre, rassurés pour un moment, capables de parler à nouveau, pleins de gravité.

— Il y avait ces dossiers noirs... Et j'ai su que c'était ce que père voulait que je regarde. Ils ressemblaient à des tombes, Estelle... Je ne sais pas pourquoi je dis cela, ce n'était que des dossiers empilés les uns sur les autres, il y en avait beaucoup, mais je voyais des tombes, pas comme celles de notre cimetière, propres et alignées et couvertes de fleurs, je voyais quelque chose que je n'avais jamais vu, et maintenant je peux à peine le décrire, une sensation fugitive, de morts empilés, et ils étaient entre des pages noires, et il fallait ouvrir ces pages, c'était cela que père me disait, il ne fallait pas les laisser entre ces pages noires...

j'ai apporté une pile de ces dossiers sur le bureau de père, j'ai allumé sa lampe et j'ai commencé à lire...

j'ai lu jusqu'au milieu de la nuit...

Estelle, j'étais si ignorant...

Madame, nous ne savions pas jusqu'à quel point nous étions ignorants. Parmi les dossiers « Déportés de la Résistance » il en manquait un, et parmi les dossiers « Déportés de la guerre » il en manquait un autre, ainsi qu'un troisième qui contenait surtout des photos et portait une étiquette « Accord F-A du 15 juillet 1960 », enfin il en manquait un, de couleur différente, qui s'intitulait « Etat civil »...

Mon frère me serrait convulsivement.

— Tout ce temps à New York, et même avant, je n'avais que moi, mon corps. Mon seul corps, tu comprends Estelle. Je me battais avec mes muscles, rien que mes muscles, contre la terre qui nous veut. Une chose aveugle contre une autre chose encore plus aveugle. Et mon esprit... perdu dans ces substances confuses... essayait de les manœuvrer, aveugle lui aussi...

Couchée contre lui, je caressais son corps splendide, non, je ne voyais pas une substance confuse sous cette peau couleur de miel sombre, couleur des feuilles d'automne en cette saison qu'on appelle l'été indien, là-bas, dans cette partie d'un très vieux continent devenu un jour la Nouvelle-Angleterre, « voilà la couleur de ta peau », avait dit Alwin désignant d'un geste ample l'immense forêt américaine, nous nous étions regardés interdits, Dan, Michael et moi, et Alwin aussitôt était rentré dans son mutisme, c'était un dimanche, Michael nous avait emmenés en promenade dans son taxi, pour aller voir les anciennes pistes indiennes, le dimanche suivant nous avions refait la même promenade mais Alwin avait refusé de venir, « silly, all this [1] » avait-il dit, et encore une fois nous nous étions regardés interdits.

Non, je ne voyais pas une substance confuse... et plus tard, je penserais à ce moment où la peau de mon frère m'avait paru aussi riche et forte qu'un continent, mon pauvre amour.

— Qu'est-ce qu'il y a dans ces dossiers, Dan ?

— Des rapports médicaux, des adresses, des chiffres... Et puis

1. « Sottises, tout cela. »

des lettres, et des photos, terribles, sur la guerre, Estelle, la dernière guerre... Notre père faisait un travail de fourmi, Estelle, il se battait pour des gens, sur des cas précis, pour obtenir des choses précises... Je ne veux pas laisser tomber ces dossiers, voilà ce que j'ai décidé Estelle.

— Tu es un danseur, Dan.

— Nous allons vivre à Paris, Estelle, je vais m'inscrire en droit, j'irai très vite, j'ai déjà commencé cette nuit, tu m'aideras.

Mon frère n'avait que son baccalauréat, qu'il avait obtenu de justesse, et parce que mon père avait été le chercher le matin même de la première épreuve d'oral, au Conservatoire où il était allé se cacher. J'ai su cela beaucoup plus tard.

A cinq heures du matin, le jour de l'examen, notre père s'était rendu dans la chambre de Dan et s'était aperçu qu'il n'y était pas. Il avait sonné chez nos voisins, Adrien ne savait rien, pas plus qu'Alex dans sa maisonnette au cimetière. Quant à la nouvelle bande de copains que fréquentait mon frère, notre père ne connaissait ni leurs noms ni leurs adresses.

Nicole, qui ne voulait pas que Dan passe cet examen, de peur qu'il n'en oublie la danse, avait eu ses cauchemars dans la nuit et elle reposait, endormie par la piqûre de Minor.

Notre père rentrant bouleversé de sa quête inutile, épuisé de sa nuit blanche et du conflit avec Nicole, était tombé sur Tirésia, debout au milieu de l'escalier. Tirésia partout dans la maison avait cherché notre père qui partout dans la ville cherchait Dan. Et notre père, apercevant la forme sombre de Tirésia, immobile au milieu de la maison, soudain avait su où était Dan.

— Il faut qu'il passe cet examen, avait-il dit simplement.

Tirésia lui avait fait un café. Puis il était reparti dans sa voiture tout droit vers le Conservatoire qui se trouvait quasiment sous les combles, dans la mairie. Le concierge était couché, bien sûr. La grande bâtisse grise de la mairie sur la place principale ne montrait pas la moindre lumière, pas une porte ouverte, mais notre père était sûr que Dan était là. Prêtant l'oreille, il lui avait semblé entendre un son lointain...

Il avait réussi à réveiller le concierge, qui avait écouté son histoire sans sourciller et s'était tout de suite mis dans le rôle, capote militaire par-dessus le pyjama, lampe torche, passe-partout.

— Monsieur Helleur, ça me rappelle le maquis, avait-il dit comme ils montaient le grand escalier central, leurs souliers à la main, la lampe braquée devant eux.

Il avait été déçu, le concierge, mon frère ne lui avait pas donné l'occasion de revivre ses grandes expériences de maquis. Aussitôt arrivés sur le palier, ils avaient entendu de la musique qui venait de l'une des salles du fond, la salle des disques.

— La chevauchée des Walkyries, avait dit notre père, devenu tout pâle de colère.

— Il fait ça pour se pousser, monsieur Helleur, avait dit le concierge, une fois revenu de sa déception.

— Pour se pousser ?

— Il a la trouille, le pauvre diable, tout seul dans ce grand bâtiment vide !

Mon frère n'avait pas la trouille du grand bâtiment vide, « ou juste un peu, Estelle », mais de la colère de notre père, et plus encore de la déception de notre père lorsqu'il ne le trouverait pas dans sa chambre le matin de l'examen. Et il s'étourdissait en dansant dans la chevauchée des Walkyries « et tu sais Estelle, je crois que c'est cela que père n'a pas encaissé, la chevauchée des Walkyries... ».

Il n'avait pas entendu arriver ses deux poursuivants, et c'est ainsi qu'ils l'avaient découvert, traversant la salle de bout en bout, à grands pas sautés qui imitaient à la fois le cheval au galop et le cavalier sur le cheval au galop, tagada-tagada à travers la salle, piaffement du cheval, grands coups d'éperon, et la monture et son cavalier se retournaient d'un seul ample mouvement, et de nouveau chevauchée à travers la salle, lance en avant, à grands bonds guerriers, par-dessus les tables...

« Je n'avais rien vu de pareil et pourtant j'en ai vu, avait dit le concierge, nous n'arrivions plus à bouger, monsieur Helleur et moi. Monsieur Helleur était tellement pâle, je me suis dit il faut faire quelque chose, finalement j'ai eu l'idée de débrancher le fil du tourne-disques, la prise était juste à côté de la porte. La musique s'est arrêtée d'un coup et dans l'effet de surprise, monsieur Helleur a pu emmener son garçon. »

Pauvre père, il a même dû l'emmener en voiture au plus vite, car l'oral se passait dans la ville voisine qui était tout de même à deux ou trois heures de la nôtre par la route. Heureusement Dan avait menti en disant qu'il avait été convoqué le matin à huit heures et demie, en fait il était convoqué pour la fin de la journée et notre père a dû encore attendre. « Père avait l'air si malheureux d'avoir à me surveiller, Estelle. Je crois qu'il pensait que j'allais m'enfuir à tout instant. Mais pour moi c'était fini. Il avait gagné et je voulais surtout qu'il aille se reposer. J'ai été voir l'examinatrice et j'ai réussi à passer un peu plus tôt et du coup j'ai donné tout ce que je savais... pour père tu comprends. Pour qu'il ait au moins ça, parce que après j'étais décidé à partir de toute façon. »

Nous avons eu tant de choses à nous raconter, mon frère et moi, pendant les trois ans où nous avons vécu ensemble.

Nous ne cessions de nous parler, comme si nous savions que le temps nous serait bref, je lui faisais raconter à l'infini de petites aventures comme celle de cet examen, notre père et le concierge de la mairie le découvrant chargeant par-dessus les tables à six heures du matin dans l'épouvantable vacarme de la chevauchée des Walkyries.

Je pouvais y revenir jour après jour, une fois il me manquait la couleur des tables, et étaient-elles accompagnées de chaises ou de bancs, et si les bancs étaient attachés aux tables comment faisait-il pour sauter par-dessus le banc aussi, et avait-il reconnu le concierge dans sa capote militaire, et comment avait-il réussi à pénétrer dans ce bâtiment aussi bien fermé qu'une banque, « par la gouttière, Estelle, et le vasistas du grenier, les vasistas mal fermés, je les repère tout de suite, et les toits, ça ne me fait pas peur, comme tu sais... ». Chat mon frère, pas d'obstacles pour toi.

Une fois en pleine nuit alors que nous étions dans notre appartement à Paris (le second, celui de l'époque où nous étions riches) et que je demandais à mon frère de me raconter encore une

492

fois l'histoire de son effraction dans la mairie : « Mais ma chérie, je vais te montrer, tout simplement ! » « Me montrer comment ? » « Habille-toi et filons à G. ! » « Quoi, maintenant, au milieu de la nuit ? » « Bien sûr », disait-il en me tirant du lit et m'enfilant ma jupe pendant que j'essayais encore de comprendre où il voulait en venir.

Un peu plus tard nous étions dans notre voiture et filions vers notre ville natale. Nous y sommes arrivés vers cinq heures du matin, presque l'heure où notre père avait découvert Dan, et je voyais mon frère pas même fatigué par le voyage qui grimpait la grille, redescendait de l'autre côté, s'élançait sur la gouttière, chat mon frère, il était sur le toit, agrippé au vasistas, il le poussait, il disparaissait à l'intérieur... Dan reviens, comme cette bâtisse est grise et sinistre, je suis seule sur la place déserte, dans cette ville d'où ont disparu tous ceux que nous aimions, père, Nicole, Minor, Tirésia... Dan où es-tu ?

Soudain il était derrière moi, « je suis ressorti de l'autre côté, mais tu pleures, Estelle, je suis là, je suis là, mon amour », et nous avions fait l'amour dans la voiture sur la place déserte, devant la façade grise et sinistre du bâtiment de la mairie, terrorisés soudain, de cette terreur qui venait parfois sur nous et que seul l'amour apaisait, nos corps mêlés, la sueur, l'effort, les odeurs.

Et nous étions repartis aussitôt, sans passer par notre vieille maison que les moisissures petit à petit envahissaient.

« C'est une honte, nous disait Adrien, les moisissures se mettent par grandes plaques, des sortes de roues, sur les montants des portes. Vous pourriez venir au moins une fois de temps en temps, mon père n'a pas le cœur d'y entrer, ça le fait pleurer à chaque fois et ma mère ne veut plus qu'il y aille. Vous devez avoir une pierre à la place du cœur, vous ne pensez qu'à baiser, salopards que vous êtes, vous ne pensez qu'à vous, vous n'avez aucun respect des morts... »

Nous n'entendions pas. Mon frère était magique et sa magie nous protégeait.

43

Le notaire

Ces trois années avec mon frère...
*Elles formaient un « être » dans lequel je baignais, cet être a disparu,
j'essaie de le reconstituer pour vous, madame, mais je n'ai que des fragments
isolés, ils sont ternes, la vie qui leur donnait leur éclat est partie et je ne sais
comment faire.*

*Mes mots sont si pauvres, je vous dis « mon frère était magique et sa magie
nous protégeait ».*

Des mots d'enfant.

Nous sommes restés quelques semaines encore dans notre ville à G.

Nous étions à la fois très fatigués et pleins d'une énergie aux
ressources insoupçonnées. Cette fatigue et cette énergie mystérieusement faisaient leur ouvrage en nous, nous attendions.

Le notaire de notre père nous avait convoqués. Par télégramme.
Car nous avions décroché le téléphone. « On le rebranchera
bientôt », avait dit Dan, et j'approuvais complètement. « Les
lettres aussi, on les lira plus tard », et c'était en effet la seule
solution possible. « Oui, pas le temps pour l'instant », ai-je dit en
les rangeant soigneusement sur le bureau de notre père.

Le temps était comme une personne, notre frère commun que
nous venions de découvrir, il fallait qu'il demeure à l'intérieur de la
maison, près de nous d'heure en heure, nous ne pouvions l'envoyer
au-dehors à la rencontre des autres, pour des choses futiles qui
l'auraient éloigné de nous.

Et ce temps qui était comme une personne nous était très cher, nous ne pouvions nous séparer de lui. Nous le sentions littéralement à côté de nous, il nous absorbait entièrement, et cela n'avait rien à voir avec les choses que nous faisions : monter et descendre les escaliers, nous asseoir ici ou là, nous serrer l'un contre l'autre, des incursions à la cave pour chercher des boîtes de conserve, manger, ranger...

Ces gestes-là ne nous distrayaient pas de notre nouveau et plus cher compagnon, au contraire ils le maintenaient près de nous, et cette présence de notre compagnon le temps nous gardait ensemble, nous protégeait, mon frère et moi.

L'heure qu'il était ?

L'horloge du premier étage nous renseignait fidèlement, mais le chiffre qu'elle énonçait, nous n'y prêtions pas attention. C'était très bien qu'elle énonce un chiffre précis, cela montrait son dévouement et sa conscience, mais ce qui nous importait, c'était seulement le bruit du balancier qui s'entendait à travers la maison, et le carillonnement qui se faisait soudain, à la fois formidable et discret, comme les choses qui arrivent juste à leur heure.

Et lorsque ce carillon résonnait, il nous semblait que notre compagnon le temps, s'éloignant de nous un instant, se dressait comme un géant dans la maison et s'adressant à l'Ancêtre des jours, son maître, lui rendait compte de sa présence près de nous.

Et alors nous nous sentions tout petits et très forts à la fois, justifiés entièrement, existant sans remords et sereins dans le tintement de la création.

Toutes les heures s'accomplissait la jonction du Maître du temps et de notre temps à nous. Nous nous immobilisions, blottis, tranquilles, puis notre temps à nous, notre compagnon, revenait et nous reprenions notre échange avec lui, qui est comme tous ces échanges avec le temps, impossible à raconter puisqu'il est fait de ce qui a nom dans la langue « des riens ».

Nous ne faisions rien et les jours passaient.

Jusqu'à ce qu'enfin se glissant entre deux colloques de notre horloge avec le Maître du temps se fasse entendre un coup décidé au heurtoir de la porte du perron.

Personne n'avait dû utiliser ce heurtoir depuis l'arrivée de l'électricité, c'est peut-être ce qui nous a incités à répondre, la curiosité, la surprise.

— Je n'ai pas osé sonner, disait le jeune commissionnaire de la poste.

Il savait sans doute qu'il y avait eu un deuil dans cette maison. « Il y a eu un deuil dans cette maison », lui avait-on dit. *Ces mots, si banals, madame, et si tranquillement assurés. Ah ces mots-là n'ont pas besoin qu'on s'acharne sur eux pour leur rendre relief, « un deuil dans cette maison », c'était notre maison, les mots banals étaient arrivés, ils commandaient, nous étions leurs esclaves.*

Le commissionnaire nous apportait une injonction à nous rendre chez le notaire.

Une fois le commissionnaire parti, nous nous sommes aperçus que notre compagnon le temps n'était plus là. Nous nous sommes regardés, Dan et moi.

— Tu as des cernes, Estelle.

— Et toi, de la barbe.

Plus de temps pour rien. Nous nous sommes activés au mieux de nos possibilités, rasage, maquillage, cheveux coupés avec les ciseaux à volaille, draps changés, déodorant, rangement, puis nous nous sommes rendus chez le notaire.

C'était le frère de notre ancien professeur de philosophie.

— Mon frère et votre père s'aimaient beaucoup. Mon frère disait que des deux, votre père était le vrai philosophe. Nous nous rencontrions souvent tous les trois, à une occasion ou une autre, ici même dans mon bureau. Monsieur Helleur s'asseyait là.

Nous regardions ce fauteuil où notre père s'était assis.

— La discussion commençait toujours de la même façon. « Mon voisin m'a fait remarquer... » disait votre père. Votre voisin, celui qui a cette petite entreprise de transport. Cet homme était une source d'étonnement et de réflexion continuels pour votre père. Je ne le connais pas personnellement. Souvent j'ai eu envie de faire un détour par chez lui, pour voir, essayer de comprendre ce que votre père trouvait en lui. Mais je ne l'ai pas fait, cela m'aurait paru indiscret... et encore plus aujourd'hui.

Le notaire soupirait.

— Je ne faisais pas un bon partenaire dans ces discussions entre mon frère et monsieur Helleur, je n'ai guère le temps de lire, mais voyez comme c'est curieux, ces discussions auxquelles j'assistais et qui étaient du chinois pour moi, eh bien il se trouve qu'elles étaient la plus grande distraction de ma vie. Je ne comprends pas comment cela se fait... mais maintenant je m'ennuie...

Nous le regardions fixement. Il nous semblait qu'il allait pleurer Mais il ne pleurait pas. C'étaient les larmes que nous ne pouvions verser qui erraient dans la pièce et que nous imaginions prêtes à couler de ses yeux.

— Je ne comprends pas cela, monsieur Helleur, mademoiselle Helleur, maintenant je m'ennuie.

Nous l'écoutions attentivement, plus attentivement que nous n'avions jamais écouté notre professeur de philosophie, son frère.

— Et puis ce n'est plus pareil avec mon frère. Nous nous aimons beaucoup mais nous n'avons pas grand-chose en commun. Vous connaissez mon frère, c'est un professeur. Et moi... moi je suis un notaire. Votre père faisait le lien entre nous. Depuis, nous nous voyons toujours, mais nous sommes gênés, nous n'avons rien à nous dire.

Nous hochions la tête comme si semblable situation nous était familière.

— Un jour votre père est arrivé tout excité, il nous a raconté une histoire de taupe dans laquelle il s'était fait traiter comme un garnement par votre voisin. Mon frère et lui sont partis sur cette histoire, toute la philosophie y défilait, et moi je ne perdais pas une miette de la conversation, mais voilà maintenant si je voulais vous la raconter je ne pourrais pas, bernique...

— Voilà, voilà, disait-il, je suis redevenu moi-même, et mon frère est redevenu lui-même. Un notaire et un professeur.

— Si votre père était là, tout de suite je retrouverais cette histoire, je vous la raconterais et elle vous ferait rire aux larmes, mais sans lui, rien à faire. Je suis impuissant.

Il avait rapporté les verres à la cuisine et rangé le sherry (« la bouteille que je gardais pour votre père »), et il était revenu s'installer derrière son bureau. Sa voix avait changé, elle semblait être retournée à son aire véritable sur le bureau massif, entre plusieurs paires de lunettes, une pile d'annuaires, un porte-encrier en bronze avec une statuette de cheval, c'était là le terrier de cette voix. Et voici ce qu'elle nous apprenait.

La maison avait été achetée par notre père, elle était à notre nom, Dan Helleur et Estelle Helleur, mais Tirésia en avait l'usufruit.

— Vous ne pouvez donc la vendre tant que Tirésia est vivante, disait le notaire en nous regardant d'un air inquisiteur.

— Il n'est pas question de vendre la maison, disions-nous.

Mais, continuait la voix du notaire et elle nous donnait maintenant l'impression de venir d'un nid de rapace installé dans l'anfractuosité d'une falaise, si nous ne pouvions vendre la maison il se trouvait que nous étions possesseurs d'une petite fortune qui nous venait de Tirésia... et de Nicole.

— Cet argent a été mis de côté pour vous à partir de l'année 1949, à quoi se sont ajoutées d'autres sommes après l'année 1964, disait le notaire et sa voix descendait en piqué au-dessus de nous. Rien n'empêche que vous l'utilisiez maintenant si vous le désirez.

Nous ne répondions pas, n'ayant pas entendu de question dans sa phrase et n'en ayant pas nous-mêmes à formuler.

— Je suppose, disait le notaire après une petite pause, et il nous semblait maintenant que le rapace dont le bec questionneur n'avait pas réussi à nous piquer s'installait à côté de nous en faisant battre ses ailes, je suppose que vous pensez à Tirésia et aux frais de clinique. Je crois que vous n'aurez pas de souci de ce côté, Tirésia a une pension à laquelle s'adjoignent des revenus personnels, de l'argent placé à l'époque où elle donnait des concerts.

De souci pour Tirésia, non, nous n'en avions pas eu, les réflexions de cet homme nous semblaient curieuses, pleines de détours et d'agitation, mais nous l'écoutions poliment.

— Quand vous irez la voir, voulez-vous lui dire que tout a été fait conformément à son vœu et au vœu de monsieur Helleur?

La voix notariale nous avait délaissés, avait regagné son terrier, sur le bureau massif, entre les trois paires de lunettes, la pile d'annuaires, la statuette du cheval, mais soudain nous étions atteints.

Aller voir Tirésia? Nous n'y avions pas pensé.

Tirésia appartenait à notre maison, était notre maison. Tirésia était les murs, les pièces, l'escalier, la rampe d'escalier, le palier de l'escalier de notre maison. Elle ne pouvait donc qu'être là, de toute façon. Je crois, oui, qu'à aucun moment nous n'avions réfléchi à son absence. Peut-être, l'avions-nous imaginée momentanément partie au cimetière pour s'occuper de nos parents...

Mais Tirésia n'était pas en train de converser tranquillement avec la tombe de nos parents. Elle était dans une clinique.

C'était cela finalement qui émergeait de cette conversation à laquelle nous nous étions prêtés. Nous étions debout soudain, nous étions pressés de partir.

— Il faudra revenir, alors, disait le notaire, il y a beaucoup de détails à régler.

Nous voulions bien revenir, plus tard.

Sur le pas de la porte, pris d'inquiétude, le notaire insistait :

— Vous lui direz que tout a été fait selon son vœu et le vœu de monsieur Helleur? N'est-ce pas? Vous lui direz exactement ces mots-là? Son vœu, le vœu de monsieur Helleur.

Nous disions « oui, oui bien sûr » avec le plus de sincérité possible, nous avions peur que ce notaire ne nous lâche plus, il nous accompagnait dans le jardin, toujours accroché à son souci de vœu.

Nous arrivions devant la petite grille étroite, nous regardions la sonnette sur la tranche du mur, nous ne la connaissions que trop, cette vieille poignée ronde à bouton blanc, elle dissimulait un mécanisme qui déclenchait à la fois une sonnerie et l'ouverture de la porte... Alex, petit lycéen transi de peur, fais-la sonner une fois, une seule fois encore, que tes amis qui tremblent d'impatience et d'anxiété soient délivrés du notaire.

— Vous regardez la sonnette, disait-il. Drôle d'histoire, hein !

La maison du notaire comme celle du profeseur de philosophie étaient sur le chemin qui menait du lycée au cimetière, c'est-à-dire qu'après quelques minutes de marche à la sortie des cours, la petite cohorte d'écoliers dont nous faisions partie s'amenuisait, nous nous retrouvions bientôt quatre dans la rue bosselée où donnaient des jardins d'où débordaient les glycines et les lilas.

Ces quatre, c'était Adrien, qui habitait la maison voisine de la nôtre, mon frère et moi, qui habitions la dernière maison avant le cimetière et Alex qui habitait le cimetière.

« Vas-y Alex, appuie sur la sonnette, ou j'irai pas jouer au foot avec toi au cimetière, vas-y Alex », murmurait Adrien, il l'acculait, le maintenait devant l'objet, Alex pétrifié ne bougeait pas un doigt, et nous sur l'autre trottoir, nous n'avions pas un mouvement. Tout cela n'était qu'une farce, seulement voilà que la sonnette se mettait à sonner *d'elle-même*. Adrien détalait en criant « Alex, tu es fou », dans le regard d'Alex il y avait une terreur folle en effet et nous, nous étions pris au piège de cette terreur d'Alex.

La première fois que cela s'est produit, le notaire a sermonné Alex, mais nous repassions par ce chemin chaque jour d'école, et chaque fois que nous sortions tous quatre à la même heure, la même scène recommençait. « Mais elle sonne toute seule, monsieur, dès qu'Adrien me pousse devant, elle sonne, je vous jure monsieur. » « C'est toi qui es sonné, oui ! » avait dit le notaire.

La sonnette ne sonnait que lorsque nous étions tous les quatre, mais c'est Alex qui a été renvoyé du lycée. Peut-être cela n'avait-il rien à voir avec cet incident, peut-être ce renvoi (provisoire) n'était-il dû qu'à ses mauvaises notes. Mais il est certain que lui éliminé, nous avons été débarrassés de cette tyrannie de la sonnette du notaire.

— « Elle sonne toute seule », voilà ce que vous vouliez me faire croire, hein ! Eh bien vous n'imaginerez jamais, mais j'en étais arrivé à le croire moi aussi, elle me faisait peur, cette sonnette avec son œil blanc, hein vous n'auriez jamais pensé ça...

D'un seul mouvement, pendant qu'il parlait, nous avons passé le bras à travers la grille et appuyé sur cet œil blanc. La grille s'ouvrait lentement, mais... pas de sonnerie. Surpris, un instant nous avons hésité.

— Quand j'ai su que le petit Bonneville avait été renvoyé, ça m'a tracassé, vous comprenez, c'est son père qui s'occupe de notre caveau, je l'ai prise en grippe cette sonnerie, et j'ai coupé...

Mais nous ne l'écoutions plus.

Sitôt dans la rue nous nous sommes mis à courir.

A peine arrivés à la maison, essoufflés, nous téléphonions à Minor.

— Ah, disait-il, je me demandais quand vous vous décideriez à m'appeler.

— Qu'est-ce qu'elle a? disions-nous, tous deux penchés en même temps sur le téléphone.

— Un choc. Un état de choc.

— Nous voulons la voir, tout de suite.

— Ah, disait le docteur.

— Vous pouvez nous amener?

— Non, disait le docteur.

— Docteur Minor! s'exclamaient deux enfants tout petits, Dan et Estelle.

Le téléphone marchait mal, des voix semblaient sangloter sur la ligne, des cris, comme au fond d'un couloir obscur, comme derrière les murs d'une chambre au fond d'un couloir obscur.

— Docteur Minor! suppliaient deux enfants tout petits.

— Taisez-vous, arrêtez, arrêtez, disait le docteur, et sa voix soudain retrouvait les turbulences de son accent russe.

Cette voix que nous n'avions pas entendue depuis tant d'années, qu'il avait dans l'émotion lorsqu'il nous caressait la tête dans le couloir après les cauchemars de notre mère, « maltchiki, maltchiki », ou lorsqu'il atteignait des zones dangereuses dans ses discussions avec mon père, la voix russe de notre bon docteur Minor. Cela nous a arrêtés brutalement en effet. Oh notre docteur Minor, où sont les bonbons dans les fourrés de ta sacoche et tes seringues qui pouvaient faire reculer les ennemis de notre maison Helleur?

— Ecoutez-moi, Dan et Estelle, vous m'écoutez?

— Oui, oui, disaient les enfants.

— Vous savez bien que je vous emmènerais...

— Docteur, docteur Minor?

— ... mais Tirésia ne veut pas que vous alliez la voir.

Tirésia ne veut pas que nous allions la voir?

— Il faut la comprendre, il faut respecter... Je vais la voir moi, tous les jours, je vous donnerai des nouvelles...

— Alors nous passons chez vous tout de suite, disait le petit garçon Dan.

— Ne venez pas.

Docteur, notre docteur Minor? Que disait-il? Nous étions debout l'un contre l'autre, l'écouteur s'était comme éloigné tout seul de nous, il pendait dans la main de Dan, et la voix qui en sortait semblait si loin, si loin déjà. Elle nous venait déjà du fond du passé, chuchotant dans cet écouteur rond et alvéolé comme la sonnette du notaire, et il nous semblait que l'écouteur avait recueilli ce chuchotement par hasard, parce qu'il était tombé dans les petites trous de son alvéole mais que, comme pour la sonnette, le fil était coupé, avait été coupé depuis longtemps.

— Je suis devenu vieux d'un seul coup, mon Major est passé, vous vous rappelez mon Major, Dan et Estelle, il est passé et je suis devenu vieux. Je ne peux pas vous voir pour l'instant, je vous enverrai mon remplaçant, Dan et Estelle, mes chers enfants, mes chers enfants...

Mes chers enfants.

Nous avons raccroché tout doucement.

44

Le jeune docteur

C'est l'hiver toujours. Nous sommes encore dans notre petite ville.

Nous ne sommes pas allés voir Tirésia. Nous ne sommes pas allés voir le docteur Minor. Son associé est venu, celui-là même qui avait été son remplaçant et qu'il avait déjà envoyé à nos parents, quelques années auparavant, à l'une de ses tentatives pour prendre sa retraite.

Le remplaçant devenu associé faisait très jeune encore.

— Je vous reconnais, lui ai-je dit sur le perron.

— Minor, le docteur Minor, m'a dit que vous risquiez de... que vous aviez peut-être...

— Nous n'avons besoin de rien.

— Il pensait que votre état nécessitait des soins, il voulait que je vous examine..., que vous preniez...

— Nous allons bien.

Malgré sa gêne, le jeune docteur ne se décidait pas à s'en aller.

Minor avait dû le chapitrer fortement. « Ne reviens pas sans les avoir examinés l'un *et* l'autre. Le gamin est nerveux, sensible, la fille a l'air tranquille, mais ne t'y fie pas, tout se passe en dessous chez elle. Oui, j'ai peur qu'ils ne me fassent un mauvais coup, donne-leur un sédatif, le petit sédatif que je recommandais toujours à leur père quand il s'excitait trop sur la cruauté des merles et des vers, et puis surtout reviens me dire comment ils vont, tous les deux hein, ne te laisse pas monter le bourrichon par l'un des deux, ils sont retors, mes gamins, je les connais, assure-toi bien de voir *les deux*... Deux, c'est pas le bout du monde. »

Le jeune docteur planté sur le perron tendait le cou vers l'intérieur de la maison. Il devait se demander où était « l'autre ».

Il n'était pas déplaisant, carré d'épaules ou du moins de costume, il me revenait maintenant que je l'avais vu jouer au tennis parfois, au club près du stade, une serviette blanche autour du cou.

Si mon frère Dan n'avait pas existé sur cette planète, on aurait pu dire de ce jeune docteur qu'il était beau. Mais mon frère Dan était venu sur cette planète et le pauvre docteur n'était plus que la copie vaguement ratée, pathétique, de la beauté masculine.

Je le regardais curieusement. Mais qu'était-ce donc qui rendait sa beauté presque grotesque ? Les cheveux ? C'étaient de beaux cheveux bruns bouclés, mais ils semblaient fortuits. Quelque manutentionnaire de la création, distrait et peu intéressé par son travail, avait dû marmonner : « beaux cheveux bruns bouclés, envoyez » et les cheveux étaient arrivés sur cette tête, qui aurait pu tout aussi bien en recevoir d'un autre genre.

Et la peau ? Bronzée, ferme. Mais elle aussi semblait fortuite, cela aurait pu être une autre peau, et du coup les poils qui restaient d'un rasage pourtant soigné paraissaient incongrus, et incongru aussi le passage irrégulier à la zone sans poils dans le cou, le cou de couleur humaine et rien de plus, ce qui finalement le rendait proche parent de la chair de poisson ou de volatile ou de plante, ou de n'importe quelle chair de n'importe quelle créature de la création. Puisque ce n'était pas l'unique chair pour l'unique cou.

Presque repoussant tout cela finalement.

Mais la chemise était parfaite, le blanc sans complaisance, les fines rayures bleues si rectilignes que même l'inévitable relief du corps n'entamait pas leur inflexible droiture. Là, le manutentionnaire s'était appliqué. Blanc dur comme les anges, et rayures bleu de justice céleste, tracées au cordeau fil de fer de la pureté.

C'était la première fois que je regardais un homme aussi attentivement.

Adrien et Alex, ils étaient indécomposables, fabriqués d'un coup d'un seul au jet de la création et tombés tels quels comme des gouttes d'eau sur la terre. Il n'y avait pas besoin de les regarder, on les percevait d'un bloc. Yves, mon mari Yves, j'avais dû faire glisser sur mes yeux une paupière invisible qui m'empêchait de le voir et sur ma peau une peau invisible qui m'empêchait quasiment de le sentir.

Mais depuis que j'avais touché mon frère, depuis que son corps et le mien s'étaient mêlés (et ce n'était encore que timidement, en attendant, nous n'étions pas pressés, plus jamais pressés), la paupière invisible s'était envolée de mes yeux, et la peau invisible s'était dissoute. Je regardais le jeune docteur et cela me donnait envie de rire. Un homme, c'était un homme, beau sûrement, et si radicalement loin de l'amour !

La chose qui se trémoussait en moi, c'était ceci : oui, il était possible de faire l'amour avec le premier venu, parce que justement l'amour de mon frère était une chose sans comparaison, sans aucun rapport avec cette rudimentaire activité. Et cette pensée était une diablerie, pleine d'une méchanceté remuante.

Le jeune docteur voyait que je le regardais et ne percevait pas le rire qui était en moi. Il a déposé sa sacoche (sa sacoche, une chose neuve en plastique à boutons-pression, oh docteur Minor !) et sorti un paquet de chewing-gum.

— Je ne fume pas, mais voulez-vous un de mes chewing-gums ?

— Bien sûr.

Il a défait le papier coloré à petits festons pointus et cérémonieusement m'a tendu le petit rectangle de gomme à demi sorti de son enveloppe. J'ai tiré trop fort et le docteur n'avait rien lâché de son côté, aussitôt ensemble nous avons laissé aller et l'objet est tombé sur le perron.

— Pardon ! a fait le docteur. Un autre alors ?

— Laissez, ai-je dit, c'était juste pour passer un moment avec vous.

Quelque chose montait en moi, « oh oh, disait notre père quand il voyait cette chose arriver chez Dan ou chez moi, attention, ils ont le diable au corps aujourd'hui ! ».

Ce docteur que nous avait envoyé Minor m'avait mis le diable au corps, mais ce n'était pas un diable d'amour, c'était un diable de diablerie, le pire de tous, incontrôlable, imprévisible.

— Cela me fait très plaisir, disait le docteur en s'appuyant sur la balustrade du perron comme s'il se préparait à une longue et aimable conversation.

— Vous n'avez pas d'autres visites à faire ?

— Oh si, mais ça peut attendre, des grippes, des rhumes...

— Ça peut attendre jusqu'à demain ?

— Il faudra tout de même que je repasse au cabinet pour les consultations.

— Mais après les consultations ?

— En général je vais jouer au tennis.

— N'allez pas jouer au tennis, allez m'acheter d'autres chewing-gums, à la menthe extra-forte, et apportez-les-moi.

— Ce n'est pas exactement ce que Minor m'a dit de vous prescrire ! a dit le jeune docteur en riant.

On voyait ses dents, impeccables, mais elles aussi, pas les nécessaires, pas les uniques, expédiées par le même manutentionnaire à nouveau distrait et peu intéressé par son travail. Qu'est-ce que cela ferait d'aller choquer ses dents contre ces dents-là ? L'effet d'embrasser un dentier, un dentier flottant comme un satellite égaré au milieu des étoiles et des planètes ?

— Minor est trop vieux, il ne sait pas ce qu'il me faut.

— Qu'est-ce qu'il vous faut ?

— Des chewing-gums, disons !

— Je vais vous en apporter, tant que vous voudrez, je les prends chez la vieille marchande de farces et attrapes, nous sommes mutuellement clients.

— Alors apportez-moi des pétards aussi.

— Des pétards ?

— Des pétards, oui.

— Pour quoi faire ?

— Pour faire du bruit.

— Du bruit ?

— Du bruit, oui, pschitt, boum, pffuit, vous n'en avez jamais entendu ?

— Heu, si...

— Je me sens très seule, vous comprenez.

— Oui je comprends... C'est, c'est une grande maison maintenant... Mais...

— Mais quoi?

— Mais vous n'êtes pas seule.

— Oh si, absolument, désespérément seule.

— Et votre frère?

— Je l'ai tué.

— Quoi!

— Je l'ai tué.

« Taisez-vous, disait le jeune docteur, ne parlez pas si fort, rentrons », il me tirait par le bras, il ne souriait plus maintenant, il avait peur, de son bras libre il serrait très fort sa sacoche.

Dans le vestibule, je me suis mise à hurler :

— Oui, j'ai tué mon frère, lâchez-moi, lâchez-moi, on s'est tués tous les deux mais c'est lui qui est mort, lâchez-moi, ça ne vous regarde pas...

Je criais très fort pour que Dan m'entende, je criais de cette voix spéciale que nous avions dans l'enfance pour nos farces secrètes et que le pauvre jeune docteur ne pouvait connaître, qu'il pouvait tout juste prendre pour la voix de l'hystérie.

« Mais pourquoi, pourquoi? » balbutiait-il, tout en me serrant le bras si fort que cela m'aidait à crier.

— Pourquoi, il me demande pourquoi!!! Qu'est-ce qu'un type comme vous peut comprendre à mon frère et à moi! Il ne vous a pas dit, Minor, que nous étions fous, hein, il ne vous a pas dit que nous étions tous fous dans cette maison, et les autres, hein, ils ne vous ont pas dit ce que c'était que la maison Helleur...

J'avais frappé juste, le docteur se troublait affreusement.

— Minor m'a dit... m'a dit de vous donner un sédatif.

— Un sédatif! A notre mère Nicole, c'est des piqûres de cheval qu'il donnait, et Tirésia, c'est à l'asile qu'il l'a envoyée, et notre père il a préféré le planquer au cimetière. Un sédatif! Docteur, c'est d'amour dont j'ai besoin.

— Calmez-vous.

— Je me calme, si vous ne me parlez plus de sédatif.

— D'accord.

— Si vous me parlez d'amour.

J'avais la main sur les rayures de sa chemise, des barreaux à accrocher, des barreaux à secouer...

— Excusez-moi, je vous prie, nous avons eu beaucoup d'épreuves.

Le jeune docteur me regardait avec ahurissement, j'étais redevenue exactement comme avant.

— Il y a longtemps que je vous vois jouer au tennis à côté du stade, vous êtes déjà venu dans cette maison quand nous étions petits, je pensais que je pouvais vous faire confiance.

— Vous pouvez me faire confiance, disait le docteur, complètement perdu.

Oh la diablerie qui me courait dans le corps, elle me faisait tant de bien, ramassait toutes les douleurs, toutes les rages, elle les avalait toutes crues, saignantes et pourrissantes telles qu'elles étaient, puissant vautour dévoreur d'ordures et de charognes, il me purifiait, et je le relançais encore, actionnant ses larges ailes aux plumes noires bien incrustées et son bec bien acéré. Dan, entends-tu notre charognard chéri?

— Je l'ai tué et Minor n'a pas voulu venir. Alors c'est vous qui devez... je suis désolée, je ne voulais pas vous mettre ce fardeau sur les épaules.

— Où est-il?

— Dans la salle de bains.

— Allons-y.

— Oui, il faut faire le constat.

— Montrez-moi le chemin.

— Attendez, vous oubliez une chose, docteur.

— Quoi?

— Il faut vous assurer que je n'ai pas d'arme. Je connais les fous, docteur, ils sont dangereux.

Je me laissais faire sagement. Le jeune docteur tremblait en passant la main sur mon corps, et moi je regardais son corps si près du mien, j'avais envie de le serrer contre moi, par diablerie, pour voir ce que c'était qu'un corps fabriqué au hasard par un manutentionnaire de la création, distrait et ennuyé. C'est lui qui m'a serrée un instant dans ses bras.

— Pauvre petite, a-t-il dit.

Je me souviens si bien de cet instant.

Un instant comme un nuage maigrichon, s'agrégeant sournoisement quelques effilochures soutirées aux formations qui voguaient souverainement alentour, dessinant sa petite figure lui aussi, mais incapable de la garder, le chétif, l'inconsistant, et se dissolvant aussitôt.

Un instant jeté au hasard dans le hasard du monde, formé de morceaux volés, lançant son signe, n'importe lequel et s'évanouissant.

Le jeune docteur avait une érection et mes seins pointaient sur sa poitrine, oh charognard mon amour, continue ta diablerie, quand tu auras fini, nous te tordrons le cou, mon frère et moi, nous te tordrons le cou.

Sur l'épaule du docteur, j'ai eu une sorte de sanglot qui était aussi bien un rire et ni l'un ni l'autre n'était contrefait.

En montant l'escalier, je répétais « je l'ai mis dans la salle de bains, docteur, c'est là que je l'ai mis » et je pensais « Dan, mon frère, vas-y, si tu m'aimes, vas-y. Dan mon frère, y es-tu ? »

Dans la salle de bains, il y était en effet. Couché nu dans la baignoire, curieusement replié sur le ventre, replié comme seul un danseur pouvait se le permettre, un danseur dont les muscles n'étaient pas morts mais souples et chauds et élastiques, mais cela le jeune docteur n'était pas en mesure de le voir.

Nous avons soulevé ce corps splendide, moi par les épaules, le docteur par les pieds.

— Il est encore..., a murmuré le docteur, mais il n'y avait pas de suite à son début de phrase.

Nous l'avons porté à travers le couloir. Les muscles de Dan à la limite de leur abandon laissaient son corps se balancer très doucement. Nous l'avons posé sur le lit.

— Quel athlète magnifique, a murmuré le docteur.

Il était sincèrement ému.

Et brusquement la diablerie m'a quittée.

— Docteur, ai-je dit.

— Oui ?

— Pardonnez-nous.

Et soudain ce jeune docteur qui n'était pas un sot a tout compris. Il a posé sa main sur le cœur de Dan une seconde, par acquit de conscience ou par habitude. Celui-ci le regardait, immobile, les yeux grands ouverts. Le docteur s'est penché sur lui et a plongé dans ces yeux grands ouverts.

Lorsqu'il s'est redressé, j'ai vu qu'il n'était pas en colère.

— Eh bien, a-t-il dit.

Il a esquissé un sourire.

— Minor avait raison.

Puis il a repris son ton professionnel, mais il y avait une sorte de douceur étonnée mêlée dedans.

— Allez, raccompagnez-moi en bas.

Dan s'est habillé en un éclair et nous sommes descendus tous les trois.

Dans l'escalier soudain il s'est tourné :

— Vous voulez toujours des chewing-gums, mademoiselle Helleur ?

— Ne perdez pas votre temps, docteur, a dit gentiment Dan en me prenant par les épaules.

— Ah bien, a fait le docteur en descendant encore quelques marches.

Mais il s'est encore arrêté.

— Si vous voulez, venez jouer au tennis avec moi, monsieur Helleur, a-t-il repris de façon inattendue.

— Je ne peux pas quitter ma sœur, a dit Dan.

Arrivé en bas, le docteur nous a regardés descendre.

— Bah, a-t-il dit, un jour ou l'autre, le tennis et les chewing-gums, on ne sait jamais.

Nous étions très copains avec ce jeune docteur-là.

Tranquillement nous avons réglé le problème des honoraires. Le docteur ne voulait pas être payé. J'ai dit que c'était inconvenant et que Minor ne serait pas content. Dan a dit qu'il n'avait que des dollars et que mes chèques étaient chez mon mari. « Mademoiselle Helleur est mariée ? » a dit le docteur. « C'est du passé » ai-je dit. Néanmoins ce n'était pas nous qui le paierions, mais notre notaire, ce qui prendrait un peu de temps. « Le frère du professeur de philosophie ? a dit le docteur. « Oui, avons-nous dit, vous les connaissez ? » « Je les soigne tous les deux », a-t-il dit. « Ils sont malades ? » « Oh juste un peu tristes ces derniers temps. » « Normal », avons-nous dit. « Ah ? » a fait le docteur. « Notre père leur manque » avons-nous dit et le docteur s'est tu, nous regardant de nouveau comme s'il ne connaissait rien à cette ville où il pratiquait depuis plus de dix ans. Nous nous sommes levés. Nous avons traversé le vestibule. Il faisait sombre. Ni Dan ni moi n'avions assez d'initiative pour allumer.

Arrivés sur le perron, nous nous sommes arrêtés tous les trois. Nous ne bougions plus soudain. Une sorte de fatigue, nous reprenions souffle, nous respirions profondément, l'air était froid, le réverbère de la route venait de s'allumer, des profondeurs s'étaient creusées dans l'espace du jardin, les chênes cernés de noir semblaient s'être avancés, au milieu la pelouse étincelante de givre montait comme une scène vide.

Le jeune docteur était tout droit sur le perron, son dos devant nous, absolument rigide. Derrière lui, nous ne bougions pas non plus, le laissant regarder. Il nous semblait l'entendre vieillir à l'intérieur de lui, et cela nous tenait dans une sorte de respect, oui, peut-être pour une fois nous ne pensions pas à nous-mêmes.

« Vous étiez comme trois statues dans le halo du perron, a dit Adrien le lendemain, j'ai cru que le froid vous avait gelés sur place, trois statues, vous foutez vraiment la trouille, toi et ton frère, je ne sais pas comment il s'en est sorti, le pauvre toubib, mais moi j'ai tourné les talons. »

Nous avions froid, oui, mais nous attendions que le jeune docteur arrive au bout de sa contemplation ou de son vieillissement. Il nous arrivait d'être très respectueux, mon frère et moi.

— Comment? avons-nous dit.

— Rien, rien, a dit le docteur, excusez-moi.

« Je sais bien ce qu'il a dit, le pauvre mec, a ricané Adrien le lendemain. Il a dit : *la maison Helleur, la dernière avant le cimetière*. Comme s'il répétait des indications apprises par cœur. J'allais passer par le trou du mur, et ses paroles me sont quasiment tombées sur les pieds, nettes comme des cailloux, *la dernière avant le cimetière*, à faire froid dans le dos je vous le dis, c'est là que j'ai tourné les talons. »

« Et qu'est-ce que tu voulais, Adrien? »

« Merde, je voulais rien, a-t-il dit, jouer au rami, mais c'est trop normal pour vous! »

Sur le perron, le docteur s'est finalement tourné vers nous, il parlait bas et dans sa voix il y avait des intonations de Minor, elles y étaient, je n'invente pas, l'accent et l'intonation de Minor, on ne pouvait les confondre avec nuls autres.

« J'ai cru entendre Minor, m'a dit Dan un peu plus tard, je ne me suis pas trompé, Estelle, dis-moi que je ne me suis pas trompé, je ne suis pas fou, Estelle, on aurait dit Minor! »

Mon frère pleurait presque, oh comme il nous manquait notre vieux docteur, notre plus vieil ami, et soudain nous réalisions que son Major, qui nous avait enlevé nos parents et semblait l'avoir épargné, nous l'avait enlevé aussi.

Et bien longtemps plus tard nous nous sommes demandé si vraiment le jeune docteur sous l'effet de l'habitude ou de l'émotion avait fini par imiter son associé ou si c'était nous, dans notre désolation, dans notre abandon, qui avions jeté cet accent et ces intonations sur sa voix, pour nous consoler un bref instant.

Il disait :

— Finalement j'ai fait ce qu'il y avait à faire, ce qu'il était possible de faire, moi étant ce que je suis et vous, vous...

Puis après un silence :

— Avez-vous besoin d'autre chose ?

Et alors mon frère qui me tenait toujours par les épaules a murmuré :

— C'est tellement au-delà, docteur, tellement au-delà...

3

à Paris

45

Sous les toits

Paris.

Notre chambre de bonne sous les toits.

Penchée à la fenêtre, je vois mon frère qui tourne le coin de la rue et dévale le trottoir en courant, les pans de son imperméable volent, ses sourcils sont froncés tant il se concentre pour aller vite, il a les yeux collés au sol, il court pour arriver près de moi.

Métro zéro, trottoir zéro, cour de l'immeuble zéro, il ne voit rien, il ne veut qu'arriver à moi.

Je me jette dans l'escalier, six étages, je le rejoins juste avant qu'il n'entre, et soudain tout s'anime, le métro bondé qu'il avait pris, le trottoir derrière nous, la cour de notre immeuble où la concierge et son petit garçon nettoient un petit parterre de fleurs.

Il me saisit dans ses bras, me fait tourner haut dans ses bras en riant, « si tu savais, si tu savais » dit-il, et je ris d'avance, et la concierge rit aussi. Il s'est passé tant de choses, dans le métro, dans la rue, et maintenant dans la cour avec le petit garçon de la concierge, pendant que nous parlons à la concierge, il se passe un échange clandestin plein de péripéties que mon frère me racontera dans l'escalier, car dès que nous sommes ensemble ce qui était vide se repeuple, des histoires surgissent, des épopées, des tragédies terribles, des comédies qui nous font pleurer de rire, tout nous pénètre et nous pénétrons dans tout, parfois nous en sommes étourdis, nous tombons littéralement dans le sommeil, comme si la vie nous avait envoyé une pelletée de pierres à la tempe, les

517

pierres sombrent dans notre sommeil, se déposent par quelque fond et nous nous réveillons, tout étonnés de ce bref endormissement, pleins de vigueur à nouveau.

Il m'arrive parfois d'avoir de forts maux de tête. Je me replie dans un coin du lit avec un tas de chiffons et de lainages et Dan me frotte le crâne doucement. « C'est là », lui dis-je. « Oui, je le sens, dit-il, c'est chaud. » Il maintient un glaçon à l'endroit où se concentre la douleur. Il peut rester immobile ainsi, pressant fort, jusqu'à ce que le glaçon fonde, puis il va en chercher un autre et reprend sa grave immobilité. « J'aimerais qu'on puisse percer un petit trou, dis-je, et que cette chaleur sorte en vapeur. » « Ou alors on pourrait passer un coup d'arrosoir dedans », dit-il.

Nous ne rions pas. Cette boîte fermée qu'est le crâne nous paraît un très sérieux problème. Nous essayons seulement de transposer le problème dans un espace parallèle, où nous serions plus à l'aise, où aurait été accordé un peu plus de latitude à l'être humain pour se promener dans son corps et effectuer ses vérifications et réparations. La simple conception d'un tel espace finit par nous faire du bien à l'un et à l'autre.

Nous sommes très forts pour la fabrication d'espaces parallèles.

Si le glaçon, le forage et l'arrosage sont inefficaces, nous essayons une autre méthode. Dan essaie d'attirer le mal de tête ailleurs, de le distraire, de le faire sortir par la peau et de l'attraper avec ses doigts. Sa caresse part de la tête et essaie d'entraîner la douleur ailleurs. Je suis attentivement l'itinéraire de ses mains. Cela marche le plus souvent.

Mon frère, lui, a parfois des cauchemars. Ceux qui le font le plus souffrir sont les cauchemars géométriques, « enfin je n'ai jamais été un grand matheux, mais si tu voyais les figures qui se tracent dans ma tête, des symétries, des architectures, d'une complication et d'une exigence insensées ». Je pense aux petits papiers d'Alwin et à ses constructions de hasard. Je dis à Dan qu'il a besoin de danser.

Il est trois heures ou quatre heures dans notre petite chambre de bonne où il y a à peine la place de se déplacer à deux à la fois, mais Dan pense que j'ai raison, je vais me percher sur la table, avec précaution car elle branle et, sur le matelas qui est à même le sol

Dan déplie ses membres, fait des cabrioles, invente des suites de gestes, « enchaînements pour matelas solo » ou « farandole pour trois mètres carrés » ou « trémoussements sur mousse » (notre matelas est en mousse, ce qu'il y avait de moins cher), jusqu'à ce que les figures géométriques se décrochent de sa tête.

La vieille grincheuse qui habite une autre chambre de bonne au même étage (le dernier étage bien sûr), juste à côté des W-C communs, dira à la concierge que nous sommes des cochons à gigoter comme ça la nuit, qu'on entend remuer le plancher jusque chez elle, que ça la réveille. La concierge qui est jeune et dont le corsage est bien rebondi nous rapporte cela en riant de plaisir.

Nous ne voyons pas que la vieille grincheuse se lève tôt le matin pour aller faire des ménages bien que ses jambes épaisses puissent à peine la porter. Tout nous pénètre et nous pénétrons dans tout, mais nous ne voyons rien.

Je crois maintenant que le monde n'était qu'un grand décor pour l'amour de Dan et Estelle.

Mon frère a un autre type de cauchemars. Il est pourchassé (ou c'est lui qui poursuit, ce n'est jamais clair), la poursuite a d'épuisantes péripéties, rien ne semble pouvoir l'arrêter, j'entends mon frère gémir et je le réveille. Il est encore trois heures ou quatre heures du matin. Cette fois il me racontera par le menu chaque moment de la poursuite et j'essaierai de suggérer des solutions, de trouver des issues qu'il n'avait pas vues, « mais si tu passais à côté d'une palissade de planches à moitié pourries, pourquoi n'en as-tu pas enfoncé une pour passer de l'autre côté ? », « juste, dit-il, mais qu'est-ce qu'il y avait de l'autre côté ? », « une prairie tranquille toute verte, piquée de pâquerettes et de boutons d'or », nous nous prélassons un bon moment dans cette prairie édénique qui ressemble au pré de la maison Helleur dans ses beaux jours mais je ne crois pas que nous nous en soyons rendu compte, cela nous redonne des forces pour refaire à l'envers toute l'aventure désastreuse du cauchemar de Dan et, de fait, il se découvre toutes sortes de possibilités de fuite, cocasses souvent, nous finissons par nous retrouver dans un film de Laurel et Hardy et nous rions comme des fous en nous jetant contre les murs qui, il faut le dire, ne

sont jamais qu'à quelques dizaines de centimètres, toujours!
Notre voisin qui habite la chambre de bonne à gauche frappe dans le mur, nous voyons presque son gros poing aux doigts courts et épais. « Ils doivent boire, ceux-là, dit-il à la concierge, ça les prend au milieu de la nuit, ils disent des conneries et rigolent comme des poivrots, ça peut pas durer! » La concierge nous dit de faire attention parce que ce locataire-ci est agent de police et on ne sait jamais. « Mais lui avec sa télé, tous les soirs dès qu'il arrive, aussitôt charge sur le poste, à pleins tubes toute la soirée, et est-ce qu'il y pense, hein! » « La télé, c'est pas pareil », nous dit la concierge. Néanmoins nous tapons dans le mur nous aussi. L'agent de police sort et demande à mon frère « s'il veut une leçon ». Mon frère imite Charlot en train de se battre et notre agent de police en reste pantois. « Je crois qu'il est débile », dit l'agent de police à la concierge, mais il ne met plus sa télé aussi fort.

« Ces maux de tête et ces cauchemars, finalement, c'est notre valétude ordinaire », dit un jour Dan.

Nous avions oublié ce mot de notre enfance. Cela nous met dans des transports fébriles, nous sommes follement heureux, nous nous serrons comme si le monde avait failli nous échapper, nous faisons l'amour, nous nous embrassons, nous refaisons l'amour, nous sommes épuisés, nous sommes heureux.

La concierge pense que nous sommes jeunes mariés. C'est facile, nous avons le même nom. Nous l'aimons beaucoup parce que son mari lui met toujours les mains aux fesses ou à la taille et qu'elle se coule contre lui en gloussant. « Monsieur Dan est si beau, me dit-elle, ah si j'étais plus jeune, mais il n'aime que vous! » La concierge est à peu près du même âge que moi. Un jour elle est enceinte. « Et vous, qu'est-ce que vous attendez? » dit-elle. Elle voit la tristesse sur notre visage, d'un seul coup je crois qu'elle comprend, Helleur les deux, ça peut être cousins, ou frère et sœur.

Mais elle est encore plus de notre côté, elle me fait une robe parce qu'elle est couturière aussi, « il faut que monsieur Dan voit comme vous êtes belle », et c'est vrai la robe me fait belle, « vous croyez qu'il ne le voit pas? » dis-je à la concierge, « il vous aime tellement qu'il ne vous voit pas », dit-elle énigmatiquement, et tout aussi énigmatiquement cette phrase me rend heureuse. Je vais attendre Dan au métro, il me serre à m'étouffer, il n'a pas vu la robe, et cela me rend heureuse. Plus tard je lui fais remarquer la robe, « c'est vrai que tu es belle, Estelle » dit-il en hochant la tête, et cela veut dire « c'est vrai que les gens dans la rue peuvent voir et penser que tu es belle », mais de toute façon, nous, cela ne nous concerne pas.

Cela nous concerne parfois lorsqu'il s'agit d'Adrien. Mais nous sommes habitués à Adrien.

Une nuit nous sommes réveillés par un petit bruit étrange dans la chambre de bonne à droite. On dirait quelqu'un qui souffre et se plaint. Nous écoutons tendus. « Ils font l'amour », dit Dan stupéfait. Nous sommes presque indignés. Les autres aussi font l'amour, font ces bruits, les autres qui ne s'aiment pas, qui ne sont pas frère et sœur. Nous resterons à écouter, rigides et douloureux, jusqu'au bout de cette suite de soupirs. Puis nous nous pelotonnons l'un contre l'autre, mais nous ne faisons pas l'amour. Nous sommes trois dans notre matelas à même le sol : Dan, moi, et notre stupéfaction. Et quand nous sommes trois ainsi, nous tenons compagnie à notre hôte, ce troisième personnage, et ne pouvons rien faire d'autre.

Quelques semaines ou quelques mois auparavant, dans notre vieille maison Helleur, nous avions eu un hôte ainsi, c'était le temps, notre temps à nous, et nous n'avions pu que nous occuper de lui, exclusivement.

Cela nous arrive souvent d'avoir à nous occuper d'un hôte inattendu. Souvent il s'appelle Stupéfaction, parfois c'est Peur, parfois c'est Stupeur, qui n'est pas le même que Stupéfaction, il y a aussi Douleur, et l'amour bien sûr.

Il faudra que je parle de ces hôtes, ils nous ralentissaient considérablement, dans notre vie professionnelle si l'on peut dire, dans notre vie sociale aussi, « vous avez vu votre gueule, dit Adrien, j'en ai marre de traîner des fantômes », mais lorsque ces hôtes secrets nous quittent, nous avons des reprises fantastiques, « calmos, dit Adrien, vous voulez me crever ou quoi », et Adrien pourtant est particulièrement increvable.

« C'est répugnant de se coller toujours comme ça », dit-il aussi parfois, avec dégoût, véritablement avec dégoût, Adrien ne feint jamais.

Dan et moi ne nous rendons pas compte que les êtres humains ont plutôt coutume de se tenir dans leur enveloppe, sûrement c'est plus propret, alors que nous sommes là, nous deux, assis dans un box du café Wepler avec Adrien en face, comme escargots sous le regard d'Adrien, nos antennes gluantes dehors, cherchant à nous fourrer sous la même coquille, pauvre Adrien, cela devait lui répugner en effet, il haïssait les escargots lorsqu'il était petit et ne participait que par procuration aux courses que nous faisions sur le muret du jardin, se faisant représenter par un de ses petits frères ou cousins.

Il ne supporte pas le bras de mon frère sur mon épaule, ma main autour de la taille de mon frère, ses lèvres sur mon cou, mon regard toujours sur lui, « Estelle, tu vas lui user la figure », il ne supporte pas nos vêtements, « on dirait toujours que vous sortez du lit ou que vous venez de faire un marathon dans la jungle », il ne supporte pas nos conversations, « vous pourriez pas parler de choses normales des fois ? », « mais quoi, Adrien ? » « je sais pas moi, les bagnoles, les présentatrices de télé, le ski », il ne supporte pas notre chambre de bonne, « je suis obligé d'aller pisser au café de la place avant de venir chez vous, avec vos w-c à la turque sur le palier, j'imagine le cul de la vieille là-dessus et celui de votre agent de police, il y a toujours des traces... ». « Et notre cul à nous, tu l'imagines aussi ? » dit Dan. « Pas besoin de l'imaginer, vous me l'avez assez montré ! » « Quand ça, quand ça ? » s'énerve Dan. « Dans votre maison, votre sacrée maison Helleur, tiens ! Quand je vous ai trouvés comme des chiens le lendemain de... » « Ferme-la » « Et en plus vous avez descendu l'escalier à poil, sans vous presser, à poil, pour que je vous voie de face aussi ! » « Et alors ça te plaisait pas ? » « Et si j'allais raconter ça, hein, qu'est-ce que vous diriez, à mes parents, au notaire, aux deux Bonneville, à votre cher Minor, à toute la sacrée ville ? » « Tu le feras pas, Adrien », dis-je. « Et puorquoi, je te le demande ? » « Parce que tu es toujours amoureux de Nicole... » Elle convient à Adrien, cette explication, et je le sais. Ça nous calme, l'évocation de Nicole nous calme.

— Quand est-ce qu'on va te voir avec une fille? lui disons-nous.

— Ce qu'il y a de sûr, c'est que je ne vous l'amènerai pas.

— Et pourquoi?

— Pourquoi? dit Adrien en nous regardant d'un air cynique.

— Eh bien oui pourquoi? dit Dan en le toisant, ce qui n'est pas difficile et rend Adrien fou de rage, car Adrien est râblé certes mais à peine plus grand que moi et Dan le dépasse d'une bonne tête.

— Parce que je suis normal, moi et figurez-vous que j'ai envie de me marier, un jour.

— Et alors?

— Et alors j'ai pas envie que ma femme voie...

— Voie quoi?

Nous sommes prêts à nous sauter à la gorge, à nous battre come cette nuit de l'enterrement de nos parents, sur la pelouse durcie de gel.

— Toutes vos saloperies.

— Nos saloperies?

— Homosexualité, inceste, assassinat, abandon de famille, vous trouvez que ça ne suffit pas?

Homosexualité, inceste, assassinat, et quelle est l'autre chose? Ah oui, abandon de famille. Il pense à Tirésia sans doute, que n'allons pas voir.

Oh docteur Minor, qu'est-ce qu'Adrien peut comprendre à Tirésia?

Et soudain nous partons dans le fou rire, homosexualité, inceste, assassinat, abandon, Adrien, Adrien, si tu n'existais pas, il faudrait t'inventer, c'était tout ce que nous arrivions à lui dire au milieu de nos accès de rire, et l'incendie noir à la lisière de ses cheveux flambe, flambe.

Il part en claquant la porte, ce qui a la particularité de la faire se rouvrir aussitôt et dans le même instant de faire jaillir la vieille de son antre à côté des w-c, elle arrive devant notre chambre et nous voit nous contorsionner en répétant « homosexualité, inceste, assassinat, abandon de famille », alors elle ferme cette malheureuse porte en la claquant à son tour et la porte lui rebondit à la figure, elle recule sur ses vieilles pantoufles, « mal élevés, dit-elle, voyous, mal élevés » et nous finissons par nous excuser et plus tard nous lui offrons un pot de fleurs.

Nous nous efforçons passionnément, et tendrement et douloureusement, mon frère et moi, de ne pas fermer le monde d'à côté, le monde de juste à côté. Nous y mettons une application sérieuse, maladroite souvent. Peut-être Adrien nous aide-t-il dans cet effort. De tout cela nous ne savons rien, et Adrien encore moins.

Parfois il semble que nous pourrions très bien glisser à rebours, glisser jusque vers notre enfance, jusque vers le lit d'Estelle, au pied duquel le jeune garçon Dan traînait son matelas, et plus loin encore jusque dans le pré où le bébé Dan en gazouillant secouait une pluie de fleurettes sur les yeux éblouis de sa sœur, et plus loin encore, dans la chambre où l'enfant à peine né pleurait seul dans son berceau, jusqu'à ce premier jour où sa sœur le prenait contre sa poitrine plate de fillette, ce jour où il leur avait semblé à tous deux que le premier être vivant venait d'arriver sur la terre, nous pourrions glisser terriblement et ne plus bouger de ce souvenir hypnotique, lové pour toujours entre nous.

Et parfois il semble que nous pouvons glisser dans l'autre sens, tout va si vite, mon frère lit nuit et jour, son esprit surexcité ne peut plus s'arrêter, je l'ai aidé à atteindre le point où je me suis arrêtée dans mes études de droit, il y est arrivé en bien moins de temps que moi, doublant, triplant les tâches, il court d'une bibliothèque à une autre, me fait courir aussi, si je m'étais inscrite j'aurais pu passer tous ces examens en même temps que lui, mais je ne veux plus faire de droit, je n'ai voulu qu'aider Dan à démarrer mais il va si vite, m'entraîne dans sa course, je crois qu'il veut avaler la bibliothèque entière de l'université, pour un seul devoir il défriche des kilomètres de savoir à la ronde, parfois je m'effraie, « agir sur le monde, Estelle, tu comprends, pas seulement le distraire, pas seulement le faire penser, mais agir, tu comprends mon amour ».
Adolescent il avait fait alliance avec ses muscles, il avait espéré

farouchement en eux, pour lutter contre cette attraction de la terre qu'il avait sentie monter dans ses jambes, un jour sur la pelouse du jardin, si forte, cette terre qui le voulait, qui nous veut tous.

Et maintenant jeune homme il espérait en son esprit pour lutter contre ce qui, avant notre heure, sur le dessus de la terre, veut nous détruire, « parce que la terre, elle nous aura de toute façon, Estelle, peux-tu imaginer que je n'avais pas compris cela, Nicole non plus ne l'avait pas compris, ou alors si elle l'avait compris... oh ma pauvre Nicole ».

Il avait les larmes aux yeux, et mon cœur se gonflait de chagrin, Nicole dans son garage aux tentures fanées sur les mêmes seize mesures du *Boléro* de Ravel, pendant des années et des années, sans autres armes que ces tentures bleu ciel et ces seize mesures et ses jolis chaussons qu'elle renouvelait avec tant d'application, petite Nicole aux frisons dans le cou, notre petite mère Nicole, « qu'importe la terre nous aura, elle a pris père et Nicole et tous ceux qui ont été et seront, nous sommes tous pour elle, mais en attendant... Ce qui compte, Estelle, c'est ce que nous pouvons faire *en attendant...* ».

Mon frère Dan, s'il avait su qui étaient nos parents et ce qui leur était arrivé « sur le dessus de la terre », s'il avait entendu le récit de Tirésia, mon frère Dan, je crois qu'il n'aurait pas même dormi une heure...

Jusqu'à ce que... Je ne sais... Il voulait connaître toutes les parades à toutes les sournoiseries, les erreurs, les hypocrisies, les feintes, il voulait pouvoir bloquer toutes les issues aux criminels, connaître toutes les échappatoires possibles pour les bloquer à jamais, et ouvrir ailleurs les murs fermés...

Je crois que c'était ainsi qu'il parlait, madame, mais ses mots étaient beaux.

Et il voulait aussi connaître tous les sens qui avaient été trouvés au monde, « Estelle, je veux les connaître tous, tout ce que les hommes ont imaginé, depuis ce premier dessin, tu te rappelles sur le mur de notre grotte, il cherchait un sens celui-là aussi, il avait juste commencé, moi aussi je commence ».

Notre minuscule logis croulait sous les livres, je craignais que le plancher ne s'effondre sur l'étage du dessous, le mari de la concierge qui était maçon était venu, il avait examiné nos murs et notre sol, « répartissez », avait-il dit et nous avions entendu « rapetissez », ce qui nous avait fait rire pour des semaines. Il nous arrivait encore de mal entendre, « rapetissez » au lieu de « répartissez », comme notre père qui lui aussi avait entendu « rapetisser » au lieu du « rapetasser » de madame mère, et de nous rappeler cela nous faisait pleurer.

Rire pour le « répartissez » du concierge et pleurer pour le « rapetasser » de madame mère. Egarés soudain et rapetissant à vue d'œil.

La concierge nous regardait : « Mademoiselle Estelle, monsieur Dan, vous travaillez trop, il faut vous arrêter une minute... »

Saisis, nous nous arrêtions en effet, sur les trois marches de sa loge, dans le rayon de soleil qui tombait entre les immeubles, elle nous parlait de sa maison au Portugal, comment elle avait rencontré son mari en dévalant à bicyclette un sentier pierreux et lui rentrant tout bonnement dedans, « en plein dans les bolas du premier coup » disait-elle, elle nous faisait un café, nous restions assis bien tranquillement sur les marches, le regard levé vers elle avec adoration, elle était si joyeuse, « vous êtes vraiment comme deux gosses » nous disait-elle et j'avais l'impression qu'elle nous aurait volontiers donné le sein.

— Tiens, voilà votre ami Adrien, disait-elle. En voilà un qui ne doit pas manquer d'argent, et elle gloussait tout bas : Jamais la même chemise et pas un pli de trop, je m'y connais. Pas comme vous, hein, il faudra que vous m'apportiez votre linge de temps en temps, pas tout le temps, mon mari serait jaloux, mais de temps en temps, hein monsieur Dan !

La chemise d'Adrien était semblable à celles du jeune docteur, impeccablement repassée, celle du matin pas la même que celle du soir, et quand nous lui demandions comment il faisait pour repasser tant de chemises, la lisière de ses cheveux sur son front s'enflammait, l'incendie noir flambait, et il nous disait d'aller nous torcher avec nos bouquins, ce qui était sa suprême insulte. Très tôt il avait dû amalgamer deux choses qu'il avait sincèrement détestées, les w-c d'école et les manuels scolaires, et lorsque enfants nous passions des heures à lire dans notre grenier ou dans le pré, Dan et moi, il rôdait autour de nous, mauvais, malheureux, cherchant noise et souvent trouvant.

Nous savions très bien comment il se débrouillait pour ses chemises, il les amenait chez lui à G., à sa mère, tous les quinze jours, dans un gros sac de sport qu'il refusait obstinément d'ouvrir quand nous le lui demandions. Et ce n'était pas seulement par une sorte de honte de collégien, c'était aussi par pitié. Car nous n'avions personne, nous, à qui porter repasser notre linge. Sûrement sa mère avait proposé qu'il lui amène nos chemises à nous aussi, par la même occasion.

Je l'entendais presque, madame mère, « les pauvres orphelins, je ferais ça volontiers pour eux, Adrien, et ton père sera d'accord, en souvenir de monsieur Helleur, oui, il sera d'accord » et Adrien avait dû répondre : « les chemises sans pli, c'est trop normal pour eux, si je leur proposais ça, ils t'apporteraient des bouquins à repasser », et madame mère, qui nous avait toujours pris au sérieux, avait dû regarder son fils avec une légère inquiétude, « mais mon chéri, les livres, je ne sais pas comment ça se repasse, moi ! »

Adrien ne pouvait pas nous souffrir mais il ne pouvait pas se passer de nous. Il arrivait dans notre chambre de bonne sous les toits, votre « suite » disait-il avec mépris (car de fait nous étions les privilégiés de cet étage, étant locataires de *deux* chambres de bonne, entre lesquelles avait été percée une porte), mais aussitôt posé sur une chaise, nous le voyions remuer, mal à l'aise, et immanquablement au bout de quelques instants il nous proposait de « nous emmener ».

— Mais on est bien là, disait Dan.

— On crève de chaud, disait Adrien en été (ce qui était vrai, nous étions juste sous les toits).

— Enlève ta veste.

Mais les Adrien détestent enlever leur veste.

Ou bien en hiver :

— On crève de froid (ce qui était vrai, pour la même raison).

527

— Mets un pull, Adrien.

Mais les Adrien ne mettent pas de pull, juste la fameuse chemise bien repassée sous leur veston ou leur costume.

Alors il disait :

— Je vous emmène...

Il nous tapait sur les nerfs, il nous prenait notre temps, nous empêchait de réviser nos manuels de droit, nos livres de philosophie, nos livres de musique, nos partitions, nos examens, nos unités de valeur [1]...

— Vos unités d'horreur, disait-il.

Ou bien :

— Vos nullités de valeur.

Au pire de ses colères :

— Vos cochonneries de baiseurs...

Au plus gentil :

— Vos unités de pâleur, venez oui ou merde. Prendre l'air, c'est normal, je vous emmène...

Il nous empêchait de réviser nos unités de valeur, mais nous le suivions, nous ne pouvions nous empêcher de le suivre. Après tout, il était tout ce qu'il nous restait de la maison Helleur.

— Où allons-nous Adrien ?

— Faire un tour.

— Adrien, on est sur l'autoroute.

— Et alors ?

— Il faut qu'on rentre.

— Vos unités d'horreur ?

— Ramène-nous.

Adrien ricane. Il a une grosse Citroën Maserati, il conduit vite. Au milieu de l'après-midi nous arrivons dans une ville qui s'appelle Vienne, devant un hôtel qui s'appelle Hôtel Central.

— J'ai pris trois chambres, dit Adrien, parce que ce soir on sera trop ivres pour repartir.

— Trois chambres ?

1. Un certain nombre d'unités de valeur donnent droit à un diplôme universitaire.

— Ben oui, fait-il, une pour moi, une pour Dan, une pour Estelle. Tu ne veux quand même pas que je partage avec Dan, ajoute-t-il d'un ton lourd de sous-entendus grossiers.

Ah il n'a pas oublié le coup de fil de Poison Ivy, il en a tiré le suc empoisonné et le tirera chaque fois qu'il en aura envie. Et de nouveau nous sommes prêts à nous cogner sur la figure.

Adrien a vraiment retenu trois chambres. Il fait très chaud, le voyage nous a fatigués, nous nous querellons comme des chiens et dans cette querelle où nous sommes, nous ne pouvons pas nous séparer.

Nous nous retrouvons tous les trois dans une des chambres, le lit est énorme, Adrien et Dan se laissent tomber chacun dans un fauteuil, malheureusement le soleil tape en plein sur les fenêtres. Même rideaux tirés, nous suons. Même si nous nous taisions, nous suerions. Je laisse Dan et Adrien dans leur querelle mauvaise, vais prendre une grande douce et épaisse serviette de bain (Adrien a choisi un hôtel sérieux), la mouille intégralement sous la douche, l'essore et reviens la poser sur le lit et m'allonge dessus en culotte et soutien-gorge.

La fraîcheur me pénètre, petit à petit la rage me quitte, je vogue sur la voix de Dan, je suis heureuse. Dan et Adrien en ont assez de s'énerver et de suer, ils voient ma belle serviette fraîche sur le lit, soudain je ne les entends plus, ils sont allongés en slip l'un à droite l'autre à gauche de moi, chacun sur une grande douce et épaisse serviette mouillée comme la mienne, mon frère me tient la main, Adrien ne rouspète plus, nous somnolons dans la fraîcheur dans la touffeur d'un après-midi, à Vienne, France.

46

La Pyramide

Nous étions tous les trois couchés sur ce monumental lit de
l'Hôtel Central, dans la même chambre, sur ces blanches serviettes
mouillées qui nous rafraîchissaient le dos et nous isolaient dans une
sorte d'oasis, tandis qu'autour la chaleur menait son train, la
chaleur bruyante de Vienne, voitures sans cesse ronflant à ce
carrefour, voix assurées des passants, mugissements des autobus,
agitation des mouches dans les rideaux, et cette sorte de bruit
produit par la chaleur elle-même dans une ville en fin d'après-midi
et que je ne saurais pas décrire.

*Vous saurez, madame, et vous saurez aussi ce que signifient ces trois corps
gisant sur de blanches serviettes, deux se tenant la main, tous trois les yeux au
plafond, ensevelis dans une demi-somnolence.*

*Des détails, des fragments qui dérivent, madame, je ne peux pas m'attarder,
je ne peux pas chercher, il faut que j'aille vite, la peur, vous savez combien j'ai
peur...*

Soudain Adrien a bondi hors du lit, exactement comme s'il avait
entendu sonner un réveil. Son corps râblé avait des muscles solides,
épais.

— Tu fais du sport, Adrien ?

— Un peu de tennis, pour m'entretenir.

— Avec l'associé de Minor, je parie ?

Adrien, suffoqué de surprise, me regarde. J'entends sortir d'un
des fourrés de sa tête le couaquement habituel de l'oiseau tapi là :

« tu me fous la trouille, Estelle, toi et ton sacré frère, vous me foutez la trouille ».

Parfois, je fais peur à Adrien. Cet oiseau couaqueur au fond de lui croit que je suis une sorcière ou une pythie, mais il se mettrait en rage si on lui disait une chose semblable, jamais la pensée d'Adrien-qui-joue-au-tennis-et-porte-ses-chemises-à-repasser-à-madame-mère ne voudrait le reconnaître.

— Et comment tu sais ça ?

— Vous avez les mêmes chemises !

— Mais ce n'est pas vrai, j'achète mes chemises à Paris, et lui ne bouge pas de G.

— Ce sont des chemises analogiques, dit mon frère sentencieusement.

L'analogie de Miss Marple, notre chère vieille amie, mais Adrien ne connaît pas Miss Marple. Il ne lit pas. Quand nous lisions dans notre grenier ou dans le pré, il nous lançait des cailloux.

Adrien sent qu'il est vaincu. Il marmonne pour lui seul :

— Vous ne venez jamais à G., vous ne téléphonez à personne, vous n'allez même pas voir Tirésia, et vous savez que je joue au tennis avec ce mec, vous me foutez la trouille, voilà quoi.

Mais maintenant Adrien va triompher.

Il est descendu à sa voiture, il est remonté, il a une valise, une belle valise, oh pas comme celle de Poison Ivy, qui avait fait un bruit si désastreux avec ses vieilles ferrures à la porte de notre loft. C'est une valise de marque, de celles conçues pour l'avion, bien qu'Adrien n'ait pas encore pris l'avion, mais il le prendra, bientôt, bientôt, et souvent, et il le pressent.

De la valise il extrait deux costumes d'homme, blancs. Il savoure notre surprise.

— Je vous emmène à la Pyramide, dit-il.

Nous sommes toujours sur le lit, Dan en slip, moi en culotte et soutien-gorge, tous deux seuls maintenant sur une sorte de barque qui dérive sur des eaux mal définies, et à cause de cette brusque indéfinition (c'était l'un de nos hôtes aussi, cela : l'Indéfini), nous ne savons plus très bien où nous sommes.

Nous sommes ensemble. Epaule contre épaule, nos bras tièdes l'un contre l'autre, la main dans la main. Nos deux mains ont une telle puissance ensemble, elles occupent toutes nos forces, il ne reste rien dans nos cervelles essorées, nos cervelles faseyent comme deux voiles par-dessus l'humidité des serviettes, ces serviettes sont si blanches, leur blancheur nous entoure comme une vapeur, absorde ce qui reste en nous de pensée définie.

Nous sommes ensemble, mais où ?
— La Pyramide, en Egypte ? dis-je vaguement.
— Il y en a plusieurs d'ailleurs, dit Dan faisant un effort certain pour revenir sur une berge.
— La Pyramide à Vienne, dit Adrien, la meilleure cuisine de France, mais bien sûr, vous connaissez pas, vous êtes tellement ignares.
— C'est pour aller au restaurant que tu nous as ammenés jusqu'ici, Adrien, ce n'est pas possible !

La Pyramide en Egypte, la Pyramide à Vienne, nous nous dévisageons monstrueusement, chacun dans son camp, sûrs de la folie de l'autre, retrouvant comme par l'effet d'un coup de tonnerre, sous des regards choqués en éclairs, notre certitude de la folie de l'autre.

Et maintenant il m'arrive de penser que c'est pour cette raison précisément qu'Adrien et nous ne sommes jamais arrivés à l'irrémédiable querelle. Intimement persuadé de l'égarement de l'aure, chacun était conforté dans le sens de sa proximité personnelle... avec quoi ? Avec l'Etre soi-même bien sûr.
Seulement nous n'étions que des enfants pleins de peur et il nous fallait souvent vérifier, produire l'étincelle qui nous rassurait, en frottant l'une contre l'autre nos personnalités incompatibles.
Une explication, une autre, qu'importe madame ? Votre livret n'aura pas besoin d'explication.

— Un restaurant où Albert Lebrun a commandé un banquet de huit services dont les « délices de saint Antoine en feuilleté », mais vous êtes tellement ploucs que si je vous dis que c'était des pieds de porc vous allez rigoler, c'était des pieds de porc, d'accord...

— Pieds de porc d'accord, a murmuré Dan presque malgré lui.

Je lui ai pincé la main doucement, Adrien n'avait pas entendu et continuait son monologue.

— .... mais qui l'ont fait pleurer, vous vous rendez compte, faire pleurer un président, rien qu'avec un plat. Il était en retard pour l'Opéra, et vous savez ce qu'il a dit, « je préfère être damné chez Point ; Faust peut attendre ».

Encore une fois, nous avons mal entendu, mon frère et moi. « Point », c'était pour nous l'expression de la ferme autorité présidentielle, point c'est tout.

— Sans compter Cocteau, Colette, Sacha Guitry...

Adrien nous abrutissait véritablement. Nous relâchions notre attention, l'effort que nous avions fait pour rejoindre une berge. Nous retournions sur nos blanches barques avec notre hôte, le grand Indéfini.

— Alors vous comprenez bien qu'on n'allait pas y aller comme ça, disait-il en montrant nos vêtements de la journée sur la moquette.

Il y avait un costume pour lui, qui lui appartenait, un autre qu'il avait emprunté pour Dan, mais pour moi ?

— Oh, dit Adrien avec insouciance, les femmes, ça n'a pas d'importance.

Avec insouciance ou insolence ? Ou autre chose ?

Soudain j'entends voler en éclats une fenêtre, je sens un choc sur ma hanche, je vois une table, sur la table des vêtements, les tailles exactes, tout maniaquement exact, mais les vêtements sont noirs, affreusement infiniment noirs, je vois une paire de baskets, j'entends la voix de Dan, « mais il les a passés au cirage noir, Estelle ! ».

La diablerie est dans mon corps, je la sens qui fourmille, qui me tient, j'entends la voix de notre père « oh oh voilà qu'ils ont le diable dans le corps » et soudain je n'ai plus peur de rien, le fourmillement vient se tasser bien serré sous ma langue, j'ai la voix ferme.

— Ecoutez tous les deux, dis-je, je vais prendre un bain et me laver les cheveux, pendant ce temps allez me chercher une robe, n'importe quoi, blanche si possible, vous savez ce qui me va.

Adrien croit qu'il m'a matée. Mon frère me regarde, son regard dit « tu ne veux pas que je reste avec toi dans ce coup-là, quel qu'il soit, et je crois bien que je sais ce qu'il est ? », mais mon regard lui répond « bien sûr, mais ce que tu peux faire, c'est l'éloigner, justement, alors va avec lui et cherchez une robe blanche, pas la première venue, mais la quatrième ou la cinquième », ils sortent, je les guette, ils disparaissent dans une rue commerçante, ils en ont bien pour une demi-heure.

Moi j'en ai pour cinq minutes, auxquelles il faut ajouter dix minutes.

Cinq minutes pour descendre à la réception demander du cirage noir, dix minutes pour en barbouiller la plus petite des vestes.

Lorsque Adrien et Dan reviennent, j'en suis au pantalon.

Adrien est dans la porte, il ne peut ni avancer ni reculer.

Mon visage ruisselle de larmes, je crie « salaud, salaud, il n'y avait pas besoin de rendre les morts plus morts que morts ils sont », ma syntaxe part dans tous les sens, les mots gargouillent, « pas les morts seulement pour mourir, au cirage les vivants aussi ».

J'entends toujours la voix doucement railleuse de notre père, « oh oh ils ont le diable dans le corps aujourd'hui... ».

Cela nous arrivait si rarement, nous étions des enfants extraordinairement sages, peut-être cela le soulageait-il que nous ayons parfois « le diable dans le corps », alors je l'aurai cette fois, et très fort, pour toi, oh père, père...

Dan me prend dans ses bras, roule avec moi sur la moquette, il pleure aussi, nous avons du cirage partout sur la figure et les bras, Adrien marmonne des choses confuses en fermant la porte, en se penchant sur le désordre derrière nous.

Au bout d'un moment nous sommes dans la baignoire, Adrien nous brosse énergiquement la peau.

Nous lavons, nous épongeons, nous séchons.

— Quelle merde, cette chambre, dit Adrien, partout où vous passez, ça devient la merde. Heureusement qu'on en a deux autres.

Finalement à dix heures, calmés, nous voilà prêts pour la Pyramide.

Adrien a ses vêtements qui sentent le long trajet dans la chaleur de la voiture sur la route, Dan a le costume blanc, moi j'ai la robe blanche.

— C'est ça, dit Adrien, comme ça j'ai l'air du garçon d'honneur !

Je suis fatiguée maintenant, je veux faire plaisir à Adrien, je me suis laissé laver les cheveux et maquiller par eux deux, « l'air tragique, ça te va bien » dit Adrien avec sincérité, Dan m'embrasse dans le cou, ce baiser veut dire « n'écoute pas, ma chérie, moi je sais que l'air gai ça te va très très bien, et l'air amoureux, oh mon amoureuse, ça te va très très bien aussi », « arrêtez de coller comme ça », dit Adrien mécontent, « bon, dit Dan, puisque c'est toi qui payes ! ».

Nous allons à pied, des rues un peu tristes, comme à G. le soir. Se peut-il qu'il y ait un restaurant si célèbre au bout d'une rue si grise ?

Et soudain voici des voitures garées de tous côtés, un jardin en terrasse, des tables aux nappes blanches, des serveurs en smoking, des fleurs.

Une dame vient à nous, plus très jeune, aimable, enveloppée dans un grand châle. Je remarque ses ongles parfaitement vernis en rouge. Lorsqu'elle s'éloigne, Adrien murmure :

— Madame Point.

Et encore nous comprenons : « madame, point à la ligne ».

Sans doute cette dame n'a-t-elle pas besoin de nom. Pour celle

qui s'occupe de l'accueil en ce petit domaine, il suffit de
« madame », c'est un mot comme portier, maître d'hôtel, somme-
lier, chevalier... point c'est tout, et surtout ne posez pas de
questions idiotes, Dan et Estelle, ceci n'est que le préambule.

Nous ne posons pas de questions, nous nous laissons saluer,
guider, asseoir.

Adrien a l'air très satisfait, je sens encore la brûlure des larmes
sur le pourtour de mes yeux, je regarde Dan, ses yeux se plissent,
comme sous l'effet d'une brûlure eux aussi, soudain il se penche
vers moi pour m'embrasser, je me lève brutalement pour rejoindre
ses bras et entraîne la nappe, avec les fleurs, les verres, la petite
desserte en argent, les pains ronds.

Adrien reste stoïque. On nous change de table. On nous apporte
un menu, sur une seule page, rectangulaire et très haute. Je m'écrie
« mon Dieu, il faut choisir dans tout ça ! ». Un serveur qui passe
sourit imperceptiblement.

— La ferme, Estelle, pour l'amour du ciel !
— Mais quoi ?
— On te sert tout, tout ce qu'il y a sur ce menu.
— Qu'est-ce que tu racontes ?
— C'est spécial à ce restaurant, il y a une très petite quantité
pour chaque plat, mais comme ça tu peux goûter à tout.
— Ah.

Au bout d'un moment il me vient une autre idée.

— Il n'y a pas de prix, ça doit être très cher, merci Adrien.
— Il n'y a pas de prix sur *ton* menu, dit Adrien en se
rengorgeant.

Dan éclata de rire.

— Pas de prix sur le menu d'Estelle ! Adrien je n'aurais jamais
cru que tu étais protecteur à ce point.
— Imbécile, dit Adrien tout rouge, c'est pareil pour tous les
menus réservés aux femmes.

Soudain nous sommes lassés, ça ne nous intéresse plus, nous
pensons à notre petite « suite » sous les toits, une anxiété nous
prend, nous voudrions rentrer tout de suite.

Cela nous arrive souvent désormais.

Dès que nous sommes hors de chez nous, à un moment ou à un autre, cette anxiété arrive sur nous. Il nous semble que nous sommes partis depuis longtemps, que nous avons oublié quelque chose de très important.

Alors il nous faut rentrer bien vite, passer devant la loge ouverte de notre chère concierge, elle nous voit, nous sourit, « pas de message pour nous ? », elle secoua la tête tout en continuant à coudre ou faire la vaisselle ou trier le courrier. La loge possède un téléphone, nous sous les toits n'en avons pas.

Mais qui pourrait nous appeler ?

Minor nous écrit régulièrement pour nous dire toujours la même chose : que Tirésia se maintient, qu'elle demande de nos nouvelles, qu'elle ne veut pas de nos visites. Michael de loin en loin envoie un télégramme sur lequel il y a toujours les mêmes mots, « love, Michael ». Alex envoie des cartes postales de G. avec « bon souvenir » écrit derrière, il a dû épuiser la série, brève sans doute, des cartes montrant notre petite ville, alors depuis peu il envoie des cartes d'autres petites villes alentour, celles où l'entraînent les déplacements de son équipe de football, mais il n'y a toujours écrit au dos que « bon souvenir ».

Notre concierge connaît nos trois correspondants. « C'est le Docteur », dit-elle dès qu'elle nous voit, ou « c'est l'Américain », ou « c'est le Footballeur ».

Mais lorsque nous demandons « est-ce qu'il y a un message ? », elle sait bien que ce n'est pas à ceux-là que nous pensons.

Elle sait que le message dont nous lui parlons ne viendrait pas du docteur, de l'Américain, ou du footballeur, mais elle ne sait pas de qui il viendrait.

Nous non plus, nous ne le savons pas.

Parfois à cause d'une expression de notre concierge, nous avons vaguement conscience de commettre une répétition. Alors pour varier, lorsque nous sommes gais nous disons « est-ce qu'il y a une mésange pour nous ? » et lorsque nous sommes plus sombres, « est-ce qu'il y a un mensonge pour nous ? ». Et la concierge nous répond par une de ses petites drôleries à elle, ou par une facétie, ce qui est bien sûr une façon de dire « non ».

Adrien parlait :
— Elle est veuve. Quand ils se sont mariés, c'est elle qui a fait créer la terrasse et le jardin et quand il est mort... Au fait, une heure ou deux avant, vous savez ce qu'il a dit, il a dit « soigné comme je l'ai été, je vais sûrement mourir guéri ». Il a monté tout ça tout seul, je l'admire beaucoup, et elle, elle a continué exactement ce qu'il avait fait, je l'admire beaucoup, c'est une grande dame, madame Point. Oui, oui, disait-il, j'admire vraiment tout cela.

Mais nous ne lui prêtions pas attention.

Comme ce lieu et cette femme en châle aux ongles rouges et ce gros homme en photo dans le vestibule et cette poularde de Bresse truffée en si (encore une fois, mal compris, c'était truffée en vessie, vessie de porc, une invention célèbre de monsieur Point), comme tout cela nous était indifférent, et les larges et belles assiettes et les menues délicatesses sur les larges et belles assiettes, et l'argenterie et les fleurs, tout nous était indifférent, nous avions envie de rentrer, nous avions envie de voir notre concierge, d'être chez nous, à portée de sa belle voix intrépide, aux sonorités portugaises...

Les rues de Vienne entre notre hôtel et le restaurant... Longues, grises, façades fermées. Sous la terrasse du restaurant la pointe de la pyramide, grise, comme les monuments dans le cimetière de notre ville.

Où était Alex un dimanche comme celui-ci ? Sûrement pas au cimetière. En déplacement sportif probablement.

Qui nous avertirait si...

Si quoi, Dan et Estelle ?

Sous leurs dalles grises, dans ces cercueils que vous avez vus descendre au bout de leur corde, s'ils avaient besoin de vous ? Qui peut savoir ce que font les morts ? Sur le vaste territoire de livres que Dan a parcouru de son pas de danseur, nous n'avons rien trouvé concernant notre père et Nicole, et, si folle l'entreprise, c'était ce que mon frère cherchait, une réponse à cette unique question, je le savais, et à cause de cela courais pour lui d'une librairie à une autre, attendais dans les bibliothèques, lisais pour lui...

Nous sommes à Vienne avec Adrien, le cœur serré.
— A quoi vous pensez? demande Adrien.
— A notre concierge.
Et c'était vrai.
— Vous vous foutez de moi, dit Adrien.
— Notre concierge aimerait bien connaître ces recettes, dit Dan faisant un grand effort.
— Ah, fait Adrien rassuré.
Et le voilà lancé.
— L'idée de Point... un poulet doit avoir goût de poulet. Ne rien perdre de sa saveur essentielle. Et pareil pour tous les ingrédients... Avec les recettes compliquées d'autrefois, on pouvait gommer la différence entre un poulet excellent et une volaille quelconque... la qualité des matériaux employés... Capter le goût d'un produit et le mettre en valeur... Ne pas utiliser une sauce pour masquer un défaut, mais comme complément suprême... Le Prince Cur-nonsky... Demi-deuil...
Bien sûr vous savez pas ce que c'est?
— Quoi?
— Demi-deuil.
Adrien, nous te haïssons, nous pourrions te hacher menu, te fourrer dans une vessie en si, en si de porc...
— Faites pas cette tête. Ça va pas venir dans votre assiette, c'est pas un plat de Point, mais de la mère Filliou. Une poularde avec des truffes noires glissées sous la peau, mais que d'un côté, pour ça demi-deuil. Quoi? Vous aimez pas les truffes?
— Comme-ci comme-ça, disons-nous.
Il parle du gratin de queues d'écrevisses, du pâté de chasse en croûte, d'un bourgogne fameux, le romanée conti.

Nous arrivons aux framboises et fraises des bois. Adrien sort un cigare. Il termine une longue phrase.

— ... et c'est cela que me plaît, vous comprenez, et pas vos conneries dans votre chambre de bonne.

— Oui Adrien, disons-nous.

— Je vais monter une affaire, moi aussi.

— Pourquoi pas, Adrien?

— Vous croyez que je peux?

— Sûrement, tu peux.

Nous sommes sincères.

— J'ai déjà commencé en fait... Vous voulez savoir?

— Bien sûr.

— Du rotin des Philippines.

— Du rotin?

— J'achète des meubles en rotin qui viennent de là-bas, pour rien, et puis je les transforme, je les peins, je les laque, je mets des tissus, ça sera la mode, je vous dis, ça sera la mode...

Des meubles en rotin, laqués, avec du tissu...

Comme nous avons retrouvé notre air vague, Adrien croit que nous sommes jaloux. Il se penche vers nous dans la fumée de son cigare :

— Mais vous...

— Quoi nous?

— Vous aussi...

— Tu veux qu'on s'associe avec toi?

— Mais non, vous êtes bien trop dingues. Mais vous pouvez vivre autrement, si vous voulez, vous pouvez vivre aussi bien que moi.

— Qu'est-ce que tu veux dire?

— Au lieu de rester dans ces deux piaules minables où il fait toujours trop froid ou trop chaud.

— On est bien là-haut.

— C'est peut-être bien pour baiser...

— Adrien!

— Mais Estelle n'a pas de piano. Je ne vous comprends pas, elle

540

a arrêté ses études, elle dit qu'elle veut faire du piano comme Tirésia, et elle n'a même pas de piano. Tirésia, excusez-moi, elle avait un piano, elle, même si elle en joue plus.

Nous regardons Adrien, stupéfaits. Dan est agité.

— C'est vrai, Estelle, tu n'as pas de piano. Il faut que je te trouve un piano, il faut que je trouve... est-ce qu'on trouve des pianos dans les églises ici...

— Dans une église, ça va pas !

— Non, non, mais...

— Mais d'abord il faut que vous changiez d'appartement.

— Impossible, dis-je.

— Pourquoi ?

— A cause de la concierge.

Je vois qu'Adrien va entrer en fureur. J'essaie de me rattraper.

— Tu sais combien je gagne, Adrien, chez cette gérante qui me fait taper tous ses papiers en six exemplaires, tu imagines en six exemplaires quand il faut corriger une faute ! Je gagne de quoi acheter un sandwich et demi en une heure. Et Dan avec ses leçons de danse dans cette gentille école de la rue Legendre ? Même chose.

Adrien se renverse dans son fauteuil. Un serveur prend cela pour un signe et accourt.

— Monsieur ?

— Champagne, dit Adrien.

Et dès que le champagne nous pétille dans le nez, Adrien nous dit :

— Mais pourquoi vous faites ça aussi ?

— Pour payer nos études.

— Vous êtes fous, plus fous que vous j'ai jamais vu ! Mais enfin, qu'est-ce que vous attendez pour aller chez le notaire et vous faire virer votre fric !

— Quel notaire ? dit Dan.

— Quel fric ? dis-je.

— Le frère du prof de philo, il a plein de fric.

— Et alors, en quoi ça nous regarde ?

Nous avons mal entendu, cette fois encore.

Adrien recommence.

— Vous avez plein de fric qui vous attend chez le notaire, tout le monde sait ça, sauf vous apparemment.

Et d'un seul coup, nous le savons en effet.

Une voix dans son terrier entre ses proies et ses rebuts, paires de lunettes, cheval en bronze, pile d'annuaires, une voix qui va et vient dans son aire sur la vaste surface d'un bureau massif.

Puis soudain la qualité de l'air a changé, dans l'anfractuosité d'une falaise un nid de rapace est installé. C'est de là que nous parvient la voix. Elle descend en flèche vers nous. Le rapace dont le bec questionneur n'a pas réussi à nous piquer fait battre ses ailes à côté de nous.

Le bruit de ces grandes ailes qui battent contre nous nous empêche d'entendre ce que dit la voix.

Froissement agité, véhément, il remplit la tête, toutes les membranes de la tête se mettent à battre aussi, un vol d'ailes, une agitation comme celle de la pluie qui vient frapper au pare-brise, qui fuit devant les essuie-glaces, et revient frapper fort tandis que nous roulons, la pluie qui empêche de voir la route devant, comme le froissement d'ailes du rapace empêchait d'entendre, un vol d'ailes...

« Tu te rappelles Dan, les corbeaux sur le pré sombre, l'hiver où il n'avait cessé de pleuvoir, père disait : il n'y a jamais eu tant de corbeaux, Nicole criait : faites-les partir, oh je vous en prie, faites-les partir, Tirésia lui mettait les mains devant les yeux pour l'empêcher de voir, mais elle regardait et criait, père a couru dans le pré, les corbeaux se sont envolés, nous étions avec lui, tu te rappelles Dan, ce grand bruit d'ailes ? En remontant vers la maison, père nous a pris la main chacun d'un côté, soudain il a dit : cette maison sera à vous, les corbeaux qu'est-ce que ça peut faire ! »

« Ce n'est pas cela qu'il a dit. Il a dit : cette maison sera à vous et pour vous les corbeaux, ça n'aura strictement aucune importance ! »

« Après il a dit quelque chose, c'était en anglais, je ne me souviens pas... »

542

« Je ne souviens, c'était : *nevermore*. Il a répété ce drôle de mot : *nevermore*, plusieurs fois, puis il a dit : tout cela pas pour vous. Je m'en souviens très bien parce que je pensais à la boîte de sucettes qu'on avait reçue du Canada et j'ai cru qu'il parlait de ces sucettes. Et je lui ai dit : les sucettes, pas pour nous, papa ?

« Et il nous a pris chacun sous un bras, il riait, il disait, oh si les sucettes c'est pour vous, toutes les sucettes du monde, et cet arc-en-ciel pour vous aussi, oh mes chéris comme vous êtes beaux sous cet arc-en-ciel... »

« Il disait : tout est lavé, tout est nettoyé. »

« Et on a pensé que c'était de la véranda qu'il parlait, où nous avions mis tous nos jouets et fait de la peinture et incroyablement sali, et qu'il nous avait demandé de nettoyer. »

« On a pensé que magiquement la véranda s'était nettoyée toute seule. »

« On a cru que c'était l'arc-en-ciel, parce qu'on entendait archangelle dans ce mot, petite archange pour les enfants... »

« Alors on a filé dans nos chambres bien sagement... »

« Et plus tard quand Nicole est venue nous rappeler qu'on n'avait rien rangé, on s'est écriés : mais papa a dit que tout avait été nettoyé et lavé. »

« Et Nicole disait : mais comment serait-ce possible ? tous vos jouets y sont et la peinture. Je l'entends encore : mais comment serait-ce possible ? Elle ne pensait pas une seconde que nous pouvions lui mentir... »

« Et on lui a dit : c'est l'archangelle, papa a dit que ça nettoyait et lavait tout... »

« Et elle a ri, Nicole, elle a ri, elle ne nous grondait jamais, oh Nicole, Nicole... »

« Ne pleure pas, mon amour, mon petit amour... »

Les essuie-glaces allaient et venaient très vite sur la vitre, la chaleur avait enfin crevé en orage de pluie, c'était le milieu de la nuit, nous étions en fuite, nous fuyions loin de Vienne dans la Citroën, Maserati d'Adrien, nous filions vers nos chambres de bonne, vers notre chère concierge qui nous dirait s'il y avait eu un message pour nous, vers le seul lieu où nous devions être, où pouvaient nous trouver, nous appeler ceux qui avaient besoin de nous.

Nous avions quitté la Pyramide passablement ivres. Adrien était furieux parce que le serveur avait apporté l'addition à Dan.

— Ne t'énerve pas, Adrien, c'est à cause du costume, avais-je dit.

Ce n'était pas à cause du fameux costume, c'était à cause de la beauté et de la prestance de Dan que le serveur était venu à lui.

Il savait bien pourtant que Dan n'était que l'invité, que je n'étais que la compagne de l'invité, il savait bien qui était le chef de notre petite troupe, aucun serveur ne pouvait se tromper là-dessus, et encore moins un serveur de la Pyramide, les signes avaient été clairs. Adrien avait marché devant nous lorsque nous étions entrés, Adrien avait commandé les plats, Adrien avait commandé le champagne, c'était lui qui se carrait dans sa chaise et fumait un gros cigare. Même si Costume Blanc était sur l'autre et Robe Blanche sur la compagne de l'autre, il était clair que c'était le petit râblé en costume de voyage qui sortirait la carte de crédit.

Mais mon frère attirait le regard.

Attirer le regard.

L'expression est si banale, mais si l'on pense que le regard attiré a sa source dans des yeux, que ces yeux sont comme des lacs dans une tête, que la tête elle-même est comme un sommet sur un corps, que ce corps d'où s'élance le regard peut se mouvoir, prendre des trajectoires, on comprendra la force que peut révéler cette attraction exercée sur les regards : une force à déplacer les montagnes.

Le serveur était venu vers notre table, portant la coupelle d'argent avec la note, il allait vers Adrien.

La direction qu'il avait prise, l'orientation de son buste, tout indiquait que c'était à Adrien, le chef de notre groupe, qu'il portait la coupelle. Mais soudain quelque chose s'était déréglé dans ce mécanisme du serveur parfait, une modification légère de son angle d'approche, et voilà qu'il regardait Dan, il arrivait droit sur Dan, et c'était devant lui, hypnotisé, qu'il déposait la coupelle d'argent ciselé, telle une brillante offrande à un dieu.

Alors pour effacer cette erreur épouvantable, nous avions bu encore une autre bouteille de champagne, du dom pérignon toujours, puis nous étions sortis assez droits.

Mais dans la rue grise, encore plus grise maintenant que la nuit s'écrasait dans les coins d'ombre et que les réverbères blafards accentuaient leur domination, dans la rue qui ressemblait à toutes les rues de notre ville de G. la nuit, nous nous étions mis à tanguer, Adrien devant, le plus ivre mais le plus décidé, Dan et moi moins ivres, mais de nouveau accaparés par notre hôte l'Indéfini qui nous pendait au cou maintenant comme le fatal albatros du poème, et nous laissant remorquer par Adrien, qui allait d'un bord à l'autre, avec la fermeté renversante d'une déferlante sur un pont de bateau, les yeux nous piquaient, de sel semblait-il, sous l'éclairage brumeux des phares au-dessus de nos têtes.

« La Pyramide, la Pyramide » criait Adrien avec enthousiasme comme un marin apercevant terre, et la Pyramide était devant nous, grise et muette à l'horizon de nos regards mouillés.

« Tiens, disait Adrien, je croyais qu'on l'avait dépassée », cent mètres plus loin il psalmodiait « la Pyramide, la Pyramide », les yeux nous piquaient toujours, c'était de sable cette fois, nous tanguions sur un terrain de sable et de cailloux, et de nouveau la Pyramide se dressait devant nous, grise et muette.

« Merde, on a tourné en rond », éructait Adrien, il était tombé au pied de la construction, « ça me rappelle quelque chose », gargouillait-il avec effort, « viens Adrien », nous en étions à le supplier, mais il ne voulait plus partir, « ça me rappelle quelque chose, s'obstinait-il, dites-moi quoi, vous le savez vous, dites-moi quoi et je me lèverai ». Nous le soulevions sous les bras, il retombait lourdement.

Adrien devenait menaçant, « les fous savent des choses, vous devez savoir ce que ça me rappelle », il passait la main à la lisière de ses cheveux et l'enlevait aussitôt comme si quelque chose le brûlait là, « Adrien, c'est le cimetière » a dit mon frère Dan durement, mais nous avions repris notre marche, nous devant cette fois, Adrien derrière, nous dessoulés et Adrien murmurant des choses, « pas drôles, fous et pas drôles ».

Puis il recommençait, « le monument de quoi, le monument de quoi ? », « d'Akbar, ferme-là » disait mon frère, « le monument d'Akbar, marmonnait Adrien déjà à quelques mètres derrière, d'Akbar et quoi ? et quoi ? », mais nous ne lui répondions plus, nous n'étions plus du tout ivres, l'Indéfini s'était éloigné, nous voulions rentrer, et Adrien avait fini par nous suivre, s'appliquant à ne pas perdre notre trace, accroché au panache blanc de nos blancs vêtements dans la nuit grise de Vienne.

Nous avions voulu l'amener dans l'une des deux autres chambres qu'il avait retenues, mais rien à faire, il rampait dans le couloir, il voulait retourner à la première, « celle où vous avez foutu le souk, c'est là, là que je veux aller » et c'est là finalement que nous l'avions installé.

— Adrien, on s'en va, lui avions-nous dit.

Mais il ne répondait pas.

— Adrien, nous prenons ta voiture.

Pas de réponse intelligible, que ce soit d'approbation ou de refus.

— Tu prendras le train demain matin, ou te téléphonera, on ira te chercher à la gare...

Ronflements.

Et nous étions partis.

Nous étions arrivés à l'aube à Paris, les éboueurs n'étaient pas encore passés, nous avions eu du mal à garer la grosse voiture d'Adrien, puis nous étions arrivés devant la loge de notre concierge, ses volets étaient fermés, Dan était monté rapidement au sixième, au cas où sur notre porte, attachée avec un papier collant, il y aurait une feuille de carnet portant sa grande écriture désordonnée, « message de... rappeler à... », ou sous la porte, ou sur notre table, puisqu'elle avait la clé. Mais il n'y avait rien, me disait l'expression de Dan, et nous n'osions plus remonter au sixième, nous nous sommes assis sur le petit escalier à trois marches, là où si souvent il y avait eu pour nous rayon de soleil et café brûlant, prêtant l'oreille à la rumeur approchante du camion des éboueurs, il était passé, nous attendions encore, soudain une sonnerie avait retenti dans la loge, nous nous étions dressés tout pâles, quelques instants plus tard, la concierge ferraillait dans sa serrure, ouvrait la porte, nous voyait quasiment jaillis devant elle, elle reculait dans un grand cri, son mari criait quelque chose en portugais de la chambre, la concierge reprenait ses esprits :

— Eh bien vous tombez bien, vous deux, c'est pour vous...

Et nous entrions comme des fous dans la loge de nos concierges, nous prenions le téléphone :

— Merde, ça va pas, hurlait Adrien d'une voix pâteuse mais bien audible, vous m'avez planté là, j'ai mal à la tête, je trouve plus la voiture, où est-ce qu'on l'a laissée...

Nous laissions tomber le récepteur et notre concierge le reprenait :

— Ah c'est vous, monsieur Adrien. Oui, ne vous inquiétez pas, ils sont bien là. Comment ils sont arrivés là ? (elle se tournait vers nous)... Avec votre voiture, ils disent... Ils disent qu'ils iront vous chercher à la gare... Le prochain train... Mais de rien, monsieur Adrien... Prenez de l'aspirine... Oui, merci, non, non, je vous en prie, d'accord, à bientôt.

Puis elle raccrochait et nous regardait un peu effarée mais déjà rieuse :

— On peut dire que vous m'avez fait peur. Mais enfin, qu'est-ce que vous attendez toujours comme ça, hein, vous me le direz un jour ?

Elle était drôlement vêtue, avec des chaussettes bordeaux qui lui coupaient la chair sous le genou, une chemise de nuit verte toute feutrée (elle n'avait pas mis son soutien-gorge encore et on devinait sa poitrine qui s'étalait en dessous, large, moelleuse), et puis un gros pull lâche, décoloré en rose par la lessive, tout un accoutrement tristement révélateur d'un rez-de-chaussée mal chauffé. Mais son petit nez en trompette et ses yeux rieurs et ses fossettes changeaient tout cela en un déguisement de lutin, de petite fée farceuse dans une maisonnette de forêt enchantée.

— Je vous fais un café, on va déjeuner avec mon mari, allez debout Mario...

Nous nous sommes assis sur la table à la toile cirée jaunie, il y avait encore du courrier de la veille pas trié, « les réclames et les catalogues, c'est pas pressé ça », elle faisait bouillir l'eau derrière la porte accordéon du cagibi-cuisine, bientôt nous étions à beurrer des tartines avec elle et son mari, détendus enfin, heureux de nouveau.

Et soudain mon frère disait :

— Mais c'est elle l'archangelle...

Et je disais :

— Oui c'est vous, vous êtes l'archangelle.

Et son mari Mario disait :

— Oune angel, ma Dlourès, oh oh !

47

Bonheur

Nos corps se heurtent au milieu de la nuit. Mon frère allume brusquement la lampe, aveuglement cru sur mon visage, mon frère le tient dans ses mains, « Estelle, Estelle », nos cœurs battent violemment, je plisse les yeux, maintenue sous la lumière par ses mains fermes, nos cheveux sont ébouriffés, nous avons les traits gonflés et les odeurs de la nuit dans la bouche, mais c'est nous, nous tout seuls dans notre nouvel appartement.

Nous détaillons notre visage dans la lumière de la lampe, qui maintenant s'adoucit, laissant se déplisser les yeux, il faut toucher ces cernes sous les yeux, passer la main dans les paquets désordonnés des cheveux, j'effleure les petits piquants de la barbe sur les joues de mon frère, il suit la ligne qu'a marquée un pli du drap sur ma joue, nous reniflons l'odeur de la bouche, des aisselles, du sexe, c'est nous.

Autour il y a cet espace silencieux de notre appartement, dont la porte et les fenêtres ne s'ouvriront que si nous le désirons, qui est à nous, vaste, neuf, et nous sommes dans cet espace.

Nous sommes sous le coup d'une stupeur, comme si un bonheur dont nous avions oublié l'existence, que nous n'avions pas espéré pour nous, était là.

Notre séjour dans la minuscule « suite » sous les toits semble n'avoir été qu'un passage, un nid où les enfants apeurés reprennent leurs forces, je crois que nous comprenons pour la première fois que nous sommes grands... et libres.

Ce bonheur est là dans l'appartement, nous nous levons et marchons doucement main dans la main, c'est lui qui nous a réveillés, il veut notre attention, nous allons de pièce en pièce et partout il n'y a d'autre présence que la sienne.

Dans les deux chambres du fond où nous avons posé les cartons de notre déménagement (nos livres et nos vêtements, ce qu'il y avait dans les deux chambres de bonne), notre bonheur est là, tranquillement installé au milieu de ces cartons effarouchés qu'il semble familiariser avec le lieu nouveau, et leur empilement aux contours hasardeux qui se dessine contre la lueur pâle de la fenêtre prend force, devient la forme de notre bonheur, couché au sol et reposant comme un animal domestique.

Dans la salle de bains étrangère il est là aussi, sur les lignes arrondies et luisantes de la grande baignoire Bauhaus, sur celles du lavabo du même style, nous regardons du pas de la porte, et il nous semble petit à petit voir notre bonheur détendre ces lignes, les arracher à leur étrangeté et les envelopper dans un halo vaporeux qui nous pénètre les yeux.

Nous restons debout devant la salle de bains obscure où flottent deux gros nuages blancs.

Puis notre bonheur nous restitue les mêmes lignes, mais domestiquées, devenues nôtres. A gauche est la grande baignoire où nous prendrons nos bains, Dan et moi, nous la regardons avec respect, et à côté d'elle est le lavabo qui nous accueillera chaque matin, tous deux sont blancs et forts et paisibles dans la semi-obscurité.

Et dans la cuisine, notre bonheur est là aussi, bruissant dans les compteurs de gaz et d'électricité. Ces deux boîtes dispenseront leur force pour nous, pour Dan et Estelle, « Vous avez fini de délirer avec ces deux compteurs, avait dit Adrien, ça m'énerve », qu'importe nous écoutons leur tac-tac mécanique et dans la nuit silencieuse il nous semble entendre le cœur vivant de notre bonheur. Mais notre bonheur glisse aussi sur les carreaux de faïence bruns, sur l'énorme réfrigérateur-congélateur, encore ceinturé de feuilles transparentes sous lesquelles luisent des chromes, sur la cuisinière au tableau de bord parcouru de fluorescences vertes et rouges, semblable à une console de lancement de fusée.

Nous sommes riches, nous avons de beaux appareils, « voulez-vous le réveil incorporé, la lecture digitale, le congélateur, le thermomètre intérieur ? » avait commencé à interroger le vendeur et nous l'avions coupé au milieu de ses questions soigneusement graduées, « nous voulons tout » avions-nous dit, déjà prêts à payer et partir.

« Pauvre mec, c'est son boulot, et vous lui sabotez son boulot », dixit Adrien qui nous avait accompagnés, et c'est lui qui avait posé au vendeur les questions qui à son avis donnaient à la profession sa dignité, pendant que nous, nous « faisions nos conneries » entre les rangées d'appareils. Trop longues les rangées, trop blancs les appareils, Dan avait entrepris de remonter mes cheveux sur le sommet de la tête « pour voir si tu ressemblerais à Nicole », mais mes cheveux qui ne frisaient pas lui coulaient entre les doigts. Je ne sais pourquoi Adrien nous avait accompagnés, l'afflux d'argent sur le nouveau compte joint Helleur D. et Helleur E. nous avait rapprochés pour un temps, je crois qu'il s'intéressait à tout ce qui portait une étiquette de prix, « tandis que vous, vous gâchez le commerce » avait-il dit dégoûté.

Le réfrigérateur-congélateur multi-étoiles pour vaste famille, la cuisinière ultra-sophistiquée sont chez nous, à demi déballés, massifs sous leur caparace luisante, la lueur obscure de la nuit perchée sur le plomb des fenêtres à vitrail art-déco semble les observer, nous aussi nous observons. Sur le nouveau compteur électrique une trace lumineuse tourne. Comme un glaçon bleu au fond d'un trou noir pointe la flamme du gaz. Au-dessus plane la nébuleuse lactée d'un énorme chauffe-eau. Nous regardons, nous regardons.

Notre bonheur prépare ces objets pour nous, pour ce qui sera notre vie.

Et dans la salle aux cinq fenêtres (« presque une nef de cathédrale » dira Vlad lorsqu'il la verra la première fois) notre bonheur coulisse le long de la barre, glisse sur le plancher aux longues planches brunes, se déplie dans le volume du piano. La barre qui fait une ombre forte sur les murs sera pour nos mains, ce plancher qui luit mystérieusement dans la pénombre se réserve pour nos pas, et le piano... oh le piano, nous osons à peine porter les yeux sur lui tant il est la puissance de notre bonheur. Ses courbes se développent magistralement dans l'espace, il proclame que Dan et Estelle vivent ici, qu'il est leur représentant, le représentant de leur bonheur en ce lieu, et c'est un piano imposant, des luisances s'animent sur lui, qui semblent émaner du profond de sa membrure, qui semblent la manifestation d'un esprit en veille à l'intérieur, il est fort, il est notre protecteur.

Nous revenons dans le couloir pour retourner à notre chambre. Nous sommes presque intimidés, nous avons vu notre bonheur à son œuvre dans l'espace, maintenant nous avons besoin de nous retrouver tous deux dans notre lit.

Notre lit n'est encore qu'un entassement de couvertures, il y aura bientôt une moquette épaisse, puis un tapis d'Orient puis un matelas confortable, mais nous n'arriverons jamais jusqu'au lit complet, nous n'avons pas eu le temps. Pourtant nous voulions être grands, et bien loin de l'ancienne chambre de la maison Helleur où deux enfants se retrouvaient toujours, dormant enlacés sur le sol, au pied d'un lit de fillette trop étroit pour eux deux... Mais nous ne trouvions pas de lit à notre convenance et nous revenions de nos courses vaines avec seulement une couverture de plus, chaque fois plus attachante et plus belle, irrésistible. *Savez-vous, madame, qu'il y a des couvertures plus précieuses que des fourrures, des couvertures qui sont comme les peaux de créatures qui n'existent pas et devraient exister, de créatures idéales qui dans leur bonté se seraient dépouillées pour nous aider un peu, nous qui sommes si démunis. C'était cela notre lit, un entassement de somptueuses couvertures.*

Nous avons fait un très long et très étrange voyage ensemble. Nous avons commencé d'avancer sur un chemin obscur, nous cahotions ensemble entre des haies étroites, nous allions lentement, nous nous laissions mener par ce chemin, nous ne disions rien, nos souffles l'un contre l'autre,

plus tard nous avons senti que le chemin s'élargissait, débouchait sur de grands labours obscurs, nous nous enfoncions plus profondément, ensemble nous avancions sur une terre vivante qui cédait, puis se raffermissait, nous faisant rouler dans un autre sillon, nous roulions de sillon en sillon, toujours étroitement serrés,

puis le paysage a changé, nous étions sur une surface basse parsemée de joncs frémissants, en avançant nous frôlions les tiges rétractiles, et une ondulation se propageait dans cette population végétale, nous ne pouvions voir jusqu'où allait cette ondulation, l'horizon se perdait dans la nuit, nous attendions que s'apaise le frémissement le plus proche pour avancer,

soudain comme excités par nos pas, les joncs flexibles se relevaient avec vigueur, de proche en proche le mouvement de houle se communiquait, nous entendions le passage d'un incompréhensible message, l'eau clapotait, nous étions dans un marais, et les joncs s'épaississaient, c'étaient eux maintenant qui nous ployaient, nous dirigeaient,

comme ils étaient forts, ils nous poussaient de tige en tige, dans le clapotis de l'eau, les tiges en se relevant nous caressaient brutalement, une odeur forte montait du marais, nous ne contrôlions plus rien, ne savions plus quelle direction nous avions prise, notre souffle devenait court, une pluie chaude ruisselait contre les parois de l'air, rejoignant l'eau obscure du marais, la terre elle-même semblait se contracter pour nous faire avancer, dans un chuintement liquide elle nous rejetait et nous reprenait, nous montions et tombions avec elle, au milieu des joncs qui nous griffaient et nous giflaient,

quelque chose est venu de très loin, comme un éclair qui filait sur la pointe des joncs, « tu as vu » ai-je crié, « j'ai vu », et mon frère aussi criait, mais ce n'était pas avec des mots, il n'y avait pas de mots dans ce voyage,

nous avions dû nous tromper, l'éclair avait disparu, mais le paysage avait changé encore, nous remontions une pente, le sol était plus ferme, des feux follets semblaient courir entre les joncs, et soudain notre humeur a changé, nous courions après ces feux follets, trébuchant, haletant, riant, comme fous nous aussi, feux follets de la tourbe et des cimetières, ils se jouaient de nous, mais une force était entrée en nous, nous ne sentions plus la fatigue, nous les pourchassions, en désordre, nous heurtant dans notre hâte et nos rires, parfois nous en attrapions un, il s'échappait laissant la trace de sa brûlure, et un instant nous nous arrêtions, soufflant lourdement l'un dans l'autre, puis la force nous revenait d'un seul coup, et nous repartions, les membres élastiques, sérieux maintenant, concentrés, nos souffles dans le même rythme,

les feux follets s'étaient regroupés, ils fuyaient devant nous, fuyaient comme des pourchassés, nous gagnions sur eux de seconde en seconde et soudain nous les avons atteints, « Dan », ai-je crié, l'éclair que nous avions cru rêver surgissait au fond de l'horizon, arrivait à une vitesse foudroyante, il était sur nous, « Estelle », a crié mon frère,

nous n'étions pas morts, nous gisions l'un contre l'autre, encore éclaboussés de cette eau épaisse du marais, griffés par les joncs, dans une sueur brûlante, pas tout à fait revenus de ce très long voyage...

Le téléphone sonnait. C'était Adrien.
— Qu'est-ce que vous foutez, ça fait des heures que ça sonne.
— Mais tu as vu l'heure ?
— Je viens d'arriver, je suis à l'aéroport.
Avec remords nous nous rappelons qu'Adrien vient pratiquement de faire le tour du monde.
Heureusement il est si excité qu'il parle tout seul « à New York, Chicago, Brasilia, Rio de Janeiro, Tokyo, Hong Kong, jeté des jalons partout », « vous verrez, vous verrez, un jour je serai coté en bourse », « formidable, Adrien », « hein, hein, n'est-ce pas, encore plus que nous ne croyez, et Hong Kong, vous n'imaginez pas, la baie... des Chinois riches, riches... ».
Nous n'écoutons plus, l'écouteur pend, nous nous contentons de suivre les ondulations de sa voix qui font comme un manège de

montagnes russes, mais attention rupture, nous nous recollons sur l'écouteur.

— C'est comment ?

— Quoi, quoi, Adrien ?

— Le nouvel appartement ?

— Magnifique.

Et alors Adrien exulte :

— Hein, mieux vaut être riche avec un beau logis que pauvre dans un gourbi, n'est-ce pas, n'est-ce pas ?

C'est le dernier avatar de son dicton favori, il a dû y travailler ferme et il en est fier à cause de la rime, « hein, plutôt riche dans un beau logis que pauvre dans un gourbi » répète-t-il, il veut nous entraîner, et nous sommes si hébétés, littéralement Adrien nous abrutit parfois, que nous nous laissons faire. Nous disons « sûr, Adrien », nous nous reprenons et nous disons encore « c'est grâce à toi, Adrien », et encore « merci de nous avoir rappelé le notaire », mais notre voix est épaisse, et si notre vieil ennemi d'enfance manque parfois de perspicacité, ses humeurs en ont pour lui.

— Ça va, fait-il, vous fatiguez pas.

Sa voix est redevenue morose et butée.

— Vous étiez en train de baiser, et je vous dérange. Y a vraiment rien qui vous intéresse en dehors de baiser, hein ?

Et il raccroche.

Madame, si je vous disais « nous avons baisé », est-ce que ce serait suffisant ? « Mon chat a quatre pattes une queue et une moustache », cela peut-il suffire ? En ce cas autant jeter toutes mes descriptions au panier, ce que je vous dis n'aura de sens pour personne.

Il faudra que vous soyez ma traductrice, madame. Il faudra que vous trouviez ce qui dans la langue d'aujourd'hui peut traduire ce que je vous ai décrit. Je veux garder pied dans le présent, coller à la masse des autres, les vivants, mes contemporains, il faudra traduire, mais madame, sans trahir, sans trahir, est-ce que ce sera possible...

Le bonheur est intimidant.

Nous apprenons cela et nous en sommes surpris.

Sur la cuisinière au tableau de bord parsemé de fluorescences cosmiques, nous avons posé une planchette et sur la planchette notre petit camping-gaz de la chambre de bonne.

La pauvre bonbonne avec son brûleur à trois branches a été intimidée elle aussi, nous avons saisi cela tout de suite et nous l'avons descendue dans la cour intérieure de l'immeuble où il subsiste une fontaine. Elle n'aurait pas supporté de se faire débarbouiller dans la superbe baignoire Bauhaus, il y a tant de noirâtres coulures sur ses flancs, deux ou trois tampons s'y usent, gratteurs d'un côté et éponges de l'autre, quel étrillage, un voisin qui passe en costume cravate s'écarte ostensiblement de la rigole d'eau sale, nous avons ramené dans la vaste cuisine le camping-gaz nettoyé, toujours modeste mais d'un beau bleu franc, et maintenant il tient son rang sur l'altière cuisinière, un peu à la manière d'un dessin d'enfant au milieu de tableaux de maîtres.

Le réfrigérateur est trop haut pour qu'on lui fasse porter quoi que ce soit, nous n'y songeons même pas. Comme dans la chambre de bonne nous mettons nos yaourts le soir sur le rebord de la fenêtre, qui a presque la largeur d'un balcon. Ce ne sont plus exactement les mêmes yaourts, ceux-là sont d'un blanc crémeux dans des pots de verre, et à côté il y a le caviar de notre nouvel ami Vladimir et toujours plusieurs magnums de champagne. Nous sommes riches.

Nous sommes riches et nous avons acheté des meubles, de toutes sortes, pourvu qu'ils nous paraissent chers, nous n'avons guère de discernement. Mais ils restent dans leurs cartons, gonflant l'empilement hasardeux dans les deux chambres du fond, nous venons les regarder le soir, espérant qu'ils s'apprivoiseront suffisamment pour que nous puissions enfin les sortir. Mais où les mettre? Dans le grand salon il y a déjà la barre, le piano, et un plancher si méditatif que le charger d'un meuble serait lui faire injure. « Je ne suis pas une bête de somme », dirait-il sûrement, nous ne voulons pas le transformer en bête de somme. Nous nous contentons de mettre notre planche à tréteaux dans un coin près de la fenêtre. Récurée elle aussi à la fontaine de la cour, et repeinte par Mario, elle est d'une discrétion absolue, elle se fond dans le mur, c'est le bureau de Dan.

Il a rangé ses livres par-dessus les cartons des meubles neufs (et les meubles neufs sont toujours dans les cartons) dans les deux chambres de derrière, et lorsqu'il lui en faut un, il se lève de la table, longe le mur par la barre et revient par le même chemin. Je fais de même pour mes partitions. Je longe la barre et reviens par la barre. Lorsque je suis au piano, je vois mon frère assis à sa table à tréteaux à l'autre bout de la pièce. Mes exercices ne le dérangent pas, il est d'une concentration absolue. Moi je lève les yeux souvent et regarde son dos droit comme celui d'un jeune arbre, son cou, ses cheveux mordorés comme les feuillages de l'été indien dans la Nouvelle-Angleterre. Je ne pense rien. Pourquoi aurais-je des pensées? Tout est en place dans le monde et nous sommes dans ce monde.

Dans la salle de bains, nous avons posé deux bassines de plastique, celles que nous avions dans la chambre de bonne, après les avoir nettoyées à la fontaine. Sous les bassines nous avons mis notre ancien tapis de bain, lavé lui dans la machine à laver de notre ancienne concierge.

Les deux bassines sur leur tapis sont devant le grand lavabo Bauhaus. (Adrien devant notre salle de bains avait prononcé ce mot, avec d'autres tels qu'art-déco etc., mais nous n'entendions rien à tout cela, et nous avions élu les deux vocables Bauhaus à cause du mot « beau » qu'on pouvait y entendre, et plus obscurément à cause de la prononciation allemande qu'Adrien avait prise avec ostentation. Sans doute en nous un désir longtemps méconnu commençait à frémir, mais pour l'instant il ne frémissait qu'à ces sonorités émises par Adrien, dont l'accent était sûrement approximatif. Et me revient à l'instant l'épisode de l'insecte Samsa, « Samsa, ce pourrait être un rôle pour un danseur, oui, oui, ces petites pattes qui occupent tout l'espace », notre père avait froncé les sourcils, Nicole avait pleuré, notre père et Tirésia avaient échangé brièvement quelques mots en allemand, oh madame, tant d'occasions perdues!)

Nous montons chacun dans notre bassine, au beau lavabo Bauhaus nous faisons couler l'eau du robinet, et avec précaution nous

557

tendons le bras pour mouiller un gant, puis nous nous frottons mutuellement, prenant soin que rien n'éclabousse, cela prend du temps et de l'attention, mais d'une certaine façon cela nous convient.

« On est si seul dans sa toilette, a dit mon frère, tu imagines Estelle le nombre de gestes qu'on fait dans la solitude... », cette idée nous a agités terriblement, tant de gestes, vous imaginez cela, se peigner les cheveux, se brosser les dents, s'habiller, marcher dans la rue, tant de gestes, presque toute la vie. Au moins avec nos deux bassines nous sommes ensemble, nous ne pouvons y être lavés que l'un par l'autre, sinon ça éclabousse et nous ne voulons pas éclabousser, nous ne voulons pas porter atteinte à la splendide baignoire, au splendide lavabo, à leur impeccable blancheur.

Adrien est venu visiter. Il a parcouru l'appartement à grands pas. « Pas mal », a-t-il dit devant la salle de séjour aux cinq fenêtres, et nous avons vu qu'il était content. Cet appartement, c'était un peu sa chose. « Sans moi, vous n'auriez jamais téléphoné au notaire, vous n'auriez pas trouvé cet appartement, vous n'auriez pas été voir cet agent immobilier, et vous seriez encore à végéter misérablement dans vos minables chambres de bonne ! »

Notre concierge aussi pense que cet appartement est un peu sa chose, car c'est elle qui a su qu'il était en vente, pratiquement en face de notre ancien immeuble, « comme ça on continuera à se voir, hein, monsieur Dan ! ».

« Oui mais si je ne lui avais pas demandé, elle n'aurait pas eu l'idée de vous en parler, pense Adrien, comme je suis puissant maintenant et bon avec les faibles, bien sûr j'ai fait cela en souvenir de monsieur Helleur qui était un homme pur, meilleur que vous deux en tout cas, sale engeance, et en souvenir de Nicole qui était un ange, si belle que je n'arrive toujours pas à trouver une femme qui l'égale, s'ils étaient encore là, c'est eux que j'emmènerais dans les grands restaurants que je fréquente désormais, et à Nicole j'offrirais des parfums Guerlain et des foulards Trismégite, elle saurait apprécier elle au moins, mais je n'ai plus personne à qui montrer qui je suis devenu, que ces deux débiles prétentieux, bon peut-être qu'ils vont s'améliorer à la longue, ils ont déjà réussi à acheter un appartement valable, voyons voir les autres pièces... »

Mais devant les deux chambres du fond, pris d'inquiétude, nous n'ouvrons pas. « Qu'est-ce qu'il y a là ? » dit Adrien. « Deux chambres, mais ça sert de débarras pour l'instant, viens voir la salle de bains et la cuisine. » La salle de bains et la cuisine nous sauvent, grâce à elles la visite de notre chambre aussi est oubliée. Paquebot, rampe de lancement, objets célestes, extase (nous avons prestement caché bassines et camping-gaz), « bien aménagé » dit Adrien d'un air connaisseur. « Quand même, ça manque de meubles », ajoute-t-il en partant.

Nous approuvons, nous abondons dans son sens, nous en rajoutons pour lui faire plaisir, car nous voulons lui faire plaisir, nous le voulons très sérieusement, sa remarque sur notre brutalité avec le vendeur nous a touchés, nous comprenons que notre nouvel hôte le Bonheur est le plus complexe de tous ceux qui sont venus auprès de nous.

Que ce nouvel hôte le Bonheur n'aille pas maintenant blesser notre ami Adrien, lui qui n'est pas deux comme nous, lui qui est si loin égaré de l'Etre... « Tu as raison, mon vieux, il faut des meubles, tu as absolument raison. »

Mal nous en a pris.

Un camion bloque la rue en bas. En lettres cannelées sur fond brun on lit sur le camion :

ADRIEN V.
RUE DU BAC

Et sur l'étiquette des quatre gros paquets, il y a écrit « Helleur ».

« Ben alors c'est pour vous », dit notre ex-concierge excitée. « Non, non », disons-nous effrayés au déménageur qui veut nous faire signer. « Bah, donnez-moi ça, dit la concierge, c'est à monsieur Adrien, ce camion, alors je vais signer, moi ! »

Il y a un canapé en rotin, deux fauteuils en rotin et une table basse en rotin, les trois premiers recouverts d'un tissu à luxueux ramages, le dessus de la table est fait d'entrecroisements de lamelles de jonc, le rotin est laqué vert vif.

Il y a une lettre aussi :

« *Mieux vaut être riche et meublé Adrien V. que pauvre et meublé Galeries B. Je vous les fais à prix coûtant et vous payez quand vous voulez. Ils sont chouettes, non ? Et cette fois, pas de noir !* »

Nous sommes saisis.

« Heureusement qu'il n'a pas vu le tas de meubles dans les chambres du fond ! », voici ce que nous pensons aussitôt.

Nous sommes saisis et émus.

« Comment avons-nous pu oublier qu'il fait des meubles ! »

Nous sommes saisis, émus et bientôt en colère.

Car nous avons beau déplacer les quatre personnages de rotin à travers notre grande pièce, et les changer d'orientation, et les permuter entre eux, ils gênent.

Qui gênent-ils ?

Notre hôte le Bonheur, qui a besoin de tout cet espace vide entre le piano, la barre et la planche à tréteaux pour s'éployer.

— Je me battais avec mon corps, disait Dan. Pour l'arracher à la matière. A la matière qui veut le reprendre à elle...

la terre et mon corps, ils étaient du même bord...

mon corps pouvait être un allié, mais il ne se laisserait gagner que de haute lutte et à tout instant il pourrait retourner à sa première allégeance...

une certitude criait en moi : que le temps était court pour arracher mon corps à la matière, pour l'amener de mon côté...

il y avait les autres danseurs bien sûr et Alwin, mais le champ clos, c'était mon corps, me battre avec mes muscles contre mes muscles, avec mes os contre mes os, avec tout mon poids contre tout mon poids...

lorsque je m'étendais et me laissais aller, il me semblait que mes muscles me désertaient, j'entendais littéralement l'appel de la matière très loin au fond d'eux, ma chair s'étalait à l'horizontale, et un appel montait vers elle, les muscles devenaient mous, ils ne m'appartenaient plus, alors je me levais d'un bond...

il fallait que je sois debout tout le temps, à la verticale, tu comprends, que je reprenne commande sur mes muscles, qu'ils reprennent commande sur mon corps...

je dansais en dormant debout. Cela rendait fou Alwin, il criait : « Dan, si tu ne sais pas te reposer, tu n'arriveras à rien... »

Alwin, qui comprenait tout de la danse, ne comprenait pas cela. Le sommeil pour lui, ce n'était rien, qu'un hiatus entre deux espaces de lumière. Le sommeil, c'était pour lui comme les coulisses pour le spectateur. Il dormait peu, cinq heures, mais d'une traite et profondément...

j'ai essayé de lui expliquer. Il m'a regardé de cet œil noir qu'il a : c'est ton côté féminin, Dan. Il n'aimait pas les femmes, tu sais, Estelle. « Blind flesch [1] », c'est ça qu'il disait...

c'était un travail si solitaire. Juste mon corps contre mon corps...

les spectateurs nous regardent, Estelle, et restent assis. Et ensuite ils retournent chez eux, et rien n'a changé. Le danseur gagne une petite victoire sur la matière dans le champ étroit de son corps, mais cela ne change rien à toute la chair autour, l'immense chair du monde...

nous ne servons à rien, qu'à enjoliver la digestion de ceux qui peuvent s'offrir un billet pour aller voir un ballet...

et j'en ai eu assez. Je ne peux pas me passer de la danse, mais elle ne me suffit plus.

— Et le droit, Dan, cela te suffira ?

Nous parlions depuis longtemps, l'aube ne devait pas être loin. Nous étions l'un contre l'autre, au milieu de la pile de couvertures dans notre chambre. Parfois nous somnolions un peu. Dans ce demi-sommeil mon frère s'est agité. Il parlait confusément.

— Qu'est-ce que tu dis ?

« Nicole », voilà ce que j'entendais.

— Qu'est-ce que j'ai dit ?

— Tu parlais... d'eux, de Nicole.

1. Chair aveugle.

Il s'est rassis contre le mur. Il avait l'air effrayé.

— Je ne veux pas qu'il m'arrive ce qui est arrivé à Nicole.

Et soudain j'étais effrayée moi aussi.

— Qu'est-ce que tu veux dire?

Nous chuchotions.

— Je ne sais pas exactement, Estelle. Il me semble que Nicole essayait de redresser un tort.

Et je découvrais que je l'avais toujours su.

— Un tort énorme, immense. Mais tu comprends, elle n'avait pas les moyens. Juste ce corps frêle qui était le sien, pas même tellement doué, et ce garage. Et rien d'autre.

Toute seule, ignorante et traquée, Nicole s'était présentée devant la masse obscure de la vie et elle dansait, dansait...

Avant de quitter notre vieille maison, en regardant dans les tiroirs de notre père dans son bureau, nous étions tombés sur une liasse de feuillets rangés dans un dossier comme les autres, mais ces feuillets-là n'avaient aucune en-tête, aucune formule officielle, ils ne portaient que l'écriture de notre père, son écriture fine et penchée, parfois quelques lignes seulement, au milieu de la page. Il n'y avait pas de date.

Nous en avions tiré une au hasard.

« *Madame Voisin, dans sa chaise longue... Mollets rebondis, cou trapu, bon sens, installée dans le présent, aucune responsabilité pour le monde, parfaite comptable... Les enfants l'appellent madame mère... " sans ma femme, mon entreprise ne tient pas debout ", dit monsieur Voisin... Ton de commisération à mon égard... " Il faut une femme solide à un homme, monsieur Helleur " dit madame mère, confortablement étalée dans sa chaise longue... Elle parle de son fils Adrien et de ses aventures féminines... " Pour l'instant il faut qu'il s'amuse, après il se trouvera une femme solide, j'ai confiance en lui... " C'est ma voisine, nous faisons la conversation par-dessus le mur du jardin... Une femme solide...*

Et pourtant comme je lui préfère ces deux autres femmes, ma pauvre Nicole, que j'entends en cet instant à travers le mur, tap-tap sur ses petits chaussons de danse, et Tirésia que j'ai aperçue tout à l'heure les deux mains posées sur le

couvercle du piano, absorbée, comme si elle écoutait une musique qui se jouait à l'intérieur et se transmettait à elle par ses doigts...
Comme je préfère ces deux femmes... »

Sur une autre feuille agrafée à celle-ci :
« Les doigts blancs de Tirésia sur le couvercle noir du piano. On dirait qu'elle écoute par ses doigts. Parfois ils bougent, délicatement, comme si la musique avait changé de place, puis ils s'immobilisent de nouveau... »

Sur une autre :
« Je suis distrait, je m'aperçois que je lis un dossier sans attention, j'éprouve un malaise... C'est que je n'entends plus Nicole du côté du garage. Plus son éternel Boléro *qui lui convient si mal, plus son tap-tap, plus ce bruit diffus de son effort... Il me semble qu'une petite flamme s'est éteinte, je perçois un obscurcissement, voilà pourquoi je lis plus mal... »*

Ces mots tout seuls sur une autre feuille dans le même paquet :
« I so much prefer these two women... »

Lisant cette phrase pour la troisième fois, nous avions soudain pris conscience que ces notes étaient en anglais. Notre père ne nous parlait jamais en anglais.
Et la liasse de feuillets nous avait alors glissé des mains. Nous avions refermé le dossier, lacé soigneusement les rubans noirs.
Nous n'y avons plus touché...
Si nous avions lu ! Mais encore une fois nous avions repoussé la perche que nous tendait le destin, la perche qui pendait du train aveugle de notre destin. Les démêlés de notre père avec Minor, leur longue querelle toujours sur le même sujet, si nous avions tiré ces feuillets-là...
De toute façon il était déjà trop tard, il nous aurait fallu les trouver des années auparavant, avant le départ de mon frère pour New York, avant ses funestes descentes sur le bateau amarré derrière le terrain vague d'un ponton abandonné au bord du fleuve

Hudson. Mais nous étions dans notre grenier à l'arrière de la maison, ou sous le pommier, ou autour de la mare, ou dans le fossé au bas de la prairie, ou dans notre grotte au milieu des taillis des collines, nous étions des enfants trop rêveurs, il aurait fallu que nous soyons des enfants moins rêveurs, des enfants fouineurs.

Il aurait fallu que nos parents soient différents, il aurait fallu que ce qui leur est arrivé n'ait pu arriver, la chaîne est infinie, elle remonte au premier homme sur la terre et encore avant lui et encore avant cette terre.

Etait-il donc écrit qu'il n'y avait aucune chance pour nous ? Ou bien y avait-il quelque part un autre embranchement qui aurait pu être pris, une petite branche latérale qu'on aurait pu sans dommage détacher de la grande poussée du monde, pour qu'elle puisse en son extrémité nous porter mon frère et moi, rien que pour cette vie-ci ? L'arbre du monde n'aurait-il pu se dispenser d'une seule petite branche détachée au bon endroit ?

« I so much prefer these two women... »
Nous nous étions arrêtés là et nous avions refermé le dossier des papiers intimes de notre père.

— La plus belle salle de spectacle du monde ne sera jamais rien d'autre que le garage de Nicole. Et je veux agir, Estelle, avec des leviers qui peuvent soulever, transformer, empêcher...

je garderai la flamme de Nicole, mais je la cacherai au centre de ma force, comme une petite bougie, que seuls toi et moi verrons...

Qu'est-ce qu'il voulait faire ? Mon frère voulait faire du droit international, s'occuper des droits des réfugiés, des prisonniers politiques, des prisonniers de guerre, veiller à l'application des droits de l'homme, et la torture surtout, lutter contre la torture...

Il avait vingt ans. Il est mort trois ans plus tard.

Et nous parlions de moi aussi.

— Tu peux devenir aussi célèbre que Tirésia, disait Dan.

— Et je ferai des concerts pour les causes que tu défendras.

« Yea, do that, my friends », semblait nous encourager une voix bien-aimée. A New York, galvanisés par Michael, nous allions à toutes les manifestations contre la guerre du Vietnam. Une fois nous avions mis au point une sorte de mise en scène macabre et, vêtus de lambeaux de tissu dégoulinants de peinture rouge sang, dansant et vociférant dans la gare de Grand Central, nous avions suscité une belle agitation. La police était arrivée, nous avions été proprement écharpés, Alwin n'avait rien dit. Le soir les danseurs exultaient, mais Michael était sombre. « Des clowneries, tout ça, avait-il dit, il faudrait... » Comme tous les autres, Michael avait peur d'être désigné dans le tirage au sort. Djuma l'avait été, mais on ne savait comment, avait réussi à ne pas partir. Michael, qui était pauvre et noir, savait qu'il n'aurait aucune chance. « Il faudrait... » Voilà, voilà, Michael, nous avions trouvé ce qu'il fallait.

C'était une autre nuit et nous parlions encore de lui.

— On devrait lui envoyer de l'argent pour qu'il bazarde le taxi.

— Pour qu'il puisse suivre tous les cours d'Alwin.

— Pour qu'il puisse ouvrir cette petite école de danse dans le Bronx.

— Il ne bazardera jamais son taxi.

— Alors pour qu'il fasse un peu moins de taxi.

— Et un peu plus de danse.

— Mais il mettra tout sur la petite école de mômes.

— Qu'est-ce que ça peut faire si c'est ce qu'il aime.

— C'est beau, ce qu'il veut faire.

— Il a trouvé son moyen d'agir.

— Il faut l'aider.

— Alors faisons-le.

— D'accord faisons-le.

Nous l'avons fait. Et Michael a pu ouvrir sa petite école de danse.

« *But I still that cab*, nous a-t-il écrit, *just in case you decided to come back, so I could go and pick you up at the airport*[1]. »

---

1. « Mais j'ai encore le taxi, pour le cas où vous décideriez de revenir, comme ça je pourrais aller vous chercher à l'aéroport. »

Et nous avons compris que comme nous l'avions prévu, il continuait à conduire son taxi la journée dans les rues de New York, juste un peu moins peut-être. La danse c'était son plaisir, et l'école de danse, c'était partager ce plaisir, mais la voiture dans la ville, c'était son univers métaphysique, le support de sa pensée et de son langage...

Nous ne nous limitons plus à ressusciter notre enfance comme pendant nos nuits d'insomnie à New York, nous parlons de notre passé récent, de Michael qui nous est si cher, et de la danse et du piano, et de la guerre du Vietnam que nous croyons bien être notre guerre, mais nous parlons aussi de tout ce qui vient à nous chaque jour, et le flot est riche ou c'est nous qui avançons avec force, nous explorons de plus en plus largement le morceau d'univers qui est le nôtre.

Et ce que je ne connais pas de la vie de Dan, il me le raconte. Et ce qu'il ne connaît pas de ma vie, je le lui raconte, et petit à petit ces territoires aussi s'annexent à notre morceau d'univers commun et il semble bien que progressant ainsi nous pouvons annexer l'univers entier.

Une autre nuit encore. Il pleut à torrents. Nous nous réveillons dans un fracas de cataracte. Nous courons à la fenêtre. L'eau tombe en folie, remonte en éclaboussures géantes, la rue est une rivière, le bruit est déchaîné, la lumière des réverbères éclate dans les énormes gouttes d'eau, les façades se taisent, la rue se tait, pas un moteur, pas un passant, seule notre fenêtre est ouverte, la pluie vient nous chercher là où nous sommes, c'est pour nous ce spectacle, ce déversement somptueux, c'est à cause de notre amour, nous sommes trempés des pieds à la tête, nous avançons le buste tant que nous pouvons au-dehors, mon frère m'enlève ma chemise, « viens sur ses seins » crie-t-il à la pluie, il lèche l'eau sur mes seins, et l'eau saute et jaillit autour de nous comme une troupe de danseurs surnaturels, nous faisons l'amour sous la fenêtre, dans la pluie, mon corps ruisselle, je suis ce ruissellement de la pluie, il m'emporte, je dérive, dérive, accrochée aux épaules de mon frère...

C'est l'après-midi. Je sors du Conservatoire de la rue de Madrid, je remonte la rue de Rome. C'est mon trajet habituel.

Derrière la grille du pont de la rue de la Condamine j'aperçois une silhouette, loin, qui passe de barreau en barreau, et quelque chose me frappe. D'ordinaire les passants là-bas donnent l'impression d'être encagés derrière la grille. Mais cette silhouette donne l'impression exactement contraire, donne l'impression que c'est la ville qui est encagée et que celui qui marche là-bas est dans l'espace libre. Soudain je me sens emprisonnée, mon cœur se met à battre fort, je cours vers la grille du pont, vers la silhouette dansante, vers ma liberté, la rue est longue, les barreaux qui m'enferment se succèdent.

J'arrive à l'entrée du pont, je crie « Dan ». A l'autre bout, le passant se retourne, c'est mon frère. Il arrive de l'université de Nanterre par la gare du pont Cardinet. Nous courons l'un vers l'autre, mon frère m'enlève dans ses bras, me fait tourner à bout de bras, dans ce tournoiement au milieu des barreaux je vois valser la pancarte « Danger », mon frère me repose à terre, nous nous serrons l'un contre l'autre, essoufflés, presque étourdis, comme chaque fois qu'après avoir été séparés nous nous retrouvons.

Sous le pont, arrivant en sens inverse, des trains se croisent, fracas intense, il nous semble littéralement que les trains sortent de nos corps enlacés. Bref silence. Un autre train, solitaire, arrive. Dans le fracas croissant nos corps se fondent, dans le fracas décroissant le train s'éloigne, nous nous retrouvons l'un contre l'autre, étonnés et ravis de ce rapide tour de magie, nous recommençons l'expérience avec deux ou trois autres trains, puis rassérénés, nous nous prenons par la main, nous marchons tranquillement.

Sur l'immense muraille brune d'un arrière d'immeuble nous apercevons les vestiges d'une ancienne publicité qui devait être de taille gigantesque. Des traces de bleu semblent se lever de la muraille, s'épanouir sous la lueur rose de la fin de l'après-midi, nous lisons soudain « Dubonnet ».

Les lettres englouties depuis des années dans la crasse de la muraille sont remontées à la surface. Nous nous arrêtons, étonnés de cette nouvelle magie, nous fermons les yeux, les rouvrons. Le bleu précieux se détache toujours sur le mur, DUBONNET, nous titubons l'un contre l'autre jusqu'à la sortie du pont, nous sommes ivres de bonheur.

Un matin nous descendons l'escalier vers le métro, préoccupés comme tout un chacun par les tâches de la journée, quelque chose nous fait perdre l'équilibre, nous nous rattrapons l'un à l'autre, et soudain nous nous arrêtons, bouleversés.

Il y a un frémissement partout, le long des lignes des immeubles, le long des lignes de chaque objet, et derrière crépite un étincellement invisible, qui jette chaque morceau de la ville directement dans nos yeux.

Une chose immense vit en cet instant, partout autour de nous, et nous avons failli passer à côté, comment est-ce possible ?

Une chose immense s'est dressée devant nous, elle nous touche la peau, se couche le long de nos nerfs, oh passants bousculés pardonnez notre demi-tour trop brusque, nous remontons à contre-courant, vous irradiant de sourires, passants trop las pour protester, nous soulevons nos ailes dans la foule, nous prenons notre essor, nous glissons dans l'air des rues, regardant les façades, le ciel, les arbres, les gens, nos regards vont vers vous, vous lèchent, vous étreignent, nous sommes possédés, nous sommes enlacés, nous glissons dans l'éblouissement.

Nous arrivons au zoo du bois de Vincennes. Les lions sont dehors, allongés côte à côte sur leur esplanade. « Tu te rappelles la grotte ? » dit mon frère. Nous regardons les lions, les éléphants, par les cellules éveillées de notre corps nous côtoyons des temps très anciens, ceux des débuts de l'humanité, nous allons d'aire en aire, aucun animal ne nous est étranger. Nous faisons partie du temps, et le temps nous appartient.

Nous marchons dans le bois, dans le ciel très clair passe la plume blanche d'un avion. Nous le regardons longtemps, nous ne sommes pas *dans* cet avion, nous *sommes* cet avion, et tous ses passagers et

568

son voyage et sa destination, nous faisons partie de la planète et la planète nous appartient.

Les voitures brillantes filent sur le périphérique. Nous sommes le ruban de la route et le ruban des voitures, nous sommes l'immobilité de la route et le mouvement des voitures, tout à la fois, dans l'incessante succession d'éclats de lumière.

Nous apercevons un groupe d'immeubles très hauts, serrés ensemble avec de longs vides verticaux entre eux, rien ne nous effraie, ni leur taille ni tout le vaste espace sur lequel ils se détachent, nous sommes leur enracinement et leur essor, nous sommes leur compacité et leurs vides.

Nous prenons l'ascenseur de la tour Eiffel, nous regardons la nappe d'immeubles qui emplit le cercle de l'horizon, nous n'avons pas peur, nous sommes ceux qui les ont faits, ceux qui y sont, et ceux qui les détruiront.

Nous marchons, marchons. La nuit tombe, nous sommes dans un taxi, appuyés l'un sur l'autre dans l'incroyable confort d'un taxi, éreintés, à peine assez conscients pour réaliser que nous avons traversé la ville de part en part, mais cette fatigue n'est que l'autre face d'une énergie, nous éprouvons le bonheur, il fait un ruissellement puissant à l'intérieur de nous.

Cette énergie nous porte de jour en jour, nous ne redoutons rien du monde extérieur, mon frère se présente à plusieurs examens à la fois, tous lui sont faciles, je joue du piano, j'étudie, je passe des concours, le dernier le prix Marguerite Long, bien sûr je l'obtiens, ce ruissellement puissant en nous balaie tous les obstacles, nous entraîne et entraîne ceux que nous côtoyons.

48

Danse de la feuille de salade

Cette année-là mon frère avait dix-sept « unités de valeur à
passer », ainsi qu'on appelait les examens à cette époque.

Nous étions venus vivre à Paris comme il l'avait décidé en la
troisième nuit de notre deuil, dans le bureau de notre père, où les
portes sculptées s'étaient ouvertes pour lui comme les pages d'un
livre, révélant des dossiers qui étaient comme des tombes, et dans
ces dossiers des morts qu'il ne fallait pas oublier...

Dix-sept examens, douze en droit et cinq en philosophie, car il
s'était inscrit en philosophie aussi. De Bergson, il avait remonté en
arrière la grande chaîne des philosophes jusqu'au tout début, plus
tard revenu à Bergson il avait repris la chaîne dans l'autre sens, le
sens qui menait vers notre présent, il lisait sans cesse, une énergie
prodigieuse s'était libérée en lui, il était avide de rattraper ce qu'il
appelait « le temps perdu dans les substances confuses » *(les
substances confuses, comme ces deux mots me font souffrir encore, oh madame,
le corps de mon amour, la terre...)*, il mettait les bouchées doubles,
quadruples, puisqu'il s'était juré d'aller deux fois plus vite que le
cursus normal, et dans les deux disciplines en même temps.

Il passait ses unités de valeur (« vos nullités d'horreur »
continuait à dire Adrien, mais nous n'en avions cure) exactement
comme je l'imaginais sautant par-dessus les tables du Conservatoire la nuit de la chevauchée des Walkyries, sa mémoire était sans
faille, avec cette mémoire pour alliée il sautait les obstacles...

La danse, il n'en faisait plus. Et pourtant il restait un danseur, mon frère Dan.

Un soir qu'il avait travaillé très tard et que je m'étais endormie sans l'attendre, il est venu me réveiller.

— Estelle, viens voir.

Ses yeux brillaient d'excitation. Je l'ai suivi dans notre grande pièce où il travaillait en général. Les meubles étaient tous repoussés contre les murs. Dan était pieds nus, en survêtement.

— Qu'est-ce qui se passe?

— Tu te rappelles l'article dont père t'avait parlé dans une lettre?

— A propos des guêpes?

— Oui, eh bien je vais te danser quelques paragraphes à ce sujet.

— ...?

— Je vais te danser la présomption de garde et le renversement de la présomption de garde.

— Sans musique? ai-je dit, par simple réflexe.

— Tu vas me faire la musique.

— Au piano?

— Non, il suffit que tu me lises la partition.

— Quelle partition?

— Voilà, voilà.

Dan très affairé courait à sa table de travail, revenait avec un volume vert à couverture molle que je connaissais bien :

DROIT CIVIL
la responsabilité civile

LES COURS DE DROIT
158, Rue Saint-Jacques
PARIS V^e

— Voilà ta partition. Tu lis à partir d'ici.

Rien de ce qu'il faisait ne me paraissait étrange ou impossible. J'ai pris le vieux manuel de droit et, installée sur le piano par Dan, je me suis mise à lire les mots suivants :

« Par conséquent, il faut exclure la présomption de garde et donc la responsabilité de l'article 1383, al. 1er ou de l'article 1385, pour les choses sans maîtres, les res nullius, et les choses dont ni le propriétaire, ni le gardien ne peuvent être identifiés. »

Je lisais lentement, en détachant les syllabes.

De temps en temps Dan me donnait une brève indication.

« Pesant », et les mots devenaient de la pierre, et Dan se déplaçait par bonds pesants, reprenant sa respiration fortement après chaque bond, comme si ces quelques mouvements avaient coûté à ses poumons et ses muscles un effort énorme.

« Répète " res nullius " et je répétais " res nullius " avec toutes les intonations qui me venaient à l'esprit, et Dan bougeait au rythme de ces intonations.

« Passe à la neige maintenant », disait-il.

Je savais où elle était cette neige, elle était à la page suivante.

« En réalité, si on peut considérer que le propriétaire du bâtiment n'est pas gardien de la neige accumulée sur le toit, c'est parce que la neige constituerait une res nullius. Dans cette mesure seule une responsabilité fondée sur la faute du propriétaire du bâtiment pourrait intervenir, à condition, bien sûr, que la victime prouve cette faute. C'est ainsi qu'il peut y avoir faute à laisser la neige stagner sur le toit avant une période de dégel prévisible. La Cour de cassation a admis expressément la responsabilité fondée sur la faute du propriétaire du bâtiment... »

Dan bougeait lourdement à travers la pièce, le martèlement de ma voix s'imprimait directement dans son corps, et ce martèlement de son corps en retour s'imprimait dans ma voix, une sorte de transe nous tenait tous deux, « c'est cela, oui, c'est cela Estelle » murmurait Dan, comme ils étaient lourds ces mots du manuel de droit, des syllabes comme des briques, de mon souffle je poussais ces briques dans l'air, elles tombaient. Et leur chute, c'était le bond de Dan et sa retombée. Un autre mot commençait à se maçonner, je le formais avec mon souffle et Dan le formait avec son corps.

Cet étrange exercice nous envoûtait.

« Chœur maintenant », soufflait Dan.

Et je reprenais le mot « neige » et le modulais en suivant attentivement les mouvements de Dan. Mon corps neigeait, l'air dans la pièce neigeait, et le piano sur lequel j'étais assise, et les meubles poussés le long des murs, tout neigeait autour de Dan qui était la neige elle-même, légère, dansante. Et comme invoquée par ce mot, une vision errait autour de nous...

Colonnes de fonte profilées dans l'opacité laiteuse, Greene Street effacée, ses façades 72 le grand et 29 sa compagne semblables à de blancs cygnes retirés sous leurs ailes et même notre numéro 100, fantomatique derrière nous, la rue recouverte de fourrure, les flocons jaillissant dans la lueur du réverbère, volant par longs éclairs dans la lueur du réverbère, leurs ailes duveteuses se chevauchant et le petit groupe serré des danseurs, Estelle au milieu d'eux, et le grand piano tapi dans la neige avec ses pattes noires, et Dan qui dansait...

Dan a perçu l'émotion dans ma voix.

— Ta neige fond, Estelle, passe au jet de pierre.

Danse du jet de bouteilles :

« La SNCF est-elle responsable des dommages causés par le jet des bouteilles à partir de ses convois... »

Ma voix chuchotait : « La SNCF est-elle responsable des dommages, est-elle responsable des dommages, est-elle responsable des dommages... »

Dan se préparait par quelques jetés discrets dans un coin de la pièce, puis quand je l'ai senti prêt, j'ai hurlé « le jet des bouteilles » et Dan qui s'était ramassé a soudain traversé l'espace en un bond grand écart pour s'abattre à mes pieds, les membres comme désarticulés, tandis que je finissais d'un ton tragique « à partir de ses convois, à partir des convois... ».

Danse de la feuille de salade :

« A la page 225 du manuel, l'arrêt de la cour de Rennes du 21 novembre 1972 (D. 1973, 640) sur la base de l'article 1384, al. 1er, a refusé d'admettre la responsabilité de l'exploitant d'un magasin dans lequel une cliente était tombée pour avoir glissé sur une feuille de salade. »

« Feuille de salade dans un manuel de droit », annonçait solennellement Dan.

Pendant un moment de pause entre les figures, nous avions ouvert les cinq fenêtres en grand.

La rue où nous habitions à Paris était petite, peu fréquentée. A cette heure de la nuit, elle était parfaitement silencieuse. Aucune lueur à aucun étage. La nuit était vaste, calme. Seul nous dérangeait le réverbère accroché directement sur le mur extérieur, à portée de main. Pour ne pas avoir sa lumière entre nous et la grande nuit, nous avions jeté une couverture sur le réflecteur. Dans l'appartement les lampes étaient éteintes. On voyait les étoiles piquées dans le ciel.

« Au milieu des articles de droit
Circule la salade », disait Dan.
Je m'étais mise au piano.
« Tournoie la salade » chantait Dan.
Je jouais avec vigueur.
« S'échappe la salade », criait Dan.

Sa voix était puissante, elle devait emplir la rue, et je frappais fort sur le piano aussi, et le corps du danseur faisait vibrer toute la pièce. Comme il était joyeux mon frère Dan dans le rôle de cette feuille de salade ! Nous ne pensions pas aux voisins, ni aux policiers du commissariat dans la rue voisine à quelques mètres en bas de la nôtre.

Nous faisions un grand vacarme dans ce quartier paisible au cœur de la nuit et nous n'en avions nullement conscience.

« Toi et ton frère, je ne vous comprendrai jamais », aurait dit Alex tristement. « Vous ne pensez qu'à vous, salopards », aurait dit Adrien.

« La salade tourne, tourne », hurlait Dan dans une sorte de rugissement qui semblait vouloir couvrir la ville, et peut-être survoler l'océan et aller jusqu'à l'autre rive appeler nos amis les danseurs, Ken à la douane de l'aéroport cherchant son énième carton de café, David somnolant sur un cours d'architecture, Djuma perdu dans un rêve hautain, et Michael surtout, Michael qui peut-être se morfondait dans son taxi au milieu de la circulation dense de la fin d'après-midi, ignorant quelle était cette nostalgie qui soudain le traversait...

« La salade... » rugissait mon frère en tournoyant au milieu de la pièce.

Et moi je rugissais à mon piano, plaquant des accords de fastueux délire.

« La salade s'envole. »

Dan d'un bond s'était perché à la fenêtre et chantait à pleins poumons, les bras tendus vers le ciel, accompagné par ce qui me semblait le plus propre à évoquer l'allégresse furieuse d'une feuille de salade, échappée à l'exploitant du magasin et sa cliente, échappée aux articles du droit civil, s'éployant immensément vers les espaces infinis, et je tapais, tapais furieusement sur mon piano pour qu'elle rejoigne les grands convois des nuages et s'en aille voguer par-dessus l'océan Atlantique vers l'Amérique, vers nos amis perdus les danseurs, vers Michael qui envoyait toujours ses télégrammes marqués « love »...

— Comment, comment ? disait Dan à la fenêtre, plus du tout éployé vers le ciel, mais courbé en deux sur l'appui, comme s'il cherchait à entendre les paroles, couvertes par le piano, d'un interlocuteur en bas dans la rue.

Le ton de sa voix m'a dégrisée d'un seul coup.

C'était sa voix la plus plate, celle qu'il avait avec les délégués de la vie quotidienne. « Estelle ma chérie, ne cessait-il de recommander mi-sérieux mi-rieur, avec les délégués de la vie quotidienne, une seule politique : prudence et correction ! » Je me suis précipitée à côté de lui à la fenêtre.

Dans la rue deux policiers en uniforme, la tête levée, désignaient la couverture sur le réverbère.

— C'est vous qui avez mis ça ? disait le plus jeune.

— Absolument monsieur, disait Dan.

— Eh bien il faut l'enlever, disait le plus vieux.

— Pas de problème, disait Dan, on a fini.

Accroché à moi et penché sur le côté, il tirait sur la couverture, mais celle-ci lui échappait et tombait aux pieds des policiers. Ceux-ci s'inclinaient, ramassaient l'objet, le tournaient en divers sens, pendant que nous les regardions, fascinés. Finalement le plus jeune la jetait sur son épaule tandis que le plus vieux relevait la tête vers nous.

— Et maintenant il faut nous suivre au commissariat.

— Au commissariat? s'exclamait mon frère.

Il avait l'air ravi.

— Mademoiselle aussi, disait le plus jeune.

— Mais bien sûr, disait mon frère, bien sûr que ma sœur vient. Au commissariat, vous vous rendez compte, ça n'arrive pas tous les jours.

Il avait déjà oublié le premier article de notre code de conduite : « Avec les délégués de la vie quotidienne, prudence. »

Pas moi.

Je tremblais de froid, de frayeur, « Dan » murmurais-je. Etait-ce ma vieille inquiétude, des bribes de conversations saisies au vol entre notre père et Minor, certains des mots qui jaillissaient dans les cauchemars de Nicole, une méfiance se tenait toute raide en moi, j'avais peur de la police, je ne comprenais pas l'enthousiasme de Dan.

Puis tout s'est retourné d'un coup.

Voilà, j'étais avec mon frère, nous roulions ensemble dans le flot de la vie et alors, comme il arrive quand on roule ainsi ensemble, des objets hétéroclites venaient nous heurter, deux policiers maintenant dans le flot de la vie, qui venaient heurter les tibias de notre immeuble, oh je comprenais l'hilarité de mon frère, j'étais follement heureuse, nous sommes descendus en quelques secondes.

— Vous comprenez, expliquais-je aux policiers, nous avons voulu danser.

— Et la danse, disait mon frère, quand on n'a pas dansé depuis longtemps, ça rend fou.

— Ma femme quand elle danse, disait le plus vieux des deux policiers, elle perd carrément la tête.

— Les femmes, ça se comprend, disait le plus jeune avec réticence, mais les hommes...

— Oh oh, disait le plus vieux, mon neveu on ne peut plus rien lui dire quand il a son casque sur la tête et qu'il écoute sa musique.

— Moi, disait le plus jeune, ça serait plutôt le foot.

— C'est ça, c'est ça, disait Dan, le foot c'est exactement pareil, j'en ai fait moi aussi, sur le terrain quand on tire un penalty...

— Et que ça réussit, criait le plus jeune.

— Ouah, lançait Dan.

— Ouah, répondait le vieux policier imitant le stade en délire.

Nous descendions la rue, côte à côte, les deux uniformes et nous, et je voyais cette chose extraordinaire, mon frère qui jetait un sort sur les policiers, « he is casting a spell on the police of this town » ai-je pensé en anglais comme si nous étions dans un film en v.o. et ma gaieté augmentait, nous faisions pas mal de bruit à nous quatre dans cette petite rue où tout résonnait, nos dénonciateurs tapis derrière leurs fenêtres devaient refermer leurs rideaux avec dépit, mon frère me tenait par le bras, il me semblait glisser en kayak sur le dos délicieusement lisse d'une onduleuse rivière.

Nous n'avions jamais pénétré à l'intérieur d'un commissariat, ce n'était qu'une grande salle avec à gauche un long guichet derrière lequel deux autres policiers, l'air lourd et étonné des animaux qu'on surprend la nuit, ont levé les yeux pour nous regarder entrer.

Je ne me souviens pas des instants intermédiaires mais ensuite je nous revois assis sur des chaises comme de paisibles pêcheurs pique-niquant sur leurs pliants. Mon frère parlait, parlait, je suivais ses mots comme des bouchons sur l'eau, l'un des policiers avait un fils parti tenter sa chance du côté des restaurants français de San Francisco, ce fils envoyait des lettres où il était beaucoup question de base-ball, mon frère se lançait dans une imitation des gestes du batteur, on lui avait prêté un fusil pour tenir le rôle de la batte, il était incroyablement drôle avec ce fusil, nous n'arrêtions pas de rire, j'en avais mal au ventre, je me demandais ce qui allait nous arriver mais mon frère était là, je me reposais en lui... mon frère était magique et sa magie nous protégeait.

Et quand nous étions revenus nous étions tombés sur Vlad, endormi sur le trottoir, la tête accolée à sa valise de caviar.

49

Pas mariée ?

Voici maintenant pourquoi nous avions tant d'objets neufs entreposés dans les deux chambres au fond de notre nouvel appartement.

Mario, le mari de notre ancienne concierge, était venu nous aider à poser la barre dans la grande salle.

— Io né comprends pas.

— Quoi, Mario?

— Elle est trop haute.

— Mais non.

— Ma si.

— Mais pourquoi?

— Pour les miudos, là, disait-il en baissant la main.

Nous avions du mal à comprendre ce qu'il voulait dire, son français était beaucoup moins clair que celui de sa femme, mais justement pensant à sa femme, nous avons soudain deviné où étaient ses pensées, Dlourès était enceinte, et que savait-il de nous? Rien sinon que nous avions à peu près le même âge qu'eux et que nous venions de prendre un appartement plus grand. Sans doute voyait-il de gros bébés joufflus s'accrochant à la barre pour leurs premiers pas. A travers ses yeux, cette vision nous l'avions aussi et nous nous sentions bizarrement gênés. Dlourès était notre archangelle, mais Mario ne nous était rien, et nous nous étions tus, nous absorbant à ses côtés dans la confection du plâtre, et le bruit de la perceuse électrique avait couvert le silence.

Puis Mario est parti et alors nous avons regardé la barre.

Au bout d'un moment, mon frère a dit :

— Tu comprends Estelle, si je veux faire deux cursus à la fois, il faut que je puisse me dégourdir un peu de temps en temps. Ce n'est pas que je veuille reprendre la danse, je veux juste l'utiliser, pour me reconcentrer, tu comprends, parce que pour deux cursus il me faut double d'énergie, tu vois bien la différence ?

J'ai éclaté de rire.

Ce mot « cursus » était étrange dans la bouche de mon frère.

— Tu ne me prends pas au sérieux, a-t-il dit.

Il avait lâché brusquement la barre qu'il caressait doucement de la main depuis un moment.

Je ne répondais pas, attendant la suite de sa phrase.

Mais il ne poursuivait pas, il restait silencieux, la main qui avait caressé la belle barre couleur de miel tombée à son côté, comme une pelle.

Oui c'est l'image qui m'est venue, peut-être à cause du mari de notre concierge, qui venait de partir et qui était maçon.

La main aux subtiles caresses retombée comme une pelle, sur le manche de laquelle s'appuie le corps vaincu, et mon frère semblait s'appuyer sur son bras comme sur le manche d'une pelle, mais ce bras n'était planté sur aucun sol, mon frère était appuyé sur le vide.

J'ai pris conscience de ce vide sur lequel sa main était suspendue.

— Qu'est-ce que tu veux dire, Dan ?

— Tu ne me prends pas au sérieux.

J'étais pétrifiée, je ne trouvais aucune réponse.

— Poison Ivy, tu le prenais au sérieux.

— Yves, Yves ?

— Oui. C'était de la vraie graine d'avocat, lui, n'est-ce pas ? Moi je ne suis qu'une graminée folle, n'est-ce pas ?

Am-stram-gram, pic et pic et colegram, am-stram-gram, am-stram-gram...

580

Les syllabes puériles me tournaient la tête. Je me suis jetée à ses pieds, j'enserrais ses genoux...

Madame, j'enserrais ses genoux. La peur, tel un fouet imputrescible lancé à travers les siècles, en une seconde avait plié mon corps comme tant de corps l'avaient été, l'antique posture retrouvée en une seconde, mes dents s'entrechoquaient, je tremblais et dans mes bras serrés je sentais les jambes de mon frère qui tremblaient aussi.

— Pourquoi n'as-tu pas encore divorcé ?

Comment, que dis-tu, mon frère, mon amour ?

— Tu n'as pas divorcé de Poison Yvy, tu ne lui as même pas écrit, pas téléphoné...

— Mais Dan...

Une surprise énorme s'arrondissait dans ma tête.

— Quoi ?

— Mais Dan, je n'ai pas besoin de divorcer.

— Pourquoi ?

— Parce que nous ne sommes pas mariés !

Et les mots que je prononçais m'étaient presque aussi sidérants qu'ils l'étaient pour Dan.

Yves et moi, nous avions fait une réception, nous avions envoyé un faire-part à des amis, nous avions eu ces amis-là avec nous le jour de notre « mariage », Yves disait de moi « ma femme » et je l'appelais « mon mari »...

Mais voilà que mon frère Dan prononce ce mot « divorce », aussi étrange dans sa bouche que le mot « cursus », je m'entends répondre à ce mot étrange...

Et ma voix est plate, ma voix n'est qu'un pont pour une autre voix, celle que j'entends dans les mots d'une lettre à la belle écriture fine et penchée :

Ma chère Estelle,

Ma requête peut te paraître étrange, peut vous paraître étrange à toi et à Yves, que je considère déjà comme ton mari, puisque tu le sais je suis heureux de ton choix.

Pourtant je fais cette requête.

Si cela ne cause pas de dissensions entre vous et si vous n'y voyez pas d'inconvénient majeur, je souhaiterais que tu ne te maries pas selon les termes de la loi.

Voilà, j'ai dit la chose.

Il faut que tu comprennes Estelle, et que ton mari en soit bien persuadé, cela n'a rien à voir avec lui. Nous sommes heureux que tu te maries et que tu épouses ce jeune homme dont tu nous parles depuis si longtemps et avec qui j'ai eu plaisir à converser lorsque vous êtes venus à la maison.

Mais si vous le voulez bien, nous préférerions, tous les trois ici, que vous attendiez un peu et, je le répète, pour des raisons qui tiennent à nous et nullement à vous.

Une autre lettre avait suivi celle-ci, le même jour.

Ma petite fille,

Je voudrais pouvoir rattraper la lettre que j'ai écrite et postée hier soir.

Mes émotions sont si fortes en ce qui vous touche, vous les êtres que j'aime le plus au monde, qu'elles brouillent ma raison et secouent mon bon sens, qui fonctionnent par ailleurs très correctement, comme tu le sais, ma chérie, je ne suis pas un si mauvais avocat, " ni brouillon ni secoué " reconnaît Minor.

Mes lettres à toi pourraient bien faire croire le contraire pourtant.

Si mon ton était sec, Estelle, c'est parce que je sais combien ma demande peut sembler déplacée. Je le répète, je suis heureux de ce mariage, tu ne peux savoir même à quel point j'en suis heureux et Yves nous plaît entièrement.

Tiens-tu, tenez-vous très fort, à vous marier légalement, à remplir des paperasses à la mairie, chez le notaire?

Ma chérie, si c'était le cas, il faudra bien sûr que je retire ma requête.

Je voudrais pouvoir te l'expliquer, ma chère, chère petite fille.

Je peux te dire que je n'ai pas l'accord de Minor, il pense que je suis dans l'erreur, il le pense depuis longtemps, mais je suis si inquiet concernant notre maison, " notre maison Helleur " comme vous le disiez, permets-moi de vous emprunter votre expression, parce que c'est de cela qu'il s'agit.

Tirésia ne joue pratiquement plus du piano, je crains que ton départ et celui de Dan ne lui aient enlevé la raison principale qu'elle avait de jouer encore. T'enseigner était l'une de ses grandes joies.

Nicole est toujours dans son garage ou à l'église. Mais elle dansait mieux quand vous étiez là, et elle allait moins souvent à l'église.

Alors un mariage, ma petite fille, cette sorte de trait officiel sur l'enfance...

Je redoute des perturbations...

Si Dan au moins était là. Mais m'adresser à lui, je l'ose encore moins qu'à toi. Toi, tu as toujours été si raisonnable.

Estelle, je crois que je m'enferre. Mes explications ne valent rien. Elles me rendent honteux, elles ressemblent trop à une sorte de chantage.

Il vaut mieux que tu considères ma requête, telle quelle, nue et sans mauvaise excuse.

Estelle ma chérie, ne te marie pas à la mairie, pas tout de suite, il y a les problèmes de contrat, tu n'imagines pas comme cela peut être ennuyeux.

Mais si vous acceptez, faites une belle réception tout de même, je tiens à vous l'offrir, avec beaucoup de champagne et de saumon (ce que je préfère comme tu sais, mais tu peux commander autre chose). Va chez Bernstein, place de la Madeleine (ils nous connaissent très bien), dis-leur de m'envoyer la note, et ne lésine pas. Tu as toujours demandé si peu. Pour une fois, pour ce qui sera tout de même ton mariage, je voudrais que tu demandes beaucoup. Je voudrais que tu fasses de belles vraies dépenses.

Et pour les fleurs, Nicole veut que tu aies beaucoup de fleurs (des roses nicole entre autres), va juste à côté, Au Bouquet de la Madeleine, j'ai eu à travailler avec eux, dis ton nom, et tu auras les plus belles fleurs, et si vous voulez des vêtements de fête, je ne t'impose rien et je t'enverrai aussi bien un chèque si tu préfères, mais si cela t'arrange vous pouvez aller chez Meyer frères, rue Saint-Honoré, l'un des frères fait le vêtement homme l'autre le vêtement dame, la haute couture je veux dire, et je répète, ne lésine pas, Estelle, pour moi sinon pour vous, il ne s'agit pas de me ridiculiser devant ces gens, hein, suivons pour une fois les conseils de votre ami Adrien, montrons-nous à la hauteur, que la province épate Paris, fais-le pour nous puisque nous sommes trop rabougris pour le faire, cela nous fait plaisir par avance, Estelle, oui, nous sommes tous les trois bien excités à cette idée. Voilà comment : moi j'ai mon orgueil et ce serait là une façon acceptable de le contenter, Tirésia elle s'imagine revivre sa jeunesse, elle aimait le luxe, tu sais, et pouvait se le permettre, et Nicole remplit enfin ses rêves de quelque substance.

Mon père me donnait ensuite quantité d'autres adresses, marchands de meubles, de literie, de tapis, de vaisselle et verrerie, miroitiers et bijoutiers (et il y avait même dans la liste un empailleur de chaises et un rémouleur de couteaux), un véritable catalogue, comme s'il voulait se rattraper par là d'une faute qui le désolait et l'angoissait.

Cette liste et les commentaires et anecdotes qui l'accompagnaient avaient effacé la stupéfaction que j'avais éprouvée d'abord, m'avaient fait sourire, à la fin j'avais le fou rire, il y avait tout l'humour de notre père, et son attention aux êtres et son talent de raconteur, et sa tendresse pour moi, et à la fin sa requête si étrange du début ne m'avait plus semblé qu'une petite faveur de rien du tout que je pouvais bien lui accorder.

Et il est certain que cette liste de boutiques aux noms prestigieux n'était pas étrangère à mon changement de disposition. A mon aveuglement.

A mon aveuglement qui se poursuivait, que rien ne semblait pouvoir empêcher de se poursuivre.

Et alors scintillaient devant mes yeux ces boutiques de rêve, « Yves, tu imagines, aller chez Bernstein, chez Meyer frères, commander n'importe quoi, chez Bernstein, cher Meyer frères... ».

Nous vivions modestement dans notre ville, j'entends, mon frère et moi, car pour ce qui concerne nos parents les choses à l'extérieur paraissaient différentes. Adrien : « Ma pauvre fille, tu es fagotée comme une pensionnaire. Ce n'est pas Nicole qui s'habillerait comme ça ! »

Les robes de Nicole, son « studio de danse », la voiture de notre père, le piano de Tirésia étaient sans doute des éléments qui faisaient de nous, dans notre petite ville, des gens « au-dessus ». Mais plus que tout cela sans doute, c'était l'être même de nos parents qui les rendait si « au-dessus » aux yeux de notre petit voisin Adrien : la grâce, l'allure de notre père, la beauté de Nicole, et la prestance de Tirésia, que son voile et sa réserve n'avaient jamais réussi à cacher.

Dan et moi, nous avions eu peu de jouets et peu de vêtements. Ce n'était pas bien sûr une époque d'abondance. Cependant si nous avions désiré ce qui était disponible, je n'imagine pas que nos parents auraient refusé. Mais nous ne demandions rien. De fait nous n'avions aucun désir « extérieur » à notre maison, pour ainsi dire. Et je crois que cette indifférence était l'une des choses qui irritait et fascinait le plus Adrien en nous.

Enfant, il avait eu le camion Joustra, le train Jep, un bateau mécanique Jep. Debout dans l'écroulure du mur, brandissant son dernier cadeau, cadeau coûteux, arraché de haute lutte au pauvre monsieur Voisin, selon les dires de madame mère, il criait « Dan, Estelle, venez voir ».

Nous allions voir. L'objet était rutilant, coloré, articulé, Adrien le tournait en tous sens, nous montrait ses possibilités, nous suivions la démonstration avec sérieux, mais sans marque particulière d'enthousiasme, et dès qu'Adrien avait terminé, nous repartions à nos occupations, le laissant debout dans le mur comme si une obscure vengeance divine l'y avait encastré, petit Niobé masculin, son jouet en travers de la poitrine, et quand arrivés au perron de la maison nous nous retournions une dernière fois vers lui, ce jouet resplendissait là-bas comme un trophée brillant tandis qu'Adrien et le mur semblaient fondus ensemble dans une grisaille de monument abandonné.

Et maintenant je vois bien que l'invitation d'Adrien au restaurant la Pyramide était encore un de ces jouets pour épater ses deux petits voisins de la maison Helleur, le frère et la sœur, les inséparables, les inaccessibles, pour les arracher à leurs conciliabules secrets, à leurs occupations mystérieuses.

« Dan et Estelle, venez voir », crie Adrien, devant la pyramide de pierre grise, un petit restaurant cinq étoiles en travers de la poitrine, tout resplendissant de cristal et d'argent, « Dan et Estelle, venez voir... ».

Dan et moi dédaignions ces jouets. Nous avions notre grotte, notre grenier, le pré avec sa mare et son fossé, la pelouse, les livres qui étaient partout dans la maison, les fragments énigmatiques de conversations entre nos parents, entre notre père et Minor, les paroles qui tombaient de monsieur Raymond, nos imaginations.

Nous avions vécu modestement, il n'empêche que cette éblouissante liste de boutiques énumérées par mon père dans sa lettre avait produit un effet sur moi. Peut-être pas un effet de désir, mais un effet d'attendrissement.

Et sur Yves l'effet avait été littéralement d'anesthésie.

Une rancune s'était formée sur son front lorsque je lui avais rapporté la bizarre requête de mon père, j'avais senti cette rancune qui se formait et pour l'en distraire, moi qui ne montrais les lettres de mon père à personne, je lui avais fait lire toute la partie concernant la liste. Je l'ai dit, Yves était de famille pauvre, il lisait et au fur et à mesure qu'il passait de paragraphe en paragraphe je voyais cette rancune s'anesthésier. Il lisait, sa mémoire en alerte comme lorsqu'il était au travail sur l'un de ses manuels, et à la fin de la lecture il savait par cœur les noms et les adresses. « Alors Estelle, allons voir, pourquoi pas ? » Et nous avions passé une semaine à aller de boutique en boutique (négligeant cependant l'empailleur et le rémouleur dont le nom et l'adresse nous avaient désorientés), regardant les vitrines, sans le désir d'entrer et de nous faire connaître, et notre projet d'union à la mairie s'était comme évanoui au long de cette semaine.

Nous avions conservé le projet d'union tout court, avec faire-part, célébration, recherche d'appartement commun et diverses entreprises assorties.

Le passage à la mairie s'est trouvé simplement escamoté, sans que nous en ayons même à un moment ou à un autre pris la décision. Peut-être d'une certaine façon cela nous arrangeait-il, nous savions que ce genre de formalités prenait du temps et nous étions en période d'examens. C'est ce que nous avons dit aux parents d'Yves, qui à notre étonnement n'ont pas protesté. *Je cherche une raison, madame, j'en cherche partout, cette impasse sur les aspects officiels du mariage peut paraître étrange de la part d'étudiants en droit, cela me paraît étrange aujourd'hui, il y a quelques jours, parlant avec Phil, je lui ai raconté cette histoire comme si c'était celle d'anciens amis à moi, « invraisemblable, m'a-t-il dit, ou alors les diplômes de droit ne valent pas un clou et il faut réformer l'université, il doit y avoir quelque chose d'autre là-dessous, qu'ils se sont bien gardés de te raconter, Claire ! ». Et en cet instant j'éprouvais si fort combien il avait raison que j'ai approuvé, sincèrement, oui c'était invraisemblable. Alors je me demande maintenant « ai-je enfin changé,*

ai-je enfin réussi à devenir un être d'aujourd'hui, et en ce cas que faire, si ce
qui paraît invraisemblable a cependant eu lieu, que faire, se jeter la tête contre
les murs, hurler « je suis invraisemblable mais je suis », nous sommes allés
au cinéma, madame, rien de plus...

Je crois que Yves et moi, nous avons eu la conviction d'être complètement et normalement mariés.

Nous avons fait une réception, Si nous l'avions souhaité, cette réception aurait pu être somptueuse, mais nous n'avions que peu d'invités à convier et nous nous étions contentés des bouteilles de champagne de monsieur Bernstein, qu'Yves avait payées avec son chéquier tout neuf.

— Ah, murmurait Dan, passionnément attentif, les mains posées sur mes épaules, pendant que je lui racontais cela, toujours à genoux et enserrant ses jambes, ma tête levée vers lui, sa tête penchée vers moi...

Dans l'immeuble en face, au même étage, un homme accoudé à une fenêtre nous regardait. Nos fenêtres étaient ouvertes aussi, les cinq. Nous nous sommes tournés un instant vers lui.

— Ah, disait Dan, cela s'est passé comme cela.

Soudain il m'a saisie par la taille, m'a soulevée et s'est mis à tournoyer dans la grande pièce vide. Comme j'étais légère dans les bras de mon frère, mes jambes fermement enlacées à sa taille, tout le buste abandonné en arrière, je voyais venir à moi les cinq fenêtres comme des trouées de lumière, je pensais « nous allons disparaître dans l'un de ces trous de lumière », et c'était une pensée sans inquiétude, les fenêtres s'éloignaient et revenaient, nous tournions, tournions...

Doucement mon frère a ralenti sa danse folle, nous nous sommes retrouvés au même endroit, immobiles enfin, Dan reprenant son souffle, moi toujours dans ses bras, j'avais le vertige, j'ai posé ma tête sur son épaule, le vertige continuait et j'étais heureuse au milieu de ce tournoiement, tout mon être un tournoiement scintillant perché comme une galaxie sur son épaule.

L'homme accoudé en face nous regardait toujours. Il fumait pensivement.

J'ai repris pied sur le sol. Nous avions des choses à faire, emménager...
— Au fait, a fait Dan distraitement, ton passeport ?
— Quoi, mon passeport ?
— Où a-t-il été fait ?
— A G., c'est père qui s'en est chargé, je n'avais pas le temps.
Dan plissait le front comme s'il cherchait à retrouver une idée qui s'était déjà échappée. Et moi je scrutais ces plis de son front. Une seconde plus tard, nous avions déjà oublié.

Nous étions à essayer la barre, Dan voulait savoir quelles étaient ces boutiques dont notre père avait parlé, où elles se trouvaient, quelles étaient celles que nous avions été voir avec Yves, comment elles étaient... Et tout en faisant des pliés et des tendus, je lui racontais à la fois la liste de père et l'itinéraire choisi par Yves et mes impressions de vitrine en vitrine.
— Nous y retournerons ensemble, tu veux bien, Estelle ?
Il n'y avait pas besoin de répondre, Dan savait lire sur mon visage mes oui et mes non.
— Mais cette fois, nous entrerons et nous achèterons ce que père voulait que tu achètes. Tu te rappelleras ce qu'il voulait, Estelle ?
— J'ai sa lettre, Dan.
Et soudain mon frère était comme frappé par la foudre.
— Tu as sa lettre ?
— J'ai toutes ses lettres.
— Toutes ?

Un voile de brume était monté à ses yeux, mais son regard brillait intensément derrière, comme un rayon qui réussit à traverser la pluie, et l'écarte soudain, et sur les côtés de ce rayon, la pluie se met à tomber en grosses gouttes lentes. Je buvais les larmes de mon frère sur sa joue.
— Ne pleure pas, Dan, je les ai toutes.

— Il m'écrivait à moi aussi, mais je faisais à peine attention. Je lisais à toute vitesse et puis je jetais la lettre. J'étais hors de moi-même tout le temps... Les lettres de père. Dans les poubelles de New York, oh Estelle, je ne peux pas le supporter.

A la fenêtre en face, l'homme avait fini de fumer. Il se redressait et tirait les deux battants de la fenêtre sur lui. Ce mouvement nous a fait tourner la tête. Un instant nos regards et le sien se sont croisés, puis il a fermé sa fenêtre et nous l'avons vu disparaître dans les reflets de la vitre. Il n'y avait pas de rideau à cet étage.

— Le seul étage sans rideau, a fait Dan, comme pour raffermir sa voix.

— Si, il y en a, ai-je dit, mais ils ne les tirent pas apparemment, tu vois les pans, Dan, sur les côtés des fenêtres ?

— Oui, je vois.

Nous étions maintenant entièrement dans l'observation de cet étage en face du nôtre, cela nous distrayait de notre chagrin, nous le savions. Nous savions qu'il nous était bon de nous accrocher à un fragment de réalité et de le décortiquer jusqu'au bout. Notre chagrin finissait par reculer, dégoûté par un intérêt si obtus et maniaque.

50

Le philosophe, Dlourès, le philosophe

« L'herbe, disait le philosophe, pousse par le milieu, elle n'est ni
le début ni la fin, elle va son chemin entre toutes choses, elle est le
chemin lui-même... »

« J'aimais danser sur l'herbe, disait mon frère, sur l'herbe de la
pelouse devant notre maison, et j'aurais dansé aussi dans la prairie,
mais elle était en pente, avec notre fossé en bas et la mare dans un
coin, au milieu il y avait un pommier, au fond on voyait les arbres
des collines. »

« L'arbre a des racines, les racines donnent leurs ordres au
tronc, et le tronc à son tour donne ses ordres aux branches, l'arbre
est fixé sur ses racines... »

« J'aimais les arbres aussi, disait mon frère, les sapins qui
cachaient notre grotte dans les collines, les ifs où on jouait au
trampoline, les marronniers du jardin derrière lesquels parlaient
notre père et notre médecin, et tous les feuillages qui bougent dans
le vent. »

« Il n'a qu'un tronc et de ce tronc sortent les branches, telles
qu'on les connaît et les connaîtra toujours, l'arbre est un, c'est le
Un terrible, qu'il faut déraciner... »

« Mais dans la danse les arbres gênaient, je pensais aux liens
qu'ils ont avec la terre, dans les couches bien cachées où elle
s'occupe des morts, je pensais que les arbres ne seraient jamais
de mon côté, pourtant ils étaient notre paysage et je les aimais. »

« Notre tête est plantée d'arbres, trop d'arbres pour nous faire penser droit, les racines nous poursuivent, imposent leur poussée, nous nous étouffons dans les feuillages... »

« J'ai un cauchemar, un jour où je suis lourd la terre m'attrape, je ne sens rien d'abord que cette lourdeur, des courbatures me dis-je, mais c'est plus grave, mes muscles les plus fidèles, mes bonnes sentinelles, semblent drogués, et c'est trop tard, mon corps s'est donné à un autre maître, la terre a pris mes jambes, elles sont devenues racines et il ne reste plus que mes bras pour danser, ils me consolent mais eux-mêmes ne sont plus libres et je pleure avec eux. »

« Il développe son appareil, avec ses embranchements perpé-tuellement répartis et reproduits, ses points d'arborescence, il est système hiérarchique et transmission de commandements... »

« Par mes jambes je suis obligé de connaître la terre, elle me force à descendre, à voyager en elle, la sombre et luxuriante pourriture. Et je vois les morts à venir et les morts que j'aimais, la terre m'oblige à la connaître, je ne veux rien savoir, je veux retourner à la surface, mais mes jambes sont devenues ses esclaves zélées, ses esclaves droguées. »

« L'arborescence est principe de dualité et produit la guerre, le pouvoir est arborescent, alors les machines binaires s'affrontent comme des béliers, front contre front, ou se tournent le dos, sur un trajet qui les ramène front contre front, c'est le cauchemar de l'histoire, l'Un *ou* l'Autre, mais l'herbe est multiplicité et passe entre... »

« L'herbe poussait partout, dans les rues de notre ville, des rues grises, petit glacis de ruelles grises, puis la place du Marché et l'église Sainte-Marie-du-Marché, grises toutes les deux, à cause de la pierre de granit, qui est la pierre de notre ville, et aussi les rues commerçantes, et la place du Tribunal, avec la mairie en face et le Conservatoire de danse, même dans ces rues austères de notre ville, l'herbe poussait, entre les pavés et dans les fissures du trottoir. »

« L'herbe est sans histoire, ni faîte ni racines, elle n'accumule ni n'agglomère, mais elle saute et s'allie, et crée un autre chemin que d'autres peuvent prendre au milieu... »

« J'étais heureux de voir cette herbe, je la regardais en marchant dans les rues de la ville, c'était elle la danse dans notre ville, elle ne portait rien que son mouvement, elle aussi venait de la terre mais elle avait trouvé comment faire, elle avait gagné, et un jour j'ai dansé sur la pelouse. »

« L'herbe est géographie plutôt qu'histoire, l'oubli plutôt que la mémoire, la ligne plutôt que le point... »

« La pelouse était entre moi et la terre, la terre ne pouvait me saisir à travers le tapis de tiges fines, elles étaient élastiques et douces, elles foisonnaient sous mes pieds nus, et par-dessous la terre allait et venait comme un sombre animal, elle grondait et hurlait, ses cris de terre lourds et opaques, mais mes jambes dansaient sur elle... »

« La surface plutôt que la profondeur... »

« La pelouse était ovale, et quand mes pieds ont touché l'herbe, dans cet ovale brillamment éclairé par la lune, j'ai su que je pouvais être danseur, que la danse est la lutte contre la terre, contre l'enracinement... »

« Que l'herbe soit la contiguïté, la capture, la conjonction " Et, Et, Et ", que l'herbe soit le " ET " infini, la ligne fine qui passe entre deux blocs, qu'elle devienne courant, qu'en ce courant les dualismes se défassent, le courant qui n'appartient ni au Un ni à l'Autre mais les entraîne tous les deux, et que tous se jettent dans ce courant qui n'est ni passé ni avenir mais devenir, pur devenir... »

« Estelle était au milieu de la pelouse... »

— Ah, me dit le philosophe, vous dansez aussi ?
— Un peu...
— Je dansais autour d'elle, dit mon frère en me prenant la main, elle était comme une étoile tombée du ciel, toute recroquevillée, presque éteinte sous le projecteur éclatant de la lune...
— Dan...
— Et moi je l'avais plantée là au milieu, comme un arbre en somme, dit mon frère éclatant de rire, ma petite étoile transformée en arbre...

Mon frère rit, rit, son rire coule comme une cascade, et je me plonge dans son rire, toute ma gêne disparaît, la gêne que j'éprouve depuis le début du dîner, parce que le philosophe me fait penser à Alwin, et que j'ai peur de ce Hun dont il parle, et de cet Autre qui semble attaché au Hun comme un cadavre, car bien sûr encore une fois j'ai mal compris.

Mon frère non plus ne comprend rien, mais il rebondit sans peur sur les mots du philosophe, se balance entre ses arborescences redoutables, cabriole sur son herbe délicieuse, et sème le Hun affreux parmi les arbres. Que le Hun s'embroque avec l'Autre et que les deux s'empelotent dans leurs vieilles racines et s'y embataillent pour l'infini des temps, mon frère vogue sur le *éhéhé* que j'ai pris pour la pirogue d'une tribu très sage et très sauvage, et derrière cette pirogue je le suis vers la porte car nous prenons congé.

Le philosophe est cet homme qui fume si pensivement à la fenêtre qui fait face aux nôtres. Nous habitons devant chez lui. Vlad ne cesse de s'émerveiller de cette coïncidence, « vous ne vous rendez pas compte, quand j'étais " là-bas ", je rêvais d'assister à ses cours ». Vlad aurait bien voulu être invité, « mais vous êtes plus marrants pour lui » fait-il en haussant les épaules, « plus marrants ? », « oui, dit Vlad, il aime les animaux bizarres », nous sommes peinés, « tu nous parles comme Adrien maintenant ! », et il nous embrasse follement dans les cheveux, « mais non mes chéris, c'est juste que moi, malgré toute mon aventure je suis très ordinaire ». « D'ailleurs, ajoute-t-il soudain sérieux, je ne suis peut-être plus un écrivain, plus un dissident, plus rien d'intéressant, mais je lui prendrai quand même sa guêpe et son orchidée ! » « Quoi ? » « Vous verrez, fait-il, vous verrez ! »

Nous prenons congé du philosophe, nous sommes dans l'escalier, je me tourne et me retourne comme une ondine dans le rire de mon frère, je suis libre et légère, je n'ai peur de rien, mon corps est un reflet d'argent, mon esprit brille dans l'eau comme un poisson miraculeux, mes cheveux coulent contre l'épaule de mon frère, et sa grande mèche mordorée me balaie le front, nos cheveux nous chatouillent, réveillent un essaim de petits rires qui sommeillaient sous la peau, et cet essaim va piquer le grand rire qui rêve au fond de nous, et celui-ci fait un bond et nous saute sur le poil.

Nous avons le fou rire, le grand fou rire de notre enfance qui nous roule et nous secoue, le pommier de monsieur Raymond s'agite comme une possédé brandissant un monsieur Raymond plus grimaçant que jamais qui lui-même brandit sa fourche, les arbres oh oh les arbres, oh les arbres plantés dans notre tête, et le rotin est-il un arbre, voilà la question, « nous avons un ami qui fait des meubles en rotin », Adrien es-tu un arbre, et si tu es un arbre alors nous serons l'herbe, oh oh pour te chatouiller les pieds, notre chatouilleux ami...

« Ne viens pas sur la pelouse, Adrien, tu n'as pas le droit », « et pourquoi j'ai pas le droit ? », « parce tu lui fais mal quand tu marches », « et pourquoi je lui fais mal quand je marche ? », « parce que tu ne sais pas danser », et au matin il y avait un caca sur la pelouse, « qu'est-ce que c'est » dit notre père intrigué, « ça doit être ce chien que vous avez laissé entrer » dit monsieur Voisin perturbé, « sûrement pas, dit monsieur Raymond, ce n'est pas une crotte de chien », « on va l'enlever » disons-nous pleins d'humilité,

ensuite nous essayons d'apprendre la danse à Adrien, sous le lilas pour que personne ne le voie, le mur mitoyen servant de barre, « merde j'y arrive pas » dit Adrien, et sais-tu, sais-tu quoi Dan, il prend des leçons de danse aujourd'hui, de danse de société, le tango et le rock, est-ce vrai Estelle, oui, oui...

Nous titubons enlacés dans la cour de l'immeuble du philosophe, enlacés nous avançons vers la grille, le ciel est d'un bleu velouté profond, criblé d'étoiles, nous sommes enivrés de cette liqueur de ciel qui coule sur nous par les myriades de trous des étoiles, la rue est couverte de liqueur veloutée, toutes les rues de Paris baignent dans une liqueur veloutée d'un bleu profond de ciel, mon Dieu est-il possible d'être là justement sur ce point de la planète où le ciel coule et de baigner dans sa liqueur, nous nous arrêtons et nous sentons littéralement l'univers entier ruisseler sur nous, en cet endroit précis du globe où nous sommes, si étroit pourtant, rien qu'une cour d'immeuble, quel miracle...

— Vous allez vous dévisser la tête, s'écrie une voix qui s'efforce de chuchoter.

C'est notre concierge, en chemise de nuit, la tête tendue par-dessus et les seins tassés dans l'échancrure, on dirait une souris dodue qui s'est coincée dans les volets.

— J'ai entendu un petit bruit, et j'ai voulu voir si ce n'était pas les voleurs, ceux qui me chipent mes pots de fleurs la nuit, mais c'était vous !

Les étoiles regrimpent en vitesse se raccrocher à leur place, le ciel se retend entre les bordures des toits, nous tournons un peu le cou de droite à gauche pour nous déraidir les vertèbres et aussitôt nous avons les idées parfaitement claires, l'une surtout qui nous illumine positivement.

— Dlourès, Dlourès, il faut qu'on parle.

— Qu'on parle de quoi ?

— D'Adrien.

— De monsieur Adrien ?

— Oui, oui...

Et Dlourès, qu'Adrien impressionne bien plus qu'elle ne le croit et si elle avait à choisir, c'est lui sûrement qu'elle choisirait, plutôt que Dan qui est trop beau et trop grand, et trop rieur ou trop grave, mais c'est à peu près pareil, « trop » de toute façon, ce que n'est pas Adrien justement, notre concierge qui est intelligente sait fort bien tout cela... Dlourès referme ses volets sans bruit pour ne pas éveiller Mario son mari, et bientôt on entend un grincement du côté de la porte-fenêtre, c'est elle qui sort, petite souris dodue qui s'est décoincée et s'ébroue, et nous nous asseyons tous les trois sur les petites marches entre les pots de fleurs étagés de part et d'autre, ceux-là mêmes que d'abominables voleurs convoitent, « à quelques pas du commissariat, hein, j'aurais honte moi si j'étais eux », « les voleurs ? », « eh non, les flics bien sûr », mais nous ne voulons pas entrer dans les histoires de pots de fleurs, de flics et de voleurs, nous avons un marché à proposer, une affaire, un contrat.

— Alors voilà, vous êtes d'accord?
— Ces beaux meubles tout neufs?
— Oui, tous les quatre.
— Mais qu'est-ce qu'il va dire, monsieur Adrien?
— Justement, justement, il ne saura pas.
— Comment ça?
— Quand il viendra nous voir, on ira vous les reprendre, juste le temps de la visite.
— Le canapé, les fauteuils et la table?
— C'est léger, Dlourès, c'est du rotin!
— Et qu'est-ce qu'il va dire, Mario?
— Dites-lui que c'est un cadeau d'Adrien.
— Un cadeau de monsieur Adrien!
— Ben oui, il vous aime bien, Adrien.
— Mais il me les casserait sur le dos, les meubles, Mario!
Problème.
Sûrement Mario qui voyait en notre barre de danse la prévoyance d'un jeune couple pour ses petits châteaux branlants, pour les premiers petits pas de ses bébés joufflus, Mario qui d'été en été construit de ses mains une maison au Portugal pour sa femme, et dont le sommeil en cet instant n'est troublé ni par d'hypothétiques voleurs ni par nos chuchotements excités... non, impossible, Mario n'avalerait pas un cadeau d'un monsieur Adrien, rotin léger ou pas.
— Alors dites-lui la vérité!
— Laquelle?
— Qu'on vous les donne parce qu'on en a d'autres.
— Et que c'est les meubles de monsieur Adrien?
Conciliabule.
Non, inutile de signaler l'origine des meubles, Mario de toute façon ne passe jamais rue du Bac et ne lit pas *Décoration internationale*.
Au bout d'une heure de discussion, chaude mais étouffée à cause de Tapage Nocturne dont Dlourès justement a la surveillance, la solution est au point. Nous abandonnons la propriété des quatre meubles en rotin signés Adrien V. à Dlourès Dos Reyes, ainsi que la jouissance immédiate et future, avec réserve sur la jouissance

immédiate, à savoir qu'en cas de visite annoncée du susdit Adrien V. au domicile des ci-devant ex-propriétaires, ceux-ci de leurs quatre bras aussitôt feront traverser la rue aux quatre meubles et les réinstalleront en leur appartement, ce pour la durée de la visite dudit Adrien V., laquelle ne saurait excéder deux heures maximum, pour la raison certifiée qu'après deux heures les visités n'en peuvent mais, « mais, dit Dlourès, si monsieur Adrien ne s'annonce pas? ».

— Il s'annonce toujours, disons-nous.

— Il téléphone avant de partir?

— Oui.

— Mais si c'est occupé chez vous?

— Il retéléphone de la place Clichy.

— Et si c'est encore occupé?

— Il prend un verre au Wepler et il retéléphone.

— Il a peur de vous trouver, dit Dlourès.

— Quoi?

— De vous trouver en train de baiser.

Tous les trois nous hochons diversement la tête. Nous semblons plongés dans une méditation lugubre. Silence sur les marches. Par la porte-fenêtre mal fermée, on entend les ronflements légers de Mario.

Et de toute façon Adrien nous rend de moins en moins souvent visite.

Le cadeau, le semi-cadeau des meubles en rotin, est peut-être même une façon de marquer la séparation des chemins. Lui n'en a sûrement pas conscience, nous, nous n'en avons qu'un vague soupçon, ainsi progresse souterrainement la ligne des rapports humains.

Pour l'instant nous sommes seulement entichés de notre solution et très convaincants, d'ailleurs Dlourès ne résiste plus. Si nous n'avions peur de déranger Mario, nous descendrions les meubles tout de suite.

Nous avons si grande hâte de retrouver le vaste espace de notre pièce entre la barre et le piano. Mon frère a dit qu'il ne danserait plus, qu'il ne danserait que pour se dégourdir la pensée, mais il danse chaque jour et cette nuit à notre retour de chez le philosophe, mon frère danse.

Les personnages de rotin sont entassés dans l'entrée. On dirait qu'ils sont en train de prendre leur canne pour partir, nous ne pensons déjà plus à eux.

Dans la pièce brillamment éclairée, mon frère danse. Il n'y a pas de rideaux à nos fenêtres, les façades des immeubles sont sombres, la nuit semble tapie dans la rue, semble écouter.

Danse de l'herbe et danse de l'arbre.

— Oh Estelle, comme Michael me manque !

Je lève les yeux du piano.

— J'ai besoin de lui pour danser. Tu vois, je fais l'herbe et je fais l'arbre, et j'aime les deux, mais s'il était là, nous ferions l'herbe et l'arbre à tour de rôle et alors quelque chose d'autre surgirait, qui serait peut-être le vent...

Et soudain mon frère a les larmes aux yeux.

— Je voudrais voir danser Michael une dernière fois.

— Pourquoi tu dis cela, Dan ?

— Je ne sais pas, Estelle, je ne sais pas.

Et nous restons transis au milieu de la pièce, serrés l'un contre l'autre, ne sachant ce qui est venu sur nous.

Un grincement dans la rue nous fait lever les yeux. Nous apercevons une silhouette obscure dans la fenêtre en face, bientôt avalée par les volets de fer qui se déplient. C'est peut-être le philosophe, peut-être nous fait-il un petit signe. Nous ne bougeons pas, nous sommes si loin dans notre hypnose inquiète.

Mais nous retournerons chez lui.

Nous gravitons autour de lui comme deux petits cailloux de l'univers brutalement attirés, tout ce qu'il dit s'empare de nous, mon frère lit fiévreusement ce qu'il écrit et ce qu'on écrit sur lui, je lis aussi, mon intelligence s'essouffle et tombe aux pieds de ses phrases mais mes rêves s'y enroulent comme sur leur habitat naturel, je ne comprends rien et suis illuminée, c'est comme avancer dans d'obscurs fourrés où filtrent parfois de grands rayons, peut-être allons-nous comme des chiens flairant une trace dans les ténèbres.

« Ecoute, Estelle, écoute cette phrase : *l'éclair se distingue du ciel noir, mais doit le traîner avec lui, comme s'il se distinguait de ce qui ne se distingue pas de lui*, tu vois cela, Estelle ? » et je voyais la grande nappe noire du ciel montant derrière l'éclair comme une traîne, je n'entendais pas la suite de la page, je voyais et m'abîmais dans cette vision, et puis mon frère dansait et je jouais, étrangement transportés, il nous semblait remonter vers le cœur de l'univers, par grands vols obscurs, vers le secret bien occulté de l'univers, nous plongions dans un tourbillon de phrases et chacune brillait comme une décharge électrique, nous étions sans cesse survoltés, les phrases de notre philosophe se déposaient sur nous écaille après écaille, elles phosphoraient dans la nuit, elles devenaient notre peau, aucun autre arrangement de mots ne nous agréait, tout autre arrangement de mots blessait notre nouvelle peau, nous attirait dans de minables détours, retardait notre remontée vers le cœur de l'univers, « je ne comprends rien à votre charabia », avait marmonné Adrien irrité d'abord, puis un peu plus tard, « quel dommage de gâcher votre talent avec des intellectuels qui ne vous apporteront rien », avait-il dit dans un accès de bienveillance désabusée, « et avec qui on ne le gâcherait pas, notre talent ? » lui avions-nous dit, et il avait haussé les épaules.

Sa succursale de New York s'était ouverte quelques jours auparavant, il n'avait pas eu le temps d'aller voir notre ancien immeuble au 100 de Greene Street, et il venait de s'acheter une Jaguar.

« C'est l'autre rive, n'est-ce pas ? » nous dit le philosophe. Nous sommes dans son appartement, à sa fenêtre, et nous regardons notre appartement, nos fenêtres, en face.

Les cinq fenêtres sont ouvertes, on aperçoit la barre, et le reflet du piano. Et soudain il se passe quelque chose.

Un bébé est contre le mur, sous la barre, il cherche à l'atteindre, elle est trop haute bien sûr, comme l'avait assuré Mario, et le bébé s'écroule, on ne le voit plus.

Mon frère et moi sommes bouleversés, il nous semble avoir rêvé, un rêve terrible, avons-nous vu cet enfant englouti dans notre espace, là-bas si loin de l'autre côté de la rue?

— Tiens, Dolorès est chez vous, dit le philosophe.

C'est Dlourès en effet, avec son bébé de quelques mois qui hurle et qu'elle ramasse dans ses bras, elle est venue chercher sa machine à coudre que je lui ai empruntée (je fais des rideaux, nous circulons trop souvent nus et les marmonnements de la vieille du sixième nous ont inquiétés), elle nous voit maintenant et nous fait signe. Oh Dlourès, reste dans notre appartement, ne pars pas, restes-y tout le temps de notre absence, ne nous abandonne pas, ne laisse pas notre espace vide, livré aux rêves qui errent, aux cauchemars qui se rassemblent, sois notre paratonnerre, toi et ton enfant joufflu qui crie si vigoureusement, les cauchemars ne peuvent rien contre toi...

« Le petit secret n'est-ce pas », dit le philosophe alors que nous sommes installés à table dans sa salle à manger (et Dlourès qui nous connaît bien a laissé une lampe allumée chez nous en face), « le sale petit secret... ».

« Oui, disons-nous, le sale petit secret. »

« Dont se nourrissent les charognards et qui empêche la vie. »

« Oui, disons-nous, qui empêche la vie. »

« Qui tourne autour de papa-maman, et nous fait faire les mystérieux et les importants, et nous fait ployer sous le faix, et nous fait dire bien haut, voyez comme je ploie, voyez sous quel secret je ploie. »

« Pouah, disons-nous, le secret ridicule qu'on encoconne bien soigneusement. »

« Et pour lequel on invente toujours de nouvelles robes de prêtres, pour qu'ils fassent leur théâtre sur cette scène morte, et déposent interprétation sur interprétation comme autant de linceuls sur la châsse vide du secret. »

« Une vraie cochonnerie », disons-nous.

« Et nous logeons dans le trou noir de notre moi qui nous est plus cher que tout, avec nos petits secrets bien choyés et notre désir de nous pavaner sous leur bannière, et tout autour il y a le mur blanc sur lequel est épinglé notre cher petit trou, et que balaient sans cesse les grands faisceaux codeurs... »

« Danser, c'était désencoconner le secret », dit Dan.

« Alors il faut faire des flux... »

« Chaque geste, arracher une bandelette à la momie, et jeter les bandelettes en l'air, et les faire danser... »

« Tracer une ligne de fuite... »

« Je jetais ces bandelettes tout autour de moi sur la pelouse et elles brillaient dans la lune et devenaient des écharpes de vent et de lumière, assis sur la balustrade nos parents regardaient et ils faisaient comme deux nuées obscures au fond desquelles se diffusait une lueur, je tournais de plus en plus vite, Estelle était au milieu de la pelouse. »

« La vitesse absolue, qui ne se fait pas entre un point et un autre mais dans la différence d'intensité... »

« Et je ne sais pas ce que faisait Estelle au milieu de la pelouse, je ne la voyais pas, je ne la regardais pas, mais sans elle il n'y aurait rien eu, ni la pelouse ni ma danse ni nos parents sur la balustrade, comme deux nuées obscures au fond desquelles se diffusait cette lueur déchirante... »

— Vous avez vos parents ? dit soudain le philosophe.

— Ils sont morts, disons-nous.

— Ah, dit le philosophe.

— Un accident de voiture, disons-nous.

Nous rentrons enlacés. Dans la cour nous écoutons un moment près des volets de Dlourès. Nous entendons le bébé qui vagit doucement, Dlourès ne sortira pas, nous allons muettement dans la rue, nous ne rentrons pas tout de suite chez nous, « de quoi parlait-il ? » dis-je, « de liberté, mon amour, rien que de liberté » dit mon frère, « mais il est si impérieux », « il est comme Alwin » dit mon frère, mais ma pensée ne veut pas aller vers le philosophe ni vers Alwin, elle revient à son cœur intime, « c'est vrai que tu ne me voyais pas sur la pelouse ? » dis-je, « c'est vrai, dit mon frère, et je ne peux pas expliquer pourquoi ».

Toi non plus mon frère je ne te vois pas, tu es le médium de ma vie, je vais et viens à travers toi et partout en toi des portes s'ouvrent, l'univers bascule et tourne autour de nous, nous sommes un satellite plein de hublots, parfaitement stable dans son immense vitesse, qui étais-tu mon frère, ma porte sur l'univers, la fenêtre qui battait sans cesse, mon satellite aux hublots bleus, l'éclair ET la grande nappe noire du ciel.

Je ne pourrais vous décrire mon frère, madame, et je n'ai pas même de photos.

51

Domination du noir·

At night, by the fire,
The colors of the bushes
And of the fallen leaves,
Repeating themselves,
Turned in the room,
Like the leaves themselves
Turning in the wind.
Yes : but the color of the heavy hemlocks
Came striding
And I remembered the cry of the peacocks [1].

— *Striding*, Michael, or *striding in*?
Les yeux de Michael sont pleins de larmes, il se détourne un instant et les essuie avec la manche de sa chemise.
— Michael?
— *Striding*, Dan, just *striding*.

La chemise de Michael pourrait être le plumage des paons du poème, elle est d'argent constellé de couleurs chatoyantes, il a apporté la même à Dan mais de tissu or.

---

1. *La nuit, près du feu, / Les couleurs des buissons / Et des feuilles tombées / Se répétant, / Tournoyaient dans la chambre, / Comme les feuilles elles-mêmes / Tournoyant dans le vent. / Oui : mais la couleur des lourds sopins-ciguë / Venait à grandes enjambées, / Et je me souvins du cri des paons.*

Michael avait mis la sienne dès l'aéroport, en signe de fête, pour nous égayer et nous éblouir. Mais je ne suis pas allée le chercher à l'aéroport. La chemise d'argent n'a ébloui que les infirmières et la chemise d'or a dû passer à la désinfection avant de pénétrer dans la chambre stérile. Maintenant elle est étalée sur le lit et Dan de sa main amaigrie en tient la manche, comme s'il avait peur qu'elle ne s'échappe.

Je suis sortie de la chambre lorsque Michael est apparu derrière la vitre. Pour ramasser la chemise si elle glissait, il me faudrait d'abord repasser par le sas de désinfection, cela prend plusieurs longues minutes.

> *Yes, but the color of the heavy hemlocks*
> *Came striding*
> *And I remembered the cry of the peacocks* [1].

La voix qui emplit le couloir, nous la reconnaissons à peine. J'ai dû mettre le micro de communication à sa plus grande puissance, et la voix faible et brisée qui ne parviendrait pas d'elle-même à traverser la vitre résonne dans le couloir des visiteurs avec une ampleur vicieuse. Le malade peut à peine parler mais la voix de la maladie est triomphante, elle étale avec une impudeur effroyable ses enflures et ses crevasses, de loin les mendiants souffrants de Bosch sont pitoyables, mais grossis par la loupe, les hommes disparaissent, il ne reste plus que la maladie, la radieuse, exubérante maladie. La gorge de mon frère est envahie de mycoses parasites que son corps épuisé ne peut repousser. Il gît sur sa couche derrière la vitre de sa chambre stérile, ses lèvres s'entrouvrent avec peine, mais dans le couloir blanc de l'autre côté de la vitre le chœur invincible des champignons éperdus de puissance enfle et s'effondre et enfle et grince.

Michael me regarde avec épouvante. Je murmure en tournant le dos à la vitre :

---

1. *Oui, mais la couleur des lourds sapins-ciguë / Venait à grandes enjambées. / Et je me souvins du cri des paons.*

— Le micro est déréglé, c'est trop fort ou rien.

Jusque-là nous n'avons pas eu besoin du micro. Depuis qu'il est dans la chambre stérile, mon frère ne veut aucune visite, « le temps, trop court, Estelle ».

Je reste toute la journée près de lui dans la chambre où seule pénètre l'infirmière masquée, moi aussi je porte un masque, « enlève-le, Estelle, je veux sentir ta bouche », « non, Dan », « alors embrasse-moi avec le masque », je pose mes lèvres couvertes d'une double épaisseur de papier blanc cotonneux sur la bouche de Dan, deux trois secondes, « embrasse-moi encore », « tu vas étouffer, Dan », « ça ne fait rien, embrasse-moi, Estelle », au-dehors l'été est chaud et saturé d'odeurs vives, dans la chambre l'air est mort, « sors un moment Estelle, tu as besoin de respirer », « je ne veux pas sortir, Dan », la télévision est allumée en permanence, les images d'un Tour de France cycliste passent et reviennent, vélos circulant dans notre cauchemar, je guette le chiffre des globules blancs, les chiffres de la course cycliste chevauchent les chiffres des globules blancs, un jour je m'aperçois que je regarde l'écran aux couleurs brutes comme celles d'une foire et que je prie, je suis en train de prier l'homme au maillot jaune, de le supplier qu'il entraîne avec lui la remontée des globules blancs qui est si lente, si affreusement lente, avec d'encore plus affreuses rechutes.

Alors je me retourne vers mon frère, il dort, non il ne dort pas, il sait quand je le regarde et aussitôt ses yeux s'ouvrent et il me regarde, et moi je me trempe dans son regard, je descends lentement dans son regard, toute notre vie est là, je baigne profondément dans l'eau de notre vie, jusqu'aux plus lointaines sources de notre enfance, « vous allez vous user les yeux », dit gaiement l'infirmière, la même phrase qu'Adrien, non nos yeux ne s'usent pas dans ces eaux profondes, ils se revivifient, mystérieusement nous nous sentons mieux et je peux lire à mon frère les poèmes qu'il aime, et il peut les écouter.

Mais celui auquel il revient, c'est le poème de Wallace Stevens, « Domination of black », sur lequel un jour Alwin avait créé un ballet pour quatre danseurs.

605

Mon frère vêtu d'un collant rouge sombre était la flamme du poème, Michael en noir était « les sapins-ciguë », Djuma en brun faisait les feuilles tournoyantes, et Alwin en gris était le poète. Son musicien avait composé une musique striée par le cri étrange des paons. Le ballet était très sobre, étrangement émouvant. J'ai toujours eu la certitude qu'Alwin l'avait composé pour mon frère, il n'était pas dans ses habitudes chorégraphiques d'utiliser des poèmes, mais Dan un soir était rentré d'une lecture de poésie au Village tout remué et tremblant, « what makes you so worked up ? » avait dit Alwin de sa voix froide et ironique, « qu'est-ce qui t'excite comme ça ? », « it's that poem I heard », « c'est ce poème que j'ai entendu » et il nous avait stupéfié en le récitant de mémoire. « Nice », avait dit Alwin avec le même remarquable manque d'enthousiasme qu'il montrait pour tout ce qui ne venait pas directement de lui-même, et nous pensions qu'il avait déjà oublié, mais quelques semaines plus tard il avait pris à part les trois danseurs et les avait mis « on this little odd piece », sur cette petite composition particulière, et c'était ce ballet-là qu'ils avaient joué pour la fête paroissiale du pasteur. Et le pasteur avait félicité ces jeunes gens « qui avaient si bien montré l'angoisse de la créature appelant son Dieu », c'est ce qu'il répétait cherchant un interlocuteur pour recueillir ses félicitations, mais Djuma s'était déjà éclipsé, Michael et Dan étaient occupés à se masser les muscles et Alwin, le visage fixe et impassible, ressemblait à un arbre peu disposé à plier une seule branche, alors le pasteur s'était tourné vers moi, me serrant les mains avec effusion, « l'angoisse de la créature appelant son Dieu, n'est-ce pas », tandis qu'Alwin me regardait de son regard impénétrable, et j'avais balbutié « révérend, ce n'était que des paons et des feuilles... ».

Le micro de nouveau s'emplit de sonorités, soupirs passant sur des coraux, lambeaux de soupirs, foisonnement de lambeaux soufflés sur les coraux, on dirait le cri d'une âme sans corps se traînant sur une planète inhumaine. Michael me regarde, « est-ce possible, Estelle, où sommes-nous arrivés, sûrement nous nous sommes égarés, partons, partons... ». Et mon regard supplie le sien, « nous sommes en enfer, Michael, mais c'est nous, c'est bien nous, ne pars pas, ne nous laisse pas... ». Il se retourne vers la vitre, Dan de son lit nous observe avec intensité, ses lèvres bougent. Je m'approche du micro.

— Dan, je peux dire le poème à ta place si tu veux.

Mais l'étrange force de la mort est déjà en mon frère. Rien ne peut arrêter cet essoufflement qui expire les mots plus qu'il ne les articule.

> *The colors of their tails*
> *Were like the leaves themselves*
> *Turning in the wind*
> *In the twilight wind.*
> *They swept over the room,*
> *Just as they flew from the boughs of the hemlocks*
> *Down to the ground* [1].

Lorsque la phrase est trop longue, la voix faiblit, semble s'enfoncer dans une insondable caverne. Elle a jeté ses forces sur le « h » de « hemlocks » mais elle tombe avec le « s », elle s'enfonce, elle ne revient plus, nous restons suspendus dans l'air qui lui-même semble suspendu dans le couloir blanc. Echappé des couches instables du temps un souvenir glisse en moi, je perçois une vitre demi-ouverte, une nuit blanche de neige, des pas qui s'éloignent dans la rue feutrée, et soudain flotte la voix de Michael chantant son adieu ancien dans la nuit de New York, « friends, friends » ou bien « ends, ends ». Du fond d'un horizon noir dans un halo pâlement lumineux le « s » file sur une surface neigeuse, « friends, ends, ends », le « s » pénètre tout droit jusqu'à mon cœur, si saisissante est l'impression, « oh Michael » dis-je. Il me regarde l'air transpercé, à cet instant dans un souffle qui se dégage à peine du corps qui l'expire, nous entendons « down to the ground », et Michael et moi d'un même mouvement nous rappro-

---

1. *Les couleurs de leurs panaches / Etaient comme les feuilles elles-mêmes / Tournoyant dans le vent, / Dans le vent du crépuscule. / Elles balayèrent la chambre, / Tout comme ils s'élancèrent de la branche des sapins-ciguë / Jusqu'au sol.*

chons de la vitre, comme si Dan lui-même venait de glisser au sol.

La tête retombée en arrière, il ferme les yeux. L'écho des mots plane à l'horizontale au-dessus de son corps, « down to the ground », il me semble que cet écho va retomber sur lui, s'étendre sur lui, « down to the ground », comme un suaire.

— Reste là, dis-je à Michael précipitamment.

Il comprend aussitôt.

— Go, dit-il.

Le sas de désinfection, plusieurs minutes, longues, longues.

Quand je pénètre dans la chambre, Dan s'est repris. Dans le couloir, étoilé contre la vitre, Michael lui sourit, son sourire vigoureux sur ses dents éclatantes, « a muscular smile » disait Dan à New York et nous nous étions aperçus qu'il n'y avait pas de vrais sourires autour de nous, de fugitives contractions parfois, comme si les muscles s'étaient atrophiés, et la couleur délavée, « your sunshine smile [1] » disait aussi Dan, et les autres danseurs enthousiasmés soudain (Dan pouvait soulever l'enthousiasme du néant) s'étaient mis à apporter leur contribution à cette description, ajoutant « seaside » et « seashell » et d'autres encore jusqu'à transformer l'expression première en un véritable exercice pour les muscles de la langue, exercice que Michael, sérieux jusque dans les blagues, leur faisait répéter avec application pour leur apprendre à sourire, « seaside seashell sunshine smile [1] », et il réussissait puisque invariablement l'exercice de prononciation se transformait en éclats de rire.

Alwin attendait, fermé, hautain, que nos « antics » prennent fin. Et mon frère et moi nous avions cru qu'il voulait bien voir en nos gesticulations autour du sourire de Michael des rites païens très anciens, adoration de l'eau, des coquillages et du soleil, et nous avions eu un afflux de reconnaissance devant son interprétation généreuse de notre amitié pour Michael. Par hasard un jour nous avons découvert notre erreur sur le mot « antics ». Des pitreries, « tu entends, Estelle, tu entends, des pitreries, c'est ça qu'il a dit,

---

1. « Ton sourire de soleil »... « ton sourire de plage, de coquillage, de soleil ».

oh damn him, damn Alwin ! » s'était écrié mon frère, il était dans un tourbillon de colère qui l'emportait malgré lui et au milieu de ce tourbillon soudain il avait dit une chose surprenante. « It's his being Indian and Michael black, oh god damn him[1] ! » « Quoi, qu'est-ce que tu veux dire, Dan ? » Mais déjà la colère s'était retirée et il ne se rappelait plus ce qu'il avait voulu dire.

Le sourire de Michael comme par un transfert de force musculaire tient les yeux de mon frère ouverts. La chemise argent brille dans le soleil déclinant, « yes » dit le sourire de Michael, « yes Dan », je m'assois au haut du lit et soutiens la tête de mon frère dans mes bras, tous deux nous sommes tournés vers la vitre où la chemise argent constellée de couleurs commence à vibrer dans la lumière, et la voix de mon frère reprend le poème à son début, et Michael danse pour nous, il ne danse pas seulement son rôle de « hemlock », il est aussi les feuilles qui tournoient, et le vent et les flammes, et le poète, il recrée un ballet plein de ténèbres et d'incendie et d'implorations violentes, il ne cherche pas à tricher, Michael.

> I heard them cry — the peacocks.
> Was it a cry against the twilight
> Or against the leaves themselves
> Turning in the wind,
> Turning as the flames
> Turned in the fire,
> Turning as the tails of the peacocks
> Turned in the loud fire,
> Loud as the hemlocks
> Full of the cry of the peacocks ?
> Or was it a cry against the hemlocks[2] ?

1. « C'est le fait qu'il est indien et que Michael est noir, oh qu'il aille au diable ! »
2. *Je les entendis crier — les paons. / Etait-ce un cri contre le crépuscule / Ou contre les feuilles elles-mêmes / Tournoyant dans le vent, / Tournoyant comme les flammes / Tournoyaient dans le feu, / Tournoyant comme le panache des paons / Tournoyait dans le feu bruyant, / Bruyant comme les sapins-ciguë / Plein du cri des paons ? / Ou était-ce un cri contre les sapins-ciguë ?*

Mes yeux sont secs. Dans la chambre obscurcie seule brille la chemise d'or dans les doigts de mon frère. Nous restons immobiles, fixant la silhouette aux reflets d'argent qui bouge contre la transparence du ciel.

Or was it a cry against the hemlocks?
Or was it a cry against the hemlocks?

La voix de mon frère répète les vers, basse, sans révolte, à peine interrogative, mais elle dévaste ma tête comme un sanglot, de l'autre côté de la vitre elle doit emplir l'air, l'imprégner d'une humidité pesante, une saturation d'agonie, mais Michael ne faiblit pas, tourné vers mon frère, il reprend le même geste, un bras seul qui s'élève à partir du corps immobile comme un arbre, puis il attend. On n'entend plus que la respiration obstruée de mon frère, le vent qui lutte à travers la forêt proliférante des mycoses, et le bras de Michael qui se fond maintenant dans l'obscurité fluide semble dire un adieu.

Les infirmières sont venues, elles ont allumé la chambre, elles ont allumé le couloir des visiteurs, Michael n'était plus là, mon frère gisait sur son lit les yeux clos, il est mort dans la nuit.

Toujours je pense que mon frère dans sa tête avait avancé seul jusqu'au bout du poème :

Out of the window
I saw how the planets gathered
Like the leaves themselves
Turning in the wind.
I saw how the night came,

Came striding like the color of the heavy hemlocks
I felt afraid.
And I remenbered the cry of the peacocks [1].

1. *De l'autre côté de la vitre, / Je vis comme les planètes s'assemblaient / Comme les feuilles elles-mêmes / Tournoyant dans le vent. / Je vis comme la nuit venait, / Venait à grandes enjambées comme la couleur des lourds sapins-ciguë / Je pris peur. / Et je me souvins du cri des paons.*
« Règne du noir », traduction par Nancy Blake et Heddi Kaddour in *Poèmes, Wallace Stevens*, Delta, Montpellier.

à G.

52

Nous sommes éternels

Le corps de mon frère a été transporté par fourgon jusqu'à notre ville natale.

— Montez à côté de moi, madame, a dit le chauffeur.

— Non.

Je suis montée derrière, et dès que la voiture s'est ébranlée, je me suis étendue sur le cercueil.

En croix, les mains crochetées à l'avant, les pieds à l'arrière.

Un problème m'a tracassée. Comment cette position était-elle possible, puisque mon frère était plus grand que moi ? Je me disais « c'est normal, la maladie l'a rétréci », puis il me venait une autre idée, mes membres s'étaient allongés, quelqu'un avait permis cela, le maître de la longueur des corps et des cercueils. A cet instant, j'avais la certitude de son existence. L'existence d'un tel maître était bonne puisqu'elle établissait des rapports entre les morts et les vivants. Je me disais « oui, il a bien pris les mesures, je tiens parfaitement ce cercueil dans le cadre de mes membres ».

J'oubliais que mon frère avait les bras rabattus le long du corps.

Une perception était en moi, celle que mon frère étendu sous mon corps, dans la même position que moi, les bras écartés au-dessus de sa tête, et mes mains pesant sur ses mains, comme parfois quand nous faisions l'amour.

Le pôle de mes pensées avait disparu. Mais les pensées erraient encore autour de lui, désaxées, se tordant sous l'impact de perceptions houleuses.

Je me suis endormie.

Là, dans le fourgon mortuaire qui ramenait mon frère vers notre ville, couchée sur le cercueil, j'ai dormi.

Pendant des années et des années par la suite j'ai aspiré à ce sommeil. C'était le plus profond de ma vie, celui qui m'avait amenée jusqu'à mon frère mort.

J'ai traversé des strates et des strates, passant de l'éveil à la demi-conscience, où j'entendais encore la circulation sur la route, puis plus profond encore, je descendais vers le lieu où se tenait Dan. Je savais qu'il s'attardait au seuil de sa mort, qu'il n'était pas encore parti vers l'insondable abîme où je ne pourrais le rejoindre.

Il était là tout près, sous mon corps, pourtant il fallait passer toutes ces strates.

Pour la première fois il ne pouvait faire la moitié du chemin vers moi. Plus de pas, plus de bonds pour mon frère le danseur. La pesanteur du sol l'avait pris. Il ne pouvait que m'attendre.

La force de son attente me guidait. Je me laissais tomber comme une pierre, tout mon corps une lourde pierre sans pensée qui descendait. Plus il s'enfonçait vers le lieu où Dan l'attendait, plus les pensées s'opacifiaient, se mêlaient aux fibres du corps, et les fibres du corps elle-mêmes se resserraient, bientôt je n'ai plus eu que cette conscience de pierre qui chutait de plus en plus profond, puis je n'ai plus eu de conscience.

Un élancement m'a réveillée. Mes articulations étaient ankylosées et les hanches endolories sur le bois du cercueil. Nous devions être à mi-parcours.

Au sortir d'un sommeil où j'avais rejoint Dan, mon corps était meurtri comme parfois après l'amour. Je me sentais repue, heureuse d'une absence de souffrance. La souffrance s'était éloignée.

Le lieu où j'étais : un champ voilé de brume à la lisière de la mort, et je me repaissais d'un repos. Le silence était autour de moi et me protégeait, protégeait le souvenir de mon sommeil avec mon frère.

Etais-je vraiment éveillée ? Le chauffeur du fourgon m'a dit par la suite qu'il y avait eu beaucoup de circulation sur la route à deux voies, des camions surtout, qu'il avait eu du mal à doubler. Je n'ai rien entendu. Après ce profond sommeil auprès de mon frère, à la frontière de la mort (mon frère était là, seul, et m'attendait), nos corps se sont séparés, je me suis retrouvée de l'autre côté de cette frontière, dans le silence, sans souffrance, sans pensée.

Ce lieu, je ne l'ai pas oublié. C'est lui que j'ai cherché à retrouver, plus tard au monastère. Le champ de brume obscur et silencieux où même les pensées n'entraient pas, la passe qu'aucun vivant n'enseigne... et puis la lisière, où quelque part comme une gaze immatérielle, il y aurait la trace du passage de mon frère.

Ensuite, j'ai entendu le bruit du véhicule. Je me suis assise, gardant seulement la main sur le cercueil, comme nous le faisions après l'amour sur le corps de l'autre.

Je me suis encore endormie. A cause de ce second sommeil, je sais que le premier était d'une autre sorte, était ce que j'ai décrit. Là, somme bref, superficiel, ma main a glissé du cercueil et aussitôt je me suis réveillée pour la replacer, comme nous le faisions au cours de la nuit lorsque la main de l'un glissait du corps de l'autre.

Tout le temps que mon frère a été vivant, la saison de nos cousins exceptée, pas une seule nuit ne s'est passée que nous n'ayons été reliés l'un à l'autre. Pas une nuit je n'ai perdu le contact avec mon frère.

Si, une nuit.

Mon frère pleurait à côté de moi. Il pleurait sans bruit, d'une façon qui m'a glacée dès que je l'ai entendu. Il ne dormait plus dans son lit à barreaux alors, peut-être était-ce peu de temps avant nos cousins, ce temps de notre vie d'enfance ne se découpe pas en années, mais en fragments autonomes, disposés selon leur ordre secret. « Dan, qu'est-ce qu'il y a ? » Je le secouais, mais il continuait à pleurer, comme en dedans de lui-même, comme s'il était tombé en dedans de lui-même. Je me suis étendue sur lui, couvrant son corps, mes bras entourant sa tête et mes pieds enserrant ses pieds. Et je l'appelais toujours « Dan, Dan » et petit à petit il est remonté, revenu à la surface de lui-même. Et soudain il m'a saisie de ses deux bras, « je ne te trouvais plus, j'avais laissé glisser ma main et je ne te trouvais plus, Estelle. J'étais dans une mer noire et le flanc du bateau s'éloignait, je nageais, je nageais, et puis je ne voyais plus le flanc du bateau, oh Estelle... ». Je l'écoutais dans la terreur. Et je me jurais que toujours je maintiendrais une veille, pour que n'arrive plus cette chose, le contact rompu entre nos deux corps. Pour que le sommeil ne m'attire plus dans ces zones mortelles où il n'y a personne pour commander aux bras, aux mains.

Lorsque ma main a glissé du cercueil dans le fourgon mortuaire, je me suis réveillée instantanément et je l'ai replacée. Je me suis dit qu'il aurait fallu une prise là-dessus, à laquelle pouvoir se retenir, et cette pensée m'a donné une idée. J'ai enlevé mon collant et j'ai ficelé ma main à la poignée qu'il y avait sur le côté. Il me semblait que mon frère me sentait moins bien ainsi, mais je redoutais ce que pouvait nous faire la fatigue.

Dans la maison, nous ne savions où mettre le cercueil. Les gens des pompes funèbres l'ont installé sur la table de la salle à manger. Mais cela ne me plaisait pas, j'étais inquiète, agitée, Tirésia aussi.

Dan, comment faire pour ne pas t'abandonner?

— Tirésia, il est trop loin maintenant. Même si je me couche sur le cercueil, il ne me sentira plus. Tu comprends Tirésia? Dans le fourgon, il me sentait encore. Mais maintenant il est déjà plus loin. Regarde, regarde, Tirésia, je mets ma main là, et je ne sens rien. Oh qu'est-ce que je vais faire? Il ne faut pas le laisser seul. J'ai peur de l'entendre pleurer, tu te rappelles Tirésia, comme cette nuit où il s'est réveillé en pleurant parce qu'il ne me trouvait plus?

Tirésia était tournée vers moi, il me semblait qu'elle comprenait.

— Oui, Tirésia?

Elle ne parlait plus du tout, mais je lisais sur son corps. Derrière ses lunettes sombres, son regard ne se détachait pas de moi. Et lorsque j'ai dit « Tirésia, oui, oui? », d'un seul coup j'ai senti la force de son attention. D'elle, il ne restait que cette attention orientée vers moi, et à ma question, à n'importe quelle question de moi, il ne pouvait y avoir que le don immédiat de tout son corps. J'ai compris qu'elle avait trouvé une solution, qu'elle me donnait une réponse.

Tirésia et moi, nous avons fait glisser le cercueil de dessus la table, nous l'avons transporté à travers la salle. Elle ne faisait qu'accompagner mon mouvement, mais j'avançais sans peine.

Ainsi, petite fille, j'avais porté une longue échelle de bois, soutenue par la seule conviction rayonnante d'un garçon encore plus petit, Dan, mon gracieux poisson pilote, qui sautillait devant. Le cercueil était terriblement lourd, mais je retrouvais cette impression d'une tâche possible, légère, parce qu'elle était inspirée par mon frère.

J'ai hissé le cercueil sur le piano, griffant le poli noir du bois, arrachant des éclisses, mais cela n'avait plus d'importance maintenant. Tirésia et moi nous regardions cette courbe détruite du piano, le bois blessé ressortant comme un os, jamais nous n'avions été aussi proches. Nous éprouvions un contentement.

Puis Tirésia est retournée à son fauteuil devant la fenêtre. L'effort l'avait épuisée et je savais qu'elle avait mal. Je suis allée lui chercher son médicament habituel. C'était la nuit. Dan serait enterré le lendemain.

Le piano était fermé, le pupitre était vide. Encore une fois, j'ai regardé Tirésia.

— Je ne retrouve rien par cœur. Tirésia?

Son attention encore, qui s'orientait vers moi. Elle s'est levée.

— Tirésia?

Elle allait vers la porte. Je l'ai suivie jusque dans le vestibule. Elle montait vers sa chambre. Je ne voulais pas la suivre plus loin, jamais nous n'étions entrés dans sa chambre. J'ai attendu au pied de l'escalier. Tirésia ne montait pas vite et j'étais impatiente. Chaque marche qu'elle prenait, c'était par un élan de ma volonté, je sentais cet effort dans mon cœur. J'ai pris appui sur la rampe,

Tirésia, vite, vite, la peur assiège, je ne peux attendre. Sa chambre était si haut, elle progressait si lentement. Enfin j'ai su qu'elle était au but. Sans la voir, sans même l'entendre, je savais ce qu'elle faisait.

La première partition est tombée en voltigeant.

Le feuillet lui aussi obéissait aux lois de la pesanteur. Il allait à l'exacte vitesse que lui permettait la terre, oh cette soumission des objets au désir de la terre, elle m'était insupportable. Qu'aurait-il fallu ? Qu'il glisse directement dans ma tête sans doute.

Je l'ai ramassé, posé sur la marche de l'escalier, le second commençait sa descente.

— Envoie tout en même temps, Tirésia, je t'en prie.

Silence en haut de l'escalier, une attention qui s'orientait.

Et tout le paquet des partitions est tombé à mes pieds. Je les ai ramassées pêle-mêle, que m'importait qu'elles soient abîmées, elles ne resserviraient plus jamais.

Quand Tirésia a été de retour, je les avais toutes étalées sur le cercueil.

Je me suis assise sur le tabouret, puis j'ai découvert les touches. Quelle couleur forte elles avaient ! J'ai pris une partition au hasard, et soudain une paralysie m'est venue.

— Est-ce que je suis capable, est-ce que je suis capable ?

La paralysie mordait profondément en moi.

Tirésia tirait une chaise à côté du tabouret.

— Non, pas toi, Tirésia, c'est moi qui dois jouer et je ne sais plus.

Je pleurais. Non pas de la mort de mon frère, mais parce que je ne savais plus lire la partition. Les notes étaient très noires.

Tirésia enlevait cette partition et en cherchait une autre.

C'était une mélodie très simple, une des premières que nous ayons su jouer, Dan et moi. Et pourtant je n'aurais pu en retrouver les notes sans la partition.

Tirésia était en cette nuit comme à l'intérieur de moi-même, elle donnait son corps à mon esprit égaré, et son esprit à mon corps anesthésié. Elle a placé cette partition d'enfant devant mes yeux sur le pupitre et mes doigts ont retrouvé leurs marques sur le long squelette blanc des touches. Petit à petit ce squelette s'est animé. Personne n'avait joué depuis des mois sur le piano, je le sentais à une infime raideur des touches, à la froideur du contact, à la résonance étrangement vide des sons. Mais il avait été accordé, dès que j'ai commencé à jouer, j'ai su qu'il avait été accordé, que quelqu'un en avait pris soin durant tout ce temps où la maison avait été vide, et c'était comme si le piano avait attendu ce moment où le corps de mon frère reposerait sur son échine, où mes mains toucheraient le clavier.

Les sons ont commencé à venir, Tirésia tournait les pages de la partition, j'effleurais le squelette blanc et il se défaisait sous mes doigts, se dissipait en sons, et les sons ne cessaient de venir, je jouais comme peut-être je n'avais jamais joué. Parfois j'hésitais sur un accord et aussitôt la main patiente de Tirésia se posait sur la mienne, la guidait, je reprenais et l'obstacle disparaissait, me donnant un nouvel élan.

L'attention de Tirésia me soutenait, son attention ne se relâchait pas, elle était tout entière à mon jeu.

Je sentais qu'en elle s'ouvrait une porte qu'elle avait tenue fermée depuis des années, elle ouvrait cette porte une dernière fois pour moi, et il en venait la Tirésia d'autrefois, pianiste fêtée, brillante, et aux côtés de celle-ci se tenait une autre Tirésia, venue elle aussi par une autre porte, la mère que je n'avais pas eue, forte, protectrice.

Ces deux Tirésia que je n'avais pas connues, je les sentais à droite et à gauche de la femme au voile noir, penchée sur le piano à côté de moi. Il me semble que, si j'avais pu lever les yeux, je les aurais vues.

J'ai joué des morceaux que je me croyais incapable de jouer, parfois ma tête dodelinait, j'étais si lasse, et pourtant mes mains couraient sans relâche, l'esprit de Tirésia les animait, je m'abandonnais à elle, un café fumait sur la petite table ronde à côté de moi, un autre café plus tard, je ne saurais comment ils étaient arrivés jusque-là, à quel moment Tirésia avait bien dû s'éloigner pour aller à la cuisine, il y avait des gâteaux aussi, les tranches de pain d'épice que Dan et moi aimions tant quand nous étions petits, je jouais, je jouais, les partitions se succédaient sur le pupitre, est-ce que j'entendais la musique ? Je ne le crois pas.

Je jouais pour mon frère mort, il ne fallait pas que les sons fassent un détour par moi, je les envoyais directement vers mon frère, ils avaient des strates et des strates à traverser, tant de distance que maintenant je ne pouvais plus la parcourir, je mettais toutes mes forces dans cet élan d'envoyer les notes vers lui, pas une seule ne restait avec moi, je les voyais partir comme des oiseaux messagers, je ne les entendais pas.

Le piano vibrait. Tant qu'il vibrait, tant que s'en échappaient ces envols de sons, je retenais mon frère.

Sa présence était ténue, vacillante, seul la retenait ce frémissement qu'il devait percevoir à travers le champ de brume, sur la lisière de la mort où il se trouvait.

Il faisait jour. Tirésia debout derrière moi massait mes épaules, je continuais à jouer, elle massait mes épaules, ma nuque, mon dos, et c'était comme si à travers mon corps exténué, c'était elle qui commandait aux touches hypnotisées.

Les gens des pompes funèbres étaient à la porte. Je jouais toujours. Puis j'ai senti les mains de Tirésia qui glissaient le long de mes bras, se posaient sur mes mains, les arrêtaient.

— C'est maintenant ? ai-je dit.

Les mains de Tirésia m'ont répondu « c'est maintenant ». Alors j'ai fermé de clavier.

— Ne voulez-vous pas vous changer, madame ? me disait le directeur.

Je le connaissais bien, c'est lui qui s'était occupé de notre père et de notre mère, de notre médecin. J'avais tout réglé avec lui par téléphone, et maintenant je le regardais sans comprendre.

— Madame, insistait-il, il y aura du monde. Le caveau de votre père...

Me changer ? Je croyais qu'il me demandait si je voulais prendre la place de mon frère, je croyais qu'il disait que c'était possible, qu'on pouvait au dernier moment changer...

J'étais avec Tirésia dans ma chambre. Elle m'habillait d'une

622

robe noire, une robe à elle, qui allait juste à ma taille, et encore à ce moment je croyais qu'on procédait au changement, qu'elle me préparait pour prendre la place de mon frère dans le cercueil.

Et puis j'ai été dans la voiture noire qui suivait le cercueil, seule avec le directeur des pompes funèbres.

— Madame Helleur ne vient pas, disait-il. Elle ne supporterait pas le service funèbre, tous ces gens. Elle n'est pas vraiment sortie depuis...

Madame Helleur? Au bout d'un moment, j'ai compris qu'il parlait de Tirésia. Je serais seule pour accompagner mon frère.

Ma lucidité m'est revenue, j'étais seule désormais, je serais toujours seule, et pourtant il y avait des choses à accomplir, j'avais fait une promesse à mon frère.

Je suis devenue attentive. Le directeur m'expliquait que bien qu'il n'y ait pas eu de faire-part selon mes instructions, il y aurait inévitablement du monde, « c'est une petite ville... ». Sois rusée, Estelle, pense à ta promesse, et j'ai dit « bien sûr... ». A l'entrée du cimetière, j'ai aperçu des gens, il m'a semblé qu'ils étaient tous en couple, à côté d'Alex et de la cousine d'Adrien il y avait même un enfant, je l'ai embrassé.

Puis ce qui s'était passé pour l'enterrement de nos parents se reproduisait. La seule différence c'est que Dan n'était pas avec moi. Mais je me disais « ruse, Estelle, ruse, fais comme vous avez fait la dernière fois que vous êtes venus devant la mort » et je retrouvais ce qu'il fallait faire.

J'ai revu les deux cercueils, l'un à droite, l'autre à gauche, de notre père et de notre mère. Il s'est passé quelque chose qui m'a étonnée. Deux hommes ont sauté dans le caveau, ils ont saisi un cercueil et l'ont déposé à l'étage inférieur. En un tournemain, ils ont fait de même avec l'autre. Il y avait trois étages. Il restait maintenant deux places disponibles en haut et deux en bas. Je faisais ce calcul, mais il me semblait vide de sens. Puisque Dan ne resterait pas là de toute façon.

Adrien est venu se mettre à côté de moi. Il avait l'air sombre et mécontent. Cet air qu'il avait eu lorsqu'il nous avait transportés à travers les rues de notre ville à la recherche de vêtements pourpres et jaunes et blancs pour notre deuil, lorsqu'il nous avait regardés descendre l'escalier de notre maison, main dans la main et nus, lorsqu'il avait découvert son costume blanc barbouillé au cirage noir à l'Hôtel Central à Vienne, lorsque je lui avais dit qu'il portait les mêmes chemises que le remplaçant du docteur Minor... Oh Dan, si tu pouvais voir Adrien !

Cet air m'a mise en gaieté.

— Pourquoi tu fais cette tête, Adrien ?

— Quoi ?

— Après tout, tu devrais être content.

— Qu'est-ce que tu manigances, maintenant ?

— Homosexualité, inceste, parricide, c'est bien ce que tu disais ?

— La ferme, Estelle.

— Toutes ces horreurs bouclées en même temps dans cette belle boîte !

Adrien m'a saisi le bras, la lisière de ses cheveux flambait, il chuchotait avec force :

— Tu veux que je t'aide ce soir ?

— Oui.

— Alors la ferme, maintenant et à jamais, compris ?

— Oui, Adrien.

Madame mère était derrière nous. Je me suis tournée vers elle et lui ai dit ce que je pensais en cet instant avec sincérité :

— Je ne sais pas ce que nous ferions sans votre fils.

— Oui, oui, disait madame mère, et c'est lui aussi qui est allé chercher Tirésia à la clinique...

Comme il était dur d'écouter ces gens. Estelle, sois rusée, pense à ta promesse

« Oui, Dan, je n'oublie pas, c'est pour cela que je suis ici. »

« Ma sœur, tu te rappelles la grotte où nous allions enfants ? »

« Tu me tirais par la main, j'avais peur mais je te suivais. »

« Tu avançais courbée, le tunnel était bas, en me retournant je voyais tes socquettes blanches. »

« Je t'ai crié : Dan où allons-nous ? et tu as répondu : au début des temps. »

624

« J'étais fier de te conduire, ta main tremblait dans la mienne comme un oiseau. »

« Le tunnel a fait un coude, la lumière a disparu, je n'avais plus que toi. »

« J'emmenais ma grande sœur vers le début des temps et c'était moi qui la conduisais. »

« Tous les lieux se faisaient à ta mesure, je t'aurais suivi partout. »

« Dans la grotte, je t'ai dit : regarde, Estelle, oh ma sœur regarde le dessin rouge sur le mur. »

« La grotte était sèche et ronde, tu braquais la lampe bien droit, tu disais : c'est toi, Estelle, c'est toi. »

« Mais si c'est moi, petit frère, où es-tu toi, alors ? »

« Je suis au même endroit exactement, les mêmes lignes pour moi, c'est pour cela qu'on ne me voit pas. »

« Alors nous étions pareils, Dan, mon frère, au début des temps ? »

« Si on regarde par ici on voit Estelle, et si on regarde par là on voit Dan. »

« Tu faisais bouger ta lampe et je voyais mes longues jambes et mon corps gauche, et tu faisais bouger la lampe et je voyais ta vivacité et ton cou de petit garçon. »

« Tu as crié : c'est ton cou, Dan !, et j'ai posé la lampe, pour mieux voir. »

« Nous nous sommes approchés, mais nos ombres grandissaient, elles couvraient le rocher, on ne voyait plus le dessin. »

« Alors nous nous sommes pris par la main et nous nous sommes assis devant le rocher. »

« Tu as dit : on est au début des temps et au début des temps nous étions déjà là. »

« Alors nous sommes très vieux, Dan ? »

« Nous sommes éternels, Estelle. »

53

A la grotte

Tirésia m'attendait dans le jardin, je l'ai aidée à monter les marches du perron. Nous sommes entrées. Nous avons refermé la porte. Nous étions dans le vestibule.

Ces phrases... Comme elles sont banales. Elles pourraient être dans n'importe quel récit, dans n'importe quelle bouche, elles n'ont rien d'autre en elles que les gestes qu'elles décrivent.

Pour moi, elles ont été la toute-puissance de la mort, une nouvelle forme de cette puissance, encore une autre dans cette série qui n'allait cesser de se renouveler, avec la richesse d'invention et de prolifération de la moisissure. Une richesse maniaque, perverse, qui utiliserait le moindre objet, le moindre entour du temps.

La mort est l'intime par excellence, je l'ai sentie qui pénétrait dans mon intimité là où ni Dan ni même moi n'aurions pu aller. Elle savait tout, n'épargnait rien, elle était la méticulosité même et sa présence comme une ombre portée donnait relief au moindre accident de la réalité. On ne pouvait l'oublier, elle avait le sens de la réalité bien plus que la vie.

La vie était comme un rêve qu'on ne pouvait saisir, mais la mort venant la doubler par-derrière lui donnait une puissance terrible d'intrusion. Et on ne pouvait lui échapper. La vie n'avait jamais eu cette exigence obsédée, elle entraînait sans brutalité, à la façon des rêves. Mais la mort m'attendait à chaque tournant, comme un maître sur le côté d'un couloir étroit, avec sa baguette qui ne me touchait pas, qui touchait le paysage autour, le chargeant d'apporter le message de la mort en cet instant. Et ce message il me fallait le prendre et endurer la douleur qu'il apportait.

Je savais qu'il y aurait ce moment où je reviendrais dans la maison définitivement privée de la présence de Dan. Je savais que dans cet horrible cheminement, chaque instant passé paraîtrait plus doux que l'instant présent.

Sitôt franchie la grille du cimetière, dans la voiture des pompes funèbres, je pensais à cette maison où il n'y aurait même pas le cadavre de Dan.

Le cimetière me paraissait cruellement loin, un kilomètre, plus, moins ? Le son du piano n'arriverait pas jusqu'à Dan sous la dalle de sa tombe. Mes doigts s'agitaient sous cette comptabilité nerveuse de la distance. J'ai cru sentir la main de Tirésia qui effleurait ma main comme autrefois lorsque je n'arrivais pas à jouer.

— Je ne pourrai même pas jouer du piano, ai-je crié.

Le regard du chauffeur dans le rétroviseur : une arête coupante, aussitôt retournée.

Tout au long de ce court trajet, j'ai répété « je ne pourrai même pas jouer du piano », je le répétais pour Tirésia, pour que mes phrases et leur charge de douleur s'en aillent vers elle, je le répétais pour moi, pour anticiper le moment où nous serions dans le salon vidé de la présence de Dan mort, et où mon angoisse ne pourrait pas aller se jeter dans la gueule blanche du clavier.

Et nous avions accompli ces gestes, nous avions monté les marches du petit perron, nous étions entrées, nous avions refermé la porte.

La mort était tapie dans la maison, mais elle se taisait, me laissait avancer dans cet espace que je ne connaissais pas encore, celui d'un lieu privé à tout jamais à Dan.

Et moi, je ne savais pas encore où la mort s'était repliée. Elle ne trônait plus comme la veille, entre les deux fenêtres du salon, dans le cercueil sur la plate-forme noire du piano. Je la devinais partout, la rôdeuse sans loi. Estelle, prépare-toi, tout à l'heure ou plus tard elle bondira sur toi, il n'existe dans le monde aucun recours contre elle, elle est dans ta maison et ses ruses sont infinies.

Nous n'avions pas allumé. Il faisait sombre déjà. Ou peut-être était-ce plus tard, dans cette journée qui se contractait ou se gonflait comme un viscère irrité. Il faisait sombre, nous errions sans lumière, Tirésia quelque part dans l'escalier, moi dans les pièces du bas.

Soudain au milieu du vestibule du côté de la porte de la cuisine, une flaque de lune a surgi sur le sol. Un halo blanc s'en élevait. Dans ce halo, il y avait un garçon et une fille.

Ils étaient enfants encore mais Dan était déjà le plus grand, il tenait Estelle dans ses bras et soudain la repoussait, j'entendais sa voix rauque de treize ans, « c'est physique », je les voyais dans ces deux instants précis, celui où leurs corps se pressaient l'un contre l'autre et celui où ils se séparaient, et ces deux instants étaient comme emmêlés, n'en faisaient qu'un, le nœud qui allait étrangler leur vie.

Je les voyais si nettement. Il n'y avait aucun sentiment en moi, que cette vision qui m'emplissait complètement. Je n'étais que le réceptacle de cette vision, et elle durait...

Je sens combien ces choses sont impossibles à transmettre, madame, je ne peux que les dire. A ce moment, c'était cela la mort, je la connaissais encore si peu, je ne pouvais que regarder, regarder ce qu'elle me faisait.

J'ai entendu un gémissement. Aussitôt Dan et Estelle ont disparu. La lampe du vestibule s'est éclairée, c'est moi qui avais dû l'allumer. Tirésia avait la main sur la rampe de l'escalier et son corps était penché, son corps me criait un appel. Il y avait en moi une énergie surnaturelle, une énergie de la mort. J'ai soulevé Tirésia sous l'épaule et je l'ai quasiment portée marche après marche jusqu'au dernier étage. Je l'ai posée devant sa porte, derrière laquelle nous n'avions jamais pénétré.

Ensuite j'étais dans le jardin, près du mur qui nous séparait du jardin des voisins. La nuit tombait. Je me souviens que je cherchais la brèche par où nous passions d'un jardin à l'autre. Je ne trouvais plus cet endroit. J'ai cru m'être trompée de mur, je suis allée de l'autre côté, longeant la pelouse où Dan avait dansé autour de moi, devant nos parents assis sur la balustrade du perron. A peine arrivée à l'autre mur, j'ai fait demi-tour. Quelque chose me préoccupait. Il fallait que je revienne vers la pelouse.

Je me suis tenue là un moment, attendant que la mort me montre Dan et Estelle, puisqu'elle l'avait déjà fait une fois. Mort de mon frère, fais sortir la lune des nuages, que sa lueur tombe sur l'herbe, que l'herbe se nimbe d'argent, que dans cette auréole apparaissent une silhouette à genoux la tête dans ses mains et, tout autour, décrivant sa danse grotesque et sublime une autre silhouette, je t'en supplie montre-les-moi.

Estelle, chétive d'esprit, tu ne sais rien encore, tu attends la bonne volonté de la mort !

Rien ne venait sur la pelouse. Elle était stupidement plate et sèche, petite aussi. Partis le foisonnement, le velouté de l'herbe, l'ondulation luxueuse comme le dos d'un grand félin, qui nous emportait Dan et moi, nous emportait.

La pelouse était sèche, avec de petites plaques de terre. Je me suis mise à regarder ces petites plaques de terre. Comme elles étaient obscures et menaçantes ! Elles me dévoraient le regard. Oui, elle était là, la rôdeuse que j'attendais, elle était bien venue, mais c'était pour me montrer cela, cette pelouse désertée et dessous la terre...

« Du sable, du sable pour la pelouse ! »

Tout était silencieux. Les marronniers, le tulipier, les buissons de rhododendrons : des masses d'ombres immobiles, d'où ne pouvait venir aucun secours.

Tirésia, loin dans sa chambre qui donnait de l'autre côté, épuisée par ces journées hors de la clinique, dormait sans doute de son sommeil drogué, et pourtant c'est vers elle que je criais, parce que je savais qu'elle m'entendrait de toute façon.

Son âme avait été arrachée de son corps un jour, depuis des fragments lacérés erraient autour d'elle, ne pouvant plus tous se rejoindre, retrouver leur place sûre et inentamée dans son corps, l'un de ces fragments m'entendait. *Comprenez ces choses, madame, moi je ne les comprends pas, mais elles étaient vraies.*

— Tirésia, du sable sur la pelouse.

Aussitôt j'ai senti ma phrase se détacher de moi, saisie et emportée par un morceau de l'âme de Tirésia, dans quelques jours cet espace désolé disparaîtrait, je ne verrais plus la terre. Dans quelques jours le sable venu de la mer par camion, un camion de notre voisin, se déverserait sur la pelouse, j'avais trouvé une issue dans cette altercation rapide avec la mort.

Des pulsations électriques couraient dans mes membres. Gagnerais-je toujours, il ne fallait pas s'attarder, la mort était sur mes talons. En courant j'ai rejoint le mur mitoyen. L'endroit effondré était devant mes yeux. Une exhalaison venait du sol, comme d'une bouche ouverte, pourrissante. La mort me suivait pas à pas. Je me suis accrochée aux branches de l'arbre pour appuyer moins sur le sol. Une odeur de lilas vineux qui écrasait la respiration est aussitôt sortie des branches. « Dan », ai-je dit, j'ai revu son visage lorsqu'il se concentrait avant de danser. Alors je me suis laissée glisser au sol, j'ai posé mes deux mains sur la terre, en appuyant fortement, jusqu'à ce que l'exhalaison qui m'avait étourdie rentre sous la surface, jusqu'à ce que mes paumes domptent cette texture violente de la terre, puis j'ai pétri quelques mottes et posé mon visage dessus.

De nouveau les pulsations électriques couraient dans mes membres. Agir, agir.

Mes coudes étaient appuyés sur les deux bords de cette brèche dans le mur, je tenais une feuille de houx fendue par le milieu et je soufflais. Le son ne décollait pas. Ma poitrine était vide, bientôt ma bouche s'est emplie de sang. « Pas du sang, de l'air ! », feuille peureuse, oublie le joug de la terre et des racines, deviens l'alliée du vent, siffle, siffle.

« Dan », ai-je dit encore. Et j'ai vu les mains crispées d'une jeune fille plaquant la feuille aux durs piquants sur ses lèvres. « Pas comme ça, Estelle, disait le garçon en grondant, en riant. Tiens la feuille un peu plus loin et ne souffle pas trop fort. »

Le sifflement s'est enfin élevé au-dessus du mur mitoyen, traversant le jardin, volant vers la fenêtre de l'autre maison, ce sifflement que Dan m'avait enseigné, par lequel nous nous appelions avec nos petits voisins la nuit. Il ne fallait pas que leurs parents se réveillent, et aujourd'hui était comme autrefois. Je ne voulais pas les parents, je voulais l'un des enfants, l'un d'eux seulement, mais je savais bien que s'ils entendaient le sifflement de la feuille de houx, après tant d'années, ce serait celui-là qui viendrait, Adrien, le plus dur, le plus fort de nos voisins, celui dont j'avais besoin.

— Arrête de siffler.

Il était là :

— J'espérais que tu aurais changé d'avis.

— Je n'ai pas changé d'avis.

La lumière d'une lampe torche se promenait sur mon visage.

Lorsqu'il a parlé, sa voix était changée, c'était celle d'autrefois, sa voix d'enfant ombrageuse et morose.

— Comme tu voudras, Estelle.

Adrien mon ennemi de toujours me comprenait sans coup férir. C'est ainsi qu'étaient les choses dans ce nouveau royaume de la mort.

— Je veux...

— Je sais ce que tu veux, a-t-il coupé avec sa même brutalité d'enfance que je connaissais si bien.

Pour la première fois depuis des jours, j'ai senti un soulagement.

— Et toi, qu'est-ce que tu veux? ai-je dit avec une sorte de rire.

— Comme on a dit.

— Maintenant?

— Mais bien sûr.

— J'ai mes règles.

— Estelle, ne commence pas.

Il a sauté par-dessus la murette. Il avait encore le costume sombre qu'il avait mis pour l'enterrement et que je lui avais déjà vu pour l'enterrement de nos parents.

Cela aussi m'a soulagée. C'était bien ainsi. Je savais où j'étais, il n'y avait pas de doute fauteur de trouble, j'étais dans le domaine de la mort, tous les coups étaient permis, et je m'y dirigeais comme il fallait.

Moi aussi j'avais un costume noir, mais qui ne m'appartenait pas. La jupe était étroite, j'ai eu du mal à la remonter. Adrien ne m'aidait pas. Cela aussi m'a rassurée. Oui, tout était bien. Dans ces espèces de ténèbres où j'allais seule, j'avais réussi à ne pas dévier.

Je me suis aperçue que sous la jupe il y avait des bas avec une sorte de gaine à jarretelles. Pourquoi étais-je habillée ainsi ? Puis je me suis rappelé Tirésia, elle avait dû me donner cette lingerie, parce que je n'avais pas ce qu'il fallait pour l'enterrement. La gaine me gênait, je ne sentais pas ma chair par-dessous, mes mains tâtonnaient sur cet objet étranger, ne trouvant pas de prise pour m'en débarrasser.

— Arrête, a dit Adrien.

Et je me suis arrêtée.

— Arrête de rire aussi, ça me rend fou.

J'ai posé mes mains sur les deux bords de la murette et je me suis laissée aller, la tête ballant dans la faille, fatiguée momentanément.

— Et ne fais pas comme ça avec ta tête, disait Adrien. Estelle, ne joue pas à l'imbécile, ou je ne ferai pas ce que tu veux.

J'ai entendu le déclic de sa torche électrique, mais je ne voyais pas de lumière, je sentais seulement une chaleur sur la peau, parce qu'il tenait la torche tout près. Ses mains écartaient mes jambes, fouillaient pour retirer le tampon.

— Tu n'as pas beaucoup de règles, Estelle.

— C'est comme ça depuis cinq mois, ai-je dit.

Je savais que ces mots étaient une gifle pour lui, qu'il les recevrait ainsi, que c'était bien.

« Ah ! » a-t-il dit, et cela signifiait exactement : message reçu.

J'entendais le bourdonnement de ses pensées autour de mon sexe, elles étaient noires et amères, et cela convenait à mon être en décomposition. Il haïssait la part de lui qui avait cru désirer cet amour, qui avait vécu des années sur un désir inaccompli et une obsession de vengeance, et maintenant il voyait que ce n'était rien, que ce n'était que ça, dont il n'avait pas même envie, et ses pensées privées de direction comme les guêpes qui ne trouvent plus leur nid tournoyaient dans le vide, se transformaient en scorpions qui tournaient leur dard contre eux-mêmes. L'amour, c'était cela au royaume de la mort.

Je me suis rendu compte que mes talons s'enfonçaient, de petits fragments de terre avaient pénétré dans les chaussures, mes pieds les écrasaient avec répulsion.

Bruit d'entrailles. Cette partie de mon corps observée par la lueur de la torche, c'était comme un arrière-train d'animal pour un carnaval sinistre, j'en avais une perception d'horreur. J'avançais, j'avançais dans les terres de la mort, et plus cette horreur grandissait entre nous, plus elle nous liait. Le seul amour ici ne pouvait être que celui de mon ennemi.

Et cette torche qu'il ne quittait pas, à laquelle il s'accrochait d'une main, la ramenant chaque fois qu'elle glissait, tandis que son autre main cramponnait mes fesses. Cette lueur infernale comme une tache de lèpre sur la peau. L'odeur du lilas pénétrait par ma bouche, mes narines, comme un chloroforme empoisonné, et du sol l'odeur de la terre montait dans mon sexe ouvert, cheminait dans mon corps pour venir s'accumuler dans ma bouche comme une flaque de boue.

— Estelle, a dit Adrien.

Il me serrait contre lui, sa tête tombait sur ma nuque, oh j'entendais ce qui bougeait dans sa voix, il n'était pas dans l'enfer comme moi, il voulait revenir à l'air libre, prendre une bouffée d'air pur, pour cela il m'appelait, il avait besoin de moi.

— Je ne peux pas, murmurait-il.

Il aurait fallu que je lui donne un mot de tendresse, un des mots de passe des vivants, n'importe lequel, Adrien n'était pas regardant, même dans la folie de cette nuit, il restait le même, dur et méfiant.

Aujourd'hui je pense que je me trompais, je pense que c'est moi qui avais voulu Adrien ainsi, depuis la naissance de mon frère.

Un jour de l'année de mes cinq ans, j'avais dû, de façon secrète et définitive, le charger de porter ma propre violence, et tout ce qu'il y avait de fureur et de détresse dans notre monde d'enfants, afin qu'il ne reste que la beauté pour mon frère.

Je ne pouvais donner à Adrien un mot de tendresse, je ne pouvais lui donner que l'horreur qu'il y avait en moi. Je me suis tournée vers lui et l'ai giflé. Je le giflais à toute volée, et sa vieille rage revenait, lui redonnait vigueur et vie, comme nous nous entendions bien mon ennemi et moi. Il a saisi mes bras, les tordant durement, il m'a jetée sur la brèche, la pierre heurtait les os de mon bassin, les petits fragments de terre qui avaient envahi mes chaussures mordaient, cherchaient à pénétrer, les pieds menaient une lutte avec eux, c'était un front de guerre lointain, marginal et horrifiant.

Notre amour était brutal, sans plaisir, fait pour meurtrir, et c'était ainsi que cela devait être pour que je garde cette force surnaturelle de mort que j'avais malgré l'épuisement.

Pas un instant je n'ai douté d'Adrien.

Je savais bien ce qu'il était devenu pourtant, un homme passionné d'argent et de respectabilité, engrangeant les deux de plus en plus rapidement, il nous invitait pour des sorties de plus en plus coûteuses, mais ne se laissait jamais inviter par nous.

« Dan, c'est Adrien au téléphone », « pour quoi ? », « pour le restaurant », « quel restaurant ? », « je ne sais pas, un nouveau chef », « encore un nouveau chef ! », « qu'est-ce que je lui dis ? », « dis-lui oui, bien sûr, Estelle », je décollais ma main du micro, aussitôt j'entendais la voix irritée, « alors tu as demandé la permission ! » et je disais « c'est d'accord Adrien ».

Depuis qu'il avait éventé l'affaire des meubles, il ne venait plus chez nous. Mais il avait besoin de nous parler de ses nouveaux magasins, de ses voyages, ses voitures. Il se faisait presque une caricature de lui-même alors, tant nous lui étions insupportables, et cela nous répugnait et nous fascinait. Il ne nous venait pas à l'esprit de refuser ces dîners. « Il ne faut pas oublier que les Adrien existent », disait Dan en s'habillant, et son visage brillait. Je lui disais : « tu as l'air d'un toréro qui se prépare à la corrida ! ». Et son visage brillait encore plus fort.

« Adrien, toi et les gens comme toi, je vous aurai », avait dit mon frère alors que nous sortions très ivres du restaurant décoré de fleurs, fleurs partout, sur les tentures, sur les assiettes, dans les vases, au milieu de cette rue improbable de l'autre côté du cimetière de la place Clichy, où Adrien nous avait expliqué comment il faisait marcher son affaire de rotin des Philippines. Nous buvions la dernière bouteille de champagne, Dan essayait d'expliquer où il en était de ses études, l'article qu'il avait écrit sur certains points du droit du travail. « C'est bien vous, ça, avait jeté Adrien avec mépris, vous écrivez sur le droit du travail et vous n'avez jamais employé personne. Vous savez combien de gens je fais travailler moi ? »

Sur la table dans l'assiette de la note, il y avait plusieurs très grosses coupures, Adrien ne payait pas de telles sommes par chèque, ce n'était que de la monnaie pour lui, nous étions au milieu de ce foisonnement de fleurs éclatantes comme au milieu d'un tableau, les joues enflammées tous les trois, nous sommes sortis nous tenant le bras, « toi et les gens comme toi, je vous aurai » chantait mon frère, « mais oui, grognait Adrien, reste bien au chaud dans tes bouquins, ça vaudra mieux », et nous nous étions retrouvés devant l'entrée du cimetière en contrebas, ne sachant pas du tout comment nous y étions arrivés.

Adrien s'accrochait au portail, disait que c'était un hôtel là-derrière, avec de belles serviettes bien étalées, « mais pas blanches, comprends pas pourquoi », finalement il s'était couché sur le trottoir en dessous du pont, Dan avait dit qu'on allait le veiller, puis il s'était mis à danser, Adrien toujours couché applaudissait, « danse, mon petit Dan, danse » disait-il, et les syllabes bousculées nous lançaient dans des houles de fous rires. « Danse, Dan, disait Adrien, tu es plus beau que moi mais je suis plus fort, je suis plus fort parce que je suis déjà mort, et toi tu te crois vivant ! » et il claquait dans ses mains, tout couché qu'il était, les chaussures à l'équerre, pour accélérer le rythme. J'ai eu un étourdissement, Dan s'est arrêté d'un coup, il tenait mon front pendant que les nausées me secouaient, son ivresse était partie, « mon amour, tu es peut-être enceinte », m'a-t-il chuchoté dans l'oreille, « Dan, tu sais bien... », « Estelle, Estelle qu'est-ce qu'on en sait ? ».

Et les petites éponges que je mets dans mon sexe, pour tuer nos enfants, mon amour, puisque les enfants de frère et sœur ne doivent pas exister, sont monstrueux peut-être, et les préservatifs et tout le reste, « Dan tu sais bien... ». Et il disait, mon amour, « Estelle, qu'est-ce qu'on en sait ? ».

« Ça y est, les revoilà dans leur bulle », disait Adrien, qui détestait nos apartés. Et chaque fois, nous passait devant les yeux la bulle transparente du tableau de Jérôme Bosch. « Quelle bulle ? » avait une fois demandé sournoisement mon frère. « Je ne sais pas, s'était énervé Adrien, une bulle tout le monde sait ce que ça veut dire, non ! »

Il s'était remis sur pied et nous attendait plus loin appuyé à un réverbère, l'air morose. Je pleurais dans les bras de Dan, il me serrait fort comme d'habitude, puis cela allait mieux, nous avions fait quelques bars pour contenter Adrien. Il devenait ordurier. Nous étions passés devant un bar homosexuel, « on devrait tous les gicler », avait-il grogné, « tu m'entends Dan, tous les gicler », c'était son mot, peut-être se revoyait-il dans son ancien jeu de flipper-football au cimetière d'Alex. Il avait ouvert brutalement la portière d'un taxi qui attendait au feu rouge. Le chauffeur, hors de lui, avait jailli de sa voiture. « Non, monsieur, on ne monte pas comme ça dans mon véhicule. » « Ah oui, et qu'est-ce qu'on fait ? » avait dit Adrien. « On est poli, monsieur », avait dit le chauffeur. « Et moi je vais vous faire une grosse tête, monsieur », avait dit Adrien, se jetant dans une position de karaté. « Les petits coqs comme vous, ça me fait pas peur », avait dit le chauffeur dont la colère commençait à nous étonner aussi. Il avait un couteau dans la main. Dan tirait Adrien d'un côté tandis que j'essayais de calmer l'homme au couteau. Adrien s'était échauffé brusquement contre Dan, « va peloter cet abruti si tu veux, mais ne me touche pas, petit danseur, petit voleur ». Nous avions échangé nos places alors, Adrien s'était calmé d'un coup, il m'avait pris le bras, nous nous étions éloignés de quelques pas. Nous avions vraiment l'air de promeneurs paisibles, tous les deux. Du côté du chauffeur tout allait bien. Il avait réintégré son véhicule et Dan accoudé à la portière bavardait tranquillement avec lui. Et tout cela se terminait sur la phrase habituelle, cette fois « mieux vaut être riche et respecté que pauvre et botté au cul » ou quelque chose d'approchant.

C'était cela nos sorties avec Adrien.

Nous étions si heureux plus tard de nous retrouver dans notre appartement, Dan et moi, de nous laver ensemble, de nous coucher dans les draps frais, de nous parler doucement.

Oui, Adrien était riche et respecté, mais sa façade ne tenait pas devant moi, j'avais accès direct à son enfance et je savais qu'il ne me manquerait pas. Il m'appartenait pour ce soir-là, il me suivrait dans l'affreuse équipée où je l'entraînais. Et c'était aussi parce qu'il était mon ennemi et que cela se passait au royaume de la mort.

— Viens un peu sous le réverbère, a-t-il dit, reprenant sa voix que j'appelais professionnelle.

— Tu es hideuse, constatait-il froidement, tu as du sang et de la terre partout, et tu grimaces comme une possédée. Il faudrait te laver.

Je ne voulais pas me laver. Je redoutais l'eau tiède, les gestes quotidiens. J'avais peur qu'ils ne m'enlèvent ma force.

Adrien n'a pas insisté. Lui-même s'est nettoyé soigneusement, frottant son habit, resserrant sa cravate. Avec son mouchoir il a essuyé ses chaussures. Puis il a sorti un petit peigne de sa poche et se regardant dans mes yeux il s'est peigné. Je le laissais faire. A chacun sa façon de trouver sa force.

Le portail du cimetière n'était pas verrouillé. Alex aussi ne m'avait pas manqué. Le lourd battant a grincé dans la nuit, quelque part un chien a hurlé. Une silhouette s'est détachée du mur.

— Estelle, je ne sais pas ce que tu as dans la tête.

— Alex !

— Mais fais attention à toi, fais attention à toi.

— Alex !

Il pleurait en me regardant.

— Pauvre, pauvre Estelle... Il y a de l'eau à côté du portail, je peux te la faire couler.

Lui aussi voulait que je me lave. Mais je redoutais tout autant l'eau fraîche du robinet du cimetière, ce robinet auquel on vissait le long tuyau flexible qui permettait d'arroser les fleurs sur les tombes.

— Va te coucher, Alex, tu devrais déjà être couché.

Il restait là, hésitant, suppliant Adrien du regard.

— Fous le camp, ai-je dit soudain en avançant sur lui.

— Estelle, vous, vous...

Il reculait, suffoquant presque de détresse.

— Tu peux partir, Alex, tout est en ordre, a dit Adrien calmement.

Et Alex qui n'attendait que cela, la prise en charge de la situation par quelqu'un d'autre, par un autre homme, et tant mieux s'il portait costume et faisait montre d'autorité, a cédé. La tristesse ne lui convenait pas, il la portait gauchement en cet instant, comme un costume mal coupé, s'éloignant tête baissée, les bras vagues.

— Bon. Bonsoir, alors... monsieur.

Nous avons attendu qu'il passe le portail, nous avons écouté le bruit de son vélomoteur croître dans la côte, puis s'évanouir.

— Dire que j'ai joué au foot avec ce type et qu'il était meilleur que moi, a marmonné Adrien.

— Pourquoi est-ce qu'il t'appelle monsieur ?

— Parce que j'ai envie que ça soit comme ça.

— Il m'a vouvoyée, je ne comprends pas.

— Tu n'as pas vu ta tête ! Tu lui as fait peur.

— Alex n'a pas peur de moi, il a peur *pour* moi.

— Tu as couché avec lui aussi, pour ce service ?

— Il ne m'a rien demandé.

Pendant tout ce temps, nous soulevions la dalle à grands efforts, tirions, poussions. Comme le cercueil était lourd ! Pourtant ce n'était pas une lourde tâche, parce que mon frère Dan me guidait, et ce qui était impossible devenait possible.

— Tu as la force d'un bœuf, Estelle, je m'en suis toujours douté, mais si j'avais vu ça avant, j'aurais eu peur pour ma vie, tout à l'heure, sous le lilas.

— J'aimerais bien te tuer, Adrien, après quand nous aurons fini.

Adrien s'est mis à rire.

— Allez, Estelle, bafouer la loi une fois, ça suffit. N'oublie pas que ton grand défenseur n'est plus là.

Nous portions le cercueil vers la camionnette.

Je n'avais pas le temps de penser à mon frère, de lui parler, mais c'était sans importance, quand ces gestes seraient arrivés à leur fin, quand Adrien serait parti, alors Dan mon amour je serais toute à toi, sois patient, j'irai jusqu'au bout de ma promesse.

— Merde, Estelle, ça me porte au cœur, il faut que je boive.

Nous avons posé le cercueil par terre et je me suis assise dessus, attendant qu'Adrien ait fini de boire. Cela aussi je l'acceptais sans réticence, aux voitures il faut bien donner de l'essence. Ce que je n'aimais pas, c'était le bruit qu'il faisait en aspirant l'eau, ce bruit résonnait obscènement dans le silence du cimetière. Pauvres bouches impuissantes des morts, impuissantes à se soulever, mais désirant peut-être, désirant cet affreux bruit de succion à la surface, l'air, l'eau...

Adrien est venu s'asseoir lui aussi sur le cercueil. Nous avons eu un moment d'épuisement.

— Dan, je n'en peux plus.

— Moi aussi, Dan, a dit Adrien. Ça ne me plaît pas, cette histoire.

Il tapotait sur le cercueil.

— Si tu veux, je te remporte chez toi, là-bas, et il hochait la tête vers la tombe.

D'un coup j'ai retrouvé ma force.

— Dan, ne l'écoute pas.

— Dan, mon vieux, je te conseille de retourner chez toi.

— J'ai un contrat avec Adrien, il m'a promis.

— Elle va te causer des ennuis, tu peux être sûr.

De nouveau j'ai giflé Adrien, brutalement. De nouveau il a saisi mon poignet, nous avons glissé à côté du cercueil. Adrien tenait mes deux poignets sur le couvercle.

— Laisse-le décider, petite salope. Laisse-lui au moins le choix.

Nous avons cessé de bouger, pétrifiés soudain par le silence, le lieu. Les tombes luisaient vaguement, elles étaient de granit pour la plupart et les parcelles de mica accrochaient parfois des fragments de lumière, scintillements minuscules d'une dalle à l'autre, qui semblaient jeter un message, aussitôt effacé.

Les feuillages le long du mur se sont mis à bruisser. Il y a eu un bruit léger. Adrien et moi avions le regard rivé l'un à l'autre, comme s'il fallait ne pas voir, pour ne rien provoquer. Soudain un chat a sauté du mur, s'est avancé précautionneusement vers nous, ses prunelles dilatées dans l'obscurité pâle, puis s'est enfui.

— Tu lui as fait peur, à lui aussi, a dit Adrien en soupirant.

Nous nous sommes relevés, nous avons continué. Le portail, la camionnette, la route, le croisement avant nos maisons.

Le croisement avant nos maisons. Mon dernier combat avec Adrien.

— Tourne là, ai-je dit soudain.

— Quoi?

— Descends jusqu'à la Rampante.

— Ce n'est pas le chemin.

— Et puis prends vers les collines.

— Je ne comprends pas.

— Fais ce que je te dis.

— Ce n'est pas ce que...

— Fais ce que je te dis.

La camionnette était arrêtée au milieu du croisement. En bas vers la gauche, on entendait le roulement du ruisseau, grossi par les dernières pluies. Les taillis étaient silencieux. Plus loin en haut de la côte, la silhouette de notre maison avec son petit belvédère et sa girouette. A côté, la maison de nos voisins. A cause de l'effet de perspective, on aurait dit la même demeure, une bâtisse méconnaissable aux formes étranges, fantomatique sur le fond sombre du ciel.

— Adrien, il y a un endroit dans les collines...
— Impossible.
— Pourquoi ?
— Dans ton jardin, le lilas le cachera.
— Et tu viendras nous surveiller par la brèche.
— Je le ferai refaire ce mur, à mes frais, disait Adrien rageusement. Je ferai un mur en acier si je peux.

Je me suis mise à pleurer. Je ne pouvais pleurer pour la mort de mon frère, mais je pleurais pour ce détail.

Je sentais que je tombais en chute libre à travers les couches superposées de mes années, traversant toutes les années de ma vie où je n'avais jamais pleuré parce qu'il y avait Dan et que j'étais son aînée, celle qui se tenait entre lui et le malheur, ou se tenait derrière lui pour le recevoir dans ses bras lorsqu'un malheur avait avancé sa patte menaçante.

Je chutais vers un temps obscur d'avant la naissance de Dan où j'avais dû sangloter de solitude et trépigner d'une attente encore sans nom. Je n'en avais pas souvenir, mais en cet instant je savais que c'était cette époque que je retrouvais, et elle était comme un énorme brouillard fait de gouttes salées d'amertume.

— Estelle, arrête tes caprices.
— Tu ne comprends pas.
— Je ne comprends peut-être pas, mais je vais te dire une chose. Je vais le reprendre ton cercueil, tout seul s'il le faut, et je vais le reporter tout de suite dans votre caveau au cimetière.
— C'est un endroit que personne ne connaît.
— Mais c'est dans les collines où tout le monde va, et bien entendu tu seras tout le temps dessus comme un chien à pleurnicher. Je ne nous donne pas une semaine pour que tout le monde sache ce que nous avons fait.
— Et alors ?
— Merde Estelle, la loi ne permet pas d'enterrer n'importe où.

— Je me fiche de la loi. La loi n'a pas soigné mon frère.

— Mais moi je ne m'en fiche pas. Je veux bien t'aider à porter ton sacré cercueil et à lui creuser son trou, mais rien de plus, tu entends.

— Il n'y a pas de trou à creuser.

— Qu'est-ce que tu veux dire ?

— C'est un endroit spécial, que Dan avait découvert. On y allait tout le temps.

— Vous y alliez tout le temps et je ne le connais pas ?

— On voulait que ce ne soit que pour nous. On te surveillait, Adrien. Il y en avait un qui faisait le guet au mur, l'autre de l'autre côté de la rue, et quand on était sûrs que tu étais bien chez toi, alors on se sauvait très vite. Tu ne nous as jamais découverts, Adrien, tu ne t'es douté de rien.

Adrien m'écoutait, stupéfait. Il savait tout de nous. Que cette chose lui ait échappé, que nous ayons réussi à avoir un secret, c'était un coup pour lui.

Il a fait démarrer la camionnette.

— Emmène-moi voir ça, a-t-il dit.

Dans la petite salle au fond du boyau, Adrien promenait sa lampe sur les parois. Soudain la biche rouge est apparue.

— Mais c'est une grotte préhistorique ! s'est-il exclamé, je ne savais pas qu'il y en avait dans la région.

Il regardait le sol, se penchait. Une boîte de biscuits, un paquet de cigarettes, un bout de tissu. Ce dernier objet l'intriguait un instant. « Ah tes rubans, pour les nattes ! » Un cahier de dessin et des crayons de couleur. « Qu'est-ce que vous faisiez ? » « On essayait de reproduire la biche rouge. » « Pourquoi vous appelez ça une biche ? » « Parce qu'on ne savait pas ce que c'était et on n'avait jamais vu de biche. » « Et ça ? » « C'est la portière de la voiture. » « La voiture de monsieur Helleur, vous êtes dingues ! »

— C'est là que je veux le mettre, Adrien.

— Trop dangereux.

— Personne n'a trouvé cette grotte pendant des millénaires.

Pas de réponse.

— Pendant des millénaires, Adrien, et tu voudrais que quelqu'un la trouve juste maintenant ?

Pas de réponse.

Un mouvement se faisait en moi, des glissements, des tourbillons anciens de sentiments menus, visions hachées, des jambes qui détalent, des grimaces, un visage qui tire la langue, des flèches dans la mare, une fenêtre qui tombe, des jouets écrasés. J'ai ri.

— Maintenant tu connais le secret, tu es lié.

— Qu'est-ce que tu veux dire encore ?

— Tu as vu la biche rouge, elle te portera malheur si tu ne lui obéis pas.

— La ferme, Estelle.

C'est sa voix d'autrefois, hargneuse, mauvaise. Enfant, il avait été terriblement, honteusement superstitieux.

Il braquait sa lampe sur la paroi de nouveau. La biche semblait le regarder.

Tout le temps où nous avons porté le cercueil de Dan à travers le taillis, nous n'avons pas dit un mot. Et de même lorsque nous l'avons déposé à l'entrée du boyau, pas un mot non plus tandis que nous revenions sur la petite route qui menait des collines au croisement, en passant par la Rampante.

Adrien ne me regardait pas, il avait les lèvres serrées, nous nous éloignions l'un de l'autre.

La camionnette s'est arrêtée entre nos deux maisons.

La nuit blanchissait, nous étions blafards, comme défigurés. Un oiseau s'est mis à chanter quelque part dans un taillis, un chant menu, mais si présent qu'il m'a saisie. C'était la première manifestation du monde qui pénétrait en moi depuis la mort de Dan.

L'oiseau chantait, par petites roucoulades toutes personnelles, bien à son affaire avec sa vie, et l'aube s'étendait. J'ai levé les yeux vers le ciel, il était d'un gris délicat avec de grands nuages blancs qui bougeaient. Qui bougeaient !

J'ai su que la mort venait de nouveau de me donner un petit coup sur l'épaule. Regarde, écoute, disait-elle. C'est le premier jour après la mort de ton âme, un oiseau chante et les nuages continuent leur course.

— Estelle ? a dit Adrien.

Je l'ai regardé.

J'étais si seule maintenant. Oh comme je regrettais les trépignements de la nuit, notre méchanceté, les gifles, toute cette querelle qui m'avait protégée de l'écoulement du temps.

Il n'y avait plus d'espace en dehors du temps. Désormais il n'y aurait plus pour moi que ce même instant qui se prolongerait, indéfiniment le même à travers ses transformations

Je voyais Adrien, les cernes sous ses yeux, un affaissement de la peau, ses joues salies de barbe, tout cela qui effaçait son air hargneux et l'arrogance de ses traits.

— Tu es fatigué, Adrien.

— J'aurais aimé finir, mais c'est l'aube.

— Je finirai demain.

— Exactement comme je t'ai dit, l'entrée comblée et fermée, les taillis par-dessus.

— Tu pourras vérifier si tu veux.

— Je serai parti.

— Quand pars-tu ?

— Au premier train, le temps de me changer, c'est tout.

— Merci pour ce que tu as fait.

— Ne m'en parle jamais. Je n'ai rien fait, ça n'existe pas.

— Je ne t'en parlerai pas.

— Et deux choses, Estelle.

— Oui.

— Fais attention à Tirésia.

— Elle ne dira rien.

— Elle ne dira rien volontairement.

— Qu'est-ce que tu veux dire ?

— Tirésia est malade.

— Je sais. Elle a toujours été malade.

644

— Elle est malade d'une façon que tu ne vois pas.

— L'autre chose que tu voulais me dire?

— Je ne veux plus rien avoir à faire avec cette histoire, toi, ton frère, toute votre maison Helleur.

— C'est d'accord, Adrien.

Je répondais mécaniquement.

Adrien ne faisait déjà plus partie de ma vie, toutes ses paroles portaient sur l'avenir et l'avenir pour moi s'arrêtait à la nuit prochaine où j'accomplirais ma promesse. Après il n'y avait rien, mais cela ne concernait pas Adrien et je voulais être juste et correcte avec lui.

Il nous avait été d'une grande aide, à mon frère et à moi.

Je me suis dirigée vers le perron où un matin de cataclysme dessinait des reliefs étranges. Je l'ai franchi.

Mon corps seul agissait maintenant, ma pensée était tombée par le fond. Elle était là, aplatie sur le fond de ce qu'on appelle l'esprit, plate, immobile.

Et moi aussi, j'étais sur mon lit, aplatie et immobile. Mes yeux étaient fixés sur le plafond, il me semble n'avoir pas changé de position tout au long de cette journée, n'avoir pas dormi non plus, ni porté mon regard ailleurs, peut-être n'est-ce pas possible.

J'étais couchée sur la dalle de ma pensée et je ne bougeais pas.

54

Une fois, une seule fois, Estelle

Au soir, les spasmes électriques sont revenus dans mes membres.

Ma promesse, comme tout cela prenait du temps, deux jours déjà, Dan je n'oublie pas, est-il temps, est-ce la nuit enfin ?

Ma vision oscillait entre une acuité cruelle et un flou à peine apaisant.

Pendant un moment les lignes des meubles se pressaient dans la chambre, comme une foule puissante qui semblait hurler quelque chose, lignes et détails des meubles en avancée puissante et hurlant muettement. Un moment plus tard, ils étaient loin au contraire, retirés dans la nullité des objets.

« Je suis en train de m'affaiblir », voilà ce qui m'est venu à l'esprit. J'avais peur. Je ne me rappelais pas quand j'avais dormi et mangé pour la dernière fois. Peut-être avais-je attendu trop longtemps, peut-être serais-je trop faible.

Oh docteur Minor, pourquoi êtes-vous parti ?

Vous nous avez bien lâchés, mon frère et moi, n'est-ce pas, vous n'aimiez que notre père, n'est-ce pas docteur, et quand votre Major lui a tiré dessus, les autres pffuit, aucun intérêt, vous avez attendu un peu, par politesse, et puis vous l'avez appelé, votre grand chef, et vous vous êtes laissé cueillir comme une fleur. Vous lui avez dit « je ne suis qu'un poseur de rustines, je ne suis qu'un petit minor, un minus, et vous êtes le grand Major, alors je me rends ». Et nous les enfants alors ?

Oh docteur, docteur Minor, venez, je vous en prie.

La porte s'est ouverte. Quelqu'un entrait, vêtu d'un grand pardessus. Je voyais mal son visage. « Qui êtes-vous ? » « Chut ! » disait-il. Il portait une sacoche à la main, qu'il posait sur le lit. « Là, disait-il, si vous êtes sages, je vous laisserai regarder dedans. » « Vous êtes sûr que les microbes sont bien enfermés ? » chuchotait une petite voix excitée. « Ils sont fermés à double tour, Dan. » « Et les virus ? » « A triple tour, ceux-là. » « Et la seringue ? » « Je lui ai dit de ne pas te sauter dessus. De toute façon elle est fatiguée, elle a déjà bien travaillé avec votre maman, elle n'a pas envie de recommencer. » « Nicole dort ? » « Oui. » « Alors tout va bien ? » « Tout va bien. » « Alors on peut regarder dans la sacoche ? » « Oui, mais toi la grande je vais d'abord te donner un petit sirop, parce que tu m'as l'air pâlotte. » « Si Estelle en prend, j'en veux aussi ! » « Et pourquoi donc ? » « Parce que tout ce qu'Estelle fait, je le fais. » « Tes yeux sont bien brillants, mon garçon, un peu de sirop ne te fera pas de mal non plus. » « On peut aller voir dans la sacoche maintenant ? » « Oui mes petits maltchiki. » « Oh Estelle viens voir, il y a des berlingots ! » « Merci, docteur Minor, merci. »

Mon cœur s'était calmé. Je me suis levée.
Tirésia était dans la cuisine.
Elle avait fait un gâteau, il était brûlé en partie, je revois cette chose curieusement enflée, jaune par endroits et à d'autres noircie.
— Tu as toujours brûlé les gâteaux, Tirésia.
Aussitôt, son attention vers moi.
— Mais nous aimons ça, tu sais.
Il n'y avait rien d'autre sur la table. J'ai mangé du gâteau. Il y avait du vin, j'en ai bu aussi. Parfois je souriais à Tirésia. Je lui répétais « nous aimons les gâteaux brûlés, tu sais ». J'ai remarqué les traces de farine sur sa robe noire et me suis levée pour l'épousseter.

L'horloge s'est mise à sonner au premier étage. Le vacarme était énorme, des coups de boutoir heurtant le fragile vaisseau où nous étions. Puis je me suis mise à rire. Ce n'était que la forme du temps dans les terres de la mort. « Tirésia, le temps cogne ! » Je riais de ma familiarité avec la mort. Il ne m'avait pas fallu longtemps cette fois pour la reconnaître.

La pendule s'est arrêtée, et j'ai ri encore. Car maintenant c'était le silence que me déléguait la mort.

Et puis le téléphone a sonné. Et c'était encore un coup de la mort.

Car je savais que plus jamais le téléphone ne proposerait la voix de mon frère. Plus jamais il n'y aurait devant moi cet éventail largement ouvert de possibilités, que je pourrais parcourir en me dirigeant vers l'appareil, en soulevant l'écouteur, parmi lesquelles je pourrais diriger le faisceau de mes présomptions. A quoi bon l'éventail largement ouvert des possibilités si parmi celles-ci n'était plus la voix de mon frère ? C'était parce que sa voix était logée parmi ces possibilités que je pouvais me dresser, aller vers l'appareil, soulever l'écouteur. Sa voix retirée, il n'y avait plus d'action possible, toutes les branches de l'éventail se refermaient brutalement en un petit bâton sec, qui ne pourrait que me donner un mauvais coup sur le tympan. Je n'ai pas répondu.

Tirésia était dans sa chambre. Couchée dans le pré, je regardais sa lumière fixement. Quand cette lumière s'éteindrait, je me lèverais et accomplirais ma promesse.

Je ne pensais à rien. Seules m'occupaient les contractions électriques çà et là dans mon corps.

Je m'apprêtais à faire ce qui soulève l'horreur, ce que les lois interdisent, non pas parce que quiconque aurait à en souffrir, mais à cause de cette horreur pour laquelle il n'y a pas besoin de justification.

Lorsque nous nous rencontrerons, madame, peut-être me refuserez-vous, précisément à cause de cette chose qu'il y aura à cet endroit-ci. Mais, madame, n'oubliez pas, c'est aussi à cause d'elle que je vous ai cherchée...

Cette chose était une horreur et pourtant ce n'était rien, voilà ce qui est la vérité.

J'étais là, couchée dans le pré de mon enfance, surveillant la lumière d'une fenêtre à la maison de nos parents, j'étais la même que toujours. Et j'allais faire la seule chose qu'il était possible de faire, elle était normale et simple, c'était l'accomplissement d'une promesse et le désir normal de mon corps.

Pourtant si je racontais cette chose aujourd'hui, à Phil, à nos quelques connaissances, aux élèves de mes cours de piano, aux autres locataires de mon immeuble, Claire disparaîtrait comme par enchantement et à la place il y aurait un monstre.

Ce que j'ai fait n'appartient pas au monde d'aujourd'hui.

Hier je me suis promenée dans la ville, j'ai regardé les grandes affiches publicitaires qui couvrent tous les murs. Depuis que la loi permet la publicité sur les façades des immeubles d'habitation, il n'existe pas de murs vides. Tu n'as pas connu cette nouvelle ville, Dan. Elle s'est faite pendant que j'étais dans une cellule, pendant que tu étais dans ton cercueil.

C'est une ville si gaie, on ne voit que des corps véloces, des sourires, des aventures ensoleillées. Dans la rue, sous un certain angle, à un certain moment du jour, les vitres reflètent les couleurs des affiches, alors on dirait que l'intérieur des maisons a été gagné à son tour par ce monde de corps véloces, de sourires, d'aventures ensoleillées.

On ne voit plus de murs lépreux, ni de grandes surfaces vides où la lumière d'hiver pouvait tomber si durement, ni de grisaille. On ne voit la mort nulle part, Dan.

Dans notre quartier, les magasins ont changé. Le joaillier, l'habilleur, la marchande de lingerie, ces petits commerçants si fiers de leur négoce, qui croyaient avoir pignon sur rue pour l'éternité, ils sont tous partis.

Oh Dan, nous nous racontions le soir nos démêlés avec les uns ou les autres, nous les avions affublés de noms qui nous relançaient dans d'inépuisables crises de rire, ils jouaient pour nous une pièce sans fin, nous leur inventions des vies.

Le joaillier, si bien mis dans sa toute petite bijouterie, c'était une réincarnation de Monsieur Préfleuri, nous l'imaginions le soir montant l'escalier de sa boutique poursuivi par deux diamants sauteurs, et toi Dan, tu faisais la danse des diamants sauteurs. Mes

yeux sautaient aussi, je te voyais double, « comment fais-tu ? »
criais-je, « je me démène, Estelle ! ».

L'habilleur et son acolyte, nous les avions appelés Mercerie et
Camelote. « Du veston au caleçon, quel fiasco — Tu dramatises —
Notre vie, voiler du pourri — Il y a une solution — Les solutions,
quelle fatigue — Je m'en vais — Reste — Je ne pars pas — C'est
qu'il se vexe encore, l'homme de vingt-cinq ans, il se vexe — Ne te
vexe pas — Qui se vexe vit déjà trop — Divisons la tâche —
Qu'est-ce que ça change ? — Coupé en deux, l'homme n'est plus si
homme — Mais moitié trop homme — Tu fais les pantalons et les
caleçons et moi les vestes et les vestons — Et l'imperméable ? —
Quoi l'imperméable ? — Jetons-le sur le trottoir... »

La dame de la lingerie, elle, circulait précautionneusement au
milieu de ses empilements de cartons en jetant des coups d'œil
inquiets vers la porte de son terrier. Elle avait peur des peaux
foncées, de toutes les peaux, il lui aurait fallu des clients clair de
lune. Tu te rappelles, Dan, le tour que nous lui avons joué ? Tu
t'étais déguisé en Africain, énorme perruque crépue, grosses
lunettes noires, chemise aux couleurs de jungle. J'étais dans le
magasin sous le prétexte d'acheter des bas, et tu es entré avec notre
radio braillant sur ton épaule. Oh la misérable rate, ses yeux
filaient de tous côtés, terrifiés, méchants. Je lui demandais le prix
de mes bas, et elle bafouillait, se trompait... « Qu'est-ce que vous
voulez, monsieur ? » « Une culotte pour mon amie » « Quelle
taille ? » Tu as raflé tous les cartons publicitaires qu'elle avait
soigneusement disposés comme des photographies en divers
endroits de son tout petit magasin. Tu as cherché la plus
plantureuse des créatures, et tu as dit : « Trois fois cette taille. »
« Je ne fais pas cela, monsieur. » « Comment, vous vous spécialisez
dans les culs de naines ? » Oh Dan, comment pouvions-nous tant
rire ? Je revois la verrue de sa lèvre, disgrâce qui avait dû la
désespérer toute sa jeunesse, et ce malaise aigu sur son visage.
Finalement nous lui avons acheté une quantité de ses menues
marchandises, parmi les plus chères, pour la calmer. Elle est
partie, Dan. Ce n'est plus un monde pour elle.

Nos petits magasins et nos petits commerçants ne sont plus là.

Le morceau de siècle qui nous portait, notre radeau, notre cher radeau, s'est enfoncé dans les grands fonds du temps.

Il y a sur l'avenue de grands entrepôts sans vitrines, les marchandises s'accumulent en tas indistincts sur des tables, elles viennent de tous ces coins du monde que nous devions visiter lorsque nous aurions fini nos études, elles ne coûtent ni ne valent grand-chose et se renouvellent d'une semaine à l'autre. Entre ces entrepôts, de nouvelles boutiques ne cessent de surgir, désordonnées, étincelantes de chromes, hérissées d'antennes, emplies d'écrans de toutes tailles, de gadgets bon marché. Des haut-parleurs extérieurs déversent une musique assourdissante, on ne peut plus traverser d'un trottoir à l'autre, des chaînes à mailles ceinturent la rue, musiques braillardes, fluorescences, bousculades.

Parfois je pense que ce monde a peur de la mort, lui aussi. Nos parents essayaient de ne pas attirer son attention, maintenant on l'attaque, on veut l'écraser de tintamarre et de bariolage, et les gens aussi, ils ne sont plus pareils, Dan. Ils ont de la couleur partout sur eux, dans les cheveux, sur leurs vêtements, leurs chaussures, leur peau, et des accessoires qui brillent et cliquettent, ils ont des écouteurs sur les oreilles, de grandes lunettes sur les yeux (des lunettes qui ne suivent même plus la forme des orbites), ils ont des mini-téléphones dans la poche, pas un sens qui reste inoccupé.

Moi aussi je suis comme cela, Dan, j'ai acheté tous ces objets, je ne les utilise pas tous en même temps, mais j'essaie. Et alors la mort s'efface, parce qu'on est en plein cœur de son territoire et qu'on ne la perçoit plus, puisque à force de colmater, de bétonner les brèches des sens, on est devenu insensible.

Il n'y a plus de cimetières, les cimetières prennent trop de place, se voient trop, les vivants n'en veulent plus, on les rachète Dan, à petits décrets et grands dédommagements, on y construit des immeubles de verre.

Pour enterrer, il faut un permis spécial et le prix est exorbitant. On n'enterre plus, dans le monde où je suis, Dan. On brûle et on jette. La place est convoitée par les vivants, ils ne veulent pas en laisser aux morts, parfois j'ai peur que la mort ne se venge et ne

651

fasse d'un seul coup un immense cimetière de toute notre planète.

Le caveau de nos parents a disparu. Je me réjouissais, Dan, parce que ta vraie tombe était dans les collines. Mais la convoitise des vivants est sans fin. Ils ont envahi le cimetière et débordé jusque dans les collines.

Ta tombe secrète n'est maintenant qu'un minuscule terrain vague qui subsiste par mon obstination et notre argent au milieu de tours élancées, colorées comme des nuages et barrées de grandes flèches d'acier qui flamboient la nuit. Une passerelle surplombe le terrain vague, reliant deux ascenseurs extérieurs. Ainsi personne n'a besoin de passer dans ce lieu où la terre affleure, où il n'y a plus de sentiers, où le lierre de ta tombe a débordé.

La dernière fois que je suis allée te voir, je n'ai pas pu entrer dans le terrain vague. La porte de l'immeuble qui y conduisait avait été condamnée. Je n'ai pas réussi à savoir pour quelle raison. Il m'a fallu aller jusqu'à la passerelle et te regarder de là-haut, regarder le lierre qui séchait au soleil. Des gens sont passés, ils ont jeté un coup d'œil pour voir ce que je regardais. Tu sais ce qu'ils ont dit, Dan ? Ils ont dit « cet endroit dépare les immeubles ». Et j'ai voulu les labourer de coups de couteau, retourner toutes les mottes de leur chair, pour leur rappeler ce qu'ils ignorent si superbement, que leur corps peut en quelques instants devenir semblable à cette terre, à cette terre repoussante qui dépare les immeubles.

Ce n'est qu'un mauvais rêve, le cimetière de notre ville est intact, et notre grotte inviolée, mais ce rêve, je le fais souvent, et toujours je mélange les deux sépultures.

La lumière dans la chambre de Tirésia ne s'éteignait pas. J'ai cessé de guetter. Qu'importait que Tirésia descende, me surprenne ! Il m'est venu à l'esprit que Tirésia était dans la mort depuis longtemps. Je n'avais pas besoin de me préoccuper d'elle.

Alors toute l'émotion de ces derniers mois est revenue sur moi comme un ouragan. Je n'en pouvais plus de désir, du désir de revoir mon frère. Il y avait si longtemps, une éternité que je l'avais quitté, que je ne lui avais pas parlé, c'était monstrueux, intolérable. C'était un cauchemar, je l'avais accepté jusque-là, j'avais subi passivement cette torture, maintenant il fallait que cela cesse, mon ventre se contracturait, je me pliais, me tenais à bras-le-corps, mon cœur galopait loin devant moi, je n'arrivais pas à le suivre, perdais mon souffle dans cette course éperdue pour le rattraper.

Je descendais le pré, traversais la route, remontais le talus. J'étais devant la grotte, « Dan, je n'en peux plus, arrête cette comédie, viens m'aider, viens me parler ».

Oh comme j'avais envie de le voir ! J'étais sûre maintenant que quelque chose allait se passer, que nous étions arrivés au bout d'un égarement, qu'il me suffirait de soulever le couvercle du cercueil, de soulever ses paupières, je rencontrerais son regard, je le prendrais par la main, je l'aiderais à se lever, il serait affaibli bien sûr, il s'appuierait sur moi, et nous sortirions très vite de ce chemin égaré où nous nous étions laissé entraîner, par distraction. « Un moment de distraction, ce n'était que cela, Dan. » J'ai tiré tout doucement la bâche, l'ai pliée en quatre comme un drap, posée à côté sur le sol. Puis j'ai traîné le cercueil dehors, pour avoir la lueur de la lune. J'ai caressé le couvercle, il ne fallait pas effrayer mon frère, il avait été si malade, il avait tant souffert, « nous avons beaucoup souffert, Dan, je vais faire très attention ». J'ai appuyé doucement sur les tire-fonds, je tournais lentement, c'était une caresse, j'ai enlevé le couvercle et l'ai posé délicatement par terre, comme un couvre-lit qui ne servirait plus. Puis j'ai caressé longuement le corps qui était là, puis je me suis couchée sur lui.

« Dan, je suis venue. »

Il s'est mis à pleuvoir. J'ai senti que j'urinais sous moi.

Plus tard, une rage m'a secouée. « Tu me laisses seule ? Tu joues leur jeu, tu es passé de l'autre côté ? »

Une confusion se faisait. Il y avait dans mon cœur comme une aiguille plantée, autour de laquelle vibrait de la douleur. Je la reconnaissais, c'était celle qui s'était fichée là lorsque Dan était parti pour New York, lorsque j'avais été le voir là-bas et qu'il était devenu un étranger. Cette épine que je croyais disparue se retrouvait au même endroit, exactement la même. Et maintenant je confondais cette douleur avec celle de sa mort.

J'ai saisi la tête de Dan, je la cognais contre le fond du cercueil. « Arrête, arrête de me faire souffrir. » J'ai perdu connaissance. Il faisait soleil lorsque je me suis réveillée. J'étais raide et froide. Et soudain j'ai vu le visage de Dan. Mon pauvre, pauvre amour ! Et j'ai commencé à pleurer. L'odeur de sa bouche ! Une autre odeur s'y mêlait, celle de mon corps qui avait perdu contrôle. « Dan, mon petit frère, c'est fini, j'ai fait ce que tu voulais, je ne reviendrai plus, c'est fini, Dan, fini, fini... » Je le serrais aussi fort que je pouvais, ses vêtements étaient humides de la pluie, je l'ai embrassé sur son visage horrible, puis je me suis arrachée à lui, ai reposé le couvercle, sans les vis, installé le cercueil dans la grotte, nettoyé autour. A l'entrée il fallait remettre les pierres, tirer les buissons.

Quelqu'un m'aidait depuis un moment. « Oh Tirésia », ai-je dit, soudain surprise.

Et quelque part, dans un fond inavouable de l'esprit, j'ai su que je venais de faire mon premier bond loin de Dan. « Je t'en prie, laisse-moi faire seule. » Je pensais à elle, à son corps ravagé, j'avais peur qu'elle ne se fasse mal, je lui ai pris la pelle des mains, de l'horizon montait une rumeur de voitures, nous étions les survivantes, occupées aux affaires de la vie, manipuler des instruments, s'épousseter, veiller à l'autre, penser aux voisins. « Il a toujours eu besoin d'espace, pour danser, c'est pour cela, tu comprends, Tirésia. »

Je voulais lui expliquer les choses clairement, je savais qu'elle avait dû les comprendre comme d'habitude, par les lambeaux de son âme déchirée, par son corps, mais dans cette lucidité surnaturelle de ce matin ensoleillé, j'avais une inquiétude nouvelle. Je voyais le tremblement de ses mains, ses mouvements mal ajustés, quelque chose de vieux et cassé. Si son corps cafouillait, s'il se mettait à mal interpréter ?

« Tu comprends, Tirésia ? » Elle faisait oui, et je me suis rendu compte d'une autre chose. Tirésia ne parlait pas. Depuis quand ? Puis j'ai chassé ce souci.

Plus tard, elle m'a lavée.

J'étais nue dans la baignoire du premier étage et elle me lavait. Elle était un peu plus grande que moi, c'était facile de se faire soigner par elle. J'ai pensé à Nicole. Si frêle et petite, elle n'aurait pas pu me laver ainsi. D'ailleurs Nicole avait-elle jamais eu ces gestes de mère pour moi ? J'ai essayé de me rappeler qui s'occupait de moi lorsque j'étais enfant. Avant Dan, je ne retrouvais rien. Après, je nous voyais tous deux ensemble dans la grande baignoire à pieds, nous lavant l'un l'autre à notre façon désordonnée.

Tirésia passait le gant entre mes fesses, dans les plis de mon sexe, j'écartais les jambes et la regardais faire avec stupéfaction. Elle me lavait comme si j'étais une fillette, un nourrisson. Et moi je voyais avec étonnement venir contre moi un bonheur, un bonheur enfantin et sans ambition, comme un petit chat. Je me tournais, me penchais, levais les bras, tendais le cou. L'eau s'est écoulée une première fois, j'ai cru que c'était fini, je regardais descendre l'écume savonneuse comme si c'était le dos de ce petit chat qui s'en allait. Mais non, ce n'était pas fini, Tirésia tirait un second bain, je devais être très sale, sentir atrocement mauvais, on recommençait les mêmes gestes, après il y a eu une douche, puis Tirésia m'a essuyée, avec les mêmes gestes de mère pour un nourrisson. Je me suis retrouvée sur mon lit, Tirésia regardait dans le tiroir de mon ancienne commode, fouillait, revenait avec plusieurs tubes et flacons. Je la voyais qui lisait soigneusement les indications, puis elle a pris mes pieds et commencé à les masser avec cette crème que j'avais oubliée, aux odeurs de menthe et de camphre.

C'était si doux, si apaisant. J'ai pensé aux pieds de Dan et me suis mise à pleurer. Tirésia s'est arrêtée, croyant m'avoir fait mal. « Je pensais aux pieds de Dan, Tirésia, ses pieds de danseur, et maintenant tout raides. » Tirésia hochait la tête. « Droits à l'équerre, comme avait fait Adrien un jour qu'il était ivre, il s'était couché par terre après le restaurant et il avait mis ses pieds comme ça, est-ce que c'était un sort, Tirésia ? », elle détendait mes pieds doucement, ils résistaient d'abord, se laissaient aller enfin, elle massait les jambes maintenant, passait un lait sur mon sexe, puis je la voyais qui cherchait encore parmi les tubes et les pots. « Chez nous, à Paris, j'ai une crème pour les seins, Tirésia. J'avais des crèmes pour tout, je voulais rester en forme à cause de Dan, tu sais, parce qu'il était si beau lui. Alors tu te rends compte, j'avais même une crème pour les seins ! » Je riais au milieu de mes larmes et Tirésia écoutait. « Et tu sais ce qu'il a fait un jour, Tirésia ? Il a interverti le contenu de mes pots, et pendant un mois je me suis passé la crème des seins sur la figure et vice versa, et je n'ai rien vu ! Et quand il m'a raconté son forfait, il m'a dit : " je voulais juste vérifier une petite chose, Estelle ma sœurette ". Je lui ai dit " quoi ? " et il a dit " je voulais vérifier si ça t'intéressait vraiment, ces produits de beauté ou si tu le faisais juste pour moi ". J'ai dit " et alors ? " et il a dit " maintenant je sais que tu le fais juste pour moi " et j'ai dit encore " et alors ? ", et il a dit " donc que tu m'aimes toujours " et il a dit " en ce cas, je veux bien te laisser dépenser notre fortune en pots de crème, si c'est ta façon de m'aimer, pauvre gourde " et je lui ai dit " gourde toi-même, tu crois que je ne vois pas ce que tu fais, toi, le matin dans la salle de bains ? ". Il a dit " quoi ? " d'un air innocent, oh Tirésia, si innocent. J'ai dit " tu fais de la gymnastique, Dan ! ". De la gymnastique, pas de la danse, tu comprends Tirésia ? Si cela avait été de la danse, je ne l'aurais pas pris pour moi. Mais c'était de la gymnastique toute bête, comme n'importe quel bureaucrate, et c'était pour moi, pour me garder son beau corps d'adolescent, " et alors ? " il a dit, et je lui ai dit " alors je veux bien que tu dépenses notre fortune sur une bicyclette à pédales d'or et chrono électronique si tu veux ! ". »

Chaque fois que je commençais à parler, les mains de Tirésia s'arrêtaient net. Elles restaient sur ma peau, la forme même de l'attention. Et lorsque mon débit se précipitait, ses mains semblaient le retenir. Je parlais très vite parfois, peut-être ne pouvait-elle me suivre, peut-être cette vitesse l'inquiétait-elle. Le soir est revenu. Cette nuit-là Tirésia a couché dans mon lit, tout habillée, j'ai mis ma tête dans le creux de son bras. J'ai senti que de son autre bras elle éteignait la lumière, puis enlevait ses lunettes et son voile. Je me suis endormie, l'aiguille de douleur télescopée pour l'instant en une petite pointe à peu près immobile dans la poitrine.

C'était la troisième nuit.

Je me suis réveillée. La lune baignait la pièce. Tirésia respirait à côté de moi, cette respiration que nous lui connaissions, un peu rauque. J'ai vu ses lunettes sur la table de nuit. Le voile avait dû glisser par terre. Je voulais me rendormir, mais dans le sommeil où je tentais de revenir, les lunettes me suivaient pas à pas, elles se déplaçaient sur leurs branches comme un insecte maladroit, et leurs gros yeux me surveillaient, impénétrables. Je suis sortie du sommeil pour de bon. Les lunettes étaient toujours sur la table de nuit, elles n'avaient plus leur air d'insecte, c'était des lunettes ordinaires, mais tout de même prêtes à revenir claudiquer après moi si je ne faisais pas ce qu'elles voulaient.

Ce qu'elles voulaient, bien sûr j'allais le faire. Cela n'avait plus d'importance maintenant.

Je me suis dégagée doucement, me suis redressée sur un coude. Et puis j'ai regardé.

Pauvre, pauvre Tirésia. C'était cela qu'elle nous avait caché pendant toutes ces années. Je me suis rendormie.

Je me suis réveillée encore. La petite pointe de douleur s'était dépliée télescopiquement, avait repris toute sa taille, une grande aiguille fichée en pleine poitrine, « mais qu'est-ce qui me fait souffrir ainsi ? », pendant un bref instant je ne trouvais pas.

Oh si l'on pouvait rester dans un instant semblable, y retourner au moins pour reprendre souffle, mais déjà l'instant suivant arrivait, où je me souvenais de tout, et cet instant était semblable à celui où je m'étais dressée dans le pré avec cet intolérable désir de revoir mon frère.

Je voulais retourner là-bas à la grotte, me coucher encore sur lui, il me semblait que je n'avais pas véritablement accompli ma promesse, que c'était maintenant qu'il m'appelait, avait besoin de mon aide, peut-être parce qu'il sentait la décomposition le gagner, oh mon frère que sentait-il, comment était-il possible que je ne puisse l'aider, je voulais me lever et en même temps j'entendais sa voix d'hôpital : « une fois, une seule fois, Estelle, après l'enterrement, pour que tu me voies vraiment mort ».

J'avais cru qu'il redoutait d'être enterré vivant, qu'il voulait une vérification, cela m'avait paru naturel, la ridigité forcée, pour un danseur, c'était une épouvante.

Maintenant je comprenais bien autre chose. Ce qu'il redoutait, c'est que je ne puisse échapper au souvenir de lui. Il voulait imprimer en moi son image de mort pour qu'elle éteigne son image de vivant et que je puisse reprendre à la vie. Et j'étais déchirée. A quelle voix fallait-il obéir, à celle de l'hôpital, qui était si pressante, si aimante, ou à l'autre voix qu'il me semblait entendre, déformée, douloureuse, monter du fond du pré? « Une fois, une seule fois, Estelle », chuchotait la voix aimante.

C'était l'aube. Tirésia n'était plus là. Tout était gris et délavé. Qu'allais-je faire désormais? Maintenant? Dans une heure? Demain?

J'entendais le temps littéralement bouger, il tirait doucement le monde de dessous mes pieds, mes parents étaient morts, Dan était mort, Tirésia ne parlait plus, notre maison était vide, je n'avais pas de prise sur ce glissement.

Quelque chose m'agitait aussi, un détail étrange qui m'avait frappée à un moment ou un autre dans cet effroyable chaos de sensations. Deux mots, mais lesquels? Il me semblait qu'ils avaient été prononcés par le directeur des pompes funèbres.

Tirésia est entrée. Elle portait un plateau avec du café. Je me suis redressée, émue. Tirésia n'avait jamais fait cela auparavant. C'était arrivé quelques fois à Nicole dans un de ses accès d'enthousiasme lorsqu'elle avait réussi à croire en ses rêves, elle arrivait sur les pointes de ses chaussons avec un plateau absurdement garni de nourritures de tous genres, « debout mes chéris, debout » et elle se lançait dans une grande envolée, déployant pour nous les splendeurs d'une tournée mondiale où elle nous emmenait, nous ses deux enfants, « sur toutes les photos vous serez avec moi », disait-elle, et nous mal réveillés, à moitié inquiets à moitié heureux nous la regardions. Nous la trouvions ridicule bien sûr, mais nous l'aimions et son charme nous entraînait. Combien elle devait être jolie et pathétique, Nicole, avec le petit chignon rond de ses cheveux sur sa tête fragile, son visage de jeune fille, ma Nicole. L'ai-je jamais appelée « maman » ? Dan l'appelait « maman », pas moi. Je l'ai toujours appelée Nicole, et parfois en moi lorsque mon cœur débordait, « ma Nicole ». Jamais maman, ni mère.

Par une association de pensées souterraine, il m'est venu l'idée d'une question.

« Tirésia, est-ce que tu savais ? Pour Dan et moi ? Que nous nous aimions ? Que nous étions amants ? que nous voulions vivre ensemble toujours ? »

Je regardais Tirésia et les mots résonnaient dans ma tête mais je ne pouvais les prononcer. Dan et moi nous étions juré de ne rien dire à nos parents. Ils nous paraissaient si fragiles...

La tête m'a tourné, je me suis sentie devenir blanche. L'instant d'après j'étais penchée sur la tasse que tenait Tirésia et j'aspirais le café brûlant.

A cet instant j'ai su que je ne pouvais penser à toutes ces choses, c'était trop pour moi, je ne pouvais même pas penser au visage de Tirésia que j'avais vu cette nuit dans la chambre baignée de lune, je n'étais plus qu'un corps en déroute, l'énergie de l'horreur m'avait abandonnée, je me suis laissée sombrer.

55

Les Invisibles de Nicole

On dit « quitter le monde », on dit « entrer au couvent », comme si le monde était le « tout », et le couvent une petite boîte pour s'exclure du tout. Mais pour celle qui cherchait l'invisible c'était exactement le contraire. Le monde était le « rien » et le couvent une sorte de vestibule, tout petit certes, mais qui permettait de sortir du « rien », et conduisait à l'inconnu, où elle partait chercher son frère, sans savoir les outils, le chemin, la manière. Le couvent ouvrait sur un monde autre, et c'était tout ce qu'elle voulait.

Ici-bas : une étroite boîte d'allumettes, consumées, noircies, où son frère n'était qu'un petit bâton de bois allongé à jamais. Le couvent, un passage vers l'ailleurs vertigineux, où ce qui était mort continue de vivre, où subsiste la lumière des feux refroidis, un ciel où les planètes éteintes se voient encore, elle y lançait son âme, de toute ses forces, qu'elle s'en aille tourbillonner, transie, ignorante, dans ces immensités, puisque c'était l'ailleurs du monde.

Le monastère était dans les montagnes de V., sur un contrefort isolé. Une allée de platanes menait jusqu'au portail, grand ouvert (les sœurs possédaient une deux-chevaux, qui s'élançait à tout moment en ronflant sur la petite route en pente raide). On entrait dans la cour sans difficulté et une simple sonnette m'a ouvert la porte du parloir.

Avant d'entrer j'ai jeté un coup d'œil dans la cour, on apercevait de côté la masse aveugle d'un grand bâtiment.

Je savais qu'il fallait d'abord passer par le parloir, mais c'est pour cette masse de murs que j'étais venue, j'avais hâte d'entendre le grincement d'une fermeture, je croyais qu'il y avait une véritable grille, je voulais une clôture qui me retrancherait solidement d'un monde qui contenait mon frère mort, une clôture derrière laquelle ce monde qui contenait mon frère mort ne pourrait entrer. Une fois retranchée de ce monde et arrivée à l'intérieur de cette clôture, je serais délivrée du lieu qui contenait la mort et pourrais enfin commencer à chercher mon frère.

Toutes mes facultés s'étaient effondrées et les décombres s'étaient recomposés d'étrange façon, par agglutination indistincte autour d'une seule idée, revoir mon frère.

Cette agglutination monstrueuse était restée prostrée d'abord, dans la coque vide de notre maison à G., puis une vague lueur était passée sur elle, qui n'était peut-être que dans son esprit, qui n'était peut-être qu'un souvenir, ou le souvenir d'une évocation par quelqu'un d'autre, et maintenant sous l'effet de cette lueur, cette chose se mouvait, sortait d'un taxi, montait l'allée de platanes, sonnait à la porte du parloir.

De l'extérieur, c'était une jeune fille de vingt-neuf ans, Estelle Helleur, c'était moi.

Dans notre enfance, seule notre mère parlait d'un monde autre, d'êtres invisibles qu'on pouvait trouver par la force de sa foi, dans le secret de son cœur, ces Invisibles se manifestaient de façon privilégiée dans les églises, les monastères, ou grâce à certaines disciplines comme la danse. C'était à peu près cela que j'avais retenu des paroles de Nicole.

La danse n'était pas pour moi, mais j'avais ces autres choses dont elle parlait. La foi, oui je l'avais, c'était ma foi en Dan. Elle était forte, je n'en connaissais même pas toute la puissance car elle était l'unique pousse sortie du monstrueux agrégat de mes facultés écroulées, et elle logeait dans le secret de mon cœur. Il suffisait maintenant de transporter tout cela dans un de ces lieux privilégiés dont parlait Nicole, et par la force de ma foi, dans le secret de mon cœur, l'invisible se ferait visible, je reverrais mon frère. C'est ainsi que cela devait se passer dans ma tête obscurcie.

Mon père ne parlait pas d'un autre monde, il parlait de celui-ci, où il y avait des tueurs et des bourreaux à débusquer, c'est dans ce monde-ci qu'il jetait sa foi et ses forces, moi j'avais cru pouvoir faire comme lui, avec cette idée j'avais cheminé dans mes études de droit, pour devenir avocat, juge, magistrat, redresseur des torts du monde. Mais je n'avais pas pensé qu'il y a des choses qui ne peuvent être redressées.

Dan était mort, et tout le savoir et les efforts d'aucun juriste ne pourraient jamais redresser cette mort. Plus rien dans le monde de mon père ne pouvait me retenir. Mon père dont j'avais été si proche, qui avait été le pilier de mon enfance et de ma jeunesse, je l'ai oublié instantanément. Pendant toutes ces années au couvent, je n'ai pas pensé à lui. Son image était faible, petite chose vacillante au bord de la disparition, vers laquelle jamais je ne me tournais. Il ne pouvait m'aider.

Tirésia, elle, était presque tout entière dans un autre monde. Cela, nous le savions instinctivement, Dan et moi. Tirésia n'appartenait pas vraiment à notre ville, notre petite ville de province où il y avait notre maison Helleur, son jardin et son pré, la grotte dans les collines, l'école, nos deux lycées, la petite place de l'Eglise, le porche en face de l'église, la sorcière au-dessus du porche, nos voisins et les cousins de nos voisins, et tout ce qui faisait notre vie d'enfant. Tirésia nous parlait sans doute, lorsque nous étions petits, mais ses paroles n'adhéraient pas à toutes ces choses de la ville. Dès qu'elle s'adressait à nous, c'était comme si notre ville s'éloignait brusquement, oh à peine, d'un centimètre, mais cela suffisait.

« Tu as réussi ta composition de mathématiques ? » disait Tirésia, et aussitôt la composition qui avait été la chair de notre chair pendant toute la semaine, et en ce cas l'épine dans notre chair, devenait une affaire un peu étrange, qui prenait place dans une file, juste une de plus dans une file anonyme, et à laquelle sûrement on ne pouvait se donner corps et âme. C'était un peu décevant, on se sentait brusquement dégonflé d'importance, tombé de haut en quelque sorte, mais presque simultanément, en même temps que cette chute et cette déception, il nous venait un flot de chaleur, quelque chose comme une coulée d'eau chaude à l'intérieur, nous retrouvions notre bain d'eau chaude, celui qui n'était qu'à nous, où nous nous trempions ensemble. Parce qu'elle était « d'un autre monde », Tirésia nous tirait hors de celui-ci, le seul que nous connaissions, celui de notre petite ville.

Bien sûr, elle ne nous emmenait pas dans cet autre monde où elle était, où elle errait, divaguait peut-être. Elle nous tirait et nous laissait là. Mais là, c'était nous, Dan et moi. Tirésia nous ramenait vers nous-mêmes, vers le lieu qui nous appartenait en propre.

Elle était étrange, Tirésia, sans ses robes noires, et ce voile, et ces lunettes sombres, et cette voix d'ailleurs, et tout ce corps qui criait une présence, qu'on ne pouvait oublier, qui prenait les regards et ne les rendait pas. Certes notre mère Nicole était belle, et les gens la regardaient et nous aussi nous la regardions. Mais de là, le regard pouvait passer ailleurs, intact et volage. Nicole était comme les autres personnes de la ville, simplement beaucoup plus belle, un exemplaire de l'humanité, supérieur mais rien qu'un exemplaire. Tirésia, c'était l'humanité elle-même.

Je sens combien mes paroles sont maladroites, grandiloquentes. Rien ne m'a appris à nommer cette chose qui était dans notre maison et se manifestait dans le corps de Tirésia, et pourtant toute ma vie j'ai tâtonné vers elle, comme si j'avais deviné qu'elle était la marque de notre destin, et aujourd'hui encore c'est vers cette chose que je tends, pour l'élucider, madame mon écrivain, afin que vous y voyiez clair dans tout cela que j'accumule pour vous, madame mon écrivain, si j'y arrive.

Tirésia n'avait pas de visage, à peine une silhouette. Nous trouvions cela normal, nous l'avions toujours vue ainsi. Du moins presque toujours, en ce qui me concerne. Nous n'avions pas l'idée de poser des questions, d'enlever ces lunettes, de bouger ce voile. Nous l'aurions pu, ne serait-ce que par jeu, ou dans un mouvement de maladresse. Mais auprès de Tirésia, il n'y avait ni jeu ni maladresse possible. Entre elle et le reste du monde s'était glissé un liséré invisible, que nous sentions très bien, qui ne se laissait pas franchir. Même lorsque nous nous serrions contre elle, que nous attrapions un pan de sa robe ou sa main, et cela arrivait souvent (Tirésia était le cœur de notre maison, elle était toujours là, loin ou près, mais près dès que nous en avions besoin), même en ces moments-là il y avait ce mince espace que nous ne franchissions pas. Nicole, nous la dévorions de baisers, nous nous jetions sur elle, nous frottions sa peau, prenions sa taille, léchions ses joues, son cou où il y avait ces petits frisons qui nous rendaient fous, pas de vitre entre Nicole et nous. Et pourtant... elle nous était moins essentielle.

Le regard qui tombait sur Tirésia s'y enfonçait comme dans une matière sombre et dense. Et cette matière ne rendait pas les regards. Je ne peux traduire autrement cette chose. Regarder Tirésia, c'était regarder non pas un corps, mais « le corps ». Notre mère Nicole pouvait être à demi nue dans ces robes d'été qui s'attachaient à l'épaule par un simple lien et qui lui allaient si bien, elle n'était que son corps à elle. Tirésia, toujours voilée des pieds à la tête, était « le corps », et c'était quelque chose d'étrange, de douloureux, de stupéfiant. C'est bien cela que je veux dire, quelque chose qui nous mettait dans la stupeur et nous empêchait de poser des questions, de chercher. Tirésia était une évidence radicale, qui neutralisait nos facultés habituelles de penser ou de réagir.

Pourtant elle ne parlait que de choses insignifiantes, des petites choses de notre vie quotidienne. De cet autre monde auquel nous sentions qu'elle appartenait, elle ne parlait pas. Tirésia s'en tenait au plus ordinaire, au plus matériel de notre vie.

Lorsque Nicole se lançait dans ses grands questionnements métaphysiques, Tirésia se retirait, semblait s'enfoncer à l'intérieur de son voile.

— Tu vas à l'église aujourd'hui ? demandait Tirésia.

C'était une question pratique, pour savoir si elle devait nous préparer à sortir.

— Je ne sais pas, commençait Nicole en étirant ses mots. Vraiment je ne sais pas. Mais ces enfants n'ont rien dans leur vie, il faut que je leur donne quelque chose, qu'ils aient une croyance. On ne peut pas vivre sans une croyance.

Nous n'aimions pas ces discours de Nicole. Nous sentions qu'ils envahissaient l'air comme des miasmes empoisonnés, sortis d'une fondrière redoutable, qui était là avant nous, que nous ne connaissions pas, où les sentiers étaient obscurs, peut-être indiscernables.

Et aussitôt nous éprouvions le recul de Tirésia.

Il y avait comme un rayonnement de Tirésia, un rayonnement sombre, auquel nous étions habitués, dans lequel nous vivions, et ce rayonnement subitement disparaissait.

Nous nous retrouvions pour un bref moment dans la lumière ordinaire d'un dimanche matin, et cela nous faisait un effet très curieux, presque indescriptible à ceux qui n'ont jamais connu ces brusques passages. La lumière ordinaire d'un dimanche matin, un peu froide, ennuyeuse, toutes les choses séparées les unes des autres, et le temps circulant de dos.

Cela ne durait pas.

— Bon, je vais à l'église et je les emmène, disait Nicole. Si tu veux les habiller...

Et c'était fini.

Le sombre rayonnement qui était notre élément familier était là de nouveau, les choses étaient reliées les unes aux autres et le temps se tenait de face devant nous.

Parfois à table, Nicole soudain posait sa fourchette, cessait de manger. Nous nous tournions vers elle. « Qu'est-ce que je fais là ? » disait-elle.

Ce n'était pas une question pour appeler une réponse, pour enlacer une réponse et marcher tranquillement dans une conversation. La phrase de Nicole ne cherchait pas de compagnon, elle était faite pour filer seule et soulever les troubles dormants.

« Qu'est-ce que je fais là ? » Oh nous détestions Nicole dans ces moments. Tirésia disparaissait dans son absence, et notre père prenait sa voix de docteur, que nous détestions aussi. « Tu devrais faire une promenade avec les enfants cet après-midi, Nicole, au lieu de t'enfermer au garage... » Elle était ridicule dans la bouche de notre père, cette voix. Elle ne lui allait pas. Seul notre vieux docteur y avait droit, parce qu'il en faisait un usage utile, efficace, parce qu'il l'avait acquise dans une pratique réelle. La voix de Minor s'était façonnée, refaçonnée et transformée et finalement était arrivée à son expression juste sous la meule d'un métier auquel il s'était donné tout entier. Elle était devenue une potion en elle-même, une sorte de prémédication toujours bienfaisante.

Nous détestions Nicole qui faisait arriver dans la bouche de notre père une voix qui n'était pas la sienne, qui sonnait faux, qui nous donnait la chair de poule.

Et naturellement quelques instants après, nous avions pitié d'elle, nous en voulions à notre père de ne pas lui offrir une réponse, ne serait-ce qu'une babiole de réponse, un rien la contentait, Nicole.

Nous la comprenions finalement.

En effet, Dan et moi, nous n'avions pas besoin de nous poser des questions semblables, nous étions deux. Mais Nicole, elle, était toute seule, et ça ne devait pas être drôle d'être tout seul, ça donnait un air égaré, inquiet, ça obligeait à poser des questions absurdes. Voilà ce que nous sentions !

Oh madame, si nous avions eu une faculté d'analyse égale à notre faculté d'intuition, comme nous serions allés vite. Comme nous aurions vite débrouillé les fils dans lesquels nous étions pris !

Alors, pour faire diversion, Dan se lançait dans des pitreries.

Nicole s'emportait, « arrête de faire l'Indien ». « Arrête, Dan », murmurais-je inquiète, et Nicole se retournait contre moi, « oh toi, arrête de faire la kapo », notre père se levait en renversant sa chaise, et soudain Nicole éclatait de rire, « il est trop drôle, ce gosse », notre père se rasseyait, tout pâle, elle défaisait son chignon en queue de cheval, un geste familier, provocateur, « vous vous prenez tellement au sérieux, il est drôle lui, vas-y Dan », « vas-y Dan » répondait notre père mécaniquement.

Je les regardais tous, guettant les intensités sauvages qui circulaient autour de son corps d'enfant et qu'il mettait tant de vaillance et de panache à dompter, petit guerrier splendide, je montais la sentinelle près de lui, redoutant qu'il n'explose sur-le-champ en une gerbe d'étincelles.

Notre père me voyait, « je crois qu'Estelle veut sortir de table »,

Dan s'arrêtait net, nous nous dirigions vers le pommier, ou la grotte ou le pigeonnier, l'excitation de mon frère mettait longtemps à tomber, nous finissions par marcher main dans la main, n'importe où.

56

Les lunes du monastère

Nicole nous avait emmenés plusieurs fois à l'église, la catholique.
Notre père, d'une famille protestante, était devenu tout à fait athée,
mais il considérait ces « visites » sans animosité.

« Ce que Nicole aime dans l'Eglise catholique, c'est la musique,
les costumes et les gestes, disait-il en souriant. S'il y avait dans ce
pays une Eglise où les prêtres dansent, ce serait son Eglise. Peut-
être devrais-je l'emmener en Afrique ou chez les Noirs d'Amérique. » Nicole rougissait de colère, mais elle ne répondait pas, parce
que c'était vrai.

Il y avait peu d'images dans notre église, mais Nicole les aimait,
elle chuchotait : « Vous voyez, ils essaient de nous faire voir
Quelqu'un. Ils essaient au moins. Les autres, les protestants et les
juifs, ils n'essaient même pas. Moi j'ai besoin de voir quelqu'un. »
Il y en avait une particulièrement à laquelle elle revenait, on y
voyait Jésus marchant sur les eaux agitées du lac de Tibériade :
« Regardez, Estelle et Dan, il marche sur l'eau, seul un danseur
pouvait faire ça, le plus grand danseur du monde. » Et nous étions
d'accord. « Mais ce n'est pas la peine de dire ça à la maison, ils ne
comprendraient pas », et nous étions d'accord aussi.

A l'élévation, son corps semblait s'arracher au banc, sa fière
petite tête blonde avec le chignon haut perché se dressait toute
droite, pendant un instant il était inutile de lui parler, elle
n'entendait pas.

Le dimanche de ce jour où Nicole nous avait montré l'image du

« plus grand danseur du monde », elle était descendue à son garage plus tôt que d'ordinaire, laissant la vaisselle à Tirésia. Dan aussitôt s'était proposé pour aider. Et moi normalement je serais restée avec Dan, mais quelque chose m'attirait à la suite de Nicole, j'avais porté une assiette à la cuisine, puis sans prévenir personne, j'avais filé par le petit couloir, la porte du garage bleu était restée entrouverte, je m'étais postée derrière. « Qu'est-ce que tu fais là, petite ? » avait chuchoté mon père qui était sorti sans bruit de son bureau, mais peut-être était-il lui aussi derrière sa porte entrouverte, « je regarde Nicole » avais-je murmuré, il avait mis la main sur mon épaule et nous avions regardé ensemble.

Nicole se tenait d'abord enfermée sur elle-même, la tête et les bras cachés par les épaules et le torse roulé sur le reste du corps. Puis doucement elle se dépliait, les membres tâtonnaient dans l'espace comme des antennes, il y avait quelque chose de terriblement émouvant dans cette recherche aveugle par un pied, une main privés de vue, Nicole y mettait une telle intensité, puis le corps semblait trouver son axe, il se redressait, les membres s'orientaient ensemble, la tête alors tout doucement se redressait, le corps entier suivait, les mains s'élevaient vers le ciel, Nicole était toute droite sur les pointes, dressée comme une flèche vibrante. Et son visage alors, celui d'une de ces madones-enfants de Fra Angelico, inhumainement sérieux.

Mon cœur battait fort.

« Regarde, Estelle, murmurait notre père qui connaissait bien cette danse-là de notre mère, Nicole reconstruit les cathédrales à sa manière. »

« Si seulement, si seulement il y avait de la danse à l'église, Nicole serait sauvée », disait-il une autre fois.

« Cette troupe n'est pas pour elle, disait-il encore une autre fois d'un air préoccupé. Elle n'y trouvera pas sa place. Ils sont trop profanes, tu comprends Estelle ? »

Non, je ne comprenais pas vraiment.

Nous avions été voir danser Nicole dans sa troupe. Le spectacle, patronné par la Fédération des œuvres laïques, puissante dans notre ville, avait lieu à l'hôtel de ville, dans la salle de bal, qui se transformait à l'occasion en salle de théâtre. Le ballet plaisait, à en juger par les petites salves d'applaudissements qui ne cessaient de rebondir dans la salle, mais je n'en percevais rien, j'étais trop occupée à surveiller Nicole, j'avais peur qu'elle ne trébuche, qu'elle ne se trompe. Je sentais la nervosité de notre père. Il y avait beaucoup de gens qu'il connaissait, qui viendraient lui parler à l'entracte, lui demander si c'était sa femme, si c'était notre mère dont le nom figurait sur le programme.

« Peut-être aurais-je dû vous emmener tous dans une grande ville, marmonnait-il, oh Estelle, comment savoir ce qu'il faut faire. Je me suis peut-être trompé, complètement trompé. »

Nicole avait un petit rôle. Elle ne dansait jamais seule, mais au milieu d'un groupe. Je sentais en elle un subtil désaccord avec les autres, qui ne portait pas sur le rythme, que je ne pouvais identifier.

« Nicole cherche le lié, tous les autres sont dans le désarticulé, c'est ça qui ne va pas », avait dit mon père. « Parce que tu comprends, Estelle, elle danse justement pour échapper au désarticulé. »

« Pauvrette, elle danse comme un ange au paradis, ou du moins comme elle imagine un ange au paradis », avait-il dit encore. Il avait les larmes aux yeux.

Ses réflexions me gênaient, je ne voulais pas savoir tout cela. Mon père disait toujours « tu comprends, Estelle », et je croyais que je comprenais, par la seule force de cette petite phrase qui agissait sur moi comme un stupéfiant, m'empêchait de poser des questions, de réfléchir, de voir que justement je ne comprenais rien.

Et puis j'avais peur que les gens assis autour ne l'entendent, qu'ils ne se mettent à voir ce que mon père voyait, et que la carrière de Nicole ne soit ruinée, car je voulais y croire, à cette époque, en cette carrière de notre mère. Elle nous avait emmenés en rêve dans tant de pays, couverts de tant de fleurs et de cadeaux, fait connaître les salles de spectacle les plus prestigieuses de toutes les capitales, nous étions dans ses rêves les enfants merveilleux d'une artiste adulée, d'une grande star. Dan se laissait entraîner totalement, et moi j'y croyais parce qu'il y croyait.

« J'ai peur qu'elle ne tourne la tête à Dan, tu comprends Estelle », me disait notre père, et je lui en voulais de m'inquiéter, de ne pas nous laisser tranquilles dans ce rêve doré qui ne faisait de mal à personne.

« D'ailleurs, regarde-le », avait-il dit en me poussant du coude. Je m'étais tournée vers Dan. Il avait un air ! Assis, les bras ballants, comme s'ils ne lui appartenaient pas, le visage totalement pétrifié, le regard fixe.

« Dan », avais-je chuchoté.

Il ne bougeait pas.

« Ça te plaît, Dan ? »

Il avait tourné la tête et nous avait regardés sans bouger les traits, comme si la question n'exprimait aucun sens. Puis sa tête s'était retournée vers la scène et il avait repris cette posture étrange, les bras ballants et le regard fixe.

« On dirait un innocent », avait dit notre père dans mon oreille.

Plusieurs fois pendant la représentation, il s'était tourné vers Dan. Je ne pouvais manquer de le remarquer, puisqu'il lui fallait se pencher devant moi, Dan étant assis à côté de moi de l'autre côté.

« Je crois bien que lui aussi voit des choses invisibles », m'avait-il dit.

Oh père, cesse de faire de moi ta confidente, cesse de faire tomber sur moi tes phrases énigmatiques que tu ne me donnes pas les moyens de résoudre, qui font pénétrer en moi cette inquiétude mortelle.

Je pense parfois que cette position que nous avions ce soir-là, notre père assis à côté de moi qui étais assise à côté de Dan, et Nicole sur la scène, a fait prendre un tournant capital à notre vie, ce tournant qu'il nous faudrait des années, Dan et moi, pour redresser dans l'autre sens. Et Tirésia n'était pas là.

Je penserais n'importe quoi, madame. Je cherche des étapes au destin, un enchaînement qui ferait se tenir ensemble ces êtres et leur histoire, même s'il doit flotter seul comme un nuage dans l'immensité, un nuage que ma simple obstination aura formé, et rien avant et rien après, comme je sais bien que cela est, mais il me faut cet enchaînement pour que vous puissiez venir, madame, et

*aller d'un point à un autre et tisser de phrases solides ce nuage qui risque à tout
instant de se défaire, et cela me serait intolérable, madame.*

*Ils dérivent mes êtres pâles, leur groupe vaporeux enserré par la seule chaîne
de mon obstination me fait signe, nuage visible de moi seule, dans l'espace
tantôt horriblement vide et tantôt horriblement encombré.*

*Oh madame, amenez-les jusqu'à notre sol, donnez-leur des contours, des
couleurs, des voix, non pas pour qu'ils vivent, cette folie m'a abandonnée, mais
pour que ma vision ait un objet, et que cet objet soit visible de tous. Si jamais
un désir a existé sur la terre c'est celui-là, madame, je ne saurais l'expliquer,
mais il n'y en a pas d'autre en moi et il se nourrit de la dévastation des désirs,
car madame, tout le reste, ma détermination à vivre aujourd'hui, mon amour
pour Phil, les allées et venues dans la ville, ce ne sont que tapements de rame
sur l'eau.*

Notre père regardait Nicole et me parlait. Moi je regardais
Nicole et écoutais notre père. La peur s'insinuait en moi. Oui, père,
Nicole cherche l'impossible et c'est une folie.

Estelle ne dansera pas, Estelle n'entrera pas dans l'arabesque du
corps, elle se tiendra à l'écart devant une table et pèsera sur la
balance de la Raison les folies que lui apporteront les autres, pour
en reconstruire l'alliage et les remettre aux normes des lois. Estelle
ne s'envolera pas à la queue d'un ballon gonflé d'hélium, elle se
lestera suffisamment, et restera près du sol pour surveiller les
autres avec une longue-vue. Bien, père, Estelle ne dansera pas, de
toute façon elle n'en a pas envie, elle est trop lourde et trop
charpentée, ce n'est pas le genre d'Estelle de danser, elle est
raisonnable, elle est l'aînée, la confidente et le soutien de son père,
puisque l'épouse fait l'ange et l'enfant, et ne donne à la maison que
le cliquetis léger de ses pointes, qu'on entend certains soirs,
traversant les cloisons, lorsque l'orage ne secoue pas les grands
marronniers du jardin.

Tout de même, père, Estelle jouera du piano. Oui, elle jouera du
piano, mais c'est parce que Tirésia le veut, parce que Tirésia ne
peut plus jouer elle-même.

D'enseigner Estelle fait du bien à Tirésia.

672

Estelle joue-t-elle bien ?
Nul ne le sait.

Nicole voudrait que le piano vienne au garage et que sa fille joue pour la faire danser. Mais le piano reste au salon, il est trop grand pour le garage, Tirésia ne peut jouer pour Nicole. Et Tirésia a besoin du piano, encore un peu.

— Tout de même, Nicole, Tirésia a encore besoin du piano, dit un soir mon père, irrité soudain, le front sombre.

— Alors mettons un piano droit au garage, dit Nicole qui s'entête.

— Et qui jouera ?

— Tirésia, Estelle, je ne sais pas, et toi, pourquoi pas, oui toi pourquoi pas ?

— Nicole, si je joue du piano pour te faire danser, il n'y aura pas de clients pour moi, et donc pas de maison, et donc pas de piano, et pas de danse, je croyais que tu savais cela, au moins, dit notre père amèrement.

— Alors, Estelle...

— Estelle va à l'école, est-ce que tu t'en aperçois seulement, elle va à l'école, et elle ira à l'université.

— Tandis que Nicole n'est pas allée à l'université, Nicole ne sait rien, que danser, ce qui ne sert à personne, c'est bien cela que tu veux dire. Mais tu ne dis pas pourquoi Nicole n'est pas allée à l'université, pourquoi elle ne sait rien et n'espère qu'en la danse, tu ne dis pas cela...

Toute blanche et droite, et tremblante, oh Nicole, comme j'aurais voulu te porter secours. C'était toi la jeune fille dans cette maison, j'aurais voulu te prendre dans mes bras et calmer les petits frisons autour de ton visage, et t'offrir un piano et de nouvelles pointes et des disques et une robe en taffetas, et te dire que tout est bien et que tu peux danser si tu veux, nous nous occuperons de la maison, des impôts, des études de Dan, du marronnier que la foudre a fait tomber en travers de la pelouse, des réparations de la voiture, des clients de père, des médicaments de Tirésia, danse

Nicole, danse si cela te fait plaisir, moi cela ne me dérange pas et j'aime entendre le cliquetis de tes pointes et le *Boléro* de Ravel et ton rire lorsque tu nous dis que tu seras une étoile et nous les enfants d'une étoile.

Je me suis tournée vers mon père pour lui dire ces choses, il était blanc et droit, et tremblant lui aussi, et sur son visage toujours bien composé il y avait une contraction douloureuse que je ne connaissais pas. Alors mon cœur se retournait, c'est vers lui que j'aurais voulu courir, me placer contre lui, prendre sa main, lui dire « père ne t'en fais pas, elle parle comme une enfant, moi j'ai vu la lumière le soir à ton bureau et, en me haussant par la fenêtre, j'ai vu ton visage harassé, penché sur les dossiers qui nous font vivre, je t'ai vu tenir Nicole à bras-le-corps pendant ses cauchemars, et la caresser et la calmer, je t'ai vu mener Tirésia à ce grand piano que tu as acheté pour elle, et l'encourager et l'écouter, et j'entends maintenant ce que tu dis, pour Estelle ta fille, oh père, ne t'en fais pas ».

— Tais-toi, Nicole, pas devant Estelle.

— Estelle, toujours Estelle ou Tirésia. Tirésia ou Estelle. Jamais Nicole. Est-ce qu'elle n'a pas encore payé sa dette, Nicole ? Non, elle n'a pas payé, parce que maintenant il y a Dan et il faut qu'elle paie une seconde fois. C'est bien cela que tu veux dire ?

Je regarde ma mère. Nicole, que je n'appelle jamais maman, mais qui est ma mère. De toute façon je suis de son côté, elle est belle et elle souffre, je laverais à quatre pattes les méchancetés qu'elle fait éclabousser tout autour.

— Si tu veux, Nicole, soupire mon père. Si tu veux dire les choses comme ça.

— Alors donne-moi un piano et Tirésia pour jouer, dit Nicole avec une sorte d'obstination mauvaise, comme si elle n'attendait plus rien et ne souhaitait qu'éprouver l'autre pour faire durer encore un peu le refus, le refus qui est tout de même partie d'un dialogue et permet de parler de ce qui vous intéresse, ce qui est mieux que le silence, et mieux aussi que les conversations ordinaires, qui semblent toutes venir d'une planète morte.

— Tirésia a déjà joué pour toi, dit mon père durement.

— Je sais, je sais, hurle Nicole.

— Essaie de la convaincre.

— Elle ne veut pas, elle ne veut pas.

— La danse lui fait mal.

— Je ne lui demande pas de danser. C'est moi qui danse. Elle n'a qu'à m'accompagner. C'est une pianiste, non, une pianiste célèbre. Elle voulait bien jouer pour sa célébrité, mais pas pour Nicole... Jamais pour Nicole.

Mon père s'est avancé, il a levé la main vers Nicole, il allait la gifler, la gifler à toute volée, j'allais voir cela, je le voyais déjà, son corps si frêle irait heurter la table, elle se briserait un membre, elle ne pourrait plus danser, il n'y aurait plus de rires dans cette maison, Nicole était la seule qui riait. Mais dans l'encadrement de la porte soudain, il y avait Tirésia. Mon père et Nicole la voyaient, mon père se mettait à pleurer, oh à peine, un soupir plus qu'un sanglot, Nicole était dans ses bras, ils se serraient, se serraient sans se toucher, cela je l'ai remarqué, ils se tenaient dans les bras l'un de l'autre mais à une légère distance, et Tirésia est venue me prendre contre elle, et elle aussi me serrait de cette façon-là, avec une légère distance, et puis Dan est arrivé, « oh le théâtre, a-t-il dit, et moi, où je vais ? ».

Il était si drôle et gracieux avec sa mèche en l'air et son air insolent. Mais peut-être est-ce ma mémoire qui ment, qui se précipite pour m'épargner une souffrance, peut-être mon père a-t-il frappé Nicole, ou Nicole a-t-elle frappé mon père, peut-être y a-t-il eu des choses affreuses, je n'arrive pas à m'en souvenir, aussitôt Dan surgit, et toute l'horreur se calme.

Dan surgit partout dans l'espace de ma mémoire, pour conjurer l'angoisse et m'aider à échapper. Il m'a dit qu'il en était de même pour lui. « Mais Estelle, tu te trompes, c'est toi qui es arrivée. »

Chaque fois que nous avons essayé de ramener au jour une de ces scènes, de comprendre ce que nous avions vu, notre mémoire s'arrêtait net et déléguait l'autre, qui arrivait et changeait tout.

— Je me souviens parfaitement de cette querelle, disait Dan. J'étais énervé, je ne comprenais rien à leur histoire, et puis tu es arrivée et aussitôt père a dit « voici Estelle », et Nicole s'est calmée, elle a dit « Estelle est de mon côté, elle », et tu avais l'air si bête, à tirailler les bretelles de ta jupe plissée, en regardant l'un et l'autre, et balançant pour savoir ce que tu devais faire que je suis sorti de ma cachette, j'ai crié « coucou, Estelle, je suis là aussi », parce que tu ne m'avais pas vu, je dépassais à peine de derrière le fauteuil, et je pensais que ça te tirerait d'embarras...

Il me semblait que cela, c'était une autre fois, et du coup je me rappelais toutes ces fois où Dan avait surgi et plus très bien ce qu'il y avait eu avant, et lui de même.

Et alors nous laissions tomber ces histoires de nos parents, parce qu'elles nous ennuyaient, qu'elles n'empêcheraient pas que nous soyons frère et sœur sans le droit de nous marier, de faire l'amour et d'avoir des enfants, et après tout, cela seul nous importait à l'époque.

Et les histoires des parents, elles étaient obscures et fantomatiques, à l'arrière-plan de toute façon, et nous nous amusions des heures à discuter de ces bretelles de ma jupe plissée, que Dan affirmait que j'avais eues, moi je me souvenais de ses bretelles à lui, pas des miennes, mais si disait-il, avec ta jupe écossaise, que tu portais toujours et qui te grossissait, et je disais « non », les jupes écossaises avaient de grandes épingles en bas pour tenir le pan de devant et pas de bretelles, et cette jupe-là justement ne grossissait pas parce que les plis étaient couchés et cousus, c'est Nicole qui l'avait dit, « des plis couchés et cousus », je m'en souvenais très bien parce que sa langue avait trébuché, « couchus et cousés » avait-elle dit d'abord, « tu vois bien qu'on ne peut pas lui faire confiance là-dessus disait Dan, tu avais l'air aussi grosse que la mère d'Adrien dans cette jupe », et il prétendait que je confondais ses bretelles à lui avec celles de notre docteur que nous avions tirées plus d'une fois, que c'était bien de moi, que j'étais une émotive de la mémoire, « as-tu été amoureuse du grand Minus, par hasard ? » disait-il.

Et nous argumentions des heures ainsi, sur ces sottises que nous étions seuls à connaître, qui n'amusaient que nous (« et ma robe trapèze, disais-je, tu te rends compte, ma première robe à la mode, et toi, qu'est-ce que tu disais : la robe trapue qui pèse! », « je n'ai jamais dit ça, Estelle, c'est Adrien! »), sans doute est-ce pour cela qu'elles nous plaisaient tant, elles étaient notre code secret et nous nous mouvions à l'intérieur de ces menues histoires comme des poissons dans leur plancton, tandis que la baleine, la grande baleine blanche, celle qui nous a avalés et n'a recraché que moi, nous ne la voyions pas...

C'est ainsi Dan, ça ne sert à rien de sangloter, de trépigner, on ne revient pas sur le passé, pas d'aiguillage sur lequel retourner, c'est pour cela que j'ai préféré partir vers l'avant, me jeter dans l'ailleurs, chercher un autre aiguillage dans cet ailleurs, je ne vois pas comment expliquer cela autrement, cette folie qui m'a prise, et la duplicité et l'entêtement que j'y ai mis.

Chercher dans l'inconnu puisque le passé me refusait une seconde entrée.

J'ai dit à la sœur qui m'accueillait : « Je cherche une personne. » Mes lèvres étaient blanches, la lumière était blanche, son voile était blanc.

C'était un tel effort de parler. J'ai murmuré « je ne suis pas croyante », je ne voulais pas les tromper.

— Vous souffrez, a constaté la sœur placidement.

J'ai hoché la tête. Dire « oui », et j'aurais pleuré et j'aurais raconté mon histoire. Je ne voulais pas pleurer, je ne voulais pas raconter mon histoire, je voulais entrer dans ce lieu, entrer dans le silence et trouver Dan. Il fallait mentir et dire la vérité. Ces deux choses ne me semblaient pas incompatibles, elles étaient seulement difficiles. Je devais me tenir en laisse, surveiller mes pleurs surtout, et la possibilité d'une fuite de confidences.

Que je ne me « vide » pas, par quelque faille que ce soit, car alors je savais ce qui m'attendait, une affreuse décomposition de mon être, ou peut-être une longue et patiente forme de consolation, mais de toute façon je perdrais Dan, et perdre mon désir de le voir, ce serait me perdre. Ce serait pire que la mort, puisque je serais présente à cette perte, à ma mort. L'idée seule m'en était intolérable.

Je relevais les yeux vers la sœur. D'elle dépendait mon entrée. Mon entêtement était revenu.

(« Estelle, tu seras seule, sans moi pour t'aider, il te faudra ruser avec la mort, avec les vivants... »)

— Je ne peux rien vous dire d'autre. Ma vie est vide, le monde est vide, je cherche celui qui s'en est retiré.

Par la fenêtre du parloir, j'apercevais un parc. Il y avait de grands parterres de fleurs, où le soleil tombait en flaques chaudes, et des rosiers partout. Plus loin un carré de tilleuls, au pied des tilleuls il y avait trois bancs, des femmes étaient assises sur les bancs en train de cueillir les fleurs des branches au-dessus de grands paniers posés entre elles au sol.

(« ... Je crois que j'ai été un père en rêve, Estelle, et maintenant je regrette qu'il n'y ait pas eu de grand-mères dans votre entourage, mais vous sembliez Dan et toi si peu désireux de famille... »)

« Oh non », ai-je murmuré en moi. Cette vision venait d'ouvrir une plaie. Je me suis tournée avec force de l'autre côté vers le mur fermé.

Et à travers le mur j'ai vu ce à quoi j'aspirais, un grand bâtiment aux parois épaisses, au milieu une cour carrée et vide, entourée d'un promenoir aux voûtes basses, arquées, dont les colonnes faisaient des ombres régulières sur les dalles. La cour était dallée aussi. Tenu en respect par la pierre et l'ombre, le soleil restait austère et droit. Il n'y avait personne.

Tout cela je l'ai vu à travers le mur.

— C'est une cour pour le silence, juste là-derrière, n'est-ce pas ? ai-je dit à la sœur en lui désignant le mur.

Elle m'a regardée avec une légère surprise.

— Oui. Nous avons un parc d'agrément devant, où vous voyez nos sœurs âgées en train de ramasser le tilleul, et de l'autre côté au sud nous avons quelques champs qui servent à nos travaux. Mais, oui, à l'intérieur du bâtiment, il y a le jardin, enfin ce que nous appelons le jardin, c'est la part que nous avons réservée au silence. Comment le savez-vous ?

— Je l'ai vu.

— Mais... il est à l'intérieur.

— Je l'ai vu. Ma sœur, je veux entrer dans ce jardin.

La sœur m'a proposé d'aller à l'hôtellerie.

— Je ne peux pas.

— Pourquoi ne pouvez-vous pas ? Je vous verrai tous les jours, nous aurons le temps de nous connaître. Si c'est une question d'argent...

— Je vous demande d'entrer dans le jardin et vous me proposez l'hôtellerie.

Je la regardais en face. Il y avait tant de sûreté en moi, ce n'était pas ma voix, pas mon cœur déchiré, pas ma personne saccagée. Je ne sais pas d'où me venaient ces paroles. Parfois il me semblait que Nicole était près de moi et me les soufflait. Parfois cette impression s'évanouissait, il n'y avait que cette voix qui sortait de mon corps usé. Forte, autoritaire, avec des paroles que la veille même j'ignorais.

La sœur a rougi. J'ai vu cette rougeur affluer à son cou, à ses joues pâles. Quelque chose de violent et d'enivrant est entré en moi. Moi dont la chair avait été réduite à néant, humiliée, détruite, privée de sa vie, je me voyais ce pouvoir sur une autre chair. De l'enfer de la douleur, j'avais ramené un pouvoir et c'était la première fois que je m'en rendais compte.

Ce qu'il y avait en moi à cet instant : une glace brûlante. Quel âge avait cette sœur ? Pas beaucoup plus que moi. J'ai su avec certitude que j'étais plus forte qu'elle. Elle n'avait pas voyagé dans la nuit d'une interminable route étalée sur la planche qui couvrait son frère mort, les genoux et les coudes en feu et le visage heurtant le bois à tous les cahots, elle n'avait pas arraché un cercueil au cimetière au prix d'une transaction d'amour noire et haineuse, elle ne s'était pas couchée sur le cadavre puant de son frère mort, perdant son urine et ses déjections, et cognant cette tête méconnaissable contre une planche abjecte, et la terre, la lutte avec la terre, elle n'avait pas même connu la blancheur d'un matin de printemps, le ciel pur rayé d'un avion, la rumeur d'une ville, le premier soleil, et éprouvé que tout cela c'était le vertige, une torture cruelle et raffinée, une chose insupportable, qui fait se suicider ceux qui ont tenu de jour en jour tout l'hiver et soudain mourir les malades qui résistaient encore.

— Je ne veux plus être séparée, plus même un jour.

— Il y a des règlements ici, me dit-elle. Je dois parler à la communauté d'abord.

— Je vous attendrai.

— C'est l'heure de l'office maintenant, et ensuite le repas.

— J'attendrai.

— Vous aussi devez manger.

— Je n'ai faim que d'une chose.

— Je ne peux vous laisser seule au parloir.

— Mais vous ne pouvez m'en faire partir.

— C'est de la folie.

(« ... Estelle mon amour, tu devras ruser avec les vivants... »)

— Ce qui est folie aux yeux des hommes est sagesse aux yeux de Dieu.

C'était cela que je disais, « ce qui est folie aux yeux des hommes est sagesse aux yeux de Dieu ».

Je n'étais plus la même, j'étais une autre, qui avait habité au-dedans de moi sans que je la connaisse, je l'entendais parler, agir, il me semblait que mon corps même se transformait, en un éclair j'ai vu ma peau se cloquer par endroits, d'une secousse légère on aurait pu la détacher, mais qu'est-ce qu'il y avait en dessous ? Cet éclair ne le laissait pas voir, je ne sentais que cette poussée en moi d'un corps que je ne connaissais pas, cette transformation.

Peut-être était-ce une sorte de prémonition. Plus tard, je devais avoir une sorte d'eczéma géant, ma peau est partie par lambeaux, j'ai cru que c'était le commencement de la peste, de la maladie qui avait emporté Dan, et puis en dessous est venue une autre peau et j'ai été guérie. Mon corps devinait cela déjà, dont moi je ne savais rien encore.

Mais j'ai eu un recul. Mon assurance a fléchi. La sœur l'a perçu.

— Mes sœurs n'aimeront pas cela, a-t-elle dit.

Et j'ai compris l'avertissement. J'allais trop vite, ici la vie avait son ordre, il fallait faire attention, se plier. Le dédoublement que je devais connaître se mettait en place. J'entendais ma voix qui parlait à l'intérieur de moi : « Estelle, fais attention. »

— Nous pensons que lorsque les gens sont déterminés, ils savent attendre.

— Pardonnez-moi, ai-je dit.

— Allez dans votre chambre à l'hôtellerie, et la maîtresse des novices vous recevra cet après-midi.

De nouveau le vertige était là. Aller dans une chambre et attendre. La blancheur. Le ciel pur rayé d'un avion. La rumeur d'une ville. Le premier soleil. Cette torture encore.

— Emmenez-moi dans votre jardin juste un instant, ensuite je partirai et j'attendrai.

De nouveau elle a rougi. Mais elle ne pouvait rien contre mon désespoir. Elle a haussé les épaules, de ce mouvement gracieux et impulsif que je devais lui revoir si souvent, et puis elle m'a dit d'accord, en murmurant quelque chose que je n'ai pas compris.

— Qu'est-ce que je fais ? ai-je dit.

— Eh bien, vous n'avez qu'à sauter par-dessus le muret.

— Ce muret ?

— Eh bien oui, vous avez un pantalon, non ?

J'étais intimidée soudain. Dans mon obsession, je n'avais pas vu qu'il y avait ce petit muret entre nous, symbole de la clôture. Du plâtre, cinquante centimètres de haut. Soudain je n'arrivais plus à bouger. Mes muscles étaient inertes. La sœur m'a tendu la main, elle riait.

— Vous alors !

Je bredouillais quelque chose. C'était « comment pouvez-vous être si gaie », ou bien « comment pouvez-vous être si jeune », et elle m'a répondu quelque chose. « Vous aussi vous serez gaie », ou bien « vous aussi vous serez jeune », ce muret m'était un tel obstacle, j'étais perdue, j'entendais mal.

— Je ne sais pas ce que c'est, ai-je dit, mes jambes ne peuvent pas bouger.

Tout mon être était tourné vers ce jardin, oh il fallait que j'y aille, ne serait-ce que quelques instants, que j'entre dans ce lieu, et ensuite je pourrais sortir et attendre, et reprendre un chemin. Mais il y avait ce muret.

Etait-ce le souvenir d'un autre mur, du mur où j'avais commencé de lutter contre la mort? Ils ne se ressemblaient pas, dans celui-là il y avait cette brèche sous le lilas par lequel était passé Adrien, sur le bord duquel j'avais posé mes bras pendant qu'il cognait son corps contre le mien, il y avait l'odeur de la terre et l'odeur du lilas et annoncée par elles l'odeur de décomposition d'un corps.

Le mur ici était bas, net, peint en blanc, il n'y avait pas d'odeur, ou cette odeur spéciale, celle qui reste lorsqu'on a enlevé toutes celles qui peuvent s'enlever, le sol était de ciment, il n'y avait pas de souvenirs dans l'air, tous les souvenirs aussi avaient été enlevés, l'air était neutre et calme.

Et j'ai su que c'était le mur effondré que je regrettais, que ce plâtre si propre m'était intolérable, que je voulais les odeurs et les ténèbres de la mort, et le corps d'Adrien qui faisait encore partie de la mort de Dan, et le lilas qui plongeait dans la terre. Ce muret blanc me paralysait, m'arrêtait.

— Attendez, a dit la sœur.

Elle s'est assise à califourchon et a glissé par-dessus.

— Là, a-t-elle dit.

Puis elle m'a pris le bras, elle a ouvert une porte qui ressemblait à un placard, derrière venait un couloir étroit et tournant, elle me parlait avec gentillesse, « eh bien elles marchent vos jambes, maintenant, cela arrive vous savez, au début cela frappe cette idée de la clôture, nous on n'y pense plus, et puis vous voyez bien, on s'en fiche quand il le faut, d'ailleurs on veut le faire tomber ce muret du parloir, mais certaines de nos vieilles sœurs y tiennent encore, alors on attend un peu, qu'elles s'habituent à l'idée, peut-être que nous commencerons par un portillon, nous ne voulons brusquer personne, les changements ont été rudes pour elles, il faut comprendre, depuis Vatican II, mais appuyez-vous sur moi, voilà nous y sommes... ». Son bavardage entrait en moi, je n'écoutais pas vraiment. Ce que j'enregistrais par contre, c'est que ma faiblesse momentanée m'avait ouvert le jardin.

Elle était toute bonté, m'offrait l'appui de son bras, un ruisseau de paroles, une complicité. Arrêtée au bout du couloir, elle tendait l'oreille.

— L'office est commencé, personne ne nous verra, a-t-elle dit avec un petit rire gloussant. Nous avons de la chance.

Et elle m'a fait pénétrer sous la voûte du promenoir.

« Aider les faibles et les malades, c'est cela qu'elles connaissent », me suis-je dit. Et j'ai su que j'entrerais dans ce monastère et comment exactement j'y entrerais. J'ai su ce que je dirais cet après-midi à la maîtresse des novices, je venais de comprendre une chose de ce lieu, elle était maigre et mesquine, mais elle me permettrait d'entrer, j'en étais sûre.

— Voilà, vous marchez mieux maintenant, m'a dit la sœur.

— C'est parce que je suis ici, ai-je murmuré.

Et c'était vrai aussi.

Cela je voudrais le comprendre, le faire comprendre aussi. Cette duplicité qui n'était pas mensonge. A un certain degré dans la profondeur de la douleur, on ne peut mentir. Mais cela aussi : à un certain endroit de l'enfer, on ne peut être sincère.

Le jardin, je ne le voyais pas vraiment. Nous étions dans le promenoir et il était derrière les vitraux qui reliaient les arcades. Le promenoir : juste une lumière austère, la fermeté de la pierre, les ombres régulières sur le sol, le bas de la robe de la sœur. C'était bien suffisant. Cela m'allait parfaitement. J'avais de la peine à l'idée de quitter ce lieu pour aller à l'hôtellerie.

— J'ai de la peine, ai-je dit.

— Oui, a dit la sœur.

— De la peine à quitter ce lieu.

— Ah mais, a dit la sœur, maintenant nous avons fait un tour, c'est fini, nous sortons.

La chambre de l'hôtellerie avait un papier à fleurs, un crucifix au mur, une poterie sur la table. Tout cela me dérangeait, je n'arrivais plus à prendre en moi. Epuisantes, ces fleurs colorées qui faisaient des guirlandes. Des guirlandes ! Moi qui voulais une ligne droite dans l'obscurité. Elles pénétraient comme des épines, les couleurs criaient comme une troupe de singes. « Mais qui, qui vient ici ? » Est-ce pour faire gai, est-ce leur idée de la consolation ? Et cette poterie, est-ce elles qui l'ont faite ? Est-ce qu'il va me falloir faire ça moi aussi, me poser des questions sur des objets, m'occuper d'un tour, d'une forme ? L'idée de l'argile mouillée à toucher avec les mains !

Et le crucifix ?

Nicole, tu croyais vraiment à cela ?

Je me suis levée brusquement pour prendre cet objet dans les mains, il y avait une sorte de végétation séchée accrochée dessus, ça m'a gênée, je l'ai arrachée et jetée sous le lit. J'ai retourné cette croix dans tous les sens. Je me disais « qu'est-ce que je vais faire avec ça ? ». J'ai commencé à avoir des démangeaisons sur la tête, ces démangeaisons qui devaient m'envahir le corps peu de temps après. Je me suis grattée avec une branche du crucifix. Les démangeaisons ont disparu. Je me suis dit « pas si mal pour un commencement ».

Je l'ai posé sur la table, je lui ai dit « danse, danse pour moi ». Je pensais à Nicole, je la voyais presque se glisser dans le bois, les branches allaient se lever comme des bras, la planche centrale se fendre délicatement, et puis le sommet s'animerait aussi, me montrerait la tête de Nicole avec ses cheveux roulés haut, comme lorsqu'elle dansait. Je disais au crucifix « fais-le » mais je le disais mollement, je ne voulais pas épuiser mes forces dans cette chambre, je n'étais pas venue pour solliciter Nicole.

C'était déjà grâce à elle que j'étais arrivée jusqu'ici, à cause de l'église où elle nous emmenait enfants, à cause de sa danse d'ange, et des Invisibles dont elle nous parlait, elle m'avait donné ce qu'elle pouvait, je sentais que je ne pouvais réclamer d'elle davantage, de là où elle était, dans ma mémoire épuisée.

J'ai reposé le crucifix sur la table. Je me suis dit « ce n'est déjà pas si mal qu'il m'ait donné l'idée, ne serait-ce que l'idée, de Nicole en train de danser. J'arriverai peut-être à en sortir beaucoup plus, de ce morceau de bois, quand je serai là-bas, que je concentrerai mes forces ». Je me disais « depuis deux mille ans, tant de gens ont réussir à voir quelque chose à travers ça. J'y arriverai bien moi aussi ».

Il y avait quelqu'un dans la chambre.

— J'ai frappé, mais vous ne m'avez pas répondu. Je me suis permis d'entrer. Je vois que je vous dérange... le crucifix...

J'ai pensé que ces femmes étaient bavardes et que cela m'arrangeait bien. Je me suis ressaisie pendant qu'elle parlait. C'était maintenant, ou jamais. Mon unique chance.

— Je vous ai rapporté votre sac rouge que vous avez oublié au parloir, il est très joli, c'est...

— Ma sœur, je veux entrer. Maintenant. Pas dans un mois, pas demain. Je vous ai attendue pendant le temps de l'office, du repas. C'était une torture. Ces fleurs me torturaient la tête.

— Parlez-moi, a dit la sœur.

J'avais les mots tout prêts : l'adversité qui avait frappé notre maison, notre famille décimée, la peste qui était en moi, ma mort sûrement dans quelques jours ou dans un an, notre mère qui nous amenait à l'église, j'inventais des dernières paroles à notre mère, « cherche l'appui de l'Eglise ».

— Je ne peux plus me tenir debout. Un pas dans la rue et je tombe. J'ai mis toutes mes forces pour arriver jusqu'ici.

Comme c'était facile de mentir puisque c'était la vérité. Je sentais que je glissais de cette chaise, que j'allais tomber aux pieds de cette femme.

C'était elle ma première porte, j'étais par terre, à genoux devant elle, mon corps priait pour moi, puisque moi je ne savais pas prier. Mais lui, comme il savait ! Je pouvais m'en remettre à lui, la porte glissait doucement, s'entrouvrait.

Ce long étourdissement. Le chaos des sensations. J'étais couchée. Ma peau brûlait, cloquait, se desquamait. Les démangeaisons mobilisaient toute mon attention. Je me désespérais. Je n'avais pas eu le temps de seulement commencer ma quête, j'allais mourir, atterrir loin de Dan, il fallait que je le trouve, et je n'avais pas même commencé de chercher, j'étais terrorisée. Je voulais retourner chez moi, « au moins, Tirésia me mettra avec Dan dans notre grotte », mais je comprenais bien que Tirésia ne pourrait pas lutter contre les institutions de la mort.

J'allais mourir ici, je serais enterrée ici, et si je réclamais autre chose, je serais enterrée dans le cimetière de ma ville, on ouvrirait le caveau, le cercueil de Dan n'y serait plus, Tirésia serait seule devant les questions, je ne pouvais supporter l'idée de Tirésia errant dans les collines, obligée de chercher l'endroit, d'expliquer. Alors il fallait ramener le cercueil au caveau, comment, Adrien ? Je n'étais pas en mesure de parler à Adrien. Ces questions tournoyaient dans ma tête comme d'insatiables corbeaux, il me semblait qu'elles picoraient mon corps, emportaient des lambeaux de ma peau.

Mais ce n'étaient que les sœurs qui enlevaient délicatement la peau qui se laissait détacher. Je me redressais pour partir.

— Je ne le verrai pas avant de mourir.

— Ayez confiance.

Et moi je me redressais et je criais :

— Je suis venue pour le voir, pourquoi croyez-vous que je suis venue ? Pour vous, pour vos visages de lune, vous n'êtes pas belles, vous ne savez pas danser, vous n'avez pas de corps. Je suis venue pour le voir, lui, et si je ne peux pas le voir, je repars, vous comprenez, je repars.

Je criais sans cesse. Les sœurs voyaient bouger mes lèvres, sans un son qui sortait, elles disaient « ayez confiance ».

J'étais obsédée par leur visage lunaire. Les premiers temps de mon séjour, pendant ma maladie et après, je ne les ai pas distingués les uns des autres. Ces visages encadrés par le voile étaient trop « inscrits », comme la lune sur le fond du ciel, et comme sur la lune je ne voyais pas vraiment de traits. Ces visages étaient des ovales d'absence, des vides encadrés, je me rappelais tous ces soirs où nous avions regardé la lune de la pelouse du jardin, Dan et moi.

Je dois me tromper bien sûr, mais en aucune autre partie du monde la lune ne m'a paru aussi large que dans notre petite ville.

Si large qu'elle semblait en train de s'approcher de la terre, nous jetions un coup d'œil apeuré autour de nous, mais la rue et les maisons restaient paisibles, tout était normal donc ? Pourtant, quand nous levions les yeux de nouveau, le disque semblait s'être élargi encore. A la verticale de notre jardin il attendait, énigmatique émissaire de l'espace, et nous ne comprenions pas son message. Nous nous accrochions au marronnier.

Le soleil ne nous avait jamais impressionnés de la sorte, il faisait son travail de soleil à travers les aléas du temps, difficile partenaire dans notre région, il ne nous était pas venu à l'idée de l'observer en nous demandant quel était son message, c'était un laborieux. Mais la lune, elle, de toute évidence n'avait aucun travail à fournir, elle se dilatait, et sur la terre tout changeait subtilement, le parfum du lilas émigrait dans toutes les couches de l'air, autour de la masse des marronniers et des rhododendrons se marquait le contour obscur d'un secret, la pelouse illuminée sur toute sa surface semblait l'objet d'une révélation. Puis en cet état lune et jardin demeuraient, et rien ne se passait.

« Cette chose est là et ne nous dit rien, comment est-ce possible ? » disait Dan, et j'entends encore l'exclamation de surprise blessée, je me rappelle comment je le prenais par les épaules, plus tard par la taille, j'avais envie de lui donner cette réponse qui se refusait, cela m'était bien égal à moi que la lune ne manifeste rien, rien d'autre que ce disque énorme et indiscret au-dessus de nos têtes. La seule réponse dont j'avais besoin était en Dan, et j'avais peur de cet air affamé, de cet air blessé qu'il tournait vers la lune.

« C'est parce qu'elle ressemble à un œil, Dan, tu as l'impression qu'elle te regarde, mais ce n'est que de la matière morte. » « De la matière morte », murmurait-il.

« On dirait un petit chiot qui va hurler au ciel », disait notre père, quand il le voyait venir ainsi à la pleine lune sur la pelouse. Et je n'aimais pas qu'il dise cela, je redoutais que ces paroles ne mettent en branle chez Dan un hurlement qui s'ignorait. « Il est comme sa mère », disait notre père. Je n'aimais pas cette phrase non plus. Je lui avais répondu brusquement : « La lune ne me fait rien à moi, et je suis sa sœur pourtant. » « Ah, tu le défends toujours, avait soupiré mon père. C'est bien, c'est bien, je n'en avais pas demandé tant. »

Et maintenant, c'était moi qui cherchais à obtenir quelque chose de ces lunes blanches cernées de noir.

Un soir à la chapelle, pendant un énième office sur lequel je n'arrivais pas à me concentrer, je ne savais toujours pas les paroles des psaumes, il n'y avait en moi qu'une seule et unique prière, « que je te voie », et parfois lorsque par lassitude je me laissais gagner par le vocabulaire des sœurs et m'adressais à leur être invisible à elles, « que je TE voie », j'ai relevé les yeux, regardé un peu sur le côté. Les bas-côtés de la chapelle étaient plongés dans l'obscurité, on n'allumait que les deux bouquets de bougies de chaque côté de l'autel pour l'office du soir. Les sœurs debout, le visage légèrement incliné, psalmodiaient. J'étais dans un état de lucidité glacée. Soudain elles ont relevé la tête, vers cette lueur de l'autel, et sur une lande noire j'ai vu se lever ces rangées de lunes, là tout près, si près. « Dan », ai-je dit. Il m'a semblé que la chapelle entière résonnait de mon cri. Comment ne l'entendaient-elles pas ? Et si j'avais crié à l'intérieur de ma tête, était-il possible qu'elles ne sentent pas parmi elles cette tête qui contenait un cri si différent du leur ?

Etait-ce cela la force qui m'avait menée sur ce chemin jusqu'au monastère, la lune de Dan ? J'avais réussi à la rapprocher de moi, cette lune qu'il quêtait comme un chien, je l'avais comme tirée jusqu'au sol, et il s'était même produit une multiplication, quinze, vingt lunes dans cette chapelle, avec leurs traits à peine plus distincts que celle de Dan dans le ciel.

C'était une révélation imbécile, si j'avais pu j'aurais ri ou pleuré, cela n'avait aucun sens et pourtant c'était énorme. Je me suis laissée glisser sur le prie-Dieu et pendant un moment j'ai oublié l'office et la présence des sœurs. Ce petit morceau de notre enfance était là et il se liait au temps d'après la mort de Dan, par un lien grotesque, mais qui nous appartenait si profondément à mon frère et moi, il ne pouvait être compris que par nous deux, et puisqu'il était compris, c'est donc que nous étions là tous deux le temps de cette compréhension.

Tel était à peu près, madame, le raisonnement qui propageait sa lueur si puissamment dans ma cervelle malade.

Je ne vois pas d'autre explication à ce bref moment de soulagement, de relâchement plutôt. Ce soir-là, à la chapelle, j'ai connu une pause. Je voyais mes mains, toutes blanches sur mes genoux, je les reconnaissais comme mes mains, c'était bien moi, Estelle était là, dans un monastère, pour chercher son frère à travers le disque pâle d'une lune. Qui pouvait comprendre cela, à part Estelle et Dan ? Donc Dan était là, et à coup sûr Estelle était là. Revenir à soi-même, ainsi, après tant de jours d'absence, c'était véritablement tomber de la lune. Comme j'étais loin de toute cette histoire de monastère ! Si quelqu'un en cet instant m'avait appelée au-dehors du bâtiment pour une raison ou une autre, je me serais dirigée très naturellement vers la sortie, j'aurais continué de marcher et n'aurais plus songé à rebrousser chemin.

L'office s'est terminé, la construction erratique qui m'avait abritée ces quelques instants s'est dissipée, disparue comme un rayon de lune.

A la sortie de la chapelle, en silence les sœurs se dispersaient. Sous les voûtes éclairées de loin en loin par de faibles lumignons, elles se pressaient, chacune seule sous son voile, certaines rasant le mur, d'autres glissant de colonne en colonne, les robes sombres fuyaient sur les dalles, et l'orifice obscur de l'escalier les absorbait l'une après l'autre.

La nuit. Dormir, ne pas dormir, c'était pareil, la même attente tendue comme un nerf.

57

Vivants, ne la dérangez pas

Je suis restée quelques jours à l'hôtellerie. Après la maîtresse des novices, une autre moniale est venue me voir, c'était la Supérieure, je l'ai suivie à travers les couloirs.

— La communauté veut bien vous prendre en clôture, disait-elle. Vous ferez une retraite...

Elle s'est interrompue.

— Vous serez « regardante », le temps qu'il vous faudra, après vous déciderez...

Nous passions dans une galerie au sol dallé, largement ouverte sur un côté par de grandes arcades qui donnaient sur la cour intérieure, dallée elle aussi. Des dalles, c'était ce que je voulais...

— C'est notre jardin de silence, disait la Supérieure.

Quelque chose m'a frappée, j'ai réfléchi laborieusement, puis j'ai trouvé.

— J'y suis déjà venue, ai-je murmuré.

— Je sais, la maîtresse des novices vous y a amenée le jour de votre arrivée. Nous avons ouvert les portes des arcades, pour que vous puissiez voir la jolie pelouse à l'intérieur.

Quelque chose dans ces paroles me frappait aussi, c'était quelque chose qui avait trait à ce jardin, qui me dérangeait, pourquoi parlait-elle de pelouse ? Je n'avais pas la force de réfléchir encore.

Plus tard, plus tard.

Nous montions un escalier de pierre, sombre, large, qui tournait. Au palier du premier étage, nous avons frôlé une forme noire, debout devant une cage de verre qui contenait une sorte d'horloge. Cette forme ne s'est pas retournée.

Au deuxième étage, nous avons pris sur la droite, soudain nous étions dans un couloir spacieux, au parquet sombre et luisant, nous avons pris à gauche, le fond du couloir était une fenêtre inondée de lumière, il m'a semblé que si nous continuions à avancer nous allions tomber dans cette lumière et qu'elle nous absorberait d'un coup.

La Supérieure marchait d'un pas vif mais égal, et retenu tout de même, lent en fin de compte, oh qu'elle continue à marcher ainsi sur ce parquet sombre et luisant, vers le rayonnement aveugle au fond. Un soulagement venait dans mon corps, de cette marche régulière, de ce parquet si vaste aux sombres reflets, de la longueur du couloir, qui nous laissait marcher, marcher, et de cette possibilité à la fin.

Passer dans la lumière, corps soudain transformé en lumière, dispersé dans l'éclatante luminosité, j'ai bien cru, oui un instant, qu'un don m'était fait, et que j'avais trouvé le lieu où ce don m'attendait.

La Supérieure s'est arrêtée devant une porte. Au-dessus il y avait écrit « Notre Dame de la Joie ». La Supérieure m'observait en train de déchiffrer. Elle a souri.

Elles avaient une réserve de sourires dans les joues, et je pensais vraiment « réserve », « élevage » plutôt, de sourires bien dressés, qui montaient la garde derrière les visages et accouraient au premier appel pour étendre leurs ailes, gracieuses et impitoyables.

Elle ferraillait dans ses clés, puis soudain a haussé les épaules et poussé sur la porte. La porte n'était pas fermée. Elle a dit « nous avions un évêque ici la semaine dernière, il fumait la pipe, c'est pour cela cette odeur... » Elle s'agitait autour d'un petit objet bizarre, plus tard j'ai compris que c'était une boîte de désodorisant. Puis elle a ouvert la fenêtre. La fenêtre s'ouvrait par une longue barre de bois horizontale, qu'on basculait à partir de sa clenche au milieu, pour la mettre à la verticale. Les battants étaient alors libérés et la planche de bois retombait brusquement, jusqu'à ce qu'elle trouve appui, contre l'armoire à côté.

— Système archaïque, disait la Supérieure avec un petit rire. Nous sommes pauvres. Mais ça marche. Faites attention de ne pas la prendre sur la tête quand elle retombe ou quand vous poussez la fenêtre.

Elle me montrait le paysage.

— Le paysage est magnifique. Vous verrez lorsqu'il y aura moins de nuages. Ce sont les montagnes de V. En bas c'est notre ville et plus loin dans l'échancrure de la vallée, c'est le chef-lieu.

Elle me montrait la table.

— Nous vous avons donné la chambre avec un bureau, puisque vous êtes étudiante. Vous pourrez continuer à travailler.

Nous retraversions le couloir et elle me montrait les toilettes. Trois portes vitrées en alignement, puis une quatrième et coincé au milieu un petit lavabo blanc avec un chauffe-eau. Les portes vitrées m'ont dérangée, il me semblait qu'il y avait quelqu'un tapi derrière.

— Nous avons installé tout cela récemment, disait la Supérieure. Notre fondateur ne souhaitait pas de trop grandes mortifications. Alors nous avons profité de Vatican II.

Elle regardait quelque chose dans le chauffe-eau, tout absorbée soudain. Je ne comprenais pas qu'elle s'occupe de ce chauffe-eau, qu'elle me laisse en attente encore, j'avais attendu déjà longtemps à l'hôtellerie, je voulais continuer d'avancer. Pas d'arrêt surtout.

— Il fonctionne, disait-elle, mais parfois la veilleuse s'éteint, si cela arrive, vous appellerez la sœur infirmière, c'est elle qui s'en occupe.

L'impatience me donnait des crampes. Je ne pouvais rester sur le même objet.

— Je n'ai pas besoin d'eau chaude, ai-je dit.

Elle s'est tournée vers moi avec surprise.

— Vous aurez besoin de prendre des douches.

Des douches ? Je ne comprenais pas le mot, j'entendais « doux » et il me semblait qu'un défaut d'élocution y ajoutait un autre son qui en étouffait le sens.

J'avais hâte de revoir les longs parquets luisants, les couloirs à peine éclairés, l'escalier sombre et tournant. Ces images-là me faisaient du bien, mon esprit aspirait à elles.

Aujourd'hui je sais que je cherchais quelque équivalent de la tombe.

Un lieu de rigoureux enfermement, de caves, de voûtes basses, de sol dallé et humide, une emprise amère et dure sur le corps, pour le briser, l'anéantir à lui-même. Et pas un interstice dans l'enchaînement des heures par où le passé pourrait monter à la surface, venir respirer, et répandre ses empoisonnantes exhalaisons. Tuer l'empoisonnement par un empoisonnement plus fort, c'était sans doute cela, l'idée folle à laquelle s'accrochait mon corps en perdition.

Les couloirs que j'avais vus, c'était le plus approchant jusque-là.

Et maintenant j'étais livrée à cette chambre claire, presque spacieuse, avec plusieurs lampes, une sur le vaste bureau, une sur la table de nuit, une encore, simple ampoule, mais pourquoi tant de lumières, au plafond.

Avant de partir, la Supérieure avait déposé sur le bureau un horaire de la maison tapé à la machine, sous plastique, écorné d'un côté.

Je revois tous ces détails. Je croyais les avoir oubliés, je croyais qu'ils disparaîtraient avec la folie qui avait suscité leur présence autour de moi, qu'ils iraient se déposer comme de la poussière dans le cercueil de mon frère, et que tout cela s'enfoncerait doucement et inexorablement dans la terre comme un cœur en fusion se refroidissant progressivement.

Je ne les ai pas oubliés.

Horaire de la semaine	
6 h 30	Oraison
7 h 30	Office des lectures
8 h	Petit déjeuner

8 h 30	Laudes
11 h	Messe
12 h	Déjeuner
13 h 45	Heure médiane
15 h 45	Goûter
17 h 30	Vêpres puis Oraison
18 h 45	Souper
20 h 45	Complies

Je regardais trois mots sur cette liste. Pourquoi étaient-ils soulignés ?

Sous cet horaire, la phrase suivante était écrite :

« L'horaire des offices ne vous est donné qu'à titre indicatif, pour que vous sachiez quand vous pouvez vous joindre à nous ou au contraire être à peu près sûre de jouir de la solitude dans notre chapelle. Par contre, nous vous demandons de respecter l'horaire des repas ! »

Ce point d'exclamation à la fin de la phrase se fichait en moi comme une flèche.

Il y avait encore autre chose sur ce papier.

Horaire du dimanche

8 h	Petit déjeuner
8 h 30	Laudes
9 h	Messe
11 h 30	Office des lectures
12 h	Déjeuner
14 h	Heure médiane

Puis rien. Un blanc sous cette colonne.

Quoi? Une rupture dans l'enchaînement des heures? Le dimanche après-midi, ce blanc affreux...

Plus tard la Supérieure devait m'expliquer que l'après-midi du dimanche obéissant au même horaire que les autres jours, elles n'avaient pas jugé utile de recopier les mêmes informations.

— Pas jugé utile, comment est-ce possible, comment?

— Pardon, disait la Supérieure, vous articulez mal, voulez-vous répéter?

Sa voix était vive, nette. Elle ne comprenait pas ce que je voulais dire. Elle n'avait aucune idée de ce dont je parlais. Elle ressemblait à la mère d'Adrien.

J'ai reposé la feuille sur la table, le bureau auquel avait travaillé l'évêque en fumant une pipe, où il y avait maintenant un petit objet qui était un désodorisant, oh pourquoi me fallait-il endurer ces détails, des détails de l'affreuse vie, et je me suis tournée vers la fenêtre.

J'espérais le même étincellement blanc que celui du bout du couloir, pour m'y reposer, ne serait-ce qu'un instant. A la place, il y avait une montagne verte surmontée d'une statue, une ville nichée au pied de la montagne, sur la droite un massif tabulaire, au loin dans le fond de la vallée profilée à travers la brume de chaleur une autre ville plus grande. Beau, tout cela, comme une carte postale, que j'aurais déjà vue. Où l'avais-je déjà vue? Ici même bien sûr, quelques instants plus tôt, la Supérieure elle-même m'avait amenée à la fenêtre pour me montrer ce paysage. L'enthousiasme dans sa voix, l'anticipation joyeuse de mon admiration... C'était trop, déjà des souvenirs, des gens, des paroles, il fallait arrêter ce déferlement, je n'étais pas venue au bon endroit, il se passait trop de choses ici, une vie surabondante, un torrent.

On frappait à la porte. Je me suis avancée, non pour ouvrir, mais pour m'en aller.

Il y avait une sœur, le buste cassé en deux presque à angle droit, le voile répandu sur ce buste telle une nappe noire sur une table. Son visage, caché là-dessous.

— C'est l'heure des vêpres, je vais vous montrer la chapelle, susurrait une voix à peine perceptible.

La forme noire s'est mise en marche, je l'ai suivie, à quelques pas derrière. Elle avançait lentement, passant d'un pied sur l'autre, dans un balancement appuyé. Balancier noir, hypnotisant. Le couloir, l'escalier, la galerie, la chapelle.

La forme noire avait disparu, une autre s'approchait, courbée elle aussi, « mettez-vous là », disait-elle.

Je me suis assise à cette stalle, où je serais toujours désormais. Les sœurs étaient là en deux rangées. Un chant ténu, contenu s'élevait.

« Dieu, viens à mon aide, Seigneur, à notre secours... »

Demain, cette mélodie, je la saurais, je chanterais avec elle, je me coulerais dans ces chants, le flot ardent et rouge de ma douleur y trouverait ses berges. Je n'aurais plus à lutter avec lui, un vaste réseau de canaux s'offrait à lui, qu'il n'aurait plus qu'à suivre, me laissant à la noire torpeur que je voulais, à l'immobilité, au silence, au rien.

Chaque jour je viendrais en ce lieu, je me tiendrais très droite devant ma stalle, ma souffrance s'écoulerait de moi vers ces canaux qui l'attendaient, et je pourrais me laisser descendre à l'intérieur de moi vers cette crypte vide d'où je ne voulais pas me laisser arracher.

« A la mesure sans mesure de ton immensité, tu nous manques, Seigneur, dans le tréfonds de notre cœur, ta place reste marquée comme un grand vide, comme une blessure. »

Comme ce serait facile de répéter ces paroles.

Elles étaient les premières que j'entendais. A cause d'elles, et de quelques autres semblables, je dirais aussi toutes celles qui n'auraient d'autre sens que celui de leur syntaxe.

Psaumes, cantiques, hymnes : un grand labyrinthe de phrases où je marcherais, comme un être aux yeux bandés, et c'était ce que je voulais.

Que quelques-unes me servent de passerelles et j'entrerais dans cet édifice inconnu, pourvu seulement qu'il soit inconnu, suffisant à lui-même, ne me demandant rien, ne m'évoquant rien.

Avec la sœur théologue (je l'appelle ainsi car je ne veux pas savoir son nom) je marche dans une allée envahie de graminées sauvages, ombragée de peupliers. C'est dans un endroit écarté du parc, sous le coteau où se trouve le petit cimetière champêtre du couvent. L'allée mène à une grande porte de bois. Au-delà, s'étendent des champs, dont un qui est le leur, au milieu des autres qui appartiennent à des fermiers.

« Nous ouvrons cette porte, bien sûr, dit sœur théologue, il y a deux cerisiers énormes dans ce champ. » « Deux cerisiers ? » je répète sans comprendre. « Eh bien oui, pas question de laisser se perdre les cerises à cause de la clôture, hein », dit-elle avec un petit gloussement.

Sœur théologue, ne me parle pas des cerisiers, et des fermiers, et des petites rébellions et conquêtes de votre vie, ne me parle pas du temps présent et des gens qui sont dedans, je ne veux rien savoir de ce temps qui contient la mort de mon frère.

Je baisse la tête, les traits fermés, jamais ne répondrai à vos rires et provocations.

« Dans la Bible que vous m'avez prêtée, dis-je à sœur théologue, il y a ces notes en bas de page, qui signalent, qui signalent, oh des jeux de mots... »

« Dans la traduction œcuménique de la Bible, répond aussitôt sœur théologue, l'éventail des sens possibles... »

Et voilà, nous sommes revenues à cet édifice abstrait, dans lequel je suis venue m'enfermer, d'où je ne veux pas sortir.

Sœur théologue est la maîtresse des novices, je dois prendre garde à elle.

Dans la petite chapelle, le parquet et les stalles sont de bois sombre et luisant, comme les couloirs, mon regard se repose sur ce bois, s'y couche, s'y étale. Que rien surtout ne m'en distraie. Tant que je vois cette étendue sombre, mon agitation s'apaise, je sais être où il faut.

La plainte douce du chant des sœurs s'en élève, chaque voix comme une source frêle, je suis dans une veille intense, que rien surtout ne m'en distraie, je suis couchée sur une longue planche de bois, elle ne blesse pas ma vue, elle est sombre, veinée de traces plus sombres, elle est l'intérieur même de mon âme, mais elle n'est pas morte, elle renvoie la lumière comme si en elle une autre lumière répondait, lueur sombre de ma veille, et cette lueur rejoint les chants fluets qui s'élèvent, voix de ma veille sur la ténèbre vigilante du bois, que rien surtout ne m'en distraie.

J'attendais les offices. Lorsque le son cristallin de la sonnerie se répandait à travers le monastère (elle était réglée automatiquement par cette horloge que j'avais vue au premier étage dans une cage de verre) quelque chose tressaillait en moi, je laissais tomber toute tâche aussitôt. J'attendais ces offices, le moment de retourner à la chapelle, la pose hiératique des sœurs, le son de la cithare, les chants, minces et vacillants, la lumière adoucie, et les longues planches de bois, sombres et luisantes.

Enfin j'ai vu la grille de clôture.
A hauteur du chœur, la chappelle communiquait avec la petite église du monastère par une arche. La grille était là, des traverses croisées formant de petits carrés réguliers, grille noire et solide, dont une partie venait en glissant rejoindre l'autre pour s'y accoler et la sœur portière sortait une grande clé qu'elle plantait dans la serrure.
Que la clôture soit étroite, que les deux pans de la grille restent étroitement accolés, que rien du monde qui contient mon frère mort n'entre ici où je tue sa mort.
Mais chaque matin dès le premier office, la grille se trouvait ouverte. Tout à côté, dans ce coin de la chapelle où pendait la corde des cloches, une forme sombre était debout, les mains jointes, en attente. Toutes les sœurs étaient en attente.
Du dehors parvenait un tumulte, un bruit de moteur qui s'arrêtait, des voix qui prenaient le relais, le danger se formait, la

698

nef de l'église qu'on devinait par l'ouverture de l'arche semblait se tendre, et soudain on entendait un pas, quelqu'un marchait là-bas, dans ce lieu ouvert sur l'extérieur, mon cœur se mettait à battre vilainement. A côté de ce pas on en entendait un autre.

Le bruit de ces pas, chaotiques, bruyants sur les dalles de l'église, ce n'était pas des moniales, ce n'était pas des êtres de silence, j'avais peur, et soudain ils étaient là.

Des êtres humains, deux, un couple.

Une femme grosse aux jambes nues, un homme au crâne chauve, engoncés tous deux dans un costume trop serré, comment faire pour ne pas voir ces détails, pour ne pas voir ces êtres qui venaient du monde où l'on disait que mon frère était mort, ces êtres qui apportaient l'insupportable vivacité de la mort dans ce lieu où je la tenais en laisse, étouffée... Repartez, repartez! Oh mes sœurs, chassez-les, fermez la clôture, fermez la grande porte de l'église, que plus une chair du dehors n'apporte ici sa virulence, n'apporte sa contamination, ce grouillement de détails qui traînent derrière eux la mort de mon frère.

Comme je haïssais ces intrus. Ils marchaient sur la pointe des pieds, ce couple affreux, croyaient-ils ainsi être plus discrets, croyaient-ils se fondre dans les ténèbres du bois, dans les reflets luisants du bois, dans le silence? Ils s'arrêtaient un instant près de la clôture pour prendre les feuillets des chants de l'office, se disant quelques mots contraints à mi-voix, laids leurs vêtements, laide la peau nue des jambes ou du crâne, et ils reprenaient cette démarche absurde, sur la pointe des pieds, qui les faisait se dandiner, oh comment ne pas les regarder, ne pas les entendre, et puis ils avançaient le long des murs, mes sœurs, les laisserez-vous s'avancer si loin à l'intérieur de votre chapelle?

Elles restaient immobiles chacune devant sa stalle, le visage baissé, les mains dans les grandes manches du scapulaire, et eux avançaient par-derrière, il y en avait d'autres maintenant, qu'on entendait venir du même pas dont la maladresse résonnait laidement sur les dalles de l'église. Ils reviendraient demain et encore demain. Il me faudrait voir leur visage, leurs traits d'humains du dehors, de ce monde qui survivait obscènement sur le désert de la mort de mon frère. Leurs traits me blessaient, je ne pouvais ni veiller ni chanter ni étendre mon âme sur les longues planches du bois.

Les sœurs étaient à genoux devant leur stalle, la tête tournée vers la croix devant l'arche ouverte de la clôture, j'étais debout encore, ne comprenant pas que la fin de l'office était arrivée, les yeux toujours rivés sur ces êtres venus du dehors troubler mon travail dans ce lieu que je voulais semblable à une crypte, mais les sœurs s'étaient agenouillées et, dans un hébétement incrédule, je voyais les visiteurs qui bougeaient, qui se tournaient enfin, patauds, empruntés, à la queue leu leu, ils partaient, ils s'en allaient.

Arrivés à la ligne de la clôture, avant de quitter la chapelle pour pénétrer dans l'espace public de l'église, ils tournaient brièvement la tête. Je voyais l'image de nous qu'ils dérobaient, la pénombre de la chapelle, ces formes à genoux, ensevelies dans le recueillement, et je les haïssais d'emporter une image de nous vers l'extérieur, une image où je figurais, moi cette forme sur la gauche qui n'était pas à genoux et ne portait pas de voile. Pensez-vous qu'elle prie pour vous, une sainte femme elle aussi, comme vous dites, qui intercède pour vous et vous dispense de souffrir et de penser?

Créatures idiotes et viles, celle qui est là ne pense ni à Dieu ni à vous, elle pense à son frère qu'elle cherche et à son corps à elle qu'il faut garder sauf, pour cette quête, pour cette quête seulement. Et elle vous hait de lui apporter vos miasmes de vivant qui ne sont que l'envers des miasmes de mort.

Vivants, ne la dérangez pas, celle qui guette à la lisière de la mort.

58

Il ressemblait à Dan

Ce que je voulais, c'était me jeter dans ces journées qui avaient mené d'autres femmes comme moi vers ce qu'elles cherchaient, vers une personne, me jeter dans ces journées à corps perdu comme on dit. Je ne savais rien de la façon dont le temps était organisé dans la vie de ces femmes, ni ce qu'elles donnaient d'elles-mêmes, ni ce qu'on attendait d'elles.

Cela peut paraître étrange, mais l'idée de religion, le mot même, ne m'a pas effleurée. Je suis allée au monastère parce que je savais que cela pouvait être un lieu de vision, un lieu où il est arrivé parfois qu'on voie ce qui n'est plus visible.

Il n'y avait rien d'autre dans ma tête, mon esprit était malade, ne pouvait agir que sur une seule idée, une idée pauvre et simple, et parce qu'elle était pauvre et simple, il pouvait la prendre, et parce qu'il était trop faible pour en prendre aucune autre, il suivait celle-ci qui avait pu pénétrer en lui.

Mon esprit n'avait que cette idée à suivre et il la suivait bestialement.

Et ce sont les pauvres phrases de Nicole, jetées en l'air par provocation, parce que la danse ne lui suffisait pas, parce qu'elle ne savait pas ce qui la tourmentait, parce qu'elle ne savait à quoi se livrer, ce sont ces quelques phrases maladives, jetées au hasard, tombant comme des plantes aussitôt fanées, qui m'ont lancée dans cette folie.

Oh Nicole, si tu avais pu savoir comme je les entendais tes phrases si frêles, comme je les cherchais. Aucun mélange de mots ne pouvait m'être utile, mon corps les rejetait tous, sauf ceux que tu avais fabriqués dans ton ignorance, et je les poursuivais dans ma mémoire, écartant tout ce qui venait au travers, les voix des êtres de nos maisons, j'avais constamment mal à la tête, mais il me semblait qu'il y avait à l'intérieur de ce mal de tête une pointe nette qui fouillait, et soudain m'amenait les phrases de Nicole, comme des proies dessinées, claires sur un mur obscur.

« Tu sais, Estelle, parfois, je le vois », chuchotait-elle.

J'étais enfant alors, je lui disais, répondant à son chuchotement : « Qui, le crustifié ? »

Nicole n'a jamais corrigé cette erreur enfantine, sans doute la crucifixion ne l'intéressait pas, devait lui faire horreur, elle qui dansait pour effacer la détresse des corps

(« de la rigidité de la mort se lèvera la membrure humaine,
telle une voile frémissante elle prendra le vent,
et le vent l'enlèvera dans le ciel, et alors se déploiera l'arabesque,
l'angélique arabesque qui ne connaît ni ruptures ni brisures... »),

Nicole ne devait pas même voir ce corps tordu dans des angles d'horreur et cloué à l'immobilité.

« Qui ? » chuchotais-je à Nicole sur ce banc dans notre petite église déserte, « qui, le crustifié ? », et elle me regardait avec étonnement.

« Non, chuchotait-elle au bout d'un moment, celui qui danse dans le ciel. »

« Qui danse dans le ciel, Nicole ? »

« Il danse à travers les voiles de l'air, Estelle. Il danse pour corriger ce que nous faisons à nos corps sur cette terre. »

« Qu'est-ce que nous faisons à nos corps, Nicole ? »

« Petite Estelle, tu ne peux pas savoir, tu ne sauras jamais, des choses affreuses, mais il danse pour nous, il redresse les bras tordus, les jambes écartées, oh si tu le voyais danser, il efface la laideur, la souffrance. »

« Est-ce que je pourrais le voir, Nicole ? Je voudrais le voir. »

« Mais tu ne peux pas, Estelle, tu ne sais pas ce que c'est que la laideur et la souffrance. »

« Si Nicole, si je sais. »

Et Nicole me regardait de ses yeux d'enfant. Elle chuchotait :
« Qu'est-ce que tu sais, Estelle ? »

« C'est à cause de Tirésia. Il danse pour le corps de Tirésia, et toi aussi, mais tu n'y arrives pas, c'est pour ça que tu viens ici... »

Dans les yeux élargis de Nicole, montait ce regard immensément étonné qu'elle avait parfois, et apeuré, et elle chuchotait encore plus bas :

« Oh Estelle, d'où tiens-tu ces choses, qui t'a parlé ? »

Et soudain son apeurement me troublait, je ne comprenais plus très bien ce que j'avais voulu dire, j'avais honte, nous nous taisions, Nicole et moi, dans l'église silencieuse, et nous restions longtemps sans bouger, jusqu'à avoir les jointures des doigts raidies, il faisait froid dans l'église. Je ne m'étonnais pas que Nicole vienne en ce lieu où rien ne se passait, où personne ne bougeait, où nous avions froid. Je croyais sans doute que c'était un lieu où on chuchotait, et que nous y venions pour cela, pour nous dire des choses qui ne pouvaient qu'être chuchotées.

J'aimais aller à l'église avec Nicole parce que c'était le seul endroit où elle me parlait à moi seule, dans ce chuchotement si bas qu'il pouvait appartenir à la parole ou au silence, selon les infimes variations des brises qui soufflaient sur nous de tant de territoires inconnus. Et ce chuchotement qui pouvait avoir existé ou n'avoir pas existé, cela convenait à notre vie, à quelque chose qui était dans notre vie, que je percevais, sans savoir ce que c'était.

« Nicole, est-ce que tu l'as vu, toi ? »

« Ecoute, petite Estelle, tu te rappelles le ciel, les soirs d'été, quand il est si pur qu'il n'a plus vraiment de couleur, qu'il n'est que de la transparence, tu te rappelles cela ? »

« Oui, Nicole. »

« Tu es sûre ? »

« Je suis sûre, Nicole. Quand les chauves-souris passent, on a l'impression qu'elles déchirent cette transparence. »

Ces chauves-souris l'été, chez nous, qui filaient si vivement dans l'air du soir, semant leurs angles erratiques que le ciel aussitôt effaçait...

« Oui, c'est ça, disait Nicole, eh bien ce ciel, c'est lui, lui tout entier dans sa danse. »

Et j'entendais encore des bribes légères de phrases :

« ... rien d'abîmé... rien de brisé... fluide... ».

Dans le garage qui jouxtait notre maison, Nicole avait fait tendre une toile bleu pâle, bleu de ciel, et à ce ciel de notre garage tout entière elle s'offrait, petite chauve-souris sacrificielle qui voulait devenir un ange.

Un jour nous sommes entrées à l'église, il y avait Dan avec nous, c'était moi qui le portais, comme toujours. Nicole nous laissait la caresser, mais elle ne recherchait pas nos corps.

Nous nous sommes assis tous les trois, sur le même banc, l'un des derniers, peut-être le dernier, il y en avait peu de toute façon, Dan était serein et beau. Nicole et moi avons repris nos chuchotements.

« Je voudrais bien le voir, Nicole, celui qui est invisible. »

J'insistais ce jour-là, ma voix était geignarde et mauvaise, je crois qu'à l'école les filles avaient parlé de l'église, elles disaient qu'elles y avaient vu des êtres que moi je ne connaissais pas, dans des vêtements splendides, la Vierge, les saints et les saintes, je voulais que Nicole me les fasse voir, je sentais la niaiserie dans ma voix, mais j'étais une enfant, juste une fillette après tout, et je n'arrivais pas ce jour-là à me nicher dans l'intimité de Nicole, cette intimité avec elle qui ne s'établissait vraiment qu'à l'église (ma danse dans le garage n'était jamais satisfaisante) et que je voulais tant, l'intimité avec ma mère.

« Nicole, je voudrais le voir, est-ce que tu l'as vu toi... »

Et qu'elle me parle pas de la transparence du ciel les soirs d'été !

Elle m'a regardée d'un air bizarre, oh cet air je le lui connaissais bien aussi, et soudain elle s'est penchée vers moi et elle a dit, toujours très bas, mais il me semblait qu'elle criait :

« Parfaitement, Estelle, je l'ai vu. »

« Où ? »

« A New York, je l'ai vu Estelle, il était grand et mince et brun, il dansait comme je n'ai jamais vu personner danser... »

« A quoi ressemblait-il Nicole ? »

Elle fixait sur moi ce regard bizarre, qui était une provocation à une chose secrète entre elle et moi, dont moi je n'avais pas la connaissance. Ce regard « autre » de Nicole, il me liait terriblement à elle et en même temps étirait entre nous une distance douloureuse.

Je ne pouvais démêler toutes ces choses, j'essayais de boire à Nicole, qui était si faible, qui ne savait elle-même où boire, aujourd'hui seulement je pense vraiment à elle, la vois vraiment.

Cette nuit (Phil est venu me chercher et nous avons dormi chez lui) je me suis réveillée en criant « Nicole », j'avais un si grand désir de la voir, de lui donner de ma vie et de ma force, maintenant que j'en ai un surplus.

Comme j'ai dû lui peser, à la suivre partout, la guetter, chercher à toucher ses cheveux, sa peau, elle était soyeuse et flexible, Nicole, et j'étais une petite fille troublée et avide. Elle est morte. Cette nuit je l'ai sentie passer près de moi comme une flammèche, je me suis réveillée dans ce violent désir de la prendre dans mes bras, de la bercer, de lui dire tout ce que je savais, et que tout cela n'avait aucune importance, que je l'aimais, que je l'adorais, que je lui consacrerais tout ce que je pourrais de mon temps, que sa vieillesse serait choyée comme la plus merveilleuse des enfances.

J'ai crié « Nicole ». Phil s'est tourné, « quoi ? ».

Mon cœur battait violemment, je m'arc-boutais contre ce déferlement de regrets, il n'était pas question que Phil plonge dans cet abîme, qu'il l'aperçoive même, que le mot « cauchemar » surgisse, je n'ai pas répondu et il s'est rendormi. Phil est ainsi. L'ouragan passe près de lui, mais il n'entend qu'un froissement léger, et l'ouragan, ignoré, méprisé, devient ce froissement léger.

Je l'ai écouté respirer un long moment, puis je me suis détendue, j'entendais le bruit de la circulation nocturne sur le boulevard. Comme le bruit de la ville a changé pour moi. Si longtemps le moindre ronflement de moteur, le passage d'une mobylette, la rumeur lointaine d'une avenue, me jetaient dans l'insomnie. Phil habite sur un boulevard près d'une porte de la ville, les camions y passent jour et nuit, les fenêtres de l'appartement ne sont pas à double vitrage, les premiers temps chez lui il me semblait que les camions entraient directement dans notre chambre, je ne pouvais croire à une vie dans un tel vacarme. « C'est vrai, disait Phil placidement, c'est bruyant », et il me semblait être arrivée sur une planète habitée d'êtres d'une autre espèce, je tournais la tête pour qu'il ne voie pas la fixité dans mes yeux.

Maintenant le roulement des camions me berce, c'est la ville où je vis, où je dors, étendue sur l'un des multiples entablements qui surplombent ses artères, près de l'homme avec qui je fais l'amour, j'écoute le flot qui coule avec ses à-coups familiers et je m'apaise.

Cette rumeur et la respiration de Phil m'ont entraînée petit à petit loin de mon rêve, ils me tiraient comme un courant fort et tranquille, j'ai repris pied dans cette vie d'aujourd'hui, oh Nicole, ma petite Nicole, ma petite mère, retourne à ta tombe, je ne t'oublie pas. Parfois il me semble qu'enfin je deviens ta vraie fille, et ces jours où Dan s'écarte un peu de moi, il me semble que c'est pour toi que je veux cet opéra, pour te célébrer, Nicole, petite mère innocente et folle.

Je chercherai une danseuse pour toi, je trouverai la meilleure, je la convaincrai, et sa danse, ce sera la tienne, celle que tu as cherchée toute ta courte vie et que j'aurai enfin trouvée pour toi. Nicole, retourne à ta tombe. La danseuse que tu voulais être, je vais la faire venir pour toi, je vais te l'offrir, dors tranquille, Nicole, bientôt je viendrai t'appeler dans le vieux cimetière provincial endormi au fond de sa rue déserte de province, tu pourras sortir de tes limbes et venir t'éployer tout entière dans un corps de liane, le corps d'une très célèbre danseuse venue pour toi de la plus grande ville du monde, la ville qui t'avait rejetée et humiliée, tu seras toi-même enfin, et tu auras ta revanche, ma jolie petite mère, notre petite mère aux chaussons bleu de ciel.

Il était tôt ce matin lorsque je me suis réveillée dans ce spasme du désir de te voir, après je ne pouvais plus dormir, j'éprouvais un fourmillement, le besoin de me jeter hors du lit, de retourner à ces notes que j'empile hâtivement, qui sont en ce moment l'histoire de Nicole, elle m'avait appelée dans mon sommeil d'après l'amour, et cette pulsion ardente m'est revenue, donner à Nicole la danse qu'elle n'a pu réaliser, lui donner les ailes dont elle rêvait pour qu'elle prenne son essor enfin.

Si j'étais un écrivain, madame, cela ne se passerait pas ainsi, le développement de mon récit serait planifié, mes personnages seraient prêts, bien rangés dans leur chemise en attendant qu'on vienne les chercher, je n'aurais plus qu'à remplir de mots les cases déjà tracées des chapitres, mais je n'ai pas de personnages, que mes êtres d'amour, alors une poussée se fait, que je ne peux contrôler, parfois elle est dormante de longs jours puis n'importe quand, au milieu de la nuit ou à l'aube, je la sens, alors des souvenirs se forment, je cueille ce que je peux de ces fruits éphémères.

Dans un lit près de son amant, ce n'est guère le lieu, madame. Et quand je peux enfin mettre ma cueillette sur papier, elle s'est évaporée ou autre chose vient, je ne suis pas un écrivain, madame, j'ai grand besoin de vous.

L'aube dessinait le grand échassier sur le rideau de la chambre, c'était un dimanche matin. « Enfin une grasse matinée, sans ce foutu réveil qui sonne, une matinée au lit avec toi Claire, toute la journée tu veux bien ? » m'avait dit Phil au téléphone. Pour une raison ou une autre, nous avions dû sauter plusieurs dimanches de suite. « C'est bizarre, avant je n'attendais pas les jours de congé comme ça, je dois vieillir », avait-il ajouté en riant : « et toi ? », mais je n'ai pas su répondre.

C'est dimanche matin et il se lève, la vigueur de son dos, de sa voix, « ne bouge pas, Claire, je vais chercher des croissants, non je t'en supplie ne bouge pas, et puis je ferai le petit déjeuner et je l'apporterai au lit », déjà habillé il revient, « et puis je te caresserai », et de la porte il revient encore, « tu m'attends, hein ».

J'ai attendu, m'appliquant à fixer dans ma tête cette scène de l'église qui m'était revenue, et lorsque plus tard après le petit déjeuner au lit nous avons refait l'amour, je n'ai pas réussi à te quitter, Nicole.

J'ai fait ce qui n'est jamais arrivé avec Dan, se tenir à l'écart de son propre corps, sans en rien dire. J'arrive très bien maintenant à faire ces choses, c'est ainsi, sans doute Phil le fait-il aussi, sans le savoir peut-être, je ne chercherai pas à le lui demander, il est suffisant que nos corps se côtoient, et que j'entende sa voix tranquille me dire lorsque nous nous quittons : « je t'appellerai ce soir », je lui dis « bien sûr, appelle-moi », cela suffit, et j'y arrive.

Moi aussi je suis en train de devenir un de ces êtres d'une autre espèce sur cette planète inconnue.

Dans l'église, j'ai dit à Nicole :

« A quoi ressemblait-il ? »

Elle avait toujours cet air « autre », ses yeux sont tombés sur Dan, qui se tenait dans mes bras, serein et beau comme un enfant de madone et soudain elle a dit :

« Il ressemblait à Dan. »

Et elle s'est renfoncée contre le dossier du banc comme si elle venait de se décharger d'un grand poids.

Je l'ai entendue expirer bruyamment, puis prendre une aspiration, très longue. Puis soudain elle s'est tournée vers nous avec son visage rieur et cette spontanéité, si gaie et rare, qui nous rendait fous de joie :

« Mes petits chéris, on s'emmerde ici, allons manger des gâteaux chez le pâtissier. »

59

Il me faut piéger la mort

Je suis allée trouver la Supérieure, je lui ai dit « Ecoutez, ma chambre est trop grande, le paysage est trop beau, il y a trop de lumière, donnez-moi une autre chambre. »

— Votre chambre ne vous plaît pas ?

— Vous ne comprenez pas, elle est trop grande, le paysage est trop beau, il y a trop de lumière.

J'avais appris par cœur ces trois points, tant je redoutais de ne pas trouver les mots au moment de parler à la Supérieure.

— C'est celle que nous donnons aux visiteuses. Il y en a encore deux, mais elles sont juste à côté, je ne vois pas quelle différence...

— Je veux obéir, je veux faire en tout comme vous le voudrez, donnez-moi seulement les conditions pour le faire.

— Quelles conditions ?

— Il faut que je puisse prier, tout le temps... Si je peux prier, tout ira bien, vous ne m'entendrez plus, je ferai comme vous.

— Bien, a dit la mère de ce ton placide et pragmatique qui me faisait mal parce qu'il tirait vers la vie, où pensez-vous pouvoir prier ?

— J'ai vu des fenêtres qui donnent sur le petit jardin de silence. Donnez-moi une chambre là, je ne veux plus rien voir du dehors, oh ma sœur, il me reste peu de temps pour prier, vous le savez, il me reste peu de temps...

Ces mots, ces mots qui me venaient...

— Mais, a dit la Supérieure, il n'y a pas de chambres sur le jardin carré.

— Je les ai vues.

— Je sais que vous voyez à travers les murs, a dit la Supérieure, mais il n'y a pas de chambres sur le jardin carré.

Quelque chose sur mon visage alors. La Supérieure qui allait se lever s'est rassise. Puis elle s'est mise à rire.

— Vous voulez dire les cellules troglodytes?

— Je ne sais pas.

— Nous les appelons comme cela parce qu'elles sont dans la partie du bâtiment qui est creusée dans le coteau, comment les avez-vous dénichées? Mais vous savez, elles sont affreuses, nous ne les utilisons plus.

— Donnez-m'en une, j'installerai tout moi-même, et quand j'aurai un peu prié, quelques jours, je pourrai revenir avec les autres.

— Bien, a dit la Supérieure.

Un rire s'attardait dans sa voix, le souvenir de ces cellules troglodytes.

— Bien, disait-elle.

Problème réglé. Problème d'un côté et solution de l'autre, les deux ensemble (incongruité nonobstant) égalent problème réglé, donc plus d'incongruité.

Je l'avais interceptée à son retour d'une série de courses en ville avec la deux-chevaux. Elle avait encore ses chaussures trotteurs aux pieds et son imperméable, droit, sans fantaisie, il me rappelait les vêtements que portaient les mamans de notre ville, les mamans qui n'étaient pas Nicole.

— Qu'est-ce qu'il y a?

— Votre imperméable.

— Quoi? disait la Supérieure étonnée.

— Il ressemble à ceux des femmes... en ville.

— Et comment voulez-vous que je conduise cette pauvre deux-chevaux? En robe longue? Je l'ai acheté aux Dames de France et j'en suis très contente, moi.

Et elle riait de nouveau, en tapotant l'imperméable avec satisfaction. Quel âge avait-elle, cette Supérieure? Guère plus que moi et il n'y avait pas une ombre sur son visage. Sûrement les sœurs l'avaient élue pour son caractère gai et pratique.

— Mais je suis contente que vous me parliez un peu, de futilités, de vêtements, peut-être regrettez-vous les vôtres, vous aviez un très beau costume lorsque vous êtes arrivée ici... Je l'ai vu, vous savez !

Sœur théologue était dangereuse parce qu'elle voulait mon âme. Mais sœur supérieure était encore plus dangereuse parce que l'âme ne l'intéressait pas mais l'équilibre, « il faut des femmes équilibrées à la communauté... ».

— Et n'oubliez pas, ce n'est pas un Carmel ici ! disait-elle dans un dernier rire, me renvoyant d'une main et de l'autre rajustant son voile.

Pour mon équilibre sans doute, la Supérieure un jour m'avait envoyée aux cuisines faire la vaisselle, je m'étais trompée de direction, et j'avais débouché sur un couloir différent des autres. Il faisait penser à un vieux grenier.

Les planches du sol n'étaient pas cirées, elles avaient une couleur de poussière, les murs aussi semblaient couleur de poussière, et les portes de même, portes qu'on apercevait régulièrement espacées sur le mur et dont on devinait qu'elles donnaient sur des pièces désertes, oubliées. Le monastère avait dû connaître des jours plus fastes, quand toutes les cellules étaient occupées, puis il avait perdu — une à une au petit cimetière posé discrètement sur le coteau herbeux le long du mur de clôture — ses sœurs les plus âgées, que personne n'était venu remplacer, maintenant ce couloir servait de débarras, on voyait sur le rebord d'une fenêtre des pots de conserve vides, avec des étiquettes délavées, dans un coin des paniers entassés les uns sur les autres, un balai qui avait perdu son fagot.

Mais je m'étais trompée sur un point, ce n'était pas les cellules qui donnaient sur le jardin de silence, mais le couloir. Et je m'étais trompée sur un autre point : pas de dalles dans ce jardin, comme j'avais cru le voir le premier jour, mais une pelouse, une pelouse ! Les cellules, elles, donnaient sur l'arrière du domaine. Le sol, en dénivellation forte à cet endroit, bouchait la vue des chambres, mais dénivellation ou pas, il y avait là une véritable cour de ferme, où picoraient les poules, avec une grange où les sœurs entreposaient leurs récoltes et mettaient à sécher les draps, un vivier plein de poissons aux nageoires vigoureuses, la cabane à outils du jardinier...

Et tout cela était encore plus redoutable que le paysage de carte postale de ma première chambre. Oh, elles étaient loin d'être troglodytes, ces cellules ! Il y avait des chats aussi. Les chats se glissent partout. J'étais effondrée.

« Notre fondateur ne souhaitait pas trop de mortifications... » N'y avait-il pas une vraie cellule dans tout ce vaste ensemble de bâtiments ? Non, il n'y en aurait pas, « notre fondateur » n'aurait pas souhaité que l'une des sœurs se distingue, péché d'orgueil, aurait-il jugé. Péché d'orgueil ! Quel était mon péché à moi ? Péché de dissimulation, c'était le moindre. Et le pire de tous : péché contre l'ordre de Dieu. A sa droite les vivants, à sa gauche les morts, jamais ne vous mélangerez, règlement de Dieu. Voir, oui, certains le pourront, rarement, dans certaines circonstances, autorisées, mais pas de mélange, pas d'aller et retour, jamais. Mais moi si j'arrive à voir, je passerai. J'avais déjà réussi à passer dans ce couvent. De là je passerais certainement plus loin. Un ordre plus rigoureux aurait été meilleur. Mais il ne m'aurait pas acceptée, aurait percé ma dissimulation. « Notre fondateur » avait bien voulu accepter les femmes malades ou handicapées. J'étais passée dans ce lot, cachée sous le ventre de ces brebis faibles. Donc « pas trop de mortifications ». Et à cause de cela pas de cellule. Mais là où il y avait des cellules, de vraies cellules mortificatrices, je n'aurais pas été acceptée.

Je pleurais d'amertume en ouvrant les portes de ces trop vivantes chambres les unes après les autres.

Mais voici que l'une d'elles, la cinquième, paraissait plus sombre. Sa fenêtre semblait obturée. Je suis entrée. C'est tout simplement qu'elle avait pour vis-à-vis un pan avancé du mur de la grange. « Notre fondateur » n'avait pas pensé à cela !

On ne voyait pas les poules, ni le linge, ni les récoltes, ni celles des sœurs qui vaquaient à leurs tâches par là. On ne voyait pas la montagne, ni le ciel au-dessus, ce ciel qui accompagne toutes les humeurs des vivants, à tel point qu'on ne peut le regarder sans penser à ces humeurs multiples des vivants, sans être saisi par des nostalgies, des angoisses, des espoirs, des rêves, des exaltations, oh il y a trop de choses dans le ciel, il a les nuages qui ont des formes et dans ces formes on peut retrouver toutes celles de la terre et celles jusque-là insaisissables qui errent dans l'esprit, il a le soleil, la lune, il a toutes les teintes, et pis encore tous les degrés de l'obscur et du clair, comme les intensités de l'âme, il a le vent, les éclairs, il a les avions, les fumées, et plus que cela, il reflète tous les souvenirs de tous les vivants qui courent sous son regard dans les sentiers enchevêtrés de leurs histoires. Qui peut lever les yeux vers le ciel et ne pas voir un moment de sa vie ou un autre ? Et ainsi de tous les vivants qui ont existé, jusqu'à la nausée. Mais ceux qui sont morts sont dans la terre et le ciel ne les voit plus.

Je ne trouverai que des souvenirs dans le ciel et je ne veux pas de souvenirs, je veux mon frère, ne me donnez pas une cellule ouverte sur le ciel, donnez-moi une cellule sans lumière et sans vue. Je ne trouverai pas mon frère non plus dans l'équilibre (« il faut des femmes équilibrées à la communauté », répète la Supérieure en me regardant placidement, oui ma mère, mais je me moque de votre communauté), pas d'équilibre, mais l'extrême pointe de la concentration de mon être, c'est par ce chemin étroit que je ramènerai mon frère devant moi, il faudra une énorme concentration filant par un tunnel très étroit pour le trouver dans son royaume des morts et l'aspirer jusqu'à moi. Un éclair filant puis la force d'aspiration d'une tornade. Il n'y a pas d'autres possibilités devant moi, pour cela il faut éliminer le ciel, la terre, les vivants, il faut dresser autour de moi cette barrière de paroles blanches, de visages lunaires, de corps en scapulaire, et des murs, des murs.

Je longe le mur du réfectoire pour rejoindre la cuisine où je tire l'humble vaisselle des sœurs hors du grand bac d'eau bouillante.

Mes doigts sont trop sensibles encore, l'eau les brûle, elles me donnent une écumoire, avec l'écumoire j'attrape les assiettes qui gisent par le fond comme d'étranges poissons plats, je les tire vers le haut et dès que leur dos circulaire apparaît à la surface je les attrape et les pose entre deux plis du torchon, et je les frotte, les frotte, les empile.

La buée se met sur les vieux carreaux grillagés, bientôt elle masque le dehors, la cour, les poules, le linge, et le chat juché sur le rebord, plus rien, alors je me tourne et regarde la vitre embuée.

Si je regarde le sol, à un moment ou un autre je vois les pieds des sœurs.

Certains sont dans des sandales, nus, alors ils ont une forme, ce sont des pieds de vivants, je ne veux pas les voir. Certains sont dans des chaussures de ville, à petits talons même, et alors ces chaussures ont une forme, elles ont été choisies dans des magasins, des magasins de la ville, les sœurs vont donc en ville, elles choisissent des chaussures, elles sont vivantes, trop vivantes.

Il vaut mieux porter le regard plus haut, elles ont un uniforme, le scapulaire oui, mais elles portent des tabliers pour la vaisselle, des tabliers en nylon, en jean avec une fermeture Eclair devant, en plastique à relief, des tabliers imprimés. Qui les a cousus, choisis, offerts ? Des vivants, encore des vivants. Ne regarde pas les souliers Estelle, ne regarde pas les tabliers, monte le regard plus haut, mais plus haut il y a les visages.

Dans la cuisine les visages sont trop proches.

Plus haut encore, les voiles.

Les voiles au moins sont tous pareils, oui mais pas tous accrochés pareil sur les têtes, certains laissent voir les cheveux, les cheveux sont bruns ou blanchis, ils ont une implantation sur le front, comment sont-ils en dessous, taillés aux ciseaux ? de même manière pour toutes ? sur la nuque ou plus haut ?

Trop de questions, je ne supporte pas de voir des cheveux de vivants.

Les jours passent et je vois que les voiles eux-mêmes trahissent. Il y en a des longs, tels que je les aurais voulus, longs et noirs et enveloppants, mais il y en a aussi des bruns et des beiges et des blancs. Certains sont courts, très courts, de simples mouchoirs noués. Et ils n'ont pas tous les mêmes plis. Les voiles aussi portent la marque du vivant.

Un matin j'ai vu une jeune sœur penchée sur le dos cassé d'une vieille sœur et arrangeant les plis de son voile, avec ses mains qui étaient plus parlantes qu'une bouche, des mains attentives, expertes, dans l'ennui et la répétition bien sûr, et tout de même faisant leur tâche et y retrouvant de l'intérêt, l'éternel intérêt qu'il faut bien pour arriver au bout d'une tâche, et qui est toujours là de toute façon dès qu'il y a du vivant.

Je détourne les yeux, mais les mains sont partout, comment ne pas les voir?

A la chapelle, elles sont à la scène. Elles sont les petites bêtes domestiques qui portent les psautiers et font tourner les pages, tourner les pages des prières selon les heures, selon les jours, selon les années. Elles sont les oiseaux chargés de porter la plainte et la louange des humains, elles s'élèvent à tire-d'aile puis s'arrêtent à mi-vol, renversées sur la paume, offertes alors comme des ventres de chat, et je regarde intensément pour voir si le doigt du Grand Ordonnateur ne va pas venir les chatouiller, dans leur petit creux, mais elles redescendent, se serrent l'une contre l'autre, que tiennent-elles? la mouche de nos jeux d'enfants? si j'éternue, si je crache, si je fais un grand bruit dans cette chapelle recueillie, ces mains vont-elles s'ouvrir, s'ouvrir et laisser échapper chacune leur mouche, nuage voletant au milieu de la chapelle, dans mes mains il n'y a pas de mouche, il ne faut pas que je regarde ces mains.

Mais il y aura pire, bien pire, il y aura les mains de sœur théologue, et puis après il y aura les yeux, les voix, il ne faut pas...

La vaisselle oui, j'y retourne après chaque repas. Dans un de leurs livres j'ai lu « offre la plus humble de tes tâches, offre tes contrariétés et tes peines », est-ce ainsi que cela marche pour elles? Elles offrent un sacrifice et elles reçoivent, que reçoivent-elles, comment ferais-je pour recevoir mon frère, il faut les guetter, suivre leur exemple, si elles sont là c'est qu'elles ont trouvé celui qu'elles sont venues chercher, l'une des sœurs se tourne soudain vers moi, un bon sourire sur le visage, « on peut parler maintenant », dit-elle en me montrant l'horloge embuée au-dessus. « Notre fondateur » ne souhaitait pas trop de mortifications, les sœurs font vœu de silence, mais il y a des moments de récréation. Je baisse les yeux, que dire ?

— C'était une grosse vaisselle.

— Oui, dit la sœur ravie en essuyant les mains sur son tablier, une vraie grande vaisselle de communauté.

Une autre sœur arrive, elle apporte sur un plateau la vaisselle sale des sœurs trop âgées ou trop malades pour descendre au réfectoire. Toujours après la grande vaisselle arrive la petite vaisselle, je reprends l'écumoire et le torchon, la sœur fait une chose inhabituelle, elle s'interrompt dans son affairement, s'appuie contre le rebord de l'évier.

— La cuisine pour trente personnes, ces grandes vaisselles, dit-elle avec un soupir, toute la semaine ! Il faut beaucoup de vertu pour faire cela toute la semaine.

Puis sa voix s'allège, s'éclaire :

— Pas toute la semaine. Depuis Vatican II, nous avons droit à un jour, un jour où nous ne sommes pas à la cuisine.

Je garde les yeux au mur, celui sur lequel est accrochée sur une barre de bois transversale une quantité très abondante de louches, égouttoirs, écumoires, couteaux, tout ce qui a un manche avec crochet. Je m'accroche là, moi aussi.

Ce long discours de la sœur... tous ces mots, toutes ces choses de vivant, « vertu, Vatican II, un jour par semaine », je ne veux rien savoir de ces choses, énorme et pesant discours, peu de mots mais chaque mot comme un attelage tirant une suite infinie de charrettes, toutes chargées jusqu'à ras bord, les tombereaux du monde, guerre, guérilla, grèves, grèves de la faim, revendications, prisons, féminisme, intégrisme, racisme, guerre, mon visage se crispe, une autre sœur maintenant déverse un seau d'eau claire sur la grande pierre plate, creusée par le milieu, où elles lavent les récipients les plus vastes. Je voudrais dévier le discours de la sœur vers cette large pierre, qu'il soit balayé par la vague d'eau claire qui sort du seau, qu'il s'en aille par le trou d'évacuation et que les poules qui attendent au-dehors le picorent et le digèrent dans leur gésier et estomac de poule.

Que le silence revienne comme un mur autour de moi, mes sœurs ne me dérangez pas, il faut que je pense à celui qui est mort. Dans le couloir de vos cellules, j'ai vu cette phrase, écrite avec soin sur un papier que vous avez encadré :
« Afin de respecter la prière de chacune, veuillez garder le silence absolu dans le couloir et dans les chambres. »
Ne voyez-vous pas que je prie partout, qu'il ne faut pas me déranger, qu'il n'y a pas pour moi de « récréation », ni de « moment communautaire » comme vous appelez cette heure où je vous entends toutes ensemble piailler dans la grande salle d'apparat qui donne sur le parc d'agrément. Ni temps ni lieu qui ne soit pour la prière, car je n'ai pas trouvé encore celui que je cherche.

Mes sœurs, donnez-moi le silence, et vos vêtements tous semblables, et vos visages comme des lunes, et vos paroles comme les briques d'un même mur, et vos gestes comme le ciment de ce mur, que la vie n'entre pas, que tous les interstices soient bouchés, que la vie n'entre pas, pour que la mort puisse s'approcher. Mes sœurs, ne faites pas le moindre bruit de vie, car la mort est farouche, et il me faut l'apprivoiser pour l'attraper un jour, au détour d'un de ces couloirs, il me faut la piéger dans ce lieu qu'elle aura pris pour une tombe. Lorsqu'elle se sera laissé attirer, je bondirai sur elle et ne la lâcherai plus, jusqu'à ce qu'elle me fasse voir celui qu'elle m'a pris.

D'autres l'ont fait, mes sœurs, je l'ai lu dans votre livre, le précieux livre dans lequel vous lisez chaque jour, c'est pour cela que je suis là, laissez-moi édifier une tombe pour piéger la mort.

60

Quelqu'un marche là-haut

Les heures de la nuit.

Il n'y a pas d'office de nuit ici. « Notre fondateur n'en voulait pas, m'a dit la Supérieure. Il voulait que puissent venir dans cet ordre les faibles et les malades. »

Je regrette amèrement cet office de nuit. Les heures sont vides et harcelantes. Que faire de ce corps couché là ? Il n'y a dans ma tête aucune idée pour lui. Si je suis venue au monastère, c'est pour qu'on lui trouve emploi du temps à ma place, qu'on le pousse d'heure en heure dans des tâches qui ne me sollicitent pas, qui ne ressemblent en rien à ce que j'ai connu. J'ai apporté ici mon corps pour le livrer à un horaire et qu'il n'ait pas le temps de se souvenir et de souffrir. Mais la nuit ?

Je ne peux chercher mon frère la nuit.

La maison est entièrement silencieuse. Que font les sœurs ? Je me lève une fois deux fois pour aller aux toilettes que m'a indiquées la Supérieure le premier jour. Du côté des cellules troglodytes il n'y a pas de sanitaires, « c'était avant Vatican II » m'ont-elles rappelé, des grottes préhistoriques en somme, mais il ne me faut pas penser à des grottes non plus. Je me lève, le plancher craque, dans ma maladresse je laisse aller la porte qui fonctionne avec une petite targette, elle fait un bruit en se rabattant, je la rattrape et fais glisser la targette dans son support, mais elle grince, puis les portes vitrées, trois pour les douches à gauche, une pour le w-c à droite, bruit de gouttes là, la chasse d'eau, si impudique dans ce silence, et encore le plancher qui craque, je jette un coup d'œil au vaste couloir, une petite veilleuse est allumée au centre, le fond du couloir se perd dans l'obscurité.

Toutes les portes des cellules sont fermées, les sœurs dorment, elles ne cherchent pas l'être invisible pendant la nuit. C'est qu'elles l'ont trouvé.

Qu'elles l'ont trouvé une fois au moins et dorment, confiantes qu'elles le retrouveront une autre fois.

« Sans te voir, nous t'aimons,
Sans te voir, nous croyons,
et nous exultons de joie, Seigneur,
Sûrs que tu nous sauves,
Nous croyons en toi. »

Je ne peux chercher mon frère seule la nuit dans ce monastère. Lorsque les sœurs dorment, lorsque je ne vois pas leur habit, leur démarche, leurs manières, lorsque les offices plantés dans la succession des heures comme de solides colonnes ne font pas du jour une sorte de cathédrale pour servir de soutien à nos actes, je ne crois pas à leur système.

Il n'y a plus autour de moi qu'une maison silencieuse, livrée à l'anarchie du temps, et dans cette maison je ne sais que faire.

Un craquement soudain, au plafond de ma cellule. Quelqu'un marche là-haut, à pas agités, quelqu'un dans une tourmente profonde, les pas sont irréguliers, précipités puis lents, puis de nouveau cette précipitation. Et brusquement plus rien, le silence.

Ce n'est pas la première fois que j'entends ces pas.

La nuit. Ne pas penser. Rester rigide. Que les pensées aussi soient rigides.

Puis je suis debout, trempée d'une sueur glacée, la sueur jaillit de partout, rigoles froides, ce froid qui sort de moi me terrifie. Je pense que j'attends trop, que je perds du temps, il ne se passe rien ici, je me suis trompée de lieu, mon idée était fausse, pendant ce temps mon frère s'éloigne. Où en est son corps maintenant? Bientôt tout en lui sera irrattrapable, il faut que je trouve autre chose, que j'aille plus vite. Il faut que je l'arrête à un embranchement ou un autre dans son cheminement vers l'intérieur du domaine de la mort.

Je suis debout dans cette chambre, autour il y a les couloirs et les escaliers noirs, les portes fermées chaque soir après vêpres par la sœur tourière, plus loin il y a les hauts murs de clôture, je suis prise au piège, je me suis mise moi-même dans ce piège, la sueur continue de ruisseler sur moi.

Au plafond les bruits de pas reprennent, ils sont juste au-dessus de ma cellule, je grimpe sur la table, je suis presque à hauteur, « s'il vous plaît, venez m'aider », je frappe tout doucement sur le plafond, le bruit s'arrête, on m'écoute.

« Mon frère est mort, il faut que je sorte! »

Je me persuade que celui ou celle qui marchait là-haut m'a entendue, s'est mis à genoux.

« Je pensais le trouver ici, mais je me suis trompée. »

Je chuchote, je suis à peine sûre que mes paroles sortent de la bouche, mais on m'écoute, les craquements ont repris plus discrètement, dès que je parle ils s'arrêtent.

« Vous qui ne dormez pas, venez m'aider. »

« Au secours, au secours! »

Je tends l'oreille, les craquements s'éloignent, rapides.

On vient me chercher. Je m'allonge pour attendre.

J'ai dû m'endormir.

C'était vers le milieu de mon séjour au monastère. La sœur m'a dit qu'il y avait des martres dans les greniers.

Bientôt je n'entendrai plus les martres.

Je dormirai, épuisée par les longues journées. Si je ne dors pas, j'irai à l'oratoire ou à la chapelle, et je répéterai les prières que j'ai apprises. Plutôt je les lirai, à petite voix basse, les lirai et relirai, car je n'ai réussi à en retenir aucune. La répétition fait reculer l'effrayante horreur du temps. La répétition est une sorte de toile, il faut la tisser chaque jour, dès qu'on s'arrête cette toile se défait aussitôt, mais dès qu'on reprend, de nouveau elle est autour de vous, solide, protectrice. Elle occupe les démons et permet à l'esprit de guetter celui qu'il cherche.

61

Corridor de la rencontre

Il y a des êtres qui ont vu l'invisible.

J'oublie tout ce que je lis, tout ce qu'on me donne à lire, les prières passent sur mes lèvres et s'évaporent aussitôt, mon corps ne retient rien, il veut être vide, même les souvenirs de mon frère il les repousse. Les souvenirs amèneraient les lamentations, et après les consolations.

Pas de lamentations, pas de consolations.

Ce que mon corps veut, c'est errer dans les couloirs, buté comme un âne, bête et raidi, le front penché, l'œil fixe. Moi je le suis, essayant de le déranger le moins possible.

Au fond de lui il y a quelques images, enfouies, sombres, il n'y touche pas, ce sont elles qui le font se mouvoir, en elles il puise la force qu'il faut pour cet abrutissement.

Les foins sont hauts dans le champ. Les deux cerisiers sont chargés de cerises. Les fermiers les ont cueillies, laissant au couvent un quart de la récolte. Les groseilles sont mûres. Les sœurs de force moyenne s'y rendent chaque jour. Pour le tilleul, ce sont les sœurs de force faible qui s'en chargent. Le jardinier fait tomber les branches. Assises à l'ombre sur les bancs, les trois vieilles sœurs au cou cassé épluchent les branches sur leur tablier noir bien écarté, et jettent les feuilles odorantes dans les paniers.

Parmi les trois j'en connais deux, celle qui vient frapper à ma porte à l'heure des offices, bien que je n'en aie plus besoin, et celle qui me montre ma place à la chapelle, bien que je n'en aie plus besoin non plus. Je reconnais l'une au susurrement de sa voix et la seconde à son geste à la fois tremblotant et autoritaire. Mais leur visage ? Je ne l'ai pas vu, il faudrait que je me baisse, je ne le fais pas. La troisième sœur vient d'un autre couvent qui a dû fermer faute de pensionnaires. « Toutes mortes », m'a-t-on dit. Je suis venue près d'elle, mais elle ne veut pas de moi, et je ne la distingue plus qu'à un certain mouvement du cou qui rabat encore plus le voile, « du large, du large » me dit ce voile.

Les sœurs de force nulle restent à l'étage, certaines ne bougent pas de leur lit. Je ne sais combien elles sont. « Elles se préparent à la mort, dit la Supérieure, elles sont courageuses. » Je vois leur vaisselle qui arrive après la grande vaisselle à la cuisine, et je lave et essuie leurs couverts. Mais quelque chose me retient de leur rendre visite. Mon corps buté m'en détourne. Sœur Béatrice y monte chaque matin, et chaque après-midi elle descend en ville avec la deux-chevaux cahotante pour visiter celles qui sont à la clinique. Toujours à un moment au cours de nos promenades elle me donne de leurs nouvelles. Elle me regarde par le côté. Sans doute pense-t-elle que je suis égoïste, que je ne serai pas une bonne acquisition pour la communauté. Mais mon obstination la provoque. Je suis un os dur pour ses jeunes dents de maîtresse des novices.

Je ne veux pas penser à ce que sent sœur Béatrice. Je voudrais n'avoir pas remarqué son visage de souris prématurément vieilli et le sourire qui d'un moment sur l'autre ramène l'enfance sur ce visage. Trop flétri et subitement trop enfantin, ces écarts fulgurants me prennent au dépourvu, arrachent mon regard à sa fixité, et c'en est fait, le visage s'est glissé en moi, je suis bien obligée de le voir. Et il en va de même pour ses mains, parce qu'elles ont une vie indépendante, elles sont mobiles tactiles érectiles, sans cesse à se démener, c'est tout un discours qu'elles dévident par les côtés, avec véhémence, d'autant plus véhément qu'il est muet. La bouche de Béatrice s'exprime avec mesure et assurance, pendant ce temps ses mains battent la campagne. Elles filent aux tempes, sur la robe, tressautent en l'air, pointent fanatiquement dans une direction, vers laquelle nul ne regarde, l'index s'enroule et se déroule comme une créature d'un autre règne, le médius s'étire avec la complaisance d'un maître d'empire, parfois le poignet se met à trembler et tous les doigts se courbent, petites feuilles pitoyables. Ces mains, pleines de passions assassinées, ont une voix, et comme cette voix ne parle pas, elle m'atteint, je suis obligée de voir. Quant à elle tout entière, la moniale menue et futée, la fine mouche de ce couvent, elle a d'abord été pour moi la maîtresse des novices, puis la sœur théologue, maintenant c'est Béatrice, je voudrais ne pas connaître son nom, ne pas avoir à le prononcer.

Heureusement une postulante est arrivée, une jeune fille de vingt ans, athlétique de corps et de visage, sportive de formation, et belle. Mais cette jeune fille se lance dans la vie religieuse avec la même ferveur concrète que dans la compétition de haut niveau. Sœur Béatrice reprend bientôt ses promenades avec moi dans l'allée sous les peupliers. Qu'importe, mon corps s'est enfoncé plus avant dans l'abrutissement, bien maintenue par lui je ne livrerai à sœur Béatrice que ce que je voudrai.

Les cerises ont été récoltées par les fermiers, les groseilles par les sœurs de force moyenne et les feuilles de tilleul par les sœurs de force faible. Mais il reste les foins.

Il faut balancer la faux sous le soleil, soulever les grillages, arracher et replanter les pieux, déplacer des pierres. Il n'y a que la jeune postulante, sœur Marie-Marthe, et moi qui ayons la force nécessaire. La jeune postulante doit étudier beaucoup. Sœur Marie-Marthe et moi nous retrouvons donc chaque jour dans le fruitier où sont nos vêtements de travail.

Elle enfile un vieux jean sous sa robe, enlève sa robe et passe une veste de jardinier. Pour les cheveux, un voile court, pour les pieds, de grandes bottes. Je fais pareil. Nous sommes vigoureuses toutes les deux. « Fini l'eczéma », constate Marie-Marthe en jetant un regard sur mes bras nus. Déjà elle avance dans le champ avec sa faux sur l'épaule.

Il fait chaud. Nous ruisselons de sueur. Marie-Marthe enlève le voile de ses cheveux, elle enlève la veste de jardinier. Elle a un tee-shirt et ses seins balancent dessous, fermes et ronds. (« *Tu as de beaux seins, Esty, si mes frères te voyaient ! Ne mets pas de soutien-gorge, Esty, et prends mon tee-shirt, tu vas voir mes frères demain* »... Oh Sara, tes frères ne sont pas morts, laisse-moi écouter celle qui est ma sœur ici, elle peut m'aider, pas toi, pas toi Sara, va-t'en, je ne veux pas pleurer, je ne veux pas me souvenir...)

Sœur Marie-Marthe a une histoire aussi qu'elle raconte, dix frères et sœurs, des études d'informatique, « et dire qu'ici c'est moi qui m'occupe de toutes les cultures, j'ai fait venir des livres, ça me passionne, oui ça me passionne ». « Plus que l'informatique ? » « Rien à voir, avant c'était la mort, ici c'est la vie. » Pas un tressaillement sur son visage rude, ses bras vigoureux fauchent. J'ai de la chance que sœur Marie-Marthe ne soit pas sœur Béatrice. Son regard ne me cherche pas. « Ridicule une robe et un voile pour faucher, dit-elle, je me moque bien de ce que penserait la Curie romaine, ce sont de vieux misogynes. » Mais elle ne quête pas un avis. Et dès que la sonnerie de l'office retentit, elle ramasse aussitôt le voile et descend vers le fruitier pour se changer. Même le hâle de sa peau semble disparaître et dans la chapelle son visage ressemblera, comme celui des autres, à une lune pâle sur une lande noire.

« Sœur Béatrice a la foi de l'herbe et sœur Marie-Marthe la foi du caillou », me dit un jour la Supérieure de sa voix placide, mais sous sa bonhomie il me semble entendre une proposition. Voilà deux voies possibles, l'une d'elles te convient-elle ? Et je m'effraie en pensant à l'herbe qui ensemence à l'insu de tous, et au caillou qui peut vous atteindre en pleine tempe. Heureusement je vois peu la Supérieure, elle a beaucoup d'occupations de tous côtés.

Après l'office, pendant ce qu'elles appellent le « moment communautaire » — le moment récréatif qui les rassemble toutes dans la grande salle d'apparat où il y a un piano, un magnétophone, des jeux de dames, de la broderie et des fauteuils — je retourne au fruitier.

Dans l'odeur de terre, de poussière, et de fruits suris, je viens retrouver la seule sœur qui puisse m'aider.

Cette sœur n'est pas ici, elle est morte en 1923, elle devait être timide et bornée, sa vie a été douloureuse, mais elle a vu celui qu'elle voulait voir. Elle s'appelait sœur Josépha.

Le livre qui raconte ses visions, je ne l'ai pas trouvé à la bibliothèque de la communauté, ni à la bibliothèque de sœur Béatrice, ni dans le bureau de la Supérieure ou sur le rayonnage de l'oratoire.

Je l'ai trouvé en faisant de l'ordre dans le fruitier, derrière un empilement de caisiers, sale et en partie déchiré, peut-être les pages avaient-elles servi à tapisser le fond d'un panier, les paniers à groseilles parce que les groseilles tachent. Il y a des taches rouges sur les pages qui restent.

C'est le seul livre que je lis pour moi. Je lis tout ce que me donne sœur Béatrice, mais je le fais pour elle, à cause de ma ruse. Et de tous ces livres-là je ne garde que l'écorce et crache le jus, pour qu'il ne m'imprègne ni ne me nourrisse.

Mais le livre de sœur Josépha n'est pas vraiment un livre. Ce n'est qu'un mot, un seul, les phrases ne sont là que pour porter cet unique mot, et ce mot c'est « voir ».

A travers un fatras d'images pieuses et de statues naïves et de commentaires imbéciles, à travers des niaiseries cafardes et bigotes, je piste un seul mot, « voir ». Et il me convient que les phrases soient idiotes, le décor sommaire, les personnages déplaisants, et Josépha elle-même ratatinée, ce ne sont que des buissons à écarter, le travail dans les champs m'a donné l'habitude de ce genre de besogne, grands coups de faux, fagots à pleines brassées, racines, un pas après l'autre, dos courbé, soleil rude, mon esprit buté se déplace sans peine dans l'espace crûment colorié de ce pitoyable livre, pas d'obstacle pour atteindre le mot qu'il cherche : « voir ».

Si on m'avait demandé : « que sais-tu des êtres qui ont vu l'invisible ? » je n'aurais rien eu à répondre. Les Mystiques, non je n'avais pu les lire. Sournoisement peut-être, pour me tester, Béatrice m'a donné à lire sainte Thérèse d'Avila et saint Jean de la Croix et Catherine Emmerich et un livre traînait un jour à l'oratoire, un livre de poche, comment ne pas le remarquer ici? C'était *Marthe Robin*[1].

Thérèse, elle m'épuisait, trop de gens autour d'elle, trop d'activités, Jean, je glissais sur ses métaphores, le livre sur Catherine narrait d'abord son enfance, c'était trop long, et Marthe, le problème que posait sa simple existence ne m'intéressait pas. Etait-il vrai qu'elle ne pouvait ni boire ni manger ni recevoir la lumière ni remuer les jambes et pourtant vivait, conseillait et sa voix était douce et envoûtante?

Mon frère ne mangeait ni ne buvait ni ne voyait la lumière, mais il ne vivait pas et je n'entendais pas sa voix.

« Que sais-tu des êtres qui ont vu l'invisible? » Peut-être aurais-je énoncé (et ma langue aurait été lourde et embarrassée) les mots suivants : « corridor de la rencontre ». Et si on m'avait dit « qu'entends-tu par là? », ma langue se serait liée à mon palais.

Véritablement je ne pouvais que voir : l'image d'un couloir sombre et quelque part au milieu, un rayonnement.

Voici comment cela s'est passé pour l'un de ces êtres qui ont vu l'invisible, pour sœur Josépha, humble moniale du couvent des Feuillants à Poitiers dans la première moitié du XXᵉ siècle.

Elle travaille à la lingerie quand, soudain, Il se présente à elle. Mais l'ouvrage presse, elle Lui demande de pouvoir rester à sa tâche, s'excusant néanmoins de cette liberté...

Le soir, tandis qu'elle monte au troisième étage pour fermer les fenêtres dont elle est chargée, elle continue en marchant à redire son amour à Celui dont la pensée ne la quitte jamais.

« Soudain, en arrivant dans le corridor d'en haut — écrit-elle — je Le vis au fond venir à ma rencontre. »

Il est environné d'une clarté radieuse qui illumine l'obscur et long corridor, Il marche vite, comme s'Il était pressé d'aller au-devant d'elle.

« — D'où viens-tu? lui dit-Il.

— De fermer les fenêtres, Seigneur!

— Et où vas-tu?

1. *Portrait de Marthe Robin*, Jean Guitton.

— *Je vais finir, mon Jésus.*

— *Tu ne sais pas répondre*, lui dit-Il.

Je ne comprenais pas ce qu'il voulait dire. Il reprit :

— *Je viens de l'Amour, je vais à l'Amour. Car que tu montes ou que tu descendes, tu es toujours dans mon Cœur qui est l'Abîme de l'Amour. Je suis avec toi.*

Il disparut, mais Il me laissa une telle joie que je ne sais la dire. »

Celle-ci, qui a vu l'invisible, l'a vu dans un lieu tel que celui que j'ai trouvé. Dans les monastères, il arrive qu'on voie l'invisible. Je suis donc venue dans un monastère.

Le monastère est fait de murs immobiles qui enclosent un espace. A l'intérieur de cet espace, je pourrai faire surgir l'invisible, si je suis attentive, si ma concentration est totale, si je réussis à mater le temps, si mon esprit est assez vide.

Je me faufile à travers une forêt d'Epines, de Cœurs, de Plaies, de Bras, de Petits Pieds, de ruissellements de Sang et de Larmes, fauche, fauchant à grands coups, à coups grossiers, Josépha, où vois-tu celui que tu vois ?

« *Tandis que je monte au troisième étage pour fermer les fenêtres...* »

Quand, Josépha ?

« *Pendant que je balaye l'escalier...* »

« *Tandis qu'elle balaye l'antique cloître des Feuillants au carrelage primitif...* »

Quand encore Josépha ?

« *Plus tard...* »

Où, plus tard ?

« *Alors qu'elle va chercher du charbon au jardin...* »

Où encore ?

« *... à la lingerie où je travaillais...* ».

« *...au dortoir où est mon lit...* ».

Au dortoir, Josépha ?

« *J'étais au dortoir faisant le lit des enfants...* »

A l'oratoire aussi, à la messe, dans la cellule d'une sainte ou d'une autre, en contemplation, mais ces lieux je les évite, elle y voit trop de choses qui me fatiguent, des choses qui brillent, brûlent, enflamment, jaillissent, trop de charivari pour celui qui s'enfonce inexorablement dans la poussière de la mort.

Quand je trouve Josépha dans l'escalier, au jardin, à la lingerie, à ses balayages, ou raccommodages, ou vaisselles, je m'arrête. Ce sont comme des clairières pour moi, mon esprit atrophié se repose en ces endroits. Josépha, au grenier que se passe-t-il ? Car ce matin-là elle est au grenier « *... préparant le linge pour la lessive, dit-elle, et comme je n'ai d'autre désir que de réparer, je demandai tout simplement à Notre-Seigneur de lui sauver autant d'âmes qu'il y avait de mouchoirs à compter...* »

De quoi parle-t-elle, Josépha, pourquoi parfois ne veut-elle plus Le voir, pourquoi recule-t-elle ? Elle lui a dit qu'elle avait peur, qu'elle voulait rester dans la vie ordinaire, les visites de Celui qu'elle aime tant l'effrayaient, elle ne se sent pas digne, elle a peur des ruses du diable, elle redoute la méfiance de sa communauté. Elle lutte et puis elle cède. Et alors elle s'effraie de nouveau, comment a-t-elle pu douter de Lui, qui est-elle pour se refuser à Lui ? Son corps tremble, son esprit se fustige, elle veut réparer, et elle Lui offre de sauver des âmes. Autant d'âmes que de mouchoirs. Des mouchoirs pour des âmes. Au prix de sa souffrance de pauvre mortelle.

C'est cela que je démêle à grand-peine, après plusieurs lectures, parce que je ne comprends pas et que la tête me fait mal.

Je ne la suis plus, Josépha, elle parle comme celles d'ici, comme Marie-Marthe ou Béatrice ou Madeleine, elle n'est plus ma sœur et la sœur de mon frère, j'ai envie de pleurer.

Josépha Ménendez, petite couturière espagnole, origine modeste, coadjutrice de la Société du Sacré-Cœur, humble et effacée, s'est crue l'instrument du Salut des âmes, s'est offerte en sacrifice, a terriblement souffert en sa chair, est morte à Poitiers à l'âge de trente-trois ans, encore méconnue aujourd'hui et toujours pas canonisée...

Tout cela m'est bien égal.

Et peu m'importe aussi la transaction entre Josépha et son amour, les souffrances de l'un contre les souffrances de l'autre, qu'elle porte Sa croix afin qu'Il se repose, qu'elle Lui donne son âme afin qu'Il sauve d'autres âmes, car *l'amour n'est pas aimé,* c'est ce qu'il dit ton amant, *l'amour n'est pas aimé,* oui mais l'amant, lui, est aimé, pauvre Josépha, je voudrais l'arracher à ce livre, pauvre gosse maladive à la tête fragile, la faire soigner, notre docteur Minor aurait su, qu'elle voie et aime sans chagrin au milieu des marguerites et des boutons d'or sur notre prairie dans le soleil, Minor aurait su, « mensonge ! » avait-il crié sur la route... mais Minor est mort, il ne peut m'aider, il ne peut aider personne. A Josépha on a offert l'amour et pas l'amant, et puis une transaction sauvage, Lui qui la demande, elle qui accepte, Lui pour sauver ses âmes, elle pour Le seconder, et les rebuffades, marchandages, tergiversations, trop compliqué, je n'arrive pas à suivre les détours tortueux de leur affaire, j'ai envie de pleurer, je suis seule de nouveau.

— Mais qu'est-ce que tu fais dans le fruitier, dit Marie-Marthe de sa grande voix vigoureuse.

Sa silhouette en contre-jour s'encadre dans la porte, qu'elle emplit presque entièrement. Ainsi elle me distingue mal.

— Je prie.

— Mais ça pue ici, la vieille poussière et le rat. Pouah ! Comment peux-tu prier là-dedans !

— Je viens.

Heureusement Marie-Marthe est impatiente, « on a eu du mal avec elle, m'a dit la Supérieure, c'est un cheval emballé », elle ne m'attend pas, elle s'éloigne déjà.

Josépha, fini pour aujourd'hui, encore une phrase, quand même, n'importe quelle page, au hasard. « *Ce qui m'a consolé aujourd'hui, dit-Il, c'est que tu ne m'as pas laissé seul.* »

Je sors retrouver Marie-Marthe, elle est déjà dans le champ du haut, je cours, effarouchant les poules et faisant se retourner Madeleine-Marie qui porte une bassine de linge, je gravis le talus près du vivier où luisent les sombres écailles, je suis essoufflée, en nage, mais soulagée pour l'instant et de toute façon sœur Marie-Marthe est en pleine effervescence, l'herbe et la terre volent autour d'elle, il y a un trou sous le grillage par où s'introduisent... quoi ? Je n'ai pas écouté.

Je suis venue pour ne pas te laisser seul mon frère et te consoler quand je t'aurai trouvé.

Celle qui a vu l'invisible l'a vu dans un lieu tel que celui où je suis parvenue. Dans les monastères il arrive qu'on voie l'invisible. Je reste donc dans le monastère.

« Soudain, en arrivant dans le corridor d'en haut, je le vis au fond venir à ma rencontre. »

Ici il y a beaucoup de corridors, galerie à arcades autour du jardin de silence, couloirs larges et rectangulaires aux étages, petits passages obscurs entre les salles.

Je marcherai dans ces corridors où le temps n'existe pas, où rien ne se passe qui pourrait recouvrir ma détermination et cette idée que mon frère peut être vu, je marcherai autant d'années qu'il le faudra, hors du temps, concentrée, vide.

Corridors du monastère. C'est là que j'attends mon frère.

J'ai besoin des sœurs pour tenir le temps comme je le veux autour de moi.

La nuit, sans leur présence, je ne peux rien. Les souvenirs arrivent, la douleur et l'incertitude m'assaillent, j'entends le monde autour qui continue sur sa lancée, les trains, les avions, rumeur des voitures au loin, la pluie ou l'orage, le temps m'enlise, le temps enterre ma détermination, l'idée que mon frère peut être vu pâlit, le grondement des trains, des voitures, des avions écrase cette idée, la lacère, c'est comme si on me dépeçait, je pourrais devenir folle pendant ces nuits. Le temps me happe, me tire, je résiste, ne veux pas me laisser prendre dans ses engrenages, s'il m'emporte ce sera que j'aurai oublié mon frère et que je serai morte, j'ai besoin des sœurs pour croire à ce qui me tient ici.

Les sœurs ne parlent jamais de l'invisible. Jamais avec leurs mots à elles. Lorsqu'elles en parlent, c'est par paroles codifiées. Elles font se mouvoir un troupeau de phrases dociles sur l'invisible. J'aime sentir ce discours autour de moi, il me réconforte dans mon obstination mais me laisse libre de chercher qui je veux.

Les sœurs ne parlent pas de ce qui se passe à l'oraison, solitaire ou commune. Chacune sa quête. Je sais bien qu'elles cherchent un homme qui s'appelle Jésus. Cela ne me dérange pas. Ce que je sais surtout, c'est que cet homme est mort il y a bien plus longtemps que mon frère. Il est mort il y a des centaines d'années et pourtant certains l'ont vu, continuent à le voir.

Nicole m'a dit un jour, j'étais tout enfant, nous étions tous trois assis sur le dernier banc à l'église Sainte-Marie-du-Marché, bien serrés car il faisait froid, Nicole m'a dit en rougissant qu'elle avait vu cet homme-là, elle l'avait vu à New York et il ressemblait à Dan. Après elle a expiré longuement puis respiré fort, plusieurs fois. Dan était dans mes bras et son visage rayonnait de beauté.

Si Nicole a vu cet invisible, mort il y a tant d'années, et si cet invisible ressemblait à Dan, alors moi qui suis bien plus concentrée et volontaire que Nicole j'arriverai bien à voir Dan, qui ressemble à cet être invisible, mais qui a l'avantage sur lui d'être mort il y a très peu de temps.

Voilà la logique de ma folie.

Je vois maintenant que ce n'était pas une folie. Que mon corps avait sa sagesse, qu'il ne me laissait pas connaître. Il ne m'avait pas amenée jusqu'à ce monastère pour me montrer un pauvre mort, mais pour poser l'éteignoir d'un temps étouffé sur ma douleur, jusqu'à ce qu'elle se consume. Cela mon esprit ne le savait pas. Je cherchais mon frère. Le voir. Pas d'autre idée.

J'ai besoin des sœurs pour continuer à vivre dans cette folie.

Mais il faut qu'elles restent partie de l'édifice, pièces du monastère, il faut que je voie leurs longues robes et leurs voiles devant moi comme un mur, mouvant certes, mais un mur, la superstructure mobile du monastère.

Je les veux dans leur habit de nonne et leurs paroles codifiées et leur silence. Je veux leur pas glissant et retenu, je veux leur tête inclinée, le rituel de leurs mains, leurs agenouillements, leurs chants, je veux les uniformes qui se hâtent en silence dans les couloirs, les uns derrière les autres, et les voiles penchés, et le rituel des repas et des offices et des horaires et des saisons. Et cimentant tout cela, je veux les lignes de leur grand livre, qu'elles lisent chaque jour de leur voix lente et soutenue, ce fil qui court à travers notre temps et le tient ensemble, je veux bien m'y percher, le lire, le répéter, le chanter, qu'importe, j'oublie aussitôt.

Je veux bien aussi en parler avec sœur Marie-Christophe, en discuter les dates, les traductions, les épisodes, les significations, qu'importe, ce savoir s'accroche sur moi et ne pénètre pas, je l'oublie et le retrouve à volonté, c'est tout cela que je veux.

Mais il ne faut pas que les sœurs s'approchent trop près, que je voie leur visage, que j'apprenne leur passé, que je découvre leurs goûts, manies, caractères. Dans ce lieu magique que je m'efforce de maintenir pour la venue de mon frère, il ne faut pas qu'une histoire individuelle pénètre et amène ses miasmes, le travail du temps, la décomposition et recomposition de la vie. Je ne veux pas les entendre parler, je hais Vatican II qui a introduit de la vie dans ce lieu que je voulais hors du temps.

Tout mon séjour au monastère ce sera cette lutte pour garder les sœurs autour de moi et les empêcher d'approcher.

Mon intelligence ancienne est morte avec mon frère, mais de son cadavre un surgeon a poussé, maigré, tordu, résistant comme une mauvaise plante, c'est la ruse. Je suis devenue rusée.

Ce n'est pas mon intelligence qui parle avec Béatrice (ce nom, je le sais maintenant, irréversiblement), lorsque nous nous promenons dans les allées du domaine ou dans la galerie autour du jardin de silence, ou dans la salle des novices, ou dans la petite bibliothèque-oratoire qui est son lieu favori, ce n'est pas mon intelligence qui parle avec elle, mais ma ruse.

Béatrice était professeur de philosophie dans une école privée, c'est elle que les sœurs m'ont déléguée pour me sonder, m'aider, et à la fin ultime pour me garder ou me rejeter. Je l'ai su tout de suite, j'ai su qu'elle serait ma pire ennemie et mon plus grand combat.

Si la Supérieure m'avait prise sous son aile, je n'aurais pu lutter.

Elle est trop pratique et directe. Mais Béatrice a mon âge, c'est la première fois qu'elle est maîtresse des novices, je suis sa première proie, et elle pense plus à sa chasse qu'à moi, c'est ma grande chance.

Elle, je serai obligée de la regarder en face, de la détacher du mur mouvant des religieuses en uniforme, je serai obligée de voir comment bougent les traits de son visage, et d'entendre les intonations particulières de sa voix quand elle ne chante pas.

Béatrice est choriste et soliste aussi, toute la beauté des offices repose sur elle, mais ce n'est pas là qu'elle est mon ennemie.

Lorsqu'elle chante elle est ma sœur et elle m'aide dans ma quête. Sa voix me place au centre même où je veux être, toute ma tension et ma concentration se reforment en l'entendant. Grâce à son chant si pur si constant et lancinant, mon âme échevelée se rassemble, de toutes parts les lambeaux de cette âme me reviennent, je les serre sur le point minuscule d'où je veux appeler mon frère, d'où je veux l'arracher au royaume de la mort.

Béatrice m'aide et je la révère. Elle le sait. Elle a vu mon regard aux offices, la fixité de mon regard sur elle, elle sait que je suis sa servante, que je la suis avec dévotion, avec abjection, que je suis suspendue à son chant et que j'attends d'elle la flamme de ma foi.

Mais en dehors des offices, je suis son ennemie car elle est la mienne. Elle ne sait pas que ma foi n'est pas la sienne, que je veux utiliser sa foi pour faire vivre la mienne, que je suis venue poser mon amour sur le leur comme un vampire. Cela, il faut que je le lui cache.

Si Béatrice me devine, elles me chasseront, un jour ou l'autre. A cette seule pensée, je tombe en défaillance. Je n'en ai pas fini ici, j'ai une tâche à accomplir, j'irai jusqu'au bout, où qu'il se trouve, moi-même je ne le sais pas, mais ma volonté est farouche et ma ruse très résistante.

Béatrice est intelligente. Il y a peu de temps qu'elle porte le voile des professes, qui était noir et est devenu ici bistre clair, depuis Vatican II. Son noviciat et ses vœux temporaires ont été courts. Avant, elle enseignait « au-dehors », comme on dit, et elle sait comment pensent ceux du dehors.

Elle vient me chercher sur ce qu'elle croit mon terrain, ce qui aurait été mon terrain si j'étais venue en visiteuse, ou « regardante », comme elle le croit.

Elle dit « les gens pensent souvent que... les gens de l'extérieur, s'imaginent que... ». Elle rit, les gens de l'extérieur, leurs effarouchements naïfs... nous savons mieux que cela, Estelle, n'est-ce pas ?

Que dit Béatrice ? Je marche à ses côtés, je ne réponds pas tout de suite, mes pensées sont lentes à bouger, je la redoutais ailleurs. Je la redoutais sur mon terrain, celui où je cache le frère que je veux revoir. Je cache dans mon dos un grand jeune homme aux cheveux noir mordoré, si Béatrice me demande « qui est celui-là qui est derrière toi ? » je dirai « il n'y a personne derrière moi, c'est mon ombre ». J'ai peur sans arrêt qu'elle ne me débusque. « *Estelle, vous êtes ici par chagrin d'amour, on n'entre pas au couvent par chagrin d'amour, on entre au couvent parce qu'on cherche...* » « *Mais je cherche, Béatrice.* » « *Oui, mais tu cherches un homme de chair et de sang, avec un sexe souple et ferme pour frotter la chair de ton sexe, et des mains pour tenir tes seins dans leur coupe, et des yeux brillants pour te faire croire à l'éternité de l'amour.* » Mes genoux s'entrechoquent, je tremble d'entendre ces paroles, que dirais-je ? « *Vous aussi vous cherchez un homme de chair et de sang, un homme avec une plaie au flanc gauche, et une plaie dans chaque main, et sur le front des perles de sang.* » « *Mais celui-là est Dieu et nous le cherchons pour le reste de l'humanité.* » Je sue d'angoisse, quelle réponse trouverais-je ? « *C'est votre Dieu qui me l'a emporté, si je peux revoir mon frère, alors je chercherai le vôtre aussi.* »

— En bref, nous ne voulons pas la clôture papale, conclut Béatrice, nous voulons la clôture des moines. Et c'est ce que nous avons, de fait, comme vous avez pu voir.

J'acquiesce. Notre conversation s'arrête là aujourd'hui. Le soleil descend sur le grand mur de clôture. J'ai échappé au danger, maintenant j'ai hâte de retourner à la chapelle, d'entendre le soprano si pur de la voix de Béatrice, puis de revenir par le couloir assombri, où sur les dalles glissent silencieusement les formes voilées, et l'orifice obscur de l'escalier les absorbe l'une après l'autre.

« *Soudain en arrivant dans le corridor d'en haut, je le vis au fond venir à ma rencontre.* »

Je marche, je marche dans les corridors.

Il fait jour, j'avance vers la grande fenêtre du fond, un rideau de pluie tombe derrière les carreaux, je le fixe avec intensité, avec lassitude, je le fixe dans l'espoir et dans l'oubli, le rideau de pluie s'écartera par un côté ou un autre, mon frère me fera un signe furtif, j'irai lui parler à travers la vitre, il me dira où il est, ce qui se passe pour lui, quand nous pourrons nous reparler, ce sera court, comme un coup de téléphone d'un bout à l'autre du monde, avec la pluie qui chuinte et les molécules de verre qui grésillent, mais je serai au courant, et je lui dirai ce que je fais dans ce monde des vivants, je lui signalerai, vite très vite, les groseilles et les tilleuls, ça le fera sourire, il me dira comment le faire revenir, je prendrai note soigneusement, puis ce sera fini, rideau de pluie derrière la vitre et crépitement assourdissant, je retournerai à mes tâches au monastère.

« *Il est environné d'une clarté radieuse qui illumine l'obscur et long corridor.* »

Je marche dans le couloir, la fenêtre du fond flamboie dans le soleil couchant, mon regard est aveuglé, je suis obligée de fermer les yeux, soudain mon frère est là, tout entier sur ma rétine, souriant, au milieu des taches de couleur mobiles. « Garde les yeux fermés, continue de marcher, ne dis rien, j'ai réussi à m'échapper, écoute vite ce que j'ai à te dire... »

« *Il marche vite, comme s'il était pressé d'aller au-devant d'elle.* »

Je marche dans le couloir, il y a quelqu'un au fond qui vient vers moi, mon cœur se met à battre follement, il marche vite, comme s'il était pressé d'arriver sur moi, aucune sœur ne marche comme cela. « Dan ! » « Oui, Estelle, oui, tu as réussi, me voici... » Sa voix est riche et chaude d'excitation, je l'embrasse éperdument, « montre-moi ta chambre, Estelle », je l'emmène dans ma cellule, sur mon lit, nous poussons le lit contre la porte, « Dan, c'est vraiment toi ? », « tu vas voir, Estelle, si c'est moi », sa main est sur mon sexe, il fait avec son pouce ce petit mouvement tournant très doux,

« d'un côté et puis de l'autre, tu te rappelles, Estelle », ce mouvement délicat qui réveillait ma chair endormie, envoyait de tous côtés les petits hérauts de l'amour, et après c'était le même petit mouvement, mais avec sa langue, et alors ma chair bondissait, s'avançait de toute part, « alors, c'est bien moi, Estelle ? », et maintenant je le crois et voilà que nous sommes sur ce lit, l'un dans l'autre, nous racontant les mille petites choses de notre intimité, « je ne me lave plus en bas, tu sais, Dan, et je ne me parfume plus », et lui il me dit comment c'est là d'où il vient, je le plaisante sur son corps glorieux, et lui sur mon corps religieux, toute la nuit nous nous racontons ces petites choses de notre intimité, et je sais quand et comment nous nous reverrons, je ne me suis pas trompée, je suis venue où il fallait.

« *Soudain, en arrivant dans le corridor d'en haut...* »
Je marche dans le couloir, ma tête est penchée, il faut que j'aille fermer les fenêtres, il fait nuit, l'hiver s'annonce, je marche comme les sœurs, cela fait si longtemps que je suis ici, je ne pense plus à rien, qu'aux fenêtres à fermer, au dîner bientôt, et soudain un tiraillement léger sur ma robe, je me retourne, mon frère est là, à peine visible dans la pénombre, je le prends contre moi pour le détacher tout à fait de l'ombre, il ne dit rien, j'entends son cœur qui cogne fort, si fort parce que ses côtes sont frêles et sa chair trop mince, « porte-moi sur ton lit » murmure-t-il, je le prends dans mes bras et le porte sur mon lit, personne ne nous a vus, et sur mon lit il reprend force, « c'était l'effort d'arriver ici, murmure-t-il, tu ne pensais plus à moi et justement j'avais trouvé le moyen de te rejoindre, mais tu ne pensais plus à moi, quel effort il me fallait, tu te rappelles ce que tu disais, il faut être deux pour faire un couple, et là j'étais tout seul pour faire notre couple ». Je pleure, mon corps se défait dans mes pleurs, mon frère s'affole, « ne pleure pas, Estelle, mon amour », mais les larmes coulent malgré moi, mon frère est une ombre et je deviens une flaque d'eau.

Je marche, je marche dans ces couloirs, les saisons passent, j'attends partout, toujours, je n'ai pas encore revu mon frère.

62

Elles veulent me tuer

Une chose s'est passée.

Depuis quelque temps je suis revenue dans ma première cellule. La Supérieure en a décidé ainsi. Elle n'a pas donné d'explications. Je n'ai rien demandé.

La nuit, dans le grand couloir central, il n'y a aucun bruit. Pourtant j'ai entendu un léger chuintement. Oh il fallait l'entendre avec la tête, car le silence était profond, mais je l'entendais.

Les sœurs aussi ont dû l'entendre, elles se sont assises dans leur lit. Maintenant elles attendent. Le chuintement passe devant leur porte, une à une elles se lèvent, glissent les pieds sur le sol. Elles ne se sont pas déshabillées la veille, elles ont encore leur scapulaire, seuls leurs pieds sont nus. Elles attendent encore un peu puis elles glissent vers la porte, leurs pieds nus font si peu de bruit. Toutes les portes s'ouvrent en même temps, pas même un grincement, dans la galerie pauvrement éclairée, elles se rejoignent. La mère supérieure les dirige.

Elles viennent me tuer.

Alors pour la première fois je prends conscience du grand bâtiment isolé, des hectares de terrain qui nous entourent, du mur d'enceinte qui sépare ces terrains de la route, la ville est loin en contrebas, il n'y a de vivant ici que les poissons aux fortes nageoires dans le vivier et les chats innombrables et les poules. Pas une porte dans le mur, hors le grand portail de devant que la sœur tourière ferme chaque soir et celui derrière qui donne sur les champs.

Elles sont tout près maintenant, je les devine massées à quelques pas de ma cellule, comment ai-je pu me croire avec elles, parmi elles ? Elles se sont jouées de moi dès le début. Elles sont grandes, la Supérieure est la plus grande, elles avancent d'un seul glissement.

Elles viennent me tuer, c'est normal, personne ne saura jamais, mon corps ira aux poissons, aux chats, aux poules, c'est normal, la Supérieure a un couteau, j'ai peur, atrocement peur.

— Qu'est-ce qu'il y a ?

Phil a allumé la lumière.

— Claire, réveille-toi...

Phil me tend un verre d'eau, il relève mes cheveux qui sont trempés de sueur.

— Eh bien, eh bien, dit-il.

Ce cauchemar, je l'ai fait vers la fin de mon séjour au monastère, je croyais l'avoir oublié, les sœurs sont immenses, plus hautes que le couloir où elles marchent, mais le plafond se soulève à mesure...

— Claire, ne te rendors pas !

Je dis :

— On voulait me tuer. Je ne trouvais pas la porte.

— Qui voulait te tuer ?

— Des femmes.

— Et la porte ?

— Quelle porte ?

— Claire, dit Phil, il y a quelque chose qui ne va pas.

Il se lève, il marche dans la chambre. De la lingerie jonche le parquet, gracieuses et fines dentelles rouges, parfois noires, c'est lui qui me les a achetées.

Il marche tout nu, l'air préoccupé, sans un regard pour cette lingerie qu'il aime tant, prenant soin toutefois de ne pas mettre les pieds dessus. Son sexe si souvent gonflé va d'une cuisse à l'autre, privé de sa volonté habituelle.

Je ne peux m'empêcher de sourire, mon cauchemar s'écarte un peu, comme Phil m'est cher.

— Qu'est-ce qu'il y a, Phil ?

— Attends, Claire.

— Ce n'était qu'un cauchemar.

— Tu en fais souvent, crois-tu que je ne l'ai pas vu?

— Je n'en fais pas si souvent...

— Et je pense à quelque chose. Je suis un imbécile, Claire, je n'y avais pas pensé avant.

— Tu n'avais pas pensé à quoi?

Il me semble qu'au contraire Phil pense à tout, les courses, les réparations de mon vélo, les places à prendre pour nos sorties, jusqu'aux médicaments dont j'ai besoin pour ces malaises que je continue d'avoir (de l'Alka-Selzer, de l'aspirine, cher Phil, peut-être sait-il vaguement qu'il existe d'autres types de médicaments, qu'il existe des gens qui prennent ces autres types de médicaments, je ne montre pas ceux qui sont dans la poche intérieure de mon sac), et maintenant le café qu'il prépare dans la cuisine pour me réconforter.

Nous avons pris le café.

Qu'importe un café au milieu de la nuit? Je prendrai une de mes pilules secrètes, sans me montrer, et je dormirai. Qu'importe, oui. Pourvu que j'arrive jusqu'à vous, madame.

— Et maintenant viens voir, Claire.

Je passe une de ses chemises qu'il me tend.

— Là, regarde, c'est la porte que j'ai remise parce que tu me l'as demandé. Dans le living il n'y a personne, et là c'est la cuisine, la porte est ouverte, il n'y a personne, et dans la salle de bains non plus il n'y a personne. Et là, Claire?

Il désigne la porte que j'ai toujours vue fermée.

— C'est un placard, dis-je.

— Non, dit Phil.

Avec une clé, il ouvre la porte.

Derrière, une petite pièce très gaie, peinte en rose avec un mur tapissé de papier peint sur lequel courent de grandes lianes où se balancent de petits singes de toutes les couleurs. Un lit étroit de bois blanc, à côté un berceau empli de poupées. Quelques robettes accrochées à des cintres sous une étagère blanche d'où retombent les feuilles d'une énorme fougère (mais ce n'est pas une fougère, oh mon père, comme nous continuons d'être semblables!), verte, éclatante de santé, triomphale.

— J'ai une fille. Elle s'appelle Liliane. Elle a six ans.

Je suis hypnotisée par la plante.

— Comment tu as fait?

— Pour quoi?

— Pour la fougère.

— Le chlorophytum? Je l'arrose quand tu n'es pas là.

Phil avait l'air mécontent. Mais ses irritations ne m'inquiétaient pas, ne m'avaient jamais inquiétée, elles n'étaient pas dirigées contre moi. Oh Phil ne te soucie pas, « *c'est tellement au-delà, docteur, tellement au-delà* », le groupe des sœurs maintenant était arrêté pile dans le couloir faiblement éclairé du monastère, à retardement j'ai répété « Liliane », et je me suis enfin rappelée que cette vision des sœurs n'était qu'un souvenir, le souvenir d'un cauchemar ancien, absurde.

Les sœurs ne m'avaient pas tuée. Le lendemain elles vaquaient toutes à leurs occupations comme à l'ordinaire.

Et moi au monastère je les voyais de plus en plus, je les voyais fortement.

Madeleine dans la cuisine embuée, les mains sur les hanches, son bon sourire lorsqu'elle dit « maintenant on peut parler »,

sa sœur jumelle Madeleine-Marie qui étend nos draps grossiers comme s'il s'agissait de précieuses étoles et répète avec ravissement, quel que soit le temps, « oh encore une grande belle journée pour nous »,

Marie-Marthe, vigoureuse dans les champs et fervente à la chapelle, qui à cause de cette vigueur et de cette ferveur ne peut s'empêcher de chanter trop fort et toutes les sœurs se tournent vers elle, consternées, mais elle ne voit rien et reprend l'antienne à pleins poumons, « un cheval emballé » dit la Supérieure, et dans sa voix l'indulgence est plus forte que l'agacement,

la Supérieure elle-même, qui bavarde à voix basse avec sa vice-Supérieure, mais avec tant d'animation que parfois un éclat de sa belle voix jaillit tout seul dans le silence du réfectoire, et de toute façon ce silence elle est toujours prête à le rompre : « mes sœurs, je vous annonce qu'aujourd'hui nous avons reçu une lettre de notre chère sœur partie fêter les noces d'or de ses parents, elle dit qu'elle va bien, que ses petites-nièces vont déjà au catéchisme, que nous lui manquons. Mes sœurs, je vous annonce qu'aujourd'hui nous recevons une nouvelle parmi nous, elle s'appelle Estelle, je vous demande de l'avoir dans vos pensées pendant notre prière, hein même si c'est le jour des confitures... »

(les moniales connaissent bien l'enjouement irrépressible de leur Supérieure, mais elles n'en profitent pas, elles rient modestement et retournent bien vite à leur silence),

la Supérieure et sa dévotion à Béatrice, dans un missel que celle-ci m'a prêté, j'ai trouvé une image pieuse avec ces mots, « à la plus angélique, à celle qui m'a aidée dans mes heures sombres, puisses-tu continuer à me montrer la voie, pour toujours la plus affectionnée de tes sœurs », signé du prénom de la Supérieure, et j'ai eu la certitude que Béatrice sciemment avait laissé cette image pour que je la voie, pour que j'en lise le message d'amour, moi qui ne donne ni joie ni affection à la communauté,

et aussi les trois vieilles au dos à angle droit qui ont fini par se laisser apprivoiser parce que je casse pour elle les hautes branches du tilleul, l'une a été mariée, l'autre a failli l'être, la troisième a perdu un enfant en bas âge, c'est ce dont elles parlent sous le tilleul, comme n'importe quelles vieilles dames dans un salon de thé, mais avec sérénité et beaucoup d'humour, pour lequel elles finissent toujours par demander pardon, mes adorables vieillardes, que j'écoute, perchée dans le tilleul,

et puis Béatrice encore, ma sœur ennemie, que j'aime et déteste à égale mesure, sa voix dans l'allée de nos promenades, calculatrice, raisonneuse, et cette même voix dans la chapelle, étrange à faire frissonner, du ciel et de la terre à la fois, si émouvante qu'elle pourrait convertir un diable (mais n'étant pas diable, je n'ai pu être convertie), ma sœur théologue au petit visage prématurément vieilli et parfois si merveilleusement enfantin.

Je les vois toutes, je les vois fortement, je suis venue au

monastère pour voir mon frère, mais ce sont elles que je vois. Elles ont pris mon attention chacune à leur façon.

Je voulais un frère, un seul frère, et j'ai trouvé des sœurs, une vingtaine de sœurs. Je ne sais ce que cela signifie, s'il faut rire, si c'est cela la marche de la vie, les choses qui adviennent aux survivants.

Je ne leur ai jamais écrit, madame. Pendant toutes mes années de demi-vie après le monastère je ne leur ai pas écrit, j'y pensais presque tous les jours, et je ne pouvais pas, et c'est elles qui ont fini par m'écrire, par la main de Béatrice...

— Je pourrais me battre, dit Phil. Cette porte, comment ai-je pu penser que tu ne la verrais pas !

— Mais...

— Que cela ne te tracasserait pas !

— Mais Phil...

— Voilà, j'ai une petite fille.

— Oui, Phil.

— Sa mère l'a emmenée avec elle. Nous n'étions pas mariés. Selon la loi je n'avais ni droit ni devoir à l'égard de cette enfant.

— Oui, Phil.

— Elle porte mon nom, je l'ai vue naître, vraiment naître je veux dire, je l'ai élevée bébé et je n'ai ni droit ni devoir !

— Oui, Phil.

— Je t'ai caché tout cela.

— ...

— Je ne sais pas pourquoi.

— ...

— Et je t'ai causé tous ces cauchemars.

— ...

— Ce n'est qu'une petite enfant, Claire, elle ne voudrait pas te tuer.

— ...

— Je voulais peut-être un terrain vierge pour toi, un espace pur à t'offrir.

— ...
— Je te sentais d'un monde différent, j'avais peur.
— ...
— J'ai une enfant.
— ...
— Alors, qu'est-ce que tu dis maintenant, Claire?

Quelque part dans la nuit mal éclairée d'un couloir les sœurs restaient massées en un groupe indistinct, et maintenant cette enfant Liliane avançait dans sa robette à fleurs pâles, au milieu de lianes où se balançaient de petits singes colorés, sous les palmes d'une large plante très verte et pleine de santé et triomphale, des années je me suis acharnée à trouver un fil au destin, oh Dan mon frère, cela n'en finit pas...

— J'ai peut-être fait une erreur, une grave erreur, disait Phil. « *Je vous croyais magiques... mais cette nuit je suis envahi de pressentiments inquiets, si je m'étais trompé du tout au tout, si Minor avait eu raison...* » « Mensonge! » crie Minor jaillissant de la voiture... Oh père... « *Je crois que j'ai commis une grave faute...* » père, ne te soucie pas!

— Toi tu as été simple et directe, disait Phil troublé.
— Ne te soucie pas, Phil.
C'est tellement au-delà, docteur, tellement au-delà...
— Il y a autre chose, disait-il.
— Allons dormir, ai-je dit.
— Mais il y a autre chose.
— Plus tard.
— Tu promets?
— Je promets, Phil.

L'enfant Liliane je devais la connaître peu de temps après. Elle vivait depuis trois ans avec sa mère, puis sa mère a suivi un diplomate, l'enfant devenait une gêne et son père alors a pu la reprendre. C'était cela que Phil voulait tant me dire, que l'enfant revenait chez lui, qu'il ne serait plus tout entier pour moi, ce sont ses mots madame. Nous sommes allés chercher l'enfant à l'aéroport.

C'était un dimanche, sur le périphérique, il y avait beaucoup de voitures en files constamment échangées.

Phil conduit bien, sans cette nervosité qu'avait Adrien et qui me faisait si peur. Il n'a pas son agressivité non plus. Il cède quand il faut céder, ce n'est pas un homme d'affaires mon ami Phil, il est heureux quand il commence un pont, il est heureux quand il le finit, que le pont soit petit ou grand, « joindre une rive à l'autre, ça me plaît, et c'est tout ». Son ambition ne rêve pas de couvrir le monde, ne rêve pas de s'élancer en tours étincelantes vers le ciel avec son nom en lettres géantes au sommet, telle la gigantesque enseigne « Adrien V. », cartouche brun et lettres dorées cannelées, qui arrivait sur nous, je me suis retournée pour la regarder une fois encore, mais la tête bouclée de l'enfant Liliane la couvrait tout entière. Le périphérique est notre grande allée, notre allée des lions vers la ville fabuleuse, les lions sont ces signes lumineux, Adrien est parmi eux, adieu, adieu encore une fois, Adrien mon faux frère, mon sexe tremblait à l'intérieur de moi.

Qu'importe, ce soir Phil et moi nous ferons l'amour, nous nous caresserons, nos mains traceront l'ébauche d'un pont entre deux corps étrangers.

« Je suis sur une rive, avait dit Phil une nuit, et je regarde l'autre côté, et alors je sens quelque chose, un désir, comme dans l'amour, d'aller chercher cette autre rive qui est si loin, qui est comme l'autre bout du monde, qui est comme l'autre côté du temps. »

Et mon désir commencera de cheminer sur l'ébauche de pont qu'auront tracée nos mains, nos corps tâtonneront vers leurs marques, lentement, je pense que c'est comme poser des piles entre deux rives.

« Quand le pont est fini, j'y retourne seul le soir, je passe les barrières, je vais jusqu'au milieu, le vent souffle, en bas les marais ont des reflets obscurs, alors j'ouvre mon pantalon, Claire, tu ne peux savoir la force quand mon sexe sort, j'éjacule dans l'espace, ce sont mes orgasmes privés, je n'ai jamais rien connu de plus calme, de plus puissant, et après je m'assoupis contre la rambarde, et puis c'est terminé, mon ambition s'arrête avec ce pont, elle s'est élevée, a franchi le vide et elle retombe, je ne serai jamais riche ma petite Clarinette, pas comme ton ami Adrien V. »

Phil aime les lingeries, nous jouons longtemps avec ces choses, petit à petit les deux rives de nos corps se rapprochent, pas de hâte, le pont est solide et bientôt il aura rattaché les deux rives et notre plaisir voyagera à l'aise, autant qu'il le voudra, d'un corps à l'autre, seul peut nous inquiéter désormais le petit bruit des pas de l'enfant Liliane, « heureusement que tu m'as fait remettre cette porte, a dit Phil en rougissant, avec cette brusquerie timide qui m'avait étonnée au début de notre rencontre, je vais bricoler une serrure maintenant ».

Ainsi va notre amour, pas de bouteille brisée, pas de morsure, pas de menace, pas les grands coups de boutoir qui étaient ceux de ta rage, Adrien, la même rage sans doute qui a jeté en lettres gigantesques ton nom sur le périphérique, l'allée étincelante qui mène à la capitale, l'allée des lions.

Je pense au jeune docteur parti à Anvers avec une femme que nous avions crue âgée, qui avait été une prostituée, et nous n'avions vu de lui que les lignes rectilignes de ses chemises, « *vous foutez la trouille ton frère et toi, je ne sais pas comment il s'en est sorti le pauvre toubib, mais moi j'ai tourné les talons* », oh Adrien ce n'était pas nous qui foutions la trouille, mais la vie, la masse obscure de la vie, et le jeune docteur s'en était sorti ainsi, avec des masques de dessins animés et des histoires de prostituée, j'avais regardé ses cheveux bruns bouclés et ses belles dents, je me souviens de son érection, « *pauvre petite* », une érection pour une histoire « *nous nous sommes tués tous les deux, mais c'est lui qui est mort, docteur, et je l'ai mis dans la baignoire* ».

Je pense à Yves, sa douche satisfaite après l'amour et mon abrutissement, « *Estelle il faudra que je gagne beaucoup d'argent si tu veux dormir comme ça !* ».

Sur l'allée des lions, je pense aux hommes que j'ai connus, je ne vous ai pas décrit l'amour avec mon frère, madame, c'était un univers dans lequel on pénétrait en bloc, duquel on ressortait en bloc, cet univers ne se laissait pas détailler. Comme la beauté, il emportait et éblouissait, et ne laissait pas de souvenirs.

Phil aime les slips qui montent haut sur les hanches, les bas qui tiennent seuls sur les cuisses dans un embrassement de sangsue, il aime aussi les porte-jarretelles, qui découpent sur le ventre un triangle et sur les cuisses des rectangles, il aime les croissants que le soutien-gorge découpe sur les seins, et les légers bourrelets de la chair comprimée.

Si la beauté est ce qui entre en soi d'un seul bloc et ne se laisse pas détailler, alors la beauté n'entre pas en Phil, il ne peut l'approcher que par morceaux découpés, la chair du vivant ne peut aller à lui, nue dans son horreur et sa splendeur, car il ne voit plus rien alors, qu'une masse confuse où son désir se perd et s'absorbe, il lui faut quadriller la chair, tracer des rives, et par-dessus les rives il peut lancer des ponts, de pont en pont son désir trouve un chemin, et moi je vais avec lui sur ses chemins, sans recul et contente, toujours contente, nous ne sommes pas frère et sœur, nous ne sommes pas Dan et Estelle.

— Raconte une histoire, a dit soudain Liliane.

Il était tard, les voitures n'avançaient presque pas, l'enfant était péremptoire, presque mauvaise. Un instant est passé devant mes yeux la vitrine des sœurs, au parloir, où elles exposaient leurs laids ouvrages au crochet, menus vêtements d'enfants jamais sortis à l'air, poussiéreux.

— Une histoire que je ne connais pas, disait Liliane.

Mon cœur battait férocement.

J'ai regardé Phil par le côté. Il semblait absorbé par la circulation.

— Oui...

— Alors?

— Il était une fois une jeune fille...

— Alors?

— Une jeune fille très belle et très bonne. Les fées lui avaient donné des mains habiles et elle jouait merveilleusement du piano. Sa renommée parvint aux oreilles d'un jeune homme qui habitait dans un autre pays. Désormais il désira une chose plus que tout au monde : rencontrer cette jeune fille dont la musique le charmait tant. Un jour la jeune fille donna un concert. Le jeune homme aussitôt obtint une première place devant et lorsque la jeune fille arriva sur la scène, le jeune homme sut que non seulement il aimait sa musique, mais qu'il l'aimait, elle, la musicienne.

— Oui, a interrompu l'enfant, parce qu'il la voyait bien de sa place. Mais, elle, comment elle pouvait le voir ?

— Parce qu'il portait un uniforme.

— Un uniforme de prince ?

— Un uniforme de pilote de guerre. La jeune fille a vu ce jeune homme qui la regardait du premier rang d'orchestre et elle a joué mieux que jamais auparavant. Ils se sont mariés et ils ont eu une petite fille. Ils ont appelé la petite fille Estelle. Estelle, cela veut dire étoile. Ils croyaient que le destin avait placé une étoile au-dessus d'eux dans le ciel pour les protéger. Les gens qui s'aiment très fort croient parfois cela, et c'est pour cette raison qu'ils ont appelé leur petite fille ainsi.

— Mais si ça avait été un garçon ? a dit Liliane.

— Ils auraient trouvé un autre nom, tout aussi beau, mais attends, il y a aussi un petit garçon dans cette histoire.

— Elle a de la chance Estelle, a soupiré l'enfant. Elle a un petit frère.

— Comment sais-tu que c'est son frère ? a dit Phil, qui écoutait depuis un moment.

— Parce que j'en voudrais un.

— Un quoi ?

— Un frère.

Cela ne se passait pas le jour de son arrivée, bien sûr, mais un de ces week-ends où nous sommes allés à la campagne, car nous allons à la campagne le week-end, à cause de l'enfant, elle veut des promenades, elle veut un chien, ou un chat ou des poissons, elle veut un vélo, elle veut un frère, cela continue, Dan, il n'y a pas de fin, je voulais revenir dans la vie pour te retrouver à la manière dont on retrouve ses morts dans la vie, je voulais être dans la vie,

Dan, pour procéder à mon retournement des morts, et j'ai cru peut-être que Phil arrêterait la vie autour de moi, la tiendrait en respect pendant que je chercherais comment faire. Maintenant il y a l'enfant Liliane, elle veut des histoires, elle aime bouger et enjôler, elle n'est plus jamais mauvaise comme au début, *il faut que j'aille vite, il faut que je vous rejoigne très vite madame, car l'enfant Liliane a beaucoup de ressources.*

Il y a quelques jours je l'ai trouvée assise sur le parquet, devant le petit magnétophone que je lui ai offert le jour de son arrivée. Madame, savez-vous ce qu'elle jouait ? Elle jouait la cassette que Phil avait glissée dans ma boîte aux lettres aux premiers temps de notre rencontre, « une filouterie » avais-je dit, j'avais écouté la cassette, Phil y avait copié des chansons, je voulais bien écouter des chansons, je voulais bien prendre tout ce que me tendait mon époque, je dis « mon époque » madame, deux mots banals, il m'a fallu si longtemps pour les dire ensemble tous les deux, une époque où il n'y a que moi, où il n'y a pas mon frère, pourtant j'ai plié l'échine et pris ce qu'elle me tendait, parce que mon idée c'était d'y faire entrer mon frère, qu'elle me laisse seulement un peu de temps, qu'elle m'apprenne comment faire et je ramènerai mon frère dans mon époque.

Mon idée n'a pas changé, Dan, mais il faut faire vite, j'ai écouté la cassette de Phil une fois, puis je l'ai mise dans la pochette rouge de Vlad, et j'ai mis la pochette rouge dans mon grand sac, celui que je porte chaque jour, où sont mes partitions, et mes papiers, et les petits objets de maquillge que l'enfant Liliane aime sortir pour jouer à sa façon, et je la laisse faire, mais ce qu'elle cherchait c'était plus que cela, plus que le poudrier dont elle fait inlassablement claquer le fermoir mais c'est toujours le même petit clic, et le bâton de rouge qu'elle fait coulisser dans son étui mais c'est toujours le même petit clic encore quand le bâton arrive au bout de l'étui, et ces deux petits bruits cliquants la font rire et elle secoue sa jolie chevelure de rousse, mais ils ne suffisent pas, même à un cœur d'enfant, et l'enfant Liliane cherche elle aussi ce qui pourrait suffire à son cœur.

Elle cherche plus âprement que je ne croyais, dans la pochette rouge en secret elle a dérobé ma cassette, et maintenant, toute seule assise au milieu de la pièce elle me regarde entrer de dessous ses beaux cheveux d'enfant, ondulés et brillants comme sur les tableaux d'une foi antique, son visage est immobile et ses yeux qui me fixent vides d'expression, elle est à la fois la vierge et l'enfant de ces innombrables tableaux, un instant je crois avoir en moi ceux-là qui les peignaient, j'entends comme une rumeur, *c'est tellement au-delà, tellement au-delà mon Dieu,* mais tout en même temps je vois très bien la petite main agrippée au bouton du volume et qui le tourne, le tourne jusqu'à sa plus grande puissance, tandis que deux petits yeux continuent de me fixer sous les ondulations d'or roux, les ondulations à petits crans serrés qui ne bougent pas plus que les cils sur les paupières, pas plus que le souffle bloqué derrière les petites lèvres presque blanches.

> « *La terre est un aspirateur, qui veut notre corps,*
> *l'aspire, l'espère*
> *Elle te désire, la laisse pas faire, saute en l'air, saute*
> *en l'air,*
> *Puisqu'on s'enfonce dans la poussière, inexorablement,*
> *mon petit frère, saute en l'air,*
> *donne-moi la main puisque t'as peur*
> *mon petit kangourou ma petite sœur, saute en l'air*
> *On fait nos efforts musculaires*
> *pour se sauver de cette carnassière,*
> *saute en l'air*[1]... »

Il y a quelque temps j'aurais cherché un sens, une coïncidence, je n'ai plus le temps. Cette chanson, il me faut l'entendre tous les jours maintenant, l'enfant Liliane s'est approprié la cassette et aussi la pochette de cuir rouge, l'orgueil de Vlad, presque neuve encore et où les bagues dorées tintinnabulent quand l'enfant danse, car elle oublie parfois de me surveiller de dessous la tente immobile de sa chevelure, elle sautille et danse et chante à tue-tête et la pochette rouge tournoie au bout de sa fine bandoulière et je vois ses jambes aux petits mollets forts (les mêmes jambes que Phil) qui

---

1. « Saute en l'air », d'Alain Souchon.

sautent avec foi avec passion autour du magnétophone, « on fait nos efforts musculaires pour se sauver de cette carnassière, saute en l'air... ».

Sur le périphérique, elle s'endormait tout debout entre les deux sièges. J'essayais de la recoucher à l'arrière, mais toujours à demi endormie elle se redressait et revenait toute droite à l'avant. Oh Dan mon amour comme j'étais perdue, nous n'avons guère eu de petits enfants autour de nous, toi tu n'en as eu aucun et moi je n'ai eu que toi, et toi tu étais mon amour, comment fait-on avec les petits enfants qui ne sont pas votre amour, « *vous sembliez Dan et toi si peu désireux de famille, vous vous moquiez toujours de nos voisins, des frères et des cousins d'Adrien... c'est maintenant qu'étrangement j'aspire à des grands-parents, des cousins, que sais-je...* », encore l'histoire, disait Liliane.

— Il était une fois trois parents, très bons et très aimants, et ils avaient deux enfants très beaux. Les deux enfants s'aimaient d'amour, mais comme ils étaient frère et sœur, ils ne pouvaient se marier.

— Pas avoir de bébé, gargouillait-elle le pouce dans la bouche.

— Le frère est mort et la sœur a cru mourir de désespoir.

— Elle dort, a dit Phil.

Devant l'immeuble, miraculeusement, entre une poubelle renversée et des cartons de fleuriste, une place était libre. Phil a sorti l'enfant avec mille précautions, dans la chambre aux petits singes multicolores il l'a couchée, la plante verte semblait encore avoir grandi, mais elle se tenait comme repliée sur l'étagère, ses longues feuilles semblables à des griffes rentrées dans la masse verte, on ne voyait pas la terre du pot, je me suis dit qu'il faudrait m'habituer aux plantes.

Soudain l'enfant appelait. Elle s'était redressée dans son lit et se tenait toute droite comme un petit fantôme égaré.

— L'histoire...

— Mais il est tard.

— L'histoire.

Je me suis assise à côté d'elle dans la demi-obscurité.

— Il était une fois deux enfants qui s'aimaient d'amour...

— L'histoire.

— Mais ils avaient un ennemi qui s'appelait le Major, à cause de lui.

— L'histoire.

— Il était une fois deux enfants qui s'aimaient... Liliane, petite fille, tu dors ?

L'enfant murmurait, les yeux clos :

— Deux enfants qui s'aimaient...

A la fenêtre restée entrouverte, le rideau bougeait légèrement. On voyait le ciel obscur délicatement rougeoyant de la grande ville et il m'a semblé que le souffle de l'enfant s'envolait vers l'embrasure de la fenêtre, agitant légèrement le rideau, s'envolait dans le ciel, emportant les derniers mots de mon amour, les mêlant à tous les autres souffles qui s'exhalaient de la ville, et les fondant là-haut dans cette profonde obscurité délicatement teintée de sang et irradiée de part en part par la luminosité vague des étoiles.

L'enfant dormait. Une lampe s'est allumée dans l'immeuble voisin, soulevant les reflets roux de sa chevelure. Au milieu son petit visage blanc avait cette même luminosité vague. Je me suis penchée sur elle un instant. Je scrutais quelque chose.

« *Il te faudra faire attention, mon amour, il te faudra ruser avec la mort, ruser avec les vivants...* »

63

Je ne t'inviterai pas à mon mariage

Derrière le mur de clôture un klaxon a retenti.
Puis s'est interrompu.

Sœur Béatrice a lâché prise, elle m'a abandonnée à sœur Marie-Marthe, je suis officiellement son assistante pour les travaux agricoles.

Je ne vais plus à l'oratoire et il m'arrive de sauter des offices. Je ne sais pas ce qu'en pensent les autres sœurs. Je n'ai toujours rien vu et elles ne me disent pas ce qu'elles voient. Chacune pour soi et discrétion pour toutes.

Les corridors ne me retiennent plus.

Je préfère le fruitier d'où pourtant le livre de Josépha a disparu depuis longtemps, je préfère le lavoir dans lequel se déverse en cascade l'eau de la source, et le petit cimetière des sœurs où j'arrache le chiendent, et les groseilliers qui sont entièrement à ma charge.

Ce qu'ils ont en commun, ces lieux, c'est qu'ils jouxtent le mur de clôture, c'est là que je suis le plus souvent maintenant, c'est là que je me sens bien.

Et c'est de là que j'entends la sonnerie violente d'un klaxon qui reprend de l'autre côté de la clôture.

Le son se déplace, on dirait qu'il longe le mur, la voiture doit rouler doucement, à régime réduit, le bruit du moteur ne traverse pas, seul s'entend le persistant, l'éclatant klaxon, je marche à sa suite, nous nous déplaçons ensemble, chacun de notre côté du mur, puis voilà qu'il prend de l'avance, il me dépasse, je me mets à courir le long du mur, le klaxon est loin, à l'autre bout du domaine, déjà je n'entends plus que le battement du sang dans mes tympans, je rebrousse chemin, coupe à travers champs jusqu'à la plantation de groseilliers, jusqu'au coin triangulaire où on empile les branches coupées des tilleuls et les racines des groseilliers et les herbes déchargées des brouettes, si ancien le tas devenu compost qu'à force il a presque rejoint le sommet du mur de clôture, en se haussant on aperçoit un morceau de la petite route qui descend du monastère jusqu'à la ville. Souvent là j'ai regardé la deux-chevaux des sœurs passer en tanguant.

Et là à cet endroit, une voiture grise, puissante et élancée, étincelle au soleil. Il n'y a personne à l'intérieur. Je hurle « Adrien ».

— Adrien, Adrien !
— Au parloir, dit Marie-Marthe qui m'a suivie.
Au parloir bien sûr.

Au parloir, où il n'y a plus le petit muret symbole de la clôture, la Supérieure est assise dans un fauteuil, vis-à-vis un monsieur dont je ne vois que le dos et avec qui elle devise agréablement. Elle sourit, son air est grave mais elle sourit et sa voix est mélodieuse.
— Votre ami...
— Madame, permettez-moi, dit Adrien.
— Je vous en prie...
Un instant d'hésitation, mais la Supérieure ne se lève pas de son fauteuil.
— Estelle, dit Adrien. Tirésia va mourir, je suis venu te chercher.
— Allez à son chevet, dit la Supérieure.
— Oui, dit ma voix.
— Je t'attends, dit Adrien.
— Ici, dit la Supérieure.

— Dans ma voiture, dit Adrien.

— Bien, dit la Supérieure.

— Partons, dit ma voix.

— Vos affaires, dit la Supérieure.

— Tes vêtements, dit Adrien.

— Non, non, je n'ai besoin de rien, partons tout de suite, supplie ma voix.

— Tenez, dit quelqu'un en arrière de l'entrée du parloir.

Suspendu à mi-hauteur dans l'encadrement de la porte, se voit un objet, rouge, rectangulaire, assez petit.

C'est une pochette de cuir, frappée du sigle d'un célèbre maroquinier italien, luxueux objet que même la Supérieure doit reconnaître car, d'année en année, les publicités n'ont cessé d'en couvrir les murs de toutes les villes.

Baguée d'or, brillante et souple, la fine bandoulière se balance dans le vide.

— Qu'est-ce que...? dit la Supérieure en haussant les sourcils.

Marie-Marthe avance.

« Un cheval emballé », avait dit une fois la Supérieure. Marie-Marthe est embarrassée par ce qu'elle porte, qui est léger, la bandoulière danse et les bagues dorées tintinnabulent à chacun de ses pas.

La pochette se faisait en douze teintes, toujours représentées ensemble, la beauté des publicités reposait sur un arrangement multicolore inépuisablement renouvelé, l'objet-cible n'était jamais représenté en soi mais en quelque sorte glissé dans un autre, qui était l'objet-fantasme (il y avait eu l'éventail, le papillon, l'arc-en-ciel, le coucher de soleil, l'oiseau de paradis, le paravent coquin, les bulles de savon irisées, bien d'autres), l'objet-cible et l'objet-fantasme devant se fondre juste assez pour créer un troisième objet, véritable œuvre d'art, séduisant piège de l'imaginaire, chacun restant cependant suffisamment reconnaissable, « sinon ça ne fonctionnerait pas », avait expliqué Vladimir avec volubilité, car après le tarissement de sa source de caviar, il s'était passionnément immergé dans cette nouvelle source, « quand même plus ébullisante que le caviar » avait-il dit et nous n'avions pas prêté attention à son néologisme, trop excités par notre interprétation à nous, bien sûr pêchée tout droit chez notre philosophe, « c'est la capture de la guêpe par l'orchidée » lui avions-nous jeté comme une évidence, et Vladimir frappé, confiant en son ignorance, avait sans poser de questions laissé la splendide idée faire effervescence en lui, et un jour il était venu chez nous avec un grand carton, dans le grand carton une lithographie, son cadeau pour nous, en remerciement pour la plus belle de toutes les publicités de sac à main, on y voyait les douze pochettes bien sûr mais tout aussi bien la guêpe et l'orchidée, une composition « haut de gamme » avait dit Vladimir qui attrapait les mots nouveaux comme une grippe, et nous lamentables pusillanimes de l'amitié n'avions pensé qu'à la colère possible du philosophe. Vladimir était trop enthousiaste pour voir notre anxiété, et nous trop troublés pour voir qu'il n'en voyait rien, le lendemain pris de remords nous avions porté la lithographie chez un encadreur du faubourg Saint-Honoré, et nous avions choisi un cadre énorme, horriblement cher, qu'il avait fallu transporter en camionnette, après quoi nous n'avions su où l'accrocher, puisque notre philosophe avait vue horizontale et directe sur notre appartement, et l'objet monstrueux avait rejoint la cohorte grandissante des objets que nous exilions et rappelions en catastrophe, selon les visites de leur donataire, la lithographie prisonnière de son cadre était allée chez notre épicier du bas de la rue, un Vietnamien rescapé de la mer, qui voulait bien décorer sa boutique, notre philosophe, lui, allait chez l'épicier du haut de la rue, un Cambodgien rescapé des camps, nous pensions qu'il n'y aurait pas de rencontre...

Je possédais les douze pochettes plus la rouge, nous les avions achetées toutes à la fois. Puis j'avais donné les douze et gardé la rouge.

— J'ai été... je suis allée... dans votre... dans sa chambre, dit Marie-Marthe.

— Ce sont mes papiers, dit ma voix.

— Alors, allons-y, dit Adrien.

— Merci... Marie-Marthe.

— Au revoir monsieur.

— Au revoir ma sœur.

— Estelle?

Nous sommes dehors déjà, dans la cour par où je suis arrivée la première fois, passant le portail, grand ouvert (la deux-chevaux est là le nez contre le mur de l'église), passant l'allée de platanes, descendant la petite route. Le tournant, puis la voiture.

— C'est une Jaguar, je viens de l'acheter, dit Adrien.

Ses mains se posent sur le volant, s'y attardent un instant.

— C'est une voiture racée, dit-il.

Puis sa main sur la clé de contact, son visage légèrement penché, absorbé.

Ce que je remarque : le bruit de moteur, un chant grégorien, sobre et puissant.

— C'est différent, dis-je.

— Pour Tirésia... je suis désolé, dit Adrien.

— Différent de la deux-chevaux.

— J'avais peur que tu ne veuilles pas venir, explique-t-il.

Je m'absorbe dans le ronronnement du moteur, je coule dans les soupapes, les bielles, le piston, mes membres épousent leur mouvement, l'huile pénètre mes articulations, le ronronnement s'épand dans ma tête, le chant d'un chœur dans la nef d'une cathédrale.

— Tu m'écoutes?

— Oui.

— Elle a voulu rentrer chez vous, la clinique l'a envoyée avec une garde de jour, ma mère y va la nuit, tu m'écoutes?

— Oui.

— C'est une question de jours, elle te réclame.

— Moi ?

— Toi, oui, qui tu veux ?

Silence.

— Et puis ma mère ne peut pas y passer toutes ses nuits.

— Oui, dis-je.

Nous avons traversé la ville, nous avons pris la grand-route, celle qui serpentait en gris au flanc d'un massif vert et brun, c'était dans la carte postale grandeur nature que m'avait fait voir la Supérieure, elle avait ouvert la fenêtre de ma première cellule, « le paysage est magnifique », avait-elle dit, et puis « attention de pas prendre la clenche sur la tête », justement elle avait basculé du mauvais côté cette clenche, une vilaine grimace était passée sur le visage de la Supérieure, puis aussitôt le sourire, un de ceux dont les moniales faisaient élevage derrière leurs joues et qui accouraient au premier appel étendre leurs ailes en avant des visages.

La clenche avait basculé, barrant d'un seul coup le paysage d'un grand trait de biais, ce souvenir me revenait avec une précision étourdissante. C'était déjà un souvenir.

— Je dois te dire qu'Alex et moi avons remis le cercueil dans sa tombe.

— Merci, Adrien.

— Ta grotte préhistorique...

— Oui ?

— Je me suis renseigné. Il n'y a pas de grotte préhistorique dans la région.

— Non ?

— C'était juste une des cachettes de votre vieux Raymond. Il a dû y habiter un temps.

— Habiter ?

— Tu sais bien qu'on l'a trouvé mort dans les collines, dans un trou de ce genre apparemment.

— Monsieur Raymond...

— Et le dessin, l'espèce d'animal rouge sur le fond, si tu veux mon avis, c'est lui qui l'avait fait. Ça vous ressemblait un peu...

758

— Oui.

— Je veux dire à toi et à ton frère.

— Oui.

— Il paraît qu'il faisait des tableaux quand il était jeune, des sortes de chromos du même accabit.

Le moteur ronflait à peine sur cette route qui était pourtant en pente forte, on était encore proche de la ville, il y avait beaucoup de circulation dans les deux sens, des coups de klaxon, des dépassements bruyants, des motocyclettes par petits paquets, forçant sur leur ultime vitesse.

C'était cette rumeur qui avait empli ma première cellule, comme si celle-ci était en réalité une alvéole et le monastère entier un immense gâteau, tous deux faits pour recevoir le miel de la vie, et le vent portait ce miel, insoucieux des âmes nichées là, les repoussant contre les murs comme de noirs lichens, et la rumeur vivace pénétrait, emplissait. « Nous avons fait surélever le mur de clôture, avait dit la Supérieure, mais bernique... » « Autrefois toute la colline nous appartenait, mais nos biens ont été confisqués et la ville ne cesse de grimper... »

— Tu as compris, n'est-ce pas, Tirésia est au bout...

— Oui.

— Le caveau sera ouvert et il fallait...

— Oui, je vous remercie tous les deux.

La circulation s'éclaircissait, j'avais le temps de regarder les voitures quand elles nous croisaient, de la chair de vivant derrière les vitres, semblable à celle de ce couple qui était entré dans la chapelle, et j'avais haï ces effrontés tonneaux de chair, qui se dandinaient pour contenir le bruit de leurs pas, qui faisaient semblant bien en vain, car le bruit du vivant est assourdissant, le bruit franchissait la grille de clôture et aussitôt des fêlures filaient à travers le silence, de grandes fêlures qui semblaient s'étendre jusqu'à la voûte sous laquelle je m'étais réfugiée et le monde entier semblait fissuré, livré sans défense à la possibilité de l'écroulement, si j'avais pu j'aurais tiré de mes bras la grille de la clôture, que nulle chair de vivant ne pénètre plus. C'était il y a longtemps, au début de mon séjour au monastère.

Ils étaient peu nombreux, les gens de l'extérieur, à venir dans notre chapelle, à peine une dizaine, âgés pour la plupart, je m'étais habituée à eux, de toute façon ils allaient sur leur déclin, de saison en saison leur chair semblait moins virulente, je les voyais sur une ligne de disparition, ils ne me gênaient plus.

Sur la route la chair de vivant proliférait, chaque voiture en portait une cargaison, la chair en bonne compagnie avec le métal, chair et métal en bonne lancée sur la route, et la route bonne piste pour ces bons vivants, oui bonne entente tout cela.

Beaucoup de gens, en état fonctionnel et bien soignés.
Les coupes de cheveux surtout, mais bien sûr c'était ce que j'avais le temps d'apercevoir.

— Plus fort que toi, Estelle! dit Adrien.
— Quoi?
— Tu ne devineras jamais.
— Quoi?
— J'arrive à peine à le croire, mais c'est vrai, je les ai vus de mes yeux.
— Qui tu as vu?
— J'étais passée chez elle, à cause du gosse d'Alex, il a un gosse tu sais, et il était là. Tout nu par terre, avec une érection jusqu'au plafond, et elle était au-dessus en jarretières rouges et bas résille, ça c'est rien, le pire c'était le masque.
— Le masque?
— Un masque de Mickey, non, c'était plutôt Olive, l'Olive de Popeye, je ne sais plus très bien, les deux l'un sur l'autre je crois, il y a des masques partout chez elle, j'étais venu en acheter un, pour le gosse d'Alex. La boutique avait fermé, mais je n'étais pas au courant et c'est comme ça que je les ai surpris.
— Alex?

— Mais non !

— Qui ?

— L'ancien assistant de Minor... et la marchande de farces et attrapes.

— Elle était vieille.

— Elle l'était mais elle ne l'est plus. C'était une prostituée autrefois tu sais et... En tout cas, le toubib et elle, ils ont plié bagage et ils sont partis à Anvers.

— L'assistant de Minor...

— Et dire que j'ai joué au tennis avec ce type presque jusqu'à la fin et que je n'ai rien su.

— Ses chemises...

— Quoi ?

— Il aimait les chemises rayées, sans faux pli.

— J'imagine qu'elle lui raconte des histoires, elle doit en avoir un paquet à raconter, et puis les masques... Hein, tu es battue, Estelle !

Nous étions passés sur l'autoroute, il fallait de l'essence, Adrien voulait manger aussi. Finalement puisque ça ne pouvait être un grand restaurant, autant prendre un sandwich. « Si tu ne peux avoir le meilleur champagne, prends le meilleur vin, si tu ne peux avoir le meilleur vin, prends la meilleure bière, si tu ne peux avoir la meilleure bière, prends la meilleure eau », c'était un autre de ses slogans favoris. Nous nous sommes arrêtés sur le parking et il est revenu avec un grand paquet de sandwiches et plusieurs bières.

« Tout cela a l'air parfaitement correct », jubilait-il en installant des serviettes en papier sur nos genoux.

Et soudain j'ai compris que sa passion des grands restaurants et de la haute cuisine était toute de surface (« mieux vaut être riche et finement nourri que pauvre et... »), n'était que le désir exaspéré de son ambition, mais son corps avait toujours préféré les nourritures plus simples et populaires. Il était heureux de ces sandwiches banals et de sa bière qui était tout ordinaire, il était heureux que ma robe de nonne l'ait empêché de chercher mieux, et les seuls ordres que son ambition réussissait à lui imposer en cet instant concernaient ses vêtements.

Il prenait un soin maniaque à ne pas tacher ses manchettes de chemise, son pantalon, et le cuir de son siège. Et il était content de moi, parce que ma large robe recevrait toutes les miettes et gouttes indésirables.

Je commençais à voir Adrien et c'était un sentiment étrange.

Il y avait la queue au self-service de la station. Self-service essence et self-service restaurant. Mais l'essence avait été extraite dans des pays lointains et la nourriture qu'on passait sur les plats devant la foule qui défilait venait de fermes inconnues, tout cela avait été fait par d'autres, et ceux qui étaient ici venaient prendre le relais dans la grande chaîne des échanges humains.

Au monastère nous ne mangions que nos légumes et nos fruits, nos volailles et nos poissons.

Et voici qu'ici je rentrais dans le rang, dans la file anonyme des humains de la terre, dépendante de tous, sans visée sur personne et personne n'ayant de visée sur moi. Les voitures arrivaient, s'arrêtaient, repartaient, le ruban de la route qui de bout en bout parcourt toute la surface de la terre les attendait et nous aussi nous allions nous glisser dans la file anonyme qui parcourait cette terre, pour une vie qui se vivait à l'horizontale.

Au monastère, nous faisions une sorte de boucle dans notre domaine clôturé et notre vie tendait vers la verticale — la voix de Béatrice, ténue d'abord, puis s'élevant telle une flamme très fine le long d'une haute tige, les autres voix montant derrière, se rejoignant comme en un candélabre qui se mettait à briller extatiquement dans la chapelle et, sur les notes les plus élevées, semblait faire vaciller les ténèbres du ciel...

Adrien est allé chercher des cafés, puis il a allumé un de ces gros cigares qu'il avait pris l'habitude de fumer, il a repris le volant, la tension qu'il y avait eu en lui avait disparu, nous avions fait la moitié du trajet, sa mission était pratiquement accomplie, il retournait à son monde à lui, je sentais ses pensées qui dépassaient déjà notre petite ville (où madame mère l'attendait sans doute avec inquiétude — depuis l'accident de ses voisins, elle avait peur de la route), filaient sur Paris, s'installaient dans son bel appartement, devant son téléphone, et de là sautaient dans l'avion, débarquaient à Tokyo ou San Francisco, la fièvre chaude et bouillonnante des affaires circulait dans son sang, les mornes plaines s'écartaient devant ce flot irrésistible, découvraient un horizon attirant, infiniment désirable, ondulant mystérieusement au loin, évoquant peut-être des vagues et ces vagues des capots scintillants de voitures de Mille et Une Nuits d'aujourd'hui, semblables aux écailles du Chrysler Building qui brillent si souverainement dans la nuit new-yorkaise. Cet horizon ondulait pour lui et il s'y dirigeait avec toute la puissance de son esprit obstiné.

Il conduisait avec aisance et détermination.

— Je vais me marier, dit Adrien.
— Oui.
— Avec la fille d'un industriel allemand.
— Oui.
— Elle fait du chant, tu sais, elle est très douée, elle participe à un groupe de travail à l'Opéra.
— Elle est belle ?
— Un ange. Des cheveux blonds, la peau comme du lait et élégante, je veux dire naturellement élégante, comme Nicole, si tu vois.

Adrien a un petit rire heureux :

— J'ai eu du mal à faire valoir ma demande en mariage, tu sais. Je n'étais pas le seul sur les rangs.

Il y a une bonhomie nouvelle dans sa voix, quelque chose de naïvement détendu et joyeux.

— Comment tu as fait ?
— J'aime l'opéra tu sais, et puis je me suis bien entendu avec son père. Lui aussi il est né dans une petite ville. Et puis je crois qu'elle m'aime, c'est comme ça, ça arrive.

« Mieux vaut être riche et bien marié que pauvre et seul à se branler », un autre des slogans de l'Adrien d'autrefois, et à cause de cela, il nous était facile de le mépriser. Nous le méprisions, il devenait hargneux, tout était dans l'ordre. « Mieux vaut être riche et bien marié que pauvre et seul à... » Obsédants les slogans d'Adrien.

— Qu'est-ce que tu marmonnes?

— Oh un truc d'autrefois.

Mais il ne relève pas, les trucs d'autrefois, ça ne l'intéresse plus.

— Alors qu'est-ce que tu en dis?

— De quoi?

— De mon mariage.

— C'est bien.

Pas assez étoffé, il faut trouver autre chose, je cherche.

— Ta mère doit être contente.

— Oh ça, dit Adrien, pas sûr.

— Pourquoi?

— C'est une Allemande, tu sais, ils ont de vieux préjugés, à cause de la guerre, mon père a été prisonnier trois ans, et puis...

— Et puis?

— Je crois qu'elle aurait préféré quelqu'un de G., quelqu'un qui me garde dans la région, quoi.

— Pourtant c'est un beau mariage.

— Oui, mais c'est loin. La fortune d'un industriel, pour eux ça ne vaut pas l'aisance d'un notable de G. Ils auraient préféré que je fasse comme Alex, un petit boulot sûr, une fille du coin, une petite maison à trois pas de chez eux... Finalement ils voient plus Alex que moi, ma mère s'est entichée de son gosse.

— Tu aussi tu auras des gosses...

— J'espère, mais ils seront à moitié allemands, ils passeront la moitié de leurs vacances en Allemagne, ils ne seront pas entièrement à eux...

— Bien sûr...

— Tu veux savoir quoi?

— Oui?

— C'est toi que ma mère aurait voulu que j'épouse.

Madame mère! Est-ce possible?

« *Madame Voisin, dans sa chaise longue... mollets rebondis, cou trapu... aucune responsabilité pour le monde, parfaite comptable... " Sans ma femme, mon entreprise ne tient pas debout ", dit monsieur Voisin... " il faut une femme solide à un homme, monsieur Helleur ", dit madame mère... Elle parle de son fils Adrien et de ses aventures féminines... " Pour l'instant il faut qu'il s'amuse, après il trouvera une femme solide, j'ai confiance en lui, monsieur Helleur... " Une femme solide...*

Comme je lui préfère ces deux femmes...

I so much prefer these tow women... »

— A quoi tu penses?

— A ta mère.

— Tu trouves ça bizarre?

— Oui.

— Je ne lui ai jamais rien dit de vos..., enfin tu sais. Je n'étais pas un rapporteur, malgré ce que vous pensiez.

— On ne pensait pas ça, Adrien.

— Enfin j'ai jamais rien cafté. Elle adorait ton père et elle trouvait que tu étais une fille comme il faut, sérieuse et studieuse, pas comme ma cousine.

— Et maintenant?

— Oh, même maintenant. Après tout c'est elle qui m'a envoyé te chercher, c'est pas que ça m'emballait, j'ai des affaires urgentes en ce moment.

— Je sais Adrien, merci.

Déjà les premiers contreforts, les routes en lacet, les rochers de granit, les bruyères violettes dans les fossés, le vent, les grands nuages roulant dans le ciel.

Adrien accélérait.

— Je voudrais prendre l'avion de tout à l'heure.

— L'avion?

— Il y a un aéroport ici, maintenant, tu ne savais pas? L'aéroport de G. Champerdu.

765

— Et ta voiture ?

— De toute façon, il faudra que je revienne bientôt...

Je commençais à avoir mal au cœur.

Voici le grand carrefour, la petite route qui descend vers la Rampante, remonte, le croisement, notre rue, le cimetière à droite, à gauche, ramassées par la perspective, nos deux maisons qui semblent n'en faire qu'une, étrange et fantomatique sur le ciel houleux.

Comme d'habitude, Adrien arrête sa voiture entre les maisons.

— Estelle... dit-il.

— Quoi ?

— Je ne t'inviterai pas à mon mariage.

— Pas de problème, Adrien.

— Mais je viendrai... pour Tirésia.

— Merci, Adrien.

— Mes parents y tiennent.

— Merci pour tout ce que tu as déjà fait, Adrien.

Madame mère apparaissait à sa fenêtre, elle devait guetter depuis quelque temps.

— File, dit Adrien, sinon tu seras obligée de parler à ma mère.

Mon retour s'est passé ainsi, madame.

à G.

64

Ma fille, ma petite fille

Pendant cinq jours Tirésia a parlé.

Puis son récit s'est terminé, elle ne prenait plus aucune nourriture, elle ne parlait plus que pour dire ces mots, « ma fille, ma petite fille ».

Moi cela me suffisait, je ne souhaitais pas d'autre vie, aller et venir dans notre maison, dans le salon, autour du piano près duquel Tirésia était couchée, calme sur le grand lit de notre père.

Il y avait beaucoup à faire, j'avais renvoyé la garde de jour malgré les conseils de la clinique, je changeais le goutte-à-goutte, faisais sa piqûre, épongeais sa figure où les chairs anciennement écrasées se réveillaient pour une ultime protestation, replaçais la sonde, nettoyais son sexe, et alors je voyais le ventre et le haut de ses cuisses, les profondes cicatrices, les effondrements qu'on appelle pertes de substance je crois, les coutures bourrelées, ces marques du mal absolu sur une chair qui me semblait si tendre, je caressais le tracé de ce saccage, elle me laissait faire, je disais « c'est là qu'on t'a fait ceci ? », et nichant toute ma main dans la dépression de son ventre « c'est pour cela que tu ne pouvais plus avoir d'enfant ? » et effleurant le haut des cuisses « c'est pour cela que tu ne pouvais plus faire l'amour ? ». Sa peau me répondait, je posais ma tête sur son ventre et il me semblait me coucher sur un sol ravagé par les obus et exhalant des années après la même intolérable détresse.

Un ami de Dan à New York, photographe, était allé un jour visiter les anciens champs de bataille de Verdun. Il en était revenu hanté. La terre de Verdun collait à son âme, il avait fait des centaines de photos, de la terre seule, « la terre parle, disait-il, c'est un enfer éteint, qui irradie encore », il y était retourné par toutes les saisons, s'enfonçant dans les cratères remplis d'eau boueuse et de terre stagnante, dans les tranchées, dans les bunkers, il avait glissé contre les piquets d'acier appelés « tire-bouchons » et dans des boyaux à demi comblés de branchages. Partout sous la mousse et les aiguilles de pin, des bidons français à deux goulots, des fragments de gamelle, des casques, des plats à quatre, des godillots cloutés moisis, des chargeurs de mitrailleuse et des grenades à manche. Mais il y avait aussi, parfois déterrés par les sangliers, des os — fémurs, côtes, tibias, mâchoires —, os de cheval, de mulet ou d'êtres humains, tous mêlés. Il avait une fois failli marcher sur un obus de 210 mm, dont la fusée intacte dépassait, il avait pris encore des centaines de photos, il avait rencontré les derniers survivants de part et d'autre de la frontière, il avait fouillé les Archives.

Il voulait faire un livre, « cinq cent mille obus par jour, de tout jeunes gens qui mouraient déchiquetés par les shrapnels, transformés en torches vivantes par les lance-flammes, enterrés vivants dans la cagna qui recevait les " marmites ", ou rongés par la gangrène gazeuse, ou le ventre crevé avec les tripes à l'air, et vous savez ce qu'ils criaient? " maman ", c'était ce qu'on entendait d'un bout à l'autre de ces champs de mort, " maman ", on ne peut pas laisser oublier cela. »

En exergue au livre, il avait choisi une phrase de Santayana : « Ceux qui oublient le passé sont condamnés à le répéter » et une phrase d'Evtouchenko : « Celui qui oublie les victimes d'hier sera la victime de demain. » Nous avions trouvé cela beau mais énigmatique, plus tard après sa nuit devant les dossiers de notre père, mon frère devait se souvenir de ces deux phrases et changer brutalement l'orientation de sa vie, elles étaient devenues l'évidence même pour lui, comme elles avaient dû l'être pour notre ami dans les forêts de Verdun.

Le livre avait demandé une documentation gigantesque, et

ensuite un autre gigantesque travail de réduction, pour devenir un livre selon les normes [1]. On avait fait à l'auteur-photographe beaucoup de promesses, aussi bien au ministère des Armées qu'aux Anciens Combattants, des éditeurs s'étaient engagés, mais le livre ne se faisait pas, il retournait à Verdun faire d'autres photos, et nous nous désespérions pour lui. Nous l'exhortions à passer à un sujet différent, moins macabre.

Lorsqu'il nous disait « je me couche sur la terre, tout du long, des heures, toute une nuit », lorsqu'il nous disait « je ne prends pas une photo sans m'être d'abord couché sur la terre », nous l'écoutions sans rien imaginer à répondre, il était plus âgé que nous, nous le trouvions excessif.

Maintenant, comme je le comprends, notre ami, c'était son âme qu'il collait sur la terre de Verdun, et alors comme une rumeur immense les cris désespérés des morts passaient en lui, toute l'épouvantable l'inexplicable souffrance de l'humanité.

Et moi je ne pouvais quitter la terre ravagée du corps de ma mère.

Je m'aperçois, madame, que je vous parle d'une guerre antérieure, la première guerre mondiale du XXe siècle, pour ne pas vous parler de celle de ma mère, de la mienne, puisque je suis née dans une allée écartée de cette seconde guerre.

Je me souviens des photographies de notre ami, des témoignages qu'il avait rapportés, de tous ces objets qui l'émouvaient et des mots précis pour les désigner, je me souviens de ses phrases, je les ai utilisées. C'était « sa » guerre, mais celle par laquelle je suis née — un infime soupir de l'énorme monstre agriffé sur plusieurs continents, quelques pauvres individus projetés les uns contre les autres, un accrochage confus sur le talus d'une route de province, près d'une petite rivière qui s'appelait la Rampante, un viol, madame, cela ma guerre — sur cette guerre-là, silence, étouffement.

Je n'en ai rien connu — en dehors de quelques bombardiers filant tout noirs sur le ciel — et je ne peux parler de ce que j'en ai appris.

Comment pourrais-je blâmer ma mère et les êtres de notre maison de s'être tus dès le début, d'avoir continué à se taire année sur année, toute notre enfance, toute notre jeunesse ?

1. *Verdun : l'enfer oublié,* Jean S. Cartier.

J'allais dehors, dans le jardin voir les arbres, jusqu'à la grille relever le courrier, au lilas du mur pour parler à madame Voisin, mais soudain je m'interrompais, et je courais, laissant les lettres, madame Voisin, les petites tâches du jardin, je courais vers le salon où les rideaux tirés pour protéger les yeux de Tirésia laissaient cependant filtrer des rayons de soleil, doux comme des visiteurs de mourants, je me jetais au bord du lit, « maman, maman ».

Ce mot que je n'avais jamais dit dans mon enfance forait dans des profondeurs inconnues, faisant monter une émotion incontrôlable, « maman », aujourd'hui encore lorsque j'entends ce mot lancé dans la rue à la sortie des écoles, la même émotion déferle, quelque chose qui tient à notre enfance obscure, à la lumière que le récit de Tirésia avait fait circuler derrière l'obscurité, lumière et obscurité ne se pénétrant pas, s'étreignant seulement et générant une effusion poignante, *je ne sais ce que c'est madame, un saisissement devant le ridicule, le magnifique pathos de la vie, tout mon corps est envahi et lorsque la vague se retire, j'éprouve une intense fatigue et le besoin de dormir.*

Peut-être en est-il ainsi pour ceux qui n'ont pas dit « maman » dans leur enfance, qui le disent pour la première fois alors qu'ils sont adultes et qu'il n'y a déjà plus de mère.

« Ma fille, ma petite fille », disait Tirésia, tâtonnant avec sa main pour la poser sur moi, sa voix était pleine d'une immense compassion, je dis « immense » parce que c'était le seul sentiment qui restait en elle, il occupait toute l'étendue de son être, et nul ne peut savoir jusqu'à quels lointains mystérieux s'étend un être, il me semblait que derrière ce corps ravagé, terriblement amaigri, prêt à se défaire, s'étendait une auréole presque illimitée, qui plongeait dans le passé des siècles, se ramifiait à travers la chaîne des vivants, portait sa lueur faiblissante vers d'insondables perspectives.

Tirésia n'avait eu d'abord qu'une idée, raconter son récit, ce qu'il y avait eu derrière notre vie à tous les cinq dans la maison Helleur, elle rassemblait toutes ses énergies pour arriver à ce but, et c'était une performance étrange, car elle était muette depuis si longtemps, mais elle ne voulait rien laisser échapper, elle voulait que moi sa fille je sache tout. De sa voix exténuée à peine capable de variations, elle racontait les détails les plus intimes, sa rencontre avec mon père, l'affection pour sa jeune élève Nicole, et aussi les plus affreux, ceux de sa première arrestation, le viol, sa seconde arrestation et son envoi en camp, et les plus troubles, leur arrangement à tous les trois, les regrets de Nicole, la fuite de Nicole avec une troupe de danse américaine, la naissance de mon frère, leur arrangement encore, la jalousie, les déchirements, leur amour pour nous...

Chacun de ses mots arrivant sur l'ancien désert de sa parole allumait d'intenses reflets, comme j'imagine que le font les mirages sur l'étendue aride des sables, et je vibrais comme le désert tout entier en proie à ces insaisissables reflets.

Puis elle avait eu peur.

Tout le temps qu'elle avait parlé, elle avait à peine semblé me voir, elle était sévère, son récit terminé elle avait détourné la tête et ne m'avait plus regardée.

Je n'avais pas compris sa peur, je ne voulais qu'une chose, entendre ces mots encore, « ma fille, ma petite fille », mais elle ne les disait plus, je pleurais à côté d'elle, sans bruit, les larmes coulaient toutes seules, je ne pouvais les retenir, « pourquoi pleures-tu ? » a dit Tirésia presque rudement, « parce que tu ne m'appelles plus ta fille, ta petite fille », et j'avais perçu la joie qui était venue en elle, un instant j'ai cru qu'elle pouvait guérir, je la couvrais de baisers, je l'étouffais, la dévorais, alors j'ai repris ma position près d'elle, la tête près de son corps sur le lit, ma main posée légèrement contre la forme qui se dessinait sous la couverture, un apaisement était venu en elle, elle avait porté à son accomplissement tout ce que la vie avait jeté pêle-mêle en travers de son chemin, sa tâche était faite, elle me léguait un passé solidement reconstruit, il ne m'attirerait plus dans des brouillards troubles, dans des lises mouvantes. J'étais seule désormais mais je pouvais prendre mon chemin.

C'était tout cela que son corps exprimait, et aussi le remords de ne pas l'avoir fait plus tôt, ah docteur Minor, c'était donc là le sujet de votre éternelle querelle avec notre père ! Enfermé avec lui, dans sa voiture devant la grille, hors d'écoute des indiscrets, vous lui disiez « il faut parler aux enfants ». Nous les enfants, cachés derrière les rhododendrons, nous vous observions dans votre dispute ardente, les vitres étaient relevées, nous n'entendions rien, je crois que nous n'entendions rien, vous lui disiez « parlez, Helleur, de toute façon les enfants savent dans leur cœur », et encore « la vérité sortira Tirésia de son silence et Nicole de ses rêves puérils », puis « vous-même n'aurez plus ces accès de tachycardie », à bout d'arguments vous deviez dire « et ces malaises des gosses, leur valétude ordinaire, hein, d'où croyez-vous que ça vient ! ». Et notre père devait résister, « nous voulons qu'ils grandissent en paix et dans l'innocence », c'est à ce moment que nous vous voyions jaillir de la voiture, enfonçant votre chapeau sur la tête et tapant votre sacoche contre la cuisse, « comme un gorille en colère » disait Dan, notre père restait dans la voiture et le docteur s'en allait sur la route à grands pas, et un jour, excédé il avait hurlé « MENSONGE » si fort que la rue déserte semblait avoir tremblé, il s'en allait, tête nue, les cheveux agités dans le vent, oubliant sa sacoche dans la voiture et notre père avait couru derrière lui, tendant cette sacoche à bout de bras...

Je comprenais ce qu'exprimait ma mère par ma main sur son corps et mon regard dans ses yeux, et par les mêmes voies je la rassurais, à elle il avait fallu ce long mutisme, à moi le repliement derrière une clôture, le temps nous avait menées à sa guise, mais cet instant rachetait tout, maintenant elle était apaisée, et j'étais heureuse.

« Ma fille, ma petite fille... »
Je ne bougeais pas, laissant les mots s'étendre en moi, tout le temps qu'il leur fallait pour s'étendre complètement et lorsqu'ils avaient trouvé leur lieu de repos, je pouvais me relever et reprendre les tâches de la maison.

Pas pour très longtemps, car il me fallait retourner près de ma mère et entendre encore une fois les mots que bientôt plus personne ne pourrait me dire.

A un moment, j'ai ri. « Alors maman, qu'est-ce que je suis ? Allemande, anglaise, française ? Et Dan, indien, américain, anglais, français ? Tout ça ! Et monsieur Raymond, polonais et français et Dieu sait quoi, et Alex français et autre chose aussi non, slave en tout cas, hein maman ? Et Minor russe et français et juif, et notre concierge portugaise et française ! Tout ça pour nous, maman, tu te rends compte, tout ça, et j'en oublie ! » Oui j'en oubliais sûrement, je le voyais dans le regard de ma mère, mais j'exultais de bonheur comme si toutes ces nationalités et races mêlées apportaient un surcroît de vie, un surcroît de vie dont nous avions tant besoin, oh maman.

Elle s'affaiblissait, je voulais l'égayer un peu, égayer nos retrouvailles, je lui racontais des histoires du monastère, cela l'amusait car dans sa clinique elle avait été soignée par des religieuses, je cherchais les histoires les plus inoffensives.

« Un jour, maman, je suis allée aux cuisines vers quatre heures, c'était l'heure du goûter, et personne ne manquait le goûter, on se dépêchait même, tellement on avait peur d'arriver trop tard, d'arriver devant des miettes, un dernier sucre taché et plus de confiture, mais cette fois ce n'était pas le problème, car figure-toi, sur la table au milieu du réfectoire, il n'y avait qu'une seule carafe, d'ordinaire il y en avait deux, l'une pour le café, l'autre pour le chocolat, on les guettait dès la porte, de grandes carafes en métal avec une anse et un bec verseur », et je voyais Tirésia sourire car elle connaissait bien cette vaisselle de communauté, « là il n'y avait que la carafe de café, et je voulais du chocolat, si tu savais comme la nourriture prend de l'importance dans ces lieux », Tirésia souriait encore, à cause du chocolat qu'elle savait que nous aimions, Dan et moi, « alors je suis allée aux cuisines, après tout j'étais l'essuyeuse de vaisselle, je me sentais un droit sur le lieu » (ma fille, dont nous avions voulu faire une étoile, essuyeuse de vaisselle ! oh le sourire de Tirésia), « j'y suis allée et tout de suite j'ai compris ce qui était arrivé à la carafe de chocolat. Dans un coin autour d'une table de la cuisine, il y avait un affairement stupéfiant, comme les abeilles autour de la lanterne vénitienne de père », je voyais Tirésia bouger les lèvres, oui c'était des guêpes, mais cela l'amusait aussi, cette erreur, mon incompétence pour les choses de la nature, semblable à celle de mon père, « et ça bruissait, plus de règle du silence, maman, ça papotait et s'exclamait sans retenue, et tu sais autour de quoi ? Autour d'un homme que je voyais de dos, elles étaient quatre ou cinq à se bousculer, les subalternes, les timides, Madeleine, celle qui lavait la vaisselle, et sa jumelle Madeleine-Marie, celle qui suspendait nos draps au milieu des poules et des chats, et deux dont je ne t'ai jamais parlé, la sœur infirmière et la sœur horlogère, et l'une de dire " mais si, mais si, emportez-le ", et l'autre " on vous en a gardé exprès plusieurs pots " et de renchérir " vous pourrez en donner au père Joseph " et " resservez-vous encore ", elles faisaient des tartines avec une confiture qu'on ne nous avait jamais servie au réfectoire, leur trésor secret, et sur la table il y avait la grande carafe de chocolat, dont elles ne cessaient de verser de belles coulées épaisses dans le bol placé devant l'homme, l'homme était en pull-over et jean, les coudes sur la table, il semblait heureux de cette attention.

Je suis repartie, elles ne se sont pas aperçues de ma présence, mais le lendemain à la messe, il y avait un nouveau prêtre, l'abbé Dureuil, nous avions des prêtres qui venaient à différents intervalles servir la messe chez nous, celui-là m'a fait peur, il avait des yeux qui transperçaient, un profil d'aigle, son discours aussi était dur, mais il n'y avait pas à s'y tromper, c'était le même que celui qui mangeait des confitures la veille dans la cuisine des sœurs, qui avait pris son goûter comme un petit garçon gâté et naïf, oh maman, je ne peux pas te dire ce que ça m'a fait, je commençais tout juste à regarder autour de moi, à voir les gens. »

Tirésia m'écoutait attentivement, les yeux mi-clos, je voyais un petit papillon de plaisir s'animer sur ses traits, j'étais transportée de bonheur, après elle somnolait un peu, sa main dans la mienne, quand elle rouvrait les yeux j'étais prête à lui raconter une autre histoire.

« Maman je ne voyais pas les sœurs, je ne voyais que leur robe et leur voile, et encadré dans leur voile un visage qui n'était qu'une sorte de lune, aussi blafard et indistinct. Je ne les entendais jamais aller aux douches ni aux toilettes, puisque j'étais dans une autre partie du bâtiment, et le repas était si ritualisé et la nourriture bonne mais si souvent la même que, au réfectoire non plus, je ne les voyais pas vraiment. Et puis un jour que je passais un escalier, quelque chose qui se trouvait sous la rampe m'a arrêtée net, c'était une sorte de petite panière à couture, et dedans on apercevait du rose, la couleur rose, maman, du rose au monastère, j'étais là devant et ce rose me tirait littéralement à lui. Dans la panière, il y avait une culotte de soie bordée de dentelle, un caraco assorti, d'autres culottes pas aussi jolies mais presque, des soutiens-gorge. Maman, les sœurs portaient des culottes de soie, les usaient, les reprisaient ! Je me disais " elles ont donc des proches qui leur offrent de la lingerie, pour qui elles sont des femmes " et si j'avais pu, j'aurais soulevé les robes de toute la communauté pour voir qui portait la culotte de soie rose bordée de dentelle. Et le caraco assorti. Je crois que c'est le caraco qui m'a le plus secouée, tu comprends maman ? »

Sa main serrait légèrement la mienne, je sentais que si elle l'avait pu, elle m'aurait raconté des histoires semblables, ses histoires à elle à l'asile des vieux, mais elle avait dépensé ses forces pour son récit, peut-être n'avait-elle rien à raconter, peut-être n'écoutait-elle que le son de ma voix, qu'importe je voyais le fragile papillon de plaisir sur ses traits, et son air attentif.

Quelque chose s'est passé. A demi couchée près de Tirésia, je somnolais. Il y avait une nuit tout autour, froide et dure, une enfant qui était moi essayait de flotter dans cette nuit, mais chaque mouvement la jetait sur des parois, j'étais entourée de vide compacifié, mes bras s'y aventuraient et revenaient glacés, des sons lointains traversaient, semblables à des éclatements de planète, sans mesure aucune avec l'enfant dans son berceau, autrefois il y avait eu une nuit douce et palpitante, maintenant il y avait ce vide noir, glacé.

Deux points menus et brillants sont apparus au fond de la nuit, ils se rapprochaient, arrivaient au-dessus de mon berceau, d'eux émanaient la chaleur et l'odeur de ma nuit d'autrefois, je me tendais vers ces deux points, vers le halo rond et doux entre eux, qu'ils encadraient de scintillements et qui était tout ce qu'il y avait de bon au monde, « maman ! ».

— Maman, les petites boucles en diamant, je les ai vues sur toi, je les ai vues quand tu étais ma mère !

Tirésia secouait doucement la tête.

« Ce n'est pas possible, ce n'est pas possible, tu n'avais que quelques mois... »

Mais tu les portais, maman, et je les ai vues, ces boucles je les ai vues autour de ton visage ! La douleur m'empoignait terriblement, j'avais possédé ma mère durant quelques mois après ma naissance, je la retrouvais quelques heures avant sa mort, tout mon être était contracté entre ces deux extrémités du temps. L'enfant qui avait perçu sa mère dans ce doux scintillement des bijoux au milieu de la nuit mortelle hurlait en moi, hurlait en l'adulte qui allait la reperdre à tout jamais dans la même nuit. Oh ces boucles, comme elles me brûlaient la tête. Elles étaient allées à Nicole au moment de leur premier arrangement, et alors j'avais perdu ma mère.

Un souvenir de bébé, qui aurait dû s'écraser sous la masse des souvenirs suivants, et il avait traversé intact toutes les couches de ma vie, minuscule et brillant, et soudain cela m'a calmée, la douleur s'en est allée, j'étais émerveillée, ma mère scintillait au fond de mon être, rien ne pourrait l'en faire partir.

Et j'ai raconté encore une histoire du monastère.

« Maman, dans le parloir, il y avait des vitrines, et ces vitrines exposaient des objets qu'elles avaient confectionnés, des bavoirs, des tricots d'enfants, des barboteuses, des napperons, une quantité de napperons, et tout cela laid, en crochet épais, aux couleurs grossières, si laid que cela semblait étrange, on avait l'impression qu'elles avaient pensé à des bébés monstrueux, des hybrides d'humains et de créatures surnaturelles, j'imaginais des choses étranges au fond de leur esprit, mais sans doute je me trompais, nous avions trop fréquenté les magasins de luxe Dan et moi depuis que nous étions riches, maman, grâce à toi. Elles disaient que ces objets étaient à vendre, mais comment le croire, ils étaient tous recouverts de poussière et les vitrines ne semblaient jamais avoir été ouvertes, de plus elles étaient dans la partie du parloir la plus éloignée des visiteurs. Un jour j'ai voulu acheter un bavoir, c'était vers la fin, notre ville était revenue dans mes pensées et je voulais peut-être envoyer un cadeau à l'enfant d'Alex. Maman, je n'ai jamais réussi à trouver la sœur qui détenait la clé de ces vitrines. Sous des prétextes irréprochables elles me renvoyaient de l'une à l'autre, jusqu'au moment où j'ai renoncé. Aucune d'entre elles n'a jamais trahi ce mystère. Tu comprends cela, maman? »

Ma mère souriait, comme je la trouvais belle ainsi, ce visage défiguré m'était plus cher que tout au monde, la beauté montait à travers les cratères et les ravins, planait par-dessus comme une brume de lumière, et je ne le trouvais pas défiguré, bien moins que tant de visages partout dans les rues, dont les traits sont tiraillés en tous sens comme par des bataillons de lilliputiens démoniaques. Et pas de brume lumineuse sur ces visages-là.

Dans cette brume je me reposais, j'ai dit « je plains les sœurs, elles n'ont pas le corps de leur mère » et ma chance m'a paru stupéfiante.

A un moment Tirésia s'est agitée, quelque chose la tourmentait, et j'ai su tout de suite, « le cercueil est revenu à sa place, maman, Adrien et Alex l'ont rapporté ».

Son visage s'est détendu, je lui ai donné ses derniers médicaments, et nous sommes restées l'une près de l'autre, ma tête contre son corps, ma main dans sa main, veillées par les doux rayons de soleil, puis par la petite lampe du piano, dans un bonheur qui m'a semblé le plus absolu de ma vie, même s'il n'était qu'un mirage, mais je n'étais pas le voyageur avide, j'étais le désert lui-même et le mirage m'était plus intime que toute chose au monde.

65

Adrien

Sur la dalle, il y avait trois noms : Andrew Helleur, Nicole Helleur, Dan Helleur, et maintenant ce quatrième : Thérèse Helleur.

Comme sa mère le lui avait demandé, Adrien était revenu. Il me conduisait.

Devant nous, le corbillard. Durant le court trajet, une pensée m'est venue : « Adrien me conduit à l'enterrement de ma mère, il m'a conduite à l'enterrement de mon père et de Nicole, est-ce une sorte de mariage cette chose avec Adrien, est-ce cela les mariages ? »

Il m'a ramenée chez moi. Nous sommes entrés dans le salon.

— Il faut enlever ce lit, a-t-il dit.

— Bien.

Sa sombre énergie me faisait du bien. J'étais prête à l'accueillir.

Les paroles de Tirésia m'avaient détachée de moi-même. Le passé d'Estelle était complet, entier, les longues lianes floues qui avaient traîné dans mon esprit comme d'impalpables et obsédants fils de la vierge, ma mère les avait ramassés, les avaient ramenés les uns après les autres sur le passé auxquels ils appartenaient, de sa voix de mourante elle avait refait la trame de mon passé, je n'avais plus rien à quêter, il me fallait seulement partir. Quitter ce domaine de la mort où s'étaient enfoncés les êtres de mon passé.

J'étais encore trop près, faible et vulnérable. Adrien était le seul qui pouvait s'aventurer sur ces confins, il y marcherait à grands pas sonores sans savoir où il était, il y était déjà, faisant les cent pas dans le salon avec ses chaussures qui faisaient craquer le parquet.

— Tu as les mêmes chaussures qu'à l'enterrement de mes parents.

— Idiote, dit Adrien, c'est le même modèle, mais pas les mêmes bien sûr !

Je prendrai Adrien comme passeur pour m'aider à sortir du domaine de la mort, mais il ne le saura pas.

— Pourquoi ris-tu ?

— Tu achètes toujours le même modèle de chaussures, Adrien ?

— Oui, je ne vois pas ce que ça a de drôle.

Passeur, bon passeur, Adrien !

Tes chaussures sont solides et ton pas sonore. Il effraie les morts. Et moi je ne t'aime pas, c'est pour cela que je peux te suivre, je ne trahis pas l'amour, on quitte le domaine de la mort comme on le peut, il faut un passeur qui ne sait pas qu'il l'est, il faut à ce passeur des chaussures bruyantes et un pas qui écrase le sol. On quitte le domaine de la mort tiré par la laideur, sinon on ne le quitterait pas, il n'y a pas d'autre moyen, je ne saurais l'expliquer mais je le sais.

La beauté s'est enfoncée dans les lointains obscurs avec mes morts, dans son sillage comme une traîne immatérielle flottaient ces pâles fils de la vierge qui m'avaient retenue si longtemps. Ma mère m'en a délivrée, et maintenant je m'éloigne.

Mais le sol sur lequel je reprends pied sera toujours une terre étrangère.

Sonnerie dans la maison. Alex est à la porte.

— Ça tombe bien, dit Adrien, tu vas m'aider à remonter ce lit en haut.

— J'étais venue voir Estelle, si elle a besoin de quelque chose, dit Alex.

— Elle a besoin que tu m'aides à remonter ce lit en haut, mon vieux.

— C'était le lit de..., le lit de la morte, dit Alex avec effort, tu es d'accord, Estelle ?

Je ne m'appellerai plus Estelle. Ma mère a emporté son enfant avec elle, cette enfant s'appelait Estelle, promise à un destin d'étoile, l'étoile aussi s'enfonce maintenant dans les lointains ténébreux de la mort. Il me faudra un autre nom.

— Si tu veux bien, Alex.

Nous avons eu beaucoup de mal. Il a fallu démonter le lit.

— C'est toi qui l'avais démonté pour le descendre?

— C'est lui, dit Adrien.

— J'ai travaillé à la fabrique de cercueils, balbutie Alex comme pour s'excuser.

— Je voulais pas que ma mère ait à monter tous ces escaliers, dit Adrien.

Plus tard, nous sommes assis, Adrien, Alex et moi au salon. Le salon a repris quasiment son air d'autrefois. La mère d'Adrien est venue, elle était inquiète parce qu'il était si tard, Adrien lui a dit qu'il resterait avec moi cette première nuit. « Viens chez nous », me dit madame mère. « Non, il faut qu'elle s'habitue tout de suite », dit Adrien. « Je vais vous apporter un petit plateau », dit-elle alors. « Alex va aller le chercher ton plateau, dit Adrien, il mangera bien quelque chose avec nous lui aussi... avant de s'en aller. »

J'écoute ces discours. Va, va Adrien, bon passeur, j'écoute tes phrases rudes dans le marécage qui clapote. Je patauge derrière toi, tu éclabousses en marchant, mais c'est parce que tes chaussures trouvent le sol ferme sous la boue de la mort.

— Merde, dit Adrien, cet Alex, quel pot de colle.

Nous buvons quelque chose, de l'alcool.

— Qu'est-ce que tu vas faire? dit Adrien.

— La même chose.

— Tu es folle, dit-il, tu ne vas pas retourner chez les bonnes sœurs. D'abord, enlève ça, je ne supporte pas. Le voile ça va encore, mais la robe, non merci.

D'accord.

Adrien, mon passeur, je te suis. J'ai mis la vieille salopette et le pull que je portais quand nous allions à la grotte ou dans le fossé ou autour de la mare pour ramasser les flèches qui étaient tombées autour. Pauvre Adrien, il s'imagine sans doute que mes bonnes sœurs, comme il dit, seraient choquées de me voir habillée ainsi. Je pense à Marie-Marthe, en tee-shirt, ses seins ronds balançant sous la cotonnade, suant et fauchant à grandes jetées de bras sous le soleil.

— Pourquoi tu ris ?

— Arrête de me demander pourquoi je ris, ça m'agace.

— Moi aussi, ça m'agace, on dirait tout le temps que tu parles à quelqu'un d'autre !

Alex est revenu avec son plateau. Nous avons mangé tous les trois dans mon salon. Alex parlait de la fabrique de cercueils puis de temps en temps s'interrompait pour me regarder d'un air désespéré.

Il se demandait si c'était bien de parler de ces choses devant celle qui venait de perdre l'un des siens, mais c'était son travail, ce qu'il connaissait. Adrien répondait par monosyllabes. De temps en temps il levait les yeux sur moi. Je sais bien ce qu'il se demandait, lui. Il se demandait pourquoi je ne les mettais pas à la porte, tous les deux, si c'était par politesse ou si j'avais une idée derrière la tête. C'était ainsi qu'il était, mon voisin, mon ennemi. Il pensait que les gens avaient toujours des idées derrière la tête. Je ne crois pas qu'il ait jamais pensé qu'on pouvait en avoir *dans* la tête.

En cet instant il avait raison. Je n'avais pas d'idée dans la tête, mais j'en avais une derrière.

Mon esprit était étrangement vide et clair, tout glissait, l'enterrement de Tirésia, le retour ici, le salon où il n'y avait plus son lit, les sandwiches de madame mère, Alex et Adrien assis chacun dans un fauteuil, me regardant d'un air incertain, et moi, ce vide.

Le temps s'étirait. Alex s'est levé. Il avait un air de chien abandonné. Il s'est tourné vers Adrien, toute son attitude exprimait une question : « Pars-tu avec moi ? »

— Inutile de te fatiguer, vieux, je reste, dit Adrien sans même se lever de son fauteuil.

Ainsi est parti Alex.

— Eh bien... dit Adrien.

Je ne répondais rien.

— En somme, reprenait-il, ils t'ont tous lâchée. Ton père, Nicole, ton frère, Tirésia... Ta maison est vide, Estelle... Il ne reste plus que moi.

« *Mon chat avait quatre pattes, une moustache et une queue* », bien, bien Adrien, « *ma famille comptait trois adultes et deux enfants, quatre sont morts* », reste avec moi, Adrien, *tu ne me déçois pas, tu ne m'as jamais déçue, c'est ce que je pense maintenant, madame, c'est peut-être ce que je pensais à ce moment, mais j'étais dans un tel état, si froide, avec des foyers de brûlure que je ne sentais pas, et j'avais encore une tâche à accomplir. Toujours après la mort, une tâche... et ensuite ?*

Je ne disais toujours rien.

— Dans un certain sens, il me faut du courage pour rester... Elle ne porte pas bonheur, ta maison.

— Alex serait resté...

— Alex ! (Adrien s'est mis à rire.) C'est pour ça qu'il t'aime, parce que ta maison est comme un cimetière, il s'y retrouve.

— Et toi pourquoi tu restes ?

— Hum...

— Pourquoi ?

— J'ai envie de voir comment tu t'en sors, après tous ces chocs. Qu'est-ce que tu vas inventer maintenant ? Une fois, c'était de déterrer un cadavre...

— Adrien !

— Après c'était de baiser sur un cercueil...

— Faux !

— Pas loin en tout cas. Une autre fois, c'est de te faire bonne sœur. Je t'assure, Estelle, ça fait des années que je te regarde, toi et ton sacré frère, je te connais par cœur, et pourtant tu me surprends toujours. Alors qu'est-ce que tu vas faire maintenant, Estelle, dis-moi ?

Oh comme cela m'était évident, ce que j'allais faire.

Adrien, mon passeur, c'est toi que je chargerai du récit de

Tirésia. C'est *dans* ta tête que je vais le poser. Tu porteras le secret des dieux, c'est à toi que je le donnerai parce qu'il est noir et sinistre et absurde. Et tu le porteras sans même t'en rendre compte, parce que le secret des dieux, tu t'en fiches. Le jeter en toi, ce sera exactement comme le jeter au vent, et c'est cela que je veux.

Oh Adrien comme tu m'es cher et profondément lié et comme tu ne m'es rien !

— Il fait froid, a-t-il dit.

Nous avons fait un feu dans la cheminée, nous avons tiré le canapé, étendu un tapis, nous avons mis des couvertures...

Je ne sais comment parler de ces choses, ces choses que l'on fait lorsque tout est mort et que l'on continue d'exister. Mes phrases sont cela, ce sont les phrases que l'on dit lorsque tout est mort et que l'on continue d'exister.

Nous avons fait un feu, nous avons tiré le canapé, étendu un tapis, nous avons mis des couvertures.

Il n'y avait plus personne en qui crier, en qui hurler. Plus personne portant en soi assez d'espace pour s'y lancer à corps perdu. Les phrases désormais : des taxis, on monte dans l'une puis dans l'autre, on ne se rappelle pas le visage du conducteur, lui-même ne se rappelle pas le vôtre, il va là, puis là. Les phrases : des segments sans suite.

« Je vais chercher le bois », dit Adrien. « Je vais chercher une couverture », dit Estelle. « Prends-en plusieurs », dit Adrien. « Tire le canapé », dit Estelle. « Par là », dit Adrien.

Ce n'est pas une maison qu'ils se font, pas un abri, ce n'est rien, qu'un tapis devant un feu.

Plus personne en qui hurler, ou commencer de hurler, ou commencer de former le début d'un hurlement... Personne.

Bien sûr je peux orienter ce hurlement, le tourner vers celui qui est là maintenant, vers Adrien.

Le hurlement s'élance, oh il s'élance, puis en chemin il se transforme, il ne trouve pas son espace, il ne trouve qu'un destinataire, il se recroqueville, se ratatine.

Mon hurlement ne trouve pas son espace et devient une formation de petites fléchettes méchantes. Les fléchettes méchantes, au moins, trouvent un destinataire : un mur.

Et ce n'est pas si mal. Avec Adrien, je suis méchante.

Est-ce cela la barque qui ramène du pays de la mort, la méchanceté ?

Mon frère : les phrases-cabris et elles trouvaient une prairie où s'ébattre, les phrases ondulantes et elles trouvaient une mer où se prélasser, les phrases floconneuses et elles trouvaient un tapis de neige où descendre, les phrases papillonnantes et elles trouvaient un champ de fleurs où butiner, les phrases scintillantes et elles trouvaient un ciel pour s'accrocher, les phrases trop faibles trouvaient un nid pour choir, les malformées, les monstrueuses, les ratées trouvaient leur cour des miracles... si changeantes les phrases, et d'un coup de baguette changeait aussi l'espace qui les recevait...

Mon frère était mon espace.

Adrien n'est qu'un destinataire.

L'espace, on ne le voit pas, il est en vous, autour de vous.

Adrien, je vois les traits de son visage, tous bien séparément, son nez un peu busqué, ce n'est qu'un nez, son front trop haut, tant de front pour si peu de pensées, ce n'est qu'un front, et son cou, fort et râblé, ce n'est qu'un cou. Moi aussi devant lui je ne suis qu'un nez, un front, un cou, qu'on peut observer séparément. Adrien ne me trouve sûrement pas belle. Sûrement je lui répugne, et cette répugnance lui colle à la peau, c'est ce qu'il a de plus personnel.

— Bon alors, Estelle ?

Nous sommes devant le feu maintenant, adossés au canapé, il faudrait finir de se déshabiller, j'ai peur de voir mon corps que je n'ai pas vu depuis plusieurs années. Je perçois cette pudeur, cette inquiétude... pour Adrien, est-ce possible !

— Si tu ris encore, Estelle, je te frappe.

Je me déshabille d'un coup.

— Eh bien, dit Adrien. Eh bien...

Le chant de Tirésia murmure dans ma tête : « ma fille, ma petite fille ». Je l'écoute un moment. Désormais je n'aurai plus de pudeur, plus d'inquiétude. « Ma fille, ma petite fille. » Non seulement je suis nue, mais je regarde moi aussi cette chair qui est devenue blême, la peau des jambes rêche et bourrue, je touche cette peau, je porte mes deux mains à la tête, les cheveux taillés en grosses mèches font un effet étrange sur les paumes, je touche mon ventre, la toison là ne m'évoque rien sinon, fugitivement, les plaques moussues que nous caressions parfois sur les tombes des sœurs avant de les enlever. Un instant je lève les yeux vers Adrien. Nous nous regardons.

— Tu n'as pas tes règles cette fois ?
— Je n'ai plus de règles Adrien.

Il a son air morose d'autrefois, son visage ne bouge pas et le mien non plus, nos souvenirs d'enfance défilent dans notre regard, mais ce sont d'étranges souvenirs, on dirait qu'ils ont traversé un lieu plein de ténèbres et de broussailles, qu'ils ont été tordus, fracturés, ils font un nœud d'épines noircies, je ne les reconnais pas, ce sont eux pourtant, que nous est-il arrivé, je suis dans ma maison et c'est là ce qui se dresse dans nos regards, qu'est-il arrivé à notre enfance Adrien ?

— A toi, maintenant.

Adrien se déshabille.

Ces vêtements de l'être qu'on n'aime pas. Ils n'ont pas fait corps, ils sont séparés, des vêtements qui viennent d'un magasin, qu'on voit distinctement extraits d'une rangée, d'un étalage, d'une pile, avec passage par le pressing qui élimine les faux plis, rétablit les vrais et restitue le tout sous une enveloppe de cellophane qui le transforme en paquet cadeau. Le corps d'Adrien est bien entretenu, il a été exposé à l'exercice, au soleil, à des caresses. Mais je ne vois que des morceaux séparés, des jambes d'athlète, au mollet saillant... Un mollet... Les décombres de la danse.

Près des décombres de la danse, je suis couchée.

— Eh bien, Estelle, quoi maintenant ?
— Je vais te raconter une histoire.

— Mets ta main sur moi.

— Plus tard Adrien.

— Si, donne-moi ta main, là. Tu sens...

— Oui Adrien.

— Tu sens mon sexe Estelle ?

— Oui...

— C'est pour toi cette fois.

— Je ne te demande rien.

— Ce qu'on a fait sous le lilas, il y a longtemps, ce n'était pas pour toi.

— Je ne regrette pas, Adrien.

— Ce n'était pas pour toi ni pour moi, c'était pour lui.

— Je ne regrette pas ce qu'on a fait.

— Caresse-moi.

— Après.

— Caresse-moi, pour moi.

— Adrien.

— C'est la dernière fois, n'oublie pas.

— Je sais Adrien.

— Après je serai marié...

— Je ne te demande rien.

— Regarde-moi, cela fait longtemps que tu n'as pas vu un homme, tu n'as pas envie ?

— Je veux te parler.

— Alors parle-moi de ma verge, Estelle. Tu ne l'aimes pas ? Ta main est froide...

— Tu as un beau corps, tu le sais.

— Ta main est froide, elle tient ma verge et ne bouge pas, et cela me fait du bien, il n'y a que toi, tu sais...

— Je veux te parler.

— J'ai peur quand tu parles, Estelle, chaque fois que tu parlais tu gagnais sur moi.

— Je ne veux rien gagner, Adrien, j'ai tout perdu.

— Je sais que mon corps est en forme, Estelle, je fais du sport, tu t'es assez moquée de moi...

— Si tu pouvais accepter des excuses...

— Je ne veux pas d'excuse, je veux ta main, et ton regard.

— Adrien, il y en a tant d'autres..

— Je veux être nu ici une fois, dans ta maison. Il est droit et fort, mon sexe, et plus court que celui de ton frère, mais plus large, c'est vrai, Estelle?

— C'est vrai, Adrien.

— Et brun de peau, presque noir, lui c'était plus doré, n'est-ce pas?

— Tu nous connais, Adrien.

— Et moi je ne fais que du sport, je ne fais pas de danse ni de musique. Celui qui ne fait pas de danse ni de musique, il ne sait pas faire l'amour, c'est ce que vous pensiez dans votre maison, sûrement Estelle?

— Adrien!

— Ou vous ne pensiez rien? Est-ce que tu as jamais pensé que j'avais une queue?

— Que veux-tu...

— Je ne suis pas en colère, Estelle. Tu crois que je suis en colère?

— Non.

— Alors réponds-moi. Est-ce que tu as jamais pensé que j'avais une queue?

— Je ne sais pas.

— Vous alliez et veniez, comme si je n'étais pas là...

— Tu n'as jamais prévenu, jamais demandé la permission.

— Et je vous voyais...

— Qui?

— Toi, elle, vous deux, lui, je ne sais pas...

— Adrien, c'est de cela que je veux parler.

— Parle-moi avec tes lèvres et tes mains.

— Tu as tout, Adrien, tu as eu beaucoup de femmes...

— Je sais, je sais...

— Regarde-moi, tout est rêche et là en bas, je ne sais plus quelle odeur il y a dans mon sexe.

— Il ne s'agit pas de ça...

— Je ne sais plus rien, qu'est-ce que tu veux?

— Je voudrais te donner quelque chose.

— Tu vas te marier et je ne te demande rien.

— Tu as le cœur dur comme une pierre, Estelle, le monastère ne t'a pas changée, mais laisse ta main sur mon sexe. Un moment.

— Je vais te raconter une histoire.

— Tu ne peux pas te laisser aller et baiser comme tout le monde, une fois, Estelle, une fois ?

— Cette histoire commence pendant une guerre...

— Je ne suis pas venu pour entendre une histoire.

— Attends, cette guerre, c'est la nôtre, celle pendant laquelle tes parents se sont mariés...

— Estelle...

— Celle pendant laquelle je suis née, la deuxième guerre mondiale du XXe siècle...

Mystérieusement mon emprise est là de nouveau, mon emprise ancienne sur notre voisin Adrien que je n'aime pas, qui ne m'aime pas. Son regard sombre est fixe, il ne m'interrompt plus.

Plus tard nous nous sommes un peu rhabillés. La lune s'est levée, on la voyait très nettement par la fenêtre, l'infernale lune blanche. La rue était totalement silencieuse. Adrien est allé jusqu'à la fenêtre, il regardait vers chez lui.

— Mes parents avaient parlé de cela, je crois, il y a très longtemps. Ton père faisait des parachutages et Tirésia passait du courrier pour le maquis. C'est mon père qui réceptionnait. J'imagine que c'est pour ça que ton père a choisi cette région pour s'installer...

Il a posé la main sur ma poitrine.

— Tes seins...

— Attends, Adrien...

— Elles ne t'ont pas abîmé cela au moins.

— Pourquoi...

— La première fois que j'ai vu tes seins, c'est quand tes cousins sont venus.

— Peut-être.

— Tu avais mis un tee-shirt, sans soutien-gorge, tu te rappelles ?
— Oui.
— Je t'ai demandé d'enlever le tee-shirt, tu te rappelles ?
— Non.
— Sous le lilas... J'ai mis mes deux mains sur toi et tu n'as pas bougé, tu avais les yeux grands ouverts et tu me regardais tout droit, comme si tu ne me voyais pas, absolument comme si je n'existais pas, tu te rappelles ?
— Attends...
— Tu ne te rappelles pas, Estelle ?
— Adrien, l'histoire n'est pas finie.

Petit à petit les bûches se sont consumées. Adrien en a pris d'autres sur le tas que nous avions empilé, nous avons passé un moment à rallumer le feu.

— Ça aussi, j'ai dû l'entendre, mais c'est si loin dans ma mémoire. Elle venait en vélo par une petite route déserte, du côté de la Rampante, il était tard, personne n'a jamais bien su qui c'était, des miliciens, des Allemands ? Peut-être des gars de la région, complètement ivres, le père d'Alex si ça se trouve, il buvait comme un enragé depuis la mort de sa femme... Des miliciens, des Allemands. C'est ça qui se disait je crois, mais dès que j'arrivais, tout le monde se taisait et mon père me regardait de son air noir, comme quand il va me battre, alors tu sais, je filais.

Adrien est revenu s'étendre près de moi.
— Bon tout ça on n'y peut rien.
— Attends, ce n'est pas fini...

La lune est passée derrière le grand marronnier du jardin, plongeant la pièce dans une semi-obscurité où les bûches rougeoyaient plus violemment.
— Quoi ! Toutes les deux ?
— Toutes les deux.
— Et la gamine c'était Nicole ! C'est pour ça qu'elles étaient un peu... un peu...
— Oui, un peu fêlées.

— A Paris, pendant une leçon de piano! Pauvre Nicole!

— Et Tirésia, ce qu'on lui a fait...

— Nicole était si jeune, elle avait rien à voir là-dedans.

— Tirésia n'était pas beaucoup plus vieille et elle avait risqué toute sa vie.

— Pourquoi l'ont-ils emmenée?

— Qui?

— Nicole.

— Ils ne faisaient pas de détails. Si je n'avais pas été chez la voisine, à cause de la leçon de piano, ils m'auraient emmenée aussi et je n'étais qu'un bébé.

— Bon, tu es toujours ici.

— Attends, tu ne sais pas tout. Au sujet de Dan et de moi.

La lune était réapparue de l'autre côté du marronnier. Une blancheur était massée dans le fond du salon et dans la cheminée les braises rassemblées au milieu de la cendre semblaient couver un brasier ancien.

Adrien s'est relevé brusquement. Je ne l'avais jamais vu et ne devais jamais le revoir aussi bouleversé.

Il allait de long en large dans la pièce, parfois passant devant la cheminée où sa silhouette sombre semblait s'élever démesurément sur un fond d'incendie, parfois s'enfonçant comme un fantôme dans la zone lunaire au fond, je crois qu'il refoulait des larmes.

— Ni toi ni Dan alors. Et moi qui crevais de jalousie, qui enviais comme il vous tenait par la main, comme il vous parlait, comme il vous regardait tout le temps, et il ne vous interdisait jamais rien, j'aurais voulu qu'il soit mon père, ça tu ne savais pas hein! Des milliers de fois j'ai tourné dans ma tête des histoires tordues, erreur d'état civil, substitution d'enfants, abandon, adoption, j'avais oublié cela, Estelle, et ça me revient maintenant, je rêvais à ça tout le temps, que monsieur Helleur était mon père et pas le vôtre, que votre père c'était le mien, ou celui d'Alex, ou monsieur Raymond, oui c'était monsieur Raymond que je vous donnais le plus souvent, j'avais presque fini par le croire... Il ne me chassait jamais, monsieur Helleur, même quand je venais comme ça, n'importe quand. J'avais besoin de le voir, et le soir aussi j'avais besoin de le voir. Je venais regarder sous vos fenêtres, je prenais appui sur la cale pour arriver à hauteur et entendre ce qu'il vous disait, mais je n'avais que le son de sa voix, pas un mot plus haut que l'autre, et cet humour qui arrangeait tout, il ne grondait jamais lui... Et vous n'étiez même pas ses enfants...

Monsieur Helleur, disait-il en marchant, le seul être que j'aie jamais admiré, Estelle, je voulais lui ressembler, mais toi et ton frère ne voyiez rien de moi. Monsieur Helleur, monsieur Helleur, répétait-il...

Et soudain il m'a semblé qu'il prononçait ces mots comme le matin même je disais « maman ». Les mots avec lesquels on va chercher sa douleur dans les tréfonds, ou par lesquels elle vous attire, et on y va, répétant le mot magique pour que s'ouvrent les trappes, on va vers sa douleur parce qu'elle seule nous amène si loin, nous ouvre ces tréfonds jusque-là ignorés, qui semblent eux-mêmes ouvrir sur l'immense magma obscur où plongent toutes les racines de toute l'humanité.

Adrien disait :
— Je m'en vais, je m'en vais.
Mais il continuait de tourner en rond en murmurant « monsieur Helleur ».
— Adrien, ce n'est pas fini.

Il est revenu sans protester, il était encore sous le coup de son émotion, je ne crois pas qu'il m'ait même entendue, simplement il ne pouvait pas quitter un lieu où d'une certaine façon vivait encore le seul être qu'il avait admiré.
J'ai continué de parler. Nous nous sommes un peu endormis. Nous nous sommes réveillés. Nous avons mangé le reste des sandwiches. Adrien a tendu la main vers moi.
— Ce n'est pas fini...

La dernière bûche s'est coupée par le milieu dans une gerbe d'étincelles et les deux parties sont tombées sur le côté. Nous les avons ramenées sur les braises.

— Ce n'est pas fini...

La lune pâlissait. Nous nous étions rapprochés du feu. Une froideur humide, sournoise commençait à venir par les murs et les fenêtres. Mon père s'était éloigné doucement avec les ombres de la nuit, exactement comme il s'éloignait pour aller s'enfermer dans son bureau, ne laissant ni querelle ni amertume derrière lui, qu'une sorte de paix triste teintée d'un sourire, mais celle qui nous occupait maintenant, oh c'était autre chose. Mon récit n'avançait plus que par à-coups heurtés, Adrien m'interrompait d'instant en instant, ses questions me faisaient partir par le travers, il avait avalé un autre verre d'alcool.

— Mais pourquoi a-t-elle accepté! a-t-il dit avec violence, posant trop fort le verre sur la pierre de la cheminée, de telle sorte qu'il s'est brisé.

— Elle leur devait sa vie... et elle les aimait.

— Des conneries!

Il était là, Adrien, tout entier, tel que je l'avais toujours connu et cela me faisait du bien, son chagrin pour mon père m'avait décontenancée, mais sa violence me faisait du bien, quelque chose commençait à se fissurer dans la chape que le monastère avait posée sur moi. J'aimais les colères d'Adrien, je me rendais compte que je les avais toujours aimées, et en cet instant, malgré toutes les années au monastère, et la mort de ma mère, et le cimetière et l'horrible solitude qui attendait son heure, je les aimais encore, et je glissais vers la colère d'Adrien comme vers une vieille démangeaison.

— Des conneries! Ça devait être sinistre pour elle cette maison, cette ville. Et faire semblant d'être ta mère en plus, tu parles d'une sinécure! Pourquoi elle n'est pas restée avec son chorégraphe, comment il s'appelait?

— Alwin, mais ce n'est pas fini.

Adrien n'acceptera jamais que Nicole ait aimé mon père, ait aimé Tirésia, m'ait aimée moi, passionnément, malgré tout...

Et comme si je n'avais rien dit, il recommence : « pourquoi a-t-elle accepté ? ».

Alors écoute bien, Adrien, parce que je ne t'ai rien dit encore, écoute Adrien. Puisque tu l'aimais, Nicole, il faut que tu saches, que tu saches jusqu'au bout...

Crois-tu que l'amour peut être un sourire, une robe qui bruit, une épaule blonde sous un volant, un joli corps nu, que tu as vu, que tu as vu, sûrement Adrien, tu étais toujours dans notre maison, que tu as touché peut-être, Nicole était si douce, pour mettre une rose dans ses cheveux et redresser les frisons de son cou, j'ai vu cela près du rosier, je l'ai vu, mais qui aurait pu s'en empêcher, je ne t'en ai pas voulu, crois-tu que pour toi seul l'amour ce serait ces choses gracieuses, et pour moi ce serait la mort la torture la douleur infinie... Tu l'aimais Adrien, et sûrement tu le lui as dit, et peut-être elle t'a souri et t'a embrassé, elle était douce, et tu as pensé qu'un jour tu la conquerrais avec ton argent, parce qu'elle t'avait refusé bien sûr, elle avait ri gentiment et elle t'avait refusé, mais pour premier amour tu as eu la beauté, tu as eu Nicole, devines-tu ta chance Adrien, alors il faut que tu saches jusqu'au bout, que tu saches ce qu'elle a enduré, notre beauté ailée, notre Botticelli, et en même temps ce que ma mère Tirésia a enduré, sinon, ce serait injuste Adrien, trop injuste.

— Pourquoi elle a accepté, pourquoi elle a continué ?
— A cause de ce qui s'était passé au camp.
— Tu me l'as déjà dit.
— Je ne te l'ai pas raconté.
— Je ne veux pas le savoir.
— Si.
— C'est du passé.
— Ce n'est pas du passé, ça ne cesse de continuer.
— On n'en parle plus, personne n'en parle plus, même mes parents n'en parlent pas.
— Il faut que tu le saches...
— Ça n'a rien à voir avec moi, ça ne m'intéresse pas, tu entends, Estelle.

— Le passé ne cesse de continuer, il continuait quand nous étions enfants, il a continué hier, il continue maintenant...

— Tu es folle.

— Il continue maintenant, Adrien.

— Tais-toi.

— Juste en ce moment, Adrien, entre nous, et tu cries, tu cries à cause de ce passé que tu ne connais pas.

— C'est toi qui me fais crier, tu m'as toujours fait crier.

— C'est le passé que nous ne connaissions pas.

— C'est toi, Estelle, tu m'as rendu mauvais, tu m'as rendu fou des années.

— Je ne le savais pas, je ne savais rien.

— J'aurais pu tuer, Estelle, j'ai envie de tuer maintenant, je pourrais serrer ton cou, là, là maintenant, et regarder les yeux te sortir de la tête, et ta langue te sortir de la bouche, et ta tête gonfler, gonfler toute noire, et ça me ferait du bien Estelle, si ta tête éclatait comme une vesse-de-loup...

— C'est parce que tu ne veux rien savoir, Adrien, tu ne veux rien savoir de la vie, sauf l'argent qu'on peut en tirer, pour te satisfaire toi, et rien d'autre...

— Et toi tu parles, et tu me regardes avec ces grands yeux que je déteste, qui me traversent sans me voir...

— Même si tu serres, tu ne serreras pas assez, parce que tu veux écouter, parce que tu ne peux pas t'en empêcher...

— Tes mains sont toutes froides sur les miennes, on dirait que tu es déjà morte, hein, est-ce que tu sens comme j'ai envie de serrer, comme j'ai envie de te tuer...

— Ce n'est pas toi Adrien, c'est le passé.

— Je te fais mal, là.

— Oui.

— Et là ?

— Oui.

— Et là ?... Tu ne peux plus parler, hein. C'est bon quand tu ne parles plus Estelle. Ecoute ce silence. Tu entends ? Réponds-moi.

– Oui

— Tu vois, je te lâche un tout petit peu, mais je ne sais pas si je vais te lâcher tout à fait. Parle, vas-y... Raconte, Estelle.

Madame, ce n'est pas moi qui ai parlé, si c'était moi, je pourrais vous dire maintenant ce que j'ai dit alors, c'était quelqu'un d'autre en moi, c'était ma mère, et autour de ma mère, ces autres femmes mortes avant elle, torturées avant elle, c'étaient leurs cris, leur agonie, je ne peux pas le raconter, madame je touche à mon but et voyez-vous ce qui m'arrive, je ne peux pas, je ne peux pas vous faire le récit de ma mère...

Eux je les revois, Estelle et Adrien, ils sont debout, l'un devant l'autre, il a ses mains autour de son cou à elle, et elle a ses mains sur les siennes, quelqu'un passant furtivement derrière une fenêtre les prendrait pour des amants, deux silhouettes dans la lueur du feu, face à face enlacées, ils sont restés debout tout le reste de cette nuit, plus tard Adrien a desserré son étreinte, parfois il parlait, par à-coups rapides, les traits de son visage bougeaient, comme si un écrou se desserrait, et son visage bougeait, prenait la forme d'autres visages qu'il aurait pu avoir, ses visages possibles affleuraient, disparaissaient, à un moment il a brusquement lâché le cou d'Estelle et s'est reculé comme si un monstre l'avait mordu, elle a fait un geste vers lui, de douceur, il restait rigide, puis il a haussé les épaules, elle a ramené ses deux bras contre sa poitrine, il faisait froid, lui il n'a plus bougé, et à partir de là il n'a plus tendu la main vers elle, ni pour la menacer ni pour toucher son corps, et elle je la regarde, madame, je la regarde, mais elle est de dos, je n'entends pas ce qu'elle dit, je ne vois pas son visage, ce n'est plus qu'une image, lueur de la lune, feu éteint, maison vide, rien qu'une image, pâle, je ne peux en faire dégorger le sang, j'ai envie de hurler, madame, je pourrais tuer moi aussi, il n'y a personne à tuer, madame, je crie au secours, vers vous, vers vous...

Le feu est éteint, la fraîcheur nous fait trembler, nous tremblons en parlant.
— Arrête de bégayer, Estelle.
— C'est toi qui bégaies.
— Il fait froid, et merde, tu n'as plus de bûches.
— Je vais en chercher.
— Où ça ?

— Derrière, sous la soupente.

— Non, non je vais m'en aller.

Nous battons l'air de nos bras, nous remuons un peu la cendre, nous marchons de long en large.

— Ecoute, je vais chercher des bûches.

— Laisse tomber.

— Pourquoi tu restes?

— Je reste si j'en ai envie.

— Alors si tu restes, je vais...

— Tu ne peux pas arrêter de parler une minute, non?

Nous bégayons encore de froid, nous nous disputons, nous retrouvons nos marques, elles sont toujours là, nous ne pourrons jamais en avoir d'autres, mais sur ces marques nous ne sommes plus les mêmes. Nous ne le savons pas encore. L'être nouveau s'avance avec les phrases et les gestes de l'être ancien, nous sommes en retard sur nous-mêmes, et ainsi quelque temps encore nous parlerons, nous agirons comme Estelle et Adrien d'autrefois, mais ils ne sont plus rien l'un pour l'autre, quelques années plus tard dans un sursaut de leur être ancien ils retrouveront des gestes, des cris, ils s'accoupleront une deuxième et dernière fois, laidement, ce ne sera pas sous le lilas d'un jardin, ce sera au sous-sol d'un grand restaurant, dans les latrines où ils seront descendus tous deux, cellule étroite, bruit d'eau, remugles, vite et mal encore, pour faire grincer l'horreur ancienne entre eux, par une sorte de curiosité en ce qui te concerne, Adrien, comme une vieille démangeaison, et puis champagne, et tu auras oublié, tu retourneras à tes entreprises prospères et à la femme que tu t'es trouvé et qui t'a rendu heureux finalement et aimable, tu es un homme aimable et plutôt mieux que bien d'autres, je le reconnais, mais nos chemins ne se croiseront plus...

— Ah, fait soudain Adrien hors de propos.

Il se met à rire, d'un rire qui semble le percuter de tous côtés à l'intérieur mais dont il ne veut rien lâcher au-dehors, que les autres surtout n'en profitent pas. Un instant j'ai l'impression qu'il

798

a perdu la tête. Mais non, c'est le vieil Adrien d'autrefois, qui ricane.

— Ah, dit-il, ce n'était pas ton frère ! Ma pauvre Estelle, tu perds beaucoup de ton attraction du coup, beaucoup, oui beaucoup !

Derrière les grands marronniers, l'aube se lève. Des bruits menus d'oiseaux s'entendent dans le jardin. Un autre jour arrive. Tirésia est morte.

— Maintenant va-t'en Adrien...

Il tâte ses joues, son menton, avec ses mains on dirait qu'il enlève l'émotion de son visage, ses traits semblent taillés dans du bois, un bois dur couvert de lichen. Il étire ses bras, fait quelques mouvements. « Il faudra que tu fasses changer la chaudière », dit-il. Il n'y a plus d'hésitation en lui. Il n'a qu'une hâte : prendre une douche, se raser et changer de chemise.

— Je passe chez moi et je repars tout de suite. Après, va au diable, Estelle, va au diable, toi et ta famille, et ne reviens plus me tourmenter.

J'ai pris son bras et je l'ai embrassé, là bizarrement, sur le coude.

— Merci.

Il m'a repoussée brutalement.

— Moi je ne te remercie pas. Qu'est-ce que tu veux que je fasse de toutes ces horreurs que tu m'as racontées ?

— Ce n'était pas que des horreurs...

— Je n'en sais rien. Tout ce que je sais, c'est qu'on n'a même pas baisé, et maintenant je suis trop crevé, va au diable, Estelle.

Adrien et moi, non, nous n'étions pas à donner en exemple à l'amour.

Du seuil je l'ai regardé rejoindre la brèche du mur, il allait à grands pas, un homme d'affaires Adrien, j'ai couru jusqu'à la balustrade du perron, j'avais envie de l'appeler, qu'il se retourne à la brèche du mur et je l'appellerais, son nom était dans ma gorge, « retourne-toi, retourne-toi », mes yeux se sont embués, je n'ai pas vu s'il se retournait, je suis rentrée dans la maison.

« Maman... » « Ma fille, ma petite fille... »

66

Ne te venge pas

« Voilà qu'un jour les portes de la maison d'à côté se sont ouvertes, il y avait un homme que nous ne connaissions pas, une femme en noir, qui ne marchait pas sans aide à l'époque, un bébé et une jeune fille blonde, si blonde, ce ne pouvait être une fille de la région, et jolie, jolie, mon mari est venu me chercher, il m'a dit " est-ce que ça ne serait pas... ", il n'osait pas finir sa phrase, cette femme en noir, toute cassée, on n'aurait pu la reconnaître, ta mère avait été une belle femme, hautaine et imposante, mais vraiment belle, et elle n'aurait eu que vingt-six ou vingt-sept ans, et puis il y avait cette jeune fille, nous nous rappelions bien l'histoire de la petite élève qui avait été arrêtée en même temps que ta mère, mais cela n'avait pas de sens, on voyait comme elle regardait ton père, elle était amoureuse comme une gamine, j'ai dit à mon mari " impossible ", on avait l'impression de blasphémer à penser des choses pareilles, c'est quand le piano est arrivé, quelques jours après, que nous avons recommencé à avoir des idées, mais à ce moment-là nous démarrions juste l'entreprise de transport, et je venais d'apprendre que j'étais enceinte, Adrien, oui, et maintenant il va peut-être mourir, mon Adrien, oh Estelle... »

Les larmes coulaient sur le visage un peu épais, je regardais aussi la lisière des cheveux, les cheveux poussaient dru et sombres comme chez Adrien, on ne pouvait poursuivre les pensées accrochées sous ces fourrés, je ne pourrais jamais arracher ces pensées, elles se dressaient comme d'antiques pleureuses, suppliant.

« Le pauvre monsieur Voisin est agité comme une feuille, l'Ogre qui vous faisait si peur tu te rappelles, " rien à expliquer " a-t-il répondu à Adrien, c'est un homme entier, il y a des choses qu'il ne faut pas lui dire, qui lui font voir rouge et Adrien ça ne fait que l'exciter davantage, cela a toujours été comme ça entre eux, tout va bien et d'un seul coup une querelle qui sort de rien, ce n'est pas qu'ils ne s'aiment pas, mais ils ont le même caractère, et maintenant il souffre, il m'a dit " vas-y, toi, va la voir, parle-lui... " »

Croyez-vous, madame Voisin, que je tienne le destin entre mes mains, croyez-vous que ceux qui ont beaucoup fréquenté la mort ont établi des liens secrets avec elle, est-ce cela que vous pensez, que je suis revenue dans le monde des vivants pour chercher une obscure vengeance et que c'est Adrien qu'il me faut en sacrifice ?

« Il faut que je t'explique, Estelle, il faut que tu comprennes, un soir, je m'en souviens comme si j'y étais, mon mari était rentré plus tôt du travail, le crépuscule n'était pas encore tombé, un homme est venu sonner chez nous, il s'est présenté, " monsieur Helleur ", c'était le nouveau voisin, et il a demandé à nous parler, à tous les deux,
nous ne nous attendions pas à ce qu'il allait nous dire, je croyais que c'était une vitesse de politesse, mais il a dit tout de suite " pourrais-je vous parler, à tous les deux ? ", on s'est assis, et quand il est parti la nuit était tombée depuis longtemps, il y avait une grosse lune dans le ciel, mon mari et moi nous n'avons pas eu la force de parler, nous nous sommes mis au lit tout de suite et c'est là que tout a commencé pour nous,
mais c'est comme si c'était hier, notre génération ne bouge pas comme la vôtre, les années font un tapis lisse, un long tapis lisse, il suffit de commencer à retourner en arrière, et on glisse tout droit jusqu'au jour qui s'est marqué dans la mémoire,
au milieu de la nuit, j'ai eu une sorte de malaise, j'avais

l'impression d'avoir la lune en plein sur la figure, je me suis réveillée, nous n'avions pas eu la force de tirer les volets en nous couchant,

j'ai dit à mon mari " est-ce qu'on ne fait pas une erreur ? ", il n'a pas répondu tout de suite, j'ai cru qu'il était fâché, peut-être me suis-je rendormie, et voilà qu'il disait " c'est le secret des dieux ", cela m'a fait un frisson, monsieur Voisin n'est pas un homme à parler de dieux, après nous sommes restés allongés, tout rigides, je n'oublierai pas cette nuit,

on était jeunes, il y avait toutes sortes de choses auxquelles on n'avait pas réfléchi encore, et là c'était comme si on pensait toutes les pensées qu'on aurait jamais dans sa vie, toutes en même temps,

une pensée ça peut se dire, mais toutes les pensées à la fois, ça ne fait que du silence, alors nous nous sommes tus, de toute façon monsieur Voisin était résolu, une fois qu'il a décidé quelque chose il ne revient plus en arrière, c'est sa fidélité à lui,

Tirésia était pour lui comme la Résistance, puisqu'elle demandait quelque chose, il fallait accepter, " c'est le moins qu'on puisse lui accorder ", a-t-il dit, il voyait peut-être cela comme une réparation de guerre,

mais moi je n'étais pas d'accord, ma petite Estelle, il me semblait que cela ne pourrait apporter que malheur, et votre docteur Minor n'était pas d'accord non plus, cela je le voyais bien, mais mon mari est têtu, il a fait ce qu'il croyait son devoir, et à l'époque c'est lui qui semblait avoir raison, si tu avais vu l'état dans lequel était Tirésia, elle avait même perdu de sa taille, nous ne voulions pas être des bourreaux,

et j'ai fini par plier, mais ça ne me plaisait pas, " il y a des choses que tu ne peux comprendre ", disait mon mari, je ne sais pas s'il les comprenait lui, je crois qu'il se forçait, en tout cas il a promis, voilà pourquoi Estelle, et maintenant tous ces morts, cela me serre la tête... »

Pensez-vous que dans une balance secrète Adrien pourrait valoir tous mes morts ? Que maintenant, pour apaiser ma colère, je pourrais faire que la tôle s'enfonce plus durement en lui, que ses vaisseaux éclatent, qu'ils inondent de sang son cerveau, et alors ce serait moi bientôt qui vous accompagnerais sur cette route familière, si familière, la route de notre cimetière ?

« Car vois-tu Estelle, nous n'avions jamais vu son mari, mais après l'arrestation de Tirésia, nous lui avions écrit, nous lui avions proposé de garder le bébé, c'était presque la campagne ici, il nous avait répondu qu'il ne pouvait se séparer de toi, tu vois il t'aimait tant déjà, comment aurions-nous continué de penser, et puis la vie devenait difficile dans le pays, la division Das Reich remontait de notre côté, on entendait parler de représailles partout,

longtemps après nous avions reçu une autre lettre de ton père, il nous disait que Tirésia était revenue, il demandait si nous ne connaîtrions pas une maison à vendre dans la région,

il y avait la maison à côté que le propriétaire avait désertée, oui, celui qui avait fait ce grand fossé au fond de votre pré, il se croyait encore à la guerre de 14 et il voulait faire des tranchées partout, il a fini en maison de repos,

nous avions envoyé l'adresse de l'agence immobilière à ton père, et après nous n'y avions plus pensé, finalement ces gens nous les connaissions à peine... »

Adrien avait trébuché, comme sous un fardeau trop lourd, il n'était donc pas si fort, pour la première fois il m'avait déçue, oh Adrien tes belles chaussures craquantes et ta voiture étincelante n'ont pas été des talismans suffisants, une faiblesse, un mot d'amour, « sous le lilas ce n'était pas pour toi, cette fois c'est pour toi Estelle », et la mort s'était approchée de lui,

Adrien n'avait pas été léger comme le vent, il avait trébuché et maintenant les pensées de notre voisine se dressaient vers moi, elle avait couru à travers les tombes, son visage était bouleversé, je m'étais redressée.

« Cette gamine, Nicole, ça se voyait clair comme le jour qu'elle n'était pas ta mère, des fois je regardais un peu comment ça se passait chez vous, mais elle faisait tout son possible, elle y mettait toute sa bonne volonté, seulement qu'elle était maladroite, alors monsieur Voisin et moi, nous lui envoyions la Nanou d'Adrien, pour qu'elle l'aide un peu,

heureusement tu étais une enfant facile, c'en était même étrange, oh oui c'était étrange Estelle, on aurait dit, comment expliquer cela, on aurait dit que tu avais tout compris et que tu essayais de lui faciliter la tâche,

tu étais si calme, et tu avais une façon de regarder avec tes yeux, je n'ai jamais vu d'enfant regarder comme ça, je disais à mon mari " cette petite, elle se laisserait mourir si ça pouvait arranger les autres ", et il me disait " c'est une fille, c'est tout, les filles c'est plus sage ", mais je crois que ça l'impressionnait lui aussi,

à côté d'Adrien qu'il fallait dresser à coups de taloche, j'avais parfois des idées mesquines, je pensais " ce n'est pas juste ", mais cela n'arrivait pas souvent je t'assure, c'était quand j'étais fatiguée, j'avais pris la comptabilité de l'entreprise, et cela me donnait du fil à retordre... »

Un jour, écartant soudain les branches, monsieur Raymond s'était penché, nous étions mon frère et moi sous le pommier, mais il ne nous regardait pas, quelque chose captait violemment son attention, c'était un groupe de trois femmes qui descendait la prairie, Nicole à peine vêtue comme d'habitude, le volant de son décolleté glissé sur l'épaule, Tirésia voilée, et notre voisine dans une robe tablier qui la serrait (nous étions convaincus Dan et moi qu'elle taillait ses vêtements dans les toiles à emballer de l'entreprise), « les v'là, murmurait monsieur Raymond, les v'là »,

oui, oui, la folle en noir et l'aguicheuse blonde, nous connaissions, mais la troisième c'est quoi, dites-le-nous monsieur Raymond, il avait ricané, « c'est du chiendent, il y en a plein le pays comme ça, les deux autres elles seront déjà passées que celle-ci sera encore là, c'est elle que vous devriez prendre pour mère, hein petites gangrènes, si vous n'étiez pas si ébaubis... ».

Notre mère avait passé comme la rose jaune et Tirésia comme la rose pourpre et notre père comme le blanc camélia, le chiendent était toujours là. Et il m'étouffait.

« Elle avait à peine dix-sept à l'époque, peut-être moins, les yeux lui mangeaient la figure, elle était toujours inquiète et complètement perdue si ton père s'éloignait ou Tirésia ou toi, elle tremblait dès que quelqu'un élevait la voix, même mon mari avait pris l'habitude de parler doux en sa présence, tu connais sa grosse voix pourtant, elle vous a assez fait peur cette grosse voix,

et plus tard cette horloge qu'elle avait fait mettre sur le palier, sais-tu pourquoi c'était, c'était parce qu'elle sonnait les heures et comme ça elle pensait que personne ne s'en irait complètement dans le sommeil, c'est ce qu'elle m'avait expliqué, « comme ça ils ne s'en iront pas complètement dans le sommeil madame Voisin », et j'ai eu envie de lui dire que nous non plus du coup, nous n'y allions pas dans le sommeil, à cause de son horloge qui s'entendait jusque chez nous, mais nous avons fini par nous y habituer, cela nous a fait un coup quand elle s'est arrêtée, nous avons eu l'impression que Nicole était morte une deuxième fois, monsieur Voisin est allé la réparer, pendant ton absence oui, et maintenant j'ai peur que la nôtre ne s'arrête aussi, celle qui est devant la chambre d'Adrien, oh Estelle j'ai peur que nous ne soyons punis... »

Sa voix bourrue tout imprégnée de pleurs m'assiégeait, il me semblait que par elle pénétrait en moi toute la rumeur de la ville, que cette rumeur étrangère venait s'emparer de notre histoire, l'histoire de la maison Helleur, pour la faire sienne, pour y mêler de proche en proche d'autres histoires, et les broyer et les malaxer avec la nôtre. Il me semblait que déjà le récit de ma mère s'étouffait sous des mots qui n'étaient pas les siens, oh laissez-moi au moins notre histoire, c'est trop tôt madame Voisin, je suis trop faible...

« Minor lui faisait des piqûres, ça allait mieux de jour en jour, elle commençait à rire, elle faisait des cabrioles pour t'amuser sur la pelouse, nous appelions cela des cabrioles, bien sûr c'était de la danse, et elle chantait, alors revenir en arrière, non ce n'était pas pensable, on ne réfléchissait pas à cela tous les jours, on vivait, mais on sentait les choses, elle avait peur que personne ne l'aime, Nicole, elle avait peur de se retrouver seule, sans l'amour des seuls êtres qui lui restaient, alors si elle faisait comme Tirésia voulait, si elle devenait ta mère et l'épouse de monsieur Helleur, alors elle serait liée à vous et rien ne pourrait l'en séparer, c'est cela qu'on avait senti sans vraiment y réfléchir,

oui, oui, c'était un ange à sa façon, ta petite mère Nicole, et même quand elle s'est sauvée,

je ne sais lequel de vous elle aimait le plus, Tirésia d'abord, et puis ton père après, et puis toi à la suite, et Dan plus tard, et tous pareils à la fin, vous étiez indissociables pour elle, ça devait lui faire comme un filet autour du cœur parfois, je pense que c'est pour cela qu'elle s'est sauvée, nous n'avions pas à juger,

et ce qu'elle a connu, ce qu'elle a eu en guise de jeunesse,

ce n'était pas elle la véritable élève de Tirésia, mais sa sœur aînée qui s'appelait Thérèse elle aussi, sa sœur aînée était très douée et elle l'admirait passionnément, et voilà qu'un jour la petite Nicole est arrivée chez vous à Paris, elle n'avait plus de sœur aînée, plus de parents, plus de famille du tout, ils étaient tous morts, volatilisés dans les bombardements, et elle était comme dérangée, il lui était venu une idée fixe, elle voulait prendre des leçons de piano,

et Tirésia a compris qu'elle voulait faire comme sa sœur, que c'était très important, la petite a eu ses leçons, elle n'était pas très douée, mais ça l'a stabilisée, elle nous l'a dit elle-même peu de temps après votre arrivée, " Tirésia m'a stabilisée et restructurée ", elle était toute fière d'employer ces grands mots, nous ça nous a fait bizarre, oh oui parfois elle nous faisait bizarre Nicole, mais nous nous disions que nous n'étions pas passés par où elle était passée... »

Le jour s'étendait sur les tombes du cimetière, je regardais cette femme qui avait dans sa tête des images de mes morts, qui pouvait les faire bouger et parler à sa guise, il y avait un temps où j'aurais pu me ruer sur cette tête qui contenait mes morts, je la regardais, les traits de son visage se découpaient nettement, comme les allées des tombes, comme la maisonnette du père d'Alex, comme le tuyau d'eau enroulé sous le robinet du mur, comme la grille, et la route, et l'avion que nous regardions passer sur la pointe des sapins, du côté des collines, l'avion du matin, qui venait de décoller de l'aéroport de Champerdu.

« Je ne suis pas nerveuse Estelle, je mange bien, je dors bien, je ne me laisse pas facilement démonter, mais je peux te le dire, les seuls cauchemars que j'ai faits dans ma vie, c'était à cause de ce tortionnaire,

il y avait bien eu des exécutions ici dans la région, et ce village où on a brûlé tout le monde à l'église, mais ce que ton père nous a raconté, nous n'arrivions pas à y croire, des expériences scientifiques soi-disant,

sais-tu pourquoi les petits frères d'Adrien sont nés si longtemps après lui, c'est parce que je pensais à ça tout le temps, ce tortionnaire était accroché à mes ovaires, il habitait dans le bas de mon ventre, ce n'était pas drôle pour nous parfois,

tu pourrais croire Estelle que nous avons fait exprès de te cacher des choses, ça ne s'est pas passé comme ça mon petit, le choc et puis le silence, et puis la vie qui s'installe par-dessus, et quand il nous passait un éclair de lucidité dans la tête, nous reculions encore, à cause de Tirésia et de Nicole, à cause de ce qu'elles avaient souffert,

ça faisait mal ces moments, monsieur Voisin allait faire un tour en camion, et moi je refaisais tous mes comptes de la journée, vous nous avez causé de l'anxiété, Estelle, des joies aussi mais bien de l'anxiété,

il ne faut pas nous traiter de lâches ni de criminels, Adrien nous a crié cela ce matin, tu l'as peut-être cru aussi ou tu pourrais le croire, un jour ou l'autre, des choses comme ça c'est trop fort pour tout le monde, on ne peut les commander, vois ce qui arrive à Adrien, c'est pour cela qu'il faut que tu m'écoutes, que je te supplie de m'écouter, Estelle... »

Parmi les terrains du monastère il y avait un triangle isolé, abandonné à lui-même. Marie-Marthe ne l'avait pas englobé dans ses projets de culture, ne m'avait jamais emmenée y passer la faux. Une cabane, une statue mal définie, et trois vieilles chaises désempaillées en marquaient la limite. Courant de l'une à l'autre des liserons en faisaient une sorte de rempart dépenaillé et charmant et, dans le soleil comme dans la pluie, brillaient d'immenses toiles d'araignées. Debout devant madame Voisin, j'aspirais à ces remparts.

Derrière l'herbe y est haute, de grandes graminées hochent la tête, se tournant de-ci de-là, le champ entier est en conversation, ah voici un endroit où on se joue avec astuce de la règle du silence, tout en moi se tend vers le murmure léger qui court entre les têtes plumeuses, un murmure sans mots sans images...

« Il faut nous comprendre, Estelle. Nicole dans ce camp, elle perdait la tête petit à petit, à force d'attendre son tour. Tirésia lui a sauvé la vie, ele avait un magnétisme extraordinaire, ta mère, et une endurance, une sorte de foi, une sagesse, je ne sais comment expliquer cela, elle a sauvé beaucoup de filles dans ce camp, je ne sais combien de temps cela aurait duré, elle était mourante quand le camp a été libéré,

plus tard elles ont eu droit à des indemnités toutes les deux, " secours spéciaux aux victimes d'expériences pseudo-médicales ", c'était en 1964 je crois,

Tirésia s'est remise mais elle ne voulait plus qu'on la voie, elle ne voulait pas que son enfant ait une mère qui " portait l'horreur en elle ", ton père nous a répété cela plusieurs fois, le soir de sa première visite, et nous en avons été transpercés,

il ne voulait pas l'abandonner, " on n'abandonne pas une femme comme ça, monsieur Voisin, vous êtes bien d'accord n'est-ce pas " et mon mari avait les larmes aux yeux,

c'est comme ça que Tirésia a eu son idée, et c'est devenu une idée fixe aussi, que Nicole devienne ta mère, tu sais comme elle était jolie Nicole, elle avait l'air d'une rose, c'est ce que ton père disait et il avait raison, et elle était jeune, après quelques mois de repos et bien soignée, elle était aussi fraîche qu'une rose qui vient d'éclore,

ils voulaient te léguer un passé propre, je ne sais pas le dire exactement, ton père savait parler, j'en ai encore des frissons la façon dont il nous expliquait cela,

et voilà il demandait que nous fassions comme si c'était Nicole ta mère, parce que nous étions leurs plus proches voisins, que nous avions connu Tirésia dans la Résistance, moi j'ai tout de suite pensé à plus tard, quand tu aurais besoin de papiers, mais son mari a dit " c'est un avocat, il en sait plus que nous ", je crois qu'il comprenait ton père, lui aussi il avait envie d'oublier la guerre,

et puis ça n'allait pas toujours bien chez vous, tes parents n'en montraient jamais rien, mais nous nous trouvions cela inquiétant, que Tirésia ne parle à personne, que Nicole s'enferme dans ce garage,

mon mari parfois lui parlait, " vous n'auriez pas envie de prendre un métier, madame Nicole, ça vous sortirait un peu ", et elle le regardait, " je ne peux pas, monsieur Voisin, si je ne danse plus, ça n'ira pas, ça n'ira pas... ",

et puis il s'est pris d'affection pour ton père, ils ne se ressemblaient pas beaucoup pourtant, mon mari était toujours à pester, et monsieur Helleur lui répondait avec son humour à lui, c'est comme ça qu'ils s'entendaient, et ne crois pas, Estelle, ils s'entendaient,

et nous on ne pensait pas toujours à vous, on s'habituait finalement, et puis voilà qu'un jour Nicole est partie... pris la fuite, disparue, j'ai dit à mon mari " ça devait arriver " et il m'a dit " elle reviendra ",

elle est revenue, et puis Dan est né, et là nous ne savions rien, Estelle je te jure, Nicole n'a jamais parlé de ce qui s'était passé là-bas en Amérique, elle a juste dit à mon mari qu'elle ne ferait plus de danse, que c'était fini pour elle, mais nous la danse nous n'y connaissons rien, ça nous a toujours paru bizarre cette danse, et encore plus pour Dan,

ce que fait Adrien, ça nous surprend aussi, de mon temps c'était plutôt les femmes qui s'occupaient de meubles et de décoration, et de toute manière pas dans nos milieux, et puis tous ces voyages à l'étranger, oui je sais Estelle, tu le comprends mieux que nous là-dessus,

et maintenant cette Allemande, c'est toi que j'aurais voulu qu'il épouse, j'aurais voulu que tu sois ma belle-fille, je ne pourrai jamais parler avec son Allemande comme je le fais avec toi,

Kerstin oui, ce n'est pas bien de l'appeler l'Allemande, je n'aimerais pas qu'ils fassent comme ça pour mon fils, eux là-bas à Düsseldorf, mais ils doivent bien le faire, on est tous pareils sans doute, pas meilleurs les uns que les autres,

et maintenant qui sait même s'il y aura un mariage, oh Estelle, ma petite Estelle, ne te venge pas sur nous... »

Au réfectoire sur le pupitre qui dominait les deux longues tables une sœur avait un jour apporté un poste de radio. Désormais à chaque repas, flash d'informations. « Dans le match retour des clubs champions, Alex a battu Nice par trois buts à... » Petipeta, ffffuffffuit, la sœur s'était précipitée et avait baissé le son. Mais nonobstant l'affaiblissement net du vacarme, le commentaire du match restait parfaitement audible dans notre grand réfectoire. Le speaker avait l'accent du Sud-Ouest, et bien qu'on lui ait rabattu le caquet, sa voix n'en avait pas pour autant perdu de son bagou, de son intensité haletante, on n'aurait su prendre cette voix pour celle d'une moniale, les moniales écoutaient-elles le commentaire du match du football? Elles étaient exactement comme à l'ordinaire, les yeux sur leur assiette. Impossible de savoir si dans les oreilles les pavillons se dressaient, les tympans se trémoussaient et les canaux semi-circulaires débordaient. De l'extérieur, oreilles dormantes, à la niche sous les voiles. Moi aussi j'avais un voile, c'était le match Auxerre-Nice, mais j'avais très nettement entendu « Alex ».

Un temps arrive où on ne peut plus ne plus entendre, et alors ce qu'on entend se mêle monstrueusement avec ce qui se tait en soi, je marchais le long du mur de clôture, je restais debout parmi les graminées...

« Quelle pleureuse je fais, Estelle, et toi tu m'écoutes, avec tous ces deuils que tu as eus, je retrouve les yeux que tu avais quand tu étais petite, ils me retournaient des fois tu sais, ces yeux que tu avais, mon Dieu, quand je pense à vos malheurs, quand je pense à vos malheurs Estelle,

les larmes viennent toutes seules, c'est de penser à eux tous, là-dessous sous la pierre,

avant son accouchement Nicole disait " c'est fini pour moi ", elle parlait de la danse, mais on avait l'impression qu'elle parlait de sa mort, peut-être avait-elle eu une annonce, elle n'avait pas l'air de ce monde,

mais finalement après la naissance, elle s'est reprise, et maintenant il y avait Dan, et c'était quelqu'un celui-là, plus remuant que toi, partout où il passait ça devenait la fête, mais nerveux aussi, comme sa mère, cela me donnait souci, je disais à mon mari " ce gosse c'est une flamme ", et je me disais " il ne faudrait pas trop souffler dessus ",

Nicole s'est remise à danser, et toi et ton frère vous étiez inséparables, c'était touchant de vous voir tous les deux, de ma vie Estelle, de toute ma vie je n'ai vu deux gosses comme vous, et je ne sais pas pourquoi, des fois ça me fendait le cœur aussi,

de temps en temps, surtout quand tu es devenue grande, ça faisait un peu drôle de vous voir toujours ensemble comme ça, mais pour nous vous étiez le frère et la sœur, c'est vrai, Estelle, le frère et la sœur, nous ne pensions jamais autrement,

Adrien nous donnait déjà assez de tracas, il était devenu grognon, comme son père, et toujours en chamaille avec vous deux, pourtant il était tout le temps fourré chez vous, " où est-il ? ", " à la maison Helleur ", il ne se passait pas une journée sans qu'on s'échange ces deux phrases avec mon mari,

je me demandais parfois ce qui se passait entre vous trois, les enfants, mais vous vous raccommodiez toujours et quand on posait des questions à Adrien, il nous disait " c'est nos affaires ", c'est comme ça qu'il nous parlait,

et monsieur Helleur l'aidait pour ses devoirs, Adrien n'aimait pas l'école tu sais, et monsieur Helleur l'a aidé aussi quand il a fait ses bêtises avec le propriétaire du bar-tabac, ce collabo qui nous détestait, ça aurait pu mal tourner, ton père s'est démené, et je crois qu'Adrien ça l'a changé, il n'a plus recommencé ses sottises après...

jamais, jamais je n'aurais pu penser tout cela, comment aurais-je pu Estelle, vous étiez des enfants, le frère et la sœur, on vous connaissait depuis toujours, oh nous avons été aveugles... »

L'enfant Liliane ne voulait pas des histoires de ses livres, elle voulait une histoire à moi, le premier jour au retour de l'aéroport elle a réussi à attraper un fil de ma vie, et ce fil elle voulait le tirer tout entier, dévider mon cœur et ma chair, l'entourer autour de son petit doigt, et le sucer jusqu'à disparition, mais sa ruse n'était qu'une ruse de toute petite enfant, inquiète et esseulée, et moi j'étais plus forte, madame, en voyant le petit visage blanc retiré si loin sous la trop opulente chevelure, en voyant la petite main monter sournoisement le volume de la chanson, de la chanson qui chantait de plus en plus fort « saute en l'air, mon petit frère », j'ai compris combien ma force était grande, une force que j'avais ignorée, qui se découvrait à ce moment en toute simplicité, en toute évidence,

je n'ai pas abandonné mon opéra à la ruse innocente d'une fillette, je ne lui ai pas livré mon opéra pour qu'elle le mette à sa taille, petite fée, petite sorcière, et le change en conte d'enfant,

je l'ai amenée devant mon piano et elle a joué avec les touches, nous avons retrouvé la musique de la chanson, puis d'autres chansons, elle riait de plaisir. J'étais devenue forte madame, et je l'ai su ce jour-là au piano avec l'enfant Liliane, qui ne m'est rien et auprès de qui je vais vivre désormais.

« Oh nous avons été aveugles,

et encore plus après l'accident de tes parents, nous avons fini par apprendre ce qui s'était passé pourtant, Minor était si bouleversé qu'il a parlé, il nous a dit que ton frère tournait mal, nous ne connaissions pas ces choses, Estelle, nous n'avons pas vraiment compris, maintenant nous sommes un peu moins bêtes,

et je vois bien ce qu'elle a pu penser Nicole, la pauvre gosse, des histoires de vengeance et de punition, elle se montait vite la tête tu sais, et elle vivait tellement dans ses idées,

si elle était venue nous parler, nous l'aurions empêchée de se monter comme ça, nous l'aurions raisonnée, un père qui détruit son fils, non cela n'existe pas, et en tout cas ce n'était pas vrai, il a fait tout ce qu'il pouvait pour Dan, cet homme, Alwin, oui Alwin, il n'a pas trahi monsieur Helleur, il a respecté votre vie à tous telle qu'elle était, ma pauvre petite, tout était ligué contre vous... »

« Toutes ces larmes, je ne sais d'où elles me viennent, tu sais ce que ton père disait en parlant de Nicole et Tirésia,

"j'aimerais qu'elle aient votre solidité", on parlait comme ça, par-dessus le mur, cette phrase m'a marquée, mon mari a beaucoup de qualités, mais il ne fait pas de compliments, "ma solidité", ça m'avait fait plaisir, et maintenant s'il me voyait ton père... »

« Nous avions l'air distants, Estelle, peut-être, et pas commodes parfois, mais c'était par retenue, c'est comme ça dans nos petites villes, les secrets des autres ça ne nous regarde pas, et mon mari est encore plus farouche, "tu parles trop" il me disait, lui c'était le silence, comme dans le maquis,

nous étions liés à vous, Estelle, trop liés à vous pour changer, les disputes de mon mari avec monsieur Helleur, et sa promesse, ça le faisait vivre, ça l'empêchait de tomber dans la mélancolie, et moi il m'arrivait d'être jalouse de Nicole, n'empêche je l'admirais, on ne pouvait faire autrement, elle n'était pas de ce monde, Nicole,

et Tirésia aussi, le soir parfois, quand monsieur Voisin était à l'entrepôt avec ses camionneurs, j'allais au fond du jardin, j'allais l'écouter qui jouait du piano, tu n'aurais jamais cru ça n'est-ce pas, vous pensiez que je n'aimais que les chiffres et mes marmites, si je le sais bien,

ça me rendait triste ce qu'elle jouait, et ça me faisait du bien, et quand elle a arrêté de jouer, ça m'a manqué...

Et quand ils n'ont plus été là et que vous deux vous êtes partis, quand tout le monde a été parti et que la maison a été vide à côté, je me suis sentie vide moi aussi, et mon mari de même, nous ne nous reconnaissions plus, c'est ce qu'il m'a dit, " la maison Helleur est vide et moi je ne me reconnais plus... " »

« Tu penses peut-être que si nous t'avions parlé, ton frère ne serait pas mort, tu penses peut-être que nous avons été lâches et criminels,
      si j'avais su, Estelle, si j'avais su que c'était de l'amour entre vous, je te jure que je t'aurais parlé, pour moi l'amour des vivants est plus important que les idées des morts, je l'aurais fait,
      j'ai peur pour Adrien, Estelle, ne le fais pas mourir, ne nous punis pas... »

« Il ne faut pas que tu restes ici, il faut que tu leur dises adieu, tu m'entends Estelle, sinon toi aussi tu seras bientôt dans la tombe,
      donne-moi ta main, passe-la sur la pierre, oui sur leurs noms, tout doucement,

Andrew   Helleur
Nicole   Helleur
Dan   Helleur
Thérèse Helleur

dis-leur adieu, Estelle. »

67

Viens contre ma joue

Cette femme nous a vus.

Elle est passée sous la fenêtre de la maison, elle nous a vus, Adrien et moi, debout enlacés dans l'aube froide, ou peut-être nus devant le feu.

« Je ne pouvais dormir, Estelle, je me suis levée et je suis venue dans ton jardin. »

Elle parle notre voisine, elle parle tant.

« *C'est notre voisine, je parle avec elle par-dessus la brèche...* »
« *Il faut une femme solide à un homme, monsieur Helleur...* »
Oh père, que pouvait madame Voisin pour toi ?

Tu lui parlais par-dessus la brèche, et elle te parlait, et tu t'en retournais par le jardin, réconforté pour un moment, tu t'en retournais vers tes dossiers obligés, content que ta maison Helleur ait de bons voisins, qu'il y ait de l'autre côté de votre mur mitoyen des enfants d'ici pour tes enfants de nulle part, et cette femme solide pour tes deux femmes si belles et si folles, et cet homme ratiocineur et colérique, Transports V., qui a été ton compagnon de chaque jour, plus peut-être que ton ami le docteur Minor, oh père ils ont été ton univers et tu étais heureux d'avoir trouvé dans ce coin retiré du pays de France de si bons voisins, qui cautionnaient ton rêve sublime, tu repartais vers ton bureau, apaisé..

Certains jours brumeux, sur la route du cimetière après le tournant, nos deux maisons dressées en haut de la pente semblent n'en faire qu'une, le clocher de la maison Helleur, décalé par l'amalgame des deux toits, paraît étrangement haut, les fenêtres bousculées donnent à la double façade un air fiévreux, c'est la maison Helleur qui est la plus grande, mais l'autre semble la soutenir, et ensemble ainsi elles font une construction fantastique, presque animée... Cela n'arrive que certains jours, à un point précis sur la route du cimetière. Quelques pas plus loin et les deux maisons se séparent, ce ne sont que d'ordinaires maisons de province...

Madame Voisin nous a vus et puis elle a parlé.

Elle est venue par les petites allées du cimetière, essoufflée d'avoir couru le long de la route. C'était encore le matin. Sur l'autoroute au-delà de nos collines, le soleil levant brillait sur la voiture humiliée d'Adrien, un instant il était redevenu l'enfant superstitieux qu'il avait été, à la station-service, plein de rage il avait appelé ses parents, il avait jeté mon récit sur eux, « lâches, criminels » avait-il crié, puis il était resté assis un long moment, regardant le soleil monter, jusqu'à ce qu'enfin la malédiction qu'il sentait en son cœur s'évapore dans la lumière. L'ambulance était venue, il l'avait refusée, et il était reparti dans un véhicule de location, calmé, oublieux, rêvant déjà à une nouvelle et plus éclatante voiture. Il ignorait encore que la blessure à son pied, indolore d'abord puis opérée trop tard, le ferait désormais boiter très légèrement.

Et le récit de ma mère est tombé en cette femme, notre voisine.

« Il faut que je t'explique, Estelle, il faut que tu comprennes, si on avait pu deviner pour toi et Dan, tous ces morts mon Dieu, cela me serre la tête... »

Je n'ai pas voulu de son récit, madame.

Ne croyez pas que je n'aime pas cette femme, elle était notre voisine, inséparable de notre enfance, mais je n'ai pas voulu de son récit.

C'était celui d'une pleureuse de village, essoufflée et larmoyante, et ma mère était une femme d'une force presque indestructible et sans larmes.

Je veux un opéra, madame, et qu'il ne soit pas seulement une célébration pour mes morts, mais une célébration pour tous ceux qui sont venus devant la vie, se sont présentés et ont livré leur combat, en solitude et dignité, leur chétif et magnifique combat, pour tous ceux-là, madame, je veux une célébration.

Ceux qui se sont couverts d'armes et de discours et se sont agités à grand fracas n'ont pas besoin de nous, ils ont les foules délirantes, des corps sanglants par milliers, les pages de l'histoire, les images de la télévision...

Dans le flot de ces images (nous approchons du deuxième millénaire, les images se multiplient, s'enchevêtrent), un catafalque est passé, autour du catafalque il y avait une marée d'êtres humains, ils n'avaient pas l'air d'êtres humains, madame, mais d'insectes agitant leurs milliers de pattes autour de leur mort, le dévorant de leurs pattes avides, ceux-là madame, ces morts-là et leurs nécrophiles n'ont pas besoin de nous.

Ils ne sont pas venus devant la vie, mais devant les hommes, seulement devant les hommes, pour cela tant de fracas. Devant la vie, il n'y a que du silence.

Alors ce sont les autres qu'il nous faut chanter, les morts inconnus, qui sans rodomontade ont répondu à l'injonction de la vie.

Seuls ils sont allés, sans rien d'autre que leur corps fragile et leur histoire infime, ils se sont présentés devant le grand mur obscur.

Il nous faut chanter comme ils ont redressé leur âme, et rassemblé leurs forces et répondu à l'incompréhensible convocation, en leur être minuscule comme ils ont tenu tête et répondu, répondu, répondu... jusqu'à leur inévitable défaite.

Pendant mon temps d'amour j'ai eu un talent, puis mon talent est mort, il est mort avec mon frère, maintenant je n'ai plus rien, que mon corps démuni et mon histoire infime, mes êtres pâles dérivent sur un nuage qui se défait, mais je ne les ai pas abandonnés, je vous livre les scènes qui me hantent et les couleurs qu'elles irradient et les mélodies qui vibrent autour d'elles, vous ne les rejetterez pas, madame, vous ne direz pas « c'est impossible, c'est monstrueux », vous reconnaîtrez le passage de la vie, l'indescriptible sillon de feu et de cendres que fait le passage de la vie et vous ferez un livret, vous ferez la musique, les danses, les chants, vous dresserez un palais pour mon amour, je ne sais qui vous êtes, vous êtes très proche et inconnue, mais je n'ai cessé de vous parler, vous m'avez donné la force...

Quand ma détermination tremblait, quand le monde extérieur déferlait trop fort, quand le récit de madame Voisin dévorait tout autre récit, quand Phil est venu et qu'il m'a fallu devenir Claire pour tenir cet amour, je vous parlais et vous me donniez la force...

Je vous ai parlé presque chaque jour, et je parlais à mon frère mort, à mon père et Tirésia qui avaient tenté de ruser avec le mal et à Nicole la blonde qui voulait danser dans le ciel, mes êtres pâles, mes très aimés, et à d'autres, à peine connus, haïs parfois, j'ai supplié un dieu, celui de Josépha, si pauvre et impuissant en sa divinité, ainsi que tous les autres dieux, et encore je parlais à mon frère et à vous toujours,

à vous madame,

mon interlocutrice,

à vous monsieur tout aussi bien.

Quand vos aimés, vos êtres pâles s'enfoncent dans les territoires de la mort, quand vos doigts passent le long des noms gravés sur la tombe et qu'une voix pleureuse et bienveillante murmure « oublie-les, oublie-les », alors il faut un allié, tous les alliés du monde,

car il est puissant celui qui se tient devant le domaine de la mort.

Mon Major est venu, je n'ai rien pu faire...

Oh docteur Minor, les médecins ne peuvent rien devant lui, mais les vivants ont un pouvoir, ils ont un sanctuaire en eux où peuvent se faire les célébrations, et la mort ne peut détruire tous les corps.

Un sanctuaire en chaque corps de vivant, et si l'opéra que je veux ne se fait pas sur une scène, il se fera en ce sanctuaire, et si ce n'est pas un opéra, ce sera autre chose, chaque corps a ses ressources, je fais confiance madame, il faut seulement porter l'offrande.

Nous n'avons plus de rites, nous ne connaissons plus nos âmes et nous ne savons pas communiquer avec les morts,
    mais il nous faut continuer de célébrer ceux qui ont entendu l'injonction et ont redressé leur être minuscule et ont répondu, répondu...

Maintenant, mon frère, je vais chez Phil, mais avant viens contre ma joue, une fois une dernière fois.
    Ce matin sur le boulevard, un jeune homme comme un tigre souple a traversé la circulation, il étincelait au milieu des corps longs des voitures, puis il a bondi et déboulé, tout juste devant moi, parmi les fleurs, sur le terre-plein du boulevard. Mes seins se tendaient, les pointes de mes seins sur lesquels je t'avais pris après ta naissance. Le jeune homme riait de sa grande détente, la sueur brillait sur son visage radieux, il m'a regardée, Dan, son regard a glissé, ce n'était pas toi mon amour.
    Les panaches du désir caracolent toujours, le soleil en éruption lance des flammes gigantesques, un savant paralysé sonde le début des temps, sur mes mains des taches sont apparues, pas les taches de la maladie qui t'a emporté, mais celles qui viennent très tôt, marquer le chemin de la vieillesse, notre maison Helleur n'est plus, c'était tout mon petit frère et ce n'était rien, les taches sont sur ma main, mon sexe frémit, oh mon frère, je suis prête pour la mort et je suis prête pour la vie.

Je vais chez Phil, je sais qu'il a une enfant, il sait que mon nom n'est pas Claire.
    Notre père nous avait donné Nicole la blonde pour mère, une femme au corps intact et belle comme un ange pour nous porter dans un monde neuf, et moi j'ai voulu donner à Phil une femme transparente et toujours gaie, pour entrer dans un nouvel amour,

finalement je faisais comme notre père, Dan, *c'est tellement au-delà, docteur, tellement au-delà,* notre père ne m'était rien par le sang et je lui ressemble, je prenais son chemin, le chemin qui l'a tué.

Mais l'enfant Liliane ne l'a pas permis. Phil aussi a voulu faire sa tentative contre le temps, et cela m'a touchée, quelque chose en moi enfin a été touché, je vais chez lui maintenant, peut-être mon talent n'est-il pas mort, peut-être reviendra-t-il, l'enfant Liliane aime la musique, elle est très douée, je vais racheter un grand piano à queue, deux pianos ou même trois, car je vais reprendre notre vaste appartement, Dan, et notre vieille maison Helleur, et voyager s'il le faut, je porterai notre opéra partout dans le monde...

Mais avant mon amour viens contre ma joue, une dernière fois rien que pour moi, pour me bercer, notre biche rouge n'était pas au début des temps, n'était qu'un leurre, jeté sur la paroi par un pauvre hère d'aujourd'hui, et peut-être pour s'encourager grommelait-il toujours « petites gangrènes », qu'importe mon amour, lui aussi a livré son combat, berce-moi, berce-moi mon amour...

« *Dans la grotte, je t'ai dit " regarde Estelle, oh ma sœur regarde le dessin sur le mur ".* »

« *La grotte était sèche et ronde, tu faisais tourner la lampe, tu disais " c'est toi, Estelle, c'est toi ".* »

« *Mais si c'est moi, petit frère, où es-tu toi, alors ?* »

« *Je suis au même endroit exactement, les mêmes lignes pour moi, c'est pour cela que tu ne me vois pas.* »

« *Alors nous étions pareils, Dan, mon frère, au début des temps ?* »

« *Si on regarde par ici on voit Estelle, et si on regarde par là, on voit Dan.* »

« *Tu faisais bouger ta lampe et je voyais mes longues jambes et mon air gauche, et tu faisais bouger la lampe et je voyais ton cou de petit garçon et ta vivacité.* »

« *Tu as crié " c'est ton cou, Dan ! ", et j'ai posé la lampe pour mieux voir.* »

« *Nous nous sommes approchés, mais nos ombres grandissaient, elles couvraient le rocher, on ne voyait plus le dessin.* »

« *Alors nous nous sommes pris par la main et nous nous sommes assis devant le rocher.* »

« *Tu as dit " on est au début des temps et au début des temps nous étions déjà là ".* »

« *Alors nous sommes très vieux, Dan ?* »

« *Nous sommes éternels, Estelle.* »

1. à G.

(Lettres / Enfance / Cousins)

2. à New York

à G.

3. à Paris

à G.

4. au monastère

à G.

Composition Bussière
et impression S.E.P.C.
à Saint-Amand (Cher), le 14 janvier 1991.
Dépôt légal : janvier 1991.
Premier dépôt légal : juillet 1990.
Numéro d'imprimeur : 090.
ISBN 2-07-071993-6./Imprimé en France.

51675